El sello **HCBS** identifica los títulos que en su edición
original figuraron en las listas de best-sellers de los
Estados Unidos y que por lo tanto:

- Las ventas se sitúan en un rango de entre 100.000 y
  2.000.000 de ejemplares.

- El presupuesto de publicidad puede llegar hasta $150.000.

- Son seleccionados por un Club del libro para su catálogo.

- Los derechos de autor para la edición de bolsillo pueden
  llegar hasta $2.000.000.

- Se traducen a varios idiomas.

EL LADRON
DE CUERPOS

ANNE RICE

EL LADRON DE CUERPOS

Traducción:
Raquel Albornoz

EDITORIAL ATLANTIDA
BUENOS AIRES

Diseño de tapa: *Mercedes Torralva y*
Carolina Sessa
Diseño de interior: *Claudia Bertucelli*

I.S.B.N. 950-08-1160-X

Para mis padres,
Howard y Katherine O' Brien.
Sus sueños y su coraje
me acompañarán todos mis días.

Sailing to Byzantium
by W. B. Yeats

I

That is no country for old men. The young
In one another's arms, birds in the trees
—Those dying generations— at their song,
The salmon-falls, the mackerel-crowded seas,
Fish, flesh, or fowl, commend all summer long
Whatever is begotten, born, and dies.
Caught in that sensual music all neglect
Monuments of unageing intellect.

II

An aged man is but a paltry thing,
A tattered coat upon a stick, unless
Soul clap its hands and sing, and louder sing
For every tatter in its mortal dress,
Nor is there singing school but studying
Monuments of its own magnificence;
And therefore I have sailed the seas and come
To the holy city of Byzantium.

III

O sages standing in God's holy fire
As in the gold mosaic of a wall,
Come from the holy fire, perne in a gyre,
And be the singing-masters of my soul.
Consume my heart away; sick with desire
And fastened to a dying animal
It knows not what it is; and gather me
Into the artifice of eternity.

IV

Once out of nature I shall never take
My bodily form from any natural thing,
But such a form as Grecian goldsmiths make
Of hammered gold and gold enamelling
To keep a drowsy Emperor awake;
Or set upon a golden bough to sing
To lords and ladies of Byzantium
Of what is past, or passing, or to come.

H abla el vampiro Lestat. Tengo una historia para contarle, acerca de algo que me sucedió.

Todo comenzó en Miami, en el año 1990, y sinceramente desearía iniciar el relato allí. Pero es importante que mencione los sueños que había tenido con anterioridad, ya que juegan un papel importante en la narración. Me refiero a las veces que soñé con una niña vampiro de mente adulta y rostro angelical, y a otra oportunidad en que soñé con David Talbot, mi amigo humano.

Pero también soñé con mi niñez de mortal transcurrida en Francia, con nieves invernales, con el ruinoso y umbrío castillo que tenía mi padre en Auvernia, con el día en que salí a cazar una manada de lobos que merodeaba por nuestra pobre aldea.

Los sueños pueden ser tan reales como los acontecimientos mismos, o al menos eso me pareció después.

Además, cuando empezaron los sueños tenía yo un estado de ánimo melancólico, pues era un vampiro vagabundo que deambulaba por la tierra. A veces iba tan cubierto de polvo, que nadie reparaba en mí. ¿De qué me servía tener una espesa cabellera rubia, ojos azules de mirada intensa, ropas llamativas, una sonrisa irresistible y un cuerpo bien proporcionado, de un metro ochenta y cinco de altura que, pese a sus doscientos años, podía pasar por el de un mortal de veinte? No obstante, yo seguía siendo un hombre de la razón, un hijo del siglo XVIII, siglo en el que realmente viví antes de nacer a las tinieblas.

Pero en las postrimerías de la década de 1980 estaba muy cambiado. Ya no era aquel bisoño y elegante vampiro que fui alguna vez, tan afecto a la clásica capa negra y los encajes de Bruselas, aquel caballero de bastón y guantes blancos que danzaba bajo el farol de gas.

Me había transformado en una especie de dios misterioso gracias al sufrimiento, al triunfo, y a un exceso de sangre de nuestros antepasados vampiros. Poseía facultades que me dejaban perplejo y a veces hasta me asustaban. Esos dones me ponían triste, aunque no siempre sabía por qué.

Por ejemplo, podía levantar una silla en el aire a voluntad y hacer que se desplazara a grandes distancias, mecida por los vientos nocturnos como si fuera un espíritu. Podía producir o destruir materia mediante el poder de mi mente. Podía encender fuego con sólo desearlo. También podía llamar con mi voz preternatural a los inmortales de otros países y continentes y, sin el menor esfuerzo, leer la mente de vampiros y humanos por igual.

Qué bueno, podrá usted decir. Yo lo aborrecía. Sufría sin lugar a dudas, por mis antiguas personalidades: el muchacho mortal, el fantasma recién nacido que en una época se propuso tener talento para la maldad.

Compréndanme: no soy un pragmático. Tengo una conciencia perspicaz y despiadada. Podría haber sido un buen tipo —y quizás a veces lo sea—, pero siempre me consideré hombre de acción. Condolerse es para mí un desperdicio, como lo es el tener miedo. Y lo que usted va a encontrar aquí, apenas termine con este preámbulo, es acción.

No hay que olvidar que los comienzos suelen ser difíciles y casi siempre artificiales. Fue la mejor época. Y la peor también. Además, todas las familias felices no son iguales; eso hasta Tolstoi tiene que haberlo sabido. Yo no consigo empezar con "Había una vez" o "Me arrojaron de un camión al mediodía"; si no, lo haría. Y créame que siempre consigo lo que quiero. Como dijo Nabokov por boca de uno de sus personajes, "el asesino siempre habla con prosa extravagante". ¿Extravagante no podría significar experimental? Desde luego, sé que soy sensual, recargado, voluptuoso; demasiado me lo ha hecho notar ya la crítica.

Lamentablemente, tengo que hacer las cosas a mi manera. Ya voy a llegar al principio —si no hay una contradicción en los términos—; se lo prometo.

Debo explicar aquí que, antes de iniciarse esta aventura, yo estaba padeciendo por los otros inmortales a quienes conocí y amé, porque hacía tiempo que se habían dispersado de nuestro último reducto del siglo XX. Qué disparate pensar que quisiéramos crear un nuevo lugar de reunión. Uno a uno mis compañeros fueron desapareciendo, se perdieron en tiempo y el mundo, lo cual era inevitable.

El vampiro no siente verdadero agrado por los de su especie, pese a su atroz necesidad de amigos inmortales.

Debido a esa necesidad, creé a mis vástagos: a Louis de Pointe du Lac, que se convirtió en mi paciente y a menudo cariñoso compañero del siglo XIX; y con la inadvertida ayuda de él, a Claudia, la bella y condenada niña vampiro. Durante esas noches solitarias

de fines de siglo, Louis fue el único inmortal al que veía con fre-
cuencia. El más humano de todos nosotros, el más perverso.

Nunca me alejaba demasiado de su choza, ubicada en el sector
alto de Nueva Orleáns. Pero aguarde usted; ya llegaré a eso. Louis
tiene un sitio en esta historia.

A propósito: aquí encontrará muy poco sobre los demás. En
realidad, casi nada.

Salvo Claudia, con quien soñaba cada vez más a menudo. Per-
mítame explicar lo de Claudia. Ella había muerto hacía más de un
siglo, pero yo sentía su presencia en todo momento, como si la hubiera
tenido cerca.

Corría el año 1794 cuando convertí a la huerfanita moribunda
en una suculenta vampira, y pasaron sesenta años antes de que se
rebelara contra mí. "Te meteré en el ataúd para siempre, padre."

En ese entonces yo dormía en un cajón, sí. Y aquel intento de
homicidio fue anticuado, puesto que hubo víctimas mortales a las
que se quiso tentar con alcohol para que nublaran mi mente, hubo
cuchillos que desgarraron mi carne blanca y, por fin, creyéndolo
sin vida, abandonaron mi cuerpo en las fétidas aguas de la zona de
pantanos, allende las luces de Nueva Orleáns.

No les dio resultado. Existen muy pocos métodos eficaces para
matar a los que no mueren. El sol, el fuego... Para matarlos, hay
que proponerse la extinción total. Además, tenga en cuenta que soy
el vampiro Lestat.

Claudia sufrió por ese crimen; luego fue ejecutada por un gru-
po de bebedores de sangre que medraban en el corazón mismo de
París, en el infame Teatro de los Vampiros. Yo había violado las
normas al convertir en bebedora de sangre a una niña tan peque-
ña, y es quizá por esa sola razón por la que los monstruos parisienses
pudieron haberla ultimado. Pero también ella violó las normas cuando
trató de destruir a su hacedor, y podríamos decir que ésa fue la
razón lógica que tuvieron para dejarla afuera, a la luz intensa del
día que la redujo a cenizas.

En mi opinión, se trata de un método diabólico para ejecutar a
alguien, porque quienes lo dejan a uno afuera deben regresar de
prisa a sus féretros y ni siquiera pueden ver el sol cuando éste eje-
cuta su siniestra sentencia. Eso fue lo que le hicieron a la exquisita
criatura que yo había moldeado con mi propia sangre vampírica,
la cual, de huerfanita sucia y andrajosa en una ruinosa colonia
española del nuevo mundo, pasó a ser mi amiga, mi discípula, mi
amor, mi musa, mi compañera de correrías. Y sí, mi hija.

Si leyó usted "Entrevista con el vampiro", ya debe de saber todo esto, pues es la versión que da Louis del tiempo en que estuvimos juntos. Louis habla de su amor por ésa nuestra hija, y de cómo quiso vengarse de quienes la eliminaron.

Si leyó usted mis libros autobiográficos, "El vampiro Lestat" *y* "La reina de los condenados", *ya sabe también todo lo que concierne a mí mismo. Conoce nuestra historia, sabe que nacimos hace miles de años y que nos propagamos entregando nuestra sangre misteriosa a los mortales, cuando deseamos arrastrarlos con nosotros por el camino del diablo.*

Pero no es necesario haber leído aquellas obras para comprender ésta. Tampoco hallará aquí los miles de personajes que poblaban "La reina de los condenados". *Ni por un momento la civilización occidental se va a tambalear. Y no habrá revelaciones de arcaicas épocas ni ancianos que confíen enigmas y verdades a medias, o prometan respuestas que de hecho no existen ni han existido jamás.*

No; todo eso ya lo hice antes.

Esta es una historia contemporánea. No se confunda: es un volumen de las Crónicas de Vampiros, pero el primero realmente moderno pues acepta el horroroso absurdo de la existencia desde su comienzo y nos introduce en la mente y el corazón de su héroe —adivine quién es— para ver lo que allí descubre.

Lea este relato, y a medida que vuelva las páginas yo le iré brindando todo lo que necesite saber sobre nosotros. A propósito, ¡son muchas las cosas que suceden! Como ya he dicho, soy hombre de acción —el James Bond de los vampiros, por así decir—, llamado también por diversos inmortales Príncipe Rapaz, Criatura Maldita, Monstruo...

Los demás inmortales aún existen, desde luego: Maharet y Mekare, los mayores de todos, Khayman, de la primera camada, Eric, Santino, Pandora y otros, a quienes denominamos los Hijos de los Milenios. También está Armand, el simpático muchacho de quinientos años de edad que en una época dirigía el Teatro de los Vampiros y, antes de eso, una cueva de chupadores de sangre adoradores del diablo que vivían bajo el cementerio de París: Les Innocents. *Espero que Armand exista siempre.*

Y Gabrielle, mi madre mortal e hija inmortal que sin duda se presentará una de estas noches, quizás antes de que transcurran otros mil años, si tengo suerte.

En cuanto a Marius, mi viejo maestro y mentor, el que conservaba los secretos históricos de nuestra tribu, sigue estando y estará siempre con nosotros. Antes de empezar con este cuento, venía de vez en cuando a verme para implorarme que por favor terminara con mis impiadosos asesinatos, publicados invariablemente en los diarios de los humanos; que por favor dejara de molestar a David Talbot, mi amigo mortal, con tentaciones para que recibiera el Don Misterioso de nuestra sangre. ¿Es que no me daba cuenta de que no convenía crear más seres como nosotros?

Normas, normas y más normas. Siempre terminan hablando de normas. Y a mí me gusta infringirlas, así como a los mortales les gusta arrojar las copas de cristal contra el frente de la chimenea después de un brindis.

Pero basta ya de hablar de los demás... porque este libro es mío del principio al fin.

Quiero explayarme sobre las pesadillas que me atormentaban durante mis vagabundeos.

Con Claudia fue casi una obsesión. Todos los amaneceres, antes de abrir los ojos, la veía a mi lado, oía el murmullo imperioso de su voz. Y a veces me remontaba atrás en los siglos, hasta aquel pequeño hospital de colonia con sus hileras de camitas, donde la huérfana estaba muriendo.

Y ahí estaba el viejo médico, tembloroso y de vientre abultado, levantando el cuerpecito de la niña. Y ese llanto. ¿Quién llora? Claudia no lloraba. Dormía cuando el doctor me la confió, creyendo que yo era su padre mortal. Y qué preciosa aparece en los sueños. ¿Era tan linda en aquel entonces? Por supuesto que sí.

"Arrebatándome de manos mortales como dos monstruos siniestros en una pesadilla de cuento infantil, ¡oh padres ciegos e indolentes!"

Una sola vez soñé con David Talbot.

Soñé que David iba caminando por un bosque de mangles. No era el hombre de setenta y cuatro años que se había hecho amigo mío, el bondadoso erudito que invariablemente rechazaba mi invitación a beber la Sangre Misteriosa y con intrépido ademán apoyaba su mano tibia, frágil, sobre mi pecho frío para demostrar el cariño y la confianza que nos teníamos.

No; el que aparecía era el David Talbot joven, de años atrás, cuando su corazón no latía con tanta prisa. Sin embargo, corría peligro.

Tiger, tiger, burning bright. (*)

¿Es su voz la que murmura esas palabras, o acaso la mía?

Y en la luz manchada se aproxima, sus rayas negras y anaranjadas semejantes a la luz y la sombra mismas, de modo que apenas se lo distingue. Veo su inmensa cabeza, lo suave que es su hocico blanco, erizados sus bigotes largos, delicados. Entonces miro sus ojos amarillos, apenas dos tajos llenos de impía crueldad. ¡David, los colmillos! ¿No le ves los colmillos?

(*) Tiger, tiger, burning bright: verso del poema *Ib, the Tiger*, de William Blake. (Nota de la T.)

15

Pero él es curioso como un niño; mira la enorme lengua rosada del tigre que se posa sobre su garganta y le toca la cadenita de oro que lleva al cuello. ¿El tigre se está comiendo la cadena? ¡Por Dios, David! Los colmillos.

¿Por qué se me seca la voz? ¿Estoy allí, en el bosque de mangles? Vibra mi cuerpo cuando forcejeo para moverme. Mis labios cerrados dejan escapar callados gemidos que agobian hasta la última fibra de mi ser. ¡Cuidado, David!

Luego veo que él está con una rodilla apoyada en el suelo, veo el fusil largo y brillante contra su hombro. Y el gigantesco tigre aún se halla a metros de distancia, avanzando hacia él. Corre y corre hasta que el disparo lo detiene en seco, y se desploma al tiempo que el arma vuelve a disparar, sus ojos amarillos llenos de indignación, sus garras cruzadas cuando se clavan en la tierra blanda con el último suspiro.

Me despierto.

¿Qué significa este sueño? ¿Que mi amigo mortal corre peligro? O simplemente que su reloj biológico se ha detenido. A un hombre de setenta y cuatro años la muerte puede acaecerle en cualquier instante.

¿Alguna vez pienso en David sin asociarlo con la idea de la muerte?

David, ¿dónde estás?

Tris, tras, tres, huelo la sangre de un inglés.

"Quiero que me pidas el Don Misterioso", le dije cuando lo conocí. "Tal vez no te lo dé, pero quiero que me lo pidas."

Nunca me lo pidió. Ahora lo amo. Lo vi poco después del sueño. Tuve que hacerlo. Pero no podía olvidar la pesadilla y quizá más de una vez vino a mi mente durante las horas de luz, en el sueño profundo de esas horas en que estoy frío como la piedra e indefenso bajo el manto literal de las tinieblas.

Bueno, ya hablé de los sueños.

Pero evoque usted una vez más la nieve invernal de Francia, por favor, nieve que se acumula en torno a los muros del castillo; piense en un muchacho joven, mortal, que duerme en su lecho de heno, a la luz de la lumbre, custodiado por sus perros de caza. Tal llegó a ser la imagen de la vida humana que perdí, más verdadera que cualquier recuerdo del teatro parisiense donde antes de la Revolución yo era tan feliz trabajando de actor.

Ahora sí, estamos listos para comenzar. Le propongo que demos vuelta la página.

I

LADRON
DE CUERPOS

1

Miami, ¡la ciudad de los vampiros!

Esto es South Beach al atardecer, en la lujuriosa tibieza del invierno sin invierno, clara, floreciente y empapada en luz eléctrica, mientras la brisa suave sopla desde el mar plácido, cruza por el margen oscuro de arena color crema y va a enfriar las anchas calles lisas, llenas de felices niños mortales.

Simpático desfile de muchachos elegantes que exhiben sus músculos de culturismo con patética vulgaridad, de mujeres jóvenes orgullosas de sus aerodinámicas y aparentemente asexuadas extremidades en medio del imperioso rugir del tránsito y las voces humanas.

Refaccionadas con modernos tonos pastel, viejas posadas de estuco, antaño mediocres refugios de ancianos, exhibían sus nuevos nombres en elegantes letras de neón. Titilaban las velas en las mesas con manteles blancos de los restaurantes a la calle. Enormes y lustrosos automóviles norteamericanos avanzaban lentamente por la avenida, mientras conductores y pasajeros por igual contemplaban el deslumbrante desfile humano de peatones indolentes que aquí y allá bloqueaban la calzada.

En el lejano horizonte, las grandes nubes blancas eran montañas bajo un cielo sin techo, tachonado de estrellas. Ah, siempre me impresionó ese cielo sureño, lleno de luz celeste y un incansable movimiento amodorrado.

Hacia el norte se elevaban las torres de la nueva Miami Beach en todo su esplendor. Al sur y al oeste, los rascacielos deslumbrantes del centro de la ciudad, con sus autopistas elevadas y sus muelles colmados de cruceros. Pequeñas embarcaciones de recreo se desplazaban raudas por las aguas chispeantes de los innumerables canales urbanos.

En los silenciosos e inmaculados jardines de Coral Gables, numerosos faroles iluminaban las magníficas residencias con sus techos de tejas rojas y sus piscinas de resplandeciente luz turquesa. Los fantasmas se paseaban por las habitaciones inmensas y oscuras del Biltmore. Los imponentes árboles de mangle extendían sus ramas primitivas, cubriendo las calles anchas, bien cuidadas.

En Coconut Grove, el turismo internacional que venía de compras se apiñaba en hoteles lujosos y modernos centros comerciales. Había parejas que se abrazaban en los balcones de edificios con paredes de cristal, siluetas que contemplaban las aguas serenas de la bahía. Los autos avanzaban presurosos por las calles congestionadas, pasando frente a palmeras siempre danzantes, a achaparradas mansiones de cemento, engalanadas con buganvillas rojas y moradas tras finos portones de hierro.

Todo eso es Miami, la ciudad del agua, de la velocidad, de las flores tropicales y los cielos anchurosos. Para ir a Miami, y no a ningún otro lugar, es que de tanto en tanto suelo dejar mi hogar de Nueva Orleáns. Hombres y mujeres de diversas naciones y colores residen en los populosos barrios de Miami. Se oye hablar idish, hebreo, las lenguas de España, de Haití, los dialectos y acentos de América Latina, del sur de este país, del remoto norte. Bajo la superficie lustrosa de Miami se percibe una amenaza, una desesperación, una palpitante codicia; el pulso firme de una gran capital, la energía empeñosa, el peligro constante.

Nunca se pone realmente oscuro, en Miami. Nunca reina un silencio verdadero.

Miami es la ciudad perfecta para el vampiro y siempre encuentro en ella algún mortal homicida, algún sórdido bocado de cardenal que me cede una decena de sus propios asesinatos cuando vacío sus bancos de memoria y chupo su sangre.

Pero ésta es la noche de la caza mayor, la celebración no estacional de Pascua luego de una Cuaresma de hambre: saldré a buscar uno de esos espléndidos trofeos humanos cuyo grotesco *modus operandi* ocupa páginas enteras en los archivos computarizados de las dependencias encargadas de vigilar el cumplimiento de las leyes mortales, un ser al que un periodismo reverente ungió en su anonimato con el rimbombante nombre de "El estrangulador de los callejones".

¡Esa clase de asesinos me despiertan un apetito especial!

Qué suerte para mí que semejante celebridad hubiera aparecido en mi ciudad preferida. Qué suerte que hubiera atacado seis veces en esas mismas calles, matador de viejos y achacosos que han llegado en grandes cantidades a pasar sus últimos días en este clima cálido. Oh, habría atravesado un continente entero para morderlo, pero lo tengo aquí, esperándome. A su macabra historia, analizada por no menos de veinte criminólogos y que con toda facilidad yo robé a través de la computadora que tengo en mi reducto de Nueva

Orleáns, he agregado secretamente los elementos fundamentales: su nombre y lugar de residencia mortal. Truco sencillo para un dios tenebroso que puede leer las mentes. Sus propios sueños sangrientos me sirvieron para encontrarlo. Y esta noche será mío el placer de terminar su ilustre carrera en un abrazo cruel, sin una chispa de esclarecimiento moral.

Ah, Miami, lugar ideal para este Drama de la Pasión.

Siempre vuelvo a Miami, del mismo modo que siempre vuelvo a Nueva Orleáns. Y soy el único inmortal que sigue cazando en este glorioso rincón del Jardín Salvaje porque, como ha visto usted, los demás hace ya tiempo que se marcharon del reducto donde nos reuníamos, incapaces de tolerar la compañía unos de otros, y yo la de ellos.

Pero tanto mejor que Miami me quede para mí solo.

En las habitaciones que mantenía en el lujoso hotel Park Central, me paré ante las ventanas que dan al frente, sobre el paseo Ocean, aguzando de tanto en tanto mi oído preternatural para averiguar lo que ocurría en las *suites* vecinas, donde acaudalados turistas disfrutaban de la mejor de las soledades —intimidad total a pasos de la atestada calle—, mis Campos Elíseos del momento, mi Via Veneto.

Mi estrangulador se hallaba casi listo para salir del reino de sus visiones espasmódicas y fragmentarias e internarse por la tierra de la muerte literal. Ah, llegó la hora de vestirme para el hombre de mis sueños.

Revisando el habitual revoltijo de cajas, cajones, maletas y baúles recién abiertos, elegí un traje de pana gris, viejo preferido mío, sobre todo porque la tela es gruesa y tiene un brillo apenas tenue. No muy adecuado para estas noches cálidas, debo reconocer, pero sucede que no siento el frío ni el calor como los humanos. Además, la chaqueta era ceñida, de solapas angostas; con su cintura entallada, se parecía más a un traje de jinete, o mejor aún, a las levitas de antaño. Los inmortales preferimos siempre la ropa anticuada, la que nos trae a la memoria el siglo en que nacimos a las tinieblas. A veces se puede calcular la verdadera edad de un inmortal con sólo observar el corte de sus prendas.

Es mi caso, es también una cuestión de textura. ¡El siglo XVIII fue tan lustroso! Todo tiene que tener un poco de brillo. Y esa hermosa chaqueta combinaba a la perfección con los pantalones angostos de pana lisa. En cuanto a la camisa de seda blanca, la tela era tan suave que se podía hacer un bollo con ella y cabía en la palma de la mano. ¿Por qué habría de usar algo distinto, que roce mi piel indestructible y de tan extraña sensibilidad? Después, las botas, muy

21

parecidas a mis excelentes zapatos de este último tiempo. Tienen las suelas inmaculadas, ya que rara vez se asientan sobre la madre tierra.

El pelo me lo dejé suelto, la habitual cabellera espesa y rubia, con rizos hasta los hombros. ¿Qué aspecto tenía para los mortales? En verdad no lo sé. Escondí mis ojos azules, como de costumbre, tras unas gafas oscuras por miedo a que su brillo pudiera hipnotizar accidentalmente —todo un trastorno—, y calcé mis delicadas manos, con sus reveladoras uñas cristalinas, en los consabidos guantes de suave cuero gris.

Ah, un poco de maquillaje marrón para camuflar la piel. Me lo extendí sobre los pómulos y sobre el trocito de cuello y pecho que asomaba.

Inspeccioné en el espejo el producto terminado. Todavía irresistible. Con razón había tenido tanto éxito en mi breve carrera de cantante de rock. Y como vampiro, siempre fui extraordinario. Tengo que agradecer a los dioses no haberme vuelto invisible en mis paseos, un vagabundo que flota más alto que las nubes, liviano como una ceniza al viento. Cuando pensaba en eso me daban ganas de llorar.

La caza mayor siempre me hacía volver al presente. Había que seguirle el rastro, esperarlo, pescarlo justo en el momento en que estaba por dar muerte a su próxima víctima, y matarlo despacito, con dolor, deleitándome con su maldad, observando por la lente inmunda de su alma a todas sus víctimas anteriores...

Quiero que se me comprenda: en esto no hay nada de noble. No creo que con rescatar a un pobre mortal de semejante malvado pueda salvar mi alma. Demasiadas veces he tronchado vidas, a menos que uno suponga que el poder de una buena acción es infinito. No sé si creo o no en eso. Lo que sí creo es esto: la maldad que hay en un solo asesinato ya es infinita, y mi culpa, al igual que mi belleza, eterna. No puedo ser perdonado, porque no hay nadie que me pueda perdonar todo lo que he hecho.

Sin embargo, me agrada salvar de su destino a esos inocentes. Y me gusta dar muerte a los asesinos porque son mis hermanos, somos de la misma especie. ¿Y por qué no habrían de morir en mis brazos ellos, en vez de algún pobre y bondadoso mortal que nunca hizo daño a nadie? Estas son las reglas de mi juego. Las acato porque yo mismo las establecí. Y me prometí a mí mismo que esta vez no iba a dejar los cadáveres tirados por ahí; trataría de hacer lo que siempre me ordenaron que hiciera. Así y todo... me gustaba dejar las sobras para las autoridades. Y después, cuando volvía a Nueva

Orleáns, me gustaba encender la computadora y leer el informe completo de la autopsia.

De repente me distraje con el sonido de un patrullero que pasaba lentamente por abajo. Los policías iban hablando del asesino por mí elegido, de que pronto iba a atacar de nuevo, sus estrellas están en la posición correcta, la luna a la altura indicada. Casi con seguridad sería en las calles laterales de South Beach, igual que antes. Pero, ¿quién era? ¿Qué se podía hacer para impedírselo?

Las siete de la tarde. Los numeritos verdes del reloj digital así me lo indicaron, aunque yo ya lo sabía, desde luego. Cerré los ojos, incliné un poco la cabeza hacia un costado, preparándome quizá para sentir todos los efectos de esta facultad mía que tanto despreciaba. Primero me llegaron de nuevo los sonidos amplificados, como si dispusiera de un moderno dispositivo tecnológico. Los débiles ronroneos del mundo se convirtieron en un coro del infierno, lleno de lamentos y risas chillonas, lleno de mentiras, de angustia, de súplicas fortuitas. Me tapé las orejas como si con eso pudiera pararlo, hasta que por fin lo logré.

Poco a poco fui distinguiendo las imágenes borrosas y superpuestas de sus pensamientos, que se elevaban como millares de pájaros aleteando y perdiéndose en el firmamento. *¡Quiero a mi asesino! ¡Quiero verlo a él!*

Ahí estaba, en un cuartito mugriento, muy distinto del mío pero a escasos doscientos metros de él, levantándose de la cama. Noté arrugada su ropa ordinaria, y su cara tosca bañada en transpiración. Una mano nerviosa buscó los cigarrillos en el bolsillo de la camisa y luego los dejó, ya olvidados. Se trataba de un hombre robusto, de facciones informes y cierto semblante de preocupación, o de algún oscuro pesar.

No se le ocurrió vestirse de etiqueta para el festín que esperaba con ansias. Y ahora su mente despierta casi había sucumbido bajo la carga de sus sueños horribles y palpitantes. Todo él se estremeció; el pelo negro, grasiento, le cayó sobre la frente, sobre los ojos semejantes a trozos de vidrio negro.

Sin moverme de mi posición en las calladas sombras de mi cuarto, le seguí las huellas. Vi que bajaba una escalera trasera y salía a la luz intensa de la avenida Collins, pasaba frente a polvorientos escaparates y letreros comerciales medio caídos, avanzando siempre hacia el inevitable —y aún no elegido— objeto de su deseo.

¿Y quién podía ser la afortunada dama que anduviera paseando, encaminándose insensata e inexorablemente hacia ese horror en medio de las multitudes monótonas y escasas del anochecer en ese mismo sector deprimente de la ciudad? ¿Llevará en una bolsa un litro de leche y una planta de lechuga? ¿Apurará el paso al ver al homicida a la vuelta de la esquina? ¿Sufrirá añorando la vieja costanera donde quizá viviera tan feliz antes de que los arquitectos y decoradores la obligaran a marcharse a hoteles más lejanos, con grietas y la pintura descascarada?

¿Y qué va a pensar ese asqueroso ángel de la muerte cuando por fin la divise? ¿Será ella quien le traiga a la memoria a la mítica arpía de su niñez, aquella que lo aporreaba hasta dejarlo desmayado y que luego ascendió al panteón de pesadilla de su inconsciente? ¿O acaso es mucho pedir?

Quiero decir que hay asesinos de esa laya que no establecen la menor relación entre símbolo y realidad y no recuerdan nada durante más que unos días. Lo único seguro es que sus víctimas no lo merecen, y que ellos —los asesinos— merecen toparse conmigo.

Ah, pienso arrancarle el corazón sin darle tiempo a que la "liquide", y luego él me dará todo lo que tiene, y lo que es.

Con andar despacioso bajé por la escalera y crucé el elegante hall *art déco*, esplendoroso como foto de revista. Qué agradable era actuar como un mortal, salir al aire fresco. Enfilé por la acera hacia el norte confundiéndome entre los paseantes de la noche; mis ojos recorrían con aire natural los hoteles recién restaurados y sus barcitos.

Al llegar a la esquina, el gentío ya era más numeroso. Frente a un restaurante al aire libre, gigantescas cámaras de televisión enfocaban sus lentes sobre un trozo de acera iluminado por enormes reflectores de hiriente luz blanca. Unos camiones cerraban el tránsito; los autos se detenían. Se había congregado una multitud de jóvenes y viejos apenas fascinados, ya que los equipos de filmación de películas eran un espectáculo habitual en la zona de South Beach.

Esquivé las luces por miedo al efecto que pudieran producir sobre mi rostro tan sensible. Qué no daría por ser uno de esos seres bronceados que huelen a costosas lociones playeras y andan medio desnudos con sus despreciables harapos de algodón... Volví a dar vuelta la esquina y una vez más busqué a mi presa. Lo vi marchar con la mente tan llena de alucinaciones que apenas si podía controlar su andar desgarbado.

No quedaba más tiempo.

Con un pequeño ímpetu de velocidad, me subí a los techos bajos. La brisa era más fuerte, más dulzona. Suave el estruendo de las voces animadas, las aburridas canciones de las radios, el sonido del viento mismo.

En medio del silencio percibí su imagen en los ojos indiferentes de quienes pasaban a su lado; vi las fantasías que, una vez más, se hacía de manos marchitas y marchitos pies, de mejillas consumidas y pechos consumidos. Se estaba rompiendo en él la tenue membrana que separa la fantasía de la realidad.

Aterricé en la acera de la avenida Collins tan de prisa, que di la impresión de aparecer allí y nada más. Pero nadie miraba. Fui el árbol proverbial que cae en el bosque deshabitado.

A los pocos minutos iba caminando cómodamente a pocos pasos de él, tal vez con mi aspecto de joven amenazador, atravesando los grupitos de tipos feroces que cerraban el camino; y, persiguiendo a mi víctima, traspuse las puertas de vidrio de una gigantesca farmacia de gélida refrigeración. Ah, qué placer para el ojo esa caverna de techos bajos, llena de todas las clases imaginables de alimentos conservados, artículos de limpieza y atavíos para el pelo, el noventa por ciento de los cuales no existía en manera alguna en el siglo en que nací.

Me refiero a toallitas higiénicas, gotas para los ojos, horquillas plásticas para el pelo, marcadores de fibra, cremas y ungüentos para aplicar hasta en la última zona del cuerpo, líquido lavaplatos en todos los colores del arco iris y tinturas de tonos nunca antes inventados y difíciles de describir. Me imagino a Luis XVI abriendo una bolsita de ruidoso plástico y encontrándose con una de tales maravillas. ¿Qué habría pensado de los vasitos térmicos de material sintético, de las galletitas de chocolate envueltas en papel celofán, de las lapiceras que nunca se quedan sin tinta?

Bueno, ni yo mismo me he habituado del todo a esos objetos, aunque durante dos siglos he visto con mis propios ojos el proceso de la Revolución Industrial. Puedo pasarme horas fascinado dentro de esos negocios.

Pero en esta oportunidad tenía una presa en la mira, ¿no? Más tarde podía dedicarme a *Time* y *Vogue,* a las computadoras de bolsillo para traducir, a los relojes que siguen marcando la hora aunque uno esté nadando en el mar.

¿Para *qué* había entrado él en ese lugar? Las familias cubanas jóvenes no le agradaban. No obstante, se puso a caminar por los angostos y atestados pasillos sin prestar atención a los cientos de rostros oscuros y acentos españoles que lo rodeaban. Salvo yo, nadie reparaba en él ni en sus ojos de bordes rojos que recorrían los colmados estantes.

Dios mío, era un ser inmundo, toda decencia perdida ya en su locura, la tosca cara y el cuello con marcas de suciedad. ¿Me dará gusto? Diablos, ese tipo no es más que una bolsa de sangre. ¿Para qué arriesgarme sin necesidad? Ya no podía matar a niños ni regodearme con prostitutas de la costanera queriendo autoconvencerme de que todo está bien porque, total, ellas han envenenado a más de un marinero. La conciencia me está matando. Y para alguien que es inmortal, eso puede ser una muerte larga e ignominiosa. Sí, miren a ese tipo sucio, a ese apestoso asesino. Los reclusos de una cárcel consiguen mejor comida que eso.

En ese momento, mientras escrutaba su mente como quien corta y abre un melón, comprendí algo: ¡ese tipo no sabe lo que es! ¡Nunca leyó los titulares de los diarios referidos a él! A tal punto, que no recuerda con discernimiento ciertos episodios de su vida; por lo tanto, no podría a conciencia confesar ciertos crímenes que cometió ¡porque no los recuerda! ¡Tampoco sabe que esta noche va a matar! ¡No sabe lo que yo sé!

Ah, tristeza y dolor. Me había tocado la peor carta, sin duda. ¡Dios santo! ¿En qué habré estado pensando para clavarme justo con ése, siendo que el mundo iluminado por las estrellas está lleno de bestias más astutas y perversas? Me dieron ganas de llorar.

Pero entonces llegó el momento de la provocación. El divisó a la anciana, se fijó en sus arrugados brazos desnudos, en la pequeña giba de su espalda, en sus muslos delgados y temblorosos bajo los pantaloncitos de color pastel. La chillona luz fluorescente permitió ver que la mujer avanzaba con andar pausado, disfrutando del ajetreo de quienes estaban allí, su rostro semioculto bajo una visera de plástico verde, el pelo recogido con horquillas en la nuca.

En su pequeña canasta llevaba una botella de jugo de naranja y un par de chinelas tan blandas que venían dobladas formando un rollito. Con expresión de genuino placer, tomó del estante una novela en edición rústica que ya había leído antes, pero le pasó la mano con ternura, soñando con volver a leerla, algo así como visitar a antiguas amistades. *"A Tree Grows in Brooklyn"*. Sí, a mí también me había encantado.

Hechizado, el sujeto se ubicó tras la mujer, pero tan cerca que ella seguramente debió sentir su aliento en la nuca. Con expresión insulsa, tonta, la observó mientras se acercaba a la caja y extraía unos sucios billetes de dólar del escote flojo de su blusa.

Y ahí salieron los dos; él, con el andar laborioso del perro que sigue a una perra en celo; ella, avanzando sin prisa con su bolso gris, esquivando con torpeza las bandas de jóvenes ruidosos y atrevidos que merodeaban por allí. ¿Va hablando sola? Eso parece. No le leí la mente a la viejita, y ella apura cada vez más el paso. Se la leí a la bestia que la persigue, que es del todo incapaz de apreciarla.

Rostros blanquecinos, enfermizos, pasaban por su mente mientras la iba siguiendo. Anhelaba tirarse sobre esa carne anciana; ansiaba tapar con su mano esa boca vieja.

Cuando ella llegó a su edificio de departamentos, construido al parecer de deteriorada pizarra, como todo lo de ese decrépito sector de la ciudad, y flanqueado por unas palmeras maltrechas, el individuo se detuvo vacilante al tiempo que la miraba cruzar el angosto patio de baldosas y subir los polvorientos escalones de cemento verde. Reparó en el número de su puerta en el instante en que ella le quitaba la llave, o mejor dicho siguió avanzando con andar pesado hasta el sitio mismo; luego volvió a apretarse contra la pared, soñando concretamente con matarla dentro de un dormitorio vacío y sin rasgos particulares, apenas un manchón de luz y color.

¡Oh, mírenlo apoyado contra esa pared como si lo hubieran acuchillado, con la cabeza colgándole a un costado! Imposible interesarse por él. ¡Por qué no lo mataré ya mismo!

Pero los minutos seguían pasando, y la noche perdió su incandescencia crepuscular. Las estrellas se volvieron más brillantes aún. La brisa iba y venía.

Esperemos.

A través de los ojos femeninos vi su sala como si realmente pudiera atravesar pisos y paredes con mi vista: limpia, aunque con muebles viejos de horrible enchapado, vencidos, que poco le importaban. Todo estaba lustrado con un líquido aromático de su preferencia. La luz de neón traspasaba las cortinas de dacron, triste e insípida como el patio de abajo. Pero estaba el resplandor reconfortante de las lámparas pequeñas y bien ubicadas. Eso era lo que le importaba.

En un sillón hamaca de madera noble y horrible tapizado a cuadros escoceses, se sentó; serena, figura diminuta pero señorial, con la novela abierta ya en la mano. Qué placer encontrarse de nuevo con Francie Nolan. Sus rodillas flacas apenas si quedaban ocultas bajo el batón floreado que había sacado del placard, y se había puesto las chinelas azules que parecían medias en sus piececillos deformes. El pelo largo, canoso, lo había peinado en una sola trenza gruesa y elegante.

En la pantalla de su pequeño televisor en blanco y negro, artistas de cine ya muertos discutían sin emitir sonido. Joan Fontaine cree que Cary Grant está por matarla. Y a juzgar por el rostro de Grant, a mí me dio la mismísima impresión. ¿Cómo puede nadie confiar en Cary Grant —me pregunté—, un hombre que parece hecho de madera?

Ella no necesitaba oír las voces pues ya había visto la película unas trece veces, según calculaba. La novela que tenía en la falda la había leído tan sólo dos, por lo cual iba a ser un placer especial volver a tomar contacto con esos párrafos que aún no sabía de memoria.

Desde las sombras del jardín de abajo percibí el concepto que tenía ella de sí misma, cómo se aceptaba sin dramas, sin apegarse al mal gusto que la rodeaba. Sus pocos tesoros cabían en cualquier mueble. El libro y la pantalla iluminada eran más importantes que cualquier otra cosa que poseyera, y bien sabía ella de la espiritualidad que los animaba. Hasta el color de su ropa funcional y sin estilo era algo por lo que no valía la pena preocuparse.

Mi asesino vagabundo estaba al borde de la parálisis, su mente poblada de momentos tan personales que desafiaban toda interpretación.

Di la vuelta al edificio y encontré la escalerita que subía hasta la cocina de la mujer. La cerradura cedió fácilmente cuando se lo ordené, y la puerta se abrió como si yo la hubiera tocado, cosa que no hice.

Sin perder un segundo me introduje en la minúscula habitación con pisos de enchapado plástico. El hedor que salía de la cocinita blanca me resultaba nauseabundo, lo mismo que el olor del jabón en su pegajosa jabonera de cerámica. Pero todo el ambiente me emocionó en el acto. Hermosa vajilla de porcelana china azul y blanca, muy prolijamente ordenada, con los platos a la vista. Oh, los libros de cocina con las puntas dobladas por el uso. Y qué inmaculada la mesa con su hule de amarillo puro, y la hiedra que, en un bol redondo de agua limpia, proyectaba contra el techo un único y trémulo círculo de luz.

Pero lo que llenó mi mente cuando, ahí parado, cerré la puerta empujándola con los dedos, fue notar que ella no temía la muerte mientras leía su novela de Betty Smith echando de tanto en tanto un vistazo a la pantalla. No tenía antena interior con la cual captar la presencia del asesino que, presa de locura, se encontraba en la calle adyacente, ni la del monstruo que en esos momentos deambulaba por su cocina.

Tan absorto estaba el asesino en sus alucinaciones, que no veía a quienes pasaban a su lado. No vio el patrullero policial que rondaba, ni las miradas suspicaces y deliberadamente amenazadoras de los mortales uniformados que sabían de su existencia y que esa noche iba a atacar, pero no su nombre.

Un hilo de saliva le corrió por el mentón sin afeitar. Nada era real para él —la vida que llevaba de día, como tampoco el miedo a que lo descubrieran—; sólo el estremecimiento eléctrico que tales alucinaciones producían en su torso voluminoso, en sus brazos y piernas torpes. De pronto, la mano izquierda le tembló. Además tenía algo en el costado izquierdo de la boca.

¡Cómo lo odié! No quería beber su sangre. No era un asesino con clase. Lo que me enloquecía era la sangre de ella.

Qué pensativa la noté en su callada soledad; qué diminuta, qué satisfecha mientras, con una concentración pura como un haz de luz, leía los párrafos de esa historia que tan bien conocía. Se estaba remontando a la época en que había leído ese libro por primera vez, en un atestado bar de la avenida Lexington, en Nueva York, cuando era una hermosa secretaria de elegante falda roja y camisa blanca con volados y botoncitos de perlas en los puños. Trabajaba en una torre de oficinas, un edificio distinguidísimo, de recargadas puertas de bronce en los ascensores y pisos de mármol amarillo oscuro en los pasillos.

Me dieron ganas de besar sus remembranzas, el recordado sonido de sus tacos altos cuando golpeteaban contra el mármol, la imagen de su tersa pantorrilla bajo la seda de la media en el momento en que se la calzaba con tanto esmero para no correrla con sus largas uñas, pintadas. Por un instante, vi su pelo rojizo. Vi también su sombrero de ala amarilla, extravagante y potencialmente horrible, aunque encantador.

Esa es sangre que vale la pena reservar. Y me moría de hambre como nunca, en estas últimas décadas. Me había costado un enorme esfuerzo mantener ese ayuno cuaresmal fuera de temporada. Dios mío, ¡cómo ansiaba matarla!

Abajo, en la calle, un ruido a borbotón partió de los labios del asesino estúpido, obtuso, y se abrió paso entre el rumoroso torrente de otros ruidos que llegaban a mis oídos vampíricos.

Por último, la bestia se alejó de la pared a los tumbos. En un momento dado, se inclinó y pareció que iba a caer despatarrado, pero luego avanzó lentamente hacia nosotros, cruzó el patiecito y subió la escalera.

¿Voy a permitir que la asuste? No le veo sentido. ¿Acaso no lo tengo en mi mira? Sin embargo, dejé que introdujera su pequeña herramienta de metal en el orificio redondo del picaporte, le di tiempo para forzar la cerradura. La cadena se desprendió de la madera podrida.

Entró en la habitación y clavó en la mujer su mirada inexpresiva. Aterrada, ella se echó hacia atrás en su sillón, al tiempo que el libro se le caía de la falda.

Ah, pero en ese momento él me vio a mí en la puerta de la

cocina, la tenebrosa silueta de un hombre joven vestido de pana gris, con los anteojos levantados, calzados sobre la frente. Yo lo observaba con rostro tan inexpresivo como el suyo. ¿Alcanzó a ver mis ojos iridiscentes, esta piel que parece reluciente marfil y pelo semejante a una sorda explosión de luz blanca?

¿O acaso, desperdiciada toda mi belleza, no fui nada más que un obstáculo entre él y su siniestro objetivo?

Huyó como un tiro. Ya había bajado las escaleras cuando la anciana, profiriendo un grito, se precipitó a cerrar con un golpe la puerta de madera.

Salí a perseguirlo sin preocuparme por tocar tierra firme, pero cuando dio vuelta la esquina dejé que me viera un instante posado bajo un farol de la calle. Tras andar una media cuadra floté hacia él —un borrón para los mortales—, pero no se tomó el trabajo de advertirlo. Entonces me plantifiqué a su lado y oí que lanzaba un gemido en el instante en que echaba a correr.

Seguimos durante varias cuadras con el mismo jueguito. El corría, se detenía, veía que me tenía detrás. El cuerpo le transpiraba. De hecho, la fina tela sintética de su camisa pronto quedó transparente de sudor y se le pegaba a la carne suave y lampiña del pecho.

Por último, llegó a su decrépito hotel y subió a grandes trancos la escalera. Yo me encontraba en la habitación pequeña del piso superior, cuando él entró. Sin darle tiempo a gritar, lo tomé en mis brazos. El hedor de su pelo sucio entró por mi nariz mezclado con el olor ácido de las fibras químicas de la camisa. Pero ya no me importaba. Lo sentía robusto y tibio en mis brazos, un jugoso capón. Su pecho se hinchaba contra mí; el olor de su sangre inundaba mi cerebro. Sentí cómo palpitaba al recorrer ventrículos, válvulas y vasos penosamente estrechados. La lamí en la carne tierna bajo sus ojos.

Su corazón a punto de estallar, latía trabajosamente. Cuidado, con cuidado para no reventarlo. Dejé que mis dientes se clavaran en la piel húmeda de su cuello. Hmmm. Mi hermano, mi pobre hermano atontado. Pero me resultó sabroso, suculento.

La fuente se abrió; la vida de ese hombre era una cloaca. Todas esas ancianas, esos ancianos. Cadáveres que flotaban en la corriente y chocaron unos contra otros sin sentido en el instante en que él quedó fláccido en mis brazos. No fue divertido. Demasiado fácil. Sin sagacidad, sin malevolencia. Tosco como lagarto me pareció ese hombre, tragando mosca tras mosca. Dios santo, conocer esto es conocer la época en que los reptiles gigantes dominaban la tierra y, durante un millón de años, sólo sus ojos amarillos contemplaron la lluvia o el sol naciente.

No importa. Lo solté y él dio unos tumbos en silencio. Yo nadaba en su sangre de mamífero. Bastante buena. Cerré los ojos y dejé que el líquido caliente penetrara en mi intestino, o lo que sea que haya ahora en este cuerpo blanco y fuerte. ¡Tan exquisitamente torpe! Qué fácil levantarlo del revoltijo de diarios, mientras el pocillo volteado chorreaba su café frío sobre la alfombra de polvoriento color.

Le di un sacudón hacia atrás, tironeándolo del cuello de la camisa. Sus ojos grandes y vacíos se pusieron blancos. Luego, ese matón, ese asesino de viejos y débiles, me tiró ciegamente una patada y su zapato rozó mi pantorrilla. Lo levanté, y lo acerqué de nuevo a mi boca hambrienta, le pasé los dedos por el pelo y lo sentí ponerse rígido como si mis colmillos se hubieran hundido en veneno.

Una vez más, la sangre inundó mi cerebro. Sentí cómo electrizaba las venitas de mi cara. La sentí latir hasta dentro de mis dedos, y una picazón caliente me corrió por la columna. Succioné una y otra vez. Criatura pesada, sustanciosa. Luego volví a soltarlo y, cuando se alejó a los tumbos, fui tras él, lo arrastré por el piso, le di vuelta el rostro hacia mí, lo arrojé hacia adelante, dejé que volviera a forcejear.

Me estaba hablando en algo que debía de ser lenguaje pero no lo era. Trató de empujarme, mas ya no podía ver bien. Y por primera vez lo noté imbuido de una trágica dignidad, de una vaga expresión de furia, ciego como estaba. Me sentí embellecido, envuelto en viejos relatos, en recuerdos de estatuas de yeso y santos anónimos. Sus dedos quisieron clavarse en el empeine de mi zapato. Lo levanté y, cuando esta vez le desgarré el cuello, la herida fue demasiado grande. Ya estaba terminado.

La muerte llegó como una trompada en las vísceras. Sentí náuseas un instante y luego, sencillamente, el calor, la abundancia, el brillo puro de la sangre viviente, con esa última vibración de conciencia que latía en todas mis extremidades.

Me desplomé sobre su cama inmunda. No sé cuánto tiempo estuve ahí tendido.

Clavé la mirada en el techo bajo. Después, cuando me rodearon los olores agrios y mohosos de la habitación, más el hedor de su cuerpo, me levanté y salí tambaleándome, una silueta desgarbada como ciertamente había sido él, estupidizándome en esos gestos mortales, en la furia y el odio, en el silencio, porque no quería ser el ingrávido, el alado, el viajero de la noche. Quería ser humano, sentirme humano, y su sangre me recorría entero. Y nada era suficiente. ¡Ni por asomo!

¿Dónde quedaron todas mis promesas? Las palmeras maltrechas se sacuden contra las paredes de estuco.

—Ah, veo que está de vuelta —me dijo ella.

Qué voz profunda, fuerte, sin vacilaciones, tenía. Se hallaba de pie ante el feo sillón hamaca a cuadros, con sus gastados apoyabrazos, observándome tras unos anteojos con marco de metal, sosteniendo aún la novela en su mano. Su boca era pequeña, informe, y dejaba entrever dientes amarillentos, horrible contraste con la misteriosa personalidad de su voz, que no conocía endeblez alguna.

Por el amor de Dios, ¿en qué pensaba al sonreírme? ¿Por qué no se pone a rezar?

—Sabía que iba a venir. —Se quitó las gafas y vi sus ojos vidriosos. ¿Qué estaba viendo? ¿Qué le hacía ver yo? Y yo, que sé manejar a la perfección todos esos elementos, quedé tan desconcertado que me dieron ganas de llorar. —Sí, lo sabía.

—¿Ah, sí? ¿Y cómo lo supo? —susurré al tiempo que me acercaba, disfrutando la estrechez de la pequeña habitación.

Extendí mis brazos con estos dedos monstruosos, demasiado blancos para ser humanos pero fuertes como para arrancarle la cabeza, y tanteé su garganta diminuta. Olor a perfume Chantilly... o algún otro aroma de farmacia.

—Sí —dijo en tono ligero pero decidido—. Lo supe en todo momento.

—Bésame, entonces. Amame.

Qué apasionada era, y qué minúsculos sus hombros, qué espléndidos en ese angostamiento final, flor de tonos amarillentos pero llena de fragancia aún, venas de un azul claro bajo su piel fláccida, párpados perfectamente moldeados a sus ojos cuando los cerró, piel que se deslizaba sobre los huesos de su cráneo.

—Llévame al cielo —dijo. Del corazón, le salió la voz.

—No puedo. Ojalá pudiera —le ronroneaba yo en el oído.

La estreché en mis brazos. Froté la nariz contra el nido suave de su pelo canoso. Sentí en el rostro sus dedos como hojas secas, y un estremecimiento frío me recorrió. Ella también temblaba. ¡Ah, cosita tierna y gastada; ah, criatura reducida a pensamiento y voluntad con un cuerpo insustancial como frágil llama! Sólo un "traguito", Lestat, nada más.

Pero era demasiado tarde y lo supe cuando el primer borbotón chocó contra mi lengua. La estaba desangrando. Seguramente mis gemidos la habían asustado, pero ya no podía oír... Una vez que esto empieza, ellos nunca oyen los sonidos verdaderos.

Perdóname.
¡Oh, querida!
Estábamos cayendo juntos sobre la alfombra, amantes en un parche de flores descoloridas. Vi allí el libro caído, y el dibujo de la tapa, pero todo me pareció irreal. La abracé con mucho cuidado, por miedo a que se quebrara. Pero me sentía como una cáscara vacía. La muerte llegaba de prisa, como si la viejecita misma viniera caminando hacia mí por un pasillo ancho, en algún lugar sumamente particular y elegantísimo de Nueva York; incluso aquí arriba se alcanza a oír el tránsito, y el ruido sordo de alguna puerta que se cierra de golpe en la escalera, al final del pasillo.

—Buenas noches, querido —murmuró ella.

¿Estoy oyendo cosas? ¿Cómo podía aún articular palabras?

Te quiero.

—Yo también te quiero, mi amor.

Ella estaba parada en el vestíbulo. Su pelo era rojizo y sus bonitos rulos le caían hasta los hombros. Sonreía. Sus tacos eran los que habían hecho ese ruido seco y tentador sobre el mármol, pero ahora, mientras los pliegues de su falda de lana aún se movían, sólo había silencio. Me miraba con una expresión muy extraña e inteligente. Levantó un revólver pequeño y me apuntó.

¿Qué diablos haces?

Está muerta. El disparo fue tan fuerte que en un determinado momento no pude oír nada más que un zumbido. Me hallaba tendido en el piso con la mirada inexpresiva clavada en el techo, sintiendo olor a pólvora en un pasillo de Nueva York.

Pero estábamos en Miami. El reloj de la anciana hacía tictac sobre la mesa. Desde el recalentado corazón del televisor me llegó la vocecita de Cary Grant confesándole a Joan Fontaine que la amaba. Y Joan Fontaine se ponía tan contenta... porque antes había creído que pensaba matarla.

Yo también.

SOUTH BEACH. Nuevamente recorrí la franja de neón, sólo que esta vez me alejé de las calles concurridas y llegué hasta la arena, hasta el mar.

Y así seguí hasta que ya no hubo nadie cerca, ni siquiera los que van a pasear a la playa o los nadadores noctámbulos. Sólo la arena, donde la brisa ya había limpiado todas las pisadas del día y el gran mar nocturno color gris, que vomitaba su oleaje inerminable sobre la paciente costa. Qué altos los cielos visibles, cuán llenos de nubes veloces y estrellas lejanas, recatadas.

¿Qué había hecho yo? Había matado a la víctima del asesino; había quitado la vida a la persona que debía salvar. Volví donde ella estaba, me acosté con ella, la tomé, y ella disparó el tiro invisible demasiado tarde.

Y de nuevo me acometía la sed.

Más tarde, la tendí en su cama prolija, sobre el acolchado de nylon; plegué sus brazos y le cerré los ojos.

Dios mío, ayúdame. ¿Dónde están mis santos anónimos? ¿Dónde están los ángeles con sus alas de plumas para transportarme al infierno? Cuando efectivamente vienen, ¿son ellos lo último que uno ve? Cuando nos sumergimos en el lago de fuego, ¿todavía podemos verlos ascender al cielo? ¿Se puede pretender una última visión de sus trompetas de oro, de sus rostros que miran hacia arriba y reflejan el brillo del rostro de Dios?

¿Qué sé yo del cielo?

Largo rato permanecí allí, contemplando el lejano paisaje nocturno de nubes puras; luego, de nuevo las luces de los hoteles flamantes, los destellos de faros de autos.

Parado en la acera remota, un mortal solitario miraba en dirección a mí; pero quizá no advirtió mi presencia, figura minúscula al borde del inmenso mar. A lo mejor sólo miraba hacia el mar tal como lo había hecho yo, como si la costa fuera milagrosa, como si el agua pudiera purificar nuestras almas.

Hubo una época en que el mundo era sólo mar. ¡Cien millones de años, llovió! Pero ahora el cosmos está infestado de monstruos.

Seguía estando allí el mortal solitario que miraba. Y poco a poco fui tomando conciencia de que, desde el otro extremo de la playa vacía y su tenue oscuridad, sus ojos se clavaban con fijeza en los míos. Sí, me miraba.

No lo pensé conscientemente; o sea que lo miraba sólo porque no me tomaba el trabajo de darme vuelta hacia otro lado. Pero luego experimenté una sensación extraña, desconocida hasta ese momento.

Cuando comenzó, sentí un leve vahído, seguido de un hormigueo que me cruzaba el tronco y, luego, las extremidades. Tuve la impresión de que las piernas se me volvían más estrechas, más angostas, que lentamente iban presionando su sustancia interior. De hecho, fue muy vívida la sensación de que las piernas me apretaban y podían terminar saliéndoseme. Y eso me maravilló; le encontré algo en cierto modo fascinante, máxime para un ser tan frío e indiferente a toda sensación como soy yo. Me resultó irresistible, tal como me es irresistible beber sangre, si bien no era algo tan visceral.

Además, no bien lo analicé noté que ya se me había ido.

Me estremecí. ¿Habría sido todo producto de mi imaginación? Seguía contemplando al distante mortal, un pobre tipo que me devolvía la mirada sin sospechar siquiera quién ni qué era yo.

Había una sonrisa en su cara joven, insegura y llena de insensata perplejidad. Y poco a poco fui dándome cuenta de que ya había visto antes ese rostro. Pero me sorprendió advertir que él me reconocía, como también su extraña actitud de expectativa. De pronto levantó la mano derecha y me hizo señas.

Desconcertante.

Pero yo conocía a ese mortal. No, más preciso sería decir que más de una vez lo había vislumbrado. Luego, con total nitidez, me vinieron los únicos recuerdos ciertos.

En Venecia, revoloteando por el borde de la plaza San Marcos, y meses después en Hong Kong, cerca del mercado nocturno. Y en ambas oportunidades yo había reparado expresamente en él porque antes él había reparado en mí. Sí, ahí estaba el mismo cuerpo alto, fornido, el pelo castaño igual de grueso y ondulado.

No era posible. ¿O tendría que decir probable? ¡Porque allí estaba!

Una vez más hizo ademán de saludarme y luego, muy de prisa, torpemente, vino corriendo hacia mí. Se me acercaba cada vez más con su andar desgarbado, mientras yo lo miraba con obstinado asombro.

Le leí la mente. Nada. Trabada por completo. Sólo su rostro sonriente se volvía cada vez más claro, puesto que iba entrando en el resplandor luminoso del mar. El aroma de su pelo y el de su sangre me inundaron. Sí, estaba aterrorizado, y al mismo tiempo con una enorme excitación. Muy tentador me resultó de pronto... otra víctima que casi se arrojaba ella sola en mis brazos.

Brillaban sus grandes ojos pardos. Y qué dientes brillantes, también.

Se detuvo un metro antes de llegar, con el corazón que le latía desordenadamente, y me tendió un sobre grueso y arrugado con su mano temblorosa.

Yo seguí mirándolo sin transmitir nada, ni orgullo herido ni respeto por la increíble hazaña de que me hubiera encontrado ahí, de que tuviera el coraje. Confieso que, a esa altura, ya tenía hambre de nuevo como para alzarlo en el acto y volver a alimentarme sin pensarlo dos veces. Ya no razonaba más. Sólo veía sangre.

Como si se hubiera percatado, como si lo hubiera percibido con toda claridad, se puso tieso, me lanzó una mirada de indignación, arrojó el sobre a mis pies y huyó a los brincos por la arena suelta. Daba la impresión de que las piernas podían caérsele, y de hecho casi se desploma en el momento en que giró sobre sus talones y echó a correr.

La sed se me aplacó un tanto. Tal vez yo no razonaba, pero titubeé, y para eso hace falta pensar. ¿Quién era ese hijo de puta audaz?

Procuré leerle de nuevo la mente, sin éxito. Muy raro, en verdad. Pero hay mortales que se ocultan naturalmente, aunque no tengan la menor sospecha de que pueda haber otro espiándoles los pensamientos.

Siguió corriendo con desesperación, de manera poco agraciada, y desapareció en la penumbra de una calle lateral, siempre alejándose de mí.

Pasaron unos instantes.

Ya no podía captar más su aroma; salvo el del sobre, que había quedado donde él lo tiró.

¿Qué podía significar ese episodio? El sabía con certeza quién era yo, sin lugar a dudas. Lo de Venecia y lo de Hong Kong no había sido coincidencia y me lo demostraba al menos con su repentino temor. Pero tuve que sonreír al pensar en su valentía. Qué increíble, ponerse a seguir a alguien como yo.

¿Se trataba de algún fanático enajenado, que venía a golpear las puertas del templo en la esperanza de que yo le diera la Sangre Misteriosa sólo por compasión o como premio por su temeridad? Todo eso me produjo una repentina sensación de enojo, pero luego ya no me importó.

Al recoger el sobre noté que venía en blanco y sin cerrar. Adentro encontré, aunque parezca mentira, un cuento corto, tal vez recortado de un libro en edición rústica.

Eran varias hojas abrochadas en el ángulo superior izquierdo, y no traían ni una notita personal. El autor del cuento era un ser encantador de nombre Howard P. Lovecraft a quien yo conocía muy bien, escritor de textos sobrenaturales y macabros. Más aún, conocía también el cuento y nunca podría olvidar su título: *"The Thing on the Doorstep"*. Me dieron ganas de reír.

"The Thing on the Doorstep". Sonreí. Sí, recordaba aquella trama ingeniosa, divertida.

Pero, ¿por qué ese extraño mortal me daba semejante cuento? Ridículo. Entonces volví a enojarme, o al menos a enojarme todo lo que me lo permitió la tristeza.

Guardé con gesto distraído el sobre en el bolsillo y me quedé pensando. Sí, el tipo decididamente se había ido. Ya ni siquiera podía recoger una imagen suya tomándola de otra persona.

Ah, qué pena que no hubiera venido a tentarme alguna otra noche en que no tuviera el alma fatigada, en que pudiera haberle demostrado algo de interés, tanto como para poder averiguar qué había detrás de todo eso.

Pero ya tenía la impresión de que habían transcurrido eones desde que él llegó y se fue. La noche estaba vacía, salvo por el rugido de la gran ciudad y el estrépito apagado del mar. Hasta las nubes habían raleado y desaparecido. El cielo parecía infinito e inquietantemente sereno.

Levanté mis ojos hacia las duras estrellas brillantes y dejé que el ruido sordo del oleaje me envolviera. Dirigí una última mirada de desconsuelo en dirección a las luces de Miami, la ciudad que tanto amaba.

Luego me elevé, con la misma sencillez con que ascienden los pensamientos, tan de prisa que ningún mortal pudo haber visto esa figura que subía cada vez más alto, que atravesaba el viento ensordecedor, hasta que la gran extensión de la ciudad fue sólo una galaxia distante que lentamente desapareció de la vista.

Qué frío era ese viento alto que no conoce de estaciones... En mi interior, la sangre ya estaba deglutida como si nunca hubiera existido su dulce tibieza, y pronto manos y cara quedaron enfundados en un frío sólido. Y esa funda se internó bajo mi atuendo frágil hasta cubrir toda mi piel.

Pero no me hacía doler. O digamos que no me causaba demasiado dolor.

Mejor dicho, que anuló toda sensación de comodidad. Era algo lúgubre, deprimente, la ausencia de todo lo que hace valiosa la existencia: las llamaradas de tibieza de fuegos y caricias, de besos y peleas, de amor y ansias de sangre.

Oh, los dioses aztecas tienen que haber sido voraces vampiros, para poder convencer a los pobres diablos humanos de que el universo habría de terminar si no corría sangre. Me imagino a mí mismo dirigiéndolo todo desde uno de esos altares, haciendo chasquear los dedos para que me trajeran otro, y otro más, apretando esos corazones chorreantes de sangre fresca y llevándomelos a los labios como racimos de uvas.

Giré, di vueltas con el viento, descendí uno que otro metro, luego volví a ascender. Jugaba a estirar los brazos, después los dejaba caer a los costados. Me puse boca arriba como un nadador seguro y volví a contemplar las estrellas ciegas e indiferentes.

Utilizando sólo el pensamiento me impulsé hacia el este. La noche aún se extendía sobre la ciudad de Londres, si bien los relojes marcaban ya el inicio del amanecer. Londres.

Había tiempo para despedirme de David Talbot, mi amigo mortal.

Varios meses habían pasado desde nuestro último encuentro en Amsterdam y yo me había marchado con actitud algo grosera, avergonzado por eso y por causarle tantas molestias. Desde entonces, lo espié, pero no lo estorbé. Y sabía que ahora debía ir a verlo cualquiera fuese mi estado de ánimo. Sin lugar a dudas él querría que yo fuera. Era lo que correspondía, lo más adecuado.

Pensé un momento en mi amado Louis. Seguramente se encontraba en su ruinosa casita con jardín de Nueva Orleáns, leyendo a la luz de la luna como hacía siempre, o rindiéndose a una titilante vela si la noche era oscura y nublada. Pero ya era demasiado tarde para despedirme de él... Si algún ser de los nuestros lo podía entender, era Louis, me dije. Aunque quizá lo contrario estuviera más cerca de la verdad...

Hacia Londres me dirigí.

2

Situada en las afueras de Londres, en un inmenso parque de vetustos robles, se encuentra la Casa Matriz de la Talamasca, con sus techos en pendiente y sus jardines cubiertos por una gruesa capa de nieve limpia.

Se trata de un hermoso edificio de cuatro plantas, con ventanales divididos y chimeneas que eternamente despiden hilos de humo hacia la noche.

Es un sitio de bibliotecas y salas con paredes recubiertas por *boiserie,* dormitorios de techos artesonados y comedores silenciosos como los de una orden religiosa; sus integrantes son devotos como sacerdotes y monjas y pueden leerle a uno la mente, ver su aura, predecirle el futuro en la palma de la mano y conjeturar quién fue uno en vidas pasadas.

¿Brujos? Bueno, algunos quizá lo sean, pero en general son simples eruditos que dedicaron su vida a estudiar lo oculto en todas sus manifestaciones. Algunos saben más que otros. Algunos creen más que otros. Por ejemplo, hay miembros de esta Casa Matriz —y de otras, ubicadas en Amsterdam, en Roma o en las profundidades de los pantanos de Luisiana— que investigaron a vampiros y lobizones, que padecieron las facultades telequinésicas potencialmente mortíferas de ciertos mortales que saben originar incendios o causar la muerte, que hablaron con fantasmas y recibieron respuestas de ellos, que lucharon contra entes invisibles y ganaron... o perdieron.

La orden perdura desde hace más de mil años. En realidad es más antigua, pero sus orígenes están velados por el misterio. O, para ser más concretos, David no me los quiere contar.

¿De dónde saca el dinero la Talamasca? Hay en sus bóvedas una asombrosa cantidad de oro y joyas. Sus inversiones en los grandes bancos europeos son legendarias. Posee propiedades en todas las ciudades donde está radicada, que alcanzarían para mantenerse aunque no dispusiera de ningún otro bien. Y, por último, están los diversos tesoros de archivo —cuadros, estatuas, tapices, muebles y ornamentos antiguos—, todos ellos adquiridos en relación con distintos casos misteriosos y a los cuales no asigna valor monetario alguno, ya que su valor histórico excede con creces cualquier tasación que se pudiera realizar.

La biblioteca sola vale un Perú en cualquier moneda terrenal. Hay allí manuscritos en todos los idiomas, algunos provenientes de la famosa biblioteca de Alejandría incendiada siglos atrás, y otros de las bibliotecas de los mártires cátaros, cuya cultura se extinguió. Hay textos del antiguo Egipto, y con tal de poder echarles un vistazo, hay arqueólogos que estarían dispuestos a cometer un asesinato. Hay textos escritos por seres sobrenaturales de varias especies conocidas, incluso vampiros. Hay en esos archivos cartas y documentos redactados por mí.

Ninguno de esos tesoros me interesa ni me interesó jamás. Oh, en mis épocas más festivas he jugado con la idea de entrar por la fuerza en esas criptas y recuperar varias reliquias, antes pertenecientes a inmortales que amé. Sé que esos eruditos conservan en sus colecciones objetos que yo mismo abandoné: todo lo que había en ciertas habitaciones de París casi a fines del último siglo, los libros y el mobiliario de mi vieja casa de la arbolada calle de Barrio Jardín, debajo de la cual dormí durante décadas sin prestar atención a quienes caminaban arriba, por los pisos podridos. Sólo Dios sabe qué más han rescatado de las fauces del tiempo, que todo lo consume.

Pero ya no me interesaban esas cosas. Por mí, que se quedaran con todo lo que habían salvado.

Lo que me interesaba era David, el Superior General, que se hizo amigo mío desde la noche en que, sin la menor cortesía, entré impulsivamente por la ventana de sus aposentos, en un cuarto piso.

Qué valiente y sereno estuvo. Y cómo me gustaba mirar a ese hombre alto, su rostro surcado por arrugas, su pelo de un gris acerado. Me pregunté si un hombre joven podría alguna vez poseer tal belleza. Pero el hecho de que me conociera... que supiese lo que yo era, ése fue el mayor encanto que le encontré.

Qué pasaría si te convirtiera en uno de los nuestros. Sabes que podría hacerlo...

Nunca vaciló en su convicción. "Jamás; ni en mi lecho de muerte aceptaré", dijo. Pero le fascinaba mi mera presencia, cosa que no podía ocultar, si bien logró ocultarme sus pensamientos desde esa primera vez.

Tanto es así, que su mente se convirtió en una especie de caja fuerte cuya llave se ha perdido. Por eso me quedé sólo con su expresión facial, radiante y afectuosa, y con su voz suave, culta, capaz de convencer al diablo de que se portara bien.

Era ya el amanecer y, cuando iba llegando a la Casa Matriz en medio de la nieve del invierno inglés, me dirigí a las conocidas ventanas de David; pero encontré las habitaciones vacías.

Rememoré nuestro último encuentro. ¿Se habría ido de nuevo a Amsterdam?

Ese último viaje había sido inesperado, al menos de eso me enteré cuando vine a inquirir por él, antes de que sus astutos compañeros parapsicólogos notaran que yo los espiaba telepáticamente —cosa que hacen con notable eficiencia— y a toda prisa cerraran sus mentes.

Al parecer, una diligencia muy importante había requerido la presencia de David en Holanda.

La Casa Matriz holandesa era más antigua que la de Londres y sólo el Superior General tenía llave para acceder a algunas de sus bóvedas. A David se le encomendó que localizara un retrato pintado por Rembrandt —uno de los tesoros más valiosos en poder de la orden—, lo hiciera copiar y enviara la copia a su amigo íntimo Aaron Lightner, quien la necesitaba para una importantísima investigación paranormal que se estaba llevando a cabo en los Estados Unidos.

Yo había seguido a David hasta Amsterdam y allí lo espié, prometiéndome para mis adentros no molestarlo, como tantas veces había hecho.

Permítaseme relatar ahora esa anécdota.

Cuando, al anochecer, salió a caminar con paso ágil, lo seguí desde una distancia prudencial, disfrazando mis pensamientos con la misma habilidad con que él siempre disfrazaba los suyos. Qué imponente su figura bajo los olmos que flanqueaban el canal Singel cada vez que se detenía para admirar las viejas casas holandesas, angostas, de cuatro pisos, con sus altos gabletes y sus ventanas donde no se ponían cortinas, supuestamente para el placer de los paseantes.

Casi en el acto, detecté un cambio en él. Llevaba como siempre su bastón, aunque era evidente que todavía no lo necesitaba, y con él se daba golpecitos en el hombro. Pero lo noté caviloso; vi en él una profunda insatisfacción. Y siguió caminando hora tras hora, como si el tiempo no tuviera la menor importancia.

Pronto comprendí que iba sumido en sus recuerdos, y de tanto en tanto me las ingeniaba para captar alguna imagen mordaz de su juventud en los trópicos, incluso fogonazos de una jungla lujuriante, tan distinta de esa fría ciudad septentrional donde seguramente nunca hacía calor. Yo aún no había tenido el sueño del tigre. No sabía lo que significaba.

Fue exasperante por lo fragmentario. La capacidad de David de mantener ocultos sus pensamientos era sencillamente extraordinaria.

Sin embargo, siguió caminando, por momentos como si alguien lo impulsara, y yo lo seguí, sintiéndome extrañamente reconfortado con sólo verlo unas cuadras delante de mí.

De no haber sido por las bicicletas que a cada momento pasaban zumbando a su lado, habría parecido un hombre joven. Pero las bicicletas lo sobresaltaban y tenía el típico miedo de los viejos de que alguien los golpee y los haga caer. Miraba con enojo a los jóvenes ciclistas y luego volvía a abstraerse en sus pensamientos.

Regresaba a la Casa Matriz inevitablemente cuando ya casi había amanecido. Y luego, con toda seguridad se echaría a dormir la mayor parte del día.

Otra noche, David ya estaba caminando cuando me puse a la par de él, y una vez más parecía no tener destino fijo. Paseaba por las calles adoquinadas de Amsterdam mostrando el mismo placer que le producía Venecia; y con razón, porque ambas, ciudades densas y de tonos oscuros, han mantenido un encanto similar pese a sus notables diferencias. El hecho de que la una fuera católica, exuberante y plena de una simpática decadencia, y la otra protestante y por ende limpia y eficiente, de vez en cuando me arrancaba una sonrisa.

A la noche siguiente volvió a salir; iba silbando solo mientras cubría los kilómetros a paso vivo y pronto me di cuenta de que estaba esquivando la Casa Matriz. Más aún, parecía ir esquivando todo, y cuando, por casualidad, un viejo amigo suyo —también inglés y miembro de la orden— se encontró inesperadamente con él cerca de una librería, fue evidente, por la conversación, que David venía comportándose de manera extraña desde hacía tiempo.

Los británicos son muy corteses para comentar y diagnosticar esas cuestiones. Pero lo que deduje luego de oír semejante despliegue de diplomacia fue que David estaba descuidando sus tareas de Superior General. Se pasaba el día entero fuera de la Casa Matriz; se le recriminaba que, estando en Inglaterra, fuera cada vez más a menudo a su hogar ancestral ubicado en los Cotswolds. ¿Qué sucedía?

David restó importancia a esas insinuaciones, como si no le interesara la conversación. Hizo una breve alusión a que la Talamasca podía gobernarse sola durante un siglo, que no necesitaba de un Superior General dado lo muy disciplinados, tradicionalistas y abnegados que eran sus integrantes, y luego partió a recorrer la librería, donde adquirió una traducción al inglés del *"Fausto"* de Goethe. Después cenó solo en un pequeño restaurante indonesio, pero puso el libro parado ante sus ojos y fue leyendo las páginas a medida que consumía su sabroso banquete.

Al verlo ocupado con el cuchillo y el tenedor, yo volví a la librería y compré un ejemplar del mismo título. ¡Qué obra tan extraña!

No puedo decir que la haya entendido, ni que sepa por qué la estaba leyendo David. De hecho, me daba miedo que la razón pudiera ser obvia y quizá por eso rechacé la idea en el acto.

Sin embargo, me gustó; sobre todo el final, por supuesto, cuando Fausto se va al cielo. No creo que haya ocurrido eso en las leyendas más antiguas. Fausto siempre se iba al infierno. Yo se lo atribuyo al optimismo romántico de Goethe y al hecho de que hubiera sido tan viejo cuando escribió el final. El trabajo de los muy ancianos siempre es vigoroso y fascinante, extremadamente digno de ser analizado, tanto más porque muchos artistas pierden su fibra creativa antes de llegar a la senectud.

Al amanecer, cuando David desaparecía dentro de la Casa Matriz, yo deambulaba solo por la ciudad. Quería conocerla porque él la conocía, porque Amsterdam era parte de su vida.

Recorrí el inmenso *Rijksmuseum*, contemplé los cuadros de Rembrandt, pintor que siempre me encantó. Me introduje como un ladrón en la casa de Rembrandt de la calle Jodenbree, convertida ahora en un pequeño mausoleo abierto al público durante el día, y caminé por las callecitas angostas de la ciudad sintiendo el resplandor de antiguas épocas. Amsterdam es un lugar cautivante, poblado de gente joven proveniente de toda la nueva Europa homogeneizada, una ciudad que nunca duerme.

Es probable que, de no ser por David, nunca hubiera ido allí. Esa ciudad nunca había gozado de mis preferencias. Ahora, en cambio, me resultaba agradable, ideal para vampiros a causa de sus nutridas muchedumbres nocturnas, pero, desde luego, era a David a quien quería ver. Comprendí que no podía irme sin cambiar al menos unas palabras con él.

Por último, al cabo de una semana de mi arribo lo encontré en el vacío *Rijksmuseum* poco después del anochecer, sentado en un banco frente al gran cuadro de los *Síndicos de la corporación de los pañeros de Amsterdam.*

¿Sabía de alguna manera David que yo habría de estar ahí? Imposible; sin embargo, ahí estaba.

Y por la conversación que mantuvo con el guardia —que en ese momento se despedía de él— era evidente que su venerable orden de retrógrados entremetidos había colaborado con las artes en gran medida, en las diversas ciudades donde se asentaban. Por eso les resultaba fácil entrar en los museos a contemplar sus tesoros cuando el ingreso al público no estaba permitido.

¡Y pensar que yo tenía que entrar en esos lugares como un malviviente!

Cuando llegué adonde estaba mi amigo, reinaba un silencio total en las salas de mármol de altos techos. Lo vi sentado en un banco largo de madera, sosteniendo con aire indiferente el ejemplar del *Fausto,* ya con las puntas muy dobladas y lleno de señaladores.

Tenía la mirada clavada en el cuadro, ese donde aparecen varios holandeses característicos que, reunidos ante una mesa, tratan sin duda sus asuntos comerciales y, al mismo tiempo, observan serenamente al espectador bajo el ala ancha de sus grandes sombreros negros. Esto que digo no es en absoluto el efecto total del cuadro. Los rostros son de una gran belleza, llenos de sabiduría, bondad y una paciencia casi angelical. Casi podría decir que esos personajes se parecen más a ángeles que a hombres del común.

Dan la impresión de poseer un gran secreto, y que si todo el mundo lo supiera, no habría más guerras ni maldad sobre la tierra. ¿Cómo fue que esas personas se hicieron miembros de la corporación de pañeros de Amsterdam en los años 1600? Pero me estoy adelantando en el relato...

Cuando lentamente salí de las sombras y me acerqué a él, David dio un respingo. Me senté en el banco, a su lado.

Mi atuendo era el de un vagabundo, porque en realidad no tenía alojamiento en Amsterdam y el viento me había despeinado.

Me quedé muy quieto largo rato, abriendo mi mente con un acto de voluntad semejante a un suspiro humano, y traté de hacerle saber cuánto me preocupaba su bienestar y cómo, por su propio bien, había tratado de dejarlo en paz.

El corazón le latía de prisa. Su rostro, cuando me volví para mirarlo, en el acto se llenó de bondad.

Extendió la mano derecha y me tomó el brazo.

—Me alegro mucho de verte, como siempre.

—Oh, pero te he hecho daño. Sé que es así. —No quería decirle que lo había seguido, que había escuchado la conversación con su compañero, ni tampoco mencionar lo que había visto con mis propios ojos.

Juré no atormentarlo más con mi eterna pregunta. Y sin embargo, vi la muerte cuando lo miré, quizá más aún a causa de su inteligencia y su jovialidad, a la fuerza de sus ojos.

Me dirigió una larga, pensativa mirada; acto seguido retiró su mano y sus ojos volvieron a posarse en el cuadro.

—¿Existen vampiros con esas caras? —preguntó, al tiempo que señalaba con un gesto a los hombres que nos observaban desde la tela—. Me refiero a la sabiduría y la comprensión que se advierte en esos rostros, algo más indicativo de inmortalidad que un cuerpo preternatural anatómicamente dependiente de la posibilidad de beber sangre humana.

—¿Vampiros con esas caras? —repetí—. David, no seas injusto. Ni siquiera *hay hombres* con tales caras. Jamás los hubo. Fíjate en cualquiera de las obras de Rembrandt. Es un absurdo suponer que puedan haber existido personas así, y más aún que Amsterdam haya estado lleno de ellas en esa época, que todo hombre o mujer con que se topaba fuera un ángel. No; esos rostros son los del propio Rembrandt; y Rembrandt, por supuesto, es inmortal.

David sonrió.

—No es verdad lo que dices. Y qué soledad extrema emana de tu persona. ¿No comprendes que no puedo aceptar tu don? Y si lo aceptara, ¿qué pensarías de mí? ¿Seguirías anhelando mi compañía? ¿Anhelaría yo la tuya?

Casi no oí esas últimas palabras. Estaba mirando el cuadro, esos hombres que realmente parecían ángeles. Me invadió un enojo sordo y no quise quedarme más ahí. Yo había jurado solemnemente no atacarlo y, a pesar de ello, él se había defendido de mí. No, no debí haber ido.

Espiarlo sí, pero no quedarme más de lo debido. Y una vez más hice ademán de irme.

Eso lo enfureció. Oí retumbar su voz en el amplio espacio vacío.

—¡No es justo que te marches de esta manera! ¡Es decididamente grosero que lo hagas! ¿Es que no tienes honor? ¿Y además del honor has perdido los modales? —De pronto se interrumpió, porque yo no estaba cerca —fue como si me hubiese evaporado—, y quedó hablando solo, en voz alta, en el museo inmenso y frío.

Sentí vergüenza, pero me había ofendido mucho, aunque no sé bien por qué. ¿Qué le había hecho a ese ser? ¡Cómo me regañaría Marius por eso!

Deambulé por Amsterdam durante horas. Hurté papel de escribir grueso, del tipo pergamino, que es el que más me gusta, y una lapicera automática de punta fina, de ésas que arrojan tinta todo el tiempo; después busqué, en el antiguo barrio de prostitutas y jóvenes drogados, una taberna ruidosa y siniestra donde poder escribir una carta a David, un lugar donde nadie repararía en mí siempre y cuando conservara un jarro de cerveza a mi lado.

No sabía lo que iba a ponerle; lo único que quería era pedirle perdón por mi conducta y decirle que algo había afectado mi alma al contemplar el cuadro de Rembrandt; por eso, en un estilo presuroso, compulsivo, escribí esta suerte de narración:

Tienes razón. Te abandoné de manera despreciable. Peor aún, cobarde. Te prometo que, cuando volvamos a encontrarnos, te dejaré decir todo lo que quieras.

Tengo una teoría propia sobre Rembrandt. He pasado largas horas estudiando los cuadros suyos que hay en varias partes —en Amsterdam, Chicago, Nueva York o dondequiera que encuentre uno— y creo haberte dicho que no pueden haber existido tantas almas buenas como las obras de Rembrandt nos quieren hacer creer.

Esta es mi teoría y, cuando la leas, por favor ten presente que da cabida a todos los elementos involucrados. Y esta característica de darles cabida solía ser la medida de la elegancia de una teoría... antes de que la palabra "ciencia" adquiriera el significado que tiene hoy.

Creo que, de joven, Rembrandt vendió su alma al diablo. Fue un acuerdo sencillo. El diablo le prometió convertirlo en el pintor más famoso de su época, y le envió hordas de mortales para sus cuadros. Le concedió fortuna, le dio una hermosa casa en Amsterdam, una mujer y luego una amante, porque sabía que a la larga se iba a quedar con el alma del pintor.

Pero el encuentro con el diablo cambió a Rembrandt. Después de ver pruebas tan innegables de la existencia del mal, se obsesionó con la pregunta: "¿Qué es el bien?". Rastreó en el semblante de sus sujetos su divinidad interior y, azorado, creyó ver la chispa de esa divinidad en los hombres más indignos.

Fue tal su destreza —compréndeme, por favor, que la destreza no la obtuvo del diablo sino que la tenía de antes—, que no sólo vio esa bondad sino que pudo pintarla; pudo dejar que su conocimiento de ella, su fe en ella, afluyera en toda su obra.

Con cada retrato que hacía, iba penetrando más y más hondo en la gracia y bondad del ser humano. Comprendió la capacidad de compasión y sabiduría que habita en toda alma. A medida que continuaba, su destreza iba en aumento; el fogonazo del infinito se volvió cada vez más sutil; su índole, más particular; y más grandiosa, serena y magnífica cada una de sus obras.

Ninguno de los rostros que pintó eran de carne y hueso. Eran semblantes espirituales, retratos de lo que hay dentro del cuerpo del hombre o la mujer; visiones de lo que era esa persona en su momento más sublime, en qué estaba destinada a convertirse.

Por eso es que los comerciantes de la Corporación de los Pañeros se asemejan a los santos más antiguos y sabios de Dios.

Pero en ningún lado se nota tan a las claras esa profundidad espiritual como en sus autorretratos. Y sin duda has de saber que de ellos nos dejó alrededor de ciento veinte.

¿Por qué supones que pintó tantos? Fueron su plegaria a Dios para que reparara en el avance de ese hombre que, por haber observado atentamente a otros como él, había sufrido una transformación religiosa total. "Esta es mi visión", le decía a Dios.

Hacia el final de la vida del pintor, el diablo empezó a sospechar. No quería que su esbirro creara obras tan magníficas, tan llenas de amor y bondad. El creía que los holandeses eran personas materialistas y, por ende, mundanas. Pero en esos cuadros llenos de espléndidos atuendos y costosas pertenencias brillaba la prueba innegable de que el ser humano es completamente distinto de cualquier otro animal del cosmos, que es una mezcla preciada de carne y fuego inmortal.

Bueno, Rembrandt sufrió todos los ultrajes que le envió el diablo. Perdió su hermosa casa. Perdió a su amante y, al final, perdió incluso a su hijo. No obstante, siguió pintando sin cesar, sin el menor rastro de amargura o perversidad; y nunca dejó de poner amor en sus obras.

Por último, cuando estaba en su lecho de muerte, el diablo revoloteaba feliz a su alrededor, listo para apoderarse del alma de Rembrandt. Pero ángeles y santos imploraron a Dios que interviniera.

"¿Quién en el mundo sabe de bondad más que él?", preguntaron, señalando al pintor moribundo. "¿Quién ha mostrado más que este artista? Cuando queremos ver lo divino que hay en el hombre, miramos sus cuadros."

Entonces Dios quebró el pacto entre Rembrandt y el diablo. Se llevó para sí el alma del pintor, y el demonio, al que no hacía mucho tiempo Fausto había engañado de igual manera, enloqueció de indignación.

Bueno, entonces enterraría la vida de Rembrandt en la oscuridad. Se encargaría de que todas sus pertenencias y constancias escritas fueran devoradas por el flujo del tiempo. Y por supuesto, es por eso que no sabemos casi nada sobre la verdadera vida del artista, ni qué clase de persona era.

Pero el diablo no pudo decidir la suerte de los cuadros. Por más que lo intentó, no logró que la gente los quemara, que los arrojara a la basura o los hiciera a un lado demostrando preferencia por pintores más nuevos y de moda. De hecho, ocurrió algo curioso: Rembrandt se convirtió en el más admirado, el mejor pintor de todos los tiempos.

Esta es mi teoría sobre él y esos rostros.

Ahora bien: si yo fuera mortal, escribiría una novela sobre Rembrandt centrándola en este tema. Pero no soy mortal. No puedo salvar mi alma mediante obras de arte ni obras de bien. Soy una criatura semejante al demonio, con una diferencia: ¡a mí me encantan los cuadros de Rembrandt!

Sin embargo, me parte el alma mirarlos. Me entristeció mucho verte ahí, en el museo. Y tenías toda la razón en pensar que no hay vampiros con rostros como los santos de la Corporación de los Pañeros.

Por eso te abandoné tan descortesmente. No fue por furia demoníaca; sólo fue por pesar.

Una vez más te prometo que, cuando volvamos a encontrarnos, te dejaré decir todo lo que quieras.

Anoté al pie de la carta el número de mi agente de París junto con el domicilio postal, como hacía siempre que le escribía a David, pero él nunca me contestó.

Luego inicié una especie de peregrinaje con el propósito de volver a ver las obras de Rembrandt en las grandes colecciones mundiales. No vi en mis viajes nada que me quitara mi convencimiento acerca de la bondad del pintor. La peregrinación resultó mas bien una penitencia, porque me aferré a mi idea sobre Rembrandt. Pero también renovó mi intención de no molestar a David nunca más.

Después tuve el sueño. *Tigre, tigre*... David en peligro. Desperté sobresaltado en mi sillón, en la pequeña choza de Louis... como si una mano me hubiera sacudido a manera de advertencia.

En Inglaterra, la noche casi había terminado. Tenía que apresurarme. Pero por fin encontré a David en una pequeña taberna de un pueblito de los Cotswolds, a la que sólo se puede acceder por un camino angosto y peligroso.

Leyendo la mente de quienes lo rodeaban, muy pronto me enteré de que era su pueblo natal, próximo a su antigua heredad, una aldea diminuta con edificación del siglo XVI y una taberna que en la actualidad dependía de la veleidad de los turistas. David la había restaurado de su propio bolsillo visitándola cada vez más a menudo para escapar de la vida en Londres.

¡Un lugar decididamente misterioso!

Sin embargo, lo único que hacía David era beber sin mesura su amado whisky escocés y dibujar en servilletitas la figura del diablo. ¿Mefistófeles con su laúd? ¿Satanás con cuernos bailando a la luz de la luna? Seguramente lo que percibí a la distancia fue su abatimiento, o más bien la inquietud de quienes lo observaban. Lo que yo había captado era la imagen de él en la mente de los otros.

Sentí deseos de hablarle pero no me atreví por miedo a armar demasiado revuelo en la taberna, donde el preocupado propietario y sus dos robustos sobrinos permanecían despiertos, fumando sus olorosas pipas, sólo como homenaje a la presencia augusta del lord local, ¡que se estaba emborrachando como un beduino!

Me quedé más o menos una hora espiando por la ventanita. Después me fui.

Ahora, transcurridos muchos, muchos meses, mientras caía la nieve sobre Londres, mientras caía en callados copos sobre la fachada de la Casa Matriz de la Talamasca, lo busqué, sumido en un estado de embotamiento, pensando que si a alguien en el mundo tenía que ver, era él. Espié la mente de todos los miembros, los dormidos y los despiertos. Los despabilé. Los oí prestar atención con la misma claridad que, si al levantarse de la cama, hubiesen encendido la luz.

Pero pude averiguar lo que quería antes de que cerraran sus mentes.

David se había marchado a la finca de su heredad en los Cotswolds, que quedaba próxima a ese pueblo raro y su extraña taberna.

Bueno, podía ubicar la casa, ¿no? Hacia allí partí en su busca.

La nieve caía más copiosa mientras me desplazaba a ras del suelo, con frío, enojado, borrado ya todo recuerdo de la sangre que había bebido.

Otros sueños acudieron a mi mente, como suele ocurrirme en los inviernos rigurosos: las nieves duras, miserables, de mi infancia humana, las heladas habitaciones de piedra del castillo paterno, el fuego tenue, mis grandes mastines que roncaban a mi lado en la parva de heno, dándome abrigo y calor.

A esos perros se los había asesinado durante mi última cacería de lobos.

No me gustaba recordarla, pero siempre era placentero pensar que estaba nuevamente ahí —con el aroma puro del fuego suave y de esos poderosos perros tumbados contra mí, y que yo estaba vivo, ¡verdaderamente vivo!— y que la cacería nunca había tenido lugar. Yo nunca había ido a París, nunca seduje a Magnus, ese vampiro poderoso y demente. La pequeña habitación de piedra se hallaba impregnada del agradable olor de los perros y ahora podía dormir al lado de ellos y sentirme seguro.

Por último, me aproximé a una pequeña mansión isabelina, una bellísima construcción de piedra con techos de mucha caída, gabletes angostos y ventanas empotradas de gruesos vidrios, mucho más reducida que la Casa Matriz aunque grandiosa en su escala.

Sólo algunas ventanas se encontraban iluminadas, y al acercarme vi que se trataba de la biblioteca y que allí estaba David, sentado junto a un fuego chisporroteante.

Tenía en la mano su consabido diario íntimo encuadernado en cuero, y estaba escribiendo muy de prisa con una lapicera. No reparaba en absoluto en que alguien lo observaba. De vez en cuando consultaba otro libro forrado en cuero que había a un lado, sobre una mesita. Me resultó fácil darme cuenta de que era la Biblia cristiana, con sus dobles columnas de letras menudas y sus páginas de canto dorado, además de la cinta que obraba de señalador.

Con mínimo esfuerzo noté que era el Génesis lo que leía, del que aparentemente tomaba apuntes. También tenía a mano su ejemplar del *"Fausto"*. ¿Qué diablos le interesaba en esos textos?

La habitación estaba recubierta de libros. Una única lámpara lo alumbraba por encima del hombro. La biblioteca se parecía a muchas similares de los climas nórdicos: confortable y acogedora, de techos bajos con vigas y cómodos sillones antiguos de cuero.

Pero lo que la hacía atípica eran las reliquias de una existencia vivida en otro clima. Estaban ahí los recuerdos de esos años rememorados.

Sobre el hogar encendido, la cabeza de un leopardo a motas y, sobre la pared de la derecha, la enorme cabeza negra de un búfalo. Numerosas estatuillas hindúes de bronce estaban diseminadas por doquier, en repisas y mesas, además de pequeñas alfombritas indias sobre la alfombra marrón, delante de la chimenea, la puerta y las ventanas.

Y el cuero largo y llameante de su tigre de Bengala yacía estirado en el centro mismo de la habitación, la cabeza bien conservada, con los ojos de vidrio y los inmensos colmillos que yo había visto en el sueño con espantosa nitidez.

A este último trofeo dirigió de pronto David su atención; después, apartando sus ojos de él con dificultad, siguió escribiendo. Traté de leerle la mente, pero no pude. ¿Para qué me habré tomado el trabajo? Ni el menor indicio de los bosques de mangles donde pudo haber asesinado a semejante bestia. Miró una vez más al tigre, hasta que, olvidando la pluma, quedó abstraído en sus pensamientos.

Por supuesto, me reconfortó el sólo mirarlo, como siempre. Divisé en la penumbra varias fotos en sus marcos: tomas de David cuando era joven y muchas que a todas luces le habían sido sacadas en la India, frente a un bello *bungalow* de anchas galerías y techos altos. Retratos de su madre y su padre. Retratos de él con los animales que había matado. ¿Explicaba eso mi sueño?

No presté atención a la nieve que caía a mi alrededor, cubriéndome el pelo y los hombros e incluso los brazos que tenía plegados. Por último, me moví. Quedaba apenas una hora para el amanecer.

Di la vuelta por el otro lado de la casa, encontré una puerta en el fondo, ordené al cerrojo que se abriera, y entré en el pequeño vestíbulo de techos bajos. Había allí viejas maderas con capas de laca o aceite. Apoyé las manos sobre los tableros de la puerta y se me presentó la imagen de un gran bosque de robles bañado en luz de sol. Luego, sólo me rodearon las sombras. Me llegó el aroma del fuego lejano.

Noté que David estaba parado en la otra punta del pasillo, haciéndome señas de que me acercara. Pero hubo algo en mi aspecto que lo sobresaltó. Claro, yo estaba cubierto de nieve y de una delgada capa de hielo.

Entramos juntos en la biblioteca y me ubiqué en el sillón frente a él. Se marchó un instante, y me quedé ahí mirando el fuego, sintiendo que derretía la nievecilla que me cubría. Pensaba yo en el motivo de mi visita y cómo haría para decírselo. Mis manos estaban blancas como blanca era la nieve.

Cuando David regresó, traía un toallón tibio que usé para secarme la cara, el pelo y por último las manos. Qué agradable sensación.

—Gracias —le dije.

—Parecías una estatua.

—Sí, ahora tengo ese aspecto, ¿no? Sigo viaje.

—No te entiendo. —Se sentó frente a mí. —Explícate.

—Me voy a un sitio desértico. Creo haber encontrado la forma de terminar con todo. No es nada sencillo.

—¿Por qué quieres hacerlo?

—No quiero estar más con vida. Esa parte es fácil. No ansío la muerte, como haces tú; no es eso. Esta noche... —Me interrumpí. Vi la imagen de la anciana en su cama prolija, vestida con su bata floreada contra el nylon acolchado. Después vi al extraño hombre de pelo castaño que me observaba, el que se me acercó en la playa y me dio el cuento que aún llevaba, todo arrugado, dentro del abrigo.

Una insensatez. Llegas demasiado tarde, quienquiera que seas. ¿A qué molestarme en explicar?

De repente vi a Claudia como si estuviera contemplándome desde otro reino, esperando que yo la viera. Qué ingenioso que nuestras mentes puedan evocar una imagen de apariencia tan real. Bien podía ella estar ahí, junto al escritorio de David, en la penumbra. Claudia, que me había clavado un puñal en el pecho. "Te mandaré a tu ataúd para siempre, padre." Pero también era cierto que últimamente la veía de continuo, en sueño tras sueño...

—No vayas —dijo David.

—Llegó la hora —le respondí en un susurro, pensando en forma vaga lo desilusionado que quedaría Marius.

¿Me habría oído David? A lo mejor hablé en voz demasiado baja. Se oyó un crepitar del fuego, algún trozo de madera encendida que se caía o savia húmeda que chisporroteaba dentro del inmenso leño. Volví a ver ese dormitorio frío de mi infancia y de pronto rodeé con mi brazo a uno de los perros enormes, esos perros indolentes y cariñosos. ¡Es terrible ver que un lobo mata a un perro!

Debí haber muerto, aquel día. Ni el mejor cazador debería ser capaz de matar a una manada de lobos. Y tal vez fue ése el error cósmico. Mi destino era marcharme, si de hecho existe tal continuidad, y por excederme atraje la atención del diablo. "Asesino de lobos", había dicho el vampiro Magnus con mucho cariño, al tiempo que me llevaba a su cueva.

David volvió a hundirse en su sillón; con ademán distraído apoyó un pie sobre el guardafuego y clavó sus ojos en las llamas. Estaba profundamente perturbado, hasta un tanto desequilibrado, aunque lo ocultaba muy bien.

—¿No te va a doler? —preguntó, mirándome.

Por un momento no supe qué me quería decir. Después recordé. Solté una risita.

—Vine a despedirme de ti, a preguntarte si estás seguro de tu decisión. Me pareció que lo correcto era avisarte que me marchaba, que ésta era tu última oportunidad. Pensé que correspondía. ¿Me comprendes o crees que es sólo un pretexto más? En realidad, no importa.

—Como el Magnus de tu historia. Dejarías a tu heredero y luego desaparecerías dentro del fuego.

—No era una simple historia —repuse, sin ganas de ponerme polémico pero preguntándome por qué sonaba como si lo fuera—. Y en efecto, quizá sea así. Sinceramente, no sé.

—¿Por qué quieres autodestruirte? —Le noté un tono desesperado.

Cómo había herido a ese hombre.

Miré el tigre del piso con sus magníficas rayas negras y su piel de un naranja intenso.

—Ese era un antropófago, ¿no?

Vaciló como si no comprendiera del todo la pregunta; después dio la impresión de despertarse y asintió.

—Sí. —Miró primero al tigre, y luego a mí. —No quiero que lo hagas. Déjalo para más adelante, por el amor del cielo. No lo hagas. Y después de todo, ¿por qué precisamente esta noche? Me hizo reír contra mi voluntad.

—Esta noche es un buen momento para hacerlo—dije—. No; me voy. —¡De pronto experimenté un enorme júbilo porque me di cuenta de que lo decía en serio! No era sólo una fantasía. De haberlo sido, jamás se lo habría contado. —Se me ocurrió un método. Voy a ascender lo más que pueda antes de que salga el sol por el horizonte. No habrá manera de encontrar refugio. Allí el desierto es muy severo.

Y moriré en medio del fuego. No del frío, como había estado en aquella montaña cuando me rodearon los lobos. En calor, como había muerto Claudia.

—No, no lo hagas. —Con cuánta convicción lo dijo. Pero de nada valió.

—¿Quieres la sangre? —le pregunté—. No insume mucho tiempo y el dolor es mínimo. Confío en que los demás no te agredan. Te haré tan fuerte, que mejor que ni lo intenten.

Sinceramente, me estaba pareciendo mucho a Magnus, que me dejó huérfano sin advertirme siquiera que Armand y sus acólitos me iban a perseguir, a maldecir, que querrían tronchar mi vida recién nacida. Magnus sabía que yo iba a vencer.

—Lestat, no quiero la sangre, pero quiero que te quedes aquí.

Dame nada más que unas pocas noches. En nombre de nuestra amistad, Lestat, quédate ahora conmigo. ¿No puedes concederme esas pocas horas? Después, si todavía deseas hacerlo, no voy a poner reparos.

—¿Por qué?

Parecía dolido, y demoró unos instantes en responder.

—Déjame hablarte, convencerte para que cambies de parecer.

—Tú mataste al tigre cuando eras muy joven, ¿no? Fue en la India. —Paseé la vista por los otros trofeos. —Vi al tigre en un sueño.

No me respondió. Se lo veía ansioso, perplejo.

—Te he hecho daño —proseguí—. Te traje a la memoria recuerdos de tu juventud. Te obligué a tomar conciencia del tiempo, y antes no reparabas en ello.

Algo ocurrió en su rostro. Era evidente que mis palabras lo habían ofendido. Sin embargo, negó moviendo la cabeza.

—David, ¡toma mi sangre antes de que me vaya! —susurré de pronto, ansioso—. No te queda ni un año. ¡Lo oigo cuando estoy cerca de ti! Alcanzo a percibir la fragilidad de tu corazón.

—Eso no lo sabes, amigo —repuso él, paciente—. Quédate aquí conmigo y te contaré lo del tigre, todo lo de aquella época en la India. También fui de cacería al Africa, y una vez al Amazonas. Grandes aventuras. En aquel entonces, yo no era un erudito mohoso como ahora...

—Lo sé. —Sonreí. Jamás me había hablado de esa manera; nunca me ofreció tanto. —Demasiado tarde, David. —Una vez más vi el sueño. Vi la cadenita de oro que David llevaba al cuello. ¿Era esa cadenita lo que atraía al tigre? Parecía una insensatez. Lo que quedaba era la sensación de peligro.

Contemplé la piel del animal. Qué expresión maligna la de su cara.

—¿Fue divertido matarlo?

Dudó; luego se esforzó por contestar.

—Era un tigre antropófago y le encantaban los niños. Sí, supongo que me divirtió.

Solté una risita.

—Bueno, entonces tenemos eso en común, el tigre y yo. Y Claudia está esperándome.

—No me irás a decir que crees eso, ¿verdad?

—No. Supongo que, si lo creyera, tendría miedo de morir. —Vi a Claudia con total nitidez... un diminuto retrato de porcelana, con pelo áureo, ojos azules. Algo impetuoso y veraz en la expresión pese a los colores dulzones y el marco ovalado. ¿Había poseído yo alguna vez un relicario como ése? Porque era, ciertamente, un relicario. Me estremecí al recordar la textura de su pelo y una vez más me invadió la sensación de que la tenía muy cerca. Si giraba la cabeza quizá la viera entre las sombras, con la mano apoyada sobre el respaldo de mi sillón. Me di vuelta, pero no estaba. Iba a perder el temple si no me marchaba de inmediato.

—¡Lestat! —exclamó David en tono imperioso. Me estaba escrutando, pensando con desesperación qué otra cosa podía decir. Señaló mi abrigo. —¿Qué llevas en el bolsillo? ¿Una nota que escribiste? ¿Piensas dejármela? ¿Me permites leerla ahora?

—Ah, este extraño cuentito. Toma, puedes quedártelo. Te lo lego. Debería estar en una biblioteca, calzado tal vez en alguno de esos estantes. —Saqué el sobre doblado y lo miré. —Sí, lo leí. Es bastante divertido. —Se lo arrojé a la falda. —Me lo dio un mortal muy tonto , una pobre alma trasnochada que sabía quién era yo y tuvo coraje apenas para dejarlo caer a mis pies.

—Explícame eso —dijo David, y abrió las hojas—. ¿Por qué lo llevas contigo? Dios santo... Lovecraft. —Sacudió levemente la cabeza.

—Te lo acabo de explicar. De nada vale, David. No voy a cambiar de idea. Me voy. Además, la historia es intrascendente. Un pobre tonto...

Ese hombre tenía ojos tan extraños, tan brillantes. ¿Qué tuvo de raro la forma en que vino corriendo hacia mí por la arena, o la torpeza con que huyó dominado por el pánico? ¡Sus modales habían dado a entender tal importancia! Ah, pero eso era absurdo. No me importaba, sabía que no me importaba. Yo sabía lo que quería hacer.

—¡Lestat, quédate! Me prometiste que la próxima vez que nos encontráramos ibas a permitirme decir todo lo que quisiera. Eso me dijiste por carta, ¿recuerdas? No te retractarás de tu palabra, ¿verdad?

—Voy a retractarme, David. Y tendrás que disculparme, porque me voy. Tal vez no haya cielo ni infierno y te vea del otro lado.

—¿Y qué pasará si existen ambos?

—Has estado leyendo demasiado la Biblia. Lee el cuento de Lovecraft. —Volví a soltar una risita y le señalé las hojas que tenía en la mano. —Será lo mejor para la paz de tu espíritu. Y no toques el *"Fausto"*, por el amor de Dios. ¿Sinceramente crees que al final vendrán ángeles a llevarnos? Bueno, a mí no. ¿A ti sí?

—No te vayas —repitió, con una voz tan tenue y suplicante que me quitó el aliento.

Pero ya me estaba yendo.

Apenas si lo oí cuando gritó:

—Lestat, te necesito. Eres el único amigo que tengo.

¡Qué palabras trágicas! Me dieron ganas de decirle que lo lamentaba, que lamentaba todo, pero ya era tarde. Además, creo que él lo sabía.

Me lancé hacia arriba en la fría oscuridad, desplazándome entre la nieve que caía. La vida entera me parecía insoportable, tanto en su horror como en su esplendor. Abajo, la casita parecía cálida; su luz se derramaba sobre el suelo blanco y de su chimenea partía un hilito de humo azul.

Pensé en David, que de nuevo recorrería solo las calles de Amsterdam, pero después evoqué los retratos de Rembrandt. Entonces volví a ver la cara de mi amigo junto al fuego de la biblioteca. Parecía un hombre pintado por Rembrandt. Desde que lo conocí tuvo siempre ese aspecto. ¿Y qué aspecto teníamos nosotros, congelados para siempre con la forma que teníamos cuando la Sangre Misteriosa entró en nuestras venas? Claudia fue durante décadas esa niña pintada en porcelana. Y yo me asemejaba a una de las estatuas de Miguel Angel, puesto que me volví blanco como el mármol. E igual de frío.

Yo sabía que iba a cumplir mi palabra.

Pero hay una mentira terrible en todo esto. En realidad, ya no creía que el sol pudiera matarme. Pero lo mismo me propuse intentarlo.

3

Desierto de Gobi. Eones atrás, en esa era que los hombres denominaron cauria, enormes lagartos murieron por millares en esta insólita zona del mundo. Nadie sabe por qué vinieron aquí ni por qué perecieron. ¿Era un reino de árboles tropicales y pantanos humeantes? No lo sabemos. Ahora lo único que queda es el desierto y millones de fósiles narrándonos un relato fragmentario acerca de reptiles gigantescos que, con toda seguridad, hacían temblar la tierra cada vez que daban un paso.

Por lo tanto, el desierto de Gobi es un inmenso cementerio y el lugar apropiado para que yo mirara el sol de frente. Largo rato estuve tendido en la arena antes del amanecer, poniendo en orden mis últimos pensamientos.

Lo que haría sería ascender hasta el límite mismo de la atmósfera, internarme en el sol naciente, por así decirlo. Después, cuando perdiera el conocimiento, me desplomaría bajo el calor terrible y mi cuerpo se destrozaría contra el suelo del desierto al caer desde semejante altura. Imposible, entonces, que este cuerpo mío cavara bajo la superficie, cosa que sí podría hacer —por propia y maligna volición— en caso de estar entero y sobre un terreno blando.

Además, si la descarga de luz tenía fuerza suficiente como para consumirme con su fuego, es probable que, hallándome desnudo y a tal altura sobre la tierra, yo ya estuviera totalmente muerto antes de que mis restos chocaran contra el duro lecho de arena.

Me pareció una buena idea, en su momento, y creo que nada ni nadie habría podido disuadirme. Sin embargo, me preguntaba si los demás inmortales sabían lo que yo planeaba hacer, y si les preocupaba en lo más mínimo. Por cierto no les envié mensajes de despedida; no dejé escapar imágenes aleatorias de mis intenciones.

Finalmente, la gran tibieza del alba fue cubriendo el desierto. Me puse de rodillas, me quité la ropa y comencé a ascender, sintiendo que ya me ardían los ojos hasta con esa luz tan tenue.

Subí y subí hasta mucho más allá del punto donde la tendencia natural de mi cuerpo habría sido la de no impulsarse más y seguir flotando solo. Al final ya no podía respirar, porque el aire era muy poco denso, y me costaba un enorme esfuerzo mantenerme a semejante altura.

Luego llegó la luz. Tan inmensa, tan cálida y enceguecedora que, más que una visión, lo que colmaba mis ojos parecía un ruido rugiente. Vi todo cubierto por un fuego amarillo y naranja. Lo miré de frente, aunque la sensación fue de que me echaban agua hirviendo en los ojos. ¡Creo que hasta abrí la boca como para tragar ese fuego divino! De pronto el sol era mío. Lo estaba viendo, me estiraba para alcanzarlo. Después, la luz me cubrió como plomo fundido, me paralizó y torturó hasta que no pude resistir más, y mis propios gritos llenaron mis oídos. Aún no desviaba la mirada, ¡aún no caía!

¡Así te desafío, cielo! De pronto no hubo palabras ni pensamientos. Yo me retorcía, nadaba dentro de ello. Y cuando la oscuridad y el frío ya subían para envolverme —no fue nada más que el haber perdido el conocimiento—, comprendí que había empezado a caer.

El sonido era el del aire que pasaba zumbando a mi lado; y

tuve la sensación de que las voces de otros me llamaban y, en medio de aquella repulsiva mezcolanza, distinguí una vocecita infantil.

Después, nada...

¿Soñaba, acaso?

Estábamos en un recinto pequeño y cerrado, un hospital con olor a enfermedad y muerte, y yo señalaba la cama. Y sobre la almohada, a la niña que yacía, pequeña, blanca, medio muerta.

Se oyó una risa clara. Sentí olor a lámpara de aceite, ese olor típico del momento en que uno sopla y apaga el pabilo.

—Lestat. —Qué hermosa su vocecita.

Traté de explicar lo del castillo de mi padre, lo de que estaba nevando y que mis perros me esperaban allí. A ese lugar quería ir. De repente alcancé a oír los ladridos lastimeros de los mastines que resonaban por las lomas cubiertas de nieve, y casi pude ver las torres mismas del castillo.

Pero luego ella dijo:

—Todavía no.

Era otra vez noche cuando desperté, tendido en el suelo desértico. Agitadas por el viento, las dunas me salpicaron su arena suave. Sentía dolor en todo el cuerpo, hasta en las raíces del pelo. Era tal el dolor, que no podía juntar voluntad para moverme.

Durante horas, estuve allí tendido. De tanto en tanto dejaba escapar algún gemido que en nada aliviaba mi sufrimiento. Cuando movía las extremidades, aunque fuera un poquito, sentía la arena como partículas de vidrio filoso clavadas en la espalda, las pantorrillas y los talones.

Pensé en todos aquellos a quienes podía haber llamado para pedir ayuda pero no llamé. Sólo poco a poco fui dándome cuenta de que, si me quedaba ahí, volvería el sol, como era natural, y una vez más me consumiría con su fuego. Y aun así era probable que no muriera.

Tenía que quedarme, ¿no? ¿Acaso era un cobarde, para pensar en buscar refugio?

Pero sólo con mirarme las manos a la luz de las estrellas supe que no iba a morir. Estaba quemado, sí; tenía la piel marrón, arrugada, dolorida, pero lejos estaba de morir.

Por último, rodé y traté de apoyar la cara contra la arena, cosa que no me trajo mucho más alivio que mirar de frente a las estrellas.

Luego sentí que salía el sol. Lloré cuando la gran luz anaranjada se derramó sobre el mundo. El primer dolor lo sentí en la espalda; después pensé que mi cabeza se incendiaba, que iba a explotar, que el fuego consumía mis ojos. Cuando me llegó la penumbra del olvido estaba loco, totalmente loco.

A la noche siguiente desperté y sentí arena en la boca, arena que me cubría en mi dolor. Debido a esa locura, al parecer me había enterrado vivo.

Permanecí en la misma posición durante horas, pensando sólo que ese sufrimiento era más de lo que cualquier criatura podía soportar.

Al final llegué esforzadamente a la superficie, gimoteando como un animal ya que cada gesto era un tirón que intensificaba el dolor; luego me induje a ascender y comencé el lento viaje hacia occidente, internándome en la noche.

Mis poderes no habían disminuido. Ah, sólo la superficie de mi cuerpo había sufrido daños profundos.

El viento era infinitamente más suave que la arena. Sin embargo, trajo su propio tormento, semejante a dedos que acariciaban mi piel quemada, que tiraban de las raíces quemadas de mi pelo, me pinchaba en los párpados quemados, me raspaba en las rodillas quemadas.

Viajé con toda calma durante muchas horas. Me había propuesto llegar una vez más a casa de David, y sentí un instante de alivio esplendoroso cuando descendí en medio de la nieve fría y húmeda.

Estaba por amanecer en Inglaterra.

Entré por la puerta del fondo como la vez anterior; cada paso que daba era un suplicio. Casi a ciegas encontré la biblioteca, entré, me puse de rodillas y, sin prestar atención al dolor, me desplomé sobre el cuero del tigre.

Apoyé la cabeza junto a la del animal y la mejilla contra sus fauces abiertas. ¡Qué piel suave, tupida! Estiré los brazos sobre sus patas y sentí sus garras duras bajo las muñecas. El dolor me acometió en oleadas. La piel era casi sedosa, y fría la habitación en penumbras. En tenues destellos de visiones silenciosas imaginé los bosques de mangles de la India, vi rostros oscuros y me llegaron voces lejanas. Y por un momento vi nítidamente a David cuando joven, tal como lo había visto en el sueño.

Me pareció un milagro ese muchacho viviente, lleno de sangre y tejido, y esas hazañas milagrosas que son los ojos, un corazón que late y cinco dedos en cada mano esbelta.

Me vi a mí mismo caminando por París en los viejos tiempos, cuando yo estaba vivo. Llevaba una capa de pana roja, forrada con la piel de los lobos que había matado en mi nativa Auvernia, sin soñar jamás que hubiera cosas acechando entre las sombras, cosas que podían verlo a uno y enamorarse sólo porque uno era joven, cosas que podían quitarnos la vida sólo porque nos amaban y porque uno había matado a una manada entera de lobos...

¡David, el cazador! De chaqueta color caqui con cinturón, y ese rifle magnífico.

Lentamente tomé conciencia de que el dolor ya no era tanto. El viejo y querido Lestat, el dios, se curaba con velocidad sobrenatural. El dolor era como un brillo intenso que se asentaba sobre mi cuerpo. Me imaginé a mí mismo despidiendo una luz cálida a toda la habitación.

Percibí el aroma de mortales. Un sirviente había entrado en el cuarto y vuelto rápidamente a salir. Pobre tipo. Me dieron ganas de reírme solo en mi sopor, al pensar en lo que vio: un hombre desnudo, de piel oscura y pelo rubio desordenado, tendido sobre el tigre de David en la habitación a oscuras.

De pronto capté el aroma de David y oí de nuevo el conocido retumbar de sangre en el interior de venas mortales. Sangre. Tenía tanta sed de sangre. Mi piel quemada clamaba por ella, lo mismo que mis ojos ardidos.

Alguien tendió sobre mí una manta suave, que me resultó liviana, fresca. Luego hubo una seguidilla de sonidos. David oscurecía el cuarto corriendo las pesadas cortinas de pana, cosa que no se había molestado en hacer en todo el invierno. Estaba maniobrando con la tela para que no quedara ni una hendija de luz.

—Lestat —susurró—, déjame llevarte al sótano, donde estarás a salvo.

—No importa, David. ¿Puedo permanecer aquí?

—Por supuesto que puedes. —Qué solícito.

—Gracias, David. —Volví a dormirme y vi soplar la nieve por la ventana de mi habitación del castillo, pero luego fue algo totalmente distinto. Vi una vez más la camita de hospital, pero la niña no estaba en ella, y gracias a Dios no se encontraba ahí la enfermera sino que había ido a calmar al que lloraba. Oh, qué sonido tan tremendo. Me parecía espantoso. Me habría gustado estar... ¿dónde? En casa, en pleno invierno francés, desde luego.

Esa vez alguien estaba encendiendo, no apagando, la lámpara de aceite.

—Te dije que no había llegado el momento. —El vestido era de un blanco perfecto. ¡Qué minúsculos los botoncitos de perla! Y qué hermosa la corona de rosas que lleva en la cabeza.

—Pero, ¿por qué? —pregunté.

—¿Qué dijiste? —quiso saber David.

—Hablaba con Claudia —le expliqué. Estaba sentada en el sillón tapizado en *petit-point* estirando las piernas hacia adelante. ¿Tenía puestos esos escarpines de raso? Le tomé el tobillo y se lo besé, y cuando levanté la mirada vi su mentón y sus pestañas en el momento en que ella echaba la cabeza hacia atrás para reír. Una risa exquisita, ronca.

—Hay otros ahí afuera —me advirtió David.

Abrí los ojos y me dolió, me dolió ver las formas mortecinas de la habitación. Estaba por salir el sol. Sentí las garras del tigre bajo mis dedos. Ah, bestia preciada. Desde la ventana, David espiaba por una hendija abierta entre ambos paños del cortinado.

—Ahí afuera —prosiguió—. Han venido a cerciorarse de que estás bien.

¿Qué les parece?

—¿Quiénes son? —No alcanzaba a oírlos, no quería oírlos. ¿Era Marius? No los más antiguos, con toda seguridad. ¿Por qué habría de importarles semejante cosa?

—No sé —me contestó—. Pero están.

—Ya sabes lo que se suele decir: no les hagas caso y se marcharán. —De todos modos ya era casi el amanecer. Tienen que irse. Y por cierto que no te harán daño, David.

—Lo sé.

—No me leas la mente si no me dejas leer la tuya.

—No te enojes. No entrará nadie en esta habitación a molestarte.

—Sí; puedo ser un peligro aun en reposo... —Quise decir algo más, transmitirle otra advertencia, pero me di cuenta de que David era el único mortal que no precisaba de tal advertencia. Talamasca. Estudiosos de lo paranormal. El sabía.

—Duerme, ahora.

No pude menos que reírme al oír eso. ¿Qué otra cosa puedo hacer cuando sale el sol? Aun cuando me dé de lleno en la cara. Pero sus palabras fueron firmes, tranquilizadoras.

Pensar que en los viejos tiempos yo siempre tenía el ataúd, y a veces lo lustraba hasta dejar bien brillosa la madera; después lustraba el minúsculo crucifijo que había sobre la tapa y sonreía para mis adentros al pensar en el esmero con que pulía el pequeño cuerpo retorcido de Cristo, el hijo de Dios, asesinado. Me encantaba el forro de raso del cajón. Me encantaba la forma, y el acto crepuscular de elevarme de entre los muertos. Pero ya no más...

Realmente estaba saliendo el sol, el sol del frío invierno inglés. Lo sentía con certeza, y de pronto me dio miedo. Sentí la luz que avanzaba a hurtadillas fuera de la casa y golpeaba contra las ventanas. Pero de este lado de las cortinas reinaba la oscuridad.

Vi que la llamita en la lámpara de aceite subía. Me asusté, sólo porque sentía tantos dolores y porque eso era una llama. Los deditos femeninos sobre la llave dorada, y ese anillo que le regalé, con un pequeño brillante engarzado en perlas. ¿Y el relicario? ¿Debo preguntarle por él? *Claudia, ¿alguna vez hubo un relicario de oro?*

La llama crecía, crecía. Otra vez el olor. Su manita con hoyuelos. Todo a lo largo del departamento de la calle Royale se podía percibir el aroma del aceite. Ah, el viejo empapelado de la pared, los bellos muebles hechos a mano, Louis sentado a su escritorio, escribiendo... Y el olor áspero de la tinta negra, el rasgueo de la pluma...

La pequeña mano femenina, tan deliciosamente fría, tocaba mi mejilla y sentí esa emoción incierta que me recorre cuando alguno de los demás me toca, *nuestra piel.*

—¿Por qué habría de querer nadie que *yo* viviera? —pregunté. Al menos eso fue lo que empecé a preguntar... porque después me desvanecí.

4

C repúsculo. No quería moverme, ya que el dolor seguía siendo intenso. En el pecho y las piernas la piel empezaba a ponérseme tensa, y el hormigueo constituía apenas una variación del dolor.

Ni la sed de sangre, con toda su furia, ni su olor en los sirvientes de la casa lograron que me moviera. Sabía que David estaba ahí, pero no le hablé. Pensé que, si intentaba hablar, me iba a echar a llorar de dolor.

Dormí y sé que soñé, pero al despertar no recordaba los sueños. Veía de nuevo la lámpara de aceite y la luz seguía dándome miedo. Lo mismo que la voz de Claudia.

En una oportunidad desperté hablándole en la oscuridad. "¿Por qué tú, nada menos? ¿Por qué tú en mis sueños? ¿Dónde está tu puñal ensangrentado?"

Agradecí la llegada del alba. A veces, con un gran esfuerzo cerraba deliberadamente la boca para no gritar de dolor.

Cuando desperté, la segunda noche, el dolor ya no era tanto.

Tenía todo el cuerpo inflamado —lo que los mortales llaman en carne viva—, pero lo más insoportable había pasado. Estaba muy quieto, tendido sobre la piel del tigre, y sentí la habitación fría por demás.

Había leños en el hogar de piedra, retirados del frente, bien apoyados contra los ladrillos ennegrecidos del fondo. Todo estaba listo para ser encendido; incluso había un bollo de diario preparado. Hmmm. Alguien se me había acercado peligrosamente mientras dormía. Esperaba de verdad no haber extendido los brazos, como solemos hacer cuando estamos en trance, para sujetar a esa pobre criatura.

Cerré los ojos y presté atención a los sonidos. Nieve que caía sobre el techo, nieve que entraba por la chimenea. Volví a abrirlos y noté los trocitos de humedad en los leños.

Después me concentré, y la energía brotó de mí en forma de una larga lengua que llegó a tocar los troncos. En el acto se encendieron las llamitas danzarinas. La corteza gruesa de los leños comenzó a calentarse, a ampollarse. La fogata venía en camino.

A medida que la luz se hacía más intensa, sentí que un dolor exquisito surgía en mis mejillas y sobre mi frente. Interesante. Me incorporé de rodillas, me levanté.Estaba solo en el cuarto. Miré la lámpara de bronce que había junto al sillón de David. Con una orden mental hice que se encendiera sola.

Sobre el sillón había ropa: un pantalón de franela gruesa, una camisa blanca de algodón, una chaqueta algo deforme de vieja lana. Todas las prendas me quedaban un poco grandes, pues habían sido de David. Hasta las pantuflas forradas en piel me iban grandes. Pero yo quería estar vestido. Había también ropa interior de esa que todo el mundo usa en el siglo XX, y un peine.

Me tomé mi tiempo para todo, notando tan sólo un ardor al calzarme la ropa sobre la piel. Cuando me peiné, me dolió el cuero cabelludo y opté por sacudirme el pelo hasta quitarle todo el polvo y la arena, que cayeron sobre la gruesa alfombra y desaparecieron discretamente de la vista. Ponerme las pantuflas fue un placer. Lo que quise entonces fue un espejo.

Encontré uno en el pasillo, de grueso marco dorado. Por la puerta abierta de la biblioteca llegaba luz suficiente, o sea que pude verme bastante bien.

En un primer momento, no pude creer lo que contemplaban mis ojos. Tenía la piel suave, inmaculada como antes, sólo que ahora poseía un tono ámbar, el mismo color del marco del espejo, y un brillo tenue, semejante al de cualquier mortal que pasa una larga temporada en los mares tropicales.

Brillaban mis cejas y pestañas, como ocurre siempre con los

pelos rubios de esos individuos bronceados, y las pocas arrugas de la cara que el Don Misterioso me dejó se notaban un poquito más marcadas que antes. Me refiero a dos pequeñas comas en las comisuras de los labios, producto de sonreír tanto cuando estaba vivo, unas patas de gallo mínimas, y una o dos arrugas en la frente. Me gustó tenerlas de nuevo, pues hacía mucho que no las veía.

Mis manos habían sufrido más. Estaban más oscuras que el rostro y con numerosas arruguitas que les daban un aspecto más humano, lo cual enseguida me hizo pensar en las numerosas arrugas finas que tienen las manos de los mortales.

Las uñas aún brillaban de una manera que podía alarmar a los mortales, pero sin duda bastaría con frotármelas un poco con ceniza. Los ojos, desde luego, eran otra cosa. Nunca los había visto tan brillosos e iridiscentes, pero para eso lo único que me hacía falta eran unas gafas apenas ahumadas. Ya no necesitaría la otra máscara (los anteojos totalmente negros) para cubrir la piel blanca.

"Oh, dioses, qué maravilloso", pensé, admirando mi imagen. ¡Pareces casi humano! ¡Casi un hombre! Sentía un dolor mortecino en los tejidos quemados pero me gustó, porque lo tomé como algo que me recordaba la forma de mi cuerpo, sus límites humanos.

Tuve deseos de gritar; en cambio, oré. Que esto dure, y si no dura, con gusto repetiría todo el proceso.

Luego me puse a pensar que en realidad yo no estaba perfeccionando mi aspecto para poder desplazarme mejor entre los hombres, sino destruyéndome. Tenía que estar muriéndome Y si no me había matado el sol del desierto... si no lo había conseguido tendiéndome todo un día al sol, ni luego con el segundo amanecer...

Ah, cobarde, pensé, ¡podrías haber encontrado la forma de mantenerte sobre la superficie y no esconderte, ese segundo día! ¿O no?

—Bueno, gracias a Dios elegiste volver.

Giré y vi que David se acercaba por el pasillo. Acababa de regresar a casa, pues tenía el abrigo húmedo por la nieve y ni siquiera se había sacado las botas.

Se detuvo en seco y me inspeccionó de pies a cabeza, esforzándose por ver en la penumbra.

—La ropa está bien —aprobó—. Pareces uno de esos muchachos que hacen *surf*, esos que viven eternamente en la playa.

Sonreí.

Extendió un brazo —gesto bastante audaz, pensé—, me tomó de la mano y me condujo a la biblioteca, donde el fuego ya ardía con bríos. Una vez más estudió mi semblante.

—Ya no hay dolor —dijo, como si dudara.

—Hay sensación, pero no exactamente lo que se dice dolor. Voy a salir un rato. Oh, no te preocupes; regresaré. Me muero de sed. Tengo que cazar.

Su rostro palideció, pero no tanto, ya que de todos modos pude ver la sangre de sus mejillas, las venitas de sus ojos.

—Bueno, ¿qué pensabas? —dije—. ¿Qué ya no lo iba a hacer más?

—No, no, claro.

—¿Quieres venir a ver?

No dijo nada, pero noté que lo había asustado.

—No olvides lo que soy. Cuando me ayudas, estás ayudando al diablo. —Señalé el ejemplar del *"Fausto"*, que seguía sobre la mesa. También estaba ese cuento de Lovecraft. Hmmm.

—No es indispensable que quites la vida, para hacerlo, ¿no? —preguntó, serio.

Pero qué pregunta grosera.

Solté un ruidito desdeñoso.

—Me gusta quitar la vida. —Con un ademán señalé al tigre. —Soy cazador, como lo fuiste tú en una época. Me resulta divertido.

Me miró un largo rato con la perplejidad pintada en el rostro, y luego asintió lentamente, como con aceptación. Pero lejos estaba de aceptarlo.

—Aprovecha para comer, ahora que me voy —le dije—. Me doy cuenta de que tienes hambre y siento el olor a carne que están cocinando en la casa. Y puedes estar seguro de que cenaré antes de volver.

—Te has propuesto que te conozca como realmente eres, ¿eh?, que no haya el menor error o sentimentalismo.

—Exacto. —Estiré los labios y le mostré los colmillos un instante. En realidad son muy pequeños, ínfimos en comparación con los del leopardo y el tigre, cuya compañía buscaba él obviamente por gusto. Pero esa mueca siempre atemoriza a los mortales. Más que atemorizarlos, los espanta. Creo que les produce en el organismo una reacción primitiva de alarma que nada tiene que ver con el coraje racional.

Se puso blanco y, sin hacer el menor movimiento, permaneció unos segundos mirándome, hasta que su rostro recobró su expresión de calidez.

—Muy bien —dijo—. Voy a estar aquí cuando vuelvas. ¡Y si no vuelves, me pondré furioso! Juro que nunca más te dirigiré la palabra. Si esta noche desapareces, jamás volveré tan siquiera a saludarte. Consideraré que has despreciado mi hospitalidad. ¿Entendido?

—¡De acuerdo, de acuerdo! —exclamé, encogiéndome de hombros, aunque en el fondo me emocionaba que quisiera tenerme allí. Yo no había estado tan seguro. Por otra parte, me había mostrado muy descortés hacia él. —Volveré. Además, quiero saber.

—¿Qué?

—Por qué no tienes miedo a morir.

—Bueno, tú tampoco le tienes miedo, por lo que veo.

No respondí. Recordé el sol, la gran bola ígnea que se convertía en tierra y cielo, y me estremecí. Luego vi la lámpara de aceite del sueño.

—¿Qué pasa? —quiso saber.

—*Tengo* miedo a morir —repuse, sacudiendo la cabeza para transmitir más énfasis—. Todas mis ilusiones se están haciendo añicos.

—¿Es que tienes ilusiones? —preguntó, con sincero asombro.

—Por supuesto. Una de ellas era que nadie podía rechazar el Don Misterioso; al menos, no a sabiendas.

—Permíteme recordarte que tú mismo lo rechazaste, Lestat.

—David, yo era un niño y me estaban forzando. Luché casi por instinto. Pero eso no tuvo nada que ver con el hecho de saber.

—No te subestimes. Creo que te habrías negado aunque lo hubieras comprendido cabalmente.

—Esas son ilusiones tuyas —dije—. Tengo hambre. Apártate de mi camino o te mato.

—No te creo. Y más vale que regreses.

—Volveré. Esta vez cumpliré la promesa que te hice por carta. Podrás decirme todo lo que quieras.

Salí a recorrer las calles apartadas de Londres. Anduve deambulando por la estación Charing Cross en busca de algún malviviente para alimentarme, por más que sus ambiciones subalternas pudieran irritarme. Pero las cosas no resultaron como suponía.

Encontré a una anciana que caminaba arrastrando los pies. Vestía un abrigo mugriento y llevaba los pies envueltos en trapos. Estaba loca y calada de frío, y con seguridad iba a morir antes de la mañana. Se había fugado por la puerta del fondo de no sé qué lugar donde la tenían recluida, o al menos eso gritaba a quien quisiera oírla, decidida a no dejarse encerrar nunca más.

¡Fuimos fantásticos amantes! Ella me dio un racimo de recuerdos y ahí estuvimos, bailando juntos por los barrios bajos, ella y yo, teniéndola largamente entre mis brazos. Estaba muy bien alimentada, como muchos pordioseros de este siglo en que tanto abunda la comida en los países occidentales. Y bebí con gran lentitud, saboreando la sangre, sintiendo que recorría toda mi piel quemada.

Cuando terminó todo, tomé conciencia de que sentía muchísimo el frío, y que lo había sentido desde el principio. Es decir, estaba percibiendo más nítidamente los cambios de temperatura. Interesante.

El viento me golpeaba, cosa que me desagradó. A lo mejor la quemazón me había quitado una capa de piel. No lo sabía. Sentía los pies húmedos, y las manos me dolían tanto que por fuerza tuve que meterlas en los bolsillos. Una vez más volvieron a mi mente los recuerdos del invierno francés de mi último año en casa, del joven *lord* mortal en una cama de heno y los perros por toda compañía. De pronto, ya no me bastaba con toda la sangre del mundo. Hora de volver a alimentarme, una y otra vez.

Fueron todos menesterosos, inducidos a abandonar sus precarias chozas de cartón e internarse en la gélida penumbra, y eran seres condenados, o al menos eso pensé mientras me deleitaba con el festín en medio del rancio hedor a sudores, orín y flema. Pero la sangre era la sangre.

Cuando los relojes dieron las diez, seguía aún con apetito y había víctimas en abundancia, pero me cansé y ya no me importó más.

Recorrí varias cuadras, llegué al distinguido *West End* y entré en una pequeña tienda sumida en la oscuridad, colmada de ropa masculina elegante, de buen corte —ah, los tesoros de confección de esta era—, y me equipé con pantalones grises de tweed, un abrigo con cinturón, pulóver grueso de lana y hasta un par de anteojos de vidrio levemente coloreado y fino marco de metal. Y ahí partí, a lanzarme de nuevo a la noche fría con sus remolinos de nieve, cantando solo y arriesgando unos pasitos de zapateo americano bajo un farol de la calle, tal como solía hacerlo para Claudia y...

¡Pum! De pronto apareció un joven bello y feroz, con aliento a vino, un sinvergüenza que me amenazó con un cuchillo, dispuesto a matarme por el dinero que yo no tenía, lo cual me recordó que, por haber robado un guardarropa de finas prendas irlandesas, acababa de convertirme en un vil ladrón. Hmmm. Pero una vez más me dejé llevar en el abrazo estrecho, le quebré las costillas al hijo de puta, lo dejé seco como rata muerta en un altillo de verano, y él cayó azorado, en éxtasis, con una mano aferrando penosamente mi pelo hasta último momento.

El sí, llevaba algún dinero en los bolsillos. Qué suerte. Al dueño de la tienda donde había robado le dejé esa suma, que me pareció más que adecuada cuando hice las cuentas, si bien la aritmética no es mi fuerte, poderes preternaturales o no. También le dejé una notita de agradecimiento; sin firma, desde luego. Por último, cerré la tienda dando varias vueltas telepáticas de llave, y me marché.

5

Era exactamente la medianoche cuando llegué a Talbot Manor, la residencia de David. Me dio la impresión de estar viendo el sitio por primera vez. Tuve tiempo para recorrer el laberinto en la nieve, apreciar detenidamente el diseño de los arbustos podados e imaginar cómo sería el jardín en primavera. Un lugar espléndido.

Luego reparé en las habitaciones mismas, pequeñas y oscuras, construidas para no dejar pasar el crudo invierno inglés, y en las ventanitas con maineles, muchas de ellas a plena luz en ese momento y sumamente tentadoras en la penumbra nevada.

David había terminado de cenar y los sirvientes —un hombre y una mujer— estaban trabajando en la cocina de la planta baja mientras el amo se cambiaba de ropa en su dormitorio del primer piso.

Observé cómo se ponía, sobre el pijama, una bata negra larga con solapas de terciopelo del mismo color y lazo a la cintura, lo cual le daba un aspecto clerical por más que el diseño de la tela fuera demasiado rebuscado como para ser una casulla, máxime con el pañuelo blanco de seda calzado en el escote.

Después bajó la escalera.

Yo entré por mi puerta preferida del fondo del pasillo y, cuando él se agachó para atizar el fuego en la biblioteca, aparecí a su lado.

—Ah, volviste —exclamó, tratando de disimular su agrado—. Dios santo, ¡no haces nada de ruido para ir y venir!

—Así es. Fastidioso, ¿no? —Miré la Biblia que estaba en la mesita, el ejemplar del *"Fausto"* y el cuento de Lovecraft aún abrochado pero con sus páginas alisadas. También estaba allí el botellón de whisky y un bonito vaso de cristal de base gruesa.

Con los ojos fijos en el cuento, me asaltó el recuerdo del muchacho ansioso. Qué extraña su manera de caminar. Me recorrió un leve estremecimiento al pensar en el hecho de que me hubiera ubicado en tres lugares tan distintos. Lo más probable era que no volviera a verlo nunca más. Aunque, por otra parte... Pero ya habría tiempo para ocuparme de ese pelmazo. Por ahora, en mi mente estaba David en la agradable perspectiva de tener toda la noche para conversar.

—¿De dónde sacaste esa ropa tan fina? —Sus ojos me inspeccionaron lentamente y, al parecer, no reparó en la atención que yo prestaba a sus libros.

—Oh, por ahí, en una tienda. Nunca le robo la ropa a mis víctimas, si es eso lo que quieres saber. Además, soy adicto a los habitantes de barrios bajos y ellos no visten tan bien.

Tomé asiento en el sillón frente al suyo, que ahora supuse era mi sillón. Mullido, de blando cuero, resortes que chirriaban pero muy cómodo, con respaldo alto y anchos apoyabrazos. El sillón de él no hacía juego con el mío, pero también era bueno, aunque un poco más gastado.

Se hallaba de pie ante el fuego, todavía observándome. Luego se sentó a su vez. Destapó el botellón de cristal, llenó su vaso y lo levantó a guisa de pequeño brindis.

Bebió un largo sorbo e hizo una mínima mueca cuando fue obvio que el líquido le calentó la garganta.

De pronto recordé vívidamente esa sensación. Recordé haber estado en el henal de un granero de mis tierras, en Francia, bebiendo coñac de esa misma manera, incluso haciendo el mismo gesto, y a Nicki, mi amiga y amante mortal, arrebatándome la botella de las manos con expresión ávida.

—Veo que has vuelto a ser el de siempre —dijo David con repentina calidez, bajando un tanto la voz y sin dejar de mirarme. Se recostó contra el respaldo y colocó el vaso sobre el apoyabrazos derecho de su sillón. Tenía un aspecto señorial, aunque más sereno del que jamás le había visto. Su pelo era ondulado, espeso, y había adquirido una hermosa tonalidad gris.

—¿Parezco el de siempre?

—Tienes esa expresión de picardía en los ojos —respondió en voz baja, sin dejar de atisbarme—. Veo un amago de sonrisa en tus labios, que no se te va ni cuando hablas. Y la piel... totalmente distinta. Espero que no te duela. ¿Te duele?

Hice un ademán como restándole importancia. Alcanzaba a oír los latidos de su corazón, apenas más débiles que en Amsterdam. Y de vez en cuando, irregulares también.

—¿Cuánto tiempo te va a durar la piel así de oscura?

—Años, tal vez; al menos eso me dijo uno de mis compañeros

más antiguos. ¿No mencioné este tema en *"La reina de los condenados"*? —Pensé en Marius y en lo enojado que estaba conmigo. Cómo iba a criticar lo que hice.

—Lo dijo Maharet, tu amiga pelirroja —recordó David—. En tu libro, ella asegura haber hecho exactamente eso sólo para oscurecerse la piel.

—Qué coraje —susurré—. Y no crees en su existencia, ¿verdad? Aunque yo esté aquí sentado, frente a ti.

—¡Claro que creo en ella! Creo en todo lo que has escrito. ¡Pero *te conozco*! Dime, ¿qué fue lo que pasó en el desierto? ¿Realmente creíste que te ibas a morir?

—No me extraña que hagas esa pregunta, David; y así, a boca de jarro. —Suspiré. —Bueno, no puedo decir que lo haya creído del todo. Probablemente estuviera jugando a uno de mis típicos jueguitos. Juro por Dios que a los demás no les digo mentiras. Pero me miento a mí mismo. No creo que pueda morir ahora, al menos de una manera que yo pudiera planear.

Dejó escapar un largo suspiro.

—Y dime, David. ¿Por qué no le tienes *tú* miedo a morir, David? No lo digo para atormentarte con mi ofrecimiento de siempre. En verdad no lo comprendo. No tienes el menor miedo a la muerte, y eso no lo puedo entender. Porque *puedes* morir, por supuesto.

¿Lo dudaba acaso? No me respondió en el acto. Sin embargo, se lo notaba enormemente estimulado. Casi podía oír cómo le funcionaba el cerebro, aunque por supuesto no le oía los pensamientos.

—¿A qué se debe el *"Fausto"*, David? ¿Crees que soy Mefistófeles? ¿Eres tú Fausto?

Negó con la cabeza.

—Quizá yo sea Fausto —dijo por fin, al tiempo que bebía otro sorbo de whisky—, pero está claro que tú no eres el diablo. —Suspiró.

—Te he arruinado la vida, ¿no, David? Lo supe en Amsterdam. Ya no te quedas en la Casa Matriz a menos que sea imprescindible. No te he vuelto loco, pero te he hecho mal, ¿verdad?

Otra vez se tomó unos instantes para responder. Me miraba con sus grandes ojos negros, y obviamente analizaba la pregunta desde todos sus ángulos. Las marcadas arrugas de su rostro —en la frente, a los costados de la boca y las patas de gallo— acentuaban su expresión afable, franca. Aquel ser no tenía nada de agrio, pero bajo su fachada escondía cierta infelicidad, mezclada con profundas reflexiones que se remontaban a toda su vida pasada.

—Habría ocurrido de todas maneras, Lestat —dijo al final—. Existen razones para que ya no sea tan eficiente como Superior General. Habría ocurrido de todas maneras; de eso estoy bastante seguro.

—¿Por qué no me lo explicas? Yo creía que estabas en las entrañas mismas de la orden, que eso era tu vida.

Sacudió la cabeza.

—Siempre fui un candidato improbable para la Talamasca. Alguna vez te dije que pasé mi juventud en la India. Podía haber vivido la vida entera de ese modo. No soy un erudito en el sentido convencional de la palabra; nunca lo fui. Sin embargo, *me parezco* al Fausto de la obra. Soy viejo y no he descubierto los secretos del universo; en absoluto. Pensé que lo había hecho cuando era joven, la primera vez que tuve... una visión. La primera vez que vi a una bruja, la primera vez que oí la voz de un espíritu, la primera vez que convoqué a un espíritu e hice que me obedeciera, ¡pensé que lo había descubierto! Pero no fue nada. Esas son cosas pedestres... misterios prosaicos. O misterios que de todos modos jamás voy a resolver.

Hizo una pausa como si quisiera agregar algo más, algo en particular, pero luego levantó el vaso y bebió casi con gesto distraído, sin la mueca esta vez, porque evidentemente la mueca había sido para el primer trago de la noche. Clavó la mirada en el vaso y acto seguido procedió a llenarlo de nuevo.

Me disgustaba no poder leerle los pensamientos, no captar ni la más leve emanación tras sus palabras.

—¿Sabes por qué me hice miembro de la Talamasca? No tuvo nada que ver con la erudición. Jamás supuse que me iba a recluir en la Casa Matriz, que iba a manejar papeles, a guardar archivos en la computadora, a enviar faxes a todas partes del mundo. Nada por el estilo. Todo comenzó con otra cacería, una nueva frontera, por así decir, un viaje al lejano Brasil. Fue allí donde descubrí lo oculto en las callecitas sinuosas del viejo Río, que me resultó tan emocionante y peligroso como mis antiguas cacerías del tigre. Eso fue lo que me atrajo: el peligro. Y cómo terminé tan lejos de ello, no lo sé.

Yo nada dije, pero si algo me quedó claro fue que conocerme a mí le significó un riesgo. Le gustaba el peligro, sin duda. Me había parecido que él encaraba la relación con la ingenuidad del erudito, pero ahora veía que no.

—Sí —aseguró casi al instante, y sus ojos se ensancharon al sonreír—. Exacto. Aunque honestamente no puedo creer que puedas hacerme daño nunca.

—No te engañes —rebatí—. Porque es indudable que te ilusionas. Cometes el viejo pecado de creer en lo que ves, y yo no soy lo que ves.

—¿Ah, no?

—Vamos... tengo aspecto de ángel, pero no lo soy. Las viejas reglas de la naturaleza incluyen a muchas criaturas como yo. Somos bellos como la serpiente de cascabel, o el tigre a ‑ayas, pero también somos asesinos implacables. Te dejas engañar por tus ojos. Pero no quiero pelear contigo. Cuéntame la historia. ¿Qué pasó en Río? Me muero por saberlo.

Un dejo de tristeza se apoderó de mí al pronunciar esas palabras. Hubiera querido decirle: si no puedo tenerte como compañero vampiro, permíteme conocerte como mortal. Me colmaba de una emoción casi palpable el estar sentados ahí los dos, tal como estábamos.

—De acuerdo —dijo—. Ya expusiste tu idea y me doy por enterado. Sentí, es verdad, la tentación del peligro cuando, años atrás, me acerqué a ti en el auditorio donde cantabas, cuando te vi la primera vez que viniste a mí. Y el hecho de que me tientes con tu ofrecimiento... eso también es peligroso, porque soy humano, como ambos sabemos.

Me recosté contra el respaldo, algo más feliz; levanté la pierna y apoyé el talón en el asiento de cuero del viejo sillón.

—Me gusta que la gente me tenga un poco de miedo —dije, encogiéndome de hombros—. Pero, ¿qué pasó en Río?

—Me topé cara a cara con la religión de los espíritus. El candomblé. ¿Conoces la palabra?

Volví a encogerme de hombros.

—La oí una o dos veces —expliqué—. Pienso ir allí algún día, quizá pronto. —Imaginé las grandes ciudades de Sudamérica, los bosques, el Amazonas. Sí, me apetecía tal aventura, y la desesperación que me había llevado hasta el Gobi me parecía ya muy lejana. Me alegraba estar vivo aún, y en silencio me negué a sentirme avergonzado.

—Ah, si pudiera volver a ver Río —dijo David, más para sí mismo que dirigiéndose a mí—. Por supuesto, Río no es lo que era en aquel entonces. Ahora es un mundo de rascacielos y enormes hoteles de lujo. Pero me encantaría ver de nuevo esa costa en curva, el Cristo en la cima del Corcovado. Creo que no hay geografía más deslumbrante en el mundo entero. ¿Por qué dejé pasar tantos años sin regresar a Río?

—¿Acaso no puedes ir cuando te plazca? —Sentí de pronto grandes ansias de protegerlo. —Supongo que esos monjes de Londres no pueden impedirte que vayas. Además, eres el jefe.

71

Rió en un estilo muy caballeresco.

—No, no me lo impedirían —dijo—. Es cuestión de tener, o no, los bríos, tanto físicos como mentales. Pero la cuestión no es ésa; sólo quería contarte lo que pasó. O tal vez sí tenga que ver... No lo sé.

—¿Cuentas con medios como para viajar a Brasil, si quisieras?

—Sí, eso nunca fue problema. En cuestiones de dinero, mi padre fue muy inteligente y, en consecuencia, nunca tuve que preocuparme demasiado.

—Si no tuvieras el dinero, yo te lo pondría en las manos.

Me obsequió una de sus sonrisas más tolerantes y afables.

—Me he puesto viejo —dijo—. Estoy solo y algo tonto, como debe serlo todo hombre con algo de sabiduría. Pero pobre no soy, gracias a Dios.

—¿Y bien? ¿Qué pasó en Brasil? ¿Cómo empezó todo?

Iba a hablar, pero guardó silencio.

—¿De veras piensas quedarte aquí a escucharme? —dijo, después.

—Sí —respondí de inmediato—. Por favor. —Comprendí que nada ansiaba tanto en el mundo. No tenía un solo plan ni ambición en el corazón, ni otro pensamiento que no fuera estar allí, con él. Algo tan simple como eso me dejó un poco perplejo.

Así y todo lo noté reacio a confiar en mí. Luego se produjo un cambio sutil en él, una especie de relajación, un entregarse, quizá.

Hasta que por fin comenzó.

—Ocurrió después de la Segunda Guerra Mundial. La India de mi niñez ya no existía. Además, yo anhelaba nuevos horizontes. Entonces organicé con mis amigos una expedición para ir a cazar al Amazonas. Me obsesionaba la perspectiva de la selva amazónica. Queríamos cazar el gran jaguar sudamericano. —Señaló un rincón de la habitación donde, montada sobre un pedestal, se veía una piel moteada de felino en la que yo no había reparado. —No te imaginas las ganas que tenía de atraparlo.

—Parece que lo conseguiste.

—No de inmediato —aclaró con una risita irónica—. Decidimos empezar la expedición pasando primero unas hermosas vacaciones en Río, dos semanas para recorrer la playa de Copacabana y los lugares históricos: monasterios, iglesias, etcétera. Ten en cuenta que en esa época el centro de la ciudad era muy distinto, una conejera de callecitas angostas y maravillosa arquitectura. ¡Yo estaba anhelante, me emocionaba mucho la perspectiva de hacer algo tan insólito! Eso es lo que nos impulsa a los ingleses a ir a los trópicos.

Sentimos la necesidad de alejarnos de los cánones sociales, de la tradición... y sumergirnos en alguna cultura al parecer salvaje a la que nunca podemos domesticar ni comprender.

A medida que hablaba todo su porte iba cambiando; se lo notaba más vigoroso, le brillaban los ojos y las palabras le fluían más rápidamente con ese marcado acento británico que tanto me gustaba.

—Bueno, la ciudad superó todas nuestras expectativas, desde luego, pero mucho más fascinante aún fue su gente. Los brasileños no se parecen a nadie que uno conozca. Para empezar, son bellísimos, y si bien todos coinciden en este punto, nadie sabe el porqué. No; lo digo en serio —aseguró cuando me vio sonreír—. Tal vez sea la mezcla de portugués con africano y el añadido de sangre indígena. No lo sé. Lo cierto es que son muy atractivos y tienen una voz muy sensual. Uno puede enamorarse de esas voces... puedes besar esas voces... Y la música, la *bossa nova*, es su lenguaje.

—Deberías haberte quedado allí.

—¡No, no! —protestó, y bebió otro sorbito de whisky—. Bueno, continúo: tuve una relación apasionada con un muchacho de nombre Carlos, ya desde la primera semana. Quedé embelesado. Nos dedicamos a beber y hacer el amor día y noche sin cesar, en mi *suite* del Palace Hotel. Una verdadera indecencia.

—¿Tus amigos te esperaron?

—No; me emplazaron: o vienes ya mismo con nosotros o te abandonamos. Pero no tenían inconveniente en que Carlos se incorporara al grupo. —Hizo un ademán. —Eran hombres muy mundanos, desde luego.

—Me imagino.

—Sin embargo, la decisión de llevar a Carlos fue un tremendo error. Su madre era sacerdotisa del candomblé, cosa de la que yo no tenía ni la más remota idea. Ella no quería que su hijo viajara a la selva amazónica; quería que fuera al colegio. Entonces me hizo perseguir por los espíritus.

Hizo una pausa y me miró, quizá para medir mi reacción.

—Tiene que haber sido divertido.

—Me daban golpes de puño en la oscuridad. ¡Levantaban mi cama y me arrojaban al piso! Cuando me duchaba, hacían girar los grifos y casi me quemaban vivo. Me llenaban la taza de té con orines. Al cabo de siete días ya me estaba volviendo loco. Primero sentí fastidio, luego incredulidad y de ahí pasé al terror. Volaban los platos de la mesa ante mis ojos. Sonaban timbres en mis oídos. Las botellas se caían de los estantes y se hacían añicos. Dondequiera que iba, veía personas de tez oscura que me observaban.

—¿Sabías que era esa mujer?

—Al principio, no. Pero por último Carlos me confesó todo. Su madre no pensaba levantar la maldición hasta que no me fuera. Bueno, esa misma noche me marché.

"Regresé a Londres exhausto y medio loco, pero las cosas no mejoraron, porque los espíritus vinieron conmigo. Y empezaron a producirse los mismos fenómenos aquí, en Talbot Manor. Puertas que se golpeaban, muebles que se movían, timbres que sonaban constantemente en las dependencias de servicio. Ya todos estábamos perdiendo el juicio. Y mi madre —siempre tuvo inclinaciones espiritistas— vivía corriendo de una *medium* a otra por todo Londres. Fue ella la que llamó a la Talamasca. Yo les conté la historia completa y ellos empezaron a explicarme lo que era el espiritismo y el candomblé.

—¿Exorcizaron a los demonios?

—No. Pero al cabo de una semana de intensos estudios en la biblioteca de la Casa Matriz y prolongadas entrevistas con los pocos miembros que conocían Río, los pude dominar. Todos quedaron muy sorprendidos. Después, cuando resolví volver a Río, los desconcerté. Me advirtieron que esa sacerdotisa tenía facultades suficientes como para matarme.

«Precisamente —les dije—; pretendo tener yo esos mismos dones. Voy a ser su alumno. Quiero que ella me enseñe». Me imploraron que no fuera y les contesté que a la vuelta les iba a presentar un informe escrito. Te imaginarás cómo me sentía. Yo había visto cómo trabajaban esos entes invisibles. Había sentido que me tocaban. Había visto objetos que se lanzaban por los aires. Pensaba que ante mí se abría el gran mundo de lo invisible. *Tenía* que viajar. Nada me habría podido disuadir. Nada en absoluto.

—Entiendo. Fue tan emocionante como una expedición de caza mayor.

—Así es. —Sacudió la cabeza. —Qué épocas. Seguramente pensaba que, si no me había matado la guerra, ya nada podría hacerlo. —De pronto se dejó llevar por los recuerdos y no me permitió compartirlos.

—¿Te enfrentaste a la mujer?

—La enfrenté y la dejé impresionada; después la soborné de mil maneras. Le dije que quería ser su aprendiz; le juré de rodillas que deseaba aprender, que no me iba a ir hasta no haber comprendido el misterio, y aprendido todo lo posible. —Soltó una risita.

—Creo que ella nunca había conocido a un antropólogo, ni siquiera aficionado, y se puede decir que yo era eso. Sea como fuere, me quedé un año en Río y créeme que fue el más notable de mi vida. Al final, me marché sólo porque sabía que, si no me iba en ese momento, no me iba más. Habría sido el fin de David Talbot, el inglés.

—¿Aprendiste a convocar a los espíritus?

Asintió. Una vez más estaba rememorando, viendo imágenes que me estaban vedadas. Lo noté perturbado, tristón.

—Escribí un relato completo —dijo finalmente—, que está en los archivos de la Casa Matriz. A lo largo de estos años, muchas, muchísimas personas lo leyeron.

—¿Nunca te tentó la posibilidad de publicarlo?

—No puedo. Es una exigencia de la Talamasca. Jamás publicamos para afuera.

—Temes haber malgastado tu vida, ¿no es así?

—No. Sinceramente, no... Aunque es verdad lo que te dije antes. No descubrí los secretos del universo. Jamás avancé más allá del punto al que llegué en el Brasil. Oh, después hubo espeluznantes revelaciones. Recuerdo mi incredulidad de la primera noche, cuando leí los archivos sobre los vampiros; y la sensación extraña que me produjo bajar a las criptas a revisar las pruebas. Pero en definitiva me pasó lo mismo que con el candomblé: pude llegar hasta un determinado punto y no más.

—Créeme que lo sé. David, el mundo tiene que seguir siendo un misterio. Si hay una explicación, no la vamos a encontrar nosotros; de eso estoy seguro.

—Es cierto —coincidió, apesadumbrado.

—Y pienso que le tienes más miedo a la muerte de lo que admites. Conmigo has asumido una actitud porfiada, de orden moral, y no te culpo. A lo mejor tienes edad y criterio como para saber positivamente que no quieres convertirte en uno de los míos, pero no hables de la muerte como si ella pudiera darte las respuestas. Yo sospecho que la muerte es espantosa. Uno se termina, no hay más vida, ninguna posibilidad de saber más nada.

—En eso no estoy de acuerdo, Lestat. Imposible darte la razón.

—Estaba mirando nuevamente al tigre; luego dijo: —Alguien creó la simetría perfecta, Lestat. Eso tuvo que hacerlo alguien. El tigre y la oveja... no puede haber sucedido solo.

Hice un gesto de negación sin despegar los labios.

—Se puso más inteligencia en la creación de ese viejo poema, David, de la que jamás se haya empleado en la creación del mundo. Cuando hablas así pareces episcopal. Pero entiendo lo que dices.

Yo también a veces he pensado igual: tiene que haber algo que lo explique todo. ¡Tiene que haberlo! Faltan tantas piezas del rompecabezas. Cuanto más lo piensas, más tienes la impresión de que los ateos hablan como fanáticos religiosos. Pero yo creo que es una falsa ilusión. Todo es proceso y nada más.

—Piezas que faltan, Lestat. ¡Desde luego! Imagina por un instante que yo fabricara un robot, una réplica perfecta de mí mismo. Supón que le diera todas las enciclopedias de información posibles; es decir, que se las programara en su cerebro-computadora. Bueno, sólo sería una cuestión de tiempo, porque en algún momento vendría a preguntarme: "¿Dónde está lo demás, David? ¡Quiero la explicación! ¿Cómo empezó todo? ¿Por qué omitiste explicar la razón de que haya habido un *big bang* en primer lugar o qué fue lo que ocurrió cuando los minerales y demás compuestos inertes de pronto evolucionaron y se convirtieron en células orgánicas? ¿Cómo se explica la enorme brecha en el registro de los fósiles?".

Me reí complacido.

—Entonces tendría que confesarle al pobre tipo —prosiguió— que no hay explicación alguna, que no tengo las piezas que faltan.

—David, nadie las tiene ni las tendrá.

—No estés tan seguro.

—Eso es lo que esperas, ¿verdad? ¿Por eso estás leyendo la Biblia? ¿Vuelves a Dios porque no pudiste desentrañar los misterios del universo?

—Dios *es* el secreto oculto del universo —expresó, pensativo, con el rostro muy sereno, casi juvenil. Tenía los ojos clavados en el vaso, admirando quizá la forma en que concentraba la luz sobre el cristal. No sé. Tuve que esperar unos instantes para que continuara. —Creo que la respuesta podría estar en el Génesis —dijo por fin—. Sinceramente lo creo.

—Me dejas azorado, David. Hablas de piezas que faltan y mencionas el Génesis, que no es más que un puñado de fragmentos.

—Sí, pero fragmentos reveladores que quedaron para nosotros, Lestat. Dios creó al hombre a su imagen y semejanza, y sospecho que ésa es la clave. Nadie sabe con certeza lo que eso significa. Los hebreos no creían que Dios fuera un hombre.

—¿Por qué supones que puede ser la clave?

—Dios es una fuerza creativa, Lestat, y nosotros también. A Adán le ordenó: "Creced y multiplicaos". Eso fue lo que hicieron las primeras células orgánicas: crecieron y se multiplicaron. No cambiaron meramente de forma sino que se reprodujeron. Dios es una fuerza creativa. El hizo todo el universo partiendo de sí mismo mediante la división celular. Por eso los demonios están tan llenos de envidia... me refiero a los ángeles malos: porque *no son* fuerzas creativas; no tienen cuerpo ni células; son espíritus. Y presumo que lo que sintieron no fue envidia sino más bien una forma de desconfianza, porque vieron que Dios estaba cometiendo un error al construir otro motor de creatividad —Adán— tan parecido a El. Quiero decir que los ángeles probablemente pensaron que ya bastante malo era el universo físico, con todas las células que se reproducían, como para que encima tuvieran que aceptar a seres que hablaban y pensaban, que además podían crecer y multiplicarse. Sin duda el experimento los indignó, y ése fue su pecado.

—Entonces lo que dices es que Dios no es puro espíritu.

—En efecto. Dios tiene cuerpo; siempre lo tuvo. El secreto de las células que se dividen y producen vida reside en el mismo Dios. Y todas las células vivas llevan dentro de sí una minúscula parte del espíritu divino, Lestat: ésa es la pieza que falta, la que produce vida en primer lugar, la que separa a la vida de la no vida. Lo mismo ocurre con tu génesis de vampiro. Dices que el espíritu de Amel —un ente perverso— imbuyó los cuerpos de todos los vampiros... Bueno, de la misma manera los hombres comparten el espíritu de Dios.

—Santo cielo. Creo que te estás volviendo loco, David. Los vampiros somos una mutación.

—Ah, sí, pero existen en nuestro universo y su mutación refleja la mutación que somos nosotros. Además, hay otros que sustentan la misma teoría. Dios es el fuego y nosotros minúsculas llamitas; y cuando morimos, las llamitas regresan al fuego de Dios. ¡Pero lo importante es comprender que Dios mismo es cuerpo y alma! Absolutamente.

"La civilización occidental se ha asentado sobre un trastrocamiento. Pero creo, con toda honestidad, que en nuestras acciones diarias conocemos y honramos la verdad. Sólo al hablar de religión afirmamos que Dios es espíritu puro, que siempre lo fue y siempre lo será, y que la carne es pecado. La verdad está en el Génesis. Y te digo lo que fue el *big bang,* Lestat: fue el momento en que las células de Dios comenzaron a dividirse.

—Es una bella teoría, David. ¿Se sorprendió Dios?

—No, pero los ángeles sí. Lo digo en serio. Y ahora te digo la parte supersticiosa: la creencia religiosa de que Dios es perfecto. Obviamente, no lo es.

—Qué alivio. Así se explican muchas cosas.

—Te estás riendo de mí y no te culpo. Pero es así como dices: eso lo explica todo. Dios cometió muchos, muchísimos errores. ¡Y por cierto El mismo lo sabe! Yo sospecho que los ángeles trataron de advertírselo. El diablo se convirtió en diablo porque trató de poner sobre aviso a Dios. Dios es amor, sí, pero no estoy seguro de que sea sumamente talentoso.

Traté de contener la risa pero no lo logré del todo.

—David, si sigues con estos planteos, te partirá un rayo.

—Tonterías. Dios quiere que nosotros lo comprendamos.

—No. Eso no lo puedo aceptar.

—¿Quiere decir que aceptas todo lo demás? —dijo, con otra risita—. No, hablo muy en serio. La religión es primitiva por las conclusiones ilógicas a que arriba. Imagínate a un Dios perfecto que permite que surja un demonio. No; eso nunca tuvo sentido.

"La gran falla de la Biblia es el concepto de que Dios es perfecto. Representa una falta de imaginación por parte de los antiguos eruditos. Y esa falla explica todas las utopías teológicas sobre el bien y el mal con que venimos luchando desde hace siglos. Sin embargo, Dios es bueno, maravillosamente bueno. Sí, Dios es amor, pero ninguna fuerza creativa es perfecta. Eso está claro.

—¿Y el diablo? ¿Hay algún planteo nuevo sobre él?

Me observó un instante con un dejo de impaciencia.

—Eres tan cínico —susurró.

—No, no lo soy. De verdad quiero saber. Tengo un interés particular en el diablo, por supuesto. Hablo de él con mucho más asiduidad que de Dios. No entiendo por qué los mortales lo aman tanto; es decir, por qué les encanta la idea de que exista. Es así.

—Porque no creen en él. Porque la idea de un diablo totalmente maligno tiene menos sentido aún que la de un Dios perfecto. No se puede creer que durante todo este tiempo el diablo no haya aprendido nada, que todavía quiera seguir siendo diablo. Semejante idea es un agravio a nuestro intelecto.

—Entonces, ¿cuál es la verdad que ves tras la mentira?

—Que él no es totalmente irredimible. Es tan sólo una parte del plan de Dios, un espíritu con permiso para tentar y poner a prueba a los humanos. El diablo está en contra de los humanos, del experimento en su totalidad. Precisamente ése fue el carácter de la Caída, como lo veo yo. Nunca pensó que la idea fuera a dar resultado. ¡Pero la clave, Lestat, es comprender que Dios es materia! Dios es un ser físico, es el amo de la división celular, y el diablo no quiere permitir una desenfrenada división de las células.

Hizo otra de sus pausas enloquecedoras, volvió a abrir los ojos con expresión de asombro y continuó:

—Tengo otra teoría respecto del demonio.

—Dime.

—Que existe más de uno. Y a ninguno le gusta mucho el trabajo. —Eso lo dijo casi en un murmullo. Estaba abstraído, como si quisiera agregar algo más, pero no lo hizo.

Yo reaccioné con una risa franca.

—*Eso sí* lo entiendo —dije—. ¿A quién puede gustarle el trabajo de diablo? Y pensar que uno nunca va a poder ganar, sobre todo teniendo en cuenta que el diablo empezó siendo un ángel; y muy inteligente, según dicen.

—Exacto. —Me señaló con un dedo. —En cuanto a tu teoría sobre Rembrandt, te digo que, si el diablo tuviera cerebro, debería haber advertido el genio de Rembrandt.

—Y la bondad de Fausto.

—Ah, sí; me viste leyendo el *"Fausto"* en Amsterdam, ¿no? Y en consecuencia te compraste un ejemplar.

—¿Cómo lo sabes?

—Me lo contó al día siguiente el dueño de la librería. Dijo que, segundos después de marcharme yo, entró un francés joven, rubio, de aspecto extraño, compró el mismísimo libro y se quedó media hora leyéndolo en la calle, sin moverse. Tenía la piel más blanca que jamás hubiese visto. No podía ser otro que tú, por supuesto.

Sacudí la cabeza y sonreí.

—Suelo cometer esas torpezas. Me llama la atención que algún científico no me haya cazado aún con una red.

—Esto no es chiste, amigo mío. Noches atrás fuiste muy negligente en Miami. Dejaste a dos víctimas sin una gota de sangre.

Sus palabras me llenaron de perplejidad y al principio no supe qué decir; después, sólo comenté mi asombro de que la noticia hubiese cruzado hasta este lado del océano y me sumí en la desesperanza.

—Los asesinatos raros llegan a los titulares internacionales. Además, la Talamasca recibe informes de todo tipo de cosas. Tenemos gente que, desde el mundo entero, nos manda recortes sobre cualquier aspecto de lo paranormal. "Asesino vampiro ataca dos veces en Miami". Varias personas nos lo enviaron.

—Pero realmente no creen que haya sido un vampiro; tú sabes que no lo creen.

—No; pero si insistes con lo mismo, van a terminar creyéndolo. Eso era lo que pretendías antes de iniciar tu breve carrera de cantante de rock. Querías hacerles entender. No es algo impensable. ¡Y esa predilección que demuestras por los asesinos múltiples! Estás dejando una pista demasiado clara.

Sinceramente, me sorprendió. Para dar caza a los asesinos tuve que ir y venir por los continentes. Nunca pensé que nadie —salvo Marius, desde luego— fuera a relacionar esas muertes tan separadas unas de otras.

—¿Cómo fue que lo dedujiste?

—Ya te dije que esas historias llegan a nuestras manos. Todo lo que tenga que ver con el satanismo, el vampirismo, el vudú, los lobizones: todo viene a parar a mi escritorio. Gran parte de ese material termina en el cesto de papeles, por supuesto, pero yo me doy cuenta cuando algo es verdad. Y tus homicidios son fáciles de detectar.

"Ya hace un tiempo que te dedicas a perseguir asesinos múltiples. No ocultas los cadáveres. El último lo dejaste en un hotel, donde alguien lo encontró apenas una hora después. En cuanto a la anciana, ¡fuiste muy descuidado! El hijo la halló al día siguiente. El forense no encontró heridas en ninguna de las dos víctimas. Eres una celebridad anónima en Miami, que eclipsa hasta la mala fama del pobre muerto del hotel.

—No me importa una mierda —reaccioné. Pero vaya si me importaba. Pese a que deploraba mi propia negligencia, no hacía nada para corregirla. Bueno, tenía que proponerme cambiar. Esa misma noche, por ejemplo, ¿había obrado mejor? Me pareció cobarde buscar excusas para justificar ese tipo de cosas.

David me observaba atentamente. Si había algo que lo distinguía, era su característica de estar alerta.

—No me llamaría la atención —dijo— que te apresaran.

Solté una risa despectiva, como descartando esa posibilidad.

—Podrían encerrarte en un laboratorio, estudiarte en una jaula de cristal.

—Imposible. Pero qué idea interesante.

—¡Tenía razón yo! Querías que pasara eso.

Me encogí de hombros.

—Podría ser divertido por poco tiempo. Pero te aseguro que es absolutamente imposible. La noche de mi única aparición como cantante de rock sucedieron muchas cosas insólitas. Cuando terminó todo, el mundo mortal se limitó a pasar la escoba y no se volvió a hablar más del asunto. En cuanto a la mujer de Miami, fue un percance terrible. Jamás tendría que haber sucedido... —Me interrumpí. ¿Y los que habían muerto esa misma noche en Londres?

—Pero disfrutas matando. Dijiste que era divertido.

Sentí un dolor tan grande que me dieron ganas de huir. Pero

como había prometido no irme, me quedé mirando el fuego, pensando en el desierto de Gobi, en los huesos de enormes saurios, en cómo la luz había llenado el mundo entero. Pensé en Claudia. Sentí el olor del pabilo de la lámpara.

—Lo siento. No quiero ser cruel contigo —dijo.

—Bueno, ¿por qué diablos no? No se me ocurre una forma más fina de crueldad. Aparte, yo no soy siempre amable contigo.

—¿Qué es lo que quieres realmente? ¿Cuál es tu mayor pasión?

Pensé en Marius y en Louis, que muchas veces me habían hecho la misma pregunta.

—¿Cómo puedo expiar el acto que cometí? Mi intención era terminar con el asesino. Ese hombre era un tigre antropófago, hermano. Lo aceché. En cambio la anciana... era una niña en el desierto, nada más. Pero, ¿qué importa? —Pensé en los pobres a los que había dado muerte un rato antes, esa misma noche. ¡Semejante carnicería como dejé en los callejones de Londres! —Me gustaría poder recordar que no importa. A ella quise salvarla. Pero, ¿qué tiene de bueno un acto de compasión frente a todo lo que he hecho? Si existe un Dios o un diablo, estoy condenado. ¿Por qué no continúas con tu charla religiosa? Lo raro del caso es que hablar de Dios y el diablo me seda. Cuéntame más sobre el diablo. Es inconstante, ¿no? E inteligente. Debe ser capaz de sentir. ¿Por qué habría de permanecer estático?

—Exacto. Ya sabes lo que dice el Libro de Job.

—Recuérdamelo.

—Bueno, Satanás está en el cielo con Dios. Dios le pregunta: "¿Dónde anduviste?". Y él le responde: "¡Paseando por la tierra!". Se trata de una conversación habitual. Entonces empiezan a discutir sobre Job. Satanás cree que la bondad de Job se basa enteramente en su buena suerte. Y Dios accede a que Satanás atormente a Job. Esta es la imagen más próxima a la verdad que poseemos. Dios no lo sabe todo. El diablo es íntimo amigo suyo. Y toda esta cosa es un experimento. Pero ese Satanás no tiene nada que ver con el diablo tal como lo conocemos ahora en cualquier parte del mundo.

—Hablas de esas ideas como si fueran seres reales...

—Creo que son reales —sostuvo, y su voz se fue apagando a medida que iba sumiéndose en sus pensamientos. Luego se despabiló. —Quiero contarte una cosa. En realidad, tendría que habértela confesado antes. En cierto sentido, soy supersticioso y religioso como cualquiera. Porque todo esto se asienta en una especie de visión... tú sabes, ese tipo de revelaciones que afectan a nuestro intelecto.

—No, no sé. Yo tengo sueños sin revelación. Explícame, por

favor.

Con la mirada fija en el fuego, se entregó de nuevo a sus cavilaciones.

—No me excluyas —le pedí en tono quedo.

—Hmmm. Tienes razón. Estaba pensando en cómo relatarlo. Bueno, tú sabes que sigo siendo sacerdote del candomblé. Es decir, puedo convocar a fuerzas invisibles: espíritus fastidiosos o como uno quiera llamarlos..., fantasmas, fenómenos psikinésicos. Eso significa que seguramente tuve siempre una capacidad latente para ver a los espíritus.

—Me imagino que sí.

—Bueno, en una oportunidad vi algo... inexplicable, antes de haber ido nunca a Brasil.

—¿Ah, sí?

—Antes de Brasil, yo prácticamente no le había dado importancia. De hecho, me resultaba tan inquietante, tan inexplicable, que para la época en que viajé a Río había logrado borrarlo de mi mente. Ahora, sin embargo, pienso todo el tiempo en ello. No me lo puedo sacar de la cabeza. Por eso es que volví a la Biblia, para ver si allí encuentro la respuesta.

—Cuéntame.

—Ocurrió antes de la guerra, en París, a donde había ido con mi madre. Estaba sentado en un café sobre la orilla izquierda del Sena. No sé qué café era; sólo recuerdo que era un hermoso día primaveral, una época magnífica para estar en París, como dicen todas las canciones. Estaba bebiendo una cerveza, leyendo los diarios ingleses, cuando de pronto me di cuenta de que, sin querer, oía una conversación. —Una vez más quedó absorto. —Ojalá supiera lo que pasó —confesó en un murmullo.

Se inclinó hacia adelante, tomó el atizador y se puso a revolver los leños, con lo cual se elevaron chispas ardientes por los ladrillos oscuros.

Me dieron unas ganas intensas de sacudirlo, pero preferí esperar, hasta que por fin prosiguió.

—Como te dije, estaba en un café.

—Sí.

—Y empecé a escuchar una conversación... que no era en inglés ni en francés... hasta que poco a poco tomé conciencia de que no era en ningún idioma, y sin embargo la entendía perfectamente. Dejé el diario y me concentré. Era una especie de discusión. De repente ya no sabía si las voces eran audibles en un sentido convencional. ¡No estaba seguro de que nadie más pudiera oírlas! Levanté la mirada y, sin apresurarme, giré en redondo.

"Y ahí estaban... dos seres sentados a una mesa, conversando; por un momento me pareció algo normal: simplemente dos hombres charlando. Volví a mirar el diario y me invadió una sensación de estar nadando. Tuve que anclarme a algo, concentrarme un instante en el diario, en la mesa, para que cesara ese nadar. Entonces regresó el ruido del café como si fuera una orquesta entera. Pero sabía que lo que acababa de ver eran dos seres que no eran humanos.

"Me di vuelta de nuevo y me esforcé por prestar atención, por captar lo más posible. Ellos seguían en su lugar y yo comprendí que eran ilusorios. Evidentemente no eran del mismo paño que todo lo demás. ¿Comprendes lo que te digo? Puedo desglosártelo por partes. No estaban iluminados por la misma luz, por ejemplo. Existían en un reino donde la luz provenía de otra fuente.

—Como la luz en Rembrandt.

—Sí, como eso. Sus rostros eran más tersos que los de los humanos. Toda la visión tenía una textura distinta, uniforme en todos sus detalles.

—¿Te vieron ellos a ti?

—No. Es decir, no me miraron ni se dieron por enterados de mi presencia. Se miraban uno al otro, siguieron hablando y yo retomé el hilo al instante. Era Dios diciéndole al diablo que debía proseguir con su labor, y el diablo no quería hacerlo. Explicaba que ya llevaba demasiado tiempo trabajando. Lo mismo que le pasaba a él le pasaba a todos los demás. Dios dijo que El entendía, pero que el diablo debía saber lo importante que él —el diablo— era, que no podía eludir sus obligaciones, que no era tan sencillo. En definitiva, le decía que debía ser fuerte, todo dicho en tono muy amistoso.

—¿Qué aspecto tenían?

—Esa es la peor parte: no sé. En ese momento yo vi dos figuras grandes, decididamente masculinas, o que asumían forma masculina, por así decirlo, de agradable apariencia; en absoluto monstruosos ni fuera de lo común. No me di cuenta de que faltaran detalles, como por ejemplo color del pelo, facciones, esas cosas. Las dos siluetas parecían completas. Pero cuando después quise reconstruir el episodio, ¡no me acordaba de las particularidades! No creo que la ilusión fuera tan completa. Creo que me dejó satisfecho, pero esa sensación provino de algo distinto.

—¿De qué?

—Del contenido, de la significación, desde luego.

—Ellos no te vieron, no supieron que estabas ahí.

—Mi querido amigo, tienen que haber sabido que estaba. Tienen que haberlo sabido. ¡Seguramente lo hacían para mí! ¿Cómo, si no, se me permitió verlo?

—No sé, David. A lo mejor no tenían la intención de que los vieras. Tal vez algunas personas pueden ver, y otras no. O quizá fuera un rasgón en la otra trama, la trama de todo lo demás que había en el café.

—Podría ser, pero me temo que no fue eso. Me temo que la intención haya sido que los viera, producir un efecto en mí. Y ése es el horror, Lestat: que no me produjo un buen efecto.

—No te hizo cambiar de vida.

—Oh, no, en absoluto. Más aún: a los dos días ya dudaba hasta de haberlos visto. Cada vez que se lo contaba a alguien, cada vez que me decían "David, estás chiflado", el episodio se volvía más impreciso y dudoso. No; nunca obré en consecuencia.

—Pero, ¿qué podías haber hecho? ¿Qué puede hacer una persona que ha tenido una revelación, salvo llevar una buena vida? Me imagino, David, que se lo habrás contado a tus compañeros de la Talamasca.

—Sí, sí, se lo conté. Pero eso fue mucho más tarde, después de lo de Brasil, cuando presenté mis memorias como debe hacer todo buen integrante. Desde luego, relaté la historia completa tal como ocurrió.

—¿Y qué te dijeron?

—Lestat, la Talamasca nunca dice mucho sobre nada; eso hay que saberlo. "Nosotros observamos y estamos siempre alertas." A decir verdad, no era una visión que muchos de mis compañeros quisieran escuchar. En Brasil, si hablas de espíritus enseguida tienes público. Pero menciona al Dios cristiano y al diablo... En cierto modo, la Talamasca está regida por prejuicios y hasta por modas, como cualquier institución. La historia provocó cierta perplejidad. No recuerdo mucho más. Pero, ¿qué se puede esperar de caballeros que han visto lobizones, que han sido seducidos por vampiros, que lucharon contra brujas y hablaron con fantasmas?

—Pero Dios y el diablo —dije, riendo— son las estrellas del elenco. ¿No será que tus compañeros te envidiaron más de lo que supones?

—No; no lo tomaron en serio —dijo, aceptando mi humorada con una risita—. Para serte franco, me llama la atención que tú lo hayas tomado tan al pie de la letra.

De pronto se levantó agitado, se encaminó a la ventana, descorrió la cortina y trató de mirar afuera, a la noche cubierta de nieve.

—David, esas apariciones... ¿qué crees que pretendían de ti?

—No lo sé —reconoció con voz de desaliento—. A eso quiero llegar. Ya tengo setenta y cuatro años, y no lo sé. Voy a morirme sin saberlo. Y si no puedo esclarecerme, que así sea. Eso en sí mismo es una respuesta, con independencia de que tome suficiente conciencia de ello o no.

—Ven aquí y siéntate, por favor. Me gusta verte la cara cuando hablas.

Obedeció casi automáticamente. Se sentó y volvió a tomar el vaso vacío, al tiempo que sus ojos se posaban en el fuego una vez más.

—¿Qué opinas, Lestat? De verdad, en tu interior. ¿Existe un Dios o un diablo? Dime con sinceridad lo que piensas.

Me tomé un largo rato para responder.

—Honestamente, creo que Dios existe. No me gusta decirlo, pero lo creo. Y es probable que exista también alguna forma de diablo. Reconozco que hay piezas que faltan, como hemos dicho. Y podría ser que en ese café de París hubieras visto al Ser Supremo y a su adversario. Pero el hecho de que nunca podamos descifrar el misterio es parte del juego enloquecedor de ambos. ¿Buscas una explicación posible de su conducta, saber por qué te permitieron vislumbrar algo? ¡Querían que tuvieras una reacción de tipo religioso! Juegan con nosotros de esa manera. Lanzan visiones, milagros, trocitos de revelación divina; entonces nosotros nos llenamos de fervor y fundamos una iglesia. Todo es parte de su juego, de su charla interminable. ¿Y sabes una cosa? Creo que la visión que tienes tú de ellos —la de un Dios imperfecto y un diablo que está aprendiendo— es una interpretación tan buena como cualquier otra. Creo que has dado en la tecla.

Me miraba con gran atención, pero no respondió.

—No —continué—. La intención no es que conozcamos las respuestas, que sepamos si nuestras almas viajan de un cuerpo a otro, y a otro más a través de la reencarnación. Nunca vamos a saber si Dios hizo el mundo, si es Alá, Yahvé, Siva o Cristo. El siembra dudas de la misma manera como siembra revelaciones. Nosotros somos sus tontos.

Seguía sin abrir la boca.

—Abandona la Talamasca, David. Vete a Brasil antes de que seas demasiado viejo. Regresa a la India. Ve a todos los sitios que quieres conocer.

—Sí, tal vez debiera hacerlo —repuso suavemente—. Y ellos se ocuparán de todo por mí. El consejo ya se ha reunido para tratar el tema de mis recientes ausencias de la Casa Matriz. Me jubilarán con una buena suma, desde luego.

—¿Ellos saben que me has visto?

—Oh, sí. Eso es parte del problema, porque me prohibieron tomar contacto contigo. Lo cual es muy divertido, realmente, puesto que están ansiosos por verte ellos mismos. Saben cuándo andas por la Casa Matriz, desde luego.

—Ya sé que se dan cuenta. ¿Qué es eso de que te prohibieron el contacto?

—Oh, la admonición de rigor —respondió, con los ojos aún posados en los leños—. Todo muy medieval y basado en una antigua directiva: "No debes alentar a ese ser; no debes entablar ni prolongar la conversación con él. Si insiste en sus visitas, harás lo posible por llevarlo a un sitio muy poblado, porque sabido es que a esas criaturas no les gusta atacar si están rodeadas de mortales. Y nunca jamás tratarás de sonsacarle secretos, ni creerás por un instante que cualquier emoción revelada por él sea genuina, porque saben fingir con singular astucia y se sabe de casos en que, por razones imposibles de analizar, han llevado a mortales a la locura. Esa suerte han corrido notables investigadores y pobres inocentes con quienes los vampiros establecen contacto. Debes informar al consejo, sin la menor dilación, de todo encuentro, avistamiento, etcétera".

—¿Realmente lo sabes de memoria?

—Yo mismo lo redacté —reconoció con una sonrisa—. A través de los años he impartido la directiva a muchos otros miembros.

—Seguro que saben de mi presencia aquí, ahora.

—No, claro que no. Hace tiempo ya que dejé de informar nuestros encuentros. —Volvió a sumirse en sus pensamientos. —¿Buscas a Dios? —preguntó luego.

—Por cierto que no —respondí—. Es una gran pérdida de tiempo, aun cuando uno tenga siglos para derrochar. Ya no emprendo más esas búsquedas. Miro el mundo que me rodea para encontrar las verdades, verdades encerradas en lo físico y lo estético, verdades que puedo abrazar plenamente. La visión que tuviste me interesa porque es tuya, porque me la relataste y porque te quiero mucho, pero nada más.

Volvió a echarse hacia atrás, con la mirada perdida en la penumbra.

—No va a importar, David. Va a llegar un momento en que morirás, y yo también, con toda probabilidad.

Su sonrisa volvió a ser cálida, como si sólo pudiera aceptar eso como una suerte de broma.

Se produjo un largo silencio, que él aprovechó para servirse más whisky y beberlo con más lentitud que antes. No estaba ni siquiera un poco ebrio, porque expresamente se proponía no llegar hasta ese punto. Cuando yo era mortal, siempre bebía para emborracharme. Pero en ese entonces yo era muy joven y muy pobre, castillo o no castillo, y la mayoría de las bebidas eran malas.

—Tú buscas a Dios —sentenció, haciendo gestos de afirmación con la cabeza.

—Maldito si es así. Lo dices por tu propia experiencia, pero sabes perfectamente bien que no soy el muchacho que ves aquí.

—Ah, es verdad que no debo olvidarme de eso. Pero nunca toleraste la maldad. Si es verdad aunque más no fuera la mitad de lo que escribiste en tus libros, es evidente que siempre te asqueó todo lo relacionado con el mal. Darías cualquier cosa por descubrir lo que Dios quiere de ti, y cumplir sus designios.

—Te estás poniendo chocho, David. Redacta tu testamento.

—Oh, qué cruel —se quejó con su sonrisa franca.

Estuve a punto de decirle algo más, pero me distraje al oír ciertos sonidos en mi mente. Un auto que pasaba a marcha lenta por un camino angosto de la lejana aldea, en medio de una nieve enceguecedora.

Efectué una exploración mental pero no encontré nada, sólo más nieve que caía y el auto que avanzaba con dificultad. Pobre mortal, tener que atravesar el campo a las cuatro de la madrugada.

—Ya es muy tarde —dije—, y tengo que irme. No quiero pasar otra noche aquí, aunque estuviste sumamente amable. Esto no tiene nada que ver con que alguien esté enterado. Es sólo que prefiero...

—Te entiendo. ¿Cuándo volveré a verte?

—Tal vez antes de lo que crees. Dime, David, la otra noche, cuando me fui como un atolondrado a asarme en el Gobi, ¿por qué dijiste que yo era tu único amigo?

—Lo eres.

Permanecimos unos instantes en silencio.

—Tú también eres mi único amigo, David.

—¿Adónde vas ahora?

—No sé. Quizá vuelva a Londres. Te voy a avisar cuando cruce de nuevo el Atlántico. ¿De acuerdo?

—Sí, avísame. No... no creas nunca que no quiero verte; no vuelvas a abandonarme más.

—Si creyera ser una buena influencia para ti, si pensara que te conviene dejar la orden y volver a viajar...

—Claro que me conviene. Mi lugar ya no está en la Talamasca. Ni siquiera estoy seguro de seguir confiando en la institución... ni de creer en sus objetivos.

Yo deseaba decirle mucho más; cuánto lo quería, que nunca olvidaría cómo me protegió cuando busqué refugio bajo su techo, que estaba dispuesto a hacer cualquier cosa que me pidiera, lo que fuese.

Pero me pareció inútil. No sé si me habría creído, ni qué valor habrían tenido mis palabras. Yo aún estaba convencido de que no le convenía verme. Y a él no le quedaba mucho en esta vida.

—Todo eso lo sé —dijo quedamente, obsequiándome de nuevo su sonrisa.

—David, ¿tienes aquí una copia del informe que presentaste sobre tus aventuras en Brasil? ¿Puedo leerlo?

Se levantó y caminó hasta una biblioteca con puertas de vidrio. Revisó unos instantes la gran cantidad de material que allí guardaba y retiró dos gruesas carpetas de cuero.

—Aquí está mi vida en Brasil, lo que escribí posteriormente en la selva usando una destartalada máquina de escribir portátil, sobre una mesita de campamento, antes de volver a Inglaterra. Salí a cazar un jaguar, desde luego. Tuve que hacerlo. Pero la cacería no fue nada en comparación con las experiencias que viví en Río; no fue absolutamente nada. Ese fue el momento crítico. Creo que el hecho mismo de redactar esto fue un intento de volver a convertirme en un inglés, de poner distancia con la gente del candomblé, con el tipo de vida que había llevado con ellos. El informe que presenté a la Talamasca se basó en este material.

Lo recibí agradecido.

—Y esto —agregó, refiriéndose a la otra carpeta— es un breve resumen de mis días en Africa y la India.

—También me gustaría leerlo.

—Son en su mayor parte viejas historias de cacerías. Era muy joven cuando las escribí. ¡No hablo más que de armas y es pura acción! Fue antes de la guerra.

Recibí también la segunda carpeta. Luego me puse de pie en un estilo muy caballeresco.

—Me pasé la noche entera hablando yo —dijo de pronto—; muy desatento de mi parte. A lo mejor tú tenías cosas que contar.

—No, ninguna. Fue exactamente lo que yo quería. —Le tendí la mano y él me la tomó. Asombrosa la sensación de su roce contra mi carne quemada.

—Lestat... ese cuento de Lovecraft... ¿lo quieres o prefieres que te lo guarde?

—Ah... es una historia bastante interesante... quiero decir, la forma como llegó a mis manos.

Cuando me lo entregó, lo guardé dentro del abrigo. A lo mejor volvía a leerlo. Recobré la curiosidad y junto con ella una suerte de recelo temeroso. Venecia, Hong Kong, Miami. ¡Cómo había hecho ese insólito mortal para localizarme en los tres lugares, y cómo consiguió que lo ubicara yo a él!

—¿Quieres hablarme de eso? —preguntó David, gentil.

—Cuando tengamos más tiempo, te contaré. —Sobre todo si vuelvo a ver a ese tipo, pensé. ¿Cómo lo hizo?

Salí de manera civilizada, haciendo adrede algo de ruido al cerrar la puerta lateral de la casa.

Estaba por amanecer cuando llegué a Londres. Y, por primera vez en muchas noches, me alegré de mis inmensos poderes y de la enorme sensación de seguridad que me transmitían. No necesitaba yo ataúdes, sitios oscuros donde esconderme, sino sólo una habitación donde no entraran los rayos del sol. Un elegante hotel con gruesas cortinas me brindaría paz y comodidad.

Disponía de algún tiempo para instalarme bajo la cálida luz de la lámpara y comenzar a leer las aventuras de David en Brasil, cosa que ansiaba hacer con suma complacencia.

Dada mi ligereza y mi locura, casi no llevaba dinero encima, por lo que tuve que usar todo mi poder de persuasión con los empleados del venerable Claridge para que aceptaran el número de mi tarjeta de crédito pese a no tener ninguna tarjeta para exhibir; y cuando firmé con uno de mis seudónimos preferidos —Sebastian Melmoth—, me acompañaron a una preciosa *suite* con bellísimos muebles estilo Reina Ana y equipada con todas las comodidades que uno pudiera desear.

Coloqué el cortés cartelito impreso de que no me molestaran, avisé también en mesa de entradas que no quería ser molestado hasta el anochecer y luego trabé todas las puertas desde adentro.

Sinceramente, no tenía tiempo para leer. Estaba llegando la mañana tras el cielo gris y la nieve seguía cayendo en copos grandes, húmedos. Corrí todas las cortinas salvo una (para poder contemplar el cielo), y ahí me quedé, esperando el espectáculo de la llegada de la luz y todavía un tanto atemorizado por su furia. El dolor de la piel se me estaba intensificando, debido, más que nada, a ese miedo.

El recuerdo de David ocupaba mi mente; de hecho, desde que nos habíamos separado no pude dejar de pensar en él. Seguía oyendo su voz y trataba de imaginar su visión fragmentaria de Dios y del diablo en el café de París. Pero mi posición en cuanto a todo ese tema era sencilla y predecible. Creía que lo de David eran delirios muy reconfortantes. Y pronto él ya no estaría conmigo pues se lo llevaría la muerte. Y de su vida, sólo me iban a quedar esos manuscritos. Ni aun proponiéndomelo, podía creer que él sabría algo más cuando estuviera muerto.

No obstante, me asombraba el giro que había tomado la conversación, los bríos de David, las cosas peculiares que habían dicho.

Me hallaba muy cómodo con esos pensamientos, contemplando el cielo plomizo y la nieve que se acumulaba abajo, en las aceras, cuando de pronto sufrí un mareo; más aún, un momento de total desorientación, como si estuviera por quedarme dormido. Me resultó muy agradable la sensación de sutil vibración, acompañada por cierta ingravidez, como si en efecto estuviera abandonando la forma física y entrando en mis sueños. Luego vino esa presión que con tanta nitidez experimenté en Miami: se me comprimían las piernas, todo mi cuerpo presionaba hacia adentro, me volvía más estrecho y, de repente, ¡la atemorizante imagen de que se me forzaba a salir por la coronilla!

¿Por qué me pasaba eso? Me estremecí, tal como hice la vez anterior en la playa solitaria de Florida. Y en el acto se disipó la sensación. Volví a ser el de antes, pero quedé con un dejo de fastidio.

¿Pasaba algo malo con mi bella y deforme anatomía? Imposible. No necesitaba que los más antiguos me cerciorasen de esa verdad. No había resuelto aún si debía preocuparme por ello u olvidarlo, o si debía tratar de volver a inducirlo, cuando un golpe en la puerta me hizo olvidar la preocupación.

Sumamente enojoso.

—Mensaje para usted, señor. El caballero solicitó que se lo entregara en sus propias manos.

Tenía que haber algún error. Sin embargo, abrí la puerta.

El joven me entregó un sobre grueso, abultado. Durante un instante sólo atiné a mirarlo. Como me quedaba un billete de una libra —del ladronzuelo al que había dado muerte más temprano—, se lo di y volví a encerrarme.

Se trataba del mismo tipo de sobre que me había dado en Miami aquel mortal loco que se me acercó corriendo por la arena. ¡Y la sensación! La misma cosa extraña que había experimentado en el instante en que mis ojos se posaron en aquella criatura. Ah, pero no era posible...

Rasgué el sobre con manos repentinamente temblorosas. ¡Era otro cuento corto impreso, recortado de algún libro igual al primero y abrochado de la misma manera, en el ángulo superior izquierdo! Quedé desconcertado. ¿Cómo diablos había hecho ese ser para seguirme? ¡Nadie sabía que me encontraba ahí! ¡Ni siquiera David! Claro que estaba el número de la tarjeta de crédito, pero por Dios, cualquier mortal habría demorado horas en ubicarme por ese medio, suponiendo que fuera posible; que no lo era.

¿Y qué tenía que ver con ello la sensación, esa rara vibración, la presión que parecía sentir dentro mismo de mis extremidades?

Pero no había tiempo para analizarlo. ¡Ya era casi de mañana!

De inmediato capté el peligro de la situación. ¿Cómo no lo había advertido antes? Ese ser decididamente tenía algún medio para saber dónde estaba yo, ¡incluso dónde elegía ocultarme durante el día! ¡Tenía que abandonar esos aposentos! ¡Qué ultraje!

Temblando de indignación, hice un esfuerzo y eché un vistazo al cuento, de unas pocas páginas de largo. El autor era Robert Bloch, y el título, *"Los ojos de la momia"*. Un título ingenioso, pero ¿qué podía significar para mí? Pensé en el de Lovecraft, que era mucho más extenso y, al parecer, totalmente distinto. ¿Qué quería decir todo eso? La aparente idiotez del asunto me enloquecía.

Pero ya era muy tarde para seguir cavilando. Recogí los manuscritos de David, dejé las habitaciones, me fui por la salida de incendios y subí al techo. Oteé la noche en todas las direcciones. ¡No pude ver al muy maldito! Suerte para él, porque, si lo veía, lo mataba. Cuando se trata de defender mi refugio, tengo poca paciencia o moderación.

Ascendí y recorrí los kilómetros a la mayor velocidad posible. Por último descendí en un bosque cubierto de nieve, lejos de Londres en dirección al norte, y allí cavé mi propia tumba en la tierra congelada como tantas veces había hecho con anterioridad.

Me puso furioso tener que hacerlo, realmente furioso. Voy a matar a ese hijo de puta, quienquiera que sea, pensé. ¡Cómo se atreve a acecharme, a darme esos cuentos! Sí, eso voy a hacer: apenas lo agarre, lo mato.

Pero luego me acometió el mareo, el embotamiento, y pronto ya nada importó...

Una vez más estaba soñando, y ella estaba ahí, encendiendo la lámpara de aceite, diciendo: "Ah, la llama ya no te asusta..."

—Te estás burlando de mí —dije, sintiéndome desdichado. Había estado llorando.

—Caramba, Lestat, tú sí que te repones rápido de esos ataques cósmicos de desesperanza. Te vi en Londres, bailando bajo los faroles de la calle. ¡Qué barbaridad!

Quise protestar, pero como estaba llorando, no me salían las palabras...

En un último lapso de conciencia, vi a ese mortal en Venecia... bajo las arcadas de San Marcos, donde por primera vez reparé en él... Vi sus ojos pardos y su boca joven, tersa.

¿Qué quieres?, exigí saber.

Ah, lo mismo que tú, pareció responder.

6

Cuando desperté ya no estaba tan furioso contra el extraño. En realidad, lo que sentía era una gran intriga. Pero luego había caído la noche, y eso a mí me dio ventaja.

Decidí hacer un experimento. Me dirigí a París, para lo cual realicé el cruce a toda velocidad, y solo.

Permítaseme ahora una pequeña digresión para explicar que en los últimos años he evitado París por todos los medios, y lo cierto es que nunca la había visto como ciudad del siglo XX. Las razones quizá sean obvias. Había sufrido mucho allí, en épocas pretéritas, y estaba precavido contra el espectáculo de modernos edificios en torno del cementerio de *Père-Lachaise,* o de ruedas mágicas de diversión con luces eléctricas en las Tullerías. Pero, en lo más recóndito, siempre había añorado volver. ¿Cómo podía ser de otra manera?

Y ese pequeño experimento me dio coraje y una excusa perfecta. Redujo el dolor que con toda certeza habrían de producirme mis observaciones, ya que me llevaba un propósito. Pero a los pocos instantes de llegar me percaté de que realmente estaba en París —que esa ciudad no podía ser otra—, y una alegría sobrecogedora me inundó cuando caminé por los amplios bulevares y tuve que pasar por el sitio donde en una época se levantaba el Teatro de los Vampiros.

En efecto, sobrevivían varios teatros de ese período y ahí estaban, imponentes, recargados, convocando aún a sus públicos entre modernos edificios que los rodeaban por todos lados.

Mientras paseaba por los muy iluminados Campos Elíseos —congestionados por automóviles veloces y millares de peatones—, comprendí que París no era una ciudad de museo, como Venecia. Era una ciudad viva, como lo fue durante los últimos dos siglos. Una capital. Un sitio todavía moderno, de valientes innovaciones y cambios. Me maravillé ante el austero esplendor del Centro Georges Pompidou, que se eleva, audaz, no lejos de los arcos de Notre Dame. Ah, qué feliz me hacía estar de regreso.

Pero tenía una tarea, ¿no es así?

A nadie le conté, mortal ni inmortal, que estaba allí. No llamé a mi abogado de París, por más que me habría hecho mucha falta. Preferí, por el contrario, obtener una gran suma de dinero de la manera habitual: sacándosela a dos criminales desagradables y opulentos, que fueron mis víctimas en calles oscuras.

Luego enfilé hacia la nevada Place Vendôme, que albergaba los mismos palacios que en mis épocas, y bajo el nombre ficticio de barón Van Kindergarten me oculté en una magnífica *suite* del Ritz.

Recluido allí durante dos noches, evité la ciudad envuelto en un lujo y esplendor dignos del Versailles de María Antonieta. De hecho, asomaban lágrimas a mis ojos al ver la excesiva ornamentación parisiense que me rodeaba, los fabulosos sillones Luis XVI, la magnífica *boiserie* repujada de las paredes. Ah, París. ¿En qué otro lugar puede estar la madera pintada como oro y seguir siendo bella?

Tendido en un sofá estilo Directorio, de inmediato me puse a leer los manuscritos de David, interrumpiéndome sólo de tanto en tanto para caminar por las silenciosas habitaciones, o bien para abrir una puerta-ventana y contemplar el jardín trasero del hotel, tan formal, tan callado y orgulloso.

El relato de David me fascinó, a tal punto que pronto me sentí más cerca de él que nunca.

Lo que estaba claro era que en su juventud había sido un hombre de acción y nada más que acción, que sólo tenía contacto con libros que narraban acción, y que su mayor placer había sido siempre la cacería. Mató su primer animal cuando sólo contaba diez años. En los relatos acerca de cómo daba muerte a los tigres de Bengala se advertía el entusiasmo por la persecución misma y los riesgos que debió enfrentar. Como se acercaba mucho a la bestia antes de disparar, más de una vez estuvo a punto de sucumbir él mismo.

Se enamoró del Africa, como también de la India; cazó elefantes en la época en que nadie soñaba que la especie pudiera correr peligro de extinción. En numerosas oportunidades fue atacado por esas enormes bestias antes de poder derribarlas. Y cuando cazaba leones en la planicie de Serengeti corrió riesgos similares.

Con esfuerzo recorrió arduos senderos de montaña, nadó en ríos inseguros, apoyó la mano sobre la dura piel del cocodrilo, venció su innata repulsión por las serpientes. Le encantaba dormir a la intemperie, hacer anotaciones en su diario a la luz de las velas o las lámparas de aceite, comer sólo la carne de los animales que cazaba, aunque fueran pocos, y desollar a esas fieras sin ayuda.

Su poder de descripción no era muy notable. No tenía paciencia con la palabra escrita, especialmente cuando era joven. Sin embargo, en sus memorias se podía sentir el calor de los trópicos, oír el zumbido de los mosquitos. Parecía inconcebible que un hombre como él hubiera disfrutado alguna vez del invernal solaz de Talbot Manor, o de los lujos de las casas matrices de la orden, a las cuales ahora parecía haberse vuelto adicto.

Pero muchos otros caballeros británicos habían tenido alguna vez tales opciones e hicieron lo que consideraron adecuado a su edad y posición social.

En cuanto a la aventura en Brasil, parecía escrita por otro hombre. El vocabulario era igual de escaso y preciso y, por supuesto, se advertía la misma avidez de peligro, pero al manifestarse en él la inclinación hacia lo sobrenatural surgió un individuo mucho más cerebral, más inteligente. En realidad, el léxico mismo cambió, puesto que incorporó muchas palabras desconocidas de origen portugués y africano, para definir conceptos y sensaciones físicas imposibles de describir de otra manera.

Pero el meollo era que David había desarrollado sus notables poderes telepáticos merced a una serie de encuentros aterradores y primitivos con sacerdotisas brasileñas, como también con espíritus, o sea que su cuerpo se convirtió en mero instrumento de sus facultades parapsicológicas. Esta experiencia preparó el camino para el erudito que habría de ser en años posteriores.

Había mucha descripción física en las memorias del Brasil. Se hablaba allí de pequeñas chozas campestres, donde los fieles del candomblé se reunían para encender velas ante estatuas de santos católicos y dioses autóctonos. Se hablaba de tambores y de danzas, y del inevitable trance en que caían algunos miembros del grupo cuando, al convertirse en huéspedes inconscientes de los espíritus, adquirían los atributos de una determinada deidad durante largos lapsos que luego borraban de su memoria.

Pero el acento caía sobre lo invisible, sobre la percepción de una fuerza interior y la lucha contra las fuerzas externas. Ya no existía el joven aventurero que buscaba la verdad puramente en lo físico, en el olor de la bestia, en el sendero de la jungla, en el chasquido de un arma o la caída de una presa.

Cuando se marchó de Río, David era otra persona. Si bien con posterioridad su relato fue pulido —e indudablemente sufrió también correcciones—, incluía de todos modos grandes fragmentos del diario que había escrito en el momento mismo. No cabe duda de que estuvo al borde de la demencia en el sentido convencional. Cuando miraba a su alrededor ya no veía edificios, calles y personas sino espíritus, dioses, poderes invisibles que emanaban de otros, como también diversos niveles de resistencia espiritual, tanto consciente como inconsciente, que ponían los humanos ante todas esas cosas. De hecho, si no se hubiera internado en la selva amazónica, si no se hubiera esforzado por volver a ser el cazador británico, quizá se habría perdido para siempre de su viejo mundo.

Fue, durante meses, un ser demacrado, quemado por el sol, que deambuló por Río en mangas de camisa y pantalones sucios en busca de una experiencia espiritual mayor, un hombre que cortó todo vínculo con sus compatriotas pese a lo mucho que ellos insistían en mantener el contacto. Después se abasteció del atuendo color caqui de rigor, tomó sus armas largas, consiguió los mejores pertrechos británicos para campamento y partió a reivindicarse, para lo cual mató al jaguar moteado y luego lo desolló con su propio puñal.

Realmente no era tan inverosímil que en todos esos años no hubiera regresado a Río de Janeiro, ya que, de haberlo hecho, tal vez nunca habría podido marcharse.

Sin embargo, no le bastaba con ser un adepto del candomblé. Los héroes buscan la aventura, pero la aventura sola no les alcanza.

Cómo aumentó mi cariño por él al enterarme de esas experiencias, y cuánto me entristeció pensar que pasó el resto de su vida en la Talamasca. No me pareció algo digno de él o, más bien, no me pareció que fuese lo mejor para hacerlo feliz, por mucho que dijera que eso era lo que quería. Me dio la impresión de que fue lo peor que pudo hacer.

Y, por supuesto, el hecho de conocerlo más en profundidad me hizo añorarlo más. Una vez más reflexioné que en mi lóbrega juventud preternatural me rodeé de seres que nunca podían haber sido verdaderos compañeros: Gabrielle, que no me necesitaba; Nicolás, que se volvió loco; Louis, que nunca me perdonó por haberlo seducido para entrar en el reino de los inmortales, pese a que él mismo lo quiso.

La única excepción fue Claudia —mi pequeña e intrépida Claudia, compañera de caza y matadora de víctimas fortuitas—, vampira por excelencia. Su fascinante fortaleza fue lo que la indujo a volverse contra su hacedor. Sí, ella fue la única verdaderamente parecida a mí, como se dice en esta era. Quizá sea por eso que en la actualidad su recuerdo me atormenta.

¡Sin duda eso tenía cierta relación con mi amor por David! Y antes no me había dado cuenta. Cuánto lo amaba, y qué profunda la sensación de vacío que experimenté cuando Claudia se volvió contra mí y dejó de ser mi compañera.

Esos manuscritos me sirvieron también para esclarecer otro punto. David iba a rechazar el Don Misterioso siempre, hasta las últimas consecuencias. Ese hombre no le temía a nada. No le gustaba la muerte, pero no le tenía miedo. Jamás se lo tuvo.

Pero yo no había ido a París sólo para leer sus memorias; tenía otro propósito en mi mente. Abandoné el bendito confinamiento del hotel y salí a deambular lenta, visiblemente.

En la calle Madeleine me compré ropa de categoría, incluso un abrigo cruzado azul marino de cachemira. Luego pasé horas en la margen izquierda recorriendo sus tentadores cafés, rememorando la anécdota de David sobre Dios y el diablo, preguntándome qué habría sido lo que vio. Desde luego, París sería un lugar excelente para Dios y el diablo, pero...

Viajé en subterráneo y me puse a observar los rostros de los pasajeros, tratando de determinar por qué los parisienses eran tan diferentes. ¿Sería su expresión avispada, su vigor, la forma en que eludían la mirada de los demás? No podía precisarlo. Pero eran muy distintos de los norteamericanos —eso había notado yo en todas partes—, y me di cuenta de que los comprendía. Además, me caían bien.

El hecho de que París fuese una ciudad tan opulenta, tan llena de costosos abrigos de piel, alhajas e innumerables *boutiques* me dejó levemente azorado. Me pareció hasta más rica que las ciudades de los Estados Unidos. No me había resultado menos rica en mis tiempos, quizá, con sus coches de cristal y sus barrenderos uniformados de blanco. Pero también había visto pobres, incluso moribundos, por las calles. Pero ahora yo sólo veía ricos y, por momentos, esa ciudad con sus millones de autos, sus numerosas casas de piedra, sus hoteles y mansiones me parecía inverosímil.

Desde luego, cacé. Me alimenté.

Al día siguiente, a la hora del crepúsculo, me instalé en el piso superior del Pompidou bajo un cielo tan violeta como el de mi querida Nueva Orleáns y vi cómo se encendían todas las luces de la gran ciudad. A lo lejos, la torre Eiffel se elevaba claramente en la divina penumbra.

¡Ah, París! Yo sabía que iba a volver, sí, y pronto. Alguna noche del futuro me fabricaría una cueva en la isla St. Louis, que siempre me encantó. Al diablo con las mansiones de la avenida Foch. Buscaría la casa donde cierta vez Gabrielle y yo hicimos actuar juntos la Magia Misteriosa, donde ella —mi madre— me pidió que la convirtiera en hija mía, y la vida mortal la soltó, dejándola ir como si esa vida fuera una simple mano cuya muñeca yo hubiera aferrado.

Pensé en traer de vuelta a Louis, Louis que tanto había amado esa ciudad antes de perder a Claudia. Sí, debía invitarlo a que volviera a amar París.

Entretanto, caminaría sin prisa hasta el Café de la Paix, en el gran hotel donde Louis y Claudia se habían alojado durante ese año tan trágico del reinado de Napoleón III, y allí, sentado con mi vaso de vino sin tocarlo, haría el esfuerzo de pensar serenamente en todo eso... y en que ya estaba concluido.

Bueno, era evidente que el suplicio del desierto me había fortalecido; sobre eso no cabía duda. Ya me sentía con ganas de que sucediera algo...

...Hasta que por fin, en las primeras horas de la mañana, un tanto melancólico al no ver los viejos edificios de la década de 1780, cuando ya se cernían brumas sobre el río semicongelado y estaba asomado al parapeto de la orilla, muy cerca del puente que lleva a la *île de la Cité,* divisé a mi hombre.

Primero experimenté la sensación, y esta vez la reconocí en el acto. Fui analizándola a medida que la sentía: el permitirme una leve desorientación sin perder nunca el control; las deliciosas ondas vibratorias y, luego, la intensa constricción, la opresión de mi cuerpo entero —dedos de las manos y de los pies, brazos, piernas, tronco—, igual que antes. Sí, como si mi cuerpo retuviera sus proporciones y al mismo tiempo se volviera cada vez más pequeño, ¡obligándome a salir de ese contorno! En el instante mismo en que ya me parecía imposible permanecer dentro de mí, se despejó mi mente y las sensaciones se terminaron.

Exactamente lo que me había pasado la vez anterior. Me quedé ahí, en el puente, sacando conclusiones, memorizando los pormenores.

Luego reparé en un autito desvencijado que se detuvo en la margen opuesta del río. De él bajó el joven de pelo castaño, con los mismos movimientos torpes. Se enderezó con aire tímido cuan alto era y posó en mí sus ojos vidriosos.

Había dejado el motor en marcha. Al igual que la vez anterior, pude oler su miedo. Evidentemente sabía que yo lo había visto; en eso no podía equivocarme. Supuse que también se habría dado cuenta de que yo llevaba allí dos horas, esperando que me encontrara.

Por último se armó de coraje y cruzó el puente en medio de la niebla, imponente con su largo sobretodo y echarpe blanca al cuello; medio caminando y medio corriendo, se detuvo a escasos centímetros de mí, de la fría mirada que yo, acodado en la baranda, le lanzaba. Me arrojó otro sobre y yo le aferré la mano.

—¡No se apresure, señor de Lioncourt! —murmuró con desesperación. Acento británico de clase alta, muy semejante al de David, e imitaba casi a la perfección las sílabas del francés. Estaba poco menos que descompuesto de miedo.

—¿Quién diablos es usted? —exigí saber.

—¡Tengo una cosa que proponerle! Sería muy tonto que no me escuchara. Se trata de algo que usted desea mucho. ¡Y le aseguro que no hay nadie en el mundo que pueda ofrecérsela!

Lo solté, dio un salto atrás y se tambaleó, por lo que estiró una mano para sujetarse de la baranda. ¿Qué tenían de raro sus movimientos? Pese a ser de fuerte contextura se movía como un ser inseguro, cosa que me llamaba mucho la atención.

—¡Explíqueme ya mismo su propuesta! —dije, y alcancé a sentir que, dentro de su pecho, el corazón se le detenía.

—No —se opuso—. Pero hablaremos muy pronto. —Tenía una voz culta, refinada.

Demasiado refinada para esos enormes ojos vidriosos y esa cara juvenil, tersa y robusta. ¿Sería una planta de invernadero, que alcanzó un tamaño prodigioso en compañía de gente mayor, sin haber tenido nunca contacto con personas de su edad?

—¡No se apresure! —volvió a gritar, y salió corriendo; trastabilló y se enderezó, luego su físico alto y torpe entró en el pequeño vehículo, y se marchó en medio de la nieve congelada.

Iba a tanta velocidad cuando desapareció en St. Germain que no pude menos que pensar que se estrellaría.

Miré el sobre; sin duda, otro maldito cuento. Lo abrí enojado, no muy convencido de haber hecho bien en dejarlo ir y al mismo tiempo disfrutando del jueguito, disfrutando incluso la indignación que me daba su astucia y su habilidad para seguirme los pasos.

Comprobé entonces que era un video de una película reciente. El título, *"Viceversa"*. ¿Por qué diablos...? Lo di vuelta y leí la tapa. Un filme cómico.

Regresé al hotel y allí encontré esperándome otro paquete. Otro video, titulado *"All of Me"*. Una vez más, la descripción que traía la cubierta de plástico me dio una idea del tema.

Subí a mis habitaciones. ¡No tenía reproductor de video! Ni siquiera en el Ritz. Llamé a David por teléfono pese a que ya era casi el alba.

—¿Por qué no vienes a París? Yo me encargo de organizarte todo. Te espero a cenar, mañana a las ocho en el comedor de la planta baja.

Luego llamé a mi agente mortal, lo levanté de la cama y le di instrucciones para que se ocupara del pasaje de David, de la limosina, la *suite* y todo lo demás. Tenía que esperarlo con dinero en efectivo, enviarle flores y champaña frío. Después salí a buscar un lugar seguro donde dormir.

Pero una hora más tarde, hallándome en el sótano húmedo de una vieja casa abandonada, me pregunté si ese mortal hijo de puta no me estaría viendo en ese momento, si no sabría dónde dormía yo de día, si no podría hacer entrar la luz del sol para que me afectara, como cualquier vulgar cazador de vampiros de película mala, sin el menor respeto por lo misterioso.

Me oculté en lo más profundo, debajo del sótano. Ningún mortal podría encontrarme ahí sin ayuda. Y si me encontraba, aun dormido yo podría haberlo estrangulado sin enterarme jamás de ello.

—¿Qué conclusión sacas de todo esto? —le pregunté a David. El comedor estaba elegantemente decorado y semivacío. Ahí estaba yo sentado a la luz de las velas, vistiendo traje de etiqueta y camisa de pechera almidonada, con los brazos plegados por delante, disfrutando del hecho de que ahora sólo necesitaba los anteojos de leve tinte violáceo para disimular mis ojos. Qué bien alcanzaba a ver los cortinados y el jardín a oscuras del otro lado de las ventanas.

David comía con placer. Le había encantado la idea de venir a París; le agradó mucho la *suite* del Place Vendôme, con sus alfombras aterciopeladas y sus muebles dorados a la hoja, y se pasó la tarde entera en el Louvre.

—Comprendes cuál es el tema, ¿no?

—No estoy seguro —respondí—. Veo ciertos elementos comunes, desde luego, pero esos cuentos son totalmente diferentes.

—¿En qué sentido?

—Bueno, en el de Lovecraft, Asenath, una mujer diabólica, cambia de cuerpo con su marido. Sale a recorrer la ciudad usando el cuerpo masculino, mientras él queda en la casa, desdichado y perplejo, dentro del cuerpo de ella. Me pareció muy cómico, muy astuto. Y, por supuesto, Asenath no es Asenath, si mal no recuerdo, sino su padre, que antes había cambiado el cuerpo con ella. Después todo se vuelve muy típico de Lovecraft, con viles demonios semihumanos y cosas por el estilo.

—Quizás ésa sea la parte que no viene al caso. ¿Y el cuento egipcio?

—Otra cosa. Los muertos convertidos en polvo pero que aún poseen vida, tú sabes...

—Sí, pero la trama...

—Bueno, el alma de la momia logra apoderarse del cuerpo de un arqueólogo, y él, pobre diablo, termina dentro del cadáver podrido de una momia...

—¿Sí?

—Dios santo, ahora entiendo lo que dices. ¡Después, la película *"Viceversa"*, que trata sobre las almas de un niño y de un hombre que intercambian los cuerpos! Se arma un lío de todos los demonios hasta que logran hacer el cambio de vuelta. Y la película *"All of Me"* también trata sobre cambio de cuerpos. Tienes toda la razón. Las cuatro historias giran en torno de lo mismo.

—Exacto.

—Por Dios, David... Ahora lo veo claro. No sé cómo no caí antes. Pero...

—El hombre trata de hacerte creer que sabe algo sobre este asunto de cambiar de cuerpo. Está tratando de tentarte dando a entender que se puede hacer semejante cosa.

—¡Pero claro! Eso explica su forma de moverse, de caminar, de correr.

—¿Qué?

Azorado, antes de responder evoqué unos instantes la imagen de la bestia; traté de recordar su figura desde todos los ángulos que me permitía la memoria. Sí, hasta en Venecia le había notado esa torpeza de movimientos.

—David, él *puede* hacerlo.

—¡No saques una conclusión tan alocada, Lestat! A lo mejor cree que puede hacerlo; quizá hasta lo intente. Es probable que esté viviendo enteramente en un mundo de delirio...

—No. Esa es su proposición, David, ¡la proposición que, según él, voy a querer oír! *¡Es capaz* de cambiar de cuerpo con otras personas!

—No me digas que crees...

—¡Eso es lo que le noto de raro! Desde que lo vi en la playa de Miami he tratado de comprender qué le pasaba. ¡No está dentro de su cuerpo! ¡Por eso no puede usar sus músculos ni su... estatura!

Por eso trastabilla cuando corre. No puede dominar esas piernas largas y fuertes. Santo cielo, ese hombre está ocupando el cuerpo de otro. Y la voz, David... eso yo te lo comenté. No es una voz de muchacho. ¡Así se explica todo! ¿Sabes lo que pienso? Que eligió ese físico en particular porque yo iba a reparar en él. Y te digo algo más: ya trató incluso de hacer conmigo ese truco del cambio y le fracasó.

No pude continuar. Me deslumbraba demasiado la posibilidad.

—¿Cómo es eso de que *trató*?

Le relaté las sensaciones peculiares, la vibración y la contracción, aquello de que literalmente se me obligaba a abandonar mi yo físico.

No hizo comentarios a mis palabras, pero me di cuenta del efecto que le habían causado. Estaba inmóvil, con los ojos entornados, la mano derecha semicerrada y apoyada cerca de su plato.

—Fue una agresión contra mí, ¿no? Intentó sacarme de mi cuerpo, quizá para introducirse él. Y, desde luego, no lo pudo hacer. Pero, ¿cómo es que se arriesgó a ofenderme mortalmente con su acto?

—¿Te ofendió mortalmente?

—No; sólo me dejó con más curiosidad, ¡una gran curiosidad!

—Ahí tienes la respuesta. Creo que te conoce muy bien.

—¿Qué? —Oí lo que había dicho, pero no pude responderle en el momento pues me puse a evocar las sensaciones. —Ese sentimiento es muy intenso. ¿No ves lo que está haciendo? Me da a entender que puede intercambiar conmigo. Me ofrece esa bella osamenta de mortal.

—Sí —repuso David, sin matices—. Creo que tienes razón.

—¿Por qué, si no, iba a permanecer en ese cuerpo? Es obvio que se halla incómodo en él y quiere cambiar. ¡Me está diciendo que puede hacer el trueque! Por eso corrió el riesgo. Debe saber que a mí me resultaría fácil matarlo, reventarlo como si fuera un insecto. Ni siquiera me agrada su... manera de ser. El cuerpo es excelente. Sí, es eso. Lo puede hacer, David; conoce el modo.

—¡Ni lo pienses! No puedes ponerlo a prueba.

—¿Por qué no? ¿Dices que no se puede hacer, que en ningún archivo de la Talamasca hay constancia de...? David, sé que ese hombre lo hizo. Lo que no pudo es obligarme a mí, pero por cierto que cambió de cuerpo con otro mortal.

—Lestat, cuando sucede eso decimos que hay posesión. ¡Se trata de un accidente parapsicológico! El alma de un muerto se apodera de un cuerpo vivo. Es un espíritu que posee a un ser humano y al que hay que persuadir de que lo abandone. Los seres vivos no andan haciéndolo por ahí ex profeso, concertando acuerdos. No, creo que *no* es posible. ¡No creo que haya casos semejantes! No... —Se interrumpió, dubitativo.

—Sabes que ha habido casos. Debe haberlos.

—Esto es muy peligroso, Lestat, es un riesgo demasiado grande para cualquier tipo de prueba.

—Mira, si puede ocurrir circunstancialmente también puede ocurrir de esta manera. Si lo puede. hacer el alma de un muerto, ¿por qué no un vivo? Yo sé lo que es viajar fuera de mi cuerpo. Tú también lo sabes; lo aprendiste en Brasil y lo describiste con lujo de detalles. Muchos, muchos humanos lo saben. Las religiones antiguas lo practicaban. No es inconcebible que uno pueda regresar a otro cuerpo y tratar de retenerlo mientras el otro trata en vano de recuperarlo.

—Qué idea tan abominable.

Volví a explicarle lo de las sensaciones y lo intensas que habían sido.

—¡David, es posible que haya robado ese físico!

—Sencillamente encantador.

Una vez más recordé la sensación de opresión, la impresión aterradora pero a la vez extrañamente placentera de que mi cuerpo se apretaba y pugnaba por salir a través de mi coronilla. ¡Qué cosa rara! Si ese ser era capaz de hacerme sentir eso, seguro que podía lograr también que un mortal saliera de sí mismo, máxime si ese mortal no tenía ni la más leve idea de lo que estaba pasando.

—Serénate, Lestat —exclamó mi amigo, disgustado, y apoyó el pesado tenedor sobre el plato casi vacío—. Pensémoslo un poco más. A lo mejor se puede hacer ese cambio por unos minutos, ¿pero te imaginas permanecer dentro de ese nuevo cuerpo, funcionando allí día tras día? No. Significaría funcionar también cuando estás dormido, no sólo cuando estás despierto. Estás hablando de algo totalmente distinto y a todas luces riesgoso. Con esto no se puede experimentar. ¿Y si diera resultado?

—Exacto. Si diera resultado, yo podría meterme dentro de ese cuerpo. —Callé un momento. No me atrevía a decirlo, pero al final lo solté: —David, podría volver a ser mortal.

Me quedé sin aliento. Transcurrió un instante de silencio, durante el cual nos miramos con fijeza. La ligera expresión de temor de sus ojos no alcanzó a aplacar mi entusiasmo.

—Yo sabría usar ese cuerpo —proseguí en un susurro—. Sabría cómo utilizar esos músculos, esas piernas largas. Oh, sí, seguramente eligió ese cuerpo porque supuso que me parecería posible, muy posible...

—¡Lestat, no puedes seguir con esto! ¡Esa persona habla de cambiar un cuerpo por otro! ¡No puedes permitirle que se quede con el tuyo! La idea es monstruosa. ¡Ya es bastante con que tú te encuentres dentro de este cuerpo!

Impresionado, hice silencio.

—Mira —prosiguió, tratando de acapararme otra vez—, te pido que me perdones por hablar como superior general de una orden religiosa, ¡pero esto no lo puedes hacer! Por empezar, ¿de dónde sacó él ese cuerpo? ¿Y si lo hubiera robado? ¡No pensarás que un muchacho se lo entregó alegremente, sin protestar! Se trata de un ser siniestro y eso hay que reconocerlo. No puedes entregarle un cuerpo poderoso como el tuyo.

Yo escuché todo, lo comprendí, pero no me convenció.

—Piénsalo, David —dije, sabiendo que mis palabras parecían locas, incoherentes—. Me permitiría ser mortal.

—Te pido por favor que despiertes y me prestes atención. Esto no es una obra cómica ni un cuento gótico de Lovecraft. —Se limpió la boca con la servilleta y, enojado, bebió un sorbo de vino. Luego estiró una mano sobre la mesa y la apoyó sobre mi muñeca.

Tendría que haberle permitido que la levantara y me la sujetara, pero no cedí y al instante se dio cuenta de que querer mover mi mano era como pretender movérsela a una estatua de granito.

—¡No puedes jugar con esto! No puedes correr el riesgo de que dé resultado, porque ese ser malévolo, quienquiera que sea, luego tendrá tu fuerza.

Hice un gesto de negación.

—Entiendo lo que dices, David, pero piensa un poco. ¡Tengo que hablar con él! Tengo que encontrarlo y averiguar si eso se puede hacer. El no importa; lo importante es el proceso, saber si se puede hacer.

—Te lo suplico: no investigues más. ¡Vas a cometer otro error atroz!

—¿A qué te refieres? —Me costaba prestarle atención. ¿Dónde estaba ahora ese depravado ladino? Pensé en sus ojos, en lo bonitos que serían si no fuese *él* quien mirara por ellos. Sí, ¡era un hermoso cuerpo para el experimento! ¿De dónde lo habría sacado? Me propuse averiguarlo.

—David, te dejo.

—¡No, tú no te vas! ¡Si no te quedas donde estás, te juro que te hago perseguir por una legión de los espíritus más malignos con que tuve trato en Río de Janeiro! Ahora escúchame.

Me reí.

—No levantes la voz o nos echan del Ritz —le pedí.

—Bueno, hagamos un trato. Yo vuelvo a Londres, enciendo la computadora y busco todos los casos de mutación de cuerpos que figuren en nuestros archivos. Vaya uno a saber con qué me voy a encontrar. Lestat, puede ocurrir que él esté dentro de ese cuerpo, que el cuerpo se le esté deteriorando y él no pueda salir ni detener el deterioro. ¿No pensaste en esa posibilidad?

—No se está deteriorando; en tal caso, yo habría percibido el olor. Ese cuerpo no tiene nada de malo.

—Salvo que quizá se lo haya robado a su legítimo propietario y el pobre diablo ahora anda a los tumbos en el del otro, y no tenemos ni el menor indicio.

—Tranquilízate, David, por favor. Tú regresas a Londres y te pones a investigar en los archivos. Yo empiezo a buscar a este hijo de puta porque quiero ver lo que me dice. ¡No te preocupes! No voy a seguir adelante sin consultarte. Y si decido...

—¡No decidirás nada! Por lo menos, sin haber hablado conmigo.

—De acuerdo.

—¿Me lo prometes?

—Sí, por mi honor de asesino sanguinario.

—Dame un número telefónico en Nueva Orleáns.

Lo miré un instante sin pestañear.

—Está bien. No lo he hecho nunca, pero aquí lo tienes. —Le di el número de mis aposentos en el barrio francés. —¿No lo vas a anotar?

—Ya lo memoricé.

—¡Entonces hasta luego!

Me levanté de la mesa y, pese a mi excitación, traté de caminar como un humano. Oh, poder moverse como un humano, estar dentro de un cuerpo humano... ¡Ver el sol, ver de veras ese círculo brillante en un cielo azul!

—Ah, David, casi me olvidaba. Ya está todo pago. Llama a mi representante; él se ocupará de tu vuelo...

—Eso no me preocupa. Escúchame, Lestat: quiero que ya mismo me digas cuándo vamos a reunirnos para seguir hablando de esto. Si te esfumas, jamás te...

Yo seguía de pie y le sonreí. Me di cuenta de que lo estaba hechizando. Por supuesto que no me iba a amenazar con no dirigirme más la palabra. Qué absurdo.

—Errores atroces —dije, sin poder abandonar la sonrisa—. Claro que los cometo, ¿verdad?

—¿Qué te dirán... los otros... tu bienamado Marius, los mayores, si haces semejante cosa?

—Quizá te dieran una sorpresa, David. A lo mejor lo que más desean es volver a ser humanos. Tal vez sea eso lo que todos deseamos: tener otra oportunidad. —Pensé en Louis, que estaba en su casa de Nueva Orleáns. Dios santo, ¿qué pensaría cuando se lo contase?

David murmuró algo por lo bajo, impaciente e irritado, pero con expresión de afecto y preocupación.

Hice ademán de mandarle un pequeño beso y me marché.

Había pasado escasamente una hora cuando tomé conciencia de que no podría encontrar al depravado ladino. Si se hallaba en París, estaría escondido de modo de no dejarme captar ni el menor indicio de su presencia. Y tampoco capté una imagen de él en la mente de otros.

Eso no quería decir que no estuviera en la ciudad. La telepatía tiene mucho de azar y París era una ciudad inmensa, rebosante de personas provenientes de todos los países.

Por último, regresé al hotel y me enteré de que David ya había partido, dejándome sus diversos números telefónicos para comunicarme por fax, por computadora o por línea común.

"Por favor, llámame mañana a la noche", me escribió, "porque para ese entonces ya tendré noticias."

Subí a prepararme para regresar. No veía la hora de encontrarme de nuevo con ese loco mortal. Y Louis... Tenía que contárselo todo a él. Desde luego, no lo creería posible; eso iba a ser lo primero que diría. Pero sentiría la tentación. Sí, claro que sí.

No hacía ni un minuto que estaba en la habitación tratando de decidir si tenía que llevarme alguna cosa de allí —ah, sí, los manuscritos de David— cuando en la mesita de luz vi un sobre liso, apoyado contra un enorme florero. Decía "Conde van Kindergarten", escrito con trazos firmes, masculinos.

Apenas lo vi supe que era una nota de él. El mensaje estaba escrito a mano, con la misma letra firme, rebuscada.

No se apresure. Y tampoco le haga caso a ese tonto amigo suyo de la Talamasca. Nos vemos mañana a la noche en Nueva Orleáns. No me defraude. Plaza Jackson. Allí nos pondremos de acuerdo para elaborar una pequeña alquimia propia. Creo que comprenderá lo que está en juego.

Atentamente,
Raglan James

"Raglan James", murmuré en voz alta. Raglan James. No me gustaba el nombre porque se parecía a él.

Marqué el número de la conserjería.

—Ese sistema de fax que acaba de inventarse —dije en francés—, ¿lo tienen ya aquí? Explíquemelo, por favor.

Tal como suponía, a través de una línea telefónica se podía enviar desde el hotel un facsímil completo de esta notita hasta el aparato que tenía David en Londres. Entonces mi amigo no sólo recibiría la información sino también la caligrafía, si es que podía servirle de algo.

Recogí los manuscritos, pasé por la oficina con la nota de Raglan James, la hice enviar por fax, volví a guardármela y por último me dirigí a Notre Dame porque quería despedirme de París con una plegaria.

Me sentía loco, totalmente loco. ¡Cuándo había experimentado semejante grado de felicidad! En la penumbra de la catedral —cerrada en ese momento por la hora que era— recordé la primera vez que había estado allí, muchas décadas atrás. En ese entonces no existía la gran plaza frente al atrio; sólo la pequeña *Place de Grève* rodeada de edificios maltrechos; tampoco existían los grandes bulevares como los que hay actualmente en París, sino sólo calles anchas de tierra, que nos parecían majestuosas.

Pensé en aquellos cielos azules, en cómo era la sensación de tener hambre, mucha hambre de pan y de carne, recordé cómo era querer embriagarme con un buen vino. Pensé en Nicolás, mi amigo mortal a quien tanto amé, y en lo fría que era antes nuestra piecita del desván. ¡Nicki y yo discutiendo como habíamos discutido David y yo! Oh, sí.

Tenía la impresión de que mi prolongada existencia había sido una pesadilla desde aquella época, una pesadilla llena de gigantes, de monstruos y de horribles máscaras tras las cuales se escondían seres que me amenazaban en la oscuridad eterna. Noté que temblaba. Estaba llorando. Ser humano, pensé. Volver a ser humano. Creo que pronuncié en voz alta las palabras.

De pronto, el susurro de una risa me sobresaltó. Era una niña pequeña en medio de la penumbra.

Me volví. Estaba casi seguro de haberla visto: una silueta diminuta que avanzaba a toda velocidad por un pasillo, hacia un altar lateral, y después desaparecía de la vista. Sus pisadas habían sido apenas audibles. Pero seguramente debía tratarse de un error. No había olor, no había una verdadera presencia. Era una ilusión.

Sin embargo, exclamé:

—¡Claudia!

Y mi voz rebotó en una suerte de áspero eco. No había nadie allí, desde luego.

Recordé las palabras de David: "¡Vas a cometer otro error atroz!".

Sí, no voy a negar que he cometido errores atroces, terribles. Volví a sentir el clima de mis sueños recientes, pero no en profundidad; sólo me quedaba una vaga sensación de estar con ella. La imagen de una lámpara de aceite y ella riéndose de mí.

Rememoré una vez más cómo se la había ejecutado: el pozo de ventilación con paredes de ladrillo, el sol que se acercaba, lo pequeña que era ella; luego se mezcló también el recuerdo del sufrimiento en el desierto de Gobi y ya no pude soportarlo más. Advertí que, con mis brazos, estrechaba mi propio pecho, que temblaba, que mi cuerpo estaba rígido como si padeciera el tormento de un shock eléctrico. Oh, pero ella no debe haber sufrido. Seguramente fue una muerte instantánea por tratarse de una niña tan pequeña y tierna. Polvo eres...

La angustia fue total. No eran esas épocas las que quería recordar, pese a que un rato antes me había demorado en el Café de la Paix, y pese a que creía haberme vuelto muy fuerte. Lo que añoraba era el París mío, el París anterior al Teatro de los Vampiros, cuando yo era inocente y tenía vida.

Permanecí unos minutos más entre las sombras, contemplando simplemente las grandes arcadas. Qué iglesia majestuosa era, incluso ahora, con el ruido de fondo de los autos. Se parecía a un bosque de piedra.

Le tiré un beso, tal como había hecho con David. Y partí a emprender el largo regreso a casa.

7

Nueva Orleáns.

Arribé a primera hora de la noche puesto que volvía hacia atrás en horario, en sentido inverso a la rotación del mundo. El clima era frío, tonificante, pero no cruel, aunque se avecinaban intensos vientos helados del norte. No había ni una nube en el firmamento, pero sí innumerables estrellas, muy nítidas.

De inmediato me dirigí a mi pequeña *pent house* del barrio francés que, a pesar de todo su encanto no era demasiado alta ya que se hallaba en un edificio de apenas cuatro plantas, construido mucho antes de la Guerra Civil. Tenía una vista un tanto íntima del río y sus hermosos puentes gemelos y, cuando dejaba las ventanas abiertas, me llegaban los ruidos del colmado Café du Monde y los concurridos negocios y calles de la plaza Jackson.

Tenía que encontrarme con el señor Raglan James sólo al día siguiente. Y aunque estaba impaciente por verlo, me resultaba cómodo haber fijado ese día, pues primero quería reunirme con Louis.

Pero antes me di el típico lujo mortal de una ducha caliente; luego me puse un sencillo traje de pana negra —atuendo parecido al que había usado en Miami— y un par de botas negras nuevas. Y pese a que estaba cansado —si me hubiese quedado en Europa ya estaría durmiendo dentro de la tierra—, salí a recorrer la ciudad, caminando como un humano.

Por motivos que no podía precisar, pasé por el viejo domicilio de la calle Royale donde en una época vivimos Claudia, Louis y yo. En realidad eso lo hacía a menudo, aunque nunca me permitía pensarlo hasta que ya estaba a mitad de camino.

En ese simpático departamento tuvimos nuestro reducto durante más de cincuenta años. Un dato que por cierto habrá que tener en cuenta cuando se me juzgue por mis errores, ya sea que me condene yo solo o que lo hagan los demás. Reconozco que Louis y Claudia fueron hechos por y para mí. Sin embargo, nuestra existencia fue extrañamente brillante y placentera hasta que Claudia resolvió que yo debía pagar por mis creaciones con la vida.

Las habitaciones en ese entonces estaban colmadas de todos los adornos y lujos de la época. Teníamos un carruaje, una yunta de caballos en los establos contiguos, y los sirvientes vivían en los aposentos del fondo, pasando el patio. Pero los antiguos edificios ya estaban algo deslucidos y últimamente el departamento no estaba habitado por nadie —salvo por espíritus, quizá—; la tienda del subsuelo se había alquilado a un librero que nunca se tomaba el trabajo de quitar el polvo a los libros de la vidriera ni a los de adentro. De vez en cuando él me conseguía tratados sobre la naturaleza del mal, escritos por el historiador Jeffrey Burton Russell, o las maravillosas obras filosóficas de Mircea Eliade, como también ejemplares antiguos de las novelas que más me gustaban.

El viejo casualmente estaba ahí adentro, leyendo, y lo observé unos minutos a través del vidrio. Qué distintos eran los ciudadanos de Nueva Orleáns de los del resto de Norteamérica. A ese hombre, ganar dinero le tenía sin cuidado.

Me incorporé y miré, allá arriba, las balaustradas de hierro fundido. Me vinieron a la mente los sueños perturbadores, la lámpara de aceite, la voz de Claudia. ¿Por qué me estaba persiguiendo, más implacablemente que nunca?

Cerré los ojos y alcancé a oírla de nuevo; su voz me hablaba, pero no percibí la naturaleza de sus palabras. Y de pronto me encontré rememorando una vez más su vida y su muerte.

Ya no quedaban ni rastros de la choza donde la encontré por primera vez en los brazos de Louis. En esa casa había estado la peste, por lo que sólo un vampiro se habría atrevido a entrar. Ningún ladrón osó siquiera robar la cadena de oro que la madre llevaba puesta al morir. Y qué avergonzado se sintió Louis de haber elegido como víctima a una niña pequeñita. Pero yo lo comprendí. Tampoco quedaban huellas del viejo hospital a donde posteriormente la llevaron. Qué angosta calle de tierra había atravesado yo con ese cuerpecito tibio en mis brazos, seguido de prisa por Louis, que me suplicaba que le dijera lo que pensaba hacer.

Una ráfaga de viento frío me sobresaltó.

Alcancé a oír música proveniente de las tabernas de la calle Bourbon, a escasos cien metros de distancia. Y gente que caminaba frente a la catedral... una risa de mujer... la bocina de un auto en la penumbra. El tenue latido electrónico de un teléfono moderno.

En el interior de la librería, el viejo estaba moviendo el dial de la radio y pasó del *dixieland* a la música clásica y por último a una voz plañidera que entonaba poesía con fondo de canciones de un compositor inglés...

¿Qué me llevó a ese antiguo edificio, que se erguía desamparado e indiferente como una lápida de tumba, con sus letras y fechas ya borradas?

Después, ya no quise demorar más.

Había estado jugando con el entusiasmo loco que me producía lo que acababa de suceder en París y enfilé hacia el sector alto de la ciudad para buscar a Louis y exponerle todo.

Una vez más preferí caminar. Preferí sentir la tierra, medirla con mis pies.

En mi época —fines del siglo XVIII—, el sector alto de la ciudad no existía como tal sino que era campo abierto. Aún había plantaciones, y era difícil transitar por los caminos pues, además de angostos, estaban cubiertos sólo con conchillas.

Hacia fines del siglo XIX, luego de destruido nuestro pequeño refugio y resultar yo con heridas y quebraduras, cuando me marché a París en busca de Claudia y Louis, el sector alto y sus pueblitos ya estaban unidos a la gran ciudad y se habían construido muchas hermosas casas de madera, en estilo victoriano.

Algunas de esas casas son inmensas y, a su manera, tan monumentales como las grandiosas residencias en estilo renacimiento, anteriores a la Guerra Civil, que se pueden encontrar en el Barrio Jardín y siempre me recordaron a templos, o como las imponentes residencias del propio barrio francés.

Pero gran parte del sector alto, con sus chalecitos de madera al igual que las grandes casas, aún conserva aspecto rural, con enormes robles y magnolias que sobresalen tras los techos por doquier, con calles sin aceras donde las cunetas no son más que zanjas llenas de flores silvestres que brotan a pesar del frío invernal.

Incluso las callecitas comerciales —un trecho aquí y allá de edificios contiguos— no se parecen al barrio francés, con sus fachadas de piedra y su sofisticación propia del viejo mundo, sino que hacen acordar de la típica "calle principal" de las aldeas rurales norteamericanas.

Es un lugar fantástico para caminar de noche. Se oye allí el trino de los pájaros como no se lo oirá nunca en el Vieux Carré; y sobre los techos de los galpones situados a lo largo del sinuoso río, el crepúsculo dura una eternidad, resplandece entremedio de las gruesas ramas de los árboles. Uno puede encontrar espléndidas mansiones con galerías ruinosas y decoración cursi, casas con torrecillas y gabletes, y algunas con miradores. Hay grandes hamacas tras las barandas recién pintadas de los porches. Hay vallas blancas hechas con estacas puntiagudas, y anchas avenidas de césped bien cortado.

Los chalecitos exhiben una variedad infinita. Algunos están bien pintados con colores intensos, según la moda; otros, más maltrechos pero no menos bellos, lucen el hermoso tono gris de la madera flotante, estado al que fácilmente puede llegar cualquier casa en este clima tropical.

Aquí y allá se encuentra algún tramo de calle con tan abundante vegetación, que cuesta creer que aún se esté dentro de una ciudad. Arreboleras silvestres y dentelarias azules oscurecen las cercas que delimitan las propiedades. Las ramas de los robles se inclinan de tal manera que obligan a los peatones a agacharse. Aun en sus inviernos más fríos, Nueva Orleáns está siempre verde. La helada no puede matar las camelias, aunque a veces las quema un poco. El jazmín amarillo y la buganvilla púrpura cubren paredes y cercas.

En uno de esos trechos de suave penumbra umbría, tras una larga hilera de inmensas magnolias, fue donde Louis armó su hogar secreto.

Detrás del portón oxidado, la inmensa mansión victoriana se hallaba desocupada, su pintura amarilla casi totalmente descascarada. Sólo de tanto en tanto Louis la recorría con una vela en la mano. Pero su verdadero lugar de residencia era una cabaña ubicada al fondo —cubierta por montañas de informes enredaderas—, un sitio lleno de libros y objetos diversos que había coleccionado a través de los años. Desde la calle no podían verse sus ventanas; más aún, no creo que nadie supiese siquiera que existía la casa. Los vecinos no podían verla tras los altos muros de ladrillo, la espesura del follaje y las adelfas silvestres que crecían en derredor. Además, no había un sendero marcado en medio del césped alto.

Cuando lo divisé, todas las puertas y ventanas de las sencillas habitaciones estaban abiertas. El se hallaba sentado a su escritorio, leyendo a la luz de una única vela.

Lo espié largo rato, cosa que me encantaba hacer. A menudo, cuando salía de caza, lo seguía, simplemente para observar cómo se alimentaba. A Louis el mundo moderno no le interesa para nada; él recorre las calles como un fantasma, sin producir ruido, atraído únicamente por quienes acogen la muerte con beneplácito, o que parecen hacerlo. (No estoy seguro de que nadie pueda acoger nunca la muerte con beneplácito.) Y cuando se alimenta, es algo indoloro, delicado y veloz. Siempre tiene que matar pues no sabe salvar la vida de la víctima. Nunca tuvo la fortaleza necesaria como para beber sólo el "traguito" con que subsisto yo tantas noches, o más bien con que subsistía antes de convertirme en un dios voraz.

Su vestimenta es siempre anticuada. Al igual que muchos de nosotros, busca ropa en estilo parecido al que se usaba cuando él era mortal. Las camisas sueltas con puños fruncidos lo fascinan, lo mismo que los pantalones ajustados. Cuando usa abrigo —rara vez— es siempre entallado como los que elijo yo: chaqueta de jinete, muy larga, y amplia al llegar al ruedo.

A veces le llevo de regalo ropa de ese tipo, para que no tenga que usar hasta dejarlas hechas harapos las pocas prendas que posee. Alguna vez estuve tentado de acomodarle la casa, colgarle los cuadros, poner bellos adornos, rodearlo del lujo embriagador que yo tenía en el pasado.

El sin duda hubiera querido que lo hiciera, pero nunca lo confesó. Vivía sin electricidad ni calefacción moderna, deambulando en el caos y fingiendo que se sentía plenamente satisfecho.

Algunas ventanas de su casa no tenían vidrio, y sólo de tanto en tanto cerraba las anticuadas persianas de tablitas. No parecía importarle si entraba lluvia sobre sus pertenencias, porque no eran realmente pertenencias sino sólo basura amontonada sin orden ni concierto.

Repito: creo que quería que yo hiciera algo para solucionárselo. Muy a menudo venía a visitarme a mis aposentos del centro, super calefaccionados y con excelente iluminación. Allí se quedaba, mirando mi pantalla gigante de televisión. A veces traía sus propias películas para pasar en disco o en cinta. *"La bella y la bestia"*, una película francesa de Jean Cocteau, le agradaba mucho. También estaba *"The Dead"*, de John Huston, basada en un cuento de James Joyce. Y entiéndaseme, por favor, que esta película no tiene nada que ver con los de mi especie; trata acerca de un grupo muy común de mortales de la Irlanda de principios de siglo, que se reúnen a celebrar una jovial cena de Navidad. Había muchas otras películas que le atraían. Pero esas visitas nunca se producían porque yo las ordenara y nunca duraban demasiado. A menudo él deploraba el "grosero materialismo" en que yo me "regodeaba" y demostraba desprecio por mis almohadones de pana, la gruesa alfombra del piso y el espléndido baño de mármol. Entonces se iba, regresaba a su choza desolada, cubierta de enredaderas.

Esa noche lo encontré en su trasnochada gloria, con una mancha de tinta en la mejilla, leyendo un grueso tomo de la biografía de Dickens escrita hace poco por un novelista inglés, mientras pasaba lentamente las páginas, pues no lee con más velocidad que la mayoría de los mortales. De hecho, de todos los que quedamos sobrevivientes, el que se asemeja más a los humanos es él. Y eso es por propia elección.

Muchas veces le ofrecí mi sangre más poderosa y siempre la rechazó. El sol del desierto de Gobi lo habría convertido en cenizas. Sus sentidos son vampíricos y bien afinados, pero no como los de un Hijo de los Milenios. No tiene mucha capacidad para leer los pensamientos de otra persona. Cuando pone a algún mortal en trance, siempre es por error.

Y, desde luego, no puedo leerle los pensamientos porque yo a él lo creé, y los pensamientos del discípulo y el maestro son siempre cercanos, aunque el porqué ninguno de nosotros lo sabe. Mi sospecha es que conocemos mucho los sentimientos y anhelos del otro; sólo que la amplificación es demasiado estridente como para que pueda aparecer alguna imagen con nitidez. Todo teoría. A lo mejor algún día nos estudian en laboratorios. Si eso ocurre, vamos a implorar por víctimas vivientes a través de las gruesas paredes de vidrio de nuestras cárceles, mientras nos acosan con preguntas y nos extraen muestras de sangre de las venas. Oh, ¿pero cómo hacerle eso a Lestat, que es capaz de reducir a otro a cenizas apenas con un pensamiento enérgico?

Louis no oyó que estaba entre el pasto crecido, fuera de la casa.

Entré en la habitación creando una enorme sombra indirecta, y ya estaba sentado en mi *bergère* preferida de pana roja —tiempo atrás la había llevado ahí para que la usara yo— cuando él levantó la mirada.

—¡Ah, tú! —dijo en el acto, y cerró el libro.

Su rostro, enjuto por naturaleza, de facciones finas —muy delicado pese a su obvia fuerza—, estaba bellamente sonrosado. Eso quería decir que había cazado un rato antes y yo no lo sabía. Durante un momento quedé anonadado.

Sin embargo, era emocionante verlo tan revitalizado por el lento latido de la sangre humana. Yo también alcanzaba a olerla, lo cual añadía una extraña dimensión al hecho de estar cerca de él. Su belleza siempre me había enloquecido. Cuando no estoy con él, creo que lo idealizo, pero después, al verlo, de nuevo me siento desarmado.

Sin duda fue su hermosura lo que me atrajo durante mis primeras noches en Luisiana, cuando esto era una colonia salvaje y anárquica y él un tonto borracho y temerario que jugaba por dinero y se metía en peleas en las tabernas, que hacía todo lo posible para provocar su propia muerte. Bueno, consiguió más o menos lo que creía desear.

En un primer momento no comprendí su expresión de horror al mirarme, ni por qué se levantó de pronto, se acercó a mí, se agachó y me tocó la cara. Entonces recordé: era mi tez bronceada.

—¿Qué hiciste? —murmuró. Se arrodilló junto a mi sillón y siguió mirándome, apoyándome levemente la mano sobre el hombro. Hermoso gesto de intimidad, pero yo no iba a reconocerlo. Por eso me quedé sereno en mi sitio.

—No es nada; ya pasó. Me fui a un lugar desierto... quería ver lo que ocurría...

—¿Querías ver lo que ocurría? —Se puso de pie, dio un paso atrás y me miró indignado. —Querías autodestruirte, ¿verdad?

—No, no. Me quedé tendido a la luz un día entero. A la segunda mañana, no sé cómo hice, pero debo haber cavado y me enterré en la arena.

Permaneció un largo instante mirándome como si estuviera por reaccionar con desaprobación; luego volvió a su escritorio, se sentó en forma bastante ruidosa tratándose de alguien tan delicado, acomodó las manos sobre el libro cerrado y me miró con expresión perversa y llena de furia.

—¿Por qué lo hiciste?

—Louis, tengo algo más importante que contarte. No hablemos más de ese asunto. —Hice un ademán señalando mi cara. —Ha sucedido algo notable y tengo que contártelo todo. —Me levanté sin poder contenerme y comencé a pasearme con cuidado para no tropezar con las abominables pilas de basura que había por todas partes, además de sentirme levemente enloquecido por la luz de la vela, no porque no me alcanzara para ver sino porque era tan tenue y a mí me gusta la luz.

Le relaté todo: que había visto a ese tal Raglan James en Venecia y en Hong Kong, después en Miami, y cómo él me había enviado el mensaje en Londres y luego me siguió hasta París, tal como supuse que haría. Ahora habíamos quedado en encontrarnos al día siguiente en la plaza. Le expliqué lo de los cuentos y su significación. Mencioné lo que le encontraba de raro al muchacho, le dije que el cuerpo donde ese tipo estaba no era el suyo y que, en mi opinión, era capaz de hacer el cambio.

—Estás loco —me dijo.

—No te apresures.

—¿Me dices a mí las mismas palabras que él a ti? Destrúyelo. Termina con él. Búscalo esta noche y elimínalo si puedes.

—Por el amor de Dios, Louis...

—Si ese hombre puede encontrarte a voluntad, Lestat, significa que sabe dónde te entierras. Lo has traído hasta aquí y ahora sabe dónde me entierro yo. ¡Es el peor de los enemigos! *Mon Dieu,* ¿por qué siempre buscas la adversidad? No hay nada sobre la tierra que pueda destruirte; ni aun los Hijos de los Milenios tienen fuerza para hacerlo. No te destruyó ni el sol del mediodía en el desierto... y provocas al enemigo que tiene poder sobre ti. Un mortal que puede caminar a la luz del día. Un hombre capaz de lograr un dominio total sobre tu persona cuando estás sin una pizca de conciencia o voluntad. No, aniquílalo; es demasiado peligroso. Si lo veo, lo destruyo yo.

—Louis, ese hombre puede darme un cuerpo humano. ¿No escuchaste todo lo que dije?

—¡Un cuerpo humano! ¡No podemos convertirnos en humanos simplemente apoderándonos de un cuerpo! ¡Tú no eras humano cuando vivías! Naciste monstruo, y lo sabes. Cómo diablos puedes engañarte así.

—Si no te callas, voy a llorar.

—Llora, que me gustaría verte. He leído mucho sobre tu llanto en tus libros, pero jamás te vi hacerlo personalmente.

—Ah, con eso demuestras ser un perfecto embustero —me indigné—. ¡En tus miserables memorias describes mi llanto en una escena que tú y yo sabemos que no existió!

—¡Lestat, mata a ese ser! Es una locura que lo dejes acercarse para hablarte.

Me sentía aturdido, totalmente aturdido. Volví a desplomarme en el sillón y quedé con la mirada ausente. Afuera, la noche parecía respirar con ritmo suave y encantador; la fragancia de las flores era apenas un toquecito en el aire frío y húmedo. Una tenue incandescencia emanaba del rostro de Louis, de sus manos plegadas sobre el escritorio. Se hallaba envuelto en un manto de silencio, aguardando mi respuesta, supongo, aunque yo no sabía bien por qué.

—Nunca esperé esto de ti —reconocí abatido—. Esperaba oír una larga diatriba filosófica, como esas insensateces que escribiste en tus memorias, pero esto...

Seguía sentado en silencio, observándome fijo; la luz brilló un instante en sus ojos pensativos. Parecía profundamente atormentado, como si mis palabras lo hubiesen hecho sufrir. Por cierto no lo afectaba mi crítica a su libro, pues era algo que yo vivía haciendo. Eso era una broma. Bueno, una especie de broma.

No supe qué decir ni qué hacer. Louis me estaba poniendo nervioso. Cuando habló, lo hizo con voz muy baja.

—Tú no quieres realmente ser humano. No me digas que crees eso...

—¡Sí, lo creo! —respondí, humillado por la carga de afecto que puse en mis palabras—. ¿Cómo puedes no creerlo *tú*? —Me levanté y empecé a pasearme de nuevo. Hice un circuito alrededor de la pequeña casa y me interné en el jardín selvático, para lo cual tuve que despejar el camino empujando las enredaderas. Me hallaba en tal estado de desconcierto que ya no podía hablar más con Louis.

Pensaba en mi vida de mortal tratando en vano de no convertirla en mito, pero no podía desprenderme de esos recuerdos: la última cacería de lobos, mis perros muriendo en la nieve. París. El teatro del bulevar. *Realmente no quieres ser humano.* ¿Cómo pudo decir semejante cosa?

Me pareció que había transcurrido una eternidad en el jardín hasta que, finalmente, para mejor o para peor, volví a entrar. Louis estaba sentado aún a su escritorio y me miró con desánimo, casi con tristeza.

—Mira —le dije—, hay dos cosas que creo. Primero, que ningún mortal puede rechazar el Don Misterioso si en verdad llega a saber lo que es. Y no me hables de que David Talbot sigue negándose, porque David no es un ser común. Segundo, que si se nos diera la oportunidad, todos nosotros querríamos volver a ser humanos. Esos son mis principios. Nada más.

Hizo un pequeño ademán de aceptación y se recostó contra el respaldo de su sillón. La madera crujió levemente bajo su peso; luego levantó la mano derecha con gesto lánguido, sin tener conciencia en absoluto de lo seductor que era ese pequeño ademán, y se pasó los dedos por el pelo oscuro, suelto.

Me atenaceó entonces el recuerdo de la noche en que le di la sangre, cómo discutió conmigo hasta último momento para disuadirme, cómo al final se rindió. Yo ya se lo había explicado todo perfectamente, cuando él era todavía un joven hacendado febril y borracho que, en su lecho de enfermo, tenía el rosario enrollado en el poste de la cama. ¡Pero es tan difícil explicar una cosa así! Y él, ¡tan amargo, tan consumido, tan joven!, se convenció de que quería venir conmigo y de que la vida humana ya no le atraía.

¿Qué sabía él en aquel entonces? ¿Había oído alguna vez un poema de Milton, o escuchado una sonata de Mozart? ¿Le decía algo el nombre de Marco Aurelio? Lo más probable es que lo considerara un nombre rebuscado de algún esclavo negro. Oh, aquellos dueños de plantaciones, fanfarrones e indómitos, con sus espadines y sus pistolas incrustadas en plata. Lo que sí apreciaban era el exceso; pensándolo retrospectivamente, eso tengo que reconocérselo.

Pero ahora él estaba lejos de aquellos tiempos, ¿no? Era autor de *"Entrevista con el vampiro"* (habráse visto título más ridículo). Traté de serenarme. Lo amaba tanto que no podía menos que ser paciente y esperar hasta que él volviera a hablar. ¿Acaso no lo había hecho yo de carne y sangre humanas, convirtiéndolo en mi torturador preternatural?

—Eso no es tan fácil —dijo, despertándome de mi ensueño. Su voz fue premeditadamente suave, con un tono casi conciliatorio o suplicante. —No puede ser tan sencillo. Tú no puedes cambiar de cuerpo con un mortal. Para serte sincero, no creo que sea posible, pero aunque lo fuera...

No respondí. Tuve deseos de decir: "Pero, ¿y si lo fuera? ¿Si pudiera sentir de nuevo lo que significa estar vivo?".

—Además, ¿qué pasaría con tu cuerpo? —prosiguió, conteniendo hábilmente su indignación—. No irás a dejar todos tus poderes a disposición de ese ser, brujo o lo que sea. Nuestros compañeros aseguran que tus poderes son tan inmensos que ni siquiera se atreven a calcularlos. Oh, no. La idea es aterradora. Dime, ¿cómo hace para encontrarte? Eso es lo más importante.

—Al contrario, es lo menos importante. Pero es obvio que, si puede hacer un intercambio de cuerpos, puede abandonar el suyo. Puede desplazarse como un espíritu el tiempo necesario para rastrearme y encontrarme. Yo debo resultarle muy visible cuando se halla en ese estado, teniendo en cuenta lo que soy. Eso en sí mismo no es un milagro, si me comprendes.

—Lo sé. O al menos de eso me entero por lo que leo y por lo que me dicen. Creo que te has topado con un ser muy peligroso, mucho peor que nosotros.

—¿Peor en qué sentido?

—¡Es otro intento desesperado de alcanzar la inmortalidad! ¿Acaso crees que ese mortal, quienquiera que sea, planea envejecer dentro de ese o de otro cuerpo y morir?

Debo confesar que su razonamiento me llegó. Luego le hablé de la voz de ese hombre, que sonaba culta, de su marcado acento británico, de cómo no parecía la voz de una persona joven.

Se estremeció.

—Probablemente pertenezca a la Talamasca. Debe ser ahí donde se enteró de tu existencia.

—Lo único que tuvo que hacer para saber de mí fue comprar una novela en rústica..

—Sí, pero no para *creer,* Lestat, no para creer que era cierto.

Le conté que había hablado con David y que él había quedado en averiguar si el tipo pertenecía a su orden, pero yo suponía que no. Esos eruditos jamás harían semejante cosa. Además, el tipo tenía algo de siniestro. Los de la Talamasca eran tan rectos que ya aburrían. Pero qué importaba: yo estaba dispuesto a conversar con el hombre para formarme mi propia idea.

Lo noté meditabundo una vez más, y muy triste. Mirarlo casi me hacía sufrir. Me dieron ganas de tomarlo por los hombros y sacudirlo, pero con eso sólo iba a conseguir irritarlo más.

—Te amo —confesó con voz queda.

Yo lo miré azorado.

—Vives buscando la manera de triunfar —continuó—. Jamás te rindes. Pero la forma de triunfar no existe. Estamos metidos en el purgatorio, tú y yo. Y encima hay que agradecer que no sea el infierno.

—No; eso no lo creo —lo contradije—. Mira, no importa lo que digas ni lo que pueda haber opinado David: voy a hablar con Raglan James. ¡Quiero enterarme de todo y nadie me lo va a impedir!

—Ah, de modo que David Talbot también te previno contra ese individuo.

—¡No escojas a tus aliados entre mis amigos!

—Lestat, si ese humano se me acerca, y si creo que representa un peligro para mí, ten por seguro que lo destruyo.

—Sí, claro. Pero él no se te acercaría. Me eligió a mí, y con razón.

—Te eligió porque eres despreocupado y ostentoso. No te lo digo para ofenderte, de verdad. Anhelas que te vean, que te rodeen, que te comprendan; te gusta hacer picardías y armar revuelos para ver si baja Dios a salvarte por un pelo. Bueno, Dios no existe. Dios bien podrías ser tú.

—Tú y David... la misma cantilena, las mismas admoniciones, aunque él asegura haber visto a Dios y tú no crees que exista.

—¿David vio a Dios? —preguntó con acento de respeto.

—No, no —murmuré, e hice un gesto desdeñoso—. Pero los dos me regañan de la misma manera. Igual que Marius.

—Y por supuesto, tú eliges las voces que te reprenden. Siempre lo has hecho, del mismo modo como eliges a quienes luego se vuelven contra ti y te clavan un puñal en el corazón.

Se refería a Claudia, pero no se atrevió a pronunciar su nombre. Yo sabía que, de haberlo querido, podía herirlo lanzándole una maldición, diciéndole cosas como por ejemplo: "¡Tú participaste de aquello! Estabas presente cuando lo hice, ¡y también cuando ella blandió el puñal!".

—¡No quiero oírte más, Louis! Vas a pasarte la vida entonando la canción de las limitaciones. Bueno, yo no soy Dios. Y tampoco soy el diablo, aunque a veces finjo serlo. Tampoco soy el artero Yago. No tramo situaciones espeluznantes y perversas. Y no puedo poner freno a mi curiosidad o mi espíritu. Sí, quiero saber si ese hombre es capaz de hacerlo. Quiero saber lo que va a pasar. Y no me daré por vencido.

—Y entonarás eternamente la canción de la victoria aunque no exista tal victoria.

—Pero es que existe. Tiene que existir.

—No. Cuanto más conocimiento adquirimos, más nos damos cuenta de que no existen las victorias. ¿Por qué no podemos recurrir a la naturaleza, hacer lo que se debe hacer para perdurar y nada más?

—Esa es la más indigna definición de la naturaleza que he escuchado en mi vida. Fíjate bien, no en la poesía sino en el mundo exterior. ¿Qué ves en la naturaleza? ¿Quién hizo a las arañas que se meten bajo las húmedas maderas de los pisos? ¿Quién creó a las mariposas con sus alas multicolores, que parecen grandes flores malignas en la penumbra? El tiburón del mar, ¿por qué existe? —Me adelanté, apoyé ambas manos en el escritorio y lo miré a la cara. —Estaba tan seguro de que ibas a entender esto. Y a propósito, ¡yo no nací monstruo! Cuando nací era un niño mortal, lo mismo que tú. ¡Más fuerte que tú! ¡Con más deseos de vivir que tú! Eso que dijiste fue cruel.

—Lo sé. A veces me asustas tanto, que te ataco con palos y piedras. Es una tontería. Me alegro de verte, aunque no me atrevo a reconocerlo. ¡Me estremezco de sólo pensar que pudieras haber puesto fin a tu vida en el desierto! ¡No soporto la idea de la existencia sin ti! ¡Me pones furioso! ¿Por qué no te ríes de mí? No sería la primera vez.

Me enderecé, le di la espalda y me puse a contemplar el césped mecido suavemente por la brisa del río, los retoños de la enredadera que cubrían como un velo el hueco de la puerta.

—No me río. Pero esto lo voy a llevar adelante; de nada vale que te mienta. Dios santo, ¿es que no lo ves? Si llego a estar en un cuerpo humano aunque más no sea cinco minutos, ¿de qué no podría enterarme?

—De acuerdo —aceptó, desalentado—. Espero que descubras que el hombre te sedujo con una sarta de mentiras, que lo único que desea es la Sangre Misteriosa y que lo envíes directamente al infierno. Permíteme advertirte una vez más: si lo veo, si me llega a amenazar, te juro que lo mato. Yo no tengo tu fuerza. Dependo de la posibilidad de mantenerme anónimo. Mis pequeñas memorias, como tú las llamas, parecían tan alejadas del mundo moderno que nadie las tomó en serio.

—No le permitiré que te haga daño, Louis. —Giré y le dirigí una mirada aviesa. —Jamás habría permitido que nadie te hiciera daño.

Dicho lo cual, me marché.

Por supuesto, eso fue una acusación, y antes de dar media vuelta e irme, vi con placer que le había clavado un dardo.

La noche en que Claudia se rebeló contra mí, él se había quedado ahí, cual impotente testigo, reprobatorio pero sin intervenir, ni siquiera cuando lo llamé.

Luego alzó lo que supuso era mi cuerpo sin vida y lo arrojó al pantano. Oh, vástagos ingenuos, pensar que podían eliminarme tan fácilmente.

119

Pero, ¿para qué recordarlo ahora? En ese entonces él me amaba, con independencia de que lo supiera o no. En cuanto a mi amor por él y por esa niña enojada e infeliz, jamás tuve la menor duda. El se condolió de mí; eso tengo que reconocérselo. ¡Pero es tan bueno para condolerse! Usa el infortunio como otros usan el terciopelo; el sufrimiento lo favorece como la luz de las velas; las lágrimas le sientan como alhajas.

Bueno, conmigo no da resultado ninguna de esas tonterías.

Regresé a mi morada de la azotea, encendí todas mis bellas lámparas eléctricas y me quedé durante dos horas regodeándome con el grosero materialismo. Miré un desfile interminable de imágenes de video en la pantalla gigante y por último dormí un rato en mi mullido sofá antes de salir a cazar.

Me sentía cansado, fuera de mi horario. Y con sed también.

Reinaba el silencio allende las luces del barrio francés y los rascacielos del centro de la ciudad, eternamente iluminados. Nueva Orleáns cae en sombras muy rápido, tanto en las calles rurales que ya he descripto como entre las viejas casas y edificios de ladrillos del centro.

Recorrí esas zonas comerciales desiertas, con sus fábricas y galpones cerrados, sus desoladas casitas de madera, y llegué hasta un lugar maravilloso próximo al río que quizá no tenga significado alguno para nadie, salvo para mí.

Se trata de los terrenos aledaños a los muelles, bajo los enormes pilotes de las autopistas que llevan hasta dos altos puentes de río que para mí, desde el primer instante en que los contemplé, fueron siempre los Portales del Sur.

Debo confesar que el mundo oficial ha puesto otro nombre a esos puentes, mucho menos simpático. Pero yo presto escasa atención al mundo oficial. Para mí siempre serán los Portales del Sur y, cada vez que regreso a esta ciudad, salgo enseguida a caminar, llego hasta ellos, y me embeleso con el parpadeo de sus miles de lucecitas.

Quiero dejar bien en claro que no se trata de finas creaciones estéticas como el puente de Brooklyn, que incitó el amor del poeta Hart Crane. Tampoco tienen la solemne grandiosidad del Golden Gate de San Francisco.

No obstante ello, son puentes, y todos los puentes me resultan hermosos, estimulantes para mi pensamiento; y cuando están totalmente iluminados como ésos, sus innumerables vigas y varillas adquieren una suerte de mística grandiosa..

Quiero agregar aquí que el mismo milagro de luz se produce en la negra campiña nocturna del sur, con sus inmensas refinerías de petróleo y sus usinas eléctricas que se alzan con llamativo esplendor desde la tierra plana e invisible. Y éstas tienen además la gloria de sus chimeneas y sus llamas eternamente encendidas. La Torre Eiffel no es ahora un simple andamiaje de hierro sino una escultura de deslumbrante luz eléctrica.

Pero volviendo a Nueva Orleáns, me puse a recorrer ese páramo ribereño, flanqueado por chozas ordinarias de un lado, por galpones abandonados del otro, y en el extremo norte por los maravillosos depósitos de maquinarias en desuso y sus cercos de alambre cubiertos por las infaltables enredaderas en flor.

Oh, campos del pensamiento y campos de la desesperanza. Me encantaba caminar por ahí, sobre la tierra yerma y blanda, en medio de las malezas altas y los trozos de vidrio roto, para escuchar el pulso débil del río aunque no pudiera verlo, para contemplar el lejano resplandor rosado del centro de la ciudad.

Ese lugar horrible, atroz y olvidado, esa enorme brecha en medio de pintorescos edificios viejos, donde sólo de tanto en tanto aparecía un auto, en las calles desiertas y supuestamente peligrosas, me pareció la esencia del mundo moderno.

No quiero olvidarme mencionar que esa zona, pese a los tenebrosos senderos que a ella conducían, en realidad nunca estaba del todo oscura. Un torrente de iluminación pareja llegaba desde los faroles de las autopistas, como también de las escasas luces de la calle, y todo creaba un aspecto lóbrego constante, de origen al parecer desconocido.

Dan ganas de ir ahí corriendo, ¿no es cierto? ¿No se muere usted por ir a merodear en medio de esa mugre?

Ahora, en serio, es divinamente triste estar ahí parado, ser una silueta diminuta dentro del cosmos que se estremece al oír los ruidos apagados de la ciudad, las imponentes máquinas que gimen en lejanos complejos industriales, el rugido de ocasionales camiones sobre nuestras cabezas.

A pocos pasos del lugar había unos edificios de viviendas abandonados. En sus habitaciones convertidas en basurales encontré a dos asesinos, embotadas de narcóticos sus mentes, con quienes me alimenté lenta y calladamente dejándolos sin conocimiento pero con vida.

Retorné al campo vacío y solitario y me puse a recorrerlo con las manos en los bolsillos, pateando las latas que encontraba a mi paso. Durante largo rato di vueltas bajo las autopistas propiamente dichas; luego pegué un salto y me marché por el brazo norte del Portón más cercano.

Qué profundo y turbio mi río. El aire estaba fresco sobre las aguas y, pese a la deprimente niebla que lo cubría, alcanzaba a ver profusión de estrellas crueles y diminutas.

Largo rato permanecí cavilando acerca de todo lo que me había dicho Louis y todo lo que David me había dicho, pero aún seguía entusiasmado con la idea de encontrarme a la noche siguiente con Raglan James.

Por último, me aburrí hasta del hermoso río. Revisé mentalmente la ciudad en busca del loco espía mortal, pero no lo pude hallar. Exploré el sector alto de la ciudad y tampoco lo encontré. Pero no estaba del todo seguro.

Cuando ya terminaba la noche regresé a la casa de Louis —ahora vacía y a oscuras— y paseé por las callejuelas buscando de tanto en tanto al mortal espía, siempre en guardia. Con seguridad Louis estaba a salvo en su refugio secreto, oculto dentro del ataúd donde se escondía todos los días antes del amanecer.

Luego volví caminando al campo una vez más, cantando solo, y pensé que los Portales del Sur, con todas esas luces, me recordaban aquellos bonitos vapores del siglo XVIII que parecían enormes tortas de bodas flotantes, adornadas con velitas. ¿Es esto una metáfora mixta? No me interesa. Mentalmente oía la música de los vapores.

Traté de imaginar el siglo venidero, con qué formas nos recibiría, cómo combinaría la fealdad y la belleza con la nueva violencia, tal como lo hacía cada siglo. Contemplé los pilotes de las autopistas, gráciles arcos elevados de acero y hormigón, pulidos como esculturas, sencillos y monstruosos, hojas de pasto incoloro suavemente doblegadas.

Hasta que por fin llegó el tren, traqueteando por la lejana vía delante de los galpones, con su tediosa sarta de vagones sucios, odioso, perturbador, enviando con el chillido de su silbato señales de peligro a mi alma demasiado humana.

Cuando terminó de retumbar el último traqueteo, la noche replicó con total vacuidad. No había autos visibles que se desplazaran sobre los puentes y una niebla espesa avanzaba silenciosa todo a lo ancho del río, ocultando las estrellas esfumadas.

Una vez más me encontré llorando. Pensaba en Louis, en sus advertencias. Pero, ¿qué podía hacer? Yo no sabía lo que era la resignación; jamás lo iba a saber. Si el miserable de Raglan James no aparecía a la noche siguiente, lo buscaría por el mundo entero.

No quería hablar más con David; no quería oír sus consejos, no podía escucharlo. Sabía que debía seguir adelante con esto.

Continué con la mirada clavada en los Portales del Sur. No podía sacarme de la mente la belleza de sus luces titilantes. Me dieron ganas de ver una iglesia con velas, montones de velas encendidas como las que había visto en Notre Dame. Y elevarse, cual plegarias, el humo de los pabilos.

Una hora aún para el amanecer. Tiempo suficiente. Lentamente me encaminé al centro de la ciudad.

La catedral de San Luis había estado cerrada toda la noche, pero esas cerraduras no eran nada para mí.

Me paré a la entrada misma de la iglesia y clavé los ojos en una hilera de velas encendidas que había bajo la estatua de la Virgen. Antes de encenderlas, los fieles dejaban su óbolo en una alcancía de cobre. Velas de vigilia, les decían.

A menudo me sentaba en la plaza al anochecer y escuchaba el ir y venir de esas personas. Me gustaba el olor a cera; me gustaba la iglesita en penumbras que parecía no haber cambiado un ápice en más de un siglo. Respiré hondo; luego metí la mano en el bolsillo, saqué un par de arrugados billetes de dólar y los introduje en la ranura.

Tomé una mecha larga, la acerqué a una llama ya encendida, la llevé a una vela nueva y observé cómo la lengüita se ponía anaranjada, luminosa.

Qué milagro, pensé, que una sola llamita pudiera hacer tantas más. Una llamita podía prender fuego al mundo entero. Con ese simple gesto yo acababa de aumentar la cantidad total de luz en el universo, ¿o no?

Notable milagro, para el cual no habrá nunca explicación, nunca una charla de Dios y el diablo en un café de París. Sin embargo, las alocadas teorías de David me tranquilizaban cuando las rememoraba. "Creced y multiplicaos", dijo el Señor, Yahvé; de la carne de los dos, multitudes de descendientes, como nace un gran fuego a partir de dos pequeñas llamas...

De pronto se produjo un ruido nítido, que resonó por la iglesia como si fuera un paso marcado ex profeso. Quedé petrificado, sorprendido de no haberme dado cuenta antes de que allí había alguien. Entonces recordé Notre Dame y los pasos infantiles sobre el piso de piedra. Un repentino temor me invadió. Ella estaba ahí, ¿verdad? Si me daba vuelta a mirar, esta vez la vería con la capotita puesta, quizá, con los bucles desordenados por el viento y las manos enfundadas en mitones de lana, y ella me miraría con esos ojazos. Pelo dorado y hermosos ojos.

De nuevo el sonido. ¡Cómo odiaba ese miedo!

Me volví y divisé la silueta inconfundible de Louis que emergía de entre las sombras. Sólo Louis. La luz de las velas lentamente me fue revelando su rostro plácido y algo demacrado.

Llevaba puesto un detestable saco sucio y abierta la gastada camisa, y parecía tener algo de frío. Se acercó sin prisa y me aferró con fuerza del hombro.

—Te va a volver a pasar algo espantoso —dijo, al tiempo que la luz de las velas jugueteaba primorosamente en sus ojos verde oscuro—. Vas a hacer todo lo posible; lo sé.

—Voy a triunfar —respondí con una risita incierta, un tanto aturdido por la alegría de verlo. Luego me encogí de hombros—. ¿Acaso no lo sabes todavía? Siempre gano.

Pero me llamaba la atención que me hubiera hallado ahí, que hubiera venido tan cerca del amanecer. Y aún me encontraba temblando a causa de mis locas imaginaciones de que ella hubiera vuelto, como había vuelto en mis sueños, y yo hubiera querido saber por qué.

De repente me preocupé por él; lo vi tan frágil con su piel blanca y sus manos largas y delicadas. Empero, alcancé a percibir la aplomada fortaleza que emanaba de él, como siempre lo hice, la fuerza del reflexivo que nada hace por impulso, la persona que ve desde todos los ángulos, que elige con cuidado sus palabras. El que nunca juega con el sol naciente.

Se alejó de mí bruscamente y en silencio salió por la puerta. Fui tras él, pero no cerré la puerta al salir, lo cual me pareció imperdonable porque nunca hay que perturbar la paz de las iglesias. Lo observé alejarse en la mañana fría y negra, por la acera de los departamentos Pontalba, al otro lado de la plaza.

Iba de prisa, con su estilo etéreo, dando pasos largos, leves. La luz, gris y letal, se acercaba tiñiendo las vidrieras con un resplandor apagado. Yo podría soportarlo una media hora más, tal vez. El no.

Tomé conciencia de que no sabía dónde estaba escondido su ataúd, ni la distancia que debía recorrer para llegar hasta él. No tenía ni la más leve idea.

Antes de llegar a la esquina más próxima al río, se volvió. Me envió un pequeño saludo con la mano y noté en ese gesto más cariño que en todo lo que me había dicho antes.

Regresé para cerrar la iglesia.

8

A la noche siguiente, me dirigí sin demora a la plaza Jackson. Finalmente se había abatido sobre Nueva Orleáns el tremendo temporal del norte, trayendo consigo un viento helado. Ese tipo de fenómeno puede presentarse en cualquier momento durante los meses de invierno, si bien algunos años no ocurre en absoluto. Yo había pasado por mi departamento para ponerme un sobretodo grueso de lana, feliz de experimentar como antes esa sensación en mi piel recientemente bronceada.

Unos pocos turistas desafiaban las inclemencias del tiempo y entraban en los bares y panaderías próximos a la catedral que aún estaban abiertos; el tránsito nocturno era veloz, ruidoso. El viejo y grasiento Café du Monde se encontraba colmado y tenía sus puertas cerradas.

A él lo vi de inmediato. Qué suerte.

Habían rodeado el perímetro de la plaza con cadenas, como se acostumbra hacer ahora al atardecer —qué fastidio—, y él se hallaba del lado de afuera, frente a la catedral, mirando nervioso a su alrededor.

Dispuse de un momento para observarlo antes de que notara mi presencia. Era algo más alto que yo —un metro noventa, le calculé—, y de excelente contextura, como ya había advertido. No me equivoqué en cuanto a la edad. Ese cuerpo no podía tener más de veinticinco años. Iba vestido con ropa muy cara: impermeable forrado en piel, de muy buen corte, y una gruesa bufanda de cachemira colorada.

Noté que, al verme, lo recorría un espasmo, mezcla de ansiedad y satisfacción. Se dibujó en su rostro una horrible sonrisa resplandeciente y, tratando en vano de disimular su pánico, me miró fijo cuando me le acerqué remedando el paso de los humanos.

—Oh, pero parece usted un ángel, señor de Lioncourt —murmuró—. Y qué estupendo el bronceado de su piel. Perdóneme que no se lo haya elogiado antes.

—Conque ha venido, señor James —dije, enarcando las cejas—. ¿Qué me va a proponer? Hable rápido, porque usted no me cae bien.

—No sea descortés, señor de Lioncourt. Sería un lamentable error que me ofendiera; sinceramente se lo digo. —Sí, voz igualita a la de David. De la misma generación, lo más probable. Y sin duda, con un dejo de acento de la India.

—En eso tiene razón —prosiguió—; viví muchos años en la India. Y un tiempo en Australia y en Africa también.

—Ah, veo que puede leerme los pensamientos con facilidad.

—No con tanta como supone, y ahora quizá no podré hacerlo más.

—Lo voy a matar si no me dice cómo hizo para seguirme y qué es lo que quiere.

—Usted sabe lo que quiero —repuso, soltando una risita poco alegre, ansiosa. Posó sus ojos en mí y luego desvió la mirada. —Ya se lo dije a través de los cuentos, pero no puedo hablar aquí, con tanto frío. Esto es peor que Georgetown, que es donde vivo, dicho sea de paso. Tenía la esperanza de poder escapar de este clima. ¿Por qué me arrastró a Londres y a París en esta época del año? —Más espasmos de risa seca. Evidentemente no podía mirarme más de un minuto sin tener que desviar los ojos como si yo lo encandilara. —Hacía un frío espantoso en Londres, y yo odio el frío. Aquí estamos cerca del trópico, ¿no? Ah, usted y sus recuerdos sentimentales de la nieve invernal.

Este último comentario me dejó azorado y no lo pude disimular. Tuve un momento de indignación, hasta que conseguí dominarme.

—Vamos al café —le propuse, señalando el viejo mercado francés al otro lado de la plaza. Caminé de prisa por la acera. Estaba tan perplejo y agitado que no quería arriesgarme a pronunciar ni una palabra más.

El ambiente del café era ruidoso pero cálido. Entré primero y me encaminé hacia una mesa en el extremo más alejado de la puerta, pedí el famoso *café au lait* para los dos y me quedé sentado en rígido silencio, algo distraído por el hecho de que la mesa estaba pegajosa. Fascinado, vi que él se estremecía, se quitaba la echarpe con gesto nervioso, volvía a ponérsela, se sacaba los guantes de fino cuero, se los guardaba en el bolsillo, luego volvía a sacárselos, se ponía uno, dejaba el otro sobre la mesa, hasta que por último lo tomó nuevamente y se lo calzó también.

Había sin lugar a dudas algo de horrible en ese individuo, algo en el modo en que ese cuerpo espléndido se inflaba con su espíritu tortuoso e inquieto, en sus cínicos ataques de risa. Sin embargo, no podía apartar mis ojos de él. Experimentaba un placer en sierto modo diabólico al observarlo. Y creo que él lo sabía.

Detrás de ese rostro bello, perfecto, se ocultaba una inteligencia provocativa. El me hizo tomar conciencia de lo intolerante que me había vuelto para con los que eran jóvenes de verdad.

En eso nos sirvieron el café, y yo rodeé con ambas manos la taza caliente. Dejé que el vapor me subiera a la cara, operación que observó con sus grandes ojos castaños como si fuera él quien estaba fascinado. Trató de mantener mi mirada sin apartar la suya, lo cual le costó bastante. Boca deliciosa, pestañas bonitas, dientes perfectos.

—¿Qué diablos le pasa? —pregunté.

—Usted lo sabe; ya lo adivinó. No me gusta este cuerpo, señor de Lioncourt. Un ladrón de cuerpos tiene sus pequeños problemas.

—¿Es eso lo que usted es?

—Sí, un ladrón de cuerpos de primera categoría. ¿Acaso no lo sabía ya cuando accedió a verme? Tendrá que perdonar mi ocasional torpeza. Durante la mayor parte de mi vida he sido un hombre delgado, casi piel y huesos. Nunca tuve buena salud. —Lanzó un suspiro y, por un instante su rostro juvenil se apesadumbró.

—Pero ese capítulo de mi vida ya está cerrado —agregó con repentino fastidio—. Permítame ir derecho al grano, por respeto a su notable intelecto preternatural y amplia experiencia...

—¡No se burle de mí, sinvergüenza! —musité por lo bajo—. Está jugando conmigo, y yo lo voy a matar despacio. Ya le dije que no me cae bien. Ni siquiera me gusta el título que se adjudica.

Eso lo hizo guardar silencio y serenarse. A lo mejor perdió el temple, o quedó petrificado de terror. Creo que sencillamente dejó de tener tanto miedo y se enojó.

—De acuerdo —murmuró con tono serio, sin el furor de antes—. Quiero permutar cuerpos con usted. Quiero que me dé el suyo por una semana, y yo me encargaría de darle el mío, un cuerpo joven, que goza de perfecta salud. Es evidente que a usted le gusta mi físico. Puedo mostrarle varios certificados de buena salud, si lo desea. Este cuerpo fue examinado exhaustivamente antes de que me apoderara de él. O de que lo robara. Es muy robusto, como puede apreciar.

—¿Cómo lo hace?

—Lo hacemos juntos, señor de Lioncourt —respondió él, cortés. Su tono se iba volviendo más amable con cada frase que pronunciaba. —Tratándose de un ser como usted, imposible que yo le robe el cuerpo.

—Pero intentó hacerlo, ¿no es así?

Me observó un instante, sin saber muy bien qué responder.

—Bueno, no puede culparme por eso ahora, ¿verdad? —me pidió en tono suplicante—. Como tampoco puedo culparlo yo porque beba sangre. —Sonrió al pronunciar la palabra "sangre". —Pero yo en realidad lo que estaba haciendo era tratar de que me prestara atención, lo cual no es nada fácil. —Parecía pensativo, y muy sincero. —Además, siempre es necesaria la colaboración en algún plano, por oculto que éste pueda ser.

—Sí. Pero, ¿cuál es la mecánica, si no le molesta la palabra? ¿Cómo colaboramos uno con el otro? Sea concreto, porque me resisto a creer que se pueda hacer.

—Vamos, vamos, claro que lo cree —apuntó, calmo, como si fuera un maestro muy paciente. Parecía casi una personificación de David, pero sin el vigor de mi amigo. —¿De qué otra manera podría haberme apoderado de este cuerpo? —Hizo un pequeño gesto ilustrativo y continuó. —Nos reuniremos en el sitio adecuado. Después nos elevaremos y saldremos de nuestros cuerpos, cosa que usted sabe hacer a la perfección y ha descripto con gran elocuencia en sus libros. Después cada uno tomará posesión del cuerpo del otro. No es nada complicado; lo único que se requiere es coraje y un acto de voluntad. —Levantó la taza con mano muy temblorosa y bebió un sorbo de café caliente. —Para usted, la prueba será el coraje, nada más.

—¿Qué será lo que me retenga dentro del nuevo cuerpo?

—Señor de Lioncourt, no habrá nadie allí adentro que quiera desplazarlo. Comprenda, que esto no tiene nada que ver con la posesión. Oh, la posesión es una lucha. Cuando entre en este cuerpo, no encontrará la menor resistencia. Puede permanecer en él hasta que decida retirarse.

—¡Es demasiado enigmático! —expresé, molesto—. Sé que se ha escrito mucho sobre estas cuestiones, pero hay algo que no...

—Déjeme ponerlo en perspectiva —dijo con voz queda y elegante condescendencia—. Estamos hablando de ciencia, pero de una ciencia aún no del todo codificada por los científicos. Lo que tenemos son las memorias de poetas y aventureros de lo oculto, totalmente incapaces de analizar el proceso.

—Exacto. Como usted ha señalado, yo mismo me atreví a salir del cuerpo. Sin embargo, no sé qué es lo que sucede. No entiendo por qué el cuerpo no se muere cuando uno lo abandona.

—El alma tiene más de una parte, igual que el cerebro. Como usted sabrá, un niño puede nacer sin cerebelo y, sin embargo, si tiene lo que se denomina tallo cerebral, el cuerpo puede vivir igualmente.

—Qué idea desagradable.

--Es un caso muy frecuente, se lo aseguro. Quienes a causa de un accidente sufrieron daños cerebrales irreversibles pueden continuar respirando e incluso bostezar en su sopor, mientras les siga el bulbo raquídeo funcionando.

—¿Y usted puede poseer esos cuerpos?

—Oh, no. Para tomar posesión total, necesito que el cerebro esté sano. Deben funcionar a la perfección todas sus neuronas y ser capaces de interrelacionarse dentro de la *mente* invasora. Fíjese bien, señor de Lioncourt, que cerebro y mente son cosas distintas. Además, recuerde que no estamos hablando de posesión sino de algo infinitamente más delicado. Permítame continuar, por favor.

—Adelante.

—Como le iba diciendo, el alma consta de más de una parte, lo mismo que el cerebro. La de mayor tamaño —la identidad, la personalidad, la conciencia si lo desea— es lo que se desprende y viaja, pero siempre queda una pequeña parte residual, que es lo que mantiene con vida el cuerpo vacío, por así decirlo, porque, de lo contrario, al quedar vacío se produciría la muerte, sin duda.

—Entiendo. Lo que me está diciendo es que el alma residual da vida al tallo cerebral.

—Sí. Cuando usted salga de su cuerpo, dejará adentro un alma residual. Y cuando entre en éste, encontrará también un alma residual. Lo mismo hallé yo cuando tomé posesión. Y esa alma se enlaza automáticamente con cualquier alma superior, quiere abarcar a esa alma superior. Sin ella, se siente incompleta.

—Y cuando se produce la muerte, ¿ambas almas parten?

—Así es. Ambas, la residual y la mayor, se marchan juntas en violenta evacuación; entonces el cuerpo queda como una cáscara inerte y comienza su descomposición. —Aguardó, mirándome con el mismo aire de infinita paciencia; luego agregó: —Créame que la fuerza de la verdadera muerte es mucho más intensa. No existe el menor peligro en lo que nos proponemos hacer.

—Pero si esa pequeña alma residual es tan perspicaz, ¿por qué no puedo yo, con todos mis poderes, sacar a un mortal de su pellejo y entrar en él?

—Porque el alma mayor trataría de recuperar el cuerpo. Aunque no hubiera una comprensión del proceso, lo intentaría una y otra vez. A las almas no les gusta estar sin cuerpo. Y si bien el alma residual recibe de buen grado al invasor, dentro de ella hay algo que siempre reconoce al alma particular de la cual antes formaba parte. Si hubiera una lucha, se inclinaría por esa otra alma. Y hasta un alma desconcertada puede realizar un fuerte intento de recobrar su esqueleto humano.

Nada dije, pero por más que sospechaba de él, por más que procuraba estar siempre en guardia, encontraba sentido a sus palabras.

—La posesión es siempre una lucha sangrienta —reiteró—. Mire lo que pasa con los espíritus malignos, los fantasmas, ese tipo de cosas. A ellos siempre se los erradica, aunque el vencedor nunca sepa qué fue lo que ocurrió. Cuando viene el sacerdote con el incienso y todo ese asunto del agua bendita, apela al alma residual para que expulse al intruso y haga volver a la vieja alma.

—Pero con el enfoque cooperativo, ambas almas tienen cuerpos nuevos.

—Precisamente. Créame; si piensa que puede meterse dentro de un humano sin ayuda mía, bueno, inténtelo y ya va a ver lo que le digo. Jamás podrá experimentar a fondo los cinco sentidos de un mortal mientras adentro se libre una batalla.

Su tono se volvió aún más cauteloso, confidencial.

—Mire este cuerpo de nuevo, señor de Lioncourt —dijo con engañosa dulzura—. Puede ser suyo, absolutamente suyo. —Su pausa de pronto me resultó tan precisa como sus palabras. —Hace un año lo vio por primera vez en Venecia. Durante todo este tiempo, sin interrupción, ha albergado a un intruso. Lo albergará a usted.

—¿De dónde lo sacó?

—Ya le dije que lo robé. Su antiguo dueño murió.

—Quiero datos más concretos.

—¿Es necesario? No me gusta quedar comprometido.

—No soy un mortal funcionario de la ley, señor James. Soy vampiro. Hábleme con palabras que me resulten comprensibles.

Soltó una risita irónica.

—El cuerpo fue elegido con sumo cuidado —dijo—. A su antiguo dueño ya no le quedaba mente. Oh, no tenía nada de malo en lo orgánico, porque, como le dije, se le habían practicado exámenes exhaustivos. Se había convertido en una especie de gran animal de laboratorio. No se movía nunca. No hablaba. Había perdido irremediablemente la razón, por más que las neuronas sanas continuaran reproduciéndose, como suelen hacer. Logré hacer el cambio por etapas. Expulsarlo a él de su cuerpo fue fácil. Lo que requirió una gran habilidad fue tentarlo para que ingresara en mi antiguo cuerpo y luego dejarlo allí.

—¿Dónde está ahora su viejo cuerpo?

—Señor de Lioncourt, es del todo imposible que la vieja alma venga nunca a golpear las puertas, se lo garantizo.

130

—Quiero ver una foto de su viejo cuerpo.

—¿Para qué?

—Porque me va a decir cosas sobre su persona, quizá más de lo que me dice con palabras. Se lo exijo; no pienso seguir sin ver una foto.

—¿Ah, no? —Conservaba su sonrisa amable. —¿Y si me levanto y me voy?

—Mataré su espléndido físico nuevo no bien lo intente, y nadie se dará cuenta. Creerán que está borracho, que por eso lo sostengo entre mis brazos. Esas cosas las hago todo el tiempo.

Se quedó callado, pero noté que hacía cálculos febriles. Luego caí en la cuenta de lo mucho que él saboreaba la situación, cómo la había disfrutado desde el principio. Se asemejaba a un gran actor, inmerso por completo en el personaje más importante de su carrera.

Me sonrió, asombrosamente seductor; luego se quitó el guante derecho, sacó algo del bolsillo y me lo puso en la mano. Una foto vieja de un hombre delgado, de pelo canoso, ondulado. Le calculé unos cincuenta años. Llevaba una especie de uniforme blanco y corbata negra de moño.

En realidad tenía un aspecto agradable, mucho más fino que David aunque con el mismo estilo británico de elegancia, y una linda sonrisa. Estaba apoyado contra una barandilla que parecía de barco. Sí, era un barco.

—Usted sabía que le iba a pedir una foto, ¿no?

—Tarde o temprano...

—¿Cuándo fue tomada?

—No tiene importancia. ¿Para qué diablos lo quiere saber? —Dejó traslucir algo de impaciencia, que de inmediato disimuló.

—Fue hace diez años —precisó, bajando un tanto la voz—. ¿Le basta con eso?

—¿Quiere decir que andaría por los... sesenta y tantos?

—Digamos que sí —aceptó, con una ancha sonrisa.

—¿Cómo hizo para enterarse de esto? ¿Por qué no hubo otros que perfeccionaran la técnica?

Me miró de arriba abajo con cierto desagrado y me pareció que podía llegar a perder la compostura. Luego volvió a asumir los modales corteses.

—Muchos lo han hecho —repuso, adoptando un tono confidencial—. Eso se lo podía haber dicho su amigo David Talbot, pero no quiso. El miente, como todos los brujos de la Talamasca. Son religiosos. Creen que pueden dominar a las personas; usan sus conoci-

131

mientos para dominar.

—¿Cómo es que los conoce?

—Porque fui miembro de la orden —explicó con picardía, y volvió a sonreír—. Me expulsaron acusándome de utilizar mis poderes en mi propio provecho. ¿Para qué, si no? Por ejemplo usted, señor de Lioncourt, ¿para qué usa sus facultades si no en su propio beneficio?

De modo que Louis había acertado. No respondí. Traté de leerle la mente, pero fue inútil. En cambio, me afectó profundamente su presencia física, el calor que emanaba de él, la fuente cálida de su sangre. Suculento, sería un buen término para calificar su cuerpo, más allá de lo que pudiera opinarse sobre su espíritu. No me agradaba la sensación porque me dieron deseos de matarlo en ese mismo instante.

—Me enteré de lo de usted a través de la Talamasca —prosiguió, retomando el mismo tono confidencial—. Desde luego, yo estaba al tanto de sus pequeñas obras de ficción. Suelo leer ese tipo de literatura. Por eso me valí de los cuentos para comunicarme con usted. Pero fue en los archivos de la Talamasca donde descubrí que sus ficciones no eran tales.

Me indigné con Louis para mis adentros, por haber acertado.

—De acuerdo —dije—. Entiendo todo lo del cerebro dividido y el alma dividida, pero ¿y si después de hacer el cambio usted no quiere devolverme el cuerpo, y yo no tengo fuerza suficiente para recuperarlo? ¿Cómo puedo impedirle que se lo quede para siempre?

Permaneció un largo instante en silencio; luego respondió midiendo sus palabras:

—Con un buen soborno.

—Ah.

—Una cuenta bancaria de diez millones de dólares aguardándome para cuando vuelva a poseer mi cuerpo. —Volvió a meter la mano en el bolsillo y extrajo una tarjetita plástica con una pequeña foto de su nueva cara. También había una huella digital además de su nombre, Raglan James, y un domicilio en Washington.

"Eso usted seguramente puede arreglarlo. Una fortuna que sólo pueda cobrar la persona que tenga este rostro y esta huella digital. No pensará que voy a despreciar semejante fortuna, ¿verdad? Además, no quiero su físico para siempre. Bastante elocuente ha sido usted al describir sus sufrimientos, su desasosiego, su ruidoso descenso al infierno, etcétera. No. Su cuerpo lo quiero por un breve lapso, nada más. Hay ahí afuera muchos cuerpos esperando que los posea, muchas clases de aventura.

Examiné la tarjetita.

—Diez millones —repetí—. Es una suma abultada.

—No es nada para una persona como usted, que tiene miles de millones ocultos en bancos internacionales bajo todos sus nombres ficticios. Un ser con sus formidables facultades puede adquirir todas las riquezas del mundo. Sólo los vampiros de las películas de segunda deambulan durante toda la eternidad llevando una vida paupérrima, como sabemos.

Se limpió puntillosamente los labios con un pañuelo de hilo; luego bebió un sorbo de café.

—Quedé sumamente intrigado —continuó— con sus descripciones del vampiro Armand en *"La reina de los condenados"*, cómo usó sus poderes para amasar una fortuna y construir una gran empresa, la Isla de la Noche... hermoso nombre... Me dejó muy impresionado. —Sonrió un instante y luego prosiguió con la misma amabilidad. —No me costó mucho reunir datos sobre las afirmaciones que usted hace, aunque como ambos sabemos, su misterioso compañero hace tiempo ya que se marchó de la Isla de la Noche y desapareció de los archivos informáticos... al menos que yo sepa.

No dije nada.

—Además, por lo que le estoy ofreciendo, diez millones es un regalo. ¿Quién otro le ha ofrecido tanto? No existe nadie, en este momento al menos, que pueda brindárselo.

—¿Y si fuera *yo* el que no quiere volver a lo de antes al concluir la semana? Supongamos que quiera seguir siendo humano siempre.

—Por mí, no hay ningún problema, porque puedo desprenderme de su cuerpo en cualquier momento. Muchos estarían dispuestos a sacármelo de las manos. —Me obsequió una sonrisa respetuosa, de admiración.

—¿Qué va a hacer con mi cuerpo?

—Disfrutarlo. ¡Disfrutar la fortaleza, el poder! Ya he tenido lo que puede ofrecer un cuerpo humano: juventud, belleza, elasticidad. También he estado en un cuerpo de mujer. Dicho sea de paso, no se lo recomiendo. Por eso ahora quiero lo que *usted* tiene para ofrecer. —Entrecerró los ojos e inclinó la cabeza. —Si hubiera por aquí algún ángel corpóreo, quizá también me le acercaría.

—¿No hay en la Talamasca registros de ángeles?

Vaciló un instante y luego soltó una risita.

—Los ángeles son espíritu puro, señor de Lioncourt, y nosotros estamos hablando de cuerpos, ¿verdad? Me apasionan los placeres de la carne. Y los vampiros son monstruos de carne, ¿no? Medran con la sangre. —Una vez más le noté un brillo especial en los ojos al pronunciar la palabra "sangre".

—¿Qué es lo que persigue realmente? ¿Cuál es su pasión? No puede ser el dinero. ¿Para qué sirve el dinero? ¿Qué puede comprar con él? ¿Experiencias que no ha tenido?

—Sí, podríamos decir que es eso. Experiencias que no he tenido. Obviamente soy un sensual, por así decirlo, pero si quiere que le diga la verdad —y no veo por qué debería haber mentiras entre nosotros—, soy en todo sentido un ladrón. No disfruto algo si no lo he obtenido regateando, engañando a alguien o robándolo. Es mi forma de encontrarle utilidad a todo, podríamos decir, ¡lo que me asemeja a Dios!

Se interrumpió como si se hubiera impresionado tanto con lo que había dicho, que tuvo que recobrar el aliento. Su mirada saltaba de un lado a otro; luego miró la taza de café semivacía y esbozó una sonrisita secreta.

—Me sigue, ¿verdad? Esta ropa la robé. Todo lo que tengo en mi casa de Georgetown, cada mueble, cuadro y objeto de arte es robado. Hasta la casa misma es robada, o digamos que me fue transferida en una maraña de falsas impresiones y falsas esperanzas. Creo que lo llaman estafa. Es todo la misma cosa. —Nuevamente sonrió con aire de orgullo y, al parecer, con tal profundidad de sentimiento que me dejó impresionado. —Todo el dinero que poseo es robado, lo mismo que el auto que conduzco en Georgetown. También los pasajes de avión que usé para perseguirlo a usted por todo el mundo.

No respondí. Qué extraño era, pensé, intrigado y al mismo tiempo repelido por él pese a su simpatía y aparente honestidad. Era un acto estudiado, casi perfecto. Y esa cara cautivante, que con cada nueva revelación parecía más expresiva, más dúctil. Más cosas me faltaba saber.

—¿Cómo consiguió seguirme a todas partes? ¿Cómo sabía dónde encontrarme?

—De dos maneras, para serle sincero. La primera es evidente. Poseo la facultad de abandonar mi cuerpo por períodos breves, durante los cuales puedo buscarlo atravesando enormes distancias. Pero no me gusta ese tipo de viaje incorpóreo. Además, usted no es fácil de encontrar. Se oculta durante largos períodos; después resplandece en una visibilidad total. Y, desde luego, se desplaza sin seguir esquema alguno. A menudo, cuando lo localizo y llevo mi cuerpo hasta el lugar, usted ya se ha marchado.

"Después hay otra manera, casi tan mágica como la anterior: los sistemas de informática. Usted usa varios nombres ficticios. Yo ya le descubrí cuatro. A menudo no soy lo suficientemente rápido y no puedo localizarlo a través de la computadora, pero puedo estudiar sus huellas. Y cuando decide volver al punto de partida, sé dónde ubicarlo.

Yo guardaba silencio, maravillándome una vez más de lo mucho que él disfrutaba todo eso.

—Tengo el mismo gusto que usted para las ciudades —dijo—. Su mismo gusto en cuanto a hoteles: el Hassler en Roma, el Ritz en París, el Stanhope en Nueva York. Y desde luego, el Park Central en Miami, un hotelito muy simpático. No, no se ponga tan desconfiado. No tiene nada de raro perseguir a personas mediante la computadora. No tiene nada de especial sobornar a empleados para que nos muestren un comprobante de tarjeta de crédito o nos revelen datos que no deben dar a conocer. Con los trucos eso se consigue muy bien. No hace falta ser un asesino preternatural para lograrlo. En absoluto.

—¿Roba usted por computadora?

—Cuando puedo —admitió, haciendo una pequeña mueca—. Robo de diversas maneras. Nada me resulta indigno. Pero en modo alguno tengo la capacidad de alzarme con diez millones de dólares. Si la tuviera, no estaría aquí, ¿no le parece? No soy tan inteligente. En dos oportunidades me pescaron y caí preso. Ahí fue donde perfeccioné la forma de viajar fuera del cuerpo, ya que no tenía otra manera. —La sonrisa que esbozó fue irónica.

—¿Por qué me cuenta todo esto?

—Porque su amigo David Talbot se lo va a decir, y porque creo que usted y yo deberíamos entendernos. Ya estoy cansado de correr riesgos. La gran razón que me anima es el cuerpo suyo, y los diez millones cuando se lo devuelva.

—Me suena todo tan trivial, tan prosaico.

—¿Diez millones le parecen prosaicos?

—Sí. Cambió un cuerpo viejo por uno nuevo. ¡Volvió a ser joven! Y el próximo paso, si yo acepto, será mi cuerpo, mis poderes. Sin embargo, lo que le importa es el dinero nada más.

—¡Ambas cosas! —protestó, desafiante—. Son cosas muy parecidas. —Con esfuerzo deliberado recobró la compostura. —Usted no se da cuenta porque adquirió al mismo tiempo el dinero y sus facultades. La inmortalidad es un gran féretro lleno de oro y piedras preciosas. ¿No fue así como lo contó? Usted salió de la torre del Magnus convertido en inmortal y con una fortuna. ¿O acaso esa historia es mentira? Aunque usted evidentemente es real, no sé si creer todas las cosas que escribió. Pero tiene que comprender lo que le digo, porque usted también es ladrón.

Mi reacción inmediata fue de indignación. De pronto me resultó mucho más desagradable que al principio, cuando estaba tan nervioso.

—No soy un ladrón —murmuré a media voz.

—Sí lo es. Siempre les roba algo a sus víctimas. Sé que lo hace.

—No, nunca, salvo que... no quede otro remedio.

—Como usted diga. Yo, sin embargo, creo que lo es. —Se inclinó hacia adelante con los ojos nuevamente brillosos y me habló en tono tranquilizador: —Roba la sangre que bebe; eso no lo puede negar.

—¿Cómo fue el incidente que tuvo con la Talamasca?

—Ya le conté que me echaron, acusándome de usar mis dones para obtener información con fines personales. Me acusaron de engaño... y de robo, desde luego. Fueron muy tontos y miopes esos amigos suyos de la Talamasca. Me subestimaron totalmente. Tendrían que haberme valorado. Tendrían que haberme estudiado, haberme implorado que les enseñe lo que sé.

"En cambio, me echaron y me pagaron seis meses de indemnización. Una miseria. Y me negaron mi último deseo... un pasaje en primera clase a los Estados Unidos en el *Queen Elizabeth II*. Habría sido tan sencillo que me lo concedieran. Además, estaban en deuda conmigo por todas las cosas que les revelé. Tendrían que habérmelo dado. —Suspiró, me lanzó una miradita y luego posó sus ojos en el local. —Pequeñas cosas que importan en este mundo. Importan mucho.

No le respondí. Volví a mirar la foto, la imagen que aparecía en la cubierta del barco, pero no estoy seguro de que él se haya dado cuenta. Tenía la mirada perdida en el ruidoso resplandor del local; sus ojos recorrían las paredes, el techo, se posaban en algún turista ocasional, pero no registraban nada.

—Traté de llegar a un acuerdo con ellos —continuó con la misma voz mesurada de antes—. Es decir, les pregunté si querían que les devolviera algunos objetos, que les aclarase ciertos interrogantes... usted sabe. ¡Pero no quisieron entender razones! Además, para ellos el dinero no tiene importancia, lo mismo que para usted. Son tan tacaños que ni siquiera analizaron la posibilidad. Me dieron un pasaje de avión en clase turista y un cheque por seis meses de sueldo. ¡Seis meses! ¡Ah, estoy tan cansado de estas vicisitudes!

—¿Qué le hizo pensar que podía ser más astuto que ellos?

—¡Es que lo fui! —exclamó, con una sonrisita—. No son muy cuidadosos con sus cosas. Usted no se da una idea de la cantidad de pequeños tesoros que les robé. Nunca se lo van a imaginar. Desde

136

luego, el robo más importante fue usted, enterarme de que existía. Oh, descubrir esa cripta llena de reliquias fue pura buena suerte. Quiero que sepa que no me llevé ninguno de sus antiguos bienes: levitas ya podridas de sus placares de Nueva Orleáns, pergaminos con su firma rebuscada... hasta había un relicario con una pintura en miniatura de esa niña detestable...

—Cuide su vocabulario —susurré.

Se quedó muy callado.

—Perdone. No quise ofenderlo.

—¿Qué relicario? —quise saber. ¿Se habría percatado de que el corazón me latía con más fuerza? Procuré calmarme, no dejar que me subiera el sentimiento a la cara.

Qué sumiso parecía cuando respondió.

—Un relicario de oro con su cadena, que adentro tenía una miniatura ovalada. No quise robarlo, se lo juro. Lo dejé donde estaba. Todavía sigue en la cripta. Pregúntele a su amigo Talbot.

Ordené a mi corazón que se quedara quieto, al tiempo que borraba de mi mente todas las imágenes del relicario.

—Lo cierto es —dije luego— que la Talamasca lo pescó y lo puso de patitas en la calle.

—No veo por qué me sigue ofendiendo —musitó, humilde—.Usted y yo podemos llegar a un acuerdo sin necesidad de ser antipáticos. Lamento haber mencionado lo del relicario...

—Quiero pensar un poco su propuesta —dije.

—Podría ser un error.

—¿Por qué?

—¡Corra el riesgo! No se demore. Y tenga presente que, si me hace daño, desperdiciará esta oportunidad para siempre. Yo soy el único que puede brindarle esta experiencia; sin mí, no podrá saber jamás qué se siente siendo de nuevo un ser humano. —Se me acercó, pero tanto que alcancé a sentir su aliento en mi mejilla. —Nunca va a saber lo que es caminar al sol, disfrutar una comida de verdaderos alimentos, hacer el amor con una mujer o un hombre.

—Quiero que salga ya mismo de aquí. Váyase de la ciudad y no regrese nunca. Yo iré a Georgetown a reunirme con usted cuando me sienta preparado. Y por tratarse de la primera vez, el cambio de cuerpo no será por una semana. Será...

—¿Puedo sugerirle dos días?

No le contesté.

—¿Y si empezamos con un día? —propuso—. Si le gusta, después podemos arreglar por un período más largo.

—Un día —dije, y mi voz sonó extraña aún para mis propios

oídos—. Un período de veinticuatro horas... por ser la primera vez.

—Un día y dos noches. Le sugiero que sea este mismo miércoles, apenas se ponga el sol. El segundo cambio lo haríamos el viernes, antes del amanecer.

Nada dije.

—Tiene la noche de hoy y la de mañana para prepararse —agregó, queriendo engatusarme—. Después de hacer la mutación, va a tener toda la noche del miércoles y el jueves entero, podría ser hasta... ¿Le parece bien dos horas antes de salir el sol el viernes? Le tiene que resultar cómodo así. —Me observó detenidamente y luego, con una pizca de ansiedad. —Ah, y tráigame uno de sus pasaportes, cualquiera que sea; también una tarjeta de crédito y en los bolsillos, una suma de dinero además de los diez millones. ¿Comprendido?

Seguí sin responder.

—Usted sabe que esto va a andar bien.

Continué callado.

—Créame que todo lo que le dije es verdad. Pregúntele a Talbot. Yo no nací apuesto como me ve ahora. Y este cuerpo está ya mismo, en este instante, a su disposición.

No hablé.

—Venga a verme el miércoles. Se va a alegrar de haberlo hecho. —Se interrumpió, y sus modales se suavizaron aún más. —Mire... Me da la sensación de que lo conozco —aseguró, su voz apenas un susurro—. ¡Sé lo que quiere! Es espantoso desear algo y no tenerlo. Ah, pero cuando uno después sabe que lo puede conseguir...

Lo miré a los ojos. Su rostro atractivo estaba sereno, sin la menor expresión, y los ojos parecían maravillosos por su fragilidad y su precisión. La piel parecía tener elasticidad y pensé que sería sedosa al tacto. Luego me llegó una vez más su voz, una especie de cuchicheo seductor en el cual las palabras trasuntaban un dejo de tristeza.

—Esto es algo que sólo podemos hacer usted y yo —dijo—. En cierto sentido, se trata de un milagro que únicamente usted y yo somos capaces de comprender.

La cara, con su tranquila belleza, me pareció en ese momento monstruosa, lo mismo que la voz, con su timbre encantador, con su elocuencia, con su manera de expresar empatía y hasta afecto, quizá hasta amor.

Sentí un deseo imperioso de aferrarlo por el cuello, de sacudirlo hasta que perdiera la compostura y dejara de fingir un sentimiento profundo, pero de ninguna manera lo iba a hacer. Me sentía cautivado por los ojos y la voz. Me estaba dejando hechizar, del mismo modo que antes me había dejado invadir por las sensaciones físicas de agresión. Eso se debía, supuse, a que ese individuo parecía frágil y ridículo y yo, en cambio, estaba seguro de mi propia fortaleza.

Pero era mentira. ¡Yo quería hacer el experimento! Quería hacer el cambio.

Sólo al rato él desprendió su mirada y la paseó por el local. ¿Estaría esperando su oportunidad? ¿Qué pasaba por su alma artera y totalmente encubierta? ¡Un hombre que podía robar cuerpos, vivir dentro de la carne de otros!

Con gestos despaciosos, sacó una lapicera, arrancó una servilletita de papel y escribió el nombre y la dirección de un banco. Me dio el papel y lo guardé en el bolsillo sin abrir la boca.

—Antes de hacer el cambio —me advirtió— le daré mi pasaporte; el que tiene la cara correcta, desde luego. A usted lo dejaré cómodamente instalado en mi casa. Supongo que llevará dinero consigo... siempre lleva. Mi casa le resultará muy acogedora. Georgetown le va a gustar. —Sus palabras me producían una sensación de dedos suaves recorriendo el dorso de mi mano, algo fastidioso y emocionante a la vez. —Es un sitio antiguo, muy civilizado. Por supuesto, allí ahora nieva. Hace mucho frío. Si quisiera hacer el cambio en un lugar más cálido...

—No me molesta la nieve —dije por lo bajo.

—Me imagino. Bueno, de todos modos le dejaré mucha ropa de abrigo —agregó en el mismo tono conciliatorio.

—Ninguno de esos detalles me importa. —Qué tonto era al suponer que me interesaban. El corazón me latía desordenadamente.

—Oh, eso no lo sé. Cuando sea humano tal vez note que empiezan a importarle muchas cosas.

A usted, puede ser, pensé. A mí lo único que me importa es estar en ese cuerpo, sentirme vivo. Rememoré la nevada del último invierno en Auvernia. Vi el sol que caía desde las montañas... Vi al cura del pueblo, temblando en el gran hall en el momento en que se quejaba ante mí de los lobos que bajaban a la aldea por las noches. Por supuesto, me comprometí a darles caza. Era mi obligación.

No me molestó que pudiera haberme leído esos pensamientos.

—¿Y no quiere probar la buena comida, un buen vino? ¿Qué me dice de tener relaciones con una mujer, o con un hombre si lo prefiere? Para eso necesitará dinero y una casa agradable.

No le respondí. Vi el sol sobre la nieve. Lentamente mis ojos ascendieron hasta el rostro de ese ser. Me llamó la atención lo atractivo que resultaba por el hecho de haber adoptado ese nuevo modo de persuasión, cuánto se parecía a David.

Cuando vi que estaba por seguir hablándome de lujos, le hice señas de que callara.

—De acuerdo —acepté—. Creo que me verá el miércoles. ¿Digamos una hora después de caer el sol? Ah, y le advierto que esa fortuna de diez millones de dólares estará a su disposición la mañana del viernes sólo por un período de dos horas. Tendrá que ir en persona a retirarla. —Lo toqué con suavidad en el hombro. —A esta persona me refiero.

—Por supuesto. Con todo gusto.

—Además, va a necesitar una contraseña para efectuar la transacción. Esa contraseña la sabrá cuando me devuelva mi cuerpo según lo convenido.

—No, nada de contraseñas. La transferencia de fondos debe estar terminada antes de que cierre el banco, el miércoles por la tarde, para que lo único que tenga que hacer el viernes sea presentarme ante su representante, dejarme tomar las impresiones digitales si usted insiste en ello, y que luego él me pueda firmar la cesión del dinero.

Yo estaba callado, reflexionando.

—Al fin y al cabo, mi apuesto amigo, ¿qué pasa si no le gusta su experiencia de un día como ser humano, si le parece que no valió la pena?

—Sí, va a valer la pena —murmuré, más hablando conmigo mismo que con él.

—Nada de contraseñas —repitió.

Lo escruté en silencio. Cuando me sonrió, le noté un aspecto casi inocente y muy juvenil. Dios santo, tuvo que haber sido muy importante para él haber conseguido ese vigor juvenil. No podía ser que no se hubiera deslumbrado, aunque más no fuera durante un rato. Al principio debe haber pensado que había obtenido lo que siempre ambicionó.

—¡Lejos de eso! —exclamó de repente, como si no pudiera impedir que le salieran las palabras de la boca.

No pude menos que reírme.

—Le voy a contar un pequeño secreto sobre la juventud —dijo, con súbita sequedad—. Bernard Shaw dijo que la juventud se desperdicia en los jóvenes. ¿Recuerda ese comentario al que siempre le asignó tanto valor?

—Sí.

—Bueno, no es así. Los jóvenes saben lo difícil y terrible que puede ser la juventud. La juventud se desperdicia en todos los demás: ése es el horror. Los jóvenes no tienen autoridad, no tienen respeto.

—Está loco. Creo que usted no usa muy bien lo que roba . ¿Cómo puede no emocionarse ante el vigor? ¿Cómo puede no regocijarse con la belleza que ve reflejada en los ojos de quienes lo miran?

Sacudió la cabeza.

—Eso lo disfrutará usted —repuso—. El cuerpo es joven, tiene toda la juventud que usted siempre quiso. Sin duda se emocionará con el vigor, como dice; se regocijará con esas miradas de aprobación. —Calló. Bebió un último sorbo de café y quedó con la mirada clavada en el pocillo. —Nada de contraseñas —añadió.

—De acuerdo.

—Ah, bueno —dijo, y una sonrisa esplendorosa se pintó en su rostro—. Recuerde que por esta suma yo le ofrecí una semana. Fue usted quien prefirió aceptar un día, no más. Quién sabe, cuando le tome el gustito, querrá prolongarlo más tiempo.

—Quien sabe. —Otra vez me distraje con sólo mirarlo, al ver la mano grande y tibia que en ese momento cubrió con el guante.

—Y si quiere hacer otra mutación, le costará otra suma abultada de dinero —expresó alegremente, todo sonrisas, acomodándose la bufanda dentro de las solapas.

—Sí, claro.

—Para usted el dinero no significa *nada,* ¿no es así?

—Nada en absoluto. —Qué trágico, pensé, que para él signifique tanto.

—Bueno, ahora me voy. Lo dejo que se vaya preparando. Nos vemos el miércoles, como quedamos.

—No trate de huir de mí —le advertí en voz baja, inclinándome un poco hacia adelante. Luego levanté la mano y le toqué la cara.

El gesto evidentemente lo sobresaltó, porque se quedó inmóvil, como un animal que, en el bosque, de pronto percibe que puede haber peligro donde antes no lo había. Pero su expresión siguió siendo calma cuando dejé los dedos apoyados contra su cutis afeitado.

Poco a poco fui bajando la mano, y entonces sentí la solidez de su mentón. Dejé la mano en su cuello. También por allí había pasado la afeitadora dejando su huella tenue; la piel era muy firme y emanó de ella un aroma joven en el momento en que brotaron gotas de sudor de su frente y sus labios se plegaban para formar una sonrisa.

—Supongo que habrá disfrutado aunque sea un poco siendo joven —aventuré.

Sonrió, como si supiera cuánto podía seducir con esa sonrisa.

—Sueño los sueños de los jóvenes —confesó—, o sea que siempre sueño con ser mayor, más rico, más sensato, más fuerte.

Solté una risita.

—Lo espero el miércoles por la noche —dijo con la misma elocuencia—. De eso puede estar seguro. Venga. Sucederá, se lo prometo. —Inclinándose hacia adelante, susurró: —¡Va a habitar en este físico! —Y una vez más me dirigió una sonrisa cautivante.

—Ya va a ver.

—Quiero que se marche ya mismo de Nueva Orleáns.

—Oh, sí, enseguida —aceptó. Y sin decir media palabra más, se puso de pie alejándose de mí, tratando de disimular su repentino temor. —Tengo listo el pasaje. No me agrada su sucio reducto caribeño. —Lanzó una risita humilde. Luego prosiguió con aire de maestro que amonesta a un alumno. —Hablaremos más cuando usted venga a Georgetown. Y mientras tanto, no trate de espiarme porque me voy a dar cuenta. Tengo una gran capacidad para advertir esas cosas. Hasta la Talamasca se asombró de mis poderes. ¡Tendrían que haberme conservado en su rebaño! ¡Tendrían que haberme estudiado! —Se cortó.

—Lo voy a espiar de todas maneras —dije, imitando su tono de voz bajo y medido—. Y no me importa que se entere.

Volvió a reírse, pero en un tono levemente aplacado; luego con una pequeña inclinación de cabeza, se encaminó de prisa hacia la puerta. Era de nuevo un ser desgarbado y torpe, poseído por un loco entusiasmo. Y qué trágico me pareció, porque ese cuerpo, con otro espíritu en su interior, seguramente podría haberse movido como una gacela.

Lo alcancé cuando iba por la acera y casi se muere de espanto.

—¿Qué quiere hacer con mi cuerpo? —le pregunté—. Me refiero a otra cosa además de huir del sol por las mañanas como si fuera un insecto nocturno o una babosa gigante.

—¿Qué le parece? —dijo, asumiendo un aire de caballero inglés y al mismo tiempo con total sinceridad—. Quiero beber sangre. —Abrió mucho los ojos y se me acercó más. —Quiero quitar la vida en el acto de beberla. Ese es el atractivo, ¿no? Lo que a usted más le atrae no es la sangre sino la vida de esas personas. Yo nunca le he robado a nadie nada de valor. —Me dirigió una sonrisa de complicidad. —El cuerpo, sí, pero no la sangre y la vida.

Lo dejé ir, para lo cual hice un ademán visible de echarme hacia atrás, como un momento antes él había hecho conmigo. El corazón me latía con fuerza y temblé de arriba abajo al observar su rostro bello y en apariencia inocente.

No se le borró la sonrisa.

—Usted es ladrón por excelencia —me espetó—. ¡Cada vida

142

que quita es robada! Sí, anhelo tener su cuerpo; tengo que vivir esa experiencia. Introducirme en los archivos de vampiros de la Talamasca fue un triunfo, pero poseer su cuerpo, ¡y robar sangre estando en él! ¡Oh, sería todo un logro!

—¡Aléjese de mí! —musité.

—Vamos, vamos, no sea tan quisquilloso. No le gusta cuando otros se lo hacen a usted. Lo considero un ser privilegiado, Lestat de Lioncourt. Encontró lo que buscaba Diógenes. ¡un hombre honesto! —Otra amplia sonrisa y luego una andanada de risas, como si ya no pudiera contenerlas más. —Lo veo el miércoles. Venga temprano, porque quiero que me quede la mayor cantidad de noche posible.

Dio media vuelta y se alejó presuroso. Hizo señas enérgicas a un taxi; luego se lanzó contra el tránsito para introducirse en un coche que acababa de detenerse, obviamente para otra persona. Hubo una pequeña discusión que él ganó de inmediato, por lo que cerró con fuerza la puerta y el vehículo se alejó a toda velocidad. Vi por la ventanilla sucia que me guiñaba un ojo, y saludaba con la mano. Un instante después, él y el auto habían desaparecido.

Incapaz de reaccionar, quedé sumido en el desconcierto. Pese al frío nocturno, había mucho movimiento, vocerío de turistas, autos que reducían la velocidad al pasar por la plaza. Sin un designio expreso, sin palabras, traté de pensar en cómo podía ser el paisaje durante el día; traté de imaginar los cielos sobre ese punto de un impreciso tono azul.

Después, me subí lentamente el cuello del sobretodo.

Horas y horas caminé, sintiendo en mis oídos la voz culta, refinada.

Lo que a usted más le atrae no es la sangre sino la vida de esas personas. Yo nunca le he robado a nadie nada de valor. El cuerpo, sí, pero no la sangre y la vida.

No me sentía con coraje para enfrentar a Louis. No soportaba la idea de conversar con David. Y si Marius se enteraba de mi proyecto, más me valdría ni empezarlo. ¡Quién sabe lo que Marius podía llegar a hacerme sólo por haber albergado semejante idea! Sin embargo él, con su amplia experiencia, sabría si eso era verdad o fantasía. Oh, dioses, ¿es que nunca quiso hacerlo él mismo?

Por último regresé a mi departamento, apagué las luces y me desplomé sobre el muelle sofá de pana que, ubicado frente a la ventana de vidrio, permitía ver allá abajo la ciudad.

Tenga presente que, si me hace daño, desperdiciará esta oportunidad para siempre... Sin mí no podrá saber jamás qué se siente siendo de nuevo un ser humano... Nunca va a saber lo que es cami-

nar al sol, disfrutar una comida de verdaderos alimentos, hacer el amor con una mujer o un hombre.

Pensé en la facultad de elevarme y abandonar el cuerpo material. No me gustaba ese don, y esa posibilidad de realizar el viaje incorpóreo, como se la llamaba, tampoco me salía espontáneamente. De hecho, podía contar con los dedos de una mano las pocas veces que la había usado.

Y con todo lo que padecí en el Gobi, nunca traté de abandonar mi forma material; ni siquiera se me ocurrió elevarme y salir del cuerpo.

Es más, la idea de estar desconectado de mi cuerpo, de flotar a la deriva sin poder encontrar la puerta del cielo o del infierno, me resultaba aterradora. Y la evidencia de que esa alma errante no podía trasponer el portal de la muerte a voluntad, se me presentó con toda nitidez desde la primera vez que experimenté con el truco. ¡Pero introducirme en el cuerpo de un mortal! Quedar anclado ahí, caminar, sentir, ver como mortal... Ah, no podía contener la emoción, una emoción que se estaba convirtiendo en puro dolor.

Después de hacer la mutación, va a tener toda la noche del miércoles y el jueves entero. El jueves entero, entero...

Por último, un rato antes del amanecer, llamé a mi agente de Nueva York. Ese hombre no sabía de la existencia de mi agente de París. Me conocía sólo con dos nombres, y hacía mucho que yo no usaba ninguno de los dos. Era muy improbable que Raglan James conociera esas identidades y sus diversos recursos. Me pareció la ruta más sencilla a seguir.

—Tengo un trabajito que encargarle, algo muy complicado que es preciso realizar de inmediato.

—Sí, señor, como usted diga.

—Le daré el nombre y domicilio de un banco de Washington. Quiero que lo anote...

9

A la noche siguiente, completada la documentación necesaria para transferir los diez millones de dólares, la envié por mensajero al banco de Washington junto con la tarjeta de fotoidentificación del señor Raglan James, además de una reiteración total de las instrucciones, de mi puño y letra, y la firma de

Lestan Gregor, que, por diversas razones, era el mejor nombre para usar en toda esa cuestión.

Mi representante en Nueva York también me conocía por otro seudónimo, al que convinimos no hacer figurar en ningún momento de la transacción; por otra parte, si necesitaba ponerme en contacto con él, ese otro nombre, y dos contraseñas nuevas, lo autorizarían para realizar transferencias de dinero, bastando para ello sólo una orden verbal de mi parte.

En cuanto al nombre Lestan Gregor, desaparecería por completo de toda documentación no bien los diez millones pasaran a poder del señor James. Los restantes bienes del señor Gregor quedaban transferidos a mi otro nombre, que, dicho sea de paso, era Stanford Wilde.

Todos mis representantes están habituados a recibir instrucciones así de insólitas: cesiones de dinero, abandono de identidades, orden de girarme fondos adondequiera que me encuentre, mediante apenas un llamado telefónico. Pero ajusté el sistema. Di contraseñas raras, difíciles de pronunciar. En suma, hice todo lo posible por mejorar la cuestión de la seguridad en torno de mis identidades, como también para dejar totalmente establecidas las condiciones para la transferencia de los diez millones.

Desde el mediodía del miércoles el dinero estaría en una cuenta fiduciaria en el banco de Washington, del cual sólo podría retirarlo el señor Raglan James y únicamente entre las diez y las doce del viernes siguiente. El señor James demostraría su identidad si su aspecto coincidía con la foto, además de su huella digital y su firma, antes de que el dinero pasara a su cuenta. A las doce y un minuto toda la transacción quedaría sin efecto y el dinero regresaría a Nueva York. Al señor James debían presentársele las condiciones a más tardar el miércoles por la tarde y se le habría de asegurar que, en caso de cumplirse con todos los requisitos, el dinero le sería transferido según lo pactado.

Me pareció que era un convenio riguroso, pero yo no era ladrón, no obstante lo que pensara el señor James. Sabiendo que él sí lo era, revisé varias veces hasta el último detalle, en forma algo compulsiva, para no darle ventaja alguna.

Luego me pregunté por qué todavía me estaba engañando con que no iba a realizar el experimento, si ya tenía decidido hacerlo.

Entretanto, a cada rato sonaba el teléfono de mi departamento, ya que David trataba desesperadamente de comunicarse conmigo; pero yo me quedé sentado en la oscuridad, sin atender, un tanto fastidiado con los timbrazos, hasta que por fin desconecté el aparato.

Lo que me proponía hacer era despreciable. Ese canalla sin duda usaría mi cuerpo para los crímenes más crueles y abyectos. ¿Y yo iba a permitir que sucedieran sólo para poder ser humano? Era difícil justificarlo desde todo punto de vista.

Cada vez que pensaba en la posibilidad de que mis compañeros —cualquiera de ellos— pudieran descubrir la verdad, me estremecía y trataba de pensar en otra cosa. Ojalá estuvieran muy ocupados con sus forzosas actividades en todo el mundo ancho y hostil.

Cuánto mejor pensar en toda la propuesta con creciente emoción. Y el señor James sin duda estaba en lo cierto respecto al tema del dinero. Diez millones no significaban absolutamente nada para mí. A través de los siglos amasé una gran fortuna que fui aumentando de diversas maneras, y yo mismo no sabía a cuánto ascendía.

Por mucho que entendiera lo distinto que era el mundo para un mortal, aún no comprendía del todo por qué a James le importaba tanto el dinero. Al fin y al cabo, estábamos hablando de una magia potente, de enormes poderes sobrenaturales, de percepciones espirituales potencialmente abrumadoras, de hechos demoníacos, cuando no heroicos. Pero era obvio que lo que el hijo de puta deseaba era dinero. Pese a todo, no tenía otro interés que el dinero. Y quizá fuese mejor así.

Pensemos en lo peligroso que podía ser en caso de tener grandes ambiciones. Pero no las tenía.

Y yo *ansiaba* ese cuerpo humano: en definitiva era eso.

Lo demás, en el mejor de los casos, eran racionalizaciones. Y a medida que iban pasando las horas, eso era lo que más hacía.

Me planteé, por ejemplo, si entregar mi poderoso cuerpo era un acto tan vil. Ese idiota no era capaz de usar el cuerpo humano que tenía. En la mesa del café, durante media hora estuvo hecho un verdadero *gentleman*, pero, no bien se levantó, arruinó todo con sus gestos poco elegantes. Jamás podría aprovechar mi fortaleza física. Tampoco podría orientar mis facultades telekinésicas por más parapsicólogo que dijera ser. A lo mejor podía usar la telepatía, pero en cuanto a poner en estado hipnótico o hechizar, seguramente no podría siquiera empezar a usar esos dones. Dudo que hubiera logrado desplazarse con velocidad. Por el contrario, iba a ser lento, torpe. Le sería imposible volar y quizá hasta se metería en apuros.

Sí, mejor que fuese un maquinador vil y no uno de esos tipos violentos que se creen dioses. Y yo, ¿qué pensaba hacer?

¡La casa en Georgetown, el auto y las demás cosas no me importaban en absoluto! Fui sincero al decírselo. ¡Quería sentirme vivo! Claro que iba a necesitar algo de dinero para bebidas y alimentos, pero ver la luz del día no costaba nada. Más aún, para esa vivencia no hacían falta grandes lujos ni un confort especial. Yo sólo anhelaba la experiencia física y espiritual de ser nuevamente de carne y hueso. ¡Me consideraba totalmente distinto de ese miserable Ladrón de Cuerpos!

Pero me quedaba una duda. ¿Y si no bastaban diez millones para que me devolviera mi físico? Tal vez me convenía duplicar el monto. Para alguien tan estrecho de miras como él, una fortuna de veinte millones sería una gran tentación. Y, en el pasado, siempre me había dado buenos resultados duplicar las sumas que cualquiera me cobraba por sus servicios; así, obtenía una lealtad que ni ellos mismos habrían creído posible jamás.

Volví a llamar a Nueva York y dupliqué la cifra. Como era de prever, mi agente creyó que me estaba volviendo loco. Usamos las nuevas contraseñas para confirmar la validez de la transacción. Después corté.

Ya era hora de conversar con David o ir a Georgetown. Además le había hecho una promesa a David. Me quedé muy quieto, esperando que sonara el teléfono. Cuando sonó, lo atendí.

—Gracias a Dios que te encuentro.

—¿Qué pasa? —le pregunté.

—Reconocí en el acto el nombre Raglan James, y tenías toda la razón. ¡Ese tipo no está dentro de su cuerpo! La persona de que hablas tiene sesenta y siete años. Nació en la India, se crió en Londres, y estuvo cinco veces preso. Es un ladrón conocido por todos los organismos de seguridad de Europa, un estafador. También tiene notables poderes parapsicológicos, de magia negra... de los más arteros que se conocen.

—Sí, me contó. Consiguió infiltrarse en la orden.

—Así es; fue uno de los errores más grandes que cometimos. Pero ese tipo es capaz de seducir a la Virgen María, de robarle el reloj al mismísimo Dios. Sin embargo, en pocos meses se cavó su propia fosa y ése es el quid de la cuestión. Escúchame bien, Lestat. ¡Los que hacen magia negra o hechicerías siempre se hacen mal a sí mismos! Con esos dones podía habernos tenido engañados toda la vida; ¡en cambio los utilizó para desplumar a los otros miembros y saquear las criptas!

—También me lo contó. En cuanto al asunto de cambiar de cuerpo, ¿puede quedar alguna duda?

—Descríbeme al hombre tal como lo viste.

Así lo hice. Recalqué el dato de la estatura y la contextura robusta. El pelo grueso y brillante, la piel extrañamente tersa y satinada.

Su excepcional belleza.

—En este mismo instante estoy mirando una foto suya.

—A ver, dime —le pedí.

—Estuvo un tiempo recluido en un hospital de Londres para dementes criminales. La madre era anglo-india, lo cual explica su tez excepcional, que aquí también se advierte. El padre era taxista. El tipo mismo trabajaba en un taller donde arreglaban autos sumamente caros. Como actividad secundaria comercializaba drogas para poder comprarse él también esos coches. Un día asesinó a toda su familia —la mujer, dos hijos, el cuñado y la madre—, y luego se entregó a la policía. Se le encontró en la sangre una aterradora mezcla de alucinógenos y gran cantidad de alcohol. Eran las mismas drogas que solía vender a los jóvenes del barrio.

—Trastorno de los sentidos pero nada malo en el cerebro.

—Precisamente, esa furia homicida se la provocaron las drogas, según pudieron comprobar las autoridades. Después del incidente, el hombre no volvió a abrir la boca. Permaneció inmune a todo estímulo hasta tres semanas después de haber sido internado, momento en el cual se escapó misteriosamente, dejando en su habitación a un enfermero asesinado. ¿A que no te imaginas quién era el enfermero?

—James.

—Exacto. En la autopsia se realizó la identificación mediante las huellas digitales, dato que luego fue corroborado por la Interpol y Scotland Yard. James había estado trabajando en el hospital con nombre falso durante un mes, ¡sin duda esperando que arribara tal cuerpo! Después asesinó alegremente su propio cuerpo. Un tipo de acero, el hijo de puta, para haber podido hacer eso.

"Claro que era un cuerpo muy enfermo, se estaba muriendo de cáncer. La autopsia determinó que no habría vivido más de seis meses. Lestat, bien puede ser posible que James haya ayudado a cometer los crímenes mediante los cuales pudo disponer luego del cuerpo del joven. Si no hubiese robado ese físico, habría conseguido otro de manera similar. Y una vez que mató su propio cuerpo, éste se fue a la tumba llevándose consigo todo el prontuario criminal de James.

—¿Por qué me dio su nombre verdadero, David? ¿Por qué me contó que perteneció a la Talamasca?

—Para que yo pudiera confirmar su versión. Todo lo que hace está calculado. Tú no sabes lo astuto que es. ¡Quiere que sepas que puede hacer todo lo que dice! Y que el antiguo dueño de ese cuerpo joven ya no puede causar trastornos.

—Pero David, aún hay ciertos aspectos que me desconciertan. El alma del otro hombre, ¿murió en el cuerpo viejo? ¿Por qué no... salió?

—El pobre diablo no debe ni haber sabido que era posible semejante cosa. Es indudable que James orquestó el cambio. Mira, tengo aquí todo un legajo con testimonios de otros miembros de la orden. Ellos dicen que ese individuo los forzó a salir de sus cuerpos y se apoderó luego de ellos durante breves lapsos.

"Esas sensaciones que experimentabas —la vibración, la contracción— las sintieron también ellos. Y hablo de miembros de la Talamasca, toda gente culta. Este mecánico de taller no entendía de esas cosas.

"Su experiencia con lo preternatural se limitaba a las drogas, y sólo Dios sabe qué otras ideas andaban rondando por ahí. Además, durante todo el proceso James trató con un hombre en grave estado de shock.

—¿Y si todo fuera una especie de astuta artimaña? —sugerí.

—Descríbeme al James que tú conocías.

—Flaco, casi demacrado, ojos de mirada intensa, pelo canoso, abundante. Aspecto bastante agradable. Recuerdo que tenía una voz hermosa.

—Es él.

—Lestat, esa nota que me enviaste por fax desde París... no deja dudas. Es la letra de James, es su firma. ¿No ves? ¡Se enteró de que existías a través de la orden! Para mí ése es el aspecto más perturbador: que localizó nuestros archivos.

—Eso me dijo.

—Ingresó en la orden para tener acceso a esos secretos. Entró ilegalmente en nuestro sistema de computación. Quién sabe cuántas cosas habrá descubierto. Pero no pudo resistir la tentación: le robó un reloj pulsera de plata a uno de los miembros y sustrajo un collar de brillantes de las criptas. Tuvo una actitud osada con los demás. Les robó cosas de sus habitaciones. ¡No debes tener más trato con esa persona!

—Me estás hablando como superior general, David.

—¡Lo que está en juego es un cambio de cuerpo, poner todos tus poderes a disposición de ese individuo!

—Lo sé.

—No debes hacerlo. Permíteme hacerte una sugerencia terrible. Si disfrutas quitando la vida, como me has dicho, ¿por qué no asesinas cuanto antes a este sujeto tan nefasto?

—David, hablas por orgullo herido. ¡Y me parece terrible lo

que propones!

—No juegues conmigo. No hay tiempo. ¿No te das cuenta de que este personaje es tan taimado que debe estar especulando con tu carácter veleidoso? Te eligió a propósito, tal como eligió al pobre mecánico de Londres. Ha estudiado los datos que hay sobre tu impulsividad, tu audacia. Y puede suponer con fundamento que no vas a hacer caso de mis advertencias.

—Interesante.

—Habla más alto, que no te oigo.

—¿Qué más me puedes decir?

—¿Qué más te hace falta saber?

—Quiero entender esto.

—¿Por qué?

—David, comprendo que el pobre mecánico haya estado confundido, pero, ¿por qué el alma no salió del cuerpo canceroso cuando James le asestó el golpe de gracia en la cabeza?

—Tú mismo lo has dicho, Lestat. Porque el golpe fue en la cabeza. El alma ya se había enredado con el nuevo cerebro. No hubo un momento de claridad o de voluntad en el cual pudiera haber salido en libertad. Hasta en los hechiceros astutos como James, si les produces daños graves en el tejido cerebral, el alma no tiene tiempo de liberarse y se produce la muerte física, que se lleva de este mundo el alma entera. Si decides ultimar a este monstruo, atácalo por sorpresa y destrózale el cráneo como si aplastaras un huevo.

Me reí.

—David, nunca te oí tan exasperado.

—¡Porque te conozco, porque sé que quieres hacer la mutación y no deberías!

—Contéstame unas preguntas más. Quiero analizar todas las posibilidades.

—No.

—La experiencia de estar próximo a la muerte... Me refiero a esa pobre gente que tiene un infarto, atraviesa un túnel, ve una luz y después vuelve a la vida. ¿Qué les pasa a ellos?

—Sólo tengo conjeturas.

—No te creo. —Le conté lo mejor que pude lo que había mencionado James acerca del tallo cerebral y el alma residual. —En las experiencias de acercarse a la muerte, ¿quedó una parte del alma?

—Puede ser, o quizás esos individuos mueren de verdad, cruzan realmente al otro lado; pero el alma íntegra, intacta, es enviada de retorno.

—Sea como fuere, uno no muere por el simple hecho de haber

salido de su cuerpo, ¿no? Si en el desierto de Gobi yo hubiera salido de mi cuerpo, no podría haber encontrado el portón de entrada, ¿verdad? El portón no habría estado allí. Sólo se abre para el alma entera.

—Sí; que yo sepa, sí. —No habló durante un instante. —¿Por qué me lo preguntas? —dijo luego—. ¿Todavía sueñas con morir? No lo creo; te veo muy desesperado por vivir.

—Hace dos siglos que estoy muerto, David. ¿Qué me dices de los fantasmas, los espíritus que habitan en la tierra?

—No pudieron encontrar el portón, por más que se les abrió. O bien ellos se negaron a trasponerlo. Mira, si quieres podemos charlar sobre todas estas cosas alguna noche, paseando por las callecitas de Río o donde te parezca. Lo importante es que me jures que no vas a tener más tratos con ese brujo, si es que no quieres aceptar mi consejo de ultimarlo cuanto antes.

—¿Por qué le tienes tanto miedo?

—Tú no entiendes lo destructivo y depravado que es. ¡No puedes entregar tu cuerpo a semejante individuo! Y eso es lo que pretendes hacer. ¡Si te propusieras poseer un cuerpo mortal durante un tiempo, yo me opondría por ser algo antinatural, diabólico! ¡Pero entregárselo a ese demente! Oh, ¿por qué no vienes a Londres? Quiero convencerte de que no lo hagas. ¡Estás en deuda conmigo!

—David, tú lo investigaste antes de que entrara en la orden, ¿no? ¿Qué clase de hombre es? Es decir, ¿cómo fue que se convirtió en una especie de brujo?

—Nos engañó con complicadas maquinaciones y documentación falsa en una escala difícil de imaginar. Le encantan esas confabulaciones. Además es un genio de la informática. La investigación más importante la practicamos después de que se hubo ido.

—¿Y cómo fueron sus comienzos?

—Venía de una familia rica de comerciantes. Hicieron mucho dinero antes de la guerra. La madre era una famosa *medium*, al parecer honesta y abnegada, que cobraba una suma módica por sus servicios. Todo el mundo la conocía en Londres. Recuerdo haber oído hablar de ella mucho antes de interesarme por estas cosas. La Talamasca confirmó en más de una ocasión que era auténtica, pero ella nunca quiso prestarse para que la estudiaran. Era una mujer frágil, y amaba entrañablemente a su único hijo varón.

—Raglan —acoté.

—Sí. Murió de cáncer con terribles dolores. La hija mujer se hizo costurera y hasta el día de hoy trabaja en Londres, en una tienda para novias. Hace unos trabajos finísimos. Sufrió mucho con la muerte de su problemático hermano, pero también siente alivio. Hablé con ella esta mañana y me contó que el hermano había quedado destruido con la pérdida de la madre, que murió cuando él era muy joven.

—Es comprensible.

—El padre trabajó casi toda su vida en la empresa naviera Cunard, y los últimos años fue camarero de primera clase en el *Queen Elizabeth II*. Muy orgulloso de su desempeño. Gran escándalo no hace muchos años, cuando, por recomendación del padre, también contrataron a James, y le robó cuatrocientas libras a un pasajero. El padre lo repudió y fue rehabilitado por la Cunard antes de morir. Al hijo, jamás volvió a dirigirle la palabra.

—Ah, la foto en el barco.

—¿Cómo?

—Y cuando ustedes lo echaron, quiso viajar en ese mismo buque de regreso a los Estados Unidos, ¿verdad?

—¿El te contó eso? Es posible. Yo no me ocupé de los detalles.

—No importa. Continúa. ¿Cómo es que se dedicó a lo oculto?

—Era un hombre muy instruido. Estuvo varios años en Oxford, aunque a veces llevaba una vida paupérrima. Empezó a practicar la labor de *medium* incluso antes de que muriera la madre. No demostró sus habilidades hasta la década del cincuenta, en París, donde enseguida tuvo muchísimos adeptos a los que timó de las maneras más burdas imaginables, y terminó preso.

"Más o menos lo mismo le pasó después en Oslo. Luego de tener diversos trabajos, incluso algunos muy serviles, fundó una suerte de iglesia espiritista, le robó sus ahorros a una viuda y fue deportado. Después trabajó en Viena como camarero en un hotel de primera, hasta que en cuestión de semanas se convirtió en parapsicólogo de gente rica. También hizo una rápida retirada antes de que lo detuvieran. En Milán le robó miles a un miembro de la antigua aristocracia y tuvo que huir de la ciudad a medianoche. Su nuevo destino fue Berlín, donde lo arrestaron pero consiguió salir; luego regresó a Londres, y allí fue de nuevo a la cárcel.

—Vicisitudes —comenté, recordando su expresión.

—El esquema es siempre el mismo. Tiene un empleo muy subalterno, asciende y llega a vivir con gran lujo, acumula deudas absurdas por la compra de ropa fina, autos, excursiones en jet a todas partes, y por último todo se derrumba cuando se descubren sus delitos y traiciones. No puede cortar el ciclo. *Siempre* termina derrotado.

—Eso parece.

—Lestat, este ser tiene algo de estúpido. Habla ocho idiomas, es capaz de ingresar ilegalmente en cualquier red de informática y de apoderarse del cuerpo de otras personas el tiempo necesario para saquearles las cajas fuertes —¡tiene una obsesión casi erótica con las cajas fuertes!—, pero después les hace trucos tontos a la gente y termina esposado. Los objetos que se llevó de nuestros tesoros eran imposibles de vender, de modo que tuvo que entregarlos por una miseria en el mercado negro. En realidad es un idiota.

Solté una risita contenida.

—Los robos son simbólicos, David. Se trata de un ser dominado por la compulsión y la obsesión. Todo es un juego. Por eso no puede quedarse con lo que roba. Lo que le importa más que nada es el proceso.

—Pero Lestat, es un juego totalmente destructivo.

—Entiendo, David. Gracias por la información. Te llamo cuanto antes.

—Espera un minuto. No puedes cortarme así, no lo voy a permitir. ¿Es que no te das cuenta de...?

—Claro que sí, David.

—Lestat, hay un dicho muy común en el mundo de lo oculto: lo igual atrae a lo igual. ¿Entiendes lo que significa?

—¿Por qué tengo que saber yo sobre lo oculto, David? Ese es tu campo, no el mío.

—No es momento para ironías.

—Perdón. ¿Qué significa?

—Cuando un hechicero usa sus facultades de manera vil y egoísta, la magia siempre se vuelve contra él.

—Eso es superstición.

—Es un principio tan viejo como la misma magia.

—El no es mago, David, sino sólo un ser con ciertos poderes parapsicológicos definidos y mensurables. Tiene la facultad de poseer a otras personas. En un caso que conocemos, realmente efectuó ese cambio.

—¡Es la misma cosa! Si se usan esos poderes para tratar de causar daño a otros, el daño se revierte sobre uno.

—David, yo soy la prueba de que ese concepto es falso. Después me vas a explicar la teoría del karma y lentamente me voy a quedar dormido.

—¡James es la quintaesencia del hechicero malvado! Ya derrotó una vez a la muerte a costa de otro ser humano. Hay que detenerlo.

—¿Por qué no trataste de detenerme *a mí* cuando tuviste la oportunidad? Estuve a tu merced en Talbot Manor. Podías haber encontrado la forma.

—¡No me alejes con tus acusaciones!

—Te amo, David. Te vuelvo a llamar pronto. —Estaba a punto de cortar cuando me acordé de algo. —David, quiero preguntarte otra cosa.

—Sí. ¿Qué? —Qué alivio de que yo no hubiera cortado.

—Ustedes tienen reliquias que eran nuestras... viejas pertenencias guardadas en sus bóvedas.

—Sí. —Incomodidad. También cierta vergüenza, al parecer.

—Un relicario... ¿no has visto un relicario con la imagen de Claudia?

—Creo que sí. Después de que viniste a verme por primera vez, verifiqué el inventario de todos esos objetos, y creo que sí, que había un relicario. Estoy casi seguro. Tendría que habértelo dicho antes, claro.

—No, no importa. ¿Era uno con cadena, de ésos que suelen usar las mujeres?

—Sí. ¿Quieres que te lo busque? Si lo encuentro, te lo doy, por supuesto.

—No, ahora no lo busques. Tal vez más adelante. Adiós, David. Pronto tendrás noticias mías.

Corté y desconecté el teléfono de la pared. Así que había habido un relicario de mujer. Pero, ¿para quién fue hecho? ¿Y por qué aparecía en mis sueños? Claudia no habría llevado puesto su propio retrato. Además, de ser así yo lo recordaría. Cuando traté de evocarlo me inundó una mezcla de tristeza y miedo. Me dio la impresión de hallarme cerca de un lugar oscuro, lleno de muerte. Y como sucede a menudo en mis recuerdos, oí risas. Sólo que esta vez no fue la de Claudia sino la mía. Percibí una sensación de juventud sobrenatural y posibilidades ilimitadas. En una palabra, estaba recordando al vampiro joven que era yo en los viejos días del siglo XVIII, antes de que el tiempo hubiera asestado sus golpes.

Bueno, ¿qué me importaba ese maldito relicario? A lo mejor tomé la imagen del cerebro de James cuando éste me perseguía. Seguramente él lo usó como arma para tentarme, y la verdad era que yo nunca había visto el relicario. Mejor que hubiera elegido algún otro objeto que en un tiempo me había pertenecido. No, esta última explicación me pareció demasiado fácil, y la imagen era muy vívida. Además, la había visto en sueños antes de que entrara James en mis aventuras. De pronto sentí enojo. En ese momento tenía que pensar en otras cosas, ¿no? Atrás, Claudia. Toma tu relicario, *ma chérie*, y vete, por favor.

*   *   *

Largo rato permanecí en la penumbra, consciente del tic tac del reloj sobre la repisa del hogar, escuchando el ruido ocasional del tránsito que me llegaba desde la calle.

Traté de analizar los reparos que me había puesto David. Traté, pero lo único que pensaba era... así que James puede hacerlo, hacerlo de veras. Es el hombre canoso de la foto y, efectivamente, realizó el cambio con el mecánico en el hospital de Londres. ¡Se puede hacer!

De tanto en tanto aparecía en mi mente la imagen del relicario. Veía la miniatura de Claudia pintada artísticamente al óleo. Pero no despertaba en mí emoción alguna: ni pena, ni enojo, ni dolor.

Era James quien me interesaba. ¡James sabe hacerlo! ¡Puedo vivir y respirar dentro de ese cuerpo! Y cuando esa mañana saliera el sol sobre Georgetown, lo vería con esos ojos.

Llegué a Washington a la una de la madrugada. Había estado nevando toda la noche; en las calles la nieve formaba grandes pilas limpias, hermosas. También se acumulaba contra las puertas de las casas, y aquí y allá realzaba en blanco las barandas negras de hierro y las salientes profundas de las ventanas.

La ciudad estaba inmaculada, encantadora. Las casas eran en su mayoría de madera, en elegante estilo federal, es decir con la línea fina del siglo XVIII, tan propenso al orden y el equilibrio, aunque muchas se habían construido en las primeras décadas del siglo siguiente. Deambulé largo rato por la desierta calle M, con sus numerosas tiendas; luego atravesé el *campus* silencioso de una universidad cercana y por último las calles del cerro, alegremente iluminadas.

La residencia de Raglan James era de las más bellas. De ladrillo y construida con vista a la calle. Tenía una hermosa puerta con gruesa aldaba de bronce y dos alegres faroles a gas. En las ventanas, persianas anticuadas, y en la parte superior de la puerta, un simpático montante.

Las ventanas estaban limpias pese a la nieve de las salientes, y alcancé a ver desde afuera las habitaciones, muy ordenadas. El aspecto del interior era atractivo: muebles tapizados en cuero blanco de extrema severidad moderna, obviamente costosos. Numerosos cuadros en las paredes: Picasso, de Kooning, Jasper Johns, Andy Warhol; y mezcladas con esas telas multimillonarias, varias fotos de gran tamaño y caros marcos, con barcos modernos. De hecho, había también en algunas vitrinas varias réplicas de enormes transatlánticos. Los pisos tenían un reluciente plastificado. Por doquier alfombras orientales de diseños geométricos, y los numerosos adornos que había sobre mesitas de cristal y armarios con incrustaciones eran casi todos de origen chino.

Podía definirse el ambiente diciendo que era elegante, caro y sumamente personal. Me pareció que tenía el mismo aspecto que todas las viviendas de los mortales: como una serie de decorados de teatro. Imposible creer que yo pudiera ser mortal y sentirme bien en esa casa, ni siquiera por una hora.

En realidad, las pequeñas habitaciones eran tan relucientes que no daban la impresión de estar habitadas. La cocina estaba llena de brillantes ollas de cobre, artefactos negros, armarios sin manijas visibles y platos de cerámica rojo intenso.

Pese a la hora que era, James no aparecía por ninguna parte.

Entré en la casa.

En un segundo piso se hallaba el dormitorio, donde había una moderna cama baja —apenas una armazón de madera con un colchón— cubierta por un acolchado de dibujos geométricos y muchos almohadones blancos, austera y elegante como todo lo demás. El armario estaba atiborrado de ropa cara, como asimismo los cajones de la cómoda china y de otro mueble tallado a mano que había junto a la cama.

Otras habitaciones también estaban vacías, pero ninguna con aspecto de descuido. Ni huellas de una computadora. Sin duda debía tenerla en otro sitio.

En uno de esos cuartos guardé una suma abultada de dinero para usar después; la escondí dentro de la chimenea del hogar, que no se utilizaba.

También escondí algo de dinero en otro baño en desuso, detrás del espejo de la pared.

Fueron simples precauciones. Lo cierto es que no tenía idea de cómo era sentirse humano. A lo mejor me sentía desvalido. Lo ignoraba.

Hecho eso, me subí al tejado. Alcancé a ver a James al pie del cerro, cargado de paquetes, doblando desde la calle M. Indudablemente había ido a robar, porque no había ningún negocio abierto a esa hora de la noche. Lo perdí de vista cuando inició el ascenso.

Pero también apareció otro visitante, sin hacer el menor ruido audible para un mortal. Se trataba de un enorme perro que no sé de dónde salió y se dirigió al patio trasero.

Yo había captado su aroma no bien se acercó, pero no lo vi hasta que no subí al techo por el fondo de la casa. Qué raro que no lo hubiera oído antes, porque él debió de haberme olido y haberse dado cuenta instintivamente que yo no era humano; qué raro que no diera la alarma ladrando y gruñendo.

Muchas veces, a través de los siglos, los perros me han hecho eso, aunque no siempre. En ocasiones los hipnotizo y quedan a mi merced. Pero yo temía el rechazo instintivo, que siempre me causó una enorme pena.

Ese perro no había ladrado ni dado muestras de saber que yo estaba ahí. Miraba fijamente la puerta del fondo de la casa y los cuadrados amarillos de luz que caían sobre la nieve profunda desde la ventanita superior de la puerta.

Tuve oportunidad de observarlo en silencio y me pareció uno de los perros más hermosos que jamás hubiera visto.

Tenía la piel suave, afelpada, de un precioso tono dorado en algunas partes y pelos negros más largos en el lomo. La forma del animal me recordaba la del lobo, pero era demasiado grande y no tenía nada de furtivo ni taimado para ser lobo. Por el contrario, su porte, parado allí junto a la puerta, me pareció majestuoso.

Al observarlo más atentamente vi que se asemejaba a un enorme ovejero alemán, con su característico hocico negro y expresión alerta.

Cuando me acerqué al borde del techo y él por fin me miró, me emocionó la inteligencia feroz que vi brillar en sus ojos almendrados.

Seguía sin ladrar ni gruñir. Parecía tener una comprensión casi humana. Pero, ¿cómo explicar su silencio? Yo nada había hecho para subyugarlo, para tentarlo ni obnubilar su mente. No. No había en él ni la menor aversión instintiva.

Salté y caí a su lado en la nieve, mientras él se limitaba a seguir mirándome con esos ojos expresivos y misteriosos. Era tan inmenso, tan tranquilo y seguro de sí mismo que reí para mis adentros. No aguanté la tentación de acariciar su pelo suave.

Inclinó la cabeza a un lado sin dejar de mirarme, gesto que me resultó enternecedor. Después, cuando levantó una enorme pata para acariciar mi sobretodo me maravilló aún más. Era de huesos tan grandes y pesados que me hizo acordar de los que antiguamente fueron mis mastines. Al moverse, tenía como ellos la misma gracia lenta. Le tendí los brazos para estrecharlo, admirando su fuerza y su pesadez; él se paró sobre las patas traseras, apoyó sus manazas en mis hombros y me pasó por la cara su lengua de color jamón.

Eso me produjo una felicidad maravillosa que casi me hace llorar, y a continuación reír vertiginosamente. Froté mi nariz contra su cuerpo, lo abracé, lo acaricié encantado por su pelo sedoso, le di besos en el hocico negro hasta que por fin lo miré a los ojos.

Esto es lo que vio Caperucita Roja —pensé— cuando se presentó ante el lobo, ataviado con el camisón y la gorra de dormir de la abuelita. Me causaba mucha gracia la expresión extraordinaria y penetrante de su cara oscura.

—¿Es que no sabes lo que soy? —pregunté. Después, cuando volvió a quedar en majestuosa posición de sentado y me miró casi obediente, pensé que ese perro era un presagio.

No; "presagio" no es la palabra adecuada. Fue, sencillamente, algo que me hizo pensar en lo que estaba por hacer, por qué quería hacerlo, y lo poco que me importaban los riesgos implícitos.

Pasaba el tiempo y yo seguía ahí parado, acariciándolo. Era un jardín pequeño; la nieve había empezado a caer de nuevo, se hacía más profunda a nuestro alrededor y el dolor frío que sentía en mi piel se volvía también más profundo. Los árboles eran siluetas desnudas, negras, en la callada tormenta. Si es que había césped o flores, por supuesto no se veían; pero varias estatuas de cemento y unos arbustos densos —ahora sólo ramitas peladas y nieve— marcaban un claro diseño rectangular dentro del todo.

Debo haber pasado quizá tres minutos con el perro hasta que descubrí con la mano la chapita plateada que le colgaba del collar y la levanté para acercarla a la luz.

Mojo. Yo conocía esa palabra. Mojo. Tenía que ver con el vudú, con los amuletos y los hechizos. El mojo era un hechizo bueno, protector. Como nombre de perro me pareció adecuado; más aún, estupendo, y cuando lo llamé Mojo se excitó y volvió a acariciarme con su pata ansiosa.

—Así que te llamas Mojo, ¿eh? —repetí—. Hermoso nombre. —Lo besé y sentí el roce de su nariz. Sin embargo, en la chapita había algo más escrito: la dirección de esa casa.

De improviso, el perro se puso tenso; lenta, elegantemente, se levantó y quedó en posición de alerta. Vi que estaba llegando James. Oí el ruido de sus pasos en la nieve. Oí su llave en la cerradura. Percibí que de pronto él se percataba de que me tenía cerca.

El perro dejó escapar un gruñido feroz y se encaminó a la puerta del fondo con movimientos pausados. Luego llegó el ruido de la madera del piso que crujía bajo los pies pesados de James.

El perro lanzó un ladrido de irritación. James abrió la puerta, posó sobre mí su mirada loca, sonrió y luego arrojó un objeto duro al animal, pero éste lo esquivó con facilidad.

—¡Me alegro de verlo! Pero vino antes de tiempo —dijo.

No le respondí. Como el perro le gruñía con la misma expresión amenazadora, tuvo que volver a prestarle atención, con gran fastidio de su parte.

—¡Sáqueselo de encima! —exclamó, furioso—. ¡Mátelo!

—¿A mí me habla? —dije. Volví a apoyar la mano sobre la cabeza del animal, lo acaricié, le susurré que se quedara quieto, y él reaccionó acercándoseme más, frotando su cuerpo contra mí, hasta que por último se sentó a mi lado.

James observó la escena nervioso, temblando de frío. De pronto se levantó el cuello para defenderse del viento y plegó los brazos. La nieve, como polvo blanco, se le adhería a las cejas marrones, al pelo.

—Es de la casa, ¿no es cierto? —dije, frío—. Esta casa, que usted robó.

Me observó sin disimular su odio y luego esbozó una de sus típicas sonrisas siniestras. Deseé en verdad que volviera a comportarse como caballero inglés. Me hacía tanto más fácil todo... Pensé fugazmente que era una deshonestidad tener que tratar con él. Me pregunté si a Saul le habría resultado tan desagradable la Bruja de Endor. Pero el cuerpo, ah, el cuerpo, qué espléndido era.

Ni siquiera en su resentimiento, con los ojos posados en el perro, él podía afear del todo la belleza de ese físico.

—Bueno, parece que también se robó al perro —dije.

—Me lo voy a sacar de encima —murmuró, mirándolo de nuevo con un desprecio feroz—. ¿Y usted? ¿En qué quedó? No va a tener toda la vida para decidirse. No me ha dado una respuesta concreta. Quiero que me conteste ya mismo.

—Vaya a su banco mañana por la mañana —dije—. Lo veo después de caer el sol. Ah, pero hay una condición más.

—¿¡Cuál!? —exclamó apretando los dientes.

—Déle de comer al animal. Consígale carne.

Luego emprendí la retirada con tanta velocidad que él no alcanzó a advertirlo, y al volver la mirada y notar que Mojo me observaba en medio de la oscuridad nevada, no pude menos que sonreír pensando que, pese a lo rápido que había sido el movimiento, el perro pudo verlo. El último sonido que oí fue a James lanzando improperios sin la menor elegancia en el momento en que cerraba la puerta.

Una hora más tarde estaba tendido en la penumbra, a la espera del sol, rememorando una vez más mi juventud en Francia, los perros tendidos a mi lado, la última cacería con los dos enormes mastines que avanzaban lentamente entre la nieve profunda.

Y el rostro del vampiro espiándome desde las tinieblas en París, llamándome con veneración "asesino de lobos" antes de clavarme los colmillos en el cuello.

Mojo. Un presagio.

Metemos la mano en algo que es un caos, tomamos algún pequeño objeto que brilla, nos aferramos a él y nos convencemos de que tiene un significado, de que el mundo es bueno y nosotros no somos malos, y que al final todos vamos a volver a nuestras casas.

Mañana a la noche —pensé—. Si ese hijo de puta me mintió, le parto el pecho, le arranco el corazón y se lo doy a comer a ese hermoso perro.

Pase lo que pase, voy a quedarme con ese animal.

Y así fue.

Pero antes de que avance más en la historia, permítaseme agregar algo sobre el perro. En este libro, él no va a hacer nada. No va a salvar a un bebé que se está ahogando ni va a entrar en un edificio en llamas para despertar a sus moradores de su sueño casi fatal. No está poseído por un espíritu maligno ni es un perro vampiro. Aparece en el relato sencillamente porque lo encontré en la nieve, detrás de esa casa de Georgetown, y me encariñé con él, y desde el primer momento él también dio la impresión de quererme. Todo se ajustó a las ciegas e implacables leyes en las que creo: las leyes de la naturaleza, como dicen los hombres; o las leyes del Jardín Salvaje, como las llamo yo. Mojo amaba mi fortaleza; yo amaba su hermosura. Y ninguna otra cosa importaba en absoluto.

10

Quiero que me cuente en detalle —dije— cómo lo obligó a salir de su cuerpo y cómo pudo hacerlo entrar en el suyo.

Miércoles, por fin. No había pasado ni media hora desde la puesta del sol. Lo sobresalté cuando aparecí por la puerta del fondo.

Estábamos en la inmaculada cocina blanca, habitación por cierto desprovista de misterio para una reunión tan esotérica. Una única lamparita en un aplique de cobre iluminaba la mesa con un resplandor rosado, brindando intimidad a la escena.

Seguía nevando y en el subsuelo la caldera emitía un rugido continuo. Yo había llevado conmigo al perro, con gran disgusto del dueño de casa, y luego de tranquilizarlo un poco, el animal se quedó tendido como esfinge egipcia, con las patas delanteras estiradas sobre el piso encerado, mirándonos. De vez en cuando James le lanzaba una miradita nerviosa, y con razón, porque parecía que el perro tenía el demonio adentro y que el demonio conocía toda la historia.

Noté a James mucho más relajado que en Nueva Orleáns. Había vuelto a ser el *gentleman* inglés, lo cual realzaba su cuerpo alto y juvenil. Tenía puesto un suéter gris que se adhería atractivamente a su pecho ancho, y pantalones oscuros.

Llevaba anillos de plata en los dedos y, en la muñeca, un reloj ordinario. No me acordaba de esos objetos. James me miraba con expresión chispeante, lo cual me resultaba mucho más fácil de soportar que sus horribles sonrisas iracundas. No podía quitarle los ojos de encima, no podía dejar de mirar ese cuerpo que pronto podría ser mío.

Alcancé a oler la sangre dentro del cuerpo, por supuesto, y ello me hizo arder de pasión. Cuanto más lo miraba, más me preguntaba qué sentiría si bebía su sangre y terminaba ahí mismo con el asunto. ¿Trataría él de huir del cuerpo y me dejaría aferrando una mera cáscara con respiración?

Lo miré a los ojos, pensé "brujo", y una excitación nada habitual me quitó el hambre. Sin embargo, no sé si lo creía capaz de hacer lo que decía. Pensé que esa noche iba a terminar dándome un gran festín y nada más.

Le aclaré la pregunta.

—¿Cómo fue que encontró este cuerpo? ¿Cómo consiguió que el alma entrara en el suyo?

—Yo había estado buscando un espécimen así; es decir, un hombre que psicológicamente hubiera perdido la voluntad y la capacidad de raciocinio, pero que tuviera sano el cerebro. En esas cuestiones, la telepatía es una gran ayuda, porque sólo mediante ella se podía llegar hasta los restos de inteligencia enterrados aún en su interior. Tuve que convencerlo en el nivel más profundo del inconsciente, por así decirlo, de que acudía en su ayuda, que me constaba que era una buena persona, que estaba de su parte. Y una vez que llegué a ese núcleo rudimentario, fue bastante fácil robarle los recuerdos e instalo a la obediencia. —Se encogió de hombros. —Pobre tipo. Sus respuestas eran totalmente supersticiosas. Creo que hasta último momento pensó que yo era su ángel de la guarda.

—¿Y lo sedujo para que saliera de su cuerpo?

—Sí, eso fue exactamente lo que hice, valiéndome de sugerencias un tanto rebuscadas. Una vez más, mi aliada fue la telepatía. Hay que ser vidente para manipular de esa manera a los demás. La primera vez se levantó quizá cuarenta o cincuenta centímetros, pero volvía a caer dentro de la carne. Era más un reflejo que una decisión. Pero tuve paciencia, mucha paciencia. Cuando por fin logré tentarlo para que saliera por espacio de unos segundos, eso me bastó para meterme yo adentro y al mismo tiempo centrar toda mi energía en hacerlo entrar a él en lo que quedaba de mi viejo yo.

—Qué hermosa manera de expresarlo.

—Bueno, usted sabe que somos cuerpo y alma —aseguró con una sonrisa plácida—. Pero, ¿qué necesidad de hablar de todo esto ahora? Usted sabe salir de su cuerpo, de modo que no le resultará difícil.

—Podría llegar a sorprenderlo. ¿Qué pasó cuando él ya estuvo en el cuerpo de usted? ¿Se dio cuenta de lo que había pasado?

—En absoluto. Debe comprender que el hombre estaba muy deteriorado psicológicamente. Y por supuesto, era un ignorante.

—Además, no le dio tiempo para nada, ¿verdad? Lo mató.

—¡Señor de Lioncourt, lo que hice fue un acto de piedad! ¡Qué terrible dejarlo dentro de ese cuerpo, confundido como estaba! Comprenda que él no se iba a recuperar, con independencia del cuerpo que habitara. Había matado a toda su familia, hasta al bebé en su cunita.

—¿Usted tomó parte en ese hecho?

—¡Qué pobre opinión tiene de mí! No, en absoluto. Yo andaba vigilando los hospitales en busca de un espécimen porque sabía que alguno iba a aparecer. Pero, ¿a qué vienen estas últimas preguntas? ¿Acaso David Talbot no le dijo que en la Talamasca hay numerosos casos de transmutación registrados?

David no me lo había dicho, pero no podía culparlo por ello.

—¿En todos hubo un asesinato de por medio?

—No. Algunos se hicieron a través de un trato como el que convinimos usted y yo.

—Estaba pensando... usted y yo somos muy distintos.

—Sí, pero no me va a decir que no nos complementamos. Este cuerpo que le ofrezco es muy bello —dijo, poniéndose la mano contra el pecho—. No tanto como el suyo, sin duda, ¡pero muy bueno! Además, es exactamente lo que precisa. En cuanto al suyo, ¿qué más puedo decir? Espero que no haya oído hablar de mí a David Talbot, que ha cometido tantos errores trágicos.

—¿A qué se refiere?

—Es un esclavo de esa funesta organización —dijo—. Ellos lo dominan. ¡Qué pena que no pude hablar con él al final, porque así se habría convencido de lo que yo podía ofrecerle, lo que podía enseñarle. ¿Le habló de sus aventuras en Río? Sí, una persona excepcional, a la que me habría gustado conocer. Pero le advierto que no conviene cruzarse con él.

162

—¿Cómo se puede impedir que usted me mate no bien intercambiemos nuestros cuerpos? Eso fue lo que hizo con ese individuo al que tentó para que le diera su cuerpo, asestándole un rápido golpe en la cabeza.

—Ah, veo que conversó con Talbot —repuso, dispuesto a no dejarse afectar—. ¿O acaso investigó por su cuenta? Veinte millones de dólares me impedirán matarlo. Necesito el cuerpo para ir al banco, no se olvide. Maravilloso de su parte que haya duplicado la suma, pero le aseguro que habría mantenido mi palabra por diez. Ah, usted me ha liberado, señor de Lioncourt. A partir del viernes, a la misma hora en que clavaron a Cristo en la cruz, no voy a tener que robar nunca más.

Bebió un sorbo de té. Dejando de lado la fachada que mostraba, se iba poniendo cada vez más nervioso. Y algo similar me ocurría a mí. *¿Y si da resultado?*

—Claro que dará resultado —aseguró con esa manera suya tan intensa—. Y hay otras razones de peso para que no intente hacerle daño. Veámoslas una por una.

—De acuerdo.

—Bueno, usted podría decidir salir del cuerpo ante una agresión física mía. Ya le expliqué que necesito su colaboración.

—¿Y si no me da tiempo?

—Eso es una cuestión teórica. Jamás me atreveré a hacerle daño, ya que sus compañeros se enterarían. En la medida en que usted esté aquí, dentro de un cuerpo humano sano, a sus compañeros no se les ocurrirá destruir su cuerpo preternatural por más que sea yo el que esté adentro. Eso no lo harían, ¿no le parece? Pero si lo mato... es decir, si le destrozo la cara o lo que sea sin darle tiempo a desligarse —y créame que es una posibilidad, ¡lo sé muy bien!— tarde o temprano sus amigos averiguarán que soy un impostor y me ultimarán sin más trámite. Con toda probabilidad percibirían su muerte cuando ésta se produjera, ¿no cree?

—No sé, pero con el tiempo descubrirían todo.

—¡Desde luego!

—Es fundamental que usted no aparezca por Nueva Orleáns mientras esté dentro de mi cuerpo, que no se acerque a ningún bebedor de sangre, ni siquiera a los más débiles. Debe usar su capacidad para encubrirse, como comprenderá.

—Sí, claro. Tenga la seguridad de que he analizado todo. Si se me ocurriera quemar vivo a su bello Louis de Pointe du Lac, los otros se enterarían de inmediato, ¿no es así? Y terminaría siendo yo la próxima hoguera que arda en la noche.

No le respondí. Sentí la ira como si fuera un líquido helado que me recorría, de arriba abajo, anulando toda esperanza, todo coraje. ¡Pero yo quería eso! ¡Lo quería y lo tenía al alcance de la mano!

—No se complique con esas tonterías —me suplicó. Sus modales eran tan parecidos a los de David Talbot... A lo mejor lo hacía adrede. Tal vez usaba de modelo a David. Sin embargo, me pareció que era más bien una cuestión de educación similar y cierto instinto para la persuasión que ni siquiera David poseía. —No, yo no soy asesino —declaró, con repentina intensidad—. Lo que más importa es lo que se adquiere, y yo deseo rodearme de confort, de belleza, de todo el lujo imaginable, poder irme a vivir donde me agrade.

—¿Quiere que le dé instrucciones?

—¿Sobre qué?

—Sobre qué hacer cuando esté dentro de mi cuerpo.

—Ya me ha dado las instrucciones, mi estimado amigo: leí sus libros. —Me obsequió una ancha sonrisa, inclinó levemente la cabeza y me miró como si me estuviera tentando para que me fuera con él a la cama. —También he leído hasta el último documento de los archivos de la Talamasca.

—¿Qué clase de documentos?

—Descripciones pormenorizadas de la anatomía de los vampiros, los límites obvios que ustedes tienen, ese tipo de cosas. Debería leerlos usted también. Tal vez los tomara a risa. Los artículos más antiguos se escribieron en la época del oscurantismo y dicen tantas tonterías que hasta Aristóteles se habría puesto a llorar. Pero los legajos más recientes son científicos y muy precisos.

No me gustaba el giro que iba tomando la conversación. No me gustaba nada de lo que estaba pasando. Tentado estuve de dar todo por terminado en ese momento. Pero de repente supe que iba a llevar a cabo la experiencia. Tuve la certeza.

Una extraña serenidad se apoderó de mí. Sí, íbamos a hacerlo en cuestión de minutos. Y daría resultado. Sentí que se me iba el color de la cara: un imperceptible enfriamiento de la piel, que aún me dolía por el suplicio padecido bajo el sol.

Dudo que él haya notado el cambio o un endurecimiento en mi expresión, porque siguió hablando como antes.

—Las observaciones escritas en la década de 1970, luego de publicado *"Entrevista con el vampiro"*, son muy interesantes. Y los últimos capítulos, inspirados en la rebuscada historia que narró usted sobre la especie... Sí, sé todo lo que hay que saber sobre su cuerpo, quizá hasta más que usted mismo. ¿Sabe lo que pretende la Talamasca? ¡Conseguir una muestra de sus tejidos, de sus células vampíricas! Yo en su lugar no permitiría jamás que obtuvieran un espécimen. Usted no ha tenido el menor cuidado con Talbot. Tal vez él le haya cortado las uñas o algún mechón de pelo cuando lo tuvo durmiendo bajo su techo.

Mechón de pelo. ¿No había un mechón rubio en el relicario? ¡Tenía que ser pelo de vampiro! El pelo de Claudia. Me estremecí, me replegué más dentro de mí mismo y no le permití entrar en mi mente. Siglos atrás, hubo una noche fatídica en la que Gabrielle, mi madre mortal e hija vampírica recién nacida, se cortó el pelo. Pero durante las largas horas del día que transcurrió en el ataúd, le volvió a crecer. Yo no quería recordar los gritos que dio cuando descubrió esos magníficos rizos largos que de nuevo le llegaban a los hombros; no quería pensar en ella ni en lo que podría decirme sobre esto que me proponía hacer. Hacía años que no posaba mis ojos en ella. Podían pasar siglos hasta que volviera a verla.

Volví a mirar a James quien, con expresión radiante de esperanza, trataba de parecer sereno.

—Olvídese de la Talamasca —murmuré por lo bajo—. ¿Por qué le cuesta tanto estar en ese cuerpo? Se lo nota torpe. Sólo se siente cómodo cuando está sentado y puede dejar todo librado a su cara y su voz.

—Muy perceptivo —comentó, con inconmovible decoro.

—No lo creo. Es muy evidente.

—El cuerpo me queda demasiado grande, eso es todo —explicó, tranquilo—. Demasiado fornido... atlético, por así decirlo. Pero para usted es perfecto.

Hizo una pausa, miró la taza con aire pensativo y luego posó en mí sus ojos, tan sinceros en apariencia.

—Vamos, Lestat —dijo—. ¿Por qué estamos perdiendo el tiempo con esta conversación? Una vez que esté dentro de usted, mi intención no es bailar con el Royal Ballet sino disfrutar la experiencia, hacer cosas nuevas, ver el mundo a través de sus ojos. —Miró brevemente la hora. —Bueno, le ofrecería algo de beber para darle más coraje, pero eso a la larga sería contraproducente, ¿verdad? Ah, antes de que me olvide: el pasaporte. ¿Pudo conseguirlo? ¿Recuerda que le pedí uno? Espero que no lo haya olvidado; desde luego, yo también tengo uno para usted, aunque me imagino que no irá a ninguna parte con este temporal...

Dejé mi pasaporte sobre la mesita. El se metió la mano debajo del pulóver, sacó el suyo del bolsillo de la camisa y me lo entregó en la mano.

Lo revisé. Era norteamericano, y falso. Incluso la fecha de emisión, de dos años atrás, era falsa. Raglan James. Edad, veintiséis. Foto correcta. Buena foto. El domicilio de Georgetown.

El estaba observando el pasaporte mío, también falso.

—¡Ah, su piel bronceada! Se ve que lo hizo confeccionar *ex profeso*... seguramente anoche mismo.

No me tomé el trabajo de contestarle.

—Qué inteligente de su parte, y qué buena la foto. —La miró con detenimiento. —Clarence Oddbody.[*] ¿Cómo se le ocurrió semejante nombre?

—Es un chiste privado. ¿Qué importa? Lo tendrá únicamente esta noche y mañana a la noche. —Me encogí de hombros.

—Es cierto, muy cierto.

—Lo espero aquí de regreso el viernes temprano, entre las tres y las cuatro de la madrugada.

—Excelente. —Iba ya a guardar el pasaporte, pero se contuvo y soltó una risita áspera. Luego sus ojos me escrutaron con expresión de genuino placer. —¿Está listo?

—Todavía no. —Saqué la billetera, la abrí, extraje alrededor de la mitad del dinero que llevaba y se la entregué.

—Ah, sí, el dinero para gastos menores. Muy amable en recordarlo. Yo, con la emoción, me estoy olvidando de todos los detalles importantes, lo cual es imperdonable. Y usted, tan caballero...

Recogió los billetes y una vez más se contuvo cuando ya estaba por guardárselos en el bolsillo. Volvió a dejarlos sobre la mesa y sonrió.

Yo apoyé la mano sobre la billetera.

—El resto es para mí —dije—, para después de que hagamos el intercambio. Espero que esté satisfecho con la suma. ¿El ladronzuelo que hay en usted no se sentirá tentado de alzarse con lo que queda?

—Haré lo posible por comportarme bien —respondió chispeante—. Ahora bien, ¿quiere que me cambie de ropa? Estas prendas las robé especialmente para usted.

—Están bien.

—¿Quiere que vacíe mi vejiga? ¿O prefiere hacerlo usted?

—Prefiero hacerlo yo.

Asintió.

—Estoy con hambre. Pensé que eso a usted le agradaría. Hay un restaurante muy bueno por esta misma calle. Paolo's. Sirven unos estupendos *spaghetti alla carbonara*. Puede ir caminando a pesar de la nieve.

(*) *Oddbody:* En inglés, cuerpo singular, extraño o raro. (N. de la T.)

—Maravilloso. Yo no tengo hambre porque me pareció que así le resultaría más sencillo. Mencionó usted un auto. ¿Dónde está?

—Ah, sí, el auto. Saliendo por el frente, a la izquierda de la escalera de entrada. Es un Porsche deportivo color rojo, que supuse le agradaría. Aquí están las llaves. Pero tenga cuidado...

—¿Con qué?

—Bueno, obviamente con la nieve. A lo mejor ni siquiera consigue moverlo.

—Le agradezco la advertencia.

—No quiero que se haga daño. Si usted no aparece por aquí el viernes, podría costarme veinte millones. De todos modos, en el escritorio que hay en la sala encontrará el registro de conductor con la foto correcta. ¿Qué pasa?

—No se me ocurrió traer ropa para usted. Sólo tengo ésta que llevo puesta.

—Oh, no, eso yo ya lo pensé hace mucho, cuando estuve curioseando en su habitación del hotel de Nueva York. Tengo mi guardarropa, no se preocupe, y me agrada ese traje negro de pana. Viste usted muy bien. Siempre vistió con elegancia, ¿no? Pero claro, proviene de una época en que se usaban atuendos tan suntuosos. La actual debe parecerle aburrida. ¿Esos botones son antiguos? Bueno, ya tendré oportunidad de mirarlos con más atención.

—¿Adónde piensa ir?

—Adondequiera, desde luego. ¿Está perdiendo el coraje?

—No.

—¿Sabe conducir autos?

—Sí. Pero si no supiera, me arreglaría lo mismo.

—¿Le parece? ¿Cree que va a tener su inteligencia sobrenatural cuando esté en este cuerpo? No lo sé. No estoy seguro. A lo mejor las pequeñas sinapsis del cerebro no le funcionan con tanta rapidez.

—No sé nada sobre sinapsis.

—Está bien. Empecemos, entonces.

—Sí, creo que ahora sí. —Dentro de mi pecho, el corazón se me hizo un nudo, pero en el acto James adoptó un tono autoritario.

—Escúcheme atentamente —dijo—. Quiero que salga y se eleve de su cuerpo, pero no antes de que yo haya terminado de hablar. Tiene que ascender. Recuerde que ya lo ha hecho antes. Antes de llegar al techo, cuando esté justo encima de nosotros dos, hará el esfuerzo de introducirse en este cuerpo. No debe pensar en ninguna otra cosa. No permita que el miedo lo desconcierte. No se ponga a pensar cómo es que sucede esto. Lo que debe hacer es descender, entrar en este cuerpo y conectarse de inmediato con cada fibra, con cada célula. ¡Represéntese la escena mientras la vive! Imagine que ya está adentro.

—Sí, le entiendo.

—Como le anticipé, va a encontrar algo invisible, algo que queda del ocupante original, y ese algo anhela sentirse completo de nuevo... con el alma de usted.

Le indiqué con un gesto que comprendía.

—Quizás experimente diversas sensaciones desagradables —prosiguió—. Cuando entre en este cuerpo, lo notará muy compacto, apretado, pero no titubee. Hágase a la idea de que su espíritu va ingresando en los dedos de ambas manos, en los dedos de los pies. Mire a través de los ojos. Eso es lo más importante, porque los ojos forman parte del cerebro. Cuando mire por ellos, estará asentándose dentro del cerebro. De allí no se desprenderá, eso es seguro. Una vez que esté adentro, va a hacer falta un gran esfuerzo para sacarlo de allí.

—¿Lo veré a usted en espíritu cuando estemos haciendo el cambio?

—No. Se podría hacer, pero gran parte de la concentración se apartaría del objetivo inmediato. Usted no necesita ver nada más que este cuerpo; tiene que entrar en él, empezar a moverlo, respirar con él y ver con él, como le dije.

—Sí.

—Ahora bien. Una cosa que le dará temor será ver su propio cuerpo inerte, o habitado por mí. No se deje apabullar por esa impresión, para lo cual tendrá que hacer uso de cierta dosis de confianza y humildad. Créame que voy a efectuar la posesión sin dañar su cuerpo, y me marcharé de inmediato para que, cuando me mire, no recuerde constantemente lo que hizo. No volverá a verme hasta el viernes por la mañana, como convinimos. Tampoco le hablaré, porque quizá no le guste oír mi voz saliendo de *su* boca y se distraiga. ¿Me entiende?

—¿Qué sonido tendrá su voz? ¿Qué sonido tendrá la mía?

Una vez más echó un rápido vistazo a la hora, y luego nuevamente a mí.

—Habrá diferencias —respondió—. El tamaño de la laringe es distinto. Este hombre, por ejemplo, le dio a mi voz un tono más grave que yo antes no tenía. Usted conservará su ritmo, su acento, sus pautas lingüísticas, por supuesto, pero el timbre será distinto.

Lo miré con atención.

—¿Es importante que yo crea que esto se puede realizar?

—No —repuso, con una ancha sonrisa—. No va a ser una sesión espiritista. No tiene que atizar el fuego para la *medium* con su propia fe. Ya lo verá dentro de un instante. ¿Qué más queda por decir? —Algo más tenso, se adelantó en su sillón.

De pronto el perro lanzó un gruñido áspero, y yo estiré una mano para tranquilizarlo.

—¡Vamos! —me apuró James, su voz un susurro— ¡Salga ya de su cuerpo!

Me eché hacia atrás e hice una seña al perro para que se quedara quieto. Luego me propuse mentalmente elevarme y sentí que una vibración recorría todo mi cuerpo. Después vino la maravillosa sensación de estar elevándome como espíritu ingrávido, libre, mientras aún podía ver mi forma masculina, con sus brazos y piernas extendidos, muy próxima al techo blanco, y cuando miré hacia abajo observé el asombroso espectáculo de mi propio cuerpo sentado todavía en el sillón. ¡Ah, qué gloriosa la sensación, como si pudiera ir a cualquier parte en un instante! Como si no necesitara el cuerpo y mi vínculo con él hubiera sido un engaño desde el momento de nacer.

El cuerpo físico de James cayó levemente hacia adelante y sus dedos comenzaron a moverse hacia afuera sobre la mesa blanca. No tenía que distraerme. ¡Lo importante era la mutación!

—¡Debo bajar y meterme en ese cuerpo! —expresé en voz alta, pero no hubo una voz audible; después, sin palabras, logré caer verticalmente y fusionarme con esa carne nueva, con esa forma física.

Un sonido estentóreo inundó mis oídos; luego experimenté una sensación de constreñimiento, como si todo mi ser se viera forzado a recorrer un tubo angosto y resbaladizo. ¡Dolorosísimo! Ansié la libertad, pero en cambio sentí que iba llenando los brazos y piernas vacíos; sentí el hormigueo y el peso de la carne que me cercaba, y sensaciones similares sobre mi rostro.

Con esfuerzo abrí los ojos antes de darme cuenta siquiera de que estaba moviendo los párpados de ese cuerpo mortal, que de hecho estaba parpadeando, mirando la habitación en penumbras con ojos humanos, y vi ante mí mi viejo cuerpo y mi vieja piel bronceada, mis ojos azules que a su vez me miraban a través de los vidrios color violeta.

Sentía que me ahogaba —¡tenía que escapar!—, pero al mismo tiempo tomé conciencia de que ¡había entrado! ¡Estaba dentro del otro cuerpo! Se había operado el cambio. No pude dejar de inhalar una bocanada de aire gruesa, pesada, y al hacerlo moví esa monstruosa osamenta de carne. Luego me di una palmada en el pecho y consternado noté lo sólido que era, al tiempo que oía el paso húmedo de la sangre por el corazón.

—Dios santo, estoy adentro —exclamé, luchando por despejar la penumbra que me envolvía, el velo oscuro que me impedía ver con más nitidez la silueta que tenía ante mí y que en ese momento cobró vida.

Mi viejo cuerpo pegó un salto y se elevó con los brazos en alto, en ademán de horror. Una de las manos chocó contra la luz del techo e hizo explotar la lamparita, al tiempo que el sillón caía ruidosamente contra el piso. El perro se incorporó y emitió una suerte de aterradora melodía de ladridos guturales.

—No, Mojo, no. ¡Siéntate! —me oí clamar con mi gruesa garganta de mortal, tratando aún de ver en las tinieblas pero sin poder hacerlo, y dándome cuenta de que era *mi* mano la que lo sujetaba del collar y le pegaba un tirón para que no atacara al viejo cuerpo vampírico, cuerpo que a su vez contemplaba al perro con enorme perplejidad, con un brillo feroz en los ojos azules desmesuradamente abiertos, ausentes.

—¡Sí, mátelo! —profirió, estentórea, la voz de James saliendo de mi vieja boca preternatural.

De inmediato me tapé los oídos con las manos para protegerme del sonido. El perro volvió a adelantarse, y una vez más lo aferré del collar. Me dolieron los dedos al sujetar los eslabones y me llamó la atención la fuerza del animal como asimismo la poca resistencia de mis brazos mortales. ¡Oh, dioses, tenía que hacer funcionar este cuerpo! El no era más que un perro, ¡y yo, un fornido humano!

—¡Basta, Mojo! —le imploré en el momento en que me arrastraba del sillón haciéndome caer de rodillas—. ¡Y usted, váyase de aquí! —me indigné. Me dolían terriblemente las rodillas. La voz me pareció insignificante, opaca. —¡Váyase! —repetí.

El ser que yo había sido pasó a mi lado sacudiendo aún los brazos, se estrelló contra la puerta del fondo e hizo astillas los cristales, por lo cual entró una ráfaga de viento frío. El perro estaba enloquecido, y yo ya casi no lo podía dominar.

—¡Váyase! —grité una vez más y, consternado, observé que el ser retrocedía y atravesaba la puerta, que despedazaba la madera y lo que quedaba de vidrio, y en el porche se elevaba para internarse en la noche nevada.

Lo vi un último instante, repugnante aparición suspendida en el aire sobre los escaloncitos del fondo, mientras la nieve se arremolinaba en derredor. Sacudía sus extremidades rítmicamente, cual nadador en un mar invisible. Sus ojos azules seguían muy abiertos e insensibles, como si la carne preternatural que los rodeaba fuese incapaz

170

de formar una expresión, y brillantes como dos gemas incandescentes. Su boca —mi vieja boca— se había estirado en una sonrisa insensata.

Al instante desapareció.

Me quedé sin aliento. La habitación estaba helada a causa del viento que entraba por todos los rincones, haciendo caer las ollas de cobre de su elegante soporte mientras se precipitaba contra la puerta del comedor. Y de pronto el perro se sosegó.

Tomé conciencia de que yo estaba en el piso a su lado, que le había pasado el brazo derecho por el cuello y que, con el izquierdo, le rodeaba el pecho peludo. Cada respiración me hacía doler, forzosamente tenía que entornar los párpados para que la nieve traída por el viento no me entrara en los ojos, me sentía atrapado en ese cuerpo extraño relleno con pesos de plomo, y el aire frío eran punzadas que sentía en cara y manos.

—Dios santo, Mojo —murmuré en su oreja suave, rosada—. Dios santo, ¡sucedió! Ya soy un hombre mortal.

11

De acuerdo —dije estúpidamente, sorprendiéndome una vez más ante el sonido bajo y débil de la voz—. Esto ya empezó, así que, a controlarse. —La idea me hizo reír.

La peor parte fue la del viento frío. Me castañeteaban los dientes. El dolor punzante en la piel era totalmente distinto del que sentía como vampiro. Era preciso arreglar esa puerta, pero no tenía idea de cómo se hacía.

¿Quedaba algo de puerta? Imposible saberlo, porque era como tratar de ver en medio de una nube de humos tóxicos. Lentamente me puse de pie, y en el acto tomé conciencia del aumento de estatura; me sentí muy inestable.

Ya no había en la habitación ni rastros de calor. Es más, la entrada del viento producía ruidos en toda la casa. Con sumo cuidado me encaminé al porche. Mis pies resbalaron hacia la derecha y me arrojaron de nuevo contra el marco de la puerta. Presa de pánico, logré de todos modos asirme de la madera húmeda con esos dedos grandes y temblorosos, lo que impidió que rodara por los escalones. Me esforcé otra vez por ver en la penumbra, pero no pude distinguir nada en absoluto.

—Tranquilízate —me dije, notando que los dedos me transpiraban y se me entumecían al mismo tiempo, y que los pies también me dolían pues se me estaban adormeciendo—. Lo que pasa es que aquí no hay luz artificial, eso es todo —pensé—, y estás mirando con ojos de mortal. ¡Ahora haz algo inteligente! —Y con cuidado, casi resbalando de nuevo, volví a entrar.

Alcanzaba a adivinar el tenue contorno de Mojo que me observaba jadeando ruidosamente, y noté un hilito de luz en uno de sus ojos oscuros. Le hablé con dulzura.

—Soy yo, Mojo. ¡Soy yo! —Le acaricié con suavidad el pelo de las orejas. Enfilé hacia la mesa, me desplomé bruscamente en una silla— siempre asombrado por la consistencia de mi nueva carne —y me tapé la boca con la mano.

Sucedió de verdad, tonto, me dije. No hay duda. Un hermoso milagro, eso es lo que es. ¡Te liberaste de tu cuerpo preternatural! Eres un ser humano, un hombre. Ahora debes contrarrestar el pánico. ¡Piensa como el héroe que te vanaglorias de ser! Tienes asuntos prácticos que resolver. Te está entrando nieve. Este cuerpo mortal se está congelando, por el amor al cielo. ¡Ocúpate de las cosas como debes!

No obstante, lo único que hice fue abrir más los ojos y fijarlos en algo que parecía ser la nieve acumulándose con pequeños cristales chispeantes sobre la superficie blanca de la mesa, en la esperanza de que en cualquier momento la visión fuera más nítida, aunque desde luego no lo iba a ser.

Eso era té derramado, ¿no? Y vidrios rotos. No te cortes con los vidrios, ¡porque no vas a cicatrizar! Se me acercó Mojo y me gustó que apoyara su flanco tibio y peludo contra mi pierna temblorosa. Pero, ¿por qué la sensación me resultaba tan lejana, como si tuviera que traspasar varias capas de franela? ¿Por qué no alcanzaba a oler el maravilloso aroma de su pelo? Eso quiere decir que los sentidos son más limitados. Tendría que haberlo supuesto.

Bueno, ahora ve y mírate en un espejo. Sí, y cierra todas las puertas, que hace frío.

—Vamos, muchacho —le dije al perro, y salimos de la cocina para entrar en el comedor. Cada paso que daba era lento, pesado, y con dedos torpes, muy imprecisos, cerré la puerta. El viento chocó contra ella y se coló por los bordes, pero la puerta resistió.

Giré sobre mis talones, perdí un instante el equilibrio pero en el acto me enderecé. ¡No tendría que ser tan difícil habituarme, por Dios! De nuevo me asenté firmemente sobre los pies, bajé la vista para mirarlos y me asombró su tamaño; luego me estudié las manos, también grandes pero de ninguna manera feas. ¡No te dejes dominar por el pánico! El reloj pulsera me resultaba incómodo pero me hacía falta. Está bien: déjatelo puesto. Pero los anillos... Decididamente no quería tenerlos en los dedos. Me picaban. Quise sacármelos, ¡pero no pude! No salían por nada. Dios santo.

Bueno, basta. Te vas a volver loco sólo porque no puedes quitártelos. Qué tontería. Tranquilízate. Sabes que existe el jabón... Bueno, enjabónate las manos, esas manazas oscuras, heladas, y los anillos te saldrán enseguida.

Crucé los brazos y, al apoyar las manos sobre los costados de mi cuerpo, me sorprendió sobremanera la sensación húmeda de la transpiración humana bajo la camisa —nada que ver con el sudor de la sangre—; inspiré lentamente sin prestar atención a la sensación de que algo fuerte me oprimía el pecho, a la sensación del acto mismo de respirar, y haciendo un esfuerzo me obligué a pasear la vista por el ambiente. No era momento para lanzar un alarido de terror.

Estaba muy oscuro. Sólo había una lámpara de pie en un rincón lejano y otra muy pequeña sobre la repisa de la chimenea, ambas encendidas pero de todos modos estaba tremendamente oscuro. Me dio la impresión de hallarme bajo agua, y que el agua era sucia, quizás hasta enturbiada con tinta.

Esto es normal; esto es mortal. Así es como ellos ven. Pero qué lóbrego me parecía todo, qué parcial, sin nada de ese característico espacio abierto que tenían las habitaciones donde se desplazan los vampiros.

Qué sombrías las sillas y su oscuro fulgor, la mesa apenas visible, la opaca luz dorada que trepaba por los rincones, las molduras de yeso de los techos que se esfumaban entre las sombras, las tinieblas impenetrables, y qué atemorizante la negrura vacía del pasillo.

Podía haber algo oculto en esas sombras, una rata, cualquier cosa. Podía haber otro ser humano en ese pasillo. Miré a Mojo y me asombró lo borroso que lo veía, misterioso pero de una manera totalmente distinta. Era eso: las cosas perdían sus contornos en esa suerte de penumbra. Imposible calcular su textura o tamaño total.

Ah, pero sobre la chimenea había un espejo.

Fui a buscarlo, frustrado por lo mucho que me pesaban las piernas, por el repentino miedo a tropezar y la necesidad de mirarme los pies más de una vez. Coloqué la pequeña lámpara bajo el espejo y luego me miré.

Oh, sí. Qué distinto estaba. Desapareció la tensión, el brillo nervioso de los ojos. El que me devolvía la mirada era un hombre joven, con cara de gran susto.

Levanté la mano y me palpé la boca, las cejas, la frente —que era más alta que la mía—, y por último el pelo suave. El rostro me resultó muy agradable, infinitamente más de lo que suponía, por el hecho de ser cuadrado, de no tener arrugas marcadas y ser muy proporcionado, por los ojos de mirada intensa. Pero no me gustó la expresión de miedo que había en ellos. Traté de ver una expresión distinta, de afirmar las facciones desde adentro, de dejarlas que expresaran el asombro. Y no estoy seguro de que en ese momento me sintiera maravillado. Hmmm. No pude ver en esa cara nada que viniera de adentro.

Lentamente abrí la boca y hablé. Dije en francés que yo era Lestat de Lioncourt, que me hallaba en el interior de ese cuerpo y que todo estaba bien. ¡El experimento había resultado! Estaba transcurriendo la primera hora de la prueba, el malvado James se había ido y ¡todo había salido bien! En ese momento advertí en los ojos algo de mi antigua ferocidad; y cuando sonreí vi mi propia malicia durante al menos unos segundos antes de que se borrara la sonrisa, dejándome inexpresivo, con cara de asombro.

Me volví y miré al perro, que se hallaba a mi lado y levantaba la cabeza para observarme, como era su costumbre, con gran satisfacción.

—¿Cómo sabes que soy yo el que está aquí adentro, y no James? —pregunté.

Levantó la cabeza y movió apenas una oreja.

—¡Vamos, basta ya de tanta locura y debilidad! —Enfilé hacia el pasillo oscuro, pero de repente se me dobló la pierna derecha y me deslicé pesadamente; la mano izquierda patinó sobre el piso para amortiguar el impacto; la cabeza chocó contra la chimenea de mármol, y sentí una súbita explosión de dolor cuando el codo golpeó también contra el mármol. Con gran estrépito se me cayeron encima los implementos para el fuego, pero eso no fue nada. El golpe en el codo me había tocado el nervio y el dolor era un fuego que me subía por todo el brazo.

Me di vuelta boca abajo y aguardé un momento que me pasara el dolor. Sólo entonces tomé conciencia de que la cabeza me latía por el golpe contra el mármol. Levanté una mano y sentí entre el pelo la humedad de la sangre. ¡Sangre!

Ah, qué bueno. A Louis le haría mucha gracia, pensé. Me puse de pie y el dolor se trasladó al costado derecho de la frente, como si fuera un peso que se corría desde adelante. Para afirmarme, me sostuve del borde de la chimenea.

Una de las numerosas alfombritas de la habitación yacía en el piso, a mis pies. La culpable. La pateé para sacarla del camino, giré sobre mis talones y con sumo cuidado me encaminé al pasillo.

Pero, ¿adónde iba? ¿Qué pensaba hacer? La respuesta me llegó de improviso. Tenía la vejiga llena y el malestar era mayor desde el momento de la caída. Tenía que orinar.

¿No había un baño ahí abajo, por alguna parte? Encontré la llave de la luz y encendí la araña del techo. Durante un largo instante contemplé las diminutas lamparitas —alrededor de veinte— y comprendí que eso era bastante luz, con independencia de lo que me pareciera a mí, pero nadie había dicho que no pudiera encender todas las lámparas de la casa.

Eso me propuse hacer. Crucé el living, la pequeña biblioteca y el pasillo del fondo, y todas las veces la luz me desilusionaba. No podía desprenderme de la sensación de oscuridad, y lo borroso de las cosas me desorientaba y alarmaba un tanto.

Por último subí lenta, cuidadosamente la escalera, temeroso de perder el equilibrio en cualquier momento y tropezar, disgustado con el dolor sordo que sentía en las piernas. Unas piernas tan largas.

Miré hacia abajo por el hueco de la escalera y quedé azorado. Aquí uno se puede caer y matar, me dije.

Entré en el estrecho baño y en seguida encontré la luz. Tenía que orinar, eso era, cosa que no había hecho en más de doscientos años.

Bajé el cierre de mi pantalón moderno y saqué el miembro, que de inmediato me impresionó por su tamaño y flaccidez. El tamaño me pareció bien, por supuesto. ¿Quién no quiere que esos órganos sean grandes? Y estaba circuncidado, lo cual me pareció un detalle simpático. Pero no lo quería tocar porque me repugnaba su flaccidez. Tuve que hacer un esfuerzo para recordar que era mío. ¡Caramba!

¿Y el olor que emanaba de él, que surgía del pelo que lo rodeaba? ¡Eso también es tu cuerpo, muchacho! Ahora hazlo funcionar.

Cerré los ojos, y cuando lo apreté —quizá incorrectamente, con demasiada fuerza— brotó de él un gran arco de orina maloliente que no cayó en el inodoro sino que rebotó contra la tabla blanca.

Repulsivo. Corregí la puntería y observé con perversa fascinación que luego caía dentro del retrete, que se formaban burbujas en la superficie y que el olor se hacía cada vez más nauseabundo, hasta que ya no pude aguantarlo más. Por fin la vejiga estaba vacía. Guardé esa cosa blanda y desagradable, subí el cierre y bajé la tapa del inodoro. Accioné la manija y allí marchó la orina, salvo las salpicaduras que quedaron sobre la tabla y en el suelo.

Procuré respirar hondo, pero el feo olor me envolvía. Levanté las manos y noté que también lo tenía en los dedos. Abrí el grifo del lavatorio, tomé el jabón y me puse a trabajar. Pese a que me enjaboné varias veces no podía estar seguro de que me hubieran quedado limpias del todo. La piel era mucho más porosa que mi antigua epidermis sobrenatural; por eso la sentía sucia. Luego empecé a tironear de los anillos.

Ni aun con la espuma pude sacármelos. Hice memoria: sí, el hijo de puta los tenía puestos en Nueva Orleáns. Probablemente él tampoco se los podía sacar, ¡y ahora tenía que aguantarlos yo! Ya estaba al borde de mi paciencia, pero nada podía hacer hasta que no encontrara un joyero que me los cortara con una sierrita, unas tenacillas o algún otro instrumento. De sólo pensarlo sentí que los músculos se me ponían tensos y volvían a aflojarse en dolorosos espasmos. Yo mismo me di la orden de dominarme.

Me enjuagué las manos una y otra vez —cosa ridícula—, manoteé la toalla y las sequé, nuevamente asqueado por su textura absorbente y por trocitos de suciedad que encontré alrededor de las uñas. Dios santo, ¿por qué ese imbécil no se lavaba bien las manos?

Luego me miré en el espejo que cubría la pared del fondo del baño, y lo que vi me desagradó enormemente. Un gran manchón de humedad en los pantalones. ¡Se ve que ese estúpido miembro no estaba seco cuando lo guardé!

Bueno, en los viejos tiempos nunca me había preocupado por eso. Pero claro, en ese entonces yo era un mugriento terrateniente que se bañaba en verano, o cuando se le ocurría zambullirse en un arroyo de montaña.

¡De ninguna manera podía andar con esa mancha! Salí del baño, pasé junto al paciente Mojo, le hice apenas una caricia en la cabeza y llegué al dormitorio principal. Abrí el placard, encontré otro pantalón de lana —de mejor calidad aún—, me saqué los zapatos y en el acto me cambié.

Y ahora, ¿qué tengo que hacer? Buscar algo para comer, me dije. ¡Entonces comprendí que tenía hambre! Ese era el malestar que había estado sintiendo, junto con el de la vejiga llena, sumado a una sensación general de pesadez desde que comenzó esta pequeña saga.

Comer. Pero, ¿sabes lo que pasará si comes? Tendrás que volver a ese baño, o a algún otro, a eliminar la comida digerida. La sola idea casi me da arcadas.

De hecho, me dieron tantas náuseas de sólo imaginar que salían excrementos humanos de mi cuerpo, que por un momento pensé que iba a vomitar. Me quedé sentado muy quieto al pie de la moderna cama baja y traté de dominar mis emociones.

Procuré hacerme a la idea de que ésos eran los aspectos más simples del ser mortal; no debía permitir que oscurecieran las cuestiones más importantes. También pensé que me estaba comportando como un perfecto cobarde, no como el héroe que decía ser. En realidad, *no creo* que el mundo me considere un héroe, pero hace mucho tiempo decidí que debía vivir como si lo fuera, que debía atravesar todas las dificultades de mi camino porque son mis inevitables círculos de fuego.

De acuerdo, ése era mi pequeño e ignominioso círculo de fuego. Y en el acto debía dejar de ser cobarde. Para cumplir esa prueba debía comer, paladear, sentir, ver. ¡Pero qué tormento iba a ser!

Por último, me puse de pie y, dando pasos más largos a causa de mis nuevas piernas, volví al placard; allí comprobé asombrado que no había mucha ropa: dos pantalones de lana, dos chaquetas de lana bastante livianas, ambas nuevas, y no más de tres camisas en un estante.

Hmmm. ¿Qué había pasado con lo demás? Abrí el cajón superior de la cómoda. Vacío. Más aún: todos los cajones estaban vacíos, lo mismo que el mueblecito próximo a la cama.

¿Qué podía significar? ¿Que James se había llevado su ropa o la había enviado al lugar al que fue? Pero, ¿por qué? No le iban a ir bien con su nuevo cuerpo y, según me había dicho, se había ocupado de todos esos detalles. Me sentí profundamente perturbado. *¿Significaría que pensaba no regresar más?*

Qué absurdo. De ningún modo iba a despreciar los veinte millones. ¡Y yo no podía perder mi valioso tiempo de mortal preocupándome por semejante bagatela!

Bajé la peligrosa escalera acompañado por Mojo, que se movía lentamente a mi lado. Ya manejaba el nuevo cuerpo sin esfuerzo, pese a lo incómodo y pesado que me resultaba. Abrí el placard del pasillo y vi que quedaba colgado un viejo abrigo, un par de galochas y nada más.

Regresé hasta el pequeño escritorio del living porque él me había dicho que ahí iba a encontrar el registro de conductor. Lentamente abrí el primer cajón: vacío. Todo estaba vacío. Ah, pero en uno de los cajones había unos papeles. Algo que ver con esa casa, pero en ninguna parte figuraba el nombre Raglan James. Procuré comprender lo que eran los papeles, pero la jerga oficial me superó. No recibí una impresión inmediata del significado, como me pasaba cuando miraba con mis ojos vampíricos.

Me vino a la memoria lo que había dicho James sobre las sinápsis. Sí, pensaba con más lentitud, y también me costaba leer cada palabra.

Oh, bueno, ¿pero qué importaba? No encontré ningún registro de conductor. Y lo que me hacía falta era dinero. Ah, sí, yo había dejado el dinero sobre la mesa. ¿Y si se había volado al jardín?

Volví en el acto a la cocina. Noté el ambiente gélido, y de hecho la mesa y las ollas de cobre estaban cubiertas por una fina capa de escarcha blanca. La billetera no estaba sobre la mesa; tampoco las llave del auto. Y la luz, desde luego, se había hecho añicos.

Me arrodillé a oscuras y comencé a tantear el suelo. Encontré el pasaporte, no así la billetera ni las llaves. Sólo trocitos de vidrio de la lámpara que se me clavaron en las manos y me cortaron en dos sitios. Minúsculas gotitas de sangre sin aroma, sin verdadero sabor. Traté de ver sin sentir. No estaba la billetera. Volví a salir a la escalerita, esta vez con cuidado para no caerme. La billetera no estaba. No pude ver en la profunda nieve del jardín.

Ah, pero de nada valía buscarlas, ¿verdad? Tanto la billetera como las llaves eran pesadas, o sea que no podían haberse volado. ¡Se las llevó él! ¡Probablemente hasta regresó para buscarlas! Monstruo depravado... Y cuando tomé conciencia de que el tipo ya estaba dentro de mi potente cuerpo preternatural cuando hizo eso, la furia me paralizó.

Bueno, tú imaginabas que podía pasar, ¿no? Condecía con su naturaleza. Y de nuevo te estás congelando. ¡Tiemblas! Vuelve al comedor y cierra la puerta.

Eso hice, pero tuve que esperar a Mojo, que se tomó su tiempo como si no le molestara la nevisca. El comedor se había enfriado, dado que dejé la puerta abierta, y cuando volví a subir a la planta alta comprobé que la temperatura de toda la casa había descendido a causa de mi incursión por la cocina. Tenía que acordarme de cerrar las puertas.

Me dirigí a una de las habitaciones en desuso y fui derecho a la chimenea en la que había escondido el dinero. Cuando metí la mano no toqué el sobre que había puesto allí sino una sola hoja de papel. La retiré hecho una furia, e incluso antes de encender la luz alcancé a leer el texto:

Sinceramente debe ser usted un tonto, para suponer que un hombre de mi capacidad no iba a encontrar eso que ocultó. No es preciso ser vampiro para detectar cierta humedad delatora en el piso y la pared. Que tenga una agradable aventura. Lo veo el viernes. ¡Cuídese! Raglan James.

Tanto me indigné, que por un momento no me pude mover. Estaba que echaba chispas. Tenía los puños crispados. "¡Maldito sinvergüenza!", me desahogué, con esa voz opaca, débil, detestable.

Me encaminé al baño. Desde luego, tampoco estaba el otro dinero detrás del espejo, y sólo encontré otra notita.

¿Qué es la vida humana sin dificultades? Comprenderá usted que no puedo resistirme ante estos pequeños descubrimientos. Es como dejar botellas de vino sueltas cerca de un alcohólico. Lo veo el viernes. Por favor, tenga cuidado al caminar por las aceras congeladas. No quisiera que se quebrase una pierna.

¡No aguanté más y pegué un puñetazo contra el espejo! Oh, bueno. Fue una bendición que no hubiera quedado un enorme boquete en la pared, como habría quedado de haber sido Lestat el vampiro el autor del golpe, sino sólo cristales rotos. ¡Y mala suerte durante siete años!

Di media vuelta y bajé de nuevo a la cocina, pero esta vez atranqué la puerta al pasar. Cuando abrí la heladera, ¡no encontré nada! ¡Nada!

¡Ah, demonio, lo que le iba a hacer! ¿Cómo pensó que podía obrar impunemente? ¿Acaso no me cree capaz de regalarle veinte millones y después retorcerle el pescuezo? ¿Cómo se le ocurre?

Hmmm.

¿Era difícil entenderlo? James no iba a volver, ¿no es cierto? Por supuesto que no.

Regresé al comedor. No había juegos de plata ni de porcelana en la vitrina, pero sin duda los hubo la noche anterior. Salí al pasillo: ni un cuadro en las paredes. Revisé el living. No estaban las telas de Picasso, Jasper Johns, de Kooning ni Warhol. Todo había desaparecido, hasta las fotos de los barcos.

Tampoco estaban las esculturas chinas. Las bibliotecas se hallaban casi vacías. De las alfombras quedaban muy pocas: una en el comedor, ¡con la que casi me había matado! Y otra al pie de la escalera.

¡Se había llevado todos los objetos de valor de la casa! Si hasta faltaba la mitad de los muebles. ¡El muy hijo de puta no pensaba volver! Jamás tuvo la intención.

Me senté en el sillón más próximo a la puerta. Mojo, que me había seguido fielmente, aprovechó la ocasión para tenderse a mis pies. Hundí la mano en su pelambre, le di un suave tironcito, se la alisé y pensé qué gran alivio era tenerlo conmigo.

Desde luego, James había sido un tonto en planear eso. ¿Pensó acaso que no me atrevería a recurrir a mis compañeros?

Hmmm. Pedirles ayuda... qué idea grotesca. No hacían falta grandes alardes de imaginación para adivinar lo que me diría Marius si le contaba lo que hice. Lo más probable era que ya lo supiese y estuviera ocultando su desaprobación. En cuanto a lo que opinarían los más viejos, me estremecía de sólo pensarlo. Lo mejor que me podía pasar, desde todo punto de vista, era que el intercambio de cuerpos pasara inadvertido. Eso lo supe desde el principio.

Lo más importante era que James no sabía —no podía saberlo— cuánto se iban a enojar los otros conmigo a causa de ese experimento. Y tampoco conocía los límites de las facultades de las que en ese momento disponía.

Ah, pero todo eso era prematuro. Robarme el dinero, saquear la casa, no era más que un chiste maligno de James, nada más que eso. No podía dejarme la ropa y el dinero; su mezquindad se lo impedía. Tenía que trampear un poco. Por supuesto que planeaba regresar y cobrar los veinte millones. Además, contaba con que yo no le iba a hacer daño porque seguramente iba a querer repetir el experimento, porque lo valoraría por ser la única persona capaz de hacerlo.

Sí, ése era el as que se guardaba en la manga: que yo no iba a perjudicar al único mortal con quien podría intercambiar mi cuerpo cuando quisiera hacerlo de nuevo.

¡Hacerlo de nuevo! Tuve que reírme. Me reí en efecto, y qué sonido extraño me resultó. Cerré fuertemente los ojos y permanecí sentado unos momentos, disgustado con el sudor que se me adhería a las costillas, con la forma en que me dolían el estómago y la cabeza, con la pesadez que sentía en manos y piernas. Y cuando volví a abrirlos, lo único que vi fue ese mundo borroso de colores pálidos y bordes desdibujados...

¿Hacerlo de nuevo? Contrólate, Lestat. Apretaste los dientes con tanta fuerza, que te lastimaste. ¡Te cortaste la lengua! ¡Te has hecho sangrar la boca! Y la sangre tiene gusto a salmuera, nada más que agua y sal, agua y sal. Por el amor del infierno, ¡domínate!

Al cabo de un instante de tranquilidad, me puse de pie y emprendí una búsqueda sistemática del teléfono.

No había ni uno en toda la casa.

Hermoso.

Qué tonto fui en no planificar mejor la experiencia. Me entusiasmé tanto con las consideraciones más amplias de orden espiritual, que no preví nada con sensatez. ¡Tendría que haber tenido una *suite* en el Willard y el dinero en la caja fuerte del hotel! Debí haber pensado en un auto.

A propósito, ¿dónde estaba el auto?

Fui al placard de la entrada, encontré el sobretodo, advertí que el forro tenía un desgarrón —quizá por eso no lo había vendido—, me lo puse lamentando que no hubiera un par de guantes en los bolsillos y salí por la puerta de atrás, pero no sin antes ocuparme de cerrar fuertemente la del comedor. Le pregunté a Mojo si quería acompañarme o quedarse adentro. Quiso venir, por supuesto.

En el senderito, había unos treinta centímetros de nieve y cuando llegué a la calle, la capa era más espesa aún.

Desde luego, ni señales del Porsche. Ni a la izquierda de los escalones del frente ni en toda la cuadra. Sólo para cerciorarme, me llegué hasta la esquina, di media vuelta y regresé. Tenía los pies congelados, lo mismo que las manos, y me dolía la piel de la cara.

Bueno, tendría que caminar, por lo menos hasta que localizara un teléfono público. La nieve soplaba alejándose de mí, lo cual era una bendición, pero lamentablemente no sabía adónde tenía que ir.

A Mojo ese clima parecía encantarle, porque avanzaba por delante de mí sin cesar, mientras los minúsculos copitos de nieve caían, brillantes, sobre su pelaje gris. Yo tendría que haber intercambiado el cuerpo con él, pensé. Pero la idea de que estuviera Mojo dentro de mi cuerpo vampírico me dio mucha risa; reí y reí sin parar, di vueltas en círculo y seguí riendo hasta que al final me detuve porque, sinceramente, me moría de frío.

La situación era muy graciosa. Ahí estaba yo hecho un ser humano, o sea que había conseguido lo que siempre soñé desde mi muerte, ¡y la experiencia me resultaba espantosa! Sentí una punzada de hambre en mi estómago que aullaba, y luego otra, a las que sólo podía denominar retortijones de hambre.

—Tengo que encontrar Paolo's. Pero, ¿cómo voy a conseguir que me den comida? *Necesito* comer, ¿no? No puedo subsistir sin alimento, de lo contrario me debilitaría.

Al llegar a la esquina de la avenida Wisconsin vi luces y gente que bajaba por la calle. Ya habían despejado la nieve de la calzada, de modo que estaba abierta al tránsito. Alcancé a distinguir a personas que iban y venían bajo los faroles, pero todo lo veía poco claro, por supuesto.

Seguí de prisa a pesar de que los pies se me entumecían de dolor, lo cual no es una contradicción, como bien lo sabe cualquiera que haya caminado en la nieve, hasta que por fin vi la vidriera iluminada de un bar. Martini's. No había problema. Olvidémonos de Paolo's. Voy a tener que conformarme con Martini's. Un auto se había detenido al frente y de él bajó una pareja joven que de inmediato entró en el local. Lentamente me acerqué a la puerta y vi a una muchacha bastante bonita que, de un escritorio de madera, recogía dos menúes para entregarlos a los jóvenes y junto con ellos se internaba en las sombras. Vislumbré velas y manteles a cuadros, y de pronto comprendí que el hedor fétido que impregnaba mi nariz era olor a queso quemado.

No me habría gustado ese olor siendo vampiro; no, en absoluto, pero tanto no me habría repugnado. Lo habría tomado como algo que venía de afuera. Pero en ese momento lo relacioné con el hambre que sentía y fue como si me tironeara los músculos desde adentro de la garganta. En realidad, me dio la impresión de que tenía el olor, dentro de las tripas, que era algo más que un simple olor por la fuerza con que me presionaba.

Qué curioso. Sí, tengo que advertir todas esas cosas porque eso es estar vivo.

La joven había regresado. Vi su perfil suave cuando miró el papel que había sobre su pequeño escritorio y levantó una lapicera para anotar algo. Tenía cabello oscuro, largo y ondulado, y piel muy clara. Me dieron ganas de verla mejor. Traté de percibir su aroma pero no pude. Sólo me llegaba el olor a queso quemado.

Abrí la puerta sin prestar atención al mal olor, entré, me planté delante de la muchacha y la bendita tibieza del local me envolvió, con olores y todo. Era muy joven, de facciones pequeñas y angostos ojos negros. Tenía labios grandes, exquisitamente pintados, y cuello largo, de hermosa línea. El cuerpo era típico del siglo XX: puro hueso bajo el vestido.

—*Mademoiselle* —dije, enfatizando mi acento francés—, tengo mucha hambre y afuera está muy frío. ¿No hay nada que pueda hacer para ganarme un plato de comida? Si quiere le lavo los pisos o las cacerolas, haré lo que haga falta.

Me miró un momento, inexpresiva. Luego se enderezó, se apartó la cabellera, puso los ojos en blanco y volvió a mirarme.

—¡Salga de aquí! —Su voz me pareció metálica, apagada. No lo era, desde luego; era el modo en que oían los mortales. No pude percibir la resonancia que sí captaba un vampiro.

—¿Me da un pedazo de pan? Un solo pedazo. —Los olores a comida, desagradables y todo, me atormentaban. No recordaba bien qué gusto tenía la comida. No podía recordar textura y alimento juntos, pero una sensación muy humana se estaba apoderando de mí. Estaba desesperado por comida.

—Voy a llamar a la policía —dijo, temblándole un tanto la

voz— si no se va ya mismo de aquí.

Traté de leerle los pensamientos. Imposible. Miré en derredor entornando los párpados. Intenté leérselos a los otros humanos. Nada. En ese cuerpo, no tenía la facultad. No, no puede ser. Volví a mirarla. Nada. Ni el menor indicio de sus pensamientos, nada que me indicara qué clase de persona era.

—Ah, bueno —repuse, obsequiándole mi sonrisa más amable, aunque sin tener idea de cómo me salía o cuál podía ser su efecto.

—Espero que se pudra en el infierno por su falta de caridad. Pero Dios sabe que no me merezco más que esto. —Di media vuelta y estaba ya por marcharme cuando me tocó la manga.

—Mire —comenzó, estremeciéndose levemente del disgusto—, ¡usted no puede venir aquí y pretender que se le dé de comer!

—La sangre se le había subido a las mejillas, pero no la pude oler. Olí en cambio una especie de perfume almizclado que emanaba de ella, algo que era en parte humano y en parte esencia comercial. De pronto vi dos pezones diminutos que resaltaban en la tela de su vestido. Qué asombroso. Traté de leerle de nuevo los pensamientos. Supuse que podría hacerlo, puesto que se trataba de una facultad innata, pero fue en vano.

—Le advertí que estaba dispuesto a pagarle con trabajo —articulé, procurando no mirarle los pechos—. Haré lo que me pida. Y le ruego me disculpe. No quiero que se pudra en el infierno. Cómo pude decirle algo tan horrible. Lo que pasa es que estoy en apuros... Me han pasado muchas cosas. Ese que está ahí afuera es mi perro. ¿Qué le puedo dar de comer?

—¡Ese perro! —Miró a través de la vidriera a Mojo, que estaba sentado en la nieve con aire majestuoso. —No me haga bromas.

—Qué voz aguda tenía; sin la menor personalidad. Cuántos ruidos del mismo tipo me llegaban. Metálicos, débiles.

—De veras es mi perro —dije, fingiendo indignación—. Lo quiero mucho.

Se rió.

—¡Ese perro come aquí todas las noches por la puerta de la cocina!

—Ah, fabuloso. Por !o menos uno de los dos se alimenta. Me alegro de oírlo, *mademoiselle*. Tal vez tendría que ir yo por la puerta de la cocina... o quizá el perro me deje algo.

Soltó una risita falsa. Me estaba observando —eso era evidente—, mirando con interés mi rostro y mi ropa. ¿Qué impresión le habré causado? No lo sé. El sobretodo negro no era una prenda ordinaria, pero tampoco elegante. El pelo castaño de esa cabeza mía estaba lleno de nieve.

Era flacucha pero de innegable sensualidad. Nariz muy angosta, ojos muy bien formados, hermosos huesos.

—De acuerdo —aceptó—. Siéntese al mostrador, que le haré servir algo. ¿Qué quiere?

—Lo que sea. Cualquier cosa. Gracias por su amabilidad.

—De nada. Tome asiento. —Abrió la puerta y le gritó al perro: —Ve por la puerta del fondo —acompañando la palabra con un gesto.

Mojo se quedó sentado donde estaba, paciente montaña de piel. Yo entonces salí al viento helado y le indiqué que fuera por la puerta de la cocina. Con un ademán le señalé el callejón lateral. Me miró un largo instante; luego se levantó, se encaminó hacia el callejón y desapareció.

Volví a entrar, por segunda vez agradecido de poder guarecerme del frío, aunque tenía los zapatos llenos de nieve derretida. Me interné en la penumbra del restaurante, tropecé contra una banqueta de madera que no había visto, casi me caigo y por último me senté en esa misma banqueta. Ya me habían preparado un lugar en el mostrador, con un individual azul y pesados cubiertos de acero. El olor a queso era asfixiante. Había otros olores: fritura de cebolla, ajo, grasa quemada. Todo repugnante.

La banqueta me resultaba por demás incómoda. El borde redondo del asiento se me incrustaba en las piernas, y me seguía molestando no ver bien en la oscuridad. El restaurante parecía muy largo, como si tuviera varias habitaciones más en hilera. Pero no alcanzaba a ver hasta el fondo. Oía ruidos atemorizantes, como de grandes ollas que chocaban contra algo de metal, y todo eso me hacía mal a los oídos o, mejor dicho, me desagradaba.

La muchacha apareció sonriente, trayendo un vaso grande de vino tinto. El olor era agrio y potencialmente nauseabundo.

Le di las gracias. Luego tomé el vaso y bebí un sorbo grande. Retuve el vino un instante antes de tragarlo, y en el acto me ahogué. No entendí lo que pasó, si había tragado mal, si el vino me irritaba la garganta por algún motivo, o qué. Sólo sé que me dio un acceso de tos y tuve que manotear la servilleta —de tela— para taparme la boca. Una parte del vino me subió a la nariz. En cuanto al gusto, lo noté débil, ácido. Una frustración total.

Cerré los ojos y apoyé la cabeza sobre la mano izquierda, la misma mano que sostenía fuertemente la servilleta.

—Por qué no prueba de nuevo —me invitó ella. Abrí los ojos y vi que tenía una enorme jarra y me estaba llenando otra vez el vaso.

—Bueno, gracias. —Tenía una sed enorme, que el mero sabor del vino no había hecho sino incrementar. Pero esta vez no iba a tragar tan de golpe. Levanté el vaso, tomé un sorbo pequeño, traté de paladearlo aunque parecía no haber nada que paladear, y por último lo tragué. Muy livianito, totalmente distinto del trago suculento de sangre. Tengo que tomarle la mano. Apuré el resto. Luego tomé la jarra, volví a llenarlo, y eso también lo bebí.

Hubo un momento en que sentí sólo frustación. Después fui sintiéndome mareado. Ya va a venir la comida, pensé. Ah, ahí llega... una bandejita de palitos de pan, o al menos eso parecen ser.

Levanté uno, lo olí con cuidado para cerciorarme de que fuera pan, le di un mordisco y en el acto desapareció. Fue como comer arena. Igual que la arena del desierto de Gobi que me entraba en la boca. Arena.

—¿Cómo comen esto los mortales? —pregunté.

—Más despacio —respondió la mujer hermosa, y soltó una risita—. ¿No eres mortal? ¿De qué planeta vienes?

—De Venus, el planeta del amor.

Me observaba sin disimulo, y sus mejillas volvieron a adquirir un leve rubor.

—Bueno, ¿por qué no te quedas por aquí hasta que termine mi turno? Después puedes acompañarme a casa.

—Con mucho gusto —acepté. Luego tomé conciencia de lo que eso podía significar para mí, y me produjo un efecto extraño. Tal vez podría acostarme con ella. Oh, sí, era decididamente una posibilidad porque la noté dispuesta. Mis ojos descendieron hasta sus pequeños pezones, que me tentaban al sobresalir bajo la seda negra de su vestido. Sí, acostarme con ella. Y qué suave era la piel de su cuello.

El miembro se me excitó entre las piernas. Menos mal, algo que me funciona, me dije. Pero qué rara esa sensación local, ese endurecimiento e hinchazón, la forma insólita en que consumía todos mis pensamientos. La sed de sangre nunca era local. Dejé vagar la mirada. Ni siquiera bajé la vista cuando me sirvieron el plato de *spaghetti* al tuco. La fuerte fragancia me llegó a la nariz: queso derretido, carne quemada. Y grasa.

Bájate, le dije al miembro. Todavía no es hora de eso.

Por último dirigí la mirada al plato. El hambre me oprimía como si alguien me hubiera agarrado los intestinos con ambas manos y me los estuviera retorciendo. ¿Recordaba esa sensación? Sabe Dios que en mi época de mortal había pasado hambre. El hambre era como la vida misma. Pero el recuerdo me pareció lejano, muy poco importante. Lentamente tomé el tenedor, que en aquel entonces jamás usaba porque no teníamos —sólo cuchillos y cucharas en nuestro tosco mundo—, introduje los dientes bajo la maraña de fideos húmedos y alcé una pila que me llevé a la boca.

Supe que estaban demasiado calientes antes de que me tocaran la lengua, pero no me detuve con la necesaria rapidez. Me quemé mucho y dejé caer el tenedor. Eso sí que fue idiotez pura, pensé, y ya debe ser mi décimo acto de idiotez pura. ¿Qué debo hacer para encarar las cosas de forma más inteligente, con más paciencia y serenidad?

Me eché hacia atrás en la incómoda banqueta, lo más que se podía hacer sin caerme al piso, e intenté pensar.

Estaba tratando de dominar mi nuevo cuerpo, que me resultaba débil y con sensaciones desconocidas —un frío doloroso en los pies, por ejemplo; pies mojados en medio de una corriente de aire cercana al piso—, y era comprensible que cometiera errores tan tontos. Tendría que haber traído las galochas. Tendría que haber buscado un teléfono antes de ir allí, para llamar a París y hablar con mi representante. No razonaba; tercamente me comportaba como si fuera vampiro, y no lo era.

Sin duda, la temperatura de la comida no me habría quemado cuando era vampiro. Pero en ese momento no lo era. Por eso debía haber llevado las galochas. ¡Piensa!

Qué diferente de lo que había supuesto me estaba resultando la experiencia. Oh, dioses. ¡Ahí estaba yo, hablando de pensar, cuando lo que había creído era que iba a disfrutar! Creí que iba a sumergirme en sensaciones, recuerdos, descubrimientos; ¡y lo único que podía pensar era en cómo frenarme!

A decir verdad, había imaginado diversos placeres: comer, beber, acostarme con una mujer, después con un hombre. Pero de lo vivido hasta ese momento, nada me resultaba muy placentero.

Bueno, la culpa de esa situación tan lamentable era sólo mía, pero podía revertirla. Me limpié la boca con la servilleta, hecha de áspera tela sintética, no más absorbente que un trozo de hule; luego tomé el vaso y volví a apurar el vino. Una sensación de náusea me recorrió. Se me cerró la garganta, y acto seguido me sentí mareado. Dios santo, ¿tres vasos y ya me embriagaba?

Levanté de nuevo el tenedor. Como los pegajosos fideos ya estaban más fríos, cargué el tenedor y me lo llevé a la boca. ¡Casi me ahogo una vez más! Se me cerró la garganta, como si quisiera impedir que el menjunje me asfixiara. Tuve que parar, respirar lentamente por la nariz, convencerme de que eso no era veneno, de que yo ya no era vampiro, y por último masticar con cuidado para no morderme la lengua. Pero como me la había mordido un rato antes, empezó a dolerme el trocito de carne lastimado. El dolor me resultó mucho más perceptible que la comida. No obstante, seguí masticando los *spaghetti*, y me puse a pensar que no tenían mucho sabor, que estaban agrios y salados, que la consistencia era espantosa, y cuando comía volví a sentir la tirantez, el nudo en la boca del estómago.

Ahora bien, si fuera Louis el que pasaba por eso... si tú fueras el vampiro presumido de siempre y estuvieras sentado frente a él, observándolo, lo criticarías por todo lo que estuvo haciendo y pensando, lo condenarías por su timidez, por estar desaprovechando la experiencia, por no percibir las cosas.

Levanté una vez más el tenedor. Mastiqué otro bocado y lo tragué. Bueno, ahí noté algo de gusto. No era, eso sí, el sabor punzante y delicioso de la sangre, sino algo mucho más suave, más granulado, más gomoso. Bueno, otro bocado más. Esto te puede llegar a gustar. También puede ser que la comida no sea muy buena. Otro bocado.

—Eh, no te apures tanto —me dijo la mujer hermosa. Estaba apoyándose contra mí, pero no pude sentir su sabrosa dulzura a través del sobretodo. Me volví, la miré de nuevo a los ojos y me maravillé de sus pestañas largas y curvas, de lo tierna que parecía su boca cuando sonreía. —Te vas a atragantar.

—Sí; tengo mucha hambre —le expliqué—. No lo vayas a tomar como ingratitud pero, ¿no tendrías algo que no fuera un mazacote coagulado como esto? Algo con más consistencia, como carne, por ejemplo...

Se rió.

—Eres un hombre muy extraño. ¿De dónde vienes?

—De Francia, zona de campo.

—Bueno, te traeré otra cosa.

No bien se hubo marchado bebí otro vaso de vino. Decididamente me estaba mareando, pero también sentía una tibieza interior que no me desagradaba. De repente me dieron ganas de reír y me di cuenta de que estaba por lo menos algo ebrio, al fin.

Decidí observar a los otros seres humanos que había en el salón. Qué raro eso de no poder percibir sus aromas ni oírles los pensamientos. Ni siquiera oía bien sus voces, sino apenas ruidos mezclados. Y muy extraño sentir frío y calor al mismo tiempo, la cabeza afectada por el aire excesivamente caldeado y los pies helados por la corriente de aire cercana al piso.

La joven puso ante mí un plato de carne (ternera, la llamó). Tomé un trocito, lo cual pareció impresionarla —tendría que haber usado cuchillo y tenedor—, lo mordí y me resultó bastante insípido, como los fideos. Pero reconozco que era mejor, y mastiqué con gusto.

—Gracias, has sido muy amable conmigo. Eres un encanto, y te pido que me perdones por la forma en que te hablé hace un rato. De verdad lo digo.

Me dejó unos instantes para ir a cobrarle a una pareja que se retiraba y yo seguí con mi comida, mi primera comida de arena, goma, pedacitos de cuero y sal. Me reí para mis adentros. Más vino, pensé; es como no beber nada, pero algo de efecto me produce.

Después de llevarse el plato me trajo otra jarra de vino. Y yo seguí ahí, con las medias y los zapatos húmedos, fríos, incómodo en la banqueta de madera, esforzándome por ver en la penumbra, cada vez más borracho, hasta que por fin ella estuvo lista para partir.

En ese momento no me sentía más cómodo que cuando empezó todo. Y apenas me levanté me percaté de que casi no podía caminar. No tenía sensibilidad en las piernas, a tal punto que miré hacia abajo para cerciorarme de que estaban en su lugar.

A la mujer bonita le pareció muy divertido; a mí no tanto. Me ayudó a andar por la acera nevada, se dirigía a Mojo llamándolo "Perro" con gran respeto, y me aseguró que vivía a "unos pasitos" de ahí. Lo único bueno era que el frío ya no me molestaba tanto.

Me costaba mantener el equilibrio. Las piernas me resultaban de plomo. Hasta los objetos más iluminados me parecían fuera de foco. Me dolía la cabeza. Estaba seguro de que me iba a caer. Es más, el miedo a caerme se estaba convirtiendo en pánico.

Pero felizmente llegamos a su puerta y subimos una escalera alfombrada, esfuerzo que me agotó tanto que me dejó con el corazón agitado y la cara bañada en transpiración. ¡No veía casi nada! Era una locura. La oí poner la llave en la cerradura.

Me agredió otro hedor insoportable. El tétrico departamentito parecía una madriguera de cartón y madera terciada, con sus paredes cubiertas de afiches anodinos. Pero, ¿a qué se debía el olor? De repente comprendí que provenía de los gatos, a los que les permitía hacer sus necesidades en una caja de tierra, ya llena de excrementos, que había en el piso de un bañito, y pensé que se acababa todo, ¡que me iba a morir! Permanecí inmóvil, haciendo esfuerzos por no vomitar. Sentí de nuevo un dolor sordo en el estómago, pero esta vez no era hambre, y me daba la impresión de que el cinturón me apretaba enormemente.

Cuando el malestar se intensificó, me di cuenta de que debía abocarme a una tarea similar a la que ya habían efectuado los gatos.

Tenía que hacerlo en ese instante o pasar vergüenza. Y había que entrar en ese mismo recinto. El corazón se me subió a la garganta.

—¿Qué te pasa? ¿Te sientes mal?

—¿Puedo usar ese cuarto? —pregunté, señalando la puerta abierta.

—Por supuesto. Entra nomás.

Pasaron diez minutos, tal vez más, hasta que salí. Sentía tal desagrado por el simple proceso de la evacuación —el olor, la sensación de hacerlo, el espectáculo— que no podía hablar. Pero ya había terminado. Sólo me quedaba la borrachera, la desdorosa experiencia de querer apagar la luz y errarle al interruptor, de querer tomar el picaporte y que mi mano —esa manaza inmensa— no lo hallara.

Encontré el dormitorio, muy caliente, abundante en muebles modernos de laminado ordinario, sin un estilo en particular.

La muchacha estaba toda desnuda, sentada en el costado de la cama. Traté de verla con claridad pese a que una lámpara próxima distorsionaba la luz. Pero su rostro era una mezcla de sombras feas, y su piel parecía amarillenta. La rodeaba el olor rancio de la cama.

La única conclusión que pude sacar fue que era tremendamente delgada, como es habitual en las mujeres de esta época; las costillas se le traslucían en la piel blancuzca, sus pechos eran insólitamente pequeños, con pezones diminutos, y las caderas no existían. Parecía un espectro. Y sin embargo, ahí estaba sonriendo, como si eso fuera normal, con su hermoso pelo ondulado que le caía por la espalda, ocultando la tenue sombra de su pubis bajo una mano fláccida.

Bueno, era obvio cuál iba a ser la maravillosa experiencia humana que estaba a punto de ocurrir. Pero no sentía nada por esa mujer, nada. Le sonreí y comencé a desvestirme. Apenas me quité el sobretodo sentí frío. ¿Es que ella no lo sentía? Luego me saqué el suéter, y en el acto me horrorizó el olor de mi propia transpiración. *Santo Dios, ¿así era todo, antes?* Y tan limpio que me había parecido ese cuerpo.

Ella no dio muestras de notarlo y mentalmente se lo agradecí. Me saqué la camisa, los zapatos, las medias y el calzoncillo. Seguía teniendo los pies fríos. De hecho, tenía frío y estaba desnudo, muy desnudo. Y no sabía si me gustaba. De pronto me vi en el espejo de la cómoda y advertí que el miembro, por supuesto, estaba dormido.

Ella tampoco pareció sorprenderse.

—Ven aquí —me invitó—. Siéntate.

La obedecí temblando de arriba abajo. Después tosí. Al principio fue un espasmo que me tomó por sorpresa. Luego fue un ataque de toses incontrolables, y al final tan violentas que me dejaron un gran dolor en las costillas.

—Perdón.

—Me encanta tu acento francés —murmuró, al tiempo que me acariciaba el pelo y me pasaba las uñas por la mejilla.

Esa sensación sí que fue agradable. Incliné la cabeza y la besé en la garganta, y eso también fue lindo. No tan emocionante como aferrar a una víctima, pero lindo igual. Traté de recordar lo que sentía hace doscientos años, cuando era el terror de las chicas del pueblo. ¡Siempre se presentaba algún granjero a las puertas del castillo, me echaba maldiciones y me amenazaba con el puño en alto, asegurándome que si su hija quedaba embarazada tendría que hacerme responsable! En ese momento todo me parecía divertidísimo. Y las chicas, ay, qué encantadoras.

—¿Te pasa algo?

—No, nada. —La besé nuevamente en el cuello. También le sentí olor a transpiración, y no me gustó. Pero, ¿por qué? Esos olores no eran tan penetrantes como me resultaban antes, en mi antiguo cuerpo. Pero tenían que ver con algo de ese nuevo cuerpo: ésa era la parte desagradable. No podía protegerme de ellos y parecían ser capaces de invadirme y contaminarme. Por ejemplo, el sudor de su cuello ahora lo sentía en mis labios. Me di cuenta de lo que era, le sentí el gusto y me dieron ganas de alejarme de ella.

Oh, pero era una locura. Esa mujer era un ser humano, lo mismo que yo. Gracias a Dios todo terminaría el viernes. ¡Pero qué derecho tenía yo de agradecer a Dios!

Los bultitos tibios de sus pezones rozaron mi pecho, y la carne que había tras ellos me pareció esponjosa, tierna. Le pasé un brazo para rodear su espalda menuda.

—Estás caliente. Creo que tienes fiebre —me dijo al oído, y me besó en el cuello de la misma manera como lo había hecho yo.

—No, estoy bien —aseguré, aunque no tenía ni idea de si era cierto o no. ¡Qué difícil labor!

De repente, su mano tocó mi miembro, desatando una inmediata estimulación. El miembro se alargó y endureció. La sensación, si bien localizada, me excitó. Cuando volví a mirar sus pechos, y el triangulito de pelo entre sus piernas, el miembro se volvió más duro aún. Sí, recuerdo muy bien todo eso. Mis ojos tienen relación con ello, y ahora ninguna otra cosa importa. Hmmm. Lo que debes hacer es tenderla sobre la cama.

—¡Epa! —murmuró—. ¡Qué pedazo de artefacto!

—¿Te parece? —Bajé la mirada. Esa cosa monstruosa estaba al doble de su tamaño. Me pareció groseramente desproporcionada con respecto a todo lo demás. —Sí, tienes razón. Tendría que haberme imaginado que James lo iba a constatar primero.

—¿Quién es James?

—No, nada —farfullé. Tomé su rostro para volverlo hacia mí y besé sus labios finos, húmedos. Ella abrió la boca buscando mi lengua. Eso me agradó, pese al mal gusto que le sentí. No me importó. Luego se me cruzó por la mente la idea de la sangre, de beber su sangre.

¿Dónde estaba esa sensación intensa que experimentaba al acercarme a la víctima, el momento antes de clavarle los dientes en la piel, de sentir fluir la sangre en mi lengua?

No, no iba a ser tan fácil, ni tan ardiente. Será más bien una sensación entre las piernas y más parecida a un estremecimiento; pero qué estremecimiento, tengo que reconocerlo.

El sólo hecho de pensar en sangre aumentó mi pasión y la empujé bruscamente al lecho. Quería acabar; nada me importaba más que acabar.

—Espera un momento —me pidió.

—¿Esperar qué? —Me subí sobre ella, la besé de nuevo, hundí más la lengua en su boca. Nada de sangre. Ah, qué blanca. No hay sangre. Mi miembro se introdujo entre sus muslos calientes, y en ese momento casi me sale el chorro. Pero todavía faltaba.

—¡Dije que esperaras! —gritó, con las mejillas coloradas—. Tienes que ponerte un preservativo.

—¿Qué diablos dices? —murmuré. Entendía el significado de las palabras, pero no les encontraba sentido. Estiré la mano hacia abajo y palpé la abertura húmeda, jugosa, que me pareció deliciosamente pequeña.

Me gritó que la soltara y me empujó con ambas manos. Estaba enrojecida, hermosa por la indignación, y cuando me quiso apartar con la rodilla, me dejé caer sobre ella. La penetré con el miembro y sentí esa carne tierna, caliente y estrecha que me envolvía, que me dejaba sin aliento.

—¡No! ¡Basta! ¡Te dije que no! —vociferaba.

Pero no podía parar. Cómo diablos se le ocurría pensar que era momento para hablar de esas cosas, me dije medio enloquecido hasta que, en un momento de espasmódico entusiasmo, acabé. ¡Brotó rugiente semen del miembro!

Un momento antes, había sido la eternidad, y al siguiente ya había terminado todo, como si no hubiera empezado nunca. Quedé tendido encima de ella, exhausto, por supuesto empapado en sudor, levemente disgustado por lo pegajoso que había sido todo y por sus alaridos de terror.

Por último me di vuelta y quedé boca arriba. Me dolía la cabeza y todos los aromas espantosos de la habitación se intensificaron: un olor a sucio proveniente de la cama misma, con su colchón hundido, apelotonado; el olor fétido de los gatos.

Ella saltó de la cama. Parecía haberse vuelto loca. Temblorosa, gimoteando, manoteó una manta de un sillón para taparse y comenzó a gritarme que me fuera, que me fuera, que me fuera.

—Pero, ¿qué es lo que te pasa? —quise saber.

Me lanzó una andanada de maldiciones modernas.

—¡Estúpido, hijo de puta, idiota, sinvergüenza! —Cosas por el estilo. Dijo que podía haberle contagiado alguna enfermedad, y hasta mencionó varias. También podía haberla dejado embarazada, o sea que era un imbécil, un delincuente, y debía marcharme en ese mismo momento de ahí. Mejor que me fuera, dijo, porque si no, llamaba a la policía.

Sentí una oleada de somnolencia. Traté de ver bien a la muchacha pese a la oscuridad. Luego me acometieron unas náuseas más fuertes que antes. Procuré dominarlas y sólo mediante un enérgico acto de voluntad conseguí no vomitar.

Por último, me incorporé y me puse de pie. La miré mientras ella se dedicaba a gritarme, a llorar, y de pronto comprendí que estaba sufriendo mucho, que realmente le había hecho doler y de hecho tenía un feo magullón en la cara.

Muy lentamente capté lo que había pasado. Ella pretendía que me pusiera un profiláctico y yo la tomé por la fuerza, por lo cual no disfrutó nada: sólo tuvo miedo. Recordé su imagen en el momento de mi clímax, recordé cómo se resistía, y llegué a la conclusión de que para ella era inconcebible que yo hubiera disfrutado la lucha, su indignación y sus protestas, que me hubiera complacido dominarla. Pero de alguna manera común y mezquina, creo que gocé.

Todo el asunto me resultó deprimente, me llenó de desesperanza. ¡El placer mismo no había sido nada! Esto no lo soporto ni un minuto más, pensé. Si hubiera podido llamar a James le habría ofrecido otra fortuna sólo para que regresara de inmediato. Llamar a James... Me había olvidado por completo de buscar un teléfono.

—Escúchame, *ma chère* —dije—, lo siento muchísimo. Todo salió mal, lo sé. Perdóname.

Hizo ademán de darme un sopapo, pero le sujeté la muñeca fácilmente y la obligué a bajar la mano, lastimándola un poco.

—Ya mismo te marchas o llamo a la policía.

—Te comprendo. Fue una torpeza de mi parte. Estuve muy mal.

—¡Mucho peor que mal! —me espetó, con voz áspera.

Y esa vez sí me dio la bofetada. No tuve suficiente rapidez y quedé azorado por la fuerza del impacto, por la forma en que me ardió. Me pasé la mano por el lugar golpeado de la cara. Qué dolor molesto, injuriante.

—¡Te vas! —me gritó.

Me vestí, pero fue como levantar bolsas de ladrillos. Una vergüenza sorda se apoderó de mí, una sensación de ineptitud, de malestar ante el menor gesto que hacía o la menor palabra que se me ocurría pronunciar; tanto, que sólo quería que me tragara la tierra.

Por último, ya todo correctamente cerrado y abotonado, volví a calzarme las medias mojadas, los zapatos delgados, y estuve listo para partir.

Ella sentada en la cama. Los huesos de la espalda le asomaban bajo la carne blanca y el pelo le caía en montoncitos gruesos sobre la manta que mantenía apretada contra el pecho. Qué frágil parecía... qué penosamente fea y repugnante.

Traté de verla como si fuese Lestat, pero no pude. Esa mujer me parecía una cosa trivial, inútil, ni siquiera interesante. Me sentí un tanto horrorizado. ¿Habría sido lo mismo en la aldea de mi niñez? Quise hacer memoria, recordar a esas chicas —muertas ya hace siglos—, pero no pude ver sus rostros. Lo que recordaba era felicidad, picardía, una gran exuberancia que durante períodos intermitentes me había hecho olvidar las privaciones y desesperanza de mi vida.

¿Qué significaba aquello en ese preciso momento? ¿Cómo era posible que toda la experiencia me hubiera resultado tan desagradable, al parecer tan inútil? De haber sido yo, esa mujer me habría parecido fascinante como puede serlo un insecto; hasta sus habitaciones pequeñas me habrían parecido peculiares aun en sus peores detalles. Ah, cuánto afecto me despertaba siempre el triste hábitat de los pequeños mortales. ¿Pero por qué era así?

¡Y esa pobre mujer me habría parecido hermosa sencillamente porque estaba viva! No habría sido ensuciado por ella ni aunque la hubiera usado durante una hora para alimentarme. En ese momento, en cambio me sentía inmundo por haber estado con ella y sucio por haberla tratado con crueldad. ¡No me extrañaba el miedo que ella le tenía a la enfermedad! ¡Yo también me sentía contaminado! Pero, ¿dónde residía la perspectiva de la verdad?

—Lo siento muchísimo —volví a decir—. Tienes que creerme. No era eso lo que quería. En realidad, no sé lo que quería.

—Estás loco —musitó amargamente, sin levantar la mirada.

—Una de estas noches vendré a verte y te traeré un regalo, algo muy hermoso que realmente desees. Así tal vez me perdones.

No me respondió.

—Dime algo que de verdad desees. No importa lo que cueste. ¿Qué cosa te gustaría tener y no puedes?

Alzó la vista con aire hosco. Tenía la cara abotagada, enrojecida; luego se limpió la nariz con el dorso de la mano.

—Ya sabes lo que quería —expresó con voz agria, desagradable, casi asexuada.

—No, no lo sé. Dímelo.

Su rostro estaba tan desfigurado, y la voz me sonó tan rara, que me asustó. Aún me sentía aturdido por el vino, pero mi mente no se había alterado con la embriaguez. Me resultaba muy placentero eso de que el cuerpo estuviera ebrio pero yo no.

—¿Quién eres? —preguntó. Se la veía inflexible y amarga. —Eres alguien importante, ¿no? No un simple... —Su voz se fue apagando.

—Si te lo cuento no lo creerías.

Giró más la cabeza y me observó como si de pronto empezara a comprender todo. No supe qué pasaba por su mente. Sólo sabía que le tenía lástima y que ella no me gustaba. No me gustaba ese cuartito sucio con sus techos bajos, la cama fea, la alfombra color tostado, la luz mortecina y la apestosa caja de los gatos en el baño.

—Te voy a tener presente —dije, sintiéndome desdichado pero con ternura—. Pienso darte una sorpresa. Voy a traerte algo maravilloso, algo que nunca podrías comprarte. Un regalo como de otro mundo. Pero ahora tengo que dejarte.

—Sí, mejor que te vayas.

Me volví para hacer precisamente eso. Pensé en el frío que hacía afuera, en Mojo que me esperaba en el pasillo, en la casa con la puerta de atrás arrancada de sus bisagras, en que no tenía dinero ni teléfono.

Ah, el teléfono.

Ella sí tenía. Se lo había visto sobre el tocador.

Cuando me encaminé hacia el aparato, me gritó y me arrojó algo; un zapato, creo. Me dio en el hombro pero no me dolió. Levanté el tubo, marqué los dos ceros de larga distancia y pedí hablar con mi agente de Nueva York con cobro revertido.

Sonó muchas veces. No había nadie. Ni siquiera estaba puesto el contestador automático. Qué raro, y qué gran inconveniente.

Por el espejo alcancé a ver que ella me miraba en silencio, furiosa, envuelta en la manta que le quedaba como un vestido moderno. Una situación patética, hasta el último detalle.

Llamé a París. Una vez más sonó incansablemente, hasta que

por fin me llegó la conocida voz de mi agente, a quien saqué del sueño. Le informé en francés que me encontraba en Georgetown, que necesitaba veinte mil dólares... no, mejor que me enviara treinta, y de inmediato.

Me explicó que en París estaba amaneciendo. Tendría que esperar que abrieran los bancos, pero en cuanto pudiera me remitiría el dinero. Quizá fuera el mediodía en Georgetown, cuando lo recibiera. Memoricé el nombre de la agencia donde debía ir a retirarlo y le imploré que no se demorara, que no me fuera a fallar pues se trataba de una emergencia, me encontraba sin un centavo y debía atender obligaciones. Me aseguró que iba a obrar con la mayor celeridad. Entonces corté.

Ella me miraba fijamente. No creo que haya entendido la conversación, porque no hablaba francés.

—Te voy a recordar —dije—. Perdóname, por favor. Ahora me voy. Demasiados trastornos te he causado ya.

No me contestó. Me quedé mirándola, tratando de entender todo por última vez, de saber por qué ella me parecía tan tosca y carente de atractivo. ¿Desde qué perspectiva solía mirar las cosas antes, puesto que la vida me parecía tan bella y todas sus criaturas variaciones sobre el mismo magnífico tema? —Adiós, *ma chère* —la saludé—. Lo siento mucho, muchísimo.

Mojo me esperaba pacientemente afuera. Pasé a su lado e hice chasquear los dedos para indicarle que me siguiera, cosa que hizo. Y ahí nomás bajamos la escalerita y nos internamos en la noche helada.

Pese a las ráfagas de viento que se colaban en la cocina y lograban introducirse hasta el comedor, las demás habitaciones de la casa estaban aceptablemente caldeadas. De unas rejillitas que había en los pisos salían corrientes de aire tibio. Qué amable, James, en no haber apagado la calefacción, pensé. Pero su intención es marcharse no bien reciba los veinte millones, de modo que la cuenta nunca se pagará.

Subí a la planta alta, crucé el dormitorio principal y entré en el baño, un ambiente agradable con cerámicas blancas, elegantes espejos, y la casilla de la ducha cerrada con puertas de reluciente vidrio. Probé el agua: chorro rotundo, caliente. Una delicia. Me quité la ropa húmeda y olorosa, coloqué las medias cerca de la calefacción y doblé el suéter porque era el único que tenía. Luego me instalé largo rato bajo la ducha.

Apoyé la cabeza contra la cerámica y hasta puede ser que me haya quedado dormido de pie. Pero después empecé a llorar y, casi al mismo tiempo, a toser. Sentí un ardor intenso en el pecho, y la misma picazón dentro de la nariz.

Por último salí, me sequé y volví a mirar ese cuerpo en el espejo. No le encontré falla alguna. Los brazos eran robustos pero de músculos planos, lo mismo que el pecho. Las piernas, bien formadas. La cara era realmente bella —la tez oscura casi perfecta—, aunque en su estructura ya no quedaba nada infantil, como en mi propia cara. Era una cara de hombre, rectangular, un poco dura pero bella, muy bella, quizá debido a los ojos grandes. También la noté un poco áspera. Me estaba creciendo la barba. Debía afeitarme. Qué molestia.

—Esta vivencia tendría que resultarte espléndida —pronuncié en voz alta—. Tienes el cuerpo de un hombre de veintiséis años en perfecto estado. Pero hasta ahora todo fue un suplicio. Has cometido un error tras otro. ¿Cómo es que no puedes hacer frente al desafío? ¿Dónde quedaron tu fortaleza y tu fuerza de voluntad?

Me sentía helado. Mojo se había dormido al pie de la cama. Voy a hacer eso, pensé; dormir. Dormir como mortal y, cuando me despierte, ya entrará la luz del día en la habitación. Aunque esté nublado será algo maravilloso. Será de día. Podrás ver el mundo de día como lo has añorado todos estos años. No des importancia a esta lucha abismal, a estas trivialidades, al miedo.

Pero una horrible sospecha se apoderó de mí. ¿Acaso mi vida mortal había sido otra cosa que lucha abismal, trivialidades y miedo? ¿No era de esa misma manera para la mayoría de los humanos? ¿No era ése el mensaje de innumerables escritores y poetas modernos: que malgastábamos la vida en vanas preocupaciones? *¿No era todo eso un pésimo lugar común?*

Me sentí sumamente conmovido. Traté de argumentar conmigo mismo una vez más, como lo había hecho todo el tiempo. Pero, ¿de qué servía?

¡Estar dentro de ese lerdo cuerpo humano me hacía sentir muy mal! Era espantoso no tener mis dones sobrenaturales. Y el mundo, si se lo miraba bien, era sucio, desprolijo, lleno de accidentes. Y ni siquiera podía ver la mayor parte de él. ¿Qué mundo?

¡Ah, pero mañana! Oh Dios, otro pésimo lugar común. Me reí solo, y al instante me dio un acceso de tos. Esa vez el dolor fue en el cuello y muy intenso, y me saltaron lágrimas. Me conviene dormir, descansar, prepararme bien para mi único y preciado día.

Apagué la lámpara y abrí la cama. Por suerte estaba limpia. Apoyé la cabeza sobre la almohada de plumas, encogí las piernas hasta acercar las rodillas al pecho, me tapé hasta el mentón y me puse a dormir.

Tenía una leve idea de que, si se incendiaba la casa, iba a morir. Si había algún escape de gas por las rejillas de la calefacción, iba a morir. Más aún, podía entrar alguien por la puerta abierta del fondo y matarme. Todo tipo de catástrofes podía ocurrir. Pero ahí estaba Mojo, ¿no? ¡Y yo me sentía tan, pero tan cansado!

Horas más tarde, desperté.

Tenía otro ataque de tos y sentía un frío tremendo. Necesitaba un pañuelo; encontré una caja de pañuelitos de papel y me soné la nariz unas cien veces. Después, cuando pude volver a respirar, caí otra vez en un extraño agotamiento febril que me dio la sensación engañosa de estar flotando, cuando en realidad me hallaba tendido firmemente sobre la cama.

No es más que un resfrío, pensé. No tendría que haber tomado tanto frío. Esto me va a estorbar, pero también es experiencia, experiencia que debo investigar.

A la segunda vez que me desperté, el perro estaba parado al lado de la cama lamiéndome la cara. Estiré la mano, sentí su hocico peludo y me reí; luego volví a toser pese al ardor de la garganta y me di cuenta de que había estado haciéndolo largo rato.

La luz era muy clara, maravillosamente clara. Gracias a Dios, encontraba por fin una lámpara de luz intensa en ese mundo tenebroso. Me incorporé. Por un momento me sentí tan deslumbrado que no pude darme cuenta cabal de lo que veía.

El cielo que se vislumbraba por las ventanas era de un azul perfecto, vibrante; el sol se derramaba sobre los pisos encerados y el mundo entero parecía glorioso en su luminosidad: las ramas peladas de los árboles con su festón nevado, el techo de enfrente nevado, la habitación misma, llena de blanco y de color lustroso, la luz que se reflejaba desde el espejo, desde el cristal del tocador, desde el picaporte de bronce de la puerta del baño.

—Dios mío, mira, Mojo —susurré. En el acto pateé las mantas, corrí a la ventana y la levanté hasta arriba. El aire frío era cortante, pero ¿qué importaba? Qué hermoso el color intenso del cielo, las altas nubes blancas que corrían hacia el oeste, el verde vivo del pino de la casa vecina.

De pronto eché a llorar sin consuelo, y a padecer con otro acceso de tos.

—Este es el milagro —musité. Mojo me tocó con delicadeza y dejó escapar un gemido agudo. Los dolores y molestias mortales no importaban. Esta era la promesa bíblica que durante doscientos años no se había cumplido.

12

A los pocos instantes de salir de la casa, e internarme en la gloriosa luz del día, supe que esa experiencia iba a valer todas las tribulaciones y el padecidos. Y que un simple resfrío, pese a los síntomas de debilitamiento que producía, no me impediría retozar bajo el sol de la mañana.

Nada importó que me estuviera enloqueciendo una gran debilidad física, que al ir caminando con Mojo sintiera el cuerpo como de plomo, que, por más que lo intentara, no lograra dar saltos en el aire, ni que abrir la puerta de la carnicería fuese un esfuerzo sobrehumano; tampoco importó que me estuviera poniendo cada vez peor del resfrío.

Una vez que Mojo hubo devorado las sobras que le regaló el carnicero, salimos juntos a deleitarnos con la luz y tuve la sensación de que me emborrachaba al ver el sol que caía sobre las ventanas y las calles húmedas, sobre los charcos vidriosos en los lugares donde se había derretido la nieve, sobre los cristales de los escaparates y sobre la gente, los miles y miles de personas felices que alegremente se encaminaban a realizar las tareas de la jornada.

Qué distintas eran de las personas de la noche, porque era evidente que se sentían seguras a la luz del día, porque caminaban y hablaban abiertamente, porque encaraban las numerosas transacciones del día, que rara vez se efectúan con tal vigor al caer la noche.

¡Ah, ver a las mamás que, con sus hijitos a la rastra, guardaban la fruta en la bolsa de las compras; observar los enormes y ruidosos camiones de reparto estacionados en las calles fangosas mientras hombres de robusta contextura bajaban la mercadería y la entraban por las puertas de servicio! Ver a hombres sacando la nieve a paladas y limpiando ventanas, ver los bares llenos de seres que consumían con placentera expresión grandes cantidades de café y olorosos desayunos fritos al tiempo que leían el diario, se preocupaban por el tiempo o conversaban sobre el trabajo del día. Fascinante ver grupitos de escolares de uniforme que, desafiando el viento helado, organizaban sus juegos en una cancha de piso duro bañada por el sol.

Una gran energía, un gran optimismo unía a todos esos seres, y hasta se lo podía percibir como emanando de los estudiantes que corrían entre los edificios del campus universitario o se reunían a almorzar en cálidos restaurantes.

Esos humanos, ante la luz se abrían como flores, apuraban el paso, aceleraban su dicción. Y cuando sentí el calor del sol sobre cara y manos, yo también me abrí como una flor. Sentí, así, la alquimia de ese cuerpo mortal que respondía, con toda su vitalidad, pese a la congestión del resfrío y al molesto dolor de manos y pies congelados.

Haciendo caso omiso de la tos, que empeoraba hora a hora, y de la visión que se me nublaba, nuevo y molesto síntoma, caminé con Mojo por la ruidosa calle M y entré en Washington, la capital del país. Paseé por la zona de los monumentos y mausoleos de mármol, vi los enormes edificios y residencias oficiales, recorrí la triste belleza del cementerio de Arlington con sus miles de pequeñas lápidas todas iguales, y llegué hasta la polvorienta mansión del gran general confederado Robert E. Lee.

A esa altura, ya estaba al borde del delirio. Y es muy posible que el malestar físico aumentara mi felicidad, puesto que me producía una actitud semejante a la de la persona ebria o drogada. No sé. Lo único cierto es que estaba contento, contentísimo, y que el mundo a la luz del día no era el mundo de la noche.

Pese al frío, muchos turistas se habían atrevido a salir como yo a ver esos famosos lugares de interés. Me deleité en silencio con su entusiasmo; comprendí que a ellos, igual que a mí, les afectaban los paisajes abiertos de la ciudad capital, que los alegraba y transformaba ver el cielo tan azul y los numerosos monumentos espectaculares erigidos para celebrar los logros de la humanidad.

"¡Soy uno de ellos!", pensé de improviso, ya no Caín buscando eternamente la sangre de su hermano. Miré aturdido en derredor. "¡Soy uno de ustedes!"

Largo rato contemplé la ciudad desde las alturas de Arlington, temblando de frío e incluso soltando unas lágrimas frente al deslumbrante espectáculo, tan ordenado, tan representativo de los principios de la gran Edad de la Razón, deseando que Louis o David estuvieran ahí conmigo, sufriendo porque sabía que ambos desaprobarían mi proceder.

Pero eso que veía era el verdadero planeta, la tierra viviente nacida del sol y del calor, incluso bajo el reluciente manto de nieve invernal.

Por último, bajé de la colina; Mojo corría de tanto en tanto por delante de mí, y luego regresaba para acompañarme. Recorrí la ribera del congelado Potomac, maravillándome ante el sol que se reflejaba en el hielo y en la nieve ya en proceso de derretirse. Hasta me encantó observar cómo la nieve se iba convirtiendo en agua.

En algún momento de la tarde fui a parar al grandioso mausoleo de Jefferson, un elegante y amplio pabellón griego que tiene grabadas en sus paredes de mármol las palabras más solemnes y conmovedoras que he leído jamás. Mi corazón se henchía al pensar que, durante esas preciadas horas, no me sentí lejos de los sentimientos allí expresados. De hecho, durante ese lapso en que me mezclé con la raza humana, no hubo nada en mí que me diferenciara de los demás.

Pero eso era mentira, ¿o no? Llevaba la culpa en mi interior, en la continuidad de mi memoria, en mi espíritu irreductible: Lestat el asesino, Lestat el que rondaba por las noches. Recordé la advertencia de Louis: "¡No puedes convertirte en humano sólo con apoderarte de un cuerpo humano!" Rememoré la expresión trágica, consternada, de su rostro.

Pero, ¿y si el vampiro Lestat nunca hubiera existido? ¿Y si hubiese sido sólo una creación literaria, puro invento del hombre en cuyo cuerpo yo ahora moraba? ¡Qué idea maravillosa!

Permanecí largo rato en la escalinata del mausoleo, con la cabeza gacha, mientras el viento tironeaba con fuerza de mi ropa. Una mujer amable me dijo que estaba enfermo, que debía abotonarme el abrigo. La miré a los ojos y noté que lo que ella veía era sólo un muchacho. No estaba deslumbrada ni temerosa. No había en mí esa necesidad de tronchar su vida para poder yo disfrutar más de la mía. ¡Pobre mujer de ojos celestes y pelo descolorido! De repente le tomé su mano pequeña y arrugada, se la besé, le dije en francés que la amaba y vi que una sonrisa se dibujaba en su rostro marchito. Qué encantadora me pareció, encantadora como todos los humanos sobre los que alguna vez posé mis ojos vampíricos.

La sordidez de la noche anterior se borró en esas horas del día. Creo que todo lo soñado para esa aventura se había cumplido.

Pero un invierno riguroso me rodeaba. A pesar de sentirse más animada por el cielo azul, la gente decía que se avecinaba otra tormenta peor aún que la anterior. Las tiendas iban a cerrar temprano, las calles volverían a quedar intransitables y ya se había clausurado el aeropuerto. Varios peatones me advirtieron que me surtiera de velas porque podía cortarse la electricidad. Y un señor mayor, que llevaba un grueso gorro de lana, me reprendió por no llevar puesto nada en la cabeza. Una mujer joven me dijo que parecía enfermo, que me fuera rápido a mi casa.

No es más que un resfrío, les contestaba. Con un buen jarabe para la tos se me iba a pasar. Raglan James sabría qué hacer cuando recuperara su cuerpo. Seguramente no le haría demasiada gracia, pero podría consolarse con los veinte millones. Además, todavía me quedaban varias horas como para medicarme con remedios comerciales y descansar.

Por el momento, me sentía demasiado incómodo en general como para preocuparme por semejante cosa. Había derrochado demasiado tiempo en esas distracciones triviales. Y desde luego, podía conseguir ayuda para todas las molestias banales de la vida real... Ah, la vida real.

Me había olvidado de la hora, y sin duda en la agencia me estaba esperando el dinero. En el reloj de una tienda vi que eran las dos y media. La misma hora marcaba el ordinario reloj pulsera que yo llevaba. Bueno, me quedaban sólo unas trece horas.

Trece horas en ese cuerpo espantoso, con la cabeza que me estallaba y con dolor de piernas. Mi felicidad desapareció en un ataque súbito de temor. ¡Pero el día era demasiado bello para arruinarlo por cobardía! Alejé entonces esa sensación de mi mente.

Trozos de poesía acudieron a mi memoria... y de vez en cuando el tenue recuerdo de mi último invierno mortal, de haber estado de cuclillas frente a la chimenea, en la gran sala de la casa paterna, tratando por todos los medios de calentarme las manos en el fuego que se extinguía. Pero en general pude vivir el momento de un modo muy distinto a como solía hacerlo mi mente maquinadora. Tan fascinado estaba con todo lo que pasaba a mi alrededor, que durante horas no experimenté aflicción ni distracción de tipo alguno.

Eso era absolutamente extraordinario. Y, en mi euforia, estaba seguro de poder llevar siempre dentro de mí el recuerdo de esa sencilla jornada.

El regreso a pie hasta Georgetown me resultó por momentos una hazaña ímproba. Aun antes de partir del mausoleo de Jefferson, el cielo ya había comenzado a nublarse y rápidamente iba adquiriendo un tinte plomizo. La luz se secaba como si fuera líquida.

Sin embargo, me encantaron esas manifestaciones más melancólicas. Me sentía hipnotizado por el espectáculo de los mortales que cerraban sus tiendas, que caminaban presurosos en contra del viento, cargados con bolsas de alimentos, por los faros de los autos que alumbraban con su luz intensa, casi festiva, la creciente penumbra.

Comprendí que no iba a haber crepúsculo. Oh, qué lástima. Pero como vampiro, muchas veces había contemplado el crepúsculo. Entonces, ¿a qué quejarme? No obstante, durante un momento fugaz lamenté haber pasado esas horas tan valiosas en las garras del crudo invierno. Pero por razones que no acertaba a explicarme, había sido justo lo que quería. Un invierno crudo como los de mi infancia. Crudo como aquel invierno en París, cuando Magnus me llevó a su cueva. Quedé satisfecho, complacido.

Cuando llegué a la agencia, hasta yo me di cuenta de que la fiebre me estaba subiendo y debía buscar refugio y alimento. Felizmente había llegado mi dinero. También me habían preparado una nueva tarjeta de crédito a nombre de Lionel Potter, uno de los nombres ficticios que usaba en París, y un talonario de cheques de viajero. Guardé todo en los bolsillos y, ante el horrorizado cajero, metí en los bolsillos también los treinta mil dólares.

—¡Mire que alguien lo puede asaltar! —murmuró, inclinándose sobre el mostrador. Agregó algo que no entendí bien acerca de que me convenía llevar el dinero al banco antes del horario de cierre. Después debía dirigirme a una sala de primeros auxilios porque se aproximaba un temporal. Había mucha gente engripada, prácticamente la epidemia de todos los inviernos.

Para simplificar, le dije a todo que sí, pero no tenía ni la menor intención de pasar las horas de mortal que me quedaban en manos de los médicos. Además, no hacía falta. Lo único que necesitaba era comida, algo caliente para beber y la paz de una cama blanda de hotel. Entonces podría devolver a James ese cuerpo en condiciones tolerables y regresar tranquilamente al mío.

Pero primero tenía que cambiarme de ropa. ¡Eran apenas las tres y cuarto, me quedaban unas doce horas y no aguantaba ni un minuto más esos trapos sucios!

Llegué a las distinguidas Galerías Georgetown justo cuando estaban cerrando para que la gente pudiera huir del temporal, pero fui convincente y me permitieron entrar en una elegante casa de ropa, donde en un instante entregué al impaciente empleado una lista de todas las prendas que creía iba a necesitar. Cuando le di la tarjetita plástica, me invadió un enorme mareo. Me causó gracia, porque el hombre ya había perdido toda su impaciencia y trató de venderme bufandas y corbatas varias. Casi no le entendía lo que me decía. Ah, sí, marque todo en la registradora. Todo esto se lo entregaremos al señor James a las tres de la madrugada. Sí, claro, el otro pulóver, y por qué no, la echarpe también.

Cuando conseguí escapar con mi cargamento de relucientes cajas y bolsas, me acometió otra oleada de mareos. De hecho, una negrura total comenzaba a rodearme; corría peligro de caer de rodillas y perder el conocimiento ahí nomás, sobre el piso. Una preciosa muchacha vino a rescatarme. "¡Se está por desmayar!" A esta altura, ya transpiraba profusamente, y sentía frío pese al ambiente caldeado de la galería.

Le expliqué que necesitaba un taxi, pero no pasaba ninguno. Ya era poca la gente que quedaba por las calles y de nuevo había empezado a nevar.

Había visto antes, no lejos de allí, un hermoso hotel con el romántico nombre de "Las Cuatro Estaciones" y hacia él me dirigí, para lo cual primero me despedí de la bella criatura y agaché la cabeza para enfrentar el viento feroz. En "Las Cuatro Estaciones" me sentiría a salvo, pensé casi con alegría, encantado de pronunciar en voz alta el significativo nombre. Podría cenar, y no necesitaba volver a esa casa odiosa hasta que no se acercara la hora de devolver el cuerpo.

Cuando llegué por fin al lugar, me resultó más que satisfactorio. Dejé un abultado depósito para garantizar que Mojo se comportaría como un caballero educado, lo mismo que yo. La *suite* era suntuosa, con enormes ventanales que daban al Potomac, alfombras aparentemente interminables, cuartos de baño dignos de un emperador romano, aparatos de televisión y heladeritas disimuladas dentro de hermosos muebles de madera, y numerosos artefactos más.

Sin pérdida de tiempo pedí un banquete para mí y para Mojo; luego abrí el barcito, que estaba lleno de caramelos y otras golosinas además de licores, y me serví el mejor whisky. ¡Qué gusto espantoso! ¿Cómo diablos podía David beber eso? La tableta de chocolate estuvo mejor. ¡Fantástica! Me la devoré y después llamé al restaurante para que, al pedido de minutos antes, agregaran todos los postres con chocolate que tuvieran en el menú.

Tengo que llamar a David, me dije. Pero me parecía una total imposibilidad levantarme del sillón e ir hasta el escritorio para tomar el teléfono. Además, eran tantas las cosas que deseaba analizar, fijar en la mente. Malditos sean los malestares. Así y todo había quedado una experiencia fabulosa. Incluso me estaba acostumbrando a esas manazas que me llegaban varios centímetros más abajo de donde debían, y a esa piel oscura, porosa. No debía quedarme dormido. Qué desperdicio...

Me despertó el timbre. Había pasado una media hora completa de tiempo mortal. Me puse de pie con esfuerzo, como si con cada paso tuviera que levantar ladrillos, y no sé cómo me las ingenié para abrirle a la camarera, una agradable mujer mayor, de pelo amarillo claro, que entró empujando un carrito con mantel, lleno de comida.

Le di carne a Mojo —antes había colocado en el piso una toalla de baño a modo de mantel— y él comenzó a comerla con ganas. Al mismo tiempo que comía se tendió, cosa que sólo hacen los perros de gran tamaño y que a Mojo en particular le dio un aspecto mucho más monstruoso: parecía un león que indolentemente mordisquea a un cristiano indefenso al que sostiene entre sus inmensas patas.

Sin pérdida de tiempo bebí la sopa caliente, aunque no le sentí mucho el gusto, pero qué podía esperarse con semejante resfrío. El vino era excelente, mucho mejor que el ordinario de la otra noche, y aunque su sabor aún me parecía flojo en comparación con la sangre, bebí dos vasos. Estaba a punto de devorar las pastas, como se les dice aquí, cuando levanté la mirada y noté que la inquieta camarera no se había retirado.

—Usted está enfermo —constató—, muy enfermo.

—Tonterías, *ma chère*. Tengo un resfrío mortal, ni más ni menos. —Busqué el fajo de billetes en el bolsillo de la camisa, le di varios de veinte y le pedí que se marchara. Ella se resistía a dejarme.

—Está tosiendo mucho. Creo que está enfermo de verdad. Pasó mucho tiempo a la intemperie, ¿verdad?

Me quedé mirándola, totalmente desarmado al verla tan solícita, sabiendo que corría verdadero peligro de que, como un tonto, me brotaran las lágrimas. Quería advertirle que yo era un monstruo, que ese cuerpo sencillamente era robado. Qué tierna era, qué cariñosa.

—Todos estamos relacionados —le dije—, la humanidad entera. Tenemos que preocuparnos los unos por los otros, ¿no? —Supuse que se iba a horrorizar por tanto sentimentalismo, demostrado con la emoción densa del borracho, y que por ende se marcharía. Pero no fue así.

—Claro que sí —dijo—. Permítame llamarle a un médico antes de que empeore la tormenta.

—No, mi querida; váyase nomás.

Dirigiéndome una última mirada de preocupación, por fin se retiró.

Después de consumir los fideos con salsa de queso —insípidos—, empecé a preguntarme si la mujer no tendría razón. Fui hasta el baño y encendí la luz. El hombre que vi en el espejo tenía, en efecto, un malísimo aspecto con sus ojos inyectados en sangre, el cuerpo que le temblaba y su piel oscura amarillenta, si no directamente pálida.

Me palpé la frente, pero ¿de qué me sirvió? No me puedo morir de esto, pensé. Sin embargo, no estaba tan seguro. Recordé la expresión que había visto en la cara de la camarera, la preocupación de las personas que me pararon por la calle. Me dio otro acceso de tos. Algo tengo que hacer, me dije. Pero, ¿qué? ¿Y si los médicos me daban algún sedante fuerte y quedaba tan atontado que no podía regresar a la casa de Georgetown? ¿Y si los medicamentos afectaban mi capacidad de concentración y después no podía realizarse la mutación de cuerpos? Dios santo, ni siquiera había tratado de salir y elevarme de ese cuerpo humano, truco que me salía muy bien en mi otra forma.

Tampoco quise intentarlo. ¿Y si no podía volver a entrar? No, mejor esperar a James para tales experimentos, ¡y mientras tanto, no acercarme a médicos ni jeringas!

Sonó el timbre. Era la camarera bondadosa que me traía una bolsa llena de remedios: frascos de líquidos rojos y verdes, tubitos plásticos de comprimidos.

—Tendría que hacerse ver por un doctor —me aconsejó, mientras depositaba todo en hilera sobre el mármol del baño—. ¿Quiere que le llamemos uno nosotros?

—De ninguna manera —respondí, al tiempo que le entregaba más dinero y la acompañaba a la puerta. Pero me pidió que aguardara, y me preguntó si no podía sacar al perro puesto que ya había terminado de comer.

Ah, sí, era una muy buena idea. Le puse más billetes en la mano. Luego le dije a Mojo que hiciera todo lo que ella le indicaba. La mujer parecía fascinada con Mojo. Algo dijo acerca de que su cabeza era más grande que la de ella.

Regresé al baño y contemplé los medicamentos. ¡Qué desconfianza les tenía! Pero tampoco era muy caballeresco devolverle a James un cuerpo enfermo. ¿Y si después no lo quería? No, difícil. Seguramente se quedaría con los veinte millones, y *también* con las toses del resfrío.

Bebí un trago de repulsivo jarabe verde, luchando por dominar las náuseas; después me trasladé con esfuerzo al living, donde me desplomé ante el escritorio.

Allí había papelería del hotel y un bolígrafo que funcionaba bastante bien, de esa manera resbaladiza que tienen los bolígrafos. Me puse a escribir y, aunque noté que me resultaba muy difícil con esos dedos grandes, perseveré lo mismo. Entonces anoté de prisa todo lo que había visto y sentido.

Seguí escribiendo pese a que casi no podía sostener la cabeza y me costaba respirar a causa del resfrío. Finalmente, cuando no quedaba más papel y ya ni podía leer mis propios garabatos, metí las hojas en un sobre, le pasé la lengua para cerrarlo y lo dirigí a mi propio nombre, al departamento de Nueva Orleáns; luego me lo guardé en el bolsillo de la camisa, debajo del pulóver, donde no se me iba a perder.

Por último me tendí en el piso. El sueño se iba a apoderar de mí, cubriendo muchas de las horas mortales que me restaban, porque ya no me quedaban fuerzas para nada.

Pero no me dormí profundamente. Tenía demasiada fiebre, y miedo. Recuerdo que la camarera amable entró con Mojo y volvió a decirme que estaba enfermo.

Recuerdo también que entró la empleada de la noche, preocupada como la otra. Y que Mojo se acostó a mi lado, y lo tibiecito que lo sentí cuando me acurruqué contra él, encantado con su olor, con el aroma maravilloso de su pelaje, aunque no fuera una emoción tan fuerte como habría sido en la época en que tenía mi antiguo cuerpo, y por un momento hasta pensé que estaba de vuelta en Francia, en aquellos viejos tiempos.

Pero en cierto sentido, la imagen de los viejos tiempos casi había quedado borrada por la nueva experiencia. De vez en cuando abría los ojos, veía una aureola alrededor de la lámpara encendida, veía las ventanas negras que reflejaban el mobiliario, e imaginaba que oía nevar afuera.

En algún momento me puse de pie, enfilé hacia el baño, me golpeé fuertemente la cabeza contra el marco de la puerta y caí de rodillas. ¡Dios mío, cuántos tormentos! ¿Cómo los soportan los mortales? ¿Cómo pude soportarlos yo alguna vez? Qué dolor. Como si se desparramara líquido bajo mi piel.

Pero peores calamidades me aguardaban. De puro desesperado tuve que usar el baño y limpiarme cuidadosamente después. ¡Qué desagradable! Y lavarme las manos. Temblando de repugnancia, debí lavarme las manos una y otra vez. Cuando descubrí que la cara de ese cuerpo se había cubierto con una sombra gruesa de áspera barba, me reí. Qué costra tenía sobre el labio superior, el mentón y bajando hasta el cuello de la camisa. ¿Qué aspecto me daba? De loco; de menesteroso. Pero no podía afeitarme todo ese pelo. No tenía navaja y, además, seguro que si lo hacía me cortaba el cuello.

Qué sucia la camisa. Me había olvidado de ponerme la ropa que compré, pero ¿no era tarde ya para eso? Aturdido, vi que mi reloj marcaba las dos. Dios santo, casi la hora en que debía efectuarse la transformación.

—Ven, Mojo —dije, y bajamos por la escalera en vez de usar

el ascensor, lo cual no fue una gran hazaña puesto que estábamos apenas en el primer piso. Cruzamos el hall casi desierto y salimos a la noche.

Había nieve amontonada por todas partes. Las calles estaban realmente intransitables y hubo momentos en que volví a caerme de rodillas, los brazos hundiéndoseme en la nieve, y Mojo que me lamía la cara como tratando de darme calor. Pero seguí adelante, subí la loma no sé en qué estado físico y mental, hasta que por fin doblé la esquina y vi a lo lejos las luces de la casa.

La cocina en penumbras estaba llena de nieve suave, profunda. Me pareció sencillo atravesarla, hasta que me di cuenta de que por debajo de todo había una capa congelada, muy resbaladiza, resto de la tormenta de la víspera.

Así y todo logré llegar al living y me tiré tiritando en el suelo. Sólo entonces tomé conciencia de que me había olvidado el sobretodo y el dinero guardado en sus bolsillos. Me quedaban apenas unos billetes en la camisa. Pero no importaba. Pronto llegaría el Ladrón de Cuerpos. ¡Recuperaría mi vieja forma, todos mis poderes! Después, qué placentero sería rememorar la vivencia, sano y salvo en mi reducto de Nueva Orleáns, cuando el frío y la enfermedad ya no significaran nada para mí, cuando no existieran ya los dolores, cuando volviera a ser el vampiro Lestat que vuela sobre los techos, que tiende las manos hacia las estrellas lejanas.

El lugar me pareció muy frío comparado con el hotel. Me di vuelta una vez, divisé el pequeño hogar y traté de encender los leños con la mente. Después me reí al recordar que todavía no era Lestat, que pronto arribaría James.

—Mojo, no soporto este cuerpo ni un instante más —le confesé en susurros. El perro se había sentado ante la ventana del frente y miraba la noche jadeando, empañando el vidrio con su aliento.

Traté de permanecer despierto pero no pude. Cuanto más frío sentía, más me envolvía la somnolencia. Y entonces se apoderó de mí un pensamiento aterrador: ¿y si, en el momento indicado, no lograba salir de ese cuerpo y elevarme? Si no podía encender fuego, si no podía leer las mentes, si no podía...

Medio dominado por el sopor, traté de realizar el pequeño truco psíquico. Dejé hundir mi mente casi hasta el borde de los sueños. Sentí la deliciosa vibración que a menudo precede la ascensión del espíritu. Pero no sucedió nada fuera de lo habitual. Lo intenté una vez más. "Sube", dije. Traté de imaginar la forma etérea de mí mismo que se liberaba y elevaba hasta el techo. No tuve suerte. Imposible; como si quisiera que me creciesen alas de plumas. Y estaba tan agotado

207

y dolorido. De hecho, estaba amarrado a esas piernas inservibles, a ese pecho que me dolía, imposibilitado de respirar sin esfuerzo.

Pero pronto estaría allí James, el hechicero, el que conocía el truco. Sí. Ansioso por recibir los veinte millones, James dirigiría toda la operación.

*   *   *

Cuando volví a abrir los ojos vi la luz del día.

Me senté en el acto y miré hacia adelante. No podía haber error. El sol estaba alto en los cielos, y el aluvión de luz que derramaba entraba por las ventanas y caía sobre el piso encerado. Desde afuera me llegaban los ruidos del tránsito.

—Dios mío —musité en inglés, porque *Mon Dieu* no significa la misma cosa—. Dios mío, Dios mío, Dios mío.

Volví a acostarme, tan azorado que no podía pensar con coherencia ni saber si lo que sentía era furia o un ciego temor. Después levanté lentamente el brazo para ver la hora. Once y cuarenta y siete de la mañana.

En menos de quince minutos la fortuna de veinte millones de dólares, que retenía un banco del centro, volvería una vez más a Lestan Gregor, mi propio seudónimo, el ser que había quedado abandonado dentro de ese cuerpo por Raglan James, quien obviamente no había regresado esa madrugada a la casa para efectuar el intercambio convenido. Y ahora, habiendo perdido esa inmensa fortuna, seguramente ya no volvería nunca más.

—Oh Dios, ayúdame —imploré en voz alta; de inmediato me vino flema a la garganta y las toses fueron como puñaladas en mi pecho—. Yo lo sabía. Lo sabía. —Qué tonto había sido. Qué tonto.

¡Maldito sinvergüenza, deleznable Ladrón de Cuerpos, me la vas a pagar! ¡Cómo te atreves a hacerme esto! ¡Y este cuerpo! Este cuerpo que me dejaste, que es lo único que tengo para ir a buscarte, está realmente enfermo.

Cuando logré salir a la calle, ya eran las doce en punto. Pero, ¿qué importaba? No me acordaba del nombre ni la dirección del banco. Tampoco podría haber dado una buena razón para presentarme allí, de todos modos. ¿Por qué habría de reclamar veinte millones que cuarenta y cinco segundos después volverían igualmente a mí? ¿Adónde iba a llevar esa masa temblorosa de carne?

¿Al hotel, a retirar la ropa y el dinero?

¿Al hospital, para que me administraran los medicamentos que tanta falta me hacían?

¿A Nueva Orleáns, a ver a Louis para que me ayudara, Louis que quizá fuera el único capaz de ayudarme? ¿Cómo iba a localizar a ese miserable Ladrón de Cuerpos si no contaba con la colaboración de Louis? ¿Y qué haría Louis cuando me acercara a él? ¿Cómo me juzgaría cuando le contara lo que había hecho?

Me estaba cayendo. Había perdido el equilibrio. Traté de asirme de la baranda de hierro pero ya era tarde. Un hombre corría hacia mí. El dolor hizo explosión en mi cabeza cuando golpeé contra el escalón. Cerré los ojos y apreté los dientes para no gritar. Volví a abrirlos y vi sobre mí un plácido cielo azul.

—Llame a una ambulancia —le dijo el hombre a otro que había a su lado. Eran sólo formas sin rasgos contra el cielo resplandeciente, el cielo claro, saludable.

—¡No! —intenté gritar, pero me salió apenas un áspero murmullo—. ¡Tengo que llegar a Nueva Orleáns! —Con un torrente de palabras traté de explicar lo del hotel, el dinero, la ropa, que por favor alguien me ayudara, que llamaran un taxi, tenía que viajar de inmediato de Georgetown a Nueva Orleáns.

Luego me quedé tendido en la nieve, callado, y pensé qué bonito era ese cielo con sus nubes blancas, e incluso esas sombras oscuras que me rodeaban, esas personas que intercambiaban susurros furtivos que no alcanzaba a oír. Y Mojo que ladraba y ladraba sin cesar. Traté de hablarle pero no pude, no pude decirle siquiera que no se preocupara, que todo iba a salir bien.

Se acercó una niñita. Distinguí su pelo largo, sus manguitas abullonadas y un trozo de cinta que se agitaba al viento. Me miraba desde arriba como los demás; su rostro era todo sombras y, tras ella, el cielo brillaba peligrosamente.

—¡Por Dios, Claudia, hazte a un lado que me tapas el sol! —clamé.

—Quédese quieto, señor, que ya lo vienen a llevar.

—No se mueva, amigo.

¿Adónde se había ido ella? Cerré los ojos y traté de oír el ruido de sus pasos en la acera. ¿Qué era esa risa que percibía?

La ambulancia. Máscara de oxígeno. Aguja. Entonces *comprendí*.

¡Iba a morir dentro de ese cuerpo y sería tan sencillo! Estaba por morir, como millones de otros mortales. Ah, ésa era la causa de todo, el motivo por el cual el Ladrón de Cuerpos, el Angel de la Muerte había ido a verme, dándome los medios que yo había buscado con mentiras y autoengaño. Estaba por morir.

¡Pero no quería morir!

—Por favor, Dios, así no, no en este cuerpo. —Cerré los ojos mientras murmuraba. —Todavía no. ¡Por favor, no quiero morir!

No me dejes morir. —Estaba llorando, deshecho, lleno de miedo. Señor Dios, si alguna vez se me hubiera revelado un esquema más perfecto... a mí, el monstruo pusilánime que se internó en el Gobi, no para buscar el fuego del cielo sino por orgullo, por orgullo.

Cerré con fuerza los ojos. Sentía que las lágrimas rodaban por mis mejillas.

—No me dejes morir. Por favor, no me dejes morir. No ahora ni así. ¡No en este cuerpo! ¡Ayúdame!

Una manecita me tocó, tratando de buscar la mía. Me la apretó firme, tierna, tibia. Y tan suave, tan pequeña. Y tú sabes de quien es esa mano, lo sabes pero tienes tanto miedo que no abres los ojos. Si ella está aquí quiere decir que te estás muriendo. No puedo abrir los ojos. Tengo miedo, mucho miedo. Lloro y me estremezco. Apreté con tanta fuerza su manecita que seguramente le hice daño, pero no me decidía a abrir los ojos.

Louis, ella está aquí. Vino a buscarme. Ayúdame, Louis, por favor. No puedo mirarla. No la voy a mirar. ¡No puedo soltar su mano! ¿Y dónde estás tú? Dormido dentro de la tierra, bajo ese descuidado jardín tuyo, con el sol que baña tus flores, dormido hasta que vuelva la noche.

—Marius, ayúdame. Pandora, dondequiera que estés, ayúdame. Khayman, ven a ayudarme. Armand, olvidemos los rencores. ¡Te necesito! Jesse, no dejes que me suceda esto.

Oh, el penoso murmullo de la plegaria de un demonio tapada por el ulular de la sirena. No abras los ojos. No la mires. Si la miras, se acabó.

¿Pediste ayuda en los últimos momentos, Claudia? ¿Tenías miedo? ¿Viste la luz como si fuera el fuego del infierno que llenaba el pozo de la ventilación, o acaso fue la luz hermosa la que inundó el mundo entero con amor?

Estábamos los dos juntos en el cementerio, en la noche tibia y fragante, tachonada de estrellas lejanas, bañada en suave luz púrpura. Sí, los numerosos colores de la penumbra. Mira su piel brillante de mujer, el oscuro magullón de sus labios femeninos, el color intenso de sus ojos. Sostenía su ramo de crisantemos amarillos y blancos. Jamás olvidaré ese aroma.

—¿Mi madre está enterrada aquí?

—No lo sé, *petite chérie*. Nunca supe su nombre, siquiera.

—La madre ya estaba podrida, apestaba cuando la vi; las hormigas le caminaban por los ojos, le entraban por la boca.

—Tendrías que haber averiguado cómo se llamaba. Tendrías que haberlo hecho por mí. Me gustaría saber dónde la sepultaron.

—Eso ocurrió hace medio siglo, querida. Odiame por las cosas más importantes. Odiame, si lo deseas, porque no yaces ahora a su lado. ¿Te daría tibieza si estuvieras allí con ella? La sangre es tibia, querida. Ven conmigo, bebe sangre, como tú y yo sabemos hacerlo. Podemos hacerlo juntos hasta el fin del mundo.

—Para todo tienes una respuesta. —Qué fría su sonrisa. En estas sombras uno casi puede ver a la mujer que hay en ella, la mujer que desafía a la estampa permanente de dulzura infantil, con la inevitable invitación a besar, a abrazar, a amar.

—Nosotros somos la muerte, *ma chérie*; la muerte es la respuesta final. —La tomé en mis brazos, la apreté contra mí, besé, besé y besé su piel de vampiro. —Después de eso ya no hay preguntas.

Su mano me tocó la frente.

La ambulancia corría como si la persiguiera la sirena, como si la sirena fuese la fuerza que la impelía. La mano rozó mis párpados. *¡No te voy a mirar!*

Oh, por favor, ayúdenme... la monótona plegaria del demonio a sus secuaces a medida que se hunde cada vez más, rumbo al infierno.

13

Sí, ya sé dónde nos encontramos. Desde el principio estuvieron tratando de traerme de vuelta aquí, al pequeño hospital.

—Qué aspecto desolado tiene ahora, con sus paredes de barro, sus ventanas con persianas y las camitas atadas unas a otras. Sin embargo, ella estaba ahí en la cama, ¿no? Conozco a la enfermera, sí, y al viejo médico de hombros caídos, y te veo ahí en la cama... eres tú, la pequeñita de rulos que está acostada sobre la frazada, y ahí está Louis...

"Bueno, ¿por qué estoy aquí? Sé que esto es un sueño. No es la muerte. La muerte no tiene una consideración especial por las personas.

—¿Estás seguro? —dijo ella. Estaba sentada en la silla de respaldo recto, llevaba el pelo rubio recogido con una cinta azul y chinelas en sus piececitos. Eso quería decir que estaba ahí, en la cama, y en la silla, mi muñequita francesa, mi encanto, con sus pies de empeine alto y sus manos perfectas.

—Y tú estás aquí con nosotros, en una cama de una sala de primeros auxilios de Washington. Sabes que estás aquí muriéndote, ¿no?

—Hipotermia aguda, muy probablemente neumonía. Pero, ¿cómo sabemos qué infección tiene? Bombardéenlo con antibióticos. Imposible darle oxígeno ahora. Si lo enviamos a la Universidad, también van a terminar atendiéndolo en el pasillo.

—No dejen que me muera, por favor. Tengo mucho miedo.

—Estamos aquí con usted, lo estamos atendiendo. ¿Por qué no nos da su nombre? ¿Tiene algún familiar a quien haya que dar aviso?

—Vamos, diles quién eres realmente —me aguijoneó ella con una risita argentina y su voz siempre tan hermosa, tan delicada. Siento sus labios tiernos... mírenlos. Yo solía apretarle el labio inferior con un dedo, a modo de juego, cuando le besaba los párpados y su frente tersa.

—¡No te pases de lista, pequeña! —murmuré entre dientes—. Además, ¿quién soy aquí?

—No un ser humano, si a eso te refieres. No hay nada que pueda convertirte en humano.

—De acuerdo, te doy cinco minutos. ¿Por qué me trajiste aquí? ¿Qué quieres que diga? ¿Que lamento lo que hice, haberte sacado de esa camita para convertirte en vampiro? ¿Quieres que te diga la verdad más sincera? No sé si me arrepiento. Siento mucho que hayas sufrido. Siento mucho que cualquiera sufra, pero honestamente no puedo asegurar que lamente ese pequeño truco.

—¿No tienes ni una pizca de miedo a quedarte solo?

—Si la verdad no puede salvarme, nada podrá. —Cómo odiaba el olor a enfermedad que me rodeaba, esos cuerpecitos febriles, húmedos bajo las deslucidas mantas, todo ese sucio hospital de muchas décadas atrás.

—Padre mío que estás en el infierno, Lestat sea tu nombre.

—¿Y tú? Cuando el sol te quemó entera en el pozo de ventilación del Teatro de los Vampiros, ¿te fuiste al infierno?

Risas, risas puras, como monedas relucientes que caen de una cartera.

—¡No te lo voy a decir jamás!

—Bueno, sé que esto es un sueño, que lo ha sido desde el primer momento. No puede ser que alguien regrese de entre los muertos para decir semejantes banalidades.

—Sucede todo el tiempo, Lestat. No te excites tanto. Ahora quiero que me prestes atención. Mira esas camitas, mira a esos niños que sufren.

—A ti te rescaté de ahí.

—Sí, de la misma manera en que Magnus te sacó de tu vida y te dio a cambio algo maligno y perverso. Me convertiste en asesina de mis hermanos y hermanas. Todos mis pecados provienen de aquel momento, cuando me levantaste de la cunita.

—No, no puedes echarme toda la culpa a mí. No lo voy a permitir. ¿Acaso el padre es autor de los crímenes del hijo? Y aunque así fuera, ¿qué? ¿Quién hay allí que lleve la cuenta? ¿No ves que ése es el problema? No hay nadie.

—¿Entonces está bien que matemos?

—Yo te di *vida*, Claudia. No fue para siempre, no, pero fue vida, y hasta nuestra vida es mejor que la muerte.

—Cómo mientes, Lestat. "Hasta nuestra vida", dices. La verdad es que piensas que nuestra maldita vida es *mejor* que la vida misma. Reconócelo. Mírate cómo estás ahora en tu cuerpo humano. Cómo lo odiabas.

—Es verdad, lo admito. Pero ahora quiero oírte hablar con el corazón, mi preciosa, mi pequeña hechicera. ¿Sinceramente habrías preferido la muerte en vez de la vida que te regalé? Vamos, dime. ¿O acaso esto es un tribunal como el de los humanos, donde el juez puede mentir y los abogados pueden mentir y sólo están obligados a decir la verdad quienes suben al estrado de los testigos?

Me miró con aire muy pensativo, mientras una mano regordeta jugueteaba con el bordado de su túnica. Cuando bajó la mirada, la luz brilló primorosamente en sus mejillas, en su boquita oscura. Ah, qué hermosa creación. La muñeca vampiro.

—¿Qué sabía yo de opciones? —dijo, mirando al frente con sus ojos grandes, vidriosos y llenos de luz—. No había alcanzado la edad de la razón cuando hiciste tu sucio trabajito; y dicho sea de paso, padre, siempre quise saber una cosa: ¿gozaste cuando me dejaste succionar la sangre de tu brazo?

—Eso no interesa —murmuré. Aparté mis ojos de ella y los posé en la huerfanita moribunda que había bajo las mantas. Vi a la enfermera de pelo recogido, vestida con harapos, que se desplazaba inquieta entre las camas. —A los niños mortales se los concibe en un acto de placer —dije, pero no sabía si me estaba escuchando. No quise mirarla. —No puedo mentir. No importa si hay un juez o un jurado. Yo...

—*No trate de hablar. Le he dado una combinación de drogas que le van a venir bien. La fiebre ya está cediendo. Le estamos curando la congestión pulmonar.*

—*Por favor, no me dejen morir. Todo está sin terminar y es monstruoso. Si existe el infierno voy a ir allí, pero no creo que exista. Si es que existe, debe ser un hospital como éste, sólo que lleno de niños enfermos y moribundos. Pero yo creo que sólo existe la muerte.*

—¿*Un hospital lleno de niños?*

—Oh, mira cómo ella te sonríe, cómo te apoya la mano sobre la frente. Las mujeres te aman, Lestat. Ella te ama aunque estés dentro de ese cuerpo. Mírala. Cuánto amor.

—¿Por qué no habría de preocuparse por mí? ¿Acaso no es enfermera? Y yo soy un moribundo.

—Y qué atractivo moribundo. Tendría que haberme imaginado que harías la transmutación sólo si te ofrecían un cuerpo bello. ¡Qué vano y superficial eres! Mira ese rostro. Mucho más apuesto que el tuyo propio.

—¡Yo no diría tanto!

Me dirigió una sonrisa maliciosa. Su rostro brillaba en la penumbra de la habitación.

—*No se preocupe, que yo estoy con usted. Me voy a quedar aquí, a su lado, hasta que se mejore.*

—*He visto morir a tantos humanos. Yo les provoqué la muerte. El momento en que la vida se va del cuerpo es tan simple y traicionero. Sencillamente se desliza y se va.*

—*Está diciendo insensateces.*

—*No; estoy diciendo la verdad, y usted lo sabe. No puedo prometer que , si vivo, vaya a reformarme . No lo creo posible. Sin embargo, me muero de miedo ante la idea de morir. No me suelte la mano.*

—Lestat, ¿por qué estamos aquí?

¿Louis?

Levanté la mirada. Estaba parado en la puerta del pequeño hospital, desorientado, con el mismo aspecto que tenía la noche en que lo creé, ya no aquel joven mortal enceguecido de furor, sino el sombrío caballero de ojos serenos y la paciencia infinita de un santo.

—Ayúdame a levantarme —dije—. Tengo que sacarla de su camita.

Estiró la mano, pero se hallaba muy confundido. ¿No intervino en ese pecado? No, por supuesto que no, porque vivía cometiendo desatinos y sufriendo, expiando su culpa al mismo tiempo que los cometía. Yo era el demonio. Yo era el único que podía levantarla de su camita.

Hora de mentirle al médico.

—Esa niña que está ahí es mi hija.

Seguramente se iba a alegrar de que le quitaran una carga.

—Llévesela, señor, y gracias. —Miró agradecido las monedas de oro que le arrojé sobre la cama. Claro que hice eso. Por supuesto que los ayudé. —Sí, gracias. Dios lo bendiga.

Seguro que me bendecirá. Siempre lo hace. Yo también lo bendigo.

—*Ahora duerma. En cuanto se desocupe un cuarto, lo llevaremos; allí estará más cómodo.*

—*¿Por qué somos tantos aquí? Por favor, no me abandone.*

—*No; yo me quedo con usted. Me siento aquí, a su lado.*

Las ocho. Estaba tendido en la camilla, con la aguja pinchada en el brazo y la bolsita plástica de ese líquido que atraía a la luz. Pude ver con toda claridad el reloj. Lentamente volví la cabeza.

Había allí una mujer. Tenía puesto un abrigo negro que resaltaba contra sus medias blancas y sus zapatos blandos, blancos también. Llevaba el pelo peinado en un grueso rodete y estaba leyendo. Tenía cara ancha, de huesos fuertes, tez clara y grandes ojos castaños. Sus cejas eran oscuras y bien delineadas y, cuando levantó la mirada, me encantó su expresión. Cerró el libro sin hablar y me sonrió.

—Ya está mejor —sentenció. Voz modulada, dulce. Un mínimo trazo de sombra azul bajo los ojos.

—¿Sí? —El barullo me hacía mal a los oídos. Había demasiadas personas. Puertas que se abrían y cerraban.

Se levantó, cruzó el pasillo y tomó mi mano entre las suyas.

—Oh, sí, mucho mejor.

—¿Entonces voy a vivir?

—Sí —respondió, pero no estaba segura. ¿Se propuso demostrarme expresamente que no lo estaba?

—No me deje morir dentro de este cuerpo —rogué, humedeciéndome los labios con la lengua. ¡Los sentía tan secos! Dios santo, cómo odiaba ese físico, cómo odiaba la forma en que el pecho subía y bajaba, la voz que me salía, el dolor insoportable detrás de los ojos.

—Ya empieza de nuevo —dijo, ensanchando la sonrisa.

—Siéntese aquí, conmigo.

—Ya lo estoy. Le dije que no me iba a ir. Me quedo aquí, con usted.

—Si me ayuda, estará ayudando al demonio.

—Ya me lo dijo.

—¿Quiere escuchar toda la historia?

—Sólo si conserva la calma mientras me la cuenta, si se toma su tiempo.

—Qué bonito rostro tiene. ¿Cuál es su nombre?

—Gretchen.

—Es monja, ¿no?

—¿Cómo se dio cuenta?

—Me di cuenta. Ante todo, por las manos, por la alianza de plata que usa, por algo de la cara, una expresión resplandeciente... la expresión de los que tienen fe. Y el hecho de que se haya quedado conmigo cuando los demás le decían que siguiera con lo suyo. Yo advierto cuándo una mujer es religiosa. Soy el diablo, y sé cuando estoy contemplando la bondad.

¿Eran lágrimas lo que vi agolparse en sus ojos?

—Me está tomando el pelo —dijo con amabilidad—. Tengo una etiquetita aquí, sobre el bolsillo, donde dice que soy monja. Hermana Marguerite.

—No la vi, Gretchen. No quería hacerla llorar.

—Ya está mejorando. Está mucho mejor. Creo que se va a curar perfectamente.

—Soy el diablo, Gretchen. Oh, no el propio Satanás, el Hijo de las Tinieblas, ben Sharar, pero sí malo, muy malo. Un demonio de primera, sin duda.

—Está soñando. Es producto de la fiebre.

—¿No sería espléndido? Ayer, parado en la nieve, traté de imaginar precisamente eso: que toda mi vida de maldad no fuera sino el sueño de un mortal. Ojalá, pero no es así, Gretchen. El diablo precisa de usted. El diablo está llorando. Quiere que le tome la mano. No le tiene miedo al demonio, ¿verdad?

—Si lo que necesita es un acto de piedad, no. Ahora duérmase. Van a venir a ponerle otra inyección. Yo no me voy. Mire, arrimo la silla a su cama para poder tenerle la mano.

—*¿Qué estás haciendo, Lestat?*

Estábamos en nuestra suite *del hotel, un lugar mucho mejor que ese apestoso hospital —siempre es mejor una buena habitación de hotel que un apestoso hospital—, y Louis le había chupado la sangre a Claudia. Louis, el pobre indefenso.*

—*Claudia, Claudia, escúchame. Vuelve en ti... Estás enferma, ¿me oyes? Para curarte debes hacer lo que te digo. —Me mordí mi propia muñeca y, cuando comenzó a brotar la sangre, se la puse en los labios. —Muy bien, querida, bebe un poquito más...*

—Trate de beber un poquito de esto. —Me pasó la mano por detrás del cuello. Ah, qué dolor cuando me levantó la cabeza.

—El sabor es tan flojo. No se parece en absoluto al de la sangre.

Sus párpados me parecieron tersos sobre sus ojos cabizbajos. Me hizo acordar de una mujer griega pintada por Picasso, por lo sencilla que parecía con sus huesos grandes, fina y fuerte. ¿Alguna

216

vez alguien había besado su boca de monja?

—Hay gente muriéndose aquí, ¿no? Por eso están tan colmados los pasillos. Oigo a gente que llora. Se trata de una epidemia, ¿verdad?

—Es una época mala —dijo moviendo apenas sus labios virginales—. Pero se va a curar. Yo me quedo aquí.

Louis estaba tan enojado.

—Pero, ¿por qué, Lestat?

Porque ella era hermosa, porque se estaba muriendo, porque quise ver si daba resultado. Porque ella estaba ahí y nadie la quería; entonces la alcé, la tuve en brazos. Porque era algo que yo podía hacer, como la velita de la iglesia que sirve para encender otra sin perder su propia luz. Era mi manera de crear, mi única manera, ¿no lo ves? En un momento dado éramos dos, y al instante éramos tres.

Lo vi tan acongojado, de pie ahí con su larga capa negra, y sin embargo él no podía quitarle los ojos de encima a la niña; no podía dejar de mirar sus mejillas de marfil, sus diminutas muñecas. ¡Se imaginan! ¡Una niña vampiro! Una las nuestras.

—Comprendo.

¿Quién habló? Me sobresaltó, pero no era Louis sino David, David, que estaba ahí cerca con su ejemplar de la Biblia. Louis levantó lentamente la mirada. No sabía quién era David.

—¿Nos parecemos a Dios cuando creamos algo de la nada, cuando fingimos ser la llamita y producimos otras llamas?

David meneó la cabeza.

—Craso error —sentenció.

—Entonces el mundo también es un error. Ella es nuestra hija...

—No soy tu hija. Soy hija de mi mamá.

—No, querida, ya no. —Alcé los ojos hacia David. —Bueno, contéstame.

—¿Por qué alegas tan altos fines para justificar lo que hiciste? —preguntó, pero era tan compasivo, tan bueno. Louis seguía contemplándola horrorizado, mirando sus piececitos blancos. Piececitos tan seductores.

—Entonces resolví hacerlo. No me importó qué haría él con mi cuerpo, con tal de que me pusiera dentro de esta forma humana durante veinticuatro horas, ya que eso me permitiría ver la luz del sol, sentir como sienten los mortales, conocer sus puntos débiles, su dolor.

—Al hablar, le apretaba la mano.

Ella asintió, volvió a enjugarme la frente, me tomó el pulso con sus dedos firmes y tibios.

...entonces decidí hacerlo, sin más. Sí, sé que me equivoqué, que fue un error cederle todas mis facultades, pero usted se imagina... y ahora no puedo morir en este cuerpo. Mis compañeros no deben ni saber qué fue de mí. Si lo supieran, vendrían...

—Los demás vampiros —murmuró.

—Sí. —Entonces le conté todo lo de ellos, le hablé de cómo había buscado a los otros largo tiempo atrás, pensando que, si conocía la historia de las cosas, eso aclararía el misterio... Le hablé y le hablé, le expliqué lo que éramos, mi viaje a través de los siglos, después la tentación que fue la música de rock, perfecto teatro para mí, lo que quise hacer, le mencioné a David, a Dios y el diablo en el bar de París, David junto al fuego del hogar con la Biblia en la mano asegurando que Dios no es perfecto. A veces mantenía los ojos cerrados, a veces los abría, y todo el tiempo ella me sostenía la mano.

Entraba y salía gente. Los médicos discutían. Una mujer lloraba. Afuera volvía a haber luz. La vi cuando se abrió la puerta y una ráfaga de aire cruel se precipitó por el pasillo. "¿Cómo vamos a bañar a todos estos pacientes?", preguntó una enfermera. "A esa mujer habría que aislarla. Llama al doctor y dile que tenemos un caso de meningitis en el piso."

—De nuevo es de mañana, ¿verdad? Debe estar muy cansada... ha estado conmigo toda la tarde y la noche. Tengo mucho miedo, pero también sé que usted se tiene que ir.

Estaban trayendo más enfermos. El médico se le acercó para avisarle que debían devolver todas esas camillas, de modo que sus cabezas se recortaban contra la pared. También le aconsejó que se fuera a su casa, que le convenía descansar. Además, habían entrado de servicio varias enfermeras más.

¿Estaba llorando yo? La agujita del brazo me hacía doler; qué seca tenía la garganta... y los labios.

—No podemos siquiera dar entrada oficial a todos esos enfermos.

—¿Me oye, Gretchen? —le pregunté—. ¿Entendió lo que le estuve contando?

—No hace más que preguntármelo y todas las veces le he dicho que sí, que le entiendo. Le presto atención. No lo voy a dejar.

—Dulce Gretchen. Hermana Gretchen.

—Quiero sacarlo de aquí y llevármelo.

—¿Qué dijo?

—Llevármelo a mi casa. Ahora está mucho mejor, le bajó bastante la fiebre. Pero si se queda en este lugar... —Confusión en su

218

rostro. Volvió a acercarme el vaso y bebí varios sorbos.

—Comprendo. Sí, lléveme, por favor. —Traté de incorporarme. —Tengo miedo de quedarme.

—Todavía no —dijo, instándome a volver a tenderme en la camilla. Luego me quitó la cinta adhesiva del brazo y extrajo la perversa aguja. ¡Dios santo, tenía ganas de orinar! ¿Es que no terminarían nunca esas repugnantes necesidades físicas? ¿Qué demonios era la condición de mortales? Cagar, mear, comer, ¡y de nuevo todo el ciclo! ¿Vale la pena pasar por esto sólo para poder ver la luz del sol? No era suficiente con estar muriéndome. Además, tenía que orinar. Pero no soportaba la idea de tener que usar nuevamente ese frasco, aunque casi ni recordaba cómo era.

—¿Por qué no me tiene miedo, hermana? ¿No cree que estoy loco?

—Hace daño a la gente solamente cuando es vampiro —dijo con sencillez—, cuando está en su verdadero cuerpo, ¿no es así?

—Sí, es cierto. Pero usted es como Claudia. No le tiene miedo a nada.

—*La estás tomando por tonta —dijo Claudia—. Vas a hacerle daño a ella también.*

—*Tonterías. Ella no lo cree —repuse. Me senté en el diván de la sala del hotelito, examiné la habitación sintiéndome muy cómodo con esos viejos muebles dorados. El siglo XVIII, mi siglo. El siglo del pícaro y del hombre racional. Mi época más perfecta.*

Flores en petit-point. Brocato. Espadas doradas y risas de borrachos abajo, en la calle.

David estaba de pie junto a la ventana, mirando por sobre los techos bajos de la ciudad colonial. ¿Alguna vez había estado en este siglo?

—*¡No, nunca! —exclamó azorado—. Todas las superficies están trabajadas a mano; todas las medidas son irregulares. Qué tenue el asidero que tienen las cosas creadas sobre la naturaleza, como si ese asidero pudiera volver fácilmente a la tierra.*

—*Vete, David —dijo Louis—. Tu lugar no está aquí. Nosotros tenemos que quedarnos. Nada podemos hacer.*

—*Eso sí que es melodramático —opinó Claudia. Tenía puesto el sucio camisón del hospital. Bueno, eso yo lo solucionaría pronto. Saquearía las tiendas para conseguirle cintas y encajes. Le compraría sedas, pulseritas de plata y anillos de perlas.*

La rodeé con mi brazo.

—*Oh, qué hermoso oír que alguien dice la verdad —sostuve—. Un pelo tan fino, que ahora será fino para siempre.*

Intenté volver a incorporarme pero me pareció imposible. Por el pasillo estaban entrando de prisa a un paciente de emergencia, con dos enfermeras a cada lado; alguien golpeó la camilla y la vibración la sentí dentro de mí. Luego hubo silencio, y las manos del reloj avanzaron dando un saltito. El hombre que tenía al lado se quejó y volvió la cabeza. Le vi un enorme vendaje blanco sobre los ojos. Qué desnuda me pareció su boca.

—Tenemos que confinar a estas personas —dijo una voz.

—Vamos, lo llevo a casa.

¿Y Mojo? ¿Qué había pasado con Mojo? ¿Y si vinieron a reclamarlo? Este era un siglo en que se encarcelaba a los perros sólo por ser perros. Tuve que explicárselo a Gretchen. Ella me estaba incorporando, o tratando de hacerlo, pasándome el brazo bajo los hombros. Mojo ladrando en la casa de Georgetown. ¿Estaría allá, encerrado?

Louis estaba triste.

—Hay una peste en la ciudad —dijo.

—Pero eso a ti no te puede hacer daño, David —repuse.

—Tienes razón. Pero hay otras cosas...

Claudia se rió.

—¿Sabes una cosa? Está enamorada de ti.

—Te habrías muerto por la peste —le dije.

—A lo mejor no me había llegado la hora.

—¿Crees que cada cual tiene su hora?

—No, en realidad no —me respondió—. Quizá lo más fácil fue echarte la culpa de todo. Confieso que nunca supe la diferencia entre lo bueno y lo malo.

—Tuviste tiempo de aprenderlo—le dije.

—También tú, mucho más del que jamás tuve yo.

—Gracias a Dios que me lleva —murmuré. Estaba de pie. —Tengo miedo, lisa y llanamente miedo.

—Una carga menos para el hospital —dijo Claudia con una risa tintineante, mientras sus piececitos se balanceaban sobre el borde de la silla. De nuevo tenía puesto el vestido de los bordados. Ahora sí estaba mejor de aspecto.

—Gretchen la hermosa —dije—. Se le arrebolan las mejillas cuando se lo digo.

Sonrió al calzar mi brazo izquierdo sobre su hombro mientras con el suyo derecho me sostenía de la cintura.

—Yo lo cuidaré —me susurró al oído—. No es muy lejos.

Junto a su automóvil, bajo el viento inclemente, tuve que sostener aquel apestoso miembro, y observé cómo el amarillo arco de pis producía vapor cuando caía sobre la nieve ya blanda.

—Dios santo —dije—. ¡Me causa una sensación casi agradable! ¿Qué es el ser humano que puede encontrar placer en cosas tan inmundas?

14

En algún momento empecé a entrar y salir del sueño, tomé conciencia de que íbamos en un auto pequeño, que Mojo venía con nosotros, jadeando al lado de mi oreja, y que recorríamos colinas boscosas cubiertas de nieve. Yo estaba envuelto en una manta y me sentía terriblemente descompuesto por el movimiento del coche. Y además, estaba temblando. Apenas si recordaba que habíamos ido a la casa de Georgetown, donde encontramos a Mojo aguardando pacientemente. Tuve la vaga certidumbre de que podía morir en ese vehículo si otro nos chocaba. Lo sentí como algo penoso y real, tan real como el dolor que me oprimía el pecho. Y el Ladrón de Cuerpos me había engañado.

Gretchen tenía la mirada fija en el camino sinuoso. El sol formaba una aureola alrededor de su cabeza con todos esos pelitos que escapaban de su grueso rodete y el cabello suavemente ondeado que le crecía desde la sien. Era una hermosa monja, pensé, al tiempo que mis ojos se abrían y cerraban como por propia voluntad.

Pero, ¿por qué es tan buena conmigo? ¿Porque es monja?

Todo era quietud en nuestro derredor. Había casas entre los árboles, sobre colinas, en pequeños valles, muy cerca unas de otras. Un barrio rico, quizá, con esas mansiones de madera en pequeña escala que a veces prefieren los mortales adinerados en lugar de las residencias palaciegas del siglo pasado.

Finalmente, nos internamos por el sendero de acceso próximo a una de tales casas, pasamos por un bosquecillo de árboles pelados y nos detuvimos junto a un pequeño chalet, sin duda una casa para sirvientes o para huéspedes, ubicada a cierta distancia de la residencia principal.

Las habitaciones eran acogedoras y estaban caldeadas. Quería tirarme en la cama limpia, pero estaba demasiado sucio e insistí en que se me permitiera bañar este desagradable cuerpo. Gretchen se opuso tenazmente aduciendo que estaba enfermo, que no debía bañarme. Pero yo no quise hacerle caso. Encontré el baño y no salí de allí en un rato largo.

Después volví a quedarme dormido, apoyado contra los azulejos mientras Gretchen llenaba la bañera. El vapor me resultó placentero. Alcanzaba a ver a Mojo junto a la cama, esa esfinge lobuna que me observaba por la puerta abierta. ¿Creía ella que Mojo se parecía al diablo?

Pese a que me sentía extremadamente débil hablaba con Gretchen, trataba de explicarle cómo fue que llegué a encontrarme en esa situación, por qué tenía que ir a Nueva Orleáns a buscar a Louis para que me brindara la sangre potente.

En voz baja, le conté muchas cosas en inglés; usaba el francés sólo cuando, por alguna razón, no me salía la palabra que quería; me explayé sobre la Francia de mi época, sobre la pequeña colonia de Nueva Orleáns donde residí después, sobre lo maravillosa que me parecía la era actual y la decisión que tomé aquella vez de ser músico de rock durante un tiempo, porque creía que, al presentarme como símbolo del mal, podría hacer algún bien.

¿Era humano ese deseo de que me comprendiera, el miedo a morir en sus brazos, a que nadie se enterara jamás de quién había sido yo ni lo que había sucedido?

Ah, pero mis compañeros lo sabían, y no habían acudido en mi ayuda.

También le hablé de eso. Le describí a los antiguos y su desaprobación. ¿Qué quedó sin contarle? Pero ella tenía que entender, monja exquisita como era, cuánto había querido yo hacer el bien mientras fui cantante de rock.

—Esa es la única manera que tiene el diablo literal de hacer el bien —dije—. Representarse a sí mismo en un escenario para dejar el mal al descubierto. A menos que uno crea que está haciendo el bien cuando está haciendo el mal, pero entonces Dios sería un monstruo, ¿no? El diablo simplemente es parte del plan divino.

Ella daba la impresión de escucharme con atención crítica. Pero no me sorprendió cuando me respondió que el demonio no formaba parte del plan de Dios. Su voz era baja y estaba llena de humildad. A medida que hablaba me iba quitando la ropa húmeda, y no creo que haya querido hablar en absoluto sino que sólo trataba de tranquilizarme. El diablo había sido el más poderoso de los ángeles, dijo, y rechazó a Dios por soberbia. El mal no podía formar parte del plan divino.

Cuando le pregunté si conocía todos los argumentos que se oponían a esa teoría, y lo ilógica que era, lo ilógico que era todo el cristianismo, me contestó muy serena que no importaba. Lo importante era hacer el bien. Eso era todo. Muy sencillo.

—Ah, entonces comprende.

—Perfectamente —me dijo.

Pero me di cuenta de que no entendía.

—Usted es muy buena conmigo —dije. Le di un beso suave en la mejilla cuando me ayudó a entrar en el agua caliente.

Me tendí en la tina, observé cómo me bañaba y noté lo bien que me sentía, cómo me gustaba el agua tibia contra el pecho, el suave roce de la esponja sobre mi piel, quizá lo mejor de todo lo que había soportado hasta ese momento. Pero, ¡qué largo me parecía el cuerpo humano! Qué extrañamente largos los brazos. Me vino a la memoria una imagen de una vieja película, del monstruo Frankenstein caminando con torpeza, agitando las manos como si su lugar no fuese el extremo de esos brazos. Me sentí como ese monstruo. De hecho, decir que como humano me sentía totalmente monstruoso era la pura verdad.

Creo que dije algo al respecto. Ella me pidió que me callara. Dijo que mi cuerpo era bello, fuerte y natural. Parecía muy preocupada. Yo me sentí algo avergonzado de que me lavara el pelo y la cara, pero ella dijo que las enfermeras vivían haciendo esas cosas.

Me contó que se había pasado la vida cuidando enfermos en misiones en el extranjero, en lugares tan sucios y carentes de todo que, en comparación, hasta el más abarrotado hospital de Washington era un paraíso.

Vi que sus ojos recorrían mi cuerpo, que se ruborizaba, y noté la forma en que me miraba, llena de vergüenza y confusión. Qué extrañamente inocente era.

Sonreí para mis adentros, pero me dio miedo de que sufriera debido a sus propios deseos carnales. Qué broma cruel para ambos que este cuerpo le resultara tentador. Pero no cabía duda de que así era, lo cual, agotado y febril como estaba, me revolvió la sangre, la sangre humana. Oh, ese cuerpo siempre estaba peleando por algo.

Apenas si podía tenerme en pie mientras ella me secaba con un toallón, pero puse toda mi voluntad. Le di un beso en la coronilla; ella alzó la mirada despacito, intrigada, perpleja. Me dieron ganas de volver a besarla, pero no tenía fuerzas. Con sumo cuidado me secó el pelo, y con especial suavidad, la cara. Hacía mucho tiempo que nadie me tocaba de esa manera. Le dije que la amaba por su enorme bondad.

—Odio este cuerpo. Es un infierno estar aquí adentro.

—¿Tan insoportable le resulta ser humano?

—No me haga bromas. Sé que no cree las cosas que le conté.

—Oh, pero nuestras fantasías son como nuestros sueños —dijo, frunciendo el entrecejo—. Tienen un significado.

De pronto me vi reflejado en el espejo del botiquín: un hombre alto, de piel color caramelo y espeso pelo castaño, y a su lado la mujer de huesos grandes y piel suave. Fue tanto el shock, que casi me paraliza el corazón.

—Dios santo, ayúdame —murmuré—. Quiero recuperar mi cuerpo.

—Sentí deseos de llorar.

Me hizo recostar en la cama y apoyar la cabeza en las almohadas. La tibieza de la habitación me daba placer. Comenzó a afeitarme, ¡gracias a Dios! Odiaba esa sensación de tener pelo en la cara. Le conté que, cuando morí, estaba bien afeitado como todos los hombres elegantes, y que, luego de hacernos vampiros, nos manteníamos iguales eternamente. Nos volvíamos cada vez más blancos, es verdad, y más fuertes, y el cutis se nos alisaba. Pero el pelo seguía siempre del mismo largo, lo mismo que las uñas y la barba. Además, yo era bastante lampiño por naturaleza.

—¿Fue dolorosa la transformación? —quiso saber.

—Me dolió porque me resistí. No quería que ocurriera. No sabía realmente lo que me estaban haciendo. Tenía la impresión de que una especie de mostruo medieval me había apresado y sacado de la ciudad civilizada. No olvide que en esa época París era una ciudad maravillosamente culta. Ah, si usted fuera allí ahora le parecería salvaje en grado sumo, pero para un terrateniente de un inmundo castillo era muy tentadora con sus teatros, con la ópera y los bailes en la corte. No se imagina. Y después, la tragedia, ese demonio que surgió de la noche y me llevó a su torre. Pero el acto mismo, el Truco Misterioso, no duele; es el éxtasis. Después uno abre los ojos y toda la humanidad le resulta hermosa de un modo que antes no conocía.

Me puse la camisa de dormir que me dio, me metí en la cama y dejé que me subiera las mantas hasta el cuello. Tenía la sensación de estar flotando. A decir verdad, era una de las sensaciones más agradables que experimentaba desde que me había convertido en mortal, algo semejante a la embriaguez. Me tomó el pulso y me tocó la frente. Vi miedo en su rostro, pero me resistía a creerlo.

Le comenté que, para mí, como ser malvado que era, el verdadero sufrimiento estaba en que comprendía la bondad y la respetaba. Siempre tuve conciencia. Pero durante toda mi vida, incluso cuando era un muchacho mortal, se me pidió que fuera en contra de mi conciencia si quería obtener cualquier cosa de valor.

—Pero, ¿cómo? ¿A qué se refiere?

Le conté que, de joven, me había escapado con una compañía de actores, cometiendo con ello un evidente pecado de desobediencia. También forniqué con una de las muchachas del grupo. ¡Sin embargo, en esos días actuar en el teatro del pueblo y hacer el amor parecían cosas de inestimable valor!

—Eso ocurrió cuando estaba vivo, simplemente vivo. ¡Los pecados triviales de un jovencito! Después de morir, cada uno de los pasos que di en la vida fue de sometimiento al pecado, pero a cada instante captaba lo hermoso y lo sensual.

Le pregunté cómo podía ser eso. ¡Cuando convertí a Claudia en una niña vampiro, y a Gabrielle, mi madre, en una beldad vampiro, lo hice también buscando un sentimiento intenso! Me pareció irresistible. Y en aquellos momentos no le encontraba sentido a ningún concepto de pecado.

Me explayé sobre el tema; volví a mencionar a David y la visión que de Dios y el diablo tuvo en un bar; dije que para él Dios no era perfecto sino que estaba aprendiendo todo el tiempo, que de hecho el diablo aprendió tanto que llegó a despreciar su trabajo y a suplicar que se lo liberara de él. Pero sabía que ya le había contado todo eso en el hospital, cuando ella se quedaba teniéndome la mano.

Había momentos en que dejaba de acomodarme las almohadas, de traerme comprimidos y vasos de agua, y se limitaba a mirarme. Qué sereno su rostro, qué enfática su expresión, las pestañas gruesas y oscuras que rodeaban sus ojos claros, su boca grande y suave tan elocuente de bondad.

—Sé que es buena y la amo por eso —dije—. Sin embargo, le daría la Sangre Misteriosa para convertirla en inmortal, para tenerla conmigo en la eternidad porque es tan enigmática conmigo, tan fuerte.

Me rodeaba un manto de silencio, había un rugido ahogado en mis oídos y un velo sobre mis ojos. La observé, inmóvil, mientras levantaba una jeringa, la probaba haciendo salir una gotita de líquido y luego me la clavaba en la carne. Experimenté una tenue sensación de ardor, pero fue muy remota, muy poco importante.

Cuando me alcanzó un vaso grande de jugo de naranja, bebí con fruición. Hmmm. Eso sí que me gustó paladear, algo espeso como sangre pero lleno de dulzura, que de una extraña manera me daba la sensación de estar devorando la luz misma.

—Había olvidado estas cosas —confesé—. Qué delicioso; mucho mejor que el vino. Tendría que haberlo bebido antes. Y pensar que podía haberme vuelto sin conocerlo. —Me hundí en las almohadas y contemplé los tirantes del techo en pendiente. Era una habitación chica y bonita, muy blanca, muy sencilla. Su celda de monja. Nevaba del otro lado de la ventanita. Conté doce pequeños paneles de vidrio.

Entraba y salía del sueño. Tengo un leve recuerdo de que ella trataba de hacerme tomar sopa y yo no podía. Temblaba de la cabeza a los pies y me aterraba que pudieran volverme las pesadillas. No quería que viniera Claudia. La luz de la habitación me quemaba los ojos. Le conté que Claudia me perseguía, le hablé del reducido hospital.

—Lleno de niños —dijo. ¿No había comentado algo sobre eso antes? Qué desconcertada la noté. Me habló suavemente sobre su trabajo en las misiones... con niños, en la selva de Venezuela y en el Perú.

—No hable más —me sugirió.

Sabía que la estaba asustando. De nuevo flotaba, entraba y salía de la oscuridad, sentía un paño frío en la frente, volvía a reír por esa sensación de ingravidez. Le dije que con mi cuerpo de siempre podía volar por el aire. Le relaté que me había internado en la luz del sol sobre el desierto de Gobi.

De vez en cuando abría sobresaltado los ojos, impresionado por encontrarme ahí, en su pequeña habitación blanca.

A la luz bruñida vi un crucifijo con un Cristo sangrante en la pared, y sobre una repisita una estatua de la Virgen María, la conocida imagen de la Intercesora de Todas las Gracias, con la cabeza inclinada y las manos extendidas. Aquella otra, que tenía la herida roja en la frente, ¿era Santa Rita? Oh, viejas creencias... Y pensar que estaban vivas en el corazón de esa mujer.

Entrecerré los ojos tratando de leer los títulos más grandes de los libros: Santo Tomás de Aquino, Maritain, Teilhard de Chardin. El enorme esfuerzo que me insumió interpretar esos nombres de filósofos católicos me dejó exhausto. No obstante, leí también otros títulos, ya que mi mente febril era incapaz de descansar. Había libros sobre enfermedades tropicales, enfermedades infantiles, psicología infantil. Sobre la pared, cerca del crucifijo, alcancé a distinguir una foto de varias monjas con sus hábitos, tal vez en alguna ceremonia. No pude darme cuenta de si ella era una de las del grupo, no con esos ojos mortales y en la forma en que me dolían. Llevaban hábitos de falda corta color azul, y velos azules y blancos.

Me tenía la mano. Una vez más le dije que debía ir a Nueva Orleáns. Tenía que curarme para encontrar a mi amigo Louis, quien me ayudaría a recuperar mi antiguo cuerpo. Le describí a Louis: le conté que vivía alejado del mundo moderno en una casa diminuta y sin luz, detrás de un ruinoso jardín. Le expliqué que era débil, pero no obstante podía darme su sangre, la cual me permitiría volver a ser vampiro; que luego saldría a cazar al Ladrón de Cuerpos para que me devolviera mi antigua forma. Le hablé de que Louis era muy débil, de que no me daría mucha fuerza vampírica, pero que jamás podría hallar al Ladrón si no contaba con un cuerpo preternatural.

—De modo que, cuando me dé la sangre, este cuerpo morirá. Usted lo está curando para la muerte. —Me había puesto a llorar.

Tomé conciencia de que estaba hablando en francés, pero al parecer ella me entendió, porque me dijo en ese mismo idioma que descansara, que estaba delirando.

—Yo me quedo con usted —dijo lentamente en francés— para protegerlo. Su mano tibia y cariñosa estaba sobre la mía. Con sumo cuidado me retiró el pelo de la frente.

Cayó la noche en torno de la casita.

Había un fuego encendido en la chimenea, y Gretchen se había tendido a mi lado. Antes se había puesto un camisón largo muy grueso y blanco. Se había soltado el pelo y abrazaba mi cuerpo tembloroso. Me gustaba sentir su pelo contra mi brazo. Me aferré a ella, con miedo de hacerle mal. Una y otra vez me enjugaba la cara con un paño frío. Me obligaba a beber jugo de naranja o agua fría. Pasaban las horas de la noche, y mi miedo iba en aumento.

—No lo dejaré morir —me susurró al oído. Pero noté un miedo que ella no lograba disimular. Me dormí con un sueño liviano, de modo que la habitación retuvo su forma, su luz, su color. Convoqué nuevamente a los otros, imploré a Marius que me ayudara. Empecé a pensar en cosas terribles: que todos estaban ahí como otras tantas estatuillas blancas de la Virgen María y Santa Rita, observándome, negándose a ayudarme.

En algún momento de la noche oí voces. Había venido un médico, un hombre joven, de aspecto cansado, piel cetrina y ojos enrojecidos. Una vez más me clavaron una aguja en el brazo. Bebí con ganas cuando me acercaron agua helada. No pude seguir el murmullo del doctor, ni tampoco era la intención que yo escuchase. Pero la cadencia de las voces era serena, tranquilizadora. Pesqué las palabras "epidemia", "nevada" y "condiciones imposibles".

Una vez que él se marchó, le rogué a ella que volviera.

—Quiero estar cerca de los latidos de su corazón —dije, cuando se tendió a mi lado. Qué agradable sensación, qué blandos sus brazos robustos, sus senos grandes e informes contra mi pecho, su pierna suave contra la mía. ¿Estaba tan enfermo que no podía sentir miedo?

—Ahora duerma y trate de no preocuparse. —Por fin me invadió un sueño profundo, profundo como la nieve de la calle, como la oscuridad.

—¿No te parece que ya es hora de que te confieses? —preguntó Claudia—. Sabes que estás pendiendo del proverbial hilo. —Se hallaba sentada en mi regazo, mirándome, con las manos apoyadas en mis hombros, su carita a escasos centímetros de la mía.

El corazón se me encogió, explotó de dolor, pero no hubo un puñal, sólo esas manitas que me aferraban y el aroma de rosas que subía de su pelo resplandeciente.

—No, no puedo confesarme —le respondí. Cómo me temblaba la voz. —¡Oh Dios, qué pretendes de mí!

—¡No estás arrepentido! ¡Nunca lo estuviste! Dilo. ¡Di la verdad! Te merecías el puñal con que traspasé tu corazón, y tú lo sabes. ¡Siempre lo has sabido!

—¡No!

Dentro de mí algo se quebró cuando la contemplé, cuando miré el rostro delicado dentro de su marco de fino pelo. La alcé y me levanté; luego la puse sobre la silla, ante mí, y caí de rodillas a sus pies.

—Claudia, escúchame. Yo no lo empecé. ¡Yo no hice el mundo! El mal estuvo siempre. Se encontraba en las tinieblas y se apoderó de mí, me hizo parte de él, y yo hice lo que creí que debía. No te rías, por favor; no mires a otro lado. ¡Yo no inventé el mal! ¡No me hice a mí mismo!

Qué perpleja estaba cuando me miraba, me observaba; luego su boquita se distendió y formó una preciosa sonrisa.

—No fue todo angustia —dije, aferrándola de sus pequeños hombros—. No fue un infierno. Dime que no lo fue. Dime que también hubo felicidad. ¿Pueden ser felices los demonios? Dios mío, no comprendo.

—No comprendes, pero siempre *haces* algo, ¿no?

—Sí, y no lo lamento. No. Lo gritaría desde los techos hasta la cima misma del cielo. Claudia, ¡volvería a hacerlo! —Lancé un gran suspiro y repetí las palabras, con mayor volumen. —¡*Volvería a hacerlo!*

Silencio en la habitación.

Nada alteró su serenidad. ¿Estaba enojada? ¿Sorprendida? Imposible saberlo, mirando esos ojos inexpresivos.

—Eres perverso, padre mío —sentenció en voz baja—. ¿Cómo puedes soportarlo?

David se dio vuelta desde la ventana y se detuvo junto a Claudia. Yo seguía de rodillas, y él me miraba desde arriba.

—Soy el ideal de mi especie —dije—, el vampiro perfecto. Cuando me miras estás mirando al vampiro Lestat. Nadie eclipsa a esta silueta que ves ante ti... ¡nadie! —Lentamente me puse de pie. —No soy el tonto de todos los tiempos, ni un dios encallecido por los milenios. No soy un embustero de capa negra ni un vagabundo acongojado. Tengo conciencia. Sé distinguir el bien del mal. Sé lo que hago y sí, lo hago. Soy el vampiro Lestat. Esta es mi respuesta. Haz con ella lo que quieras.

* * *

El alba. Incolora y brillante sobre la nieve. Gretchen dormía, acunándome.

No se despertó cuando me incorporé y tomé el vaso de agua. Insípida, pero fresca.

Luego abrió los ojos, se enderezó de un salto y el pelo al caer le rodeó la cara, seca y limpia y llena de débil luz.

Besé su mejilla tibia y sentí sus dedos en mi cuello; después, sobre mi frente.

—Consiguió hacerme pasar —dije con voz temblorosa, ronca. Después volví a tenderme sobre la almohada y una vez más sentí lágrimas en mis mejillas. Cerré los ojos y murmuré: —Adiós, Claudia —esperando que no me oyera Gretchen.

Cuando volví a abrirlos, me había traído un tazón grande de caldo, que bebí y encontré casi sabroso. Sobre un plato había manzanas y naranjas abiertas, lustrosas. Las comí con ganas, sorprendido por la consistencia de las manzanas y lo fibrosas que eran las naranjas. Luego vino un líquido caliente, mezcla de licor fuerte, miel y limón, y fue tanto lo que me gustó que corrió a prepararme más.

Pensé otra vez en cuánto se parecía a las mujeres griegas de Picasso. Sus cejas eran de un marrón oscuro y sus ojos claros, casi verde pálido, lo que confería a su rostro una expresión de abnegación e inocencia. No era joven, y para mí eso también realzaba su belleza.

Había en su semblante un no sé qué de entrega y abstracción por la forma en que asentía y decía que estaba mejorando cada vez que se lo preguntaba.

Parecía eternamente absorta en sus pensamientos. Un largo instante pasó mirándome como si yo la desconcertara; después, muy despacio se agachó y apretó sus labios contra los míos. Una vibrante emoción me recorrió el cuerpo.

Volví a quedarme dormido.

Y no tuve sueños.

Fue como si siempre hubiese sido humano, siempre hubiese estado en ese cuerpo y, ah, tan agradecido por esa cama blanda y limpia. La tarde. Parches de azul tras los árboles.

Como en trance, la vi avivar el fuego. Observé el resplandor en sus pies descalzos. Mojo tenía el pelo gris cubierto de un polvillo de nieve mientras comía tranquilamente de un plato que sujetaba entre las patas, mirándome de tanto en tanto

Mi pesado cuerpo humano hervía aún de fiebre, pero menos, mejor, con sus dolores menos pronunciados, ya sin temblar. Oh, ¿por qué ella había hecho todo eso por mí? ¿Por qué? ¿Y qué puedo hacer yo por ella? pensé. Ya no me asustaba la idea de morir. Pero cuando pensaba en lo que me esperaba —aprehender al Ladrón de Cuerpos— sentía una punzada de pánico. Además, durante una noche más iba a estar tan enfermo que no podría irme de allí.

Volvimos a dormitar abrazados, dejando que afuera se oscureciera la luz. El único sonido era la trabajosa respiración de Mojo. El pequeño fuego ardía vivamente. La habitación estaba cálida y silenciosa. El mundo entero parecía hallarse cálido y en silencio. Comenzó a caer la nieve y muy pronto cayó también la despiadada penumbra de la noche.

Una oleada de sentimientos protectores cruzó por mi interior cuando miré su rostro dormido, cuando pensé en la mirada abstraída que había visto en sus ojos. Hasta su voz estaba teñida de una profunda melancolía. Algo había en ella que sugería una honda resignación. Pasara lo que pasare, no la iba a abandonar, pensé, hasta que supiera cómo podría retribuirle. Además, ella me agradaba. Me gustaba su tristeza interior, su recóndita calidad humana, la sencillez de sus movimientos y su lenguaje, el candor de sus ojos.

Cuando volví a despertar, había venido de nuevo el médico, el mismo muchacho joven de piel cetrina y cara de agotamiento, aunque lo noté más descansado y con su chaqueta blanca ahora muy limpia. Me había puesto en el pecho un pedacito de metal frío, y evidentemente me auscultaba el corazón o algún otro ruidoso órgano interno para obtener alguna información importante. Tenía en las manos unos horribles guantes plásticos y, como si yo no estuviera allí, en voz baja le hablaba a Gretchen sobre los problemas que continuaban en el hospital.

Gretchen se había puesto un sencillo vestido azul, parecido a un hábito de monja sólo que más corto, y debajo llevaba medias negras. Su pelo bellamente desordenado, lacio y limpio, me hizo pensar en el heno que la princesa hiló y convirtió en oro en el cuento de Rumpelstiltskin.

Una vez más acudió a mi memoria Gabrielle, mi madre, y el momento fantasmal en que la convertí en vampira, cuando le corté el pelo rubio, que le volvió a crecer en el término de un día mientras ella dormía el sueño de muerte en la cripta, cómo casi se volvió loca cuando lo advirtió. Recuerdo que gritó y gritó hasta que alguien pudo calmarla. No sé por qué me vino ella a la memoria, salvo que fuera porque me encantaba el pelo de Gretchen. No se parecía en nada a Gabrielle. En nada.

Por último, el médico terminó de tocarme, apretarme y auscultarme, y salió para conferenciar con ella. Maldito sea mi oído mortal. Pero sabía que estaba casi curado. Y cuando él volvió y se paró junto a la cama y me dijo que ahora iba a estar "bien", que sólo necesitaba descansar unos días más, yo le comenté que todo se lo debía a los cuidados de Gretchen.

El hombre reaccionó con un enfático ademán de asentimiento y una serie de murmullos ininteligibles; luego partió, hundiéndose en la nieve. Me llegó el ruido tenue de su auto cuando se alejaba.

Me sentía tan despejado y bien que me dieron ganas de llorar. En cambio, bebí más de ese exquisito jugo de naranja y comencé a pensar en cosas... a evocar cosas.

—Tengo que dejarlo solo un ratito para ir a comprar algunos alimentos.

—Sí, y eso lo pago yo —dije. Apoyé mi mano en su muñeca. Aunque la voz aún me salía ronca y débil, le conté lo del hotel, que todavía estaba mi dinero allí, dentro del sobretodo. Iba a alcanzar para pagarle la atención y la comida y le pedí que fuera a buscarlo. La llave tenía que estar en mi ropa, le expliqué.

Ella había colgado todo en perchas y, efectivamente, la llave estaba en el bolsillo de la camisa.

—¿Ve? Todo lo que le dije es verdad.

Me sonrió con calidez. Dijo que iría al hotel a buscar el dinero si le prometía que me iba a callar. No era conveniente dejar dinero tirado por cualquier parte, ni siquiera en un hotel elegante.

Quise contestarle, pero estaba muy adormilado. Después, por la ventanita la vi marcharse, cruzar la nieve hacia su auto. Vi que subía. Qué figura fuerte, robusta, pero con piel clara y una suavidad que la volvía encantadora para mirar, y hermosa para abrazar. Sin embargo me dio miedo que me dejara.

Cuando volví a abrir los ojos estaba parada con mi sobretodo en el brazo. El dinero era mucho, dijo, y lo trajo todo. Jamás había visto tanto todo junto, en fajos. Qué persona rara era yo. En total eran unos veintiocho mil dólares. Había cerrado mi cuenta en el hotel.

Ellos preguntaron por mí. Me habían visto huir en medio de la nieve. Le hicieron firmar recibo por todo. El papelito me lo dio, como si fuera importante. Tenía mis otras pertenencias, la ropa que había comprado, que seguía en sus bolsas y cajas.

Quise darle las gracias pero, ¿dónde estaban las palabras? Le agradecería cuando volviera a mi propio cuerpo.

Después de guardar todas las prendas, preparó una cena simple de caldo, pan y manteca. Comimos juntos, con una botella de vino de la que bebí una cantidad muy superior a la que ella consideraba sensata. Debo decir que ese pan, manteca y vino fueron la mejor comida humana que había probado hasta ese momento, y se lo comenté. Le pedí por favor más vino, porque esa borrachera era absolutamente sublime.

—¿Por qué me trajo aquí? —le pregunté.

Se sentó en el borde de la cama de frente al fuego, sin mirarme, y jugueteó con su pelo. Empezó a explicarme de nuevo lo de la epidemia y el hospital repleto.

—No. ¿Por qué lo hizo? Había otras personas allí.

—Porque usted no se parece a nadie que yo conozca. Me hace acordar a un cuento que leí alguna vez... sobre un ángel obligado a bajar a la tierra dentro de un cuerpo humano.

Con súbito dolor recordé lo que Raglan James me había dicho de que yo parecía un ángel. Pensé en mi otro cuerpo, poderoso, que deambulaba por el mundo bajo su odioso dominio.

Lanzó un suspiro y me miró. Estaba intrigada.

—Cuando termine esto, vendré a verla con mi cuerpo verdadero. Me descubriré ante usted. Quizá le interese comprobar que no la engañé. Y como es una mujer tan fuerte, sospecho que la verdad no le hará daño.

—¿La verdad?

Le expliqué que, cuando nos descubríamos ante algunos mortales, a menudo los volvíamos locos, porque éramos seres antinaturales y no conocíamos la existencia de Dios o del diablo. En suma, éramos como una visión religiosa sin revelación. Una experiencia mística pero sin un núcleo de verdad.

Evidentemente quedó subyugada. Una luz sutil entró en sus ojos. Me pidió que le explicara cómo fue que aparecí en mi otra forma.

Le describí cómo me había hecho vampiro a los veinte años. Yo era alto para aquella época, rubio, de ojos claros. Le conté de nuevo que me había quemado la piel en el Gobi. Temía que el Ladrón de Cuerpos planeara quedarse con mi cuerpo para siempre; seguramente se había marchado a alguna parte, ocultándose del resto de la tribu, y estaba tratando de perfeccionar el uso de mis poderes.

Me pidió que le contara cómo era volar.

—Se parece más a flotar. Uno simplemente asciende a voluntad, se autoimpulsa en una dirección o en otra. Es un desafío a la gravedad que no se parece al vuelo de los seres naturales. Da miedo. Es la más atemorizante de nuestras facultades; creo que nos hace más daño que ninguna otra, nos llena de desesperanza, pues es la prueba definitiva de que no somos humanos. Tenemos miedo de que algún día nos vayamos de la tierra y nunca más volvamos a tocarla.

Imaginé al Ladrón de Cuerpos usando ese don. Yo lo había visto usarlo.

—No sé cómo cometí la tontería de permitirle llevarse un cuerpo tan potente como el mío. Me enceguecío el deseo de ser humano.

Ella me miraba, con las manos entrelazadas y una gran serenidad en sus grandes ojos.

—¿Usted cree en Dios? —le pregunté, y señalé el crucifijo de la pared—. ¿Cree en esos filósofos católicos, los de los libros de la biblioteca?

Lo pensó un largo instante.

—No de la manera en que me lo pregunta.

Sonreí.

—¿Cómo, entonces?

—He llevado una vida sacrificada desde que tengo memoria. En eso creo. Creo que debo hacer todo lo que esté a mi alcance para aliviar el sufrimiento. Eso es lo único que puedo hacer, y es algo inmenso. Se trata de un gran don, como el suyo de volar.

Me desconcertó. Nunca había pensado que el trabajo de enfermera tuviera que ver con poder alguno. Pero la entendí perfectamente.

—Tratar de conocer a Dios puede tomarse como un pecado de orgullo, o una falla de la imaginación —dijo—. Pero cuando vemos el sufrimiento, todos sabemos lo que es. Conocemos el hambre, la privación. Yo trato de aliviar esos males. Ese es el meollo de mi fe. Pero para responderle con sinceridad... sí, creo en Dios y en Jesucristo. Igual que usted.

—No, yo no creo.

—Cuando estaba con fiebre hablaba sobre Dios y el diablo como nunca oí hablar a nadie.

—Hablaba de aburridos argumentos teológicos.

—No; decía que no eran pertinentes.

—¿De veras?

—Sí. Usted, cuando ve el bien, sabe reconocerlo. Al menos eso dijo. Yo también. Dedico mi vida a tratar de hacerlo.

Suspiré.

—Comprendo. Dígame, ¿me habría muerto si no me sacaba del hospital?

—Puede ser. Sinceramente no lo sé.

Me daba mucho placer el solo hecho de mirarla. Su rostro era amplio, de pocos contornos y sin nada de belleza elegante ni aristocrática. Pero belleza tenía en abundancia. Y los años habían sido generosos con ella. No estaba desgastada por las preocupaciones.

Presentí que anidaba en su interior una tierna sensualidad, sensualidad en la que ella no confiaba, como tampoco alimentaba.

—Explíquemelo de nuevo. ¿Dijo que quería ser cantante de rock para hacer el bien? ¿Pretendía ser bueno convirtiéndose en símbolo del mal? Cuénteme un poco más sobre eso.

Le conté, claro. Le dije cómo lo había hecho, que reuní a una pequeña banda, "La noche de Satanás", y convertí a sus integrantes en profesionales. Le dije que fracasé, que hubo conflictos entre los de mi especie, que yo mismo había sido retirado por la fuerza y toda la debacle había sucedido sin desgarrarse la tela racional del mundo mortal. Me había visto forzado a volver a la invisibilidad.

—No hay lugar para nosotros sobre la tierra. Tal vez antes lo hubo, no sé. El hecho de que existamos no es ninguna justificación. Los cazadores erradicaron a los lobos del mundo. Pensé que, si daba a conocer nuestra existencia, los cazadores nos erradicarían también a nosotros. Nadie cree en nosotros. Y así debe ser. Quizá sea necesario que muramos en la desesperanza, que nos esfumemos del mundo muy lentamente, sin producir sonido alguno.

"Sólo que no puedo soportarlo. No soporto estar callado y no ser nada, quitar la vida con placer, verme rodeado por todas partes por las creaciones y los logros de los mortales y no poder ser uno de ellos, sino ser Caín. El solitario Caín. Ese es el mundo para mí, lo que los mortales hacen y han hecho. No es en absoluto el grandioso mundo natural. Si fuera el mundo natural, quizá, siendo inmortal, lo habría pasado mejor de lo que lo pasé. Son las proezas de los mortales. Los cuadros de Rembrandt, los mausoleos en la ciudad capital bajo la nieve, las grandes catedrales. Y nosotros estamos eternamente alejados de esas cosas —y con toda razón—, aunque las vemos con nuestros ojos de vampiros.

—¿Por qué intercambió su cuerpo con un humano?

—Para poder caminar al sol durante un día. Para· pensar, respirar y sentir como mortal. Tal vez para poner a prueba una creencia.

—¿Cuál?

—Que lo único que queremos es volver a ser mortales, que lamentamos haber renunciado a ello, que no valía la pena perder nuestra alma humana para alcanzar la inmortalidad. Pero ahora sé que estaba equivocado.

De repente pensé en Claudia. Recordé las pesadillas. Un enorme sosiego se apoderó de mí. Cuando volví a hablar, fue un callado acto de voluntad.

—Prefiero toda la vida ser vampiro. No me gusta ser mortal. No me agrada sentirme débil, enfermo, frágil ni sentir dolor. Es horrible. Quiero recuperar cuanto antes mi cuerpo.

La noté un tanto espantada.

—A pesar de que cuando está en el otro cuerpo mata y bebe sangre; aunque lo odia y se odia a sí mismo.

—No lo odio. Tampoco me odio a mí mismo. ¿No ve? Esa es la contradicción. Jamás me odié.

—Usted me dijo que era el diablo, que cuando yo lo ayudaba estaba ayudando al demonio. No diría esas cosas si no lo odiara.

No le respondí.

—Mi mayor pecado —dije luego— ha sido siempre que me divierto mucho conmigo mismo. Siempre siento culpa, aversión moral hacia mí mismo, pero así y todo lo paso bien. Soy fuerte; soy una criatura de grandes pasiones y muy voluntariosa. Precisamente ése es el núcleo del dilema que se me presenta: ¿cómo puedo disfrutar tanto siendo vampiro, si es algo malo? Ah, es una vieja historia. Los hombres lo resuelven cuando van a la guerra. Se convencen de que existe una causa. Luego experimentan la emoción de matar, como si fueran meras bestias. Y las bestias la conocen, claro que sí. Los lobos la conocen. Conocen la fascinación pura de despedazar a su presa. Yo la conozco.

Durante largo rato pareció perdida en sus pensamientos. Estiré un brazo y le toqué la mano.

—Venga, acuéstese y duerma. Acuéstese de nuevo a mi lado. No le haré daño. No puedo. Estoy demasiado enfermo. —Solté una risita. —Usted es muy hermosa —dije—. Jamás se me ocurriría hacerle daño. Sólo quiero tenerla cerca. Está volviendo la noche y quiero que se tienda aquí al lado.

—Todo lo que dice lo dice en serio, ¿verdad?

—Por supuesto.

—¿Se da cuenta de que es como un niño? Tiene una gran sencillez. La sencillez de un santo.

Me reí.

—Mi querida Gretchen, me está entendiendo mal en algo muy importante... aunque a lo mejor no. Si yo creyera en Dios, si creyera en la salvación, supongo que tendría que ser un santo.

Reflexionó largo rato; luego me contó en voz baja que hacía apenas un mes había tomado licencia en las misiones del extranjero. Vino de Guyana Francesa a Georgetown a estudiar en la universidad, y en el hospital sólo trabajaba de voluntaria.

—¿Sabe la verdadera razón por la cual pedí licencia?

—No. Dígamela.

—Quería conocer a un hombre, la tibieza de estar cerca de un hombre. Quería saber cómo era, una sola vez. Tengo cuarenta años y nunca estuve con un hombre. Usted habló de aversión moral; ésas fueron las palabras que usó. Yo sentía aversión por mi virginidad, por la perfección absoluta de la castidad. Con independencia de lo que creo, me parecía algo cobarde.

—Le entiendo. Seguramente hacer el bien en las misiones a la larga no tiene nada que ver con la castidad.

—Por el contrario, están muy relacionados, pero porque el trabajo intenso es posible sólo si uno tiene la mente puesta en una sola cosa y no está casado con nadie, salvo con Cristo.

Admití saber lo que me quería decir.

—Pero si el renunciamiento se convierte en un obstáculo para el trabajo —dije—, es mejor conocer el amor de un hombre, ¿verdad?

—Eso es lo que pensé. Sí. Vivir la experiencia y luego regresar al trabajo de Dios.

—Exacto.

Con voz soñolienta agregó:

—He estado buscando al hombre. Por el momento.

—Entonces ésa es la respuesta a por qué me trajo aquí.

—Tal vez. Dios sabe muy bien que todos los demás me causaban mucho miedo. A usted no le tengo miedo. —Me miró como sorprendida de sus propias palabras.

—Venga, acuéstese y duerma. Ya voy a tener tiempo de curarme, y usted de estar segura de lo que desea. Jamás se me ocurriría forzarla, hacerle nada que pudiera ser cruel.

—Pero, ¿por qué, si es el diablo, habla con tanta bondad?

—Ya le dije: ése es el misterio. O bien es la respuesta, una cosa o la otra. Venga, acuéstese a mi lado.

Cerré los ojos. La sentí meterse bajo las mantas, la presión tibia de su cuerpo contra el mío, su brazo que me cruzaba el pecho.

—¿Sabes una cosa? Este aspecto de ser humano es placentero. Estaba medio dormido cuando la oí susurrar:

—Creo conocer la razón por la cual *tú* pediste licencia —dijo—. Quizá no la sepas.

—Me imagino que no me crees —murmuré. Las palabras me iban saliendo lentamente. Qué hermoso fue volver a rodearla con mi brazo, colocar su cabeza contra mi cuello. Le besé el pelo, encantado con esa suave elasticidad sobre mis labios.

—Hay una razón secreta para que hayas bajado a la tierra y entrado en el cuerpo de un humano. La misma razón por la cual lo hizo Jesucristo.

—¿Cuál?

—La redención.

—Ah, ser salvado. Eso sí que sería lindo, ¿no?

Quise decir algo más, lo imposible que era pensar siquiera en semejante cosa, pero me estaba deslizando hacia el sueño. Y supe que no me iba a encontrar con Claudia.

Quizá después de todo no hubiera sido un sueño sino sólo un recuerdo. Yo estaba con David en el Rijksmuseum, contemplando el gran cuadro de Rembrandt.

Ser salvado. Qué idea, qué idea atractiva, estrafalaria e imposible... Qué estupendo haber encontrado a la única mortal sobre la faz de la tierra que creyera seriamente en semejante cosa.

Y Claudia ya no se reía. Porque estaba muerta.

15

Primera hora del alba, cuando está por salir el sol. La hora en que, en el pasado, a menudo me encontraba meditando, cansado, medio enamorado del cambiante cielo.

Me bañé lentamente, con esmero, en el cuartito de baño lleno de luz tenue y vapor. Tenía la mente despejada y sentía regocijo, como si el hecho de que la enfermedad me hubiera dado tregua fuese una forma de felicidad. Me afeité con cuidado hasta que la piel quedó totalmente suave y después, registrando en el pequeño botiquín tras el espejo, encontré lo que buscaba: las funditas de goma que la pondrían a salvo de mí, de la posibilidad de que le plantara un bebé en sus entrañas, para que este cuerpo no le pasara ninguna otra simiente sombría y pudiera perjudicarla de formas que yo no podía prever.

Extraños objetos esos, guantes para el miembro. Me habría gustado tirarlos, pero estaba decidido a no cometer los errores de antes. Cerré la puertita-espejo tratando de no hacer ruido. Sólo entonces vi un telegrama pegado con cinta en la parte superior, un rectángulo de papel amarillento con letras algo confusas:

GRETCHEN, REGRESA, TE NECESITAMOS. NO HAREMOS PREGUNTAS. TE ESPERAMOS.

La fecha era muy reciente, de apenas unos días antes. Y el lugar de origen, Caracas, Venezuela.

Me acerqué a la cama con sumo cuidado para no hacer ruido, y coloqué los pequeños dispositivos de seguridad sobre la mesita, listos. Volví a acostarme a su lado y comencé a besar su boca dormida.

Lentamente besé sus mejillas, sus ojos. Quise sentir sus pestañas con mis labios. Quise sentir la carne de su cuello. No para matar: para besar; no por posesión sino para esa breve unión física que no robaría nada a ninguno de los dos; por el contrario, nos aunaría en un placer muy agudo, semejante al dolor.

Poco a poco fue despertando bajo mis caricias.

—Confía en mí —murmuré—. No te haré daño.

—Pero es que quiero que me hagas daño —me dijo al oído.

Con mucha suavidad le quité el grueso camisón. Quedó acostada boca arriba, mirándome, sus pechos hermosos como toda ella, las aureolas de los pezones muy pequeñas y rosadas, y los pezones mismos, duros. Su vientre era suave, sus caderas anchas. Una encantadora sombra de pelo marrón entre las piernas, reluciendo a la luz que se filtraba por las ventanas. Me incliné y besé ese pelo. Besé sus muslos, separé sus piernas con la mano, hasta que se abrió a mí la carne tibia del interior, y sentí mi miembro rígido, preparado. Contemplé su lugar secreto, cubierto, púdico, y un rosa oscuro en su tierno velo de plumón. Una excitación aguda me recorrió, endureciendo más mi miembro. Podía haberla forzado, tan urgente era la sensación que me inundaba.

Pero no, esta vez no.

Subí, me puse a su lado, le di vuelta la cara y acepté sus besos, lentos, torpes, inexpertos. Sentí su pierna apretada contra la mía, sus manos sobre mí, buscando la tibieza de mis axilas, el húmedo pelo inferior de ese cuerpo de hombre, oscuro, grueso. Era mi cuerpo, y estaba listo para ella, a la espera. Fue mi pecho lo que tocó, aparentemente complacida con su dureza. Mis brazos, los que besó como si valorara su fuerza.

La pasión que había en mí disminuyó levemente, pero al instante volvió a crecer; luego se apagó de nuevo, y una vez más aumentó.

No vino a mi mente ninguna idea de beber sangre; nada que tuviera que ver con la pujante vida de ella que en otra época yo podía haber consumido. Por el contrario, el momento estuvo perfumado con el suave calor de su cuerpo viviente. Y me pareció una bajeza que algo pudiera dañarla, que algo pudiera arruinar su misterio elemental, el misterio de su confianza, de su anhelo, de su miedo profundo y también elemental.

Deslicé mi mano hasta la puertita; qué pena que esa unión fuera a ser tan parcial, tan breve.

Después, cuando mis dedos tantearon el virginal pasaje, el fuego dominó su cuerpo. Sus senos se hincharon contra mí, y la sentí abrirse, pétalo a pétalo, al tiempo que su boca, dura, se pegaba contra la mía.

Pero, ¿y los peligros? ¿No la inquietaban? Parecía despreocupada en su pasión, totalmente bajo mi dominio. Hice un esfuerzo para detenerme, abrir el sobrecito y envolver mi órgano con la pequeña funda, mientras sus ojos pasivos seguían clavados en mí, como si ya no tuviera voluntad propia.

Era esa entrega la que necesitaba, la que su propio ser se exigía. Una vez más me puse a besarla. Estaba húmeda, lista para mí. Ya no podía contenerme más, y cuando me subí sobre su cuerpo, noté el estrecho pasaje ceñido, caliente y enloquecedor, bañado en sus propios jugos. Vi que la sangre subía a sus mejillas y el ritmo se aceleraba; incliné mis labios para lamer sus pezones, para reclamar nuevamente su boca. Cuando dejó escapar el gemido final, fue como un gemido de dolor. Y ahí estaba otra vez el misterio: que algo pudiera ser tan perfecto, consumado, y haber durado tan poco. Un instante, invalorable.

¿Había sido unión? ¿Nos fusionamos uno con el otro en el clamoroso silencio?

No creo que haya sido unión. Por el contrario, me pareció la más violenta de las separaciones: dos seres opuestos que se arrojaban en brazos uno del otro, en celo, torpemente, desconociendo los sentimientos insondables del otro, una vivencia de dulzura terrible como su brevedad, de una soledad hiriente como su innegable fuego.

Nunca ella me había parecido tan frágil como me pareció en

ese momento, con los ojos cerrados, la cabeza vuelta contra la almohada, sus pechos ya aquietados. Me pareció una imagen para provocar violencia, para producir la más desenfrenada crueldad en el corazón masculino.

¿Eso a qué se debía?

¡No quería que ningún otro mortal la tocara!

No quería que su propia culpa la tocara. No quería que el remordimiento la afectara, que la rozara ninguno de los otros males de la mente humana.

Sólo entonces volví a pensar en el Don Misterioso, y no en Claudia sino en el dulce esplendor palpitante que fue hacer a Gabrielle. Armada de fortaleza y certidumbre, ella había iniciado su deambular sin sentir jamás tormento moral alguno cuando comenzaron a rodearla las infinitas complejidades del gran mundo.

Pero, ¿quién podía saber lo que era capaz de brindar la Sangre Misteriosa a cualquier alma humana? Y esa mujer, una persona virtuosa, que creía en dioses antiguos e implacables, bebía la sangre de mártires y el embriagador sufrimiento de mil santos. Ella por cierto nunca iba a pedir ni aceptar el Don Misterioso, como tampoco lo haría David.

Pero, ¿qué importaban esas cuestiones mientas ella no supiera con certeza que lo que yo decía era verdad? ¿Y si nunca podía demostrarle mi sinceridad? ¿Y si nunca volvía a tener la Sangre Misteriosa dentro de mí para dársela a nadie, y quedaba eternamente encerrado dentro de esa carne mortal? Permanecí callado, mirando cómo la habitación se iba llenando de claridad. Vi llegar la luz al cuerpo del Cristo crucificado que había sobre la biblioteca; la vi caer sobre la cabeza inclinada de la Virgen.

Acurrucados uno contra el otro, volvimos a dormirnos.

16

Mediodía. Me había puesto la ropa nueva que compré el último aciago día de mi deambular: pulóver blanco de mangas largas, modernos pantalones de denim desteñidos.

Armamos una especie de pic nic frente al fuego crepitante, para lo cual extendimos una frazada sobre la alfombra. Sobre ella nos sentamos a comer juntos el desayuno tardío, mientras Mojo devoraba el suyo en el piso de la cocina. El menú fue una vez más pan francés con manteca, jugo de naranja, huevos duros y fruta cortada, en gruesas rebanadas. Yo me alimentaba con ganas, sin prestar atención a las advertencias de Gretchen de que todavía no estaba curado del todo. Me sentía muy bien, y hasta su pequeño termómetro digital así me lo indicaba.

Tenía que viajar a Nueva Orleáns. Si el aeropuerto estaba abierto, tal vez pudiera estar allí al anochecer. Pero no quería dejarla en ese momento. Le pedí vino. Quería hablar. Quería comprenderla, y también tenía miedo de dejarla, de estar solo, sin su compañía. La perspectiva del viaje en avión introdujo en mi alma un temor cobarde. Además, me agradaba estar con ella...

Me había estado hablando sobre su vida en las misiones, de lo mucho que le había gustado siempre. Los primeros años los pasó en Perú, y de allí fue al Yucatán. Su último destino había sido en la selva de la Guyana Francesa, un lugar de primitivas tribus indígenas. La misión se llamaba Santa Margarita María y quedaba a seis horas de viaje, subiendo por el río Maroni en canoa a motor, desde la ciudad de St. Laurent. Junto con las otras monjas había reacondicionado la capilla de material, la escuelita pintada de blanco y el hospital. Pero a menudo tenían que dejar la misión e ir a visitar a la gente de las aldeas. Ese trabajo le encantaba, dijo.

Me mostró muchas fotos, pequeñas imágenes coloridas de las humildes construcciones de la misión, de ella y sus hermanas, y del sacerdote que iba a oficiar misa. Ninguna de esas monjas usaba hábitos ni velo; llevaban ropa de algodón blanco o color caqui y el pelo suelto (eran verdaderas monjas de trabajo, explicó). Y ahí estaba ella, radiante, feliz, sin esa expresión meditativa que se le notaba ahora. En una de las tomas aparecía rodeada de indios de tez morena, delante de una extraña edificación con complicados grabados en sus paredes. En otra estaba aplicando una inyección a un anciano espectral, y éste sentado en una silla pintada de llamativo color.

La vida en esas aldeas selváticas era la misma desde hacía siglos, dijo. Esos pueblos existían desde mucho antes de que los franceses o españoles hubieran puesto un pie sobre Sudamérica. No era fácil conseguir que confiaran en los médicos y los sacerdotes. A ella no le importaba si aprendían o no las oraciones, sino que se preocupaba por las vacunas y por una adecuada higiene de las heridas infectadas. Le preocupaba acomodar huesos quebrados para que esa gente no quedara tullida para siempre.

Desde luego, querían que ella regresara. Habían tenido mucha paciencia con su pedido de licencia. La necesitaban. El trabajo la aguardaba. Me mostró el telegrama, que yo ya había visto pegado en la pared del baño.

—Extrañas eso, es evidente —dije.

La estaba observando, esperando ver signos de culpa por lo que habíamos hecho juntos. Pero no le vi ninguno. Tampoco se la notaba angustiada por el telegrama.

—Por supuesto, voy a regresar —declaró con sencillez—. Quizá te parezca absurdo, me costó salir de ahí. Pero la cuestión de la castidad se había transformado en una obsesión destructiva.

Cómo no la iba a entender. Me miró con sus ojos grandes, serenos.

—Y ahora ya sabes —dije— que no es importante en absoluto que te acuestes o no con un hombre. ¿No es eso lo que averiguaste?

—Quizá —admitió con una sonrisita. Qué fuerte parecía, sentada allí sobre la manta, las piernas castamente dobladas hacia un lado, el pelo suelto aún, más semejante a un velo de monja ahí en esa habitación que en ninguna de las fotos.

—¿Cómo empezó todo en ti? —quise saber.

—¿Piensas que es importante? No creo que apruebes mi historia si te la cuento.

—Me gustaría conocerla.

Era hija de una pareja católica, la madre maestra y el padre contador en la zona de Bridgeport, Chicago, y desde pequeña demostró talento para el piano. Toda la familia se sacrificó para pagarle las clases con un famoso profesor.

—Ya ves, el renunciamiento —dijo, con la misma sonrisita de antes— desde siempre. Sólo que en ese entonces era por la música, no por la medicina.

Pero ya en aquella época era sumamente religiosa, leía las vidas de los santos y soñaba con ser santa, con trabajar en misiones en el extranjero. Le fascinaba principalmente Santa Rosa de Lima, la mística, lo mismo que San Martín de Porres, que había trabajado más en el mundo. Y Santa Rita. Algún día quería dedicarse a los leprosos, encontrar un trabajo que fuera absorbente, heroico. De niña había construido un pequeño oratorio detrás de su casa, donde pasaba horas arrodillada ante un crucifijo esperando que se abrieran en sus manos y sus pies las heridas de Cristo, el estigma.

—Esas historias me las tomaba muy en serio. Los santos eran reales para mí. Me atrae la posibilidad del heroísmo.

—Heroísmo —repetí. Mi palabra. Pero qué distinta era la definición que yo le daba. No quise interrumpirla.

—Me daba la impresión de que el piano se oponía a mi espiritualidad. Yo quería renunciar a todo por el prójimo, lo cual incluía renunciar también al piano, especialmente al piano.

Eso me entristeció. Me pareció que no había relatado esa historia a menudo, y hablaba con voz muy apagada.

—Pero, ¿y la felicidad que producías en otros cuando tocabas? —le pregunté—. ¿Eso no valía nada?

—Ahora puedo decir que sí —reconoció bajando aún más la voz. Las palabras le salían con penosa lentitud. —Pero en ese entonces... No estaba segura. No era persona para ese talento. No me molestaba que me escucharan, pero no quería que me vieran. —Se sonrojó al mirarme. —A lo mejor, si hubiera tocado en el coro de una iglesia, o detrás de un biombo, habría sido distinto.

—Entiendo. Hay muchos humanos que sienten lo mismo.

—Pero tú no, ¿verdad?

Le dije que no moviendo la cabeza.

Me explicó cuánto había sufrido cuando la hacían vestirse de encaje blanco para tocar delante de público. Lo hacía para complacer a sus padres y maestros. Participar en los certámenes la mortificaba, pero casi sin excepción ganaba. A los dieciséis años su carrera se había convertido en una empresa familiar.

—Pero, la música misma, ¿la disfrutabas?

Lo pensó un momento.

—Me ponía en éxtasis. Cuando tocaba estando sola... sin nadie que me mirara, me entregaba totalmente. Era casi como estar bajo la influencia de una droga. Algo... casi erótico. A veces las melodías me obsesionaban, me daban vueltas continuamente por la cabeza. Perdía la noción del tiempo cuando estaba al piano. Hasta el día de hoy no puedo escuchar música sin sentirme transportada. Aquí en esta casa no ves radios ni grabadores. No puedo tener esas cosas ni siquiera hoy.

—Pero, ¿por qué te lo niegas? —Miré en derredor. Tampoco había un piano.

Sacudió la cabeza como para restarle importancia.

—El efecto es demasiado absorbente, ¿no te das cuenta? Soy capaz de olvidarme de todo. Y cuando me ocurre eso, no consigo hacer nada. Dejo la vida en suspenso, por así decirlo.

—Pero, Gretchen, ¿acaso es verdad? ¡Para algunos de nosotros, esos sentimientos tan intensos *son* la vida! Nosotros buscamos el éxtasis. En esos momentos... trascendemos todo el dolor, la mezquindad, la lucha. Así sentía yo cuando estaba vivo. Así siento ahora.

Se quedó cavilante, el rostro sereno, relajado. Cuando habló, lo hizo con convicción.

—Quiero más que eso —dijo—. Quiero algo más palpable y

constructivo. Para decirlo de otro modo, no puedo disfrutar ese placer si sé que hay otros que sufren hambre y enfermedades.

—Pero en el mundo siempre habrá padecimientos. Y la gente necesita la música, Gretchen, de la misma manera que necesita el alimento.

—No sé si concuerdo contigo. De hecho, estoy segura de que no. Tengo que dedicar mi vida a aliviar el dolor. Créeme que todos estos argumentos ya los he analizado muchas veces.

—Oh, pero preferir cuidar enfermos antes que la música —dije—. No lo puedo entender. Claro que la labor de la enfermera es loable. —Estaba tan apesadumbrado que me costaba continuar.

—¿Cómo fue que tomaste la decisión? ¿No se opuso tu familia?

Siguió contando. Cuando tenía dieciséis años, la madre cayó enferma durante meses y se ignoraba la causa. La madre estaba anémica, vivía con fiebre y llegó un momento en que ya fue obvio que se estaba consumiendo. Se le hicieron estudios, pero los médicos no daban en la tecla. Todos estaban seguros de que iba a morir. El clima de la casa estaba infectado de dolor, incluso de encono.

—Le pedí un milagro a Dios —dijo—. Le prometí que, si salvaba a mi madre, jamás iba a volver a tocar las teclas de un piano. Prometí entrar en un convento apenas me lo permitieran, así podría dedicar mi vida a cuidar enfermos y moribundos.

—Y tu madre se curó.

—Sí. Al cabo de un mes se había recuperado totalmente. En la actualidad vive. Se jubiló y da clases a alumnos particulares... en un barrio de negros de Chicago. Desde entonces nunca tuvo la más mínima enfermedad.

—¿Y tú cumpliste la promesa?

Asintió.

—Entré en la orden de las Hermanas Misioneras a los diecisiete, y ellas me hicieron seguir estudios terciarios.

—¿También cumpliste la promesa de no volver a tocar el piano?

—Así es —se limitó a decir, sin manifestar nostalgia ni arrepentimiento alguno. Tampoco parecía ansiosa por contar con mi comprensión o aprobación. En realidad, yo sabía que captaba mi tristeza, y además estaba un poco preocupada por mí.

—¿Fuiste feliz en el convento?

—Oh, sí. ¿No lo ves? Las personas como yo no pueden llevar una vida común. Tengo que hacer algo difícil, tengo que correr riesgos. Entré a esa orden porque tenían misiones en los lugares más remotos y peligrosos de Sudamérica. ¡No te puedo decir lo que me gustaron esas selvas! —Su voz se hizo más baja, casi apremiante.

—No me importan el calor ni los peligros. Hay momentos en que estamos todos sobrepasados de trabajo, con el hospital abarrotado, y tenemos que acostar a los enfermitos afuera, bajo un cobertizo y en hamacas, ¡y yo siento tanta vida interior! No te das una idea. Me interrumpo apenas para secarme el sudor de la cara, lavarme las manos y quizá beber un vaso de agua, pienso: estoy viva, estoy aquí, haciendo cosas importantes.

Nuevamente sonrió.

—Es otro tipo de intensidad —sostuve—, algo totalmente distinto que hacer música. Veo la diferencia fundamental.

Recordé las palabras de David cuando me contó su vida, cómo había buscado la emoción en el peligro. Ella estaba buscando la emoción en el renunciamiento total. El buscó el peligro de lo oculto en Brasil. Gretchen buscó el duro desafío de restablecer la salud de miles de seres anónimos, eternamente pobres. Eso me perturbó hasta lo más hondo.

—Hay también algo de vanidad en ello, desde luego —reconoció—. La vanidad siempre es enemiga. Eso era lo que más me molestaba de mi... mi castidad: el orgullo con que la vivía. Pero hasta el hecho de volver de este modo a los Estados Unidos constituía un riesgo. Estaba aterrada cuando bajé del avión, cuando me di cuenta de que estaba aquí, en Georgetown, y nada me impediría estar con un hombre si lo deseaba. Creo que fue el miedo lo que me llevó al hospital a trabajar. Dios sabe muy bien que la libertad no es fácil.

—Esa parte la comprendo. Pero, ¿cómo reaccionó tu familia ante tu promesa de renunciar a la música?

—En el primer momento no se enteraron, no se lo conté a nadie. Anuncié mi vocación y me mantuve firme. Hubo muchas recriminaciones. Después de todo, mis hermanos habían tenido que vestirse con ropa de segunda mano para que yo pudiera tomar clases de piano. Pero eso pasa con frecuencia. Ni siquiera en una buena familia católica se recibe con bombos y platillos la noticia de que una hija quiera hacerse monja.

—Sufrieron por el talento que tenías.

—Sí, sí —dijo, enarcando levemente las cejas. Qué sincera y tranquila parecía. No decía nada con dureza, con frialdad. —Pero yo tenía una visión de algo infinitamente más importante que tocar el piano en un concierto o levantarme del taburete para recibir un ramo de rosas. Pasó mucho tiempo hasta que por fin les conté lo de la promesa.

—¿Años?

Asintió sin palabras.

—Lo entendieron —dijo luego—. Vieron el milagro. No podían menos. Les hice notar que me sentía más afortunada que todas las que habían entrado al convento. Había recibido una señal evidente de Dios. El nos había resuelto los conflictos a todos.

—Crees en eso.

—Sí, lo creo. Pero en cierto sentido no importa que sea cierto o no. Y si hay alguien que debería comprenderlo, eres tú.

—¿Por qué?

—Porque hablas de verdades religiosas e ideas religiosas y sabes que importan aunque sólo sean metáforas. Eso fue lo que te oí cuando delirabas.

Lancé un suspiro.

—¿Nunca te dan ganas de volver a tocar el piano? ¿No quieres... digamos, encontrar un salón vacío, con un gran piano en el escenario, y sentarte a...?

—Claro que sí, pero no lo puedo hacer y no lo haré. —Su sonrisa era verdaderamente hermosa.

—Gretchen, esta historia tiene algo tremendo. ¿Por qué, siendo una chica católica, no podías tomar tu talento musical como un don de Dios, un don que no debía desperdiciarse?

—Yo sabía que me lo mandaba Dios, pero vi una bifurcación en mi camino. Sacrificar el piano fue la oportunidad que Dios me dio de servirlo de una manera especial. Lestat, ¿qué podía significar la música en comparación con el hecho de ayudar a personas, a centenares de personas?

Meneé la cabeza.

—Creo que se puede considerar igualmente importante a la música.

Meditó largo rato antes de responder.

—Yo no podía continuar. Es posible que haya usado la enfermedad de mi madre... Tenía que ser enfermera. No veía otro camino para mí. La pura verdad es que... no puedo vivir cuando me enfrento con la miseria del mundo. No puedo justificar el confort o el placer cuando hay otra gente que sufre. No sé cómo otros pueden.

—No pensarás que puedes cambiar todo, Gretchen.

—No, pero puedo vivir mi vida produciendo un efecto sobre muchas, muchas vidas individuales. Eso es lo que cuenta.

La historia me afectó tanto, que no pude quedarme ahí sentado. Me levanté para estirar las piernas entumecidas y fui hasta la ventana a mirar el campo de nieve.

Me habría sido fácil desechar todo si ella hubiese sido una persona quejosa o minusválida mental, o bien una persona abrumada por los conflictos y la inestabilidad. Pero nada más lejos de la verdad. Gretchen me resultaba casi insondable.

Era lo contrario de mí, como tantas décadas atrás lo había sido mi amigo mortal Nicolás. No porque se pareciera a él sino porque en el cinismo de Nicolás, en su eterna rebelión, había cierta renuncia de sí mismo que jamás pude comprender. Mi Nicki, tan lleno de aparente exceso y excentricidad... que sin embargo disfrutaba con lo que hacía, pero sólo porque causaba escozor a otros.

Renunciar a uno mismo: en eso se resumía todo.

Me volví. Ella estaba mirándome. Una vez más tuve la sensación de que no le importaba mucho lo que yo dijera. No me pedía comprensión. En cierto sentido, era una de las personas más fuertes que había conocido en mi larga vida.

Con razón me sacó del hospital; otra enfermera no habría querido semejante carga.

—Gretchen, ¿nunca temes haber derrochado tu vida? ¿Nunca piensas que el sufrimiento y la enfermedad seguirán existiendo mucho tiempo después de que te vayas de esta tierra, y que tu obra no significará nada en el designio general?

—El designio general es lo que no significa nada. El acto pequeño lo es todo. Por supuesto que el sufrimiento continuará cuando yo ya no esté, pero lo importante es que hice todo lo que pude. Ese es mi triunfo, mi vanidad. Esa es mi vocación y mi pecado de orgullo. Esa es mi clase de heroísmo.

—Pero, *chérie,* estarías en lo cierto sólo si hubiera alguien que llevara la cuenta, algún Ser Supremo que ratificara tu decisión, si se te recompensara por tus obras o al menos se las defendiera.

—No. Nada más lejos de la verdad —me contradijo, eligiendo con cuidado las palabras—. Piensa un poco: esto que te he dicho evidentemente es nuevo para ti. A lo mejor es un secreto religioso.

—¿Por qué lo dices?

—Muchas noches me quedo despierta pensando que tal vez no exista un Dios personal, que siempre van a existir niños que sufren, como se ve a diario en nuestros hospitales. Pienso en los eternos dilemas, como por ejemplo, por qué Dios permite que un niño sufra. Dostoievski planteó ese interrogante, lo mismo que Albert Camus, el escritor francés. Nosotros mismos lo estamos planteando. Pero en definitiva no importa.

"Dios puede existir o no, pero la miseria es real, totalmente real e innegable. Y mi compromiso es para con esa realidad: ése es el nudo de mi fe. ¡Tengo que hacer algo por solucionarla!

—Y cuando te llegue el momento de la muerte, si no existe Dios...

—No importa. Sabré que hice lo que estaba a mi alcance. La hora de mi muerte podría ser este instante. —Se encogió de hombros. —No me haría cambiar mi manera de pensar.

—Por eso es que no sientes culpa de que hayamos tenido relaciones ayer.

Lo pensó.

—¿Culpa? Siento alegría cuando pienso en ello. ¿No te das cuenta de lo que has hecho por mí? —Lentamente sus ojos se llenaron de lágrimas. —Vine aquí a conocerte, a estar contigo. Ahora ya puedo volver a la misión.

Inclinó la cabeza unos instantes hasta que recobró la compostura. Luego levantó la mirada y retomó la palabra.

—Cuando me contabas que a esa niña, Claudia, la habías hecho... cuando hablabas de haber hecho entrar a Gabrielle, tu madre, en tu mundo... dijiste estar buscando algo. ¿Podrías llamarlo trascendencia? Cuando yo trabajo en la misión hasta quedar exhausta, trasciendo. Trasciendo la duda y algo... algo quizá sombrío e irremediable que llevo en mi interior. No sé.

—Sombrío e irremediable, sí; es eso, ¿no? La música no te lo remediaba.

—Sí, lo hacía; pero era falso.

—¿Por qué falso? ¿Por qué dices que era falsa una actividad buena, como tocar el piano?

—Porque no hacía mucho por los otros, por eso.

—Claro que sí. Les daba placer, eso es seguro.

—¿Placer?

—Perdona, elegí un término inadecuado. La vocación te ha hecho olvidar de ti misma. Cuando tocabas el piano, eras tú misma, ¿no lo ves? ¡Eras la Gretchen única! Ese es precisamente el significado de la palabra "virtuoso". Y tú querías perderte a ti misma.

—Creo que tienes razón. La música no era mi camino.

—Gretchen, me asustas.

—No debería asustarte. No estoy diciendo que el otro camino estuviera equivocado. Si tú hacías el bien con tu música, durante ese breve período como cantante de rock que me contaste, ésa era tu manera de hacer el bien. La mía es otra, nada más.

—No; en ti hay un renunciamiento feroz. Estás hambrienta de amor, del mismo modo que yo por la noche tengo hambre de sangre. Con tu labor de enfermera te estás castigando, niegas tus deseos carnales, tu gusto por la música y por todas las cosas del mundo que son como la música. Eres como un virtuoso, no hay duda; un virtuoso de tu propio sufrimiento.

—Estás equivocado, Lestat —repuso ella con otra sonrisa—. Sabes que no es verdad. Eso es lo que quieres creer de una persona como yo. Escúchame: si todo lo que me has dicho es cierto, a la luz de esa verdad, ¿no es obvio que tu destino era encontrarme?

—¿Cómo es eso?

—Ven, siéntate aquí conmigo y charlemos.

No sé por qué vacilé, qué miedos tenía. Por último, regresé a la frazada y me senté apoyando la espalda contra el costado de la biblioteca, con las piernas cruzadas.

—¿No te das cuenta? Yo represento un camino opuesto, un camino que jamás se te ocurrió pensar y que quizá te traería el consuelo que buscas.

—Gretchen, no me irás a decir que crees todo lo que te he dicho sobre mi persona. No espero que lo creas.

—¡Te creo hasta la última palabra! Y no importa la verdad literal. Estás buscando algo que los santos buscaban cuando renunciaban a su vida normal, cuando entraban al servicio de Cristo. Y no importa que no creas en Jesucristo. Lo que importa es que has sufrido mucho en la vida que llevaste hasta ahora, que sufriste al punto de la locura, y que mi opción te ofrece una posibilidad distinta.

—¿Me propones esto a mí?

—Por supuesto. ¿No ves cómo ha sido todo? Entras en este cuerpo, caes en mis manos, me brindas el momento de amor que yo busco. Pero, ¿qué te he dado yo a ti? ¿Qué significo yo para ti?

Levantó la mano para que no la interrumpiera.

—No, no vuelvas a hablarme de grandes designios. No preguntes si existe un Dios literal. Piensa en todo lo que te he dicho. Lo he dicho refiriéndome a mí, pero también a ti. ¿Cuántas vidas quitaste en esa existencia tuya sobrenatural? ¿Cuántas vidas salvé yo —concretamente— en las misiones?

Estuve a punto de negar toda la posibilidad, cuando de pronto se me ocurrió esperar, quedarme callado, reflexionar.

Me estremecí de sólo pensar, una vez más, que a lo mejor nunca recuperaría mi cuerpo preternatural y quedaría por siempre aprisionado en esa carne. Si no apresaba al Ladrón de Cuerpos, si no conseguía que mis compañeros me ayudaran, la muerte que dije desear me llegaría a su debido momento. Había retrocedido en el tiempo.

¿Y si había un designio para eso? ¿Y si existía un destino y me pasaba la vida mortal trabajando como lo hacía Gretchen, dedicando la totalidad de mi ser físico y espiritual a los demás? ¿Y si volvía con ella a esa misión de la selva? No como su amante, desde luego. Esas cosas no eran para ella, evidentemente. Pero, ¿y si iba como ayudante o colaborador suyo? ¿Y si enterraba mi vida mortal en ese marco de abnegación?

Por supuesto, existía una aptitud más que ella desconocía: la riqueza que yo podía volcar en la misión. Y aunque la fortuna era tan enorme que algunos hombres no podrían haberla calculado, yo sí podía. Podía, en una gran visión incandescente, avizorar sus límites, sus efectos. Poblaciones enteras vestidas y alimentadas, hospitales equipados con todos los medicamentos, escuelas con libros, pizarrones, radios y pianos. Sí, pianos. Oh, era una vieja historia. Un sueño antiguo, muy antiguo.

Permanecí en silencio mientras cavilaba. Imaginé cada momento de mi vida mortal, mi posible vida mortal, dedicando mi fortuna a ese sueño. Lo vi como si fueran minúsculos granos deslizándose por el centro de un reloj de arena.

Bueno, en ese preciso minuto, mientras estábamos sentados en esa limpia habitación, había gente muriendo de hambre en Oriente, en el Africa. En todo el mundo morían seres humanos por enfermedades y catástrofes. Las inundaciones arrasaban con sus viviendas, las sequías resecaban sus alimentos y sus esperanzas. Hasta la miseria de un solo país era más de lo que la mente podía soportar, si se la describía aunque fuese sin entrar en detalles.

Pero aun si yo invertía en esta empresa todo lo que tenía, ¿qué habría conseguido en el análisis final?

¿Cómo podía saber siquiera que en un pueblito de la jungla era mejor la medicina moderna que la situación de antes? ¿Cómo podía saber si el hecho de brindar educación a un niño de la selva le traería aparejada la felicidad? ¿Cómo podía saber si valía la pena mi renunciamiento en aras de todo eso? ¿Cómo podía hacer para preocuparme por esas cosas? Ese era el horror.

No me importaba. Podía, sí, llorar por el individuo que sufría, ¡pero no tenía deseos de sacrificar mi vida por los millones de seres anónimos del mundo! De hecho, tal posibilidad me llenaba de pavor. Era sumamente triste. No me parecía vida. Me parecía, además, lo contrario de la trascendencia.

Hice gestos de negación con la cabeza. En voz baja, titubeante, le expliqué por qué me atemorizaba tanto esa posibilidad.

—Siglos atrás, la primera vez que salí al escenario en el pequeño teatro de París —cuando vi las caras felices y oí los aplausos— tuve la sensación de que mi cuerpo y mi alma habían encontrado su destino. Era como si, por fin, hubieran empezado a cumplirse todas las promesas de mi infancia.

"Ah, había otros actores, peores y mejores; otros cantantes, otros payasos; ha habido un millón desde entonces y habrá un millón después de ahora. Pero cada uno de nosotros brilla con su propia energía inimitable; cada uno de nosotros cobra vida en su momento único y deslumbrante; cada uno de nosotros tiene su oportunidad de derrotar a los otros para siempre en la mente del espectador, y ésa es la única clase de logro que puedo entender en forma cabal: la clase de logro en la que el ser —este ser, si lo deseas— es totalmente íntegro y triunfante.

"Sí, pude haber sido un santo, tienes razón, pero tendría que haber encontrado una orden religiosa o llevar un ejército a la batalla. Tendría que haber hecho milagros de tal magnitud como para que el mundo entero cayera de rodillas. Soy yo el que debe atreverse aunque esté equivocado, completamente equivocado. Gretchen, Dios me dio un alma individual y no puedo enterrarla.

Me sorprendió ver que aún me sonreía con dulzura, sin cuestionamientos, y que su rostro seguía lleno de serena perplejidad.

—¿Es mejor reinar en el infierno —preguntó con cuidado— que prestar servicios en el cielo?

—No, no. Yo, si pudiera, haría el cielo y el infierno. Pero debo levantar mi voz, debo brillar. Y debo tratar de obtener el éxtasis que tú te has negado, esa intensidad de la cual huiste. ¡Para mí, eso es trascender! Cuando hice a Gabrielle, por perverso que parezca, sí, eso fue trascender. Fue un acto único, poderoso y espeluznante, que me obligó a usar toda mi audacia y ese don único que poseo. Ellas no morirán, dije, quizá las mismas palabras que usas tú con los niños de las aldeas.

"Pero las pronuncié para introducirlas en mi mundo no natural. El objetivo no era tan sólo salvar, sino convertirlas en lo que era yo: un ser único, terrible. Era conferirles precisamente la individualidad que tanto valoro. Nosotros vamos a vivir, incluso en el estado que se denomina de la muerte viva, vamos a amar, a sentir, a desafiar a quienes nos juzgan y nos destruyen. Esa es mi trascendencia. Y en eso no intervienen para nada el renunciamiento ni la redención.

Oh, qué frustrante era no poder comunicárselo, no poder hacérselo creer en un sentido literal.

—¿No ves que he podido sobrevivir a todo lo que me pasó precisamente porque soy lo que soy? Mi fortaleza, mi voluntad, ese no querer entregarme... son los únicos componentes de mi corazón y mi alma que de verdad puedo identificar. Este ego, si quieres llamarlo así, es mi fuerza. Soy el vampiro Lestat, y nada... ni siquiera este cuerpo mortal, me va a derrotar.

Me llamó mucho la atención verla asentir, notar su expresión de aceptación total.

—Y si vinieras conmigo, el vampiro Lestat perecería en su propia redención, ¿no es así?

—Sí. Moriría una muerte lenta, horrible, entre pequeñas e ingratas tareas, ocupándose de las hordas interminables de seres anónimos, los eternamente menesterosos.

De pronto sentí tal tristeza, que no pude continuar. Estaba cansado de una manera mortal y desagradable, pues la alquimia de la mente había influido sobre el cuerpo. Pensé en mi sueño y en mis palabras a Claudia, que ahora había vuelto a decir para Gretchen, y me conocí a mí mismo como antes jamás.

Encogí las piernas, apoyé sobre ellas los brazos, y la frente sobre los antebrazos.

—No puedo hacerlo —dije por lo bajo—. No puedo enterrarme vivo en el tipo de existencia que llevas tú. ¡Y no quiero —eso es lo tremendo—, no quiero hacerlo! No creo que ello pudiera salvar mi alma. No creo que importara.

Sentí sus manos en mis brazos. Me estaba acariciando de nuevo el pelo, apartándomelo de la frente.

—Te comprendo —dijo—, pese a que estás equivocado.

Solté una risita en el momento en que alcé la mirada hacia ella. Tomé una servilleta, me la pasé por los ojos, me soné la na-riz.

—Pero no he conmovido tu fe, ¿no?

—No. —Esta vez su sonrisa fue distinta, más cálida, radiante. —Me serviste para confirmarla —aseguró en un murmullo—. Qué raro eres, y qué gran milagro que te hayas cruzado conmigo. Casi me atrevo a creer que tu opción es la más adecuada para ti. ¿Quién otro podría ser tú? Nadie.

Me eché hacia atrás y bebí un sorbito de vino. Se había puesto tibio por el fuego, pero seguía siendo sabroso y envió una oleada de placer a mis piernas indolentes. Bebí otro sorbo, dejé el vaso y la miré.

—Quiero hacerte una pregunta, y que me la respondas de corazón. Si gano la batalla y recupero mi cuerpo, ¿quieres que venga a verte? ¿Quieres que te demuestre que todo lo que te dije es verdad? Piénsalo bien antes de responder.

"Yo quiero hacerlo, sinceramente te lo digo. Pero no sé si es lo que más te conviene. Tu vida es casi perfecta. Nuestro pequeño episodio carnal no podría alejarte de esa vida. Tenía razón, ¿no?, cuando te dije que ahora sabes que el placer erótico no es importante para ti, que pronto, si no de inmediato, regresarás a tu trabajo en la selva.

—Es verdad. Pero hay algo más que también deberías saber. Esta mañana hubo un momento en que pensé que podía abandonarlo todo... sólo para quedarme contigo.

—No, tú no puedes haber pensado eso, Gretchen.

—Sí, yo. Me sentí inundada por esa sensación, tal como antes me ocurría con la música. Y aun ahora, si me dijeras "Ven conmigo", tal vez iría. Si ese mundo tuyo existe realmente... —Se interrumpió para encogerse de hombros. Se retiró el pelo y lo alisó detrás del hombro. —La castidad significa no enamorarse —añadió, centrando la mirada en mí—. Podría enamorarme de ti. Sé que podría. —Luego agregó en voz baja, turbada: —Podrías convertirte en mi dios, lo sé.

Eso me asustó, y al mismo tiempo me produjo un desvergonzado placer, un triste orgullo. Traté de no ceder a la excitación física que me iba invadiendo. Al fin y al cabo, ella no sabía lo que estaba diciendo. No podía saberlo. Pero había algo muy convincente en su voz, en sus modales.

—Me vuelvo —anunció con la misma voz, llena de certidumbre y humildad—. Tal vez me vaya dentro de unos días. Pero si ganas tu batalla, si recuperas tu antigua forma, por el amor de Dios... sí, quiero que vengas a verme. ¡Quiero *saber*!

No le respondí. Estaba demasiado desconcertado, y luego expresé ese desconcierto.

—Cuando vaya a verte y te revele mi verdadera personalidad, quizá te desilusiones horriblemente.

—¿Por qué?

—Me consideras un ser humano sublime por el contenido espiritual de todo lo que te he dicho. Me ves como si fuera una especie de loco bendito que revela verdades con error como podría hacerlo un místico. Pero no soy humano. Y cuando lo sepas, quizá me aborrezcas.

—No. Nunca podría aborrecerte. Y en cuanto a que todo lo que has dicho fuera verdad, eso sería... un milagro.

—Quién sabe, Gretchen, quién sabe. Pero recuerda lo que dije. Somos una visión sin revelación. Somos un milagro sin significación. ¿Sinceramente quieres esa cruz junto con tantas otras?

No me contestó, pues estaba sopesando mis palabras. Yo no imaginaba qué podían significar para ella. Estiré la mano, ella me la tomó y apretó con suavidad mis dedos entre los suyos, sin apartar los ojos de mí.

—No existe Dios, ¿no, Gretchen?

—No, no existe —murmuró.

Me dieron ganas de reír y de llorar. Volví a apoyar la espalda, reí suavemente para mis adentros y la miré, miré su figura de estatua, el brillo de fuego en sus ojos castaños.

—No sabes cuánto has hecho por mí —dijo—. No sabes cuánto ha significado. Ahora estoy lista para regresar.

Asentí sin despegar los labios.

—Entonces, mi hermosa, no importa si volvemos a la cama, ¿verdad? Ciertamente, creo que debemos hacerlo.

—Sí, yo también lo creo —me respondió.

Casi había oscurecido cuando me levanté, llevé el teléfono con su largo cable hasta el pequeño cuarto de baño y me encerré para llamar a mi agente de Nueva York. Una vez más sonó y sonó. Ya me iba a dar por vencido e intentar comunicarme con mi representante de París, cuando alguien atendió y me contó lenta, dificultosamente, que mi agente ya no vivía. Había sufrido una muerte violenta unos días atrás, en su oficina de la avenida Madison. Se decía que el móvil del crimen fue el robo, pues desaparecieron todos sus archivos y su computadora.

Quedé tan anonadado que no pude articular respuesta alguna. Por último, reuní algo de valor como para formular unas preguntas.

El crimen había ocurrido el miércoles a eso de las ocho de la noche. Nadie conocía la magnitud del daño causado por el robo de los archivos. Y lamentablemente el hombre había sufrido.

—Es una situación muy, muy penosa —dijo la voz—. Si usted se encontrara en Nueva York no podría no enterarse porque se publicó en todos los diarios. Se lo llamó un asesinato vampírico, ya que el cadáver quedó sin una gota de sangre.

Corté, y durante un largo momento permanecí en rígido silencio. Luego llamé a París, y al cabo de una breve demora atendió mi representante.

Gracias a Dios que lo había llamado, dijo, y también me pidió que me identificara. Las contraseñas no le bastaron. Le propuse entonces mencionar conversaciones que habíamos tenido en el pasado, y aceptó. Hable, me dijo. En el acto le recité una letanía de secretos que sólo él y yo conocíamos, y noté con qué alivio se quitaba un gran peso de encima.

Me contó que habían estado pasando cosas muy raras. En dos oportunidades lo llamó una persona que dijo ser yo pero evidentemente no lo era. Ese individuo conocía dos de las contraseñas que habíamos usado en el pasado y brindó una explicación complicada acerca de por qué no conocía las últimas. Entretanto, habían ingresado electrónicamente varias órdenes para la transferencia de fondos, pero en todos los casos las contraseñas fueron incorrectas. Aunque no del todo. De hecho, todo parecía indicar que esa persona estaba a punto de descifrar nuestro sistema.

—Además señor, le diré lo más sencillo: ¡ese hombre no habla el mismo francés que usted! No lo tome a mal, pero el francés que usted habla es... ¿cómo decirlo?... desusado. Emplea palabras antiguas, y ordena las frases de una manera que no es la habitual. Yo me doy cuenta cuándo es usted.

—Lo comprendo —dije—. Ahora escúcheme bien lo que voy a decirle: no hable más con esa persona, porque sabe leer la mente y está tratando de arrancarle telepáticamente las contraseñas. Usted y yo vamos a idear otro sistema. Quiero que ahora me haga una transferencia... a mi banco de Nueva Orleáns. Pero después, todo lo demás quedará inmovilizado. Y cuando yo vuelva a llamarlo, utilizaré tres palabras anticuadas. No se las digo ya... pero serán palabras que alguna vez me oyó usar, y las reconocerá.

Desde luego, eso era riesgoso. ¡Pero ese hombre me conocía! Luego le aseguré que el ladrón de que hablábamos era sumamente peligroso. Y que, como había atacado a mi representante de Nueva York, él debía utilizar todo medio posible de protección personal. Yo iba a pagar todo... la cantidad necesaria de custodios las veinticuatro horas del día. Preferible pecar por exceso.

—Muy pronto va a volver a tener noticias mías. Recuerde que serán palabras anticuadas. Usted se va a dar cuenta cuando sea yo el que hable.

Corté. Temblaba de indignación. ¡Ah, ese monstruo! No contento con apoderarse del cuerpo del dios, también tenía que saquear los almacenes del dios. ¡Sinvergüenza! ¡Y yo había sido tan tonto, que no pensé que pudiera pasar eso!

—Es que eres humano —me dije—. ¡Eres un humano idiota! —No quería ni pensar en las acusaciones que me haría Louis antes de acceder a ayudarme.

¿Y si Marius se había enterado? Oh, era demasiado terrible para imaginarlo siquiera. Debía ponerme cuanto antes en contacto con Louis.

Tenía que conseguir una valija y dirigirme al aeropuerto. Mojo sin duda debería viajar en una jaula especial, que también había que conseguir. Mi despedida de Gretchen no sería el adiós prolongado y bello que había imaginado. Pero seguramente me iba a entender.

Estaban pasando muchas cosas en el complejo mundo alucinatorio de su misterioso amante. Era hora de separarnos.

17

El viaje al sur fue un suplicio. El aeropuerto, que acababa de abrirse luego de repetidas tormentas, rebosaba de ansiosos mortales que esperaban sus vuelos largamente demorados, o bien que iban a recibir a sus seres queridos.

Gretchen dejó escapar las lágrimas, y yo también. Se había apoderado de ella un miedo terrible a no volver a verme nunca más, y traté de tranquilizarla asegurándole que iría a la selva de la Guyana Francesa, a visitarla a la misión de Santa Margarita María. Guardé en el bolsillo la dirección escrita, junto con los números de la casa matriz que la orden tiene en Caracas, desde donde las hermanas me podrían orientar para que encontrara el lugar por mis propios medios. Ella ya había reservado un vuelo para emprender esa misma noche el primer tramo de su retorno.

—¡De alguna manera tengo que volver a verte! —dijo, con una voz que me partió el alma.

—Me vas a ver, *ma chère*. Te lo prometo. Voy a buscar la misión. Te encontraré.

El vuelo fue un infierno. Viajé medio atontado, esperando a cada momento que explotara el avión y mi cuerpo mortal estallara en mil pedazos. Beber grandes cantidades de gin tonic no consiguió aliviar mi miedo, y cuando lograba no pensar en ello unos instantes, era sólo para obsesionarme con las dificultades que debería enfrentar. En mi departamento, ubicado en una azotea de Nueva Orleáns, por ejemplo, tenía muchísima ropa que no me iba. Además estaba acostumbrado a entrar directamente por una puerta que había en la azotea, y no tenía llave de la puerta de calle. De hecho, la llave se hallaba en mi lugar de descanso nocturno, una cámara secreta del cementerio de Lafayette a la que no era posible acceder con sólo la fuerza de un mortal, ya que estaba bloqueada por varios portones que ni una banda de varios humanos podría haber abierto.

¿Y si el Ladrón de Cuerpos había andado antes que yo por Nueva Orleáns? ¿Y si había saqueado mi departamento y se había llevado todo el dinero que yo ocultaba allí? No era muy probable, no. Pero si había robado todos los archivos de mi desventurado agente de Nueva York... Oh, mejor pensar en que explotara el avión. También estaba el problema de Louis. ¿Y si no lo encontraba? ¿Y si...? Así seguí durante casi las dos horas.

Por último realizamos el descenso, difícil, estrepitoso, aterrador, en medio de una lluvia de proporciones bíblicas. Recogí a Mojo, deseché la jaula y audazmente lo subí conmigo a un taxi. Y ahí partimos en plena tormenta. El chofer corrió todos los riesgos que se le presentaron, por lo cual a cada instante Mojo y yo terminábamos arrojados uno en brazos del otro, por así decirlo.

Era cerca de medianoche cuando por fin llegamos a las calles arboladas del sector alto de la ciudad. Llovía tanto que apenas si se distinguían las viviendas tras las cercas de hierro. Cuando vi en el terreno de Louis la casa lóbrega y olvidada, disimulada tras los árboles oscuros, pagué al conductor, tomé la valija y nos bajamos con Mojo en medio del diluvio.

Hacía frío, sí, mucho frío, pero no molestaba tanto como el aire gélido de Georgetown, pues el espeso follaje de gigantescas magnolias y pinos parecía alegrar el ambiente, volverlo más soportable. Por otra parte, jamás había contemplado con ojos mortales una vivienda más calamitosa que ese inmenso caserón abandonado que se erigía delante de la oculta choza de Louis.

Mientras me ponía la mano sobre los ojos para repararlos de la lluvia, observé las ventanas negras, vacías, y sentí un miedo irracional de que allí no viviera nadie, miedo de estar yo loco y condenado a permanecer eternamente dentro de ese cuerpo humano.

Mojo dio un salto y pasó al otro lado de la cerca en el mismo instante en que lo hacía yo. Juntos avanzamos por entre el pasto crecido, rodeamos las ruinas del viejo porche y llegamos al jardín. Predominaba en la noche el ruido de la lluvia retumbando en mis mortales oídos, y casi lloré cuando por fin divisé la choza, un armatoste de enredaderas empapadas que surgía ante mis ojos.

Pronuncié el nombre de Louis en fuerte susurro. Aguardé, pero no oí ruido alguno en el interior. Ese lugar daba la impresión de estar por venirse abajo por el deterioro. Lentamente me acerqué a la puerta.

—Louis —volví a articular—. ¡Louis, soy yo, Lestat!

Entré con cuidado, pues había pilas de objetos polvorientos. ¡Imposible ver! Sin embargo, vislumbré el escritorio, la blancura del papel, la vela y una cajita de fósforos a su lado.

Con dedos temblorosos procuré encender un fósforo, cosa que logré al cabo de varios intentos. Por último, lo acerqué al pabilo y una pequeña luz resplandeciente alumbró el sillón de pana roja que era mío, además de otros objetos, viejos y descuidados.

Me inundó un alivio profundo. ¡Había llegado! ¡Podía considerarme casi a salvo! Y no estaba loco. Ese era mi mundo, ¡ese lugar horrible, lleno de cosas! Louis seguramente no se demoraría. Debía estar por venir. Me desplomé sobre el sillón, de puro agotamiento. Acaricié a Mojo, le rasqué la cabeza.

—Llegamos, muchacho —le dije—. Pronto saldremos a perseguir a ese canalla. Ya vamos a ver qué hacemos con él. —Me había puesto de nuevo a temblar; de hecho, sentía la misma congestión en el pecho. —Dios santo, que no me pase otra vez. ¡Louis, por el amor de Dios, regresa! Vuelve ya, dondequiera que estés. Te necesito.

Estaba por buscar en el bolsillo uno de los muchos pañuelos de papel que me había dado Gretchen, cuando advertí una silueta parada a mi izquierda, a escasos centímetros del brazo del sillón, y una mano muy blanca que intentaba alcanzarme. En el mismo instante, Mojo dio un salto, lanzó uno de sus gruñidos más aterradores y quiso abalanzarse sobre esa sombra.

Traté de gritar para darme a conocer, pero no pude ni abrir la boca, pues fui arrojado al piso en medio de los ladridos ensordecedores de Mojo. Una bota de cuero me aplastó con tal fuerza la garganta, los huesos mismos del cuello, que poco faltó para que me los quebrara.

No podía hablar, ni tampoco liberarme. El perro lanzó un lamento penetrante; luego él también se calló de golpe y oí los sonidos apagados que producía su enorme cuerpo al caer. Al sentir su peso sobre mis piernas, me debatí frenéticamente presa de pánico. Toda sensatez me abandonó mientras trataba de aferrar el pie que me tenía sujeto al piso, golpeaba esa fuerte pierna, boqueaba en busca de aire; sólo lograba emitir gemidos inarticulados.

Louis, soy Lestat. Estoy dentro de este cuerpo humano.

El pie apretaba cada vez con más intensidad. Me estaba estrangulando, un poco más y me quebraría los huesos, y yo no podía pronunciar ni una sílaba para salvarme. Vi su rostro en la penumbra, la blancura refulgente de la carne que no parecía ser carne, los huesos primorosamente simétricos, la mano delicada, a medio cerrar, que se cernía en el aire en perfecta actitud de indecisión al tiempo que los ojos hundidos, de un verde incandescente, me miraban desde arriba sin la menor emoción.

Volví a gritar las palabras con toda mi alma, pero ¿acaso él alguna vez pudo adivinar el pensamiento de sus víctimas? ¡Yo sí podía hacerlo; él no! Oh Dios, ayúdame; Gretchen, ayúdame, gritaba mentalmente.

Cuando el pie aumentó la presión quizá por última vez, dejando de lado toda indecisión, giré con esfuerzo la cabeza hacia la derecha, aspiré desfallecido algo de aire y alcancé a pronunciar la palabra "¡Lestat!" al tiempo que con el pulgar me señalaba desesperadamente a mí mismo.

Fue el único gesto que pude hacer. Me estaba asfixiando, y una negrura total se abatió sobre mí. De hecho sentía unas enormes náuseas también, y justo en el instante en que, presa de un agradable mareo, dejé de preocuparme, la presión cedió. Me di vuelta boca abajo y me incorporé apoyándome en las manos, tosiendo sin cesar.

—Por el amor de Dios —clamé, escupiendo las palabras mientras me atragantaba con las inhalaciones de aire—, soy Lestat. ¡Lestat, dentro de este cuerpo! ¿No podías darme la oportunidad de hablar? ¿Matas a cualquier desventurado mortal que por casualidad entre en tu casa? ¿Dónde quedaron las eternas leyes de la hospitalidad, idiota? ¿Por qué diablos no pones rejas en las puertas? —Con esfuerzo me puse de rodillas, y en ese momento me dominaron las náuseas, por lo que vomité una inmundicia de comida podrida sobre el polvo y la mugre; luego reculé, sintiéndome desdichado, con frío, y lo miré desde el piso.

—Mataste al perro, ¿no? ¡Monstruo! —Me abalancé sobre el cuerpo inerte de Mojo. Pero no estaba muerto sino sólo inconsciente, y en el acto sentí los latidos de su corazón. —Gracias a Dios, porque si lo matabas, jamás, jamás te habría perdonado.

Mojo soltó un gemido; movió la mano izquierda y luego despacito la derecha. Le apoyé la mano entre las orejas. Sí, se recuperaba, y estaba ileso. ¡Pero qué experiencia funesta! ¡Haber estado a punto de morir justamente en ese lugar! De nuevo me indigné y miré a Louis con furia.

Qué inmóvil estaba ahí parado, en silencio, perplejo. El ruido de la lluvia, los misteriosos sonidos de la noche invernal... todo pareció esfumarse repentinamente en el instante en que lo miré. Nunca lo había visto con ojos mortales. Jamás había contemplado esa belleza pálida de fantasma. Cuando los mortales posaban en él sus ojos, ¿cómo se les ocurría pensar que fuera un humano? Ah, las manos, semejantes a las de los santos de yeso que cobraban vida en lóbregas cavernas. Y qué desprovisto de sentimiento ese rostro. Los ojos no eran las ventanas del alma sino sólo señuelos de iluminación semejantes a piedras preciosas.

—Louis, ha ocurrido lo peor. Lo peor. El Ladrón de Cuerpos hizo el cambio, pero me robó el cuerpo y no tiene intención de devolvérmelo.

No advertí en él reacción alguna. En realidad, parecía tan inanimado y amenazador que, de pronto, lancé un torrente de palabras en francés, mencioné todas las imágenes y detalles que pude recordar en mi afán por lograr que me reconociera. Hablé de la última conversación que habíamos mantenido en esa misma casa, del breve encuentro en la catedral, su advertencia de que no debía hablar con el Ladrón de Cuerpos. Le confesé que no había podido resistirme a lo que ese hombre me ofrecía, y que viajé al norte a encontrarme con él, para aceptar su propuesta.

Su rostro desalmado seguía sin denotar nada vital, y me callé de golpe. Mojo trataba de levantarse soltando de tanto en tanto un gemido. Lentamente le pasé el brazo derecho por el cuello, me apoyé contra él luchando por no perder el aliento y traté de tranquilizarlo diciéndole que todo estaba bien, que nos habíamos salvado. Ya no le iba a suceder nada malo.

Louis posó sus ojos en el animal; luego volvió a mirarme a mí. Después noté que se aflojaba un poco el gesto de su boca. Estiró una mano y me hizo levantar, sin mi consentimiento ni mi colaboración.

—De veras eres tú —afirmó con un áspero susurro.

—Maldita sea, claro que soy yo. Y por poco me matas, no sé si te das cuenta. ¿Cuántas veces piensas ejecutar ese truquito tuyo mientras sigan funcionando los relojes de la tierra? ¡Necesito que me ayudes, maldita sea! ¡Y una vez más tratas de matarme! Y ahora, por favor, a ver si cierras alguna persiana que te quede en estas ventanas de porquería, y enciendes algún fuego en esta miserable chimenea.

Volví a desplomarme en mi sillón de pana roja con la respiración aún forzada, cuando un extraño ruido a lengüetazos me distrajo. Levanté los ojos. Louis no se había movido; más aún, me miraba como si me considerara un monstruo. Pero Mojo estaba pacientemente lamiendo mi vómito del piso.

Lancé una carcajada divertida que amenazó con convertirse en ataque de histeria.

—Por favor, Louis, enciende el fuego —le pedí—. Me estoy congelando en este cuerpo mortal. ¡Apresúrate!

—Dios mío —musitó—. ¡Qué has hecho ahora!

18

Por mi reloj pulsera supe que eran las dos. La lluvia había amainado tras los postigos de puertas y ventanas y yo estaba acurrucado en el sillón rojo, disfrutando del fueguito. Pero de nuevo tenía frío y me daban ataques de tos. Seguramente ya llegaría el momento en que no tuviera que preocuparme más por eso.

Le había contado todo, con lujo de detalles.

En un arranque de mortal candidez, describí cada experiencia con todos sus pormenores, desde mis conversaciones con Raglan James hasta la triste despedida de Gretchen. Hablé de mis sueños, de Claudia en el pequeño hospital de antaño, de la conversación que tuvimos en la sala de fantasía del hotel dieciochesco, de la tremenda soledad que sentí al amar a Gretchen porque sabía que en el fondo ella me consideraba loco, que sólo por esa razón me quería. Me tomaba por una especie de idiota bondadoso, nada más.

Listo. Ya estaba. No tenía idea de dónde hallar al Ladrón de Cuerpos, pero tenía que encontrarlo. Y sólo podría emprender la búsqueda cuando volviera a ser vampiro, cuando este físico alto y poderoso recibiera sangre preternatural.

Si bien quedaría débil porque sólo contaría con la sangre de Louis, de todos modos sería veinte veces más fuerte que en ese momento y tal vez podría requerir la ayuda del resto de los compañeros. Una vez que el cuerpo se transformara, seguramente poseería alguna voz telepática. Podría implorar ayuda a Marius, a Armand e incluso a Gabrielle —ah, sí, mi querida Gabrielle— porque ya no estaría dominada por mí y me podría oír, lo cual, en el designio corriente de las cosas —si es que se podía usar tal palabra—, no podía hacer.

El seguía sentado a su escritorio como lo estuvo todo el tiempo, sin reparar en las corrientes de aire, por supuesto, ni en la lluvia que golpeaba contra las maderas de los postigos, escuchando sin abrir la boca todo lo que le decía, observándome con expresión de dolor y desconcierto cuando comencé a pasearme mientras continuaba mi encendido relato.

—No me juzgues por mi estupidez —le rogué. Volví a contarle

el tormento que viví en el Gobi, mi extraña conversación con David, la visión de David en el café de París. —Me hallaba en un estado de desesperación. Tú sabes por qué lo hice. No necesito decírtelo. Pero ahora hay que volver atrás.

Ya a esa altura me daban constantes ataques de tos y me sonaba la nariz como loco con esos miserables pañuelitos de papel.

—No sabes lo repugnante que es estar en este cuerpo. Bueno, por favor, hazlo ahora mismo, rápido, lo mejor que puedas. Cien años han pasado desde la última vez que lo llevaste a cabo. Hay que agradecerle a Dios que no se te hayan desvanecido los poderes. Ya estoy listo. No hacen falta preparativos. Cuando recupere mi forma, pienso meterlo a él aquí adentro y quemarlo hasta dejarlo hecho cenizas.

Nada me respondió.

Me levanté y volví a pasearme, esta vez para entrar en calor y porque un miedo horrible se estaba apoderando de mí. Al fin y al cabo estaba por morir, ¿no es así? Y renacer, tal como había ocurrido hacía más de doscientos años. Ah, pero no sentiría dolor. No, nada de dolor... sólo algunos malestares, que no eran nada comparados con la opresión en el pecho que sentía en ese instante, o el frío que me atenaceaba manos y pies.

—Louis, por el amor de Dios, sé rápido —dije. Lo miré. —¿Qué te pasa?

Me respondió con voz baja, insegura.

—No puedo hacerlo.

—¡Qué!

Lo miré tratando de descifrar lo que había querido decir, qué dudas podía tener, qué posible dificultad habría que resolver. Entonces me di cuenta del cambio asombroso que se había operado en su rostro enjuto, perdida ahora toda su tersura y convertido, de hecho, en una perfecta máscara de pesar. Una vez más comprendí que lo estaba viendo como lo veían los humanos. Un tenue brillo rojizo velaba sus ojos verdes. Todo su cuerpo, de apariencia tan fuerte y sólida, temblaba.

—No puedo ayudarte, Lestat —repitió, poniendo toda su alma en las palabras—. ¡No puedo!

—¿Qué estás diciendo, por Dios? —clamé—. Yo te hice. ¡Hoy existes gracias a mí! Me amas, tú mismo me lo aseguraste. Claro que me ayudarás.

Me precipité hacia él, apoyé con fuerza las manos sobre el escritorio y lo miré fijo.

—¡Louis, respóndeme! ¿Qué es eso de que no puedes?

—No te culpo por lo que hiciste. Pero, ¿es que no ves lo que pasó, Lestat? Renaciste y ahora eres mortal.

—No es momento para sentimentalismos sobre la transformación. ¡No me contestes con mis mismas palabras! Yo estaba equivocado.

—No, no lo estabas.

—¿Qué quieres decir, Louis? Estamos perdiendo tiempo. ¡Tengo que salir a perseguir a ese monstruo que me robó mi cuerpo!

—Los demás se encargarán de él, Lestat. A lo mejor ya lo hicieron.

—¿Qué es eso de que ya lo hicieron?

—¿Crees que no saben lo que pasó? —Estaba profundamente conmovido, pero también furioso. Era notable cómo, al hablar, se le formaban y borraban en la carne las arrugas humanas de la expresión. —¿Cómo va a pasar semejante cosa sin que ellos se enteren? —dijo, casi rogándome que comprendiera—. Dijiste que ese tal Raglan James era un hechicero, pero ningún hechicero puede ocultarse totalmente y no ser descubierto por seres poderosos como Maharet o su hermana, como Khayman y Marius, o incluso Armand. Además, qué torpe: haber asesinado a tu representante de manera tan sangrienta y cruel. —Sacudió la cabeza, y de pronto se apretó los labios. —¡Lestat, lo saben! Tienen que saberlo. Bien podría ser que ya hubieran destruido tu cuerpo.

—Eso no lo harían.

—¿Por qué no? Tú entregaste a ese demonio una máquina de destrucción...

—Pero él no sabía usarla. ¡Eran sólo treinta y seis horas de tiempo mortal! Louis, sea como fuere, tienes que darme la sangre. Sermonéame después. Haz funcionar el Truco Misterioso y ya encontraré las respuestas a todos estos interrogantes. Estamos desperdiciando minutos valiosísimos.

—No, Lestat. El tema del ladrón y lo que hizo con tu cuerpo no nos incumbe. Lo importante es lo que ahora te está pasando a ti, a tu alma, dentro de ese cuerpo.

—Está bien. Como quieras. Conviérteme, pues, en vampiro.

—No puedo. O mejor dicho, no lo haré.

No pude resistirme y me abalancé sobre él. Al instante lo tenía aferrado con ambas manos de las solapas de ese saco negro, sucio y raído. Tironeé de la tela, listo para sacarlo del sillón, pero permaneció inamovible mirándome sin hablar, con expresión de tristeza. Enojado pero impotente, lo solté y me quedé parado, tratando de aquietar el desasosiego de mi corazón.

—¡No puedes decirlo en serio! —exclamé, y di un golpe de puño contra el escritorio—. ¿Cómo me lo puedes negar?

—¿Por qué no me dejas quererte bien? —preguntó, con voz transida de emoción y rostro sumamente pesaroso—. No lo haría por grande que fuera tu dolor, por mucho que me lo suplicaras, por impresionante que fuera la letanía de hechos que me presentaras. Me niego, porque de ninguna manera voy a hacer a otro como nosotros. ¡Lo que me has contado no son grandes tragedias! ¡No te están ocurriendo calamidades! —Sacudió la cabeza, como si estuviera tan afectado que no pudiese continuar. Luego dijo: —En eso has triunfado como sólo tú podías hacerlo.

—No, no, tú no entiendes...

—Sí, claro que sí. ¿Tengo que llevarte frente a un espejo? —Con gestos lentos se puso de pie y me miró fijamente a los ojos—. ¿Debo obligarte a analizar las moralejas del cuento que acabo de oír de tus propios labios? ¡Lestat, has realizado nuestro sueño! ¿Es que no lo ves? Has conseguido renacer como mortal. ¡Un mortal bello y fuerte!

—No. —Di unos pasos atrás haciendo gestos de negación al tiempo que levantaba las manos en ademán suplicante.

—Estás loco. No sabes lo que dices. ¡Odio este cuerpo! Odio ser humano. Si te queda una pizca de compasión, Louis, ¡deja de lado esos delirios y escúchame!

—Ya te oí. Ya lo he oído todo. ¿Por qué no lo crees? Lestat, ganaste. Te has liberado de la pesadilla. Has vuelto a tener vida.

—¡Sufro horrores! Dios mío, ¿qué debo hacer para convencerte?

—Nada. Soy yo quien tiene que convencerte a ti. ¿Cuánto tiempo llevas ya en ese cuerpo? ¿Tres días? ¿Cuatro? Hablas de malestares como si fueran enfermedades de muerte; hablas de límites físicos como si se tratara de perversas restricciones punitivas.

"No obstante, en tus largas lamentaciones tú mismo me has pedido que no te haga caso, que no acceda a tus ruegos. ¿Para qué, si no, me contaste la historia de David Talbot y su obsesión con Dios y el diablo? ¿Para qué me contaste todo lo que te dijo la monja Gretchen? ¿Para qué describiste el pequeño hospital que viste en sueños? Sé que no fue Claudia la que se te apareció. No digo que Dios haya puesto a Gretchen en tu camino, pero sí que te has enamorado de ella. Tú mismo lo reconoces. Esa mujer está esperando que regreses. En definitiva, quizá sea ella quien te guíe para que aprendas a tolerar las molestias y dolores de la vida humana...

—No, Louis. Lo has entendido todo mal. No quiero que ella

me guíe. ¡No quiero esta vida mortal!

—¿No te das cuenta de la oportunidad que se te brinda? ¿No adviertes la senda que se abre ante ti y la luz al final del camino?

—Me voy a volver loco si sigues diciendo esas cosas...

—Lestat, ¿qué puede hacer cualquiera de nosotros para redimirse? ¿Y quién era siempre el que se obsesionaba con estos temas? Tú.

—¡No, no! —Levanté los brazos y los crucé repetidas veces, como tratando de detener a ese camión cargado de filosofía insensata que amenazaba atropellarme. —¡No! Te digo que esto es falso. Es la peor de las mentiras.

Me dio la espalda y yo volví a lanzarme sobre él, incapaz de contenerme. Lo habría aferrado por los hombros para sacudirlo, pero, con un gesto demasiado rápido para mi ojo, me empujó hacia atrás y me mandó contra el sillón.

Sorprendido, me doblé el tobillo y caí sobre los almohadones. Con el puño derecho me golpeé la palma de la mano izquierda.

—Ah, no, no. Nada de sermones ahora. —Casi se me saltaban las lágrimas. —Nada de consejos ni perogrulladas.

—Vuelve con ella.

—¡Estás loco!

—Imagínalo —prosiguió, como si yo no hubiera hablado, dándome la espalda, quizá con los ojos fijos en la ventana y voz casi inaudible. Su figura se recortaba contra el plateado continuo de la lluvia. —Renaces después de tantos años de apetitos inhumanos, de siniestro y desalmado succionar. Y en ese hospital de la selva podrás salvar una vida humana por cada una que hayas segado. Oh, no sé qué ángeles de la guarda te protegen. ¿Por qué son tan misericordiosos? Me ruegas que te lleve de nuevo al horror, pero cada palabra tuya realza el esplendor de todo lo que has visto y sufrido.

—¡Desnudo mi alma y la usas contra mí!

—No, Lestat. Trato de hacerte bucear en tu interior. Me estás rogando que te conduzca de vuelta a Gretchen. ¿Seré yo, tal vez, el único ángel de la guarda? ¿Soy el único que puedo confirmar ese destino?

—¡Hijo de puta! Si no me das la sangre...

Giró en redondo. Su rostro era el de un fantasma; sus ojos, estaban muy abiertos, asquerosamente irreales en su belleza.

—No lo haré ahora, mañana ni nunca. Vuelve con ella, Lestat. Vive la vida mortal.

—¡Cómo te atreves a elegir por mí! —Me puse nuevamente de pie, decidido a terminar con las súplicas y lamentos.

—No vengas a pedírmelo de nuevo; si vienes, te haré daño. Y no deseo hacerlo.

—¡Me has matado! Eso es lo que has hecho. ¡Piensas que creo todas tus mentiras! Me has condenado a este cuerpo doliente y podrido, eso es lo que has hecho. ¿Crees que no sé el odio que sientes? ¿Crees que no me doy cuenta de que buscas desquitarte? Por Dios, di la verdad.

—No, no es verdad. Te quiero. Pero estás ciego de impaciencia, angustiado por dolores poco importantes. Eres tú quien no me perdonará nunca si te robo este destino, pero te llevará un tiempo poder valorar mi gesto.

—No, no, por favor. —Me acerqué a él, pero no ya con indignación. Caminé despacio, hasta que pude apoyar las manos en sus hombros y aspirar la tenue fragancia de polvo y tumba que llevaba adherida a la ropa. Dios santo, ¿era nuestra piel la que atraía tan delicadamente la luz? Y nuestros ojos. Ah, mirarme en sus ojos.

—Louis, quiero que me tomes. Te lo pido por favor. Deja que haga yo las interpretaciones sobre mi relato. Mírame, Louis; tómame. —Sostuve su mano fría, inerte, y la apoyé contra mi cara. —Siente la sangre que hay en mí, siente el calor. Me deseas, Louis, no puedes negarlo. Me deseas, quieres tenerme en tu poder como te tuve yo a ti hace tanto tiempo. Seré tu creación, tu vástago, Louis. Hazlo, por favor. No me obligues a implorártelo de rodillas.

Noté un cambio en él, la repentina expresión depredadora que tiñó sus ojos. Pero, ¿había algo más fuerte que su sed? Su fuerza de voluntad.

—No, Lestat —susurró—. No puedo. Aunque yo esté equivocado y tú no... por más que carezcan de sentido todas tus metáforas, no puedo hacerlo.

Lo tomé en mis brazos, ah, qué frío, qué reacio este monstruo que yo había creado con carne humana. Lo besé en la mejilla, temblando y mis dedos se deslizaron hasta su cuello.

No se alejó. No tuvo valor. Sentí que su pecho se hinchaba contra el mío.

—Hermoso mío, haz lo que te pido —murmuré en su oído—. Lleva este calor a tus venas y devuélveme todo el poder que en una oportunidad te di. —Apreté mis labios contra su boca fría, descolorida. —Bríndame el futuro, Louis. Dame la eternidad. Líbrame de esta cruz.

Vi por el rabillo del ojo que levantaba la mano, y a continuación sentí sus dedos sedosos contra mi mejilla. Me acarició también el cuello.

—No puedo, Lestat.

—Sí, claro que puedes —murmuré besándole la oreja mientras le hablaba, conteniendo las lágrimas, pasándole el brazo por la cintura—. No me abandones en este sufrimiento, por favor.

—No me lo pidas más. De nada vale. Ahora me voy. No volverás a verme nunca más.

—¡Louis! —Lo aferré. —¡No me lo puedes negar!

—Sí que puedo, y lo he hecho.

Noté que se ponía tieso y trataba de apartarse sin herirme. Yo lo aferré con más fuerza aún.

—No me volverás a encontrar aquí. Pero sí sabes dónde encontrarla a ella, que te está esperando. ¿No aprecias tu propia victoria? Has vuelto a ser mortal, y tan joven... Mortal, y tan bello. Mortal, con todo tu conocimiento y tu misma indomable voluntad.

Con firmeza se soltó de mi abrazo, me apartó apretándome las manos mientras lo hacía.

—Adiós, Lestat. Tal vez los demás vayan a buscarte cuando pase el tiempo, cuando crean que ya has pagado lo suficiente.

Lancé un último lamento mientras procuraba liberar mis manos para sujetarlo, porque sabía lo que él pensaba hacer.

Con un movimiento súbito y misterioso desapareció, y yo quedé tendido en el piso.

La vela estaba apagada, pues había caído sobre el escritorio. La única iluminación era la del fuego mortecino. Y los postigos de la puerta estaban abiertos, y la lluvia caía, fina y silenciosa pero continua. Y me di cuenta de que estaba totalmente solo.

Me había desplomado estirando las manos para amortiguar el golpe. En el momento de levantarme, le grité, rogando que pudiera oírme por lejos que ya estuviera.

—Louis, ayúdame. No quiero estar vivo. ¡No quiero ser mortal! ¡Louis, no me dejes aquí! ¡No quiero esto! ¡No quiero salvar mi alma!

No sé cuántas veces repetí los mismos argumentos. Al rato, quedé tan agotado que no pude continuar; además, el sonido de esa voz mortal y su tono de desesperación herían mis propios oídos.

Me senté en el piso, una pierna doblada bajo mi cuerpo y el codo apoyado sobre la rodilla, y me pasé la mano por el cabello. Mojo se había acercado, temeroso, y se tendió junto a mí. Me agaché y apreté la frente contra su pelo.

El fuego casi se había consumido. La lluvia siseaba, suspiraba, redoblaba sus bríos, pero caía en línea recta desde el cielo, sin una pizca de odioso viento.

Por último, levanté la mirada y contemplé esa habitación lúgubre, con su revoltijo de libros y viejas estatuas, la suciedad por todas partes y las brasas que irradiaban luz desde el hogar. Qué cansado estaba, qué insensibilizado por la furia, qué próximo a la desesperación.

¿Alguna vez había estado tan carente de toda esperanza?

Mis ojos se posaron en la puerta, repararon en la incesante lluvia, en la penumbra amenazadora. Sí, sal e intérnate en la oscuridad con Mojo, y a él seguramente le encantará como le encantó la nieve. Tienes que salir e internarte en ella. Tienes que salir de esta choza y buscar un refugio cómodo donde descansar.

Mi departamento de la azotea... seguramente podrás hallar la forma de entrar en él. Sí, alguna forma. El sol iba a salir al cabo de unas horas, ¿no? Ah, mi preciosa ciudad bajo la tibia luz del sol.

Por Dios, no te pongas de nuevo a llorar. Necesitas descansar y pensar.

Pero antes de irte, ¿por qué no le incendias la casa? No toques la casa grande. El no la quiere. ¡Quémale la choza!

Me di cuenta de que esbozaba una sonrisa maliciosa aun cuando las lágrimas se agolpaban a mis ojos.

¡Sí, redúcela a cenizas! Se lo merece. Seguro que se llevó sus escritos, sí, claro, ¡pero sus libros se harán humo! Ni más ni menos que lo que se merece.

De inmediato recogí los cuadros —un espléndido Monet, dos pequeños Picasso y una témpera del período medieval, todos en estado de deterioro, desde luego—, corrí a la mansión victoriana y los guardé en un rincón que me pareció seco y seguro.

Luego regresé a la choza, tomé la vela y la acerqué a los restos del fuego. En el acto las cenizas blandas explotaron con chispitas anaranjadas que se adhirieron al pabilo.

—Ah, esto te lo mereces, canalla, traidor. —Presa de furor llevé la llama a los libros que había apilados contra la pared, y con cuidado moví las hojas para que se quemaran. De ahí pasé a un abrigo viejo que había sobre una silla de madera y que ardió como si fuera paja; también a los almohadones de pana roja del que había sido mi sillón. Sí, todo, lo quemo todo.

Pateé una pila de revistas mohosas bajo el escritorio y les prendí fuego. Fui apoyando la llama libro por libro, que luego arrojaba a todos los rincones de la casucha.

Mojo esquivó las pequeñas fogatas, hasta que por último salió a la intemperie y se detuvo a gran distancia, bajo la lluvia. Me miraba por la puerta abierta.

Oh, pero avanzaba demasiado lentamente. Y Louis tiene un cajón lleno de velas. Cómo pude olvidarlas... maldito sea este cerebro mortal... Las saqué, entonces —eran unas veinte—, encendí directamente la cera sin preocuparme por la mecha y las arrojé sobre el sillón de pana para armar una gran hoguera. Lancé otras sobre las pilas de escombros que quedaban, tiré libros ardiendo contra los postigos húmedos y prendí fuego a los trozos de antiguas cortinas que colgaban aquí y allá de viejos barrales olvidados. A puntapiés hice agujeros en el yeso podrido y arrojé velas encendidas al enlistonado. Luego prendí fuego a las gastadas alfombras, pero primero las arrugué para permitir que el aire circulara por debajo.

Al cabo de unos minutos el lugar era presa de las llamas, pero lo que ardía con más intensidad eran el sillón rojo y el escritorio. Salí a la lluvia y vi las lengüetas de fuego entremedio de las tablas rotas.

Un humo horrible y denso se elevó cuando las llamas consumieron los postigos húmedos, cuando se las vio salir por las ventanas y achicharrar las enredaderas. ¡Maldita lluvia! Pero en el momento en que la hoguera del escritorio y el sillón se hizo más intensa, ¡toda la choza estalló en llamaradas color naranja! Los postigos volaron a la vez que se abría un enorme boquete en el techo.

—¡Sí, sí, quémate! —grité. La lluvia me caía en la cara, en los párpados. Yo prácticamente daba saltos de alegría. Mojo retrocedió hacia la mansión en sombras, con la cabeza gacha. —¡Quémate, quémate! ¡Louis, ojalá pudiera quemarte a ti también! ¡Cómo me gustaría hacerlo! ¡Ah, si supiera dónde yaces durante el día!

Sin embargo, pese al júbilo me di cuenta de que estaba llorando. Me pasaba el dorso de la mano por la boca y clamaba: "¡Cómo pudiste dejarme así! ¡Cómo pudiste hacerlo! Te maldigo." Hecho un mar de lágrimas, volví a caer de rodillas sobre la tierra mojada.

Me senté apoyándome en los talones, con las manos plegadas ante mí, desdichado, y contemplé la gran hoguera. Algunas luces comenzaron a encenderse en casas distantes. Alcancé a oír el ulular de una sirena a lo lejos. Comprendí que debía irme.

Sin embargo, seguía ahí, como embotado, cuando de pronto Mojo me sobresaltó con uno de sus gruñidos más aterradores. Advertí que se había parado a mi lado, que apretaba su piel húmeda contra mi rostro y tenía la mirada perdida en la casa incendiada.

Me moví para tomarlo del collar cuando comprendí el motivo de su miedo. No se trataba de un humano servicial sino más bien de una silueta blanca y fantasmal, una suerte de espeluznante aparición que había cerca de la casa incendiada, iluminada por el resplandor del fuego.

¡Hasta con mis ojos mortales me di cuenta de que era Marius! También noté la expresión de ira de su rostro. Jamás había visto yo tal reflejo de furia, y no me cupo duda de que eso era precisamente lo que quiso que yo viera.

Abrí los labios, pero la voz había muerto en mi garganta. Lo único que pude hacer fue tenderle los brazos, enviarle desde el corazón un mudo pedido de ayuda, de piedad.

Una vez más el perro lanzó su feroz advertencia y pareció a punto de saltar.

Y mientras yo observaba, indefenso, temblando de pies a cabeza, la figura giró lentamente y, dirigiéndome una última mirada de enojo y desprecio, se marchó.

Sólo entonces reaccioné.

—¡Marius, no me dejes aquí! ¡Ayúdame! —Alcé los brazos al cielo. —Marius —clamé con voz gutural.

Pero era inútil, ya lo sabía.

La lluvia me empapaba el abrigo, se me metía por los zapatos. Tenía el pelo mojado y ya no importaba si había estado llorando, porque el agua había arrastrado mis lágrimas.

—Crees que me has vencido —murmuré. ¿Qué necesidad había de llamarlo a los gritos?. —Crees haber emitido tu juicio y que con eso se termina todo. Sí, piensas que es tan sencillo. Bueno, estás equivocado. Nunca seré vengado por lo de hoy. Pero me verás de nuevo. Ya me verás.

Agaché la cabeza.

La noche se llenó de voces mortales, de pasos que corrían. Un potente ruido de motor se detuvo en la esquina lejana. Tuve que hacer un esfuerzo para poner en movimiento estas miserables piernas humanas.

Le hice señas a Mojo de que me siguiera. Dejamos atrás las ruinas de la casita, que seguían ardiendo alegremente; saltamos un tapial bajo, cruzamos por un callejón cubierto de malezas y huimos.

Sólo más tarde me puse a pensar que probablemente estuvimos a punto de que nos pescaran: el pirómano y su temible perro.

Pero, ¿eso qué importaba? Louis me había echado, lo mismo que Marius... Marius, que podía encontrar mi cuerpo preternatural antes que yo y destruirlo en el acto. Marius, que quizá ya lo hubiera aniquilado para dejarme eternamente anclado en este esqueleto mortal.

Ah, si en mi juventud mortal alguna vez había padecido tal desdicha, no lo recordaba. Y aunque la hubiese sufrido, de poco consuelo me servía. ¡Mi miedo era inenarrable! No lo podía vencer con la razón. Daba vueltas y más vueltas con mis esperanzas y mis planes ineficaces.

"Tengo que encontrar al Ladrón de Cuerpos. Tengo que encontrarlo, y tú debes darme tiempo, Marius. Si no me ayudas, al menos concédeme eso."

Lo repetía una y otra vez como el Ave María del rosario, mientras marchaba con dificultad bajo la lluvia inclemente.

Una o dos veces hasta grité mis plegarias en la oscuridad, parado bajo un viejo roble que chorreaba, tratando de ver la luz que llegaba a través del cielo húmedo.

¿Quién en el mundo podía ayudarme?

Mi única esperanza era David, aunque vaya uno a saber qué podía hacer para ayudarme. ¡David! ¿Y si también él me daba la espalda?

19

Me hallaba sentado en el Café du Monde cuando salió el sol, y me preguntaba cómo haría para entrar en mi departamento de la azotea. El hecho de analizar ese pequeño problema me impedía perder la razón. ¿Sería ésa la clave de la supervivencia humana? Hmmm. ¿Cómo entrar por la fuerza en mi lujoso departamento? Yo mismo había colocado un portón infranqueable en la entrada del jardín de la azotea. Yo mismo había instalado complejas cerraduras en todas las puertas. Las ventanas tenían rejas para que los mortales no pudieran pasar, aunque nunca me había puesto a pensar cómo ningún mortal podía subir hasta allí.

Bueno, tendré que ingresar por el portón. Pensaré en algún tipo de magia verbal para usar con los demás moradores del edificio, todos inquilinos de Lestat de Lioncourt; que los trata muy bien, permítaseme añadir. Los convenceré de que soy un primo francés del propietario, enviado a ocuparse de la *penthouse* en su ausencia, y diré que se me debe franquear la entrada a toda costa. ¡Aunque tenga que usar una palanca o un hacha! O una sierra eléctrica. Apenas un detalle técnico, como dicen en esta era. Tengo que entrar.

Después, ¿qué hago? ¿Tomo una cuchilla de cocina —porque hay allí cosas por el estilo, aunque jamás tuve necesidad de una cocina— y me degüello?

No. Llamo a David. No hay nadie en este mundo a quien puedas recurrir, ¡y piensa en las cosas terribles que él te va a decir!

Cuando dejé de discurrir sobre todo eso, de inmediato me acometió un desánimo demoledor.

Marius y Louis me habían echado. En la peor de mis locuras, se negaron a ayudarme. Cierto es que me había burlado de Marius. No quise aceptar su sabiduría, su compañía, sus normas. Sí, me lo tenía merecido, como tan a menudo dicen los mortales. Había cometido el deleznable acto de soltar al Ladrón de Cuerpos con mis poderes. Verdad. También era culpable de espectaculares experimentos y desaciertos. Pero nunca imaginé cómo iba a sentirme privado por completo de mis facultades, mirándolo todo desde afuera. Los demás lo sabían; seguramente lo sabían. Y permitieron que Marius emitiera su juicio y me hiciera saber que, en castigo por mi acto, ¡decidían echarme!

Pero Louis, mi hermoso Louis, *cómo* pudo menospreciarme. ¡Yo habría desafiado hasta a los cielos para ayudarlo! Había contado tanto con él, con despertarme esta noche y tener la vieja, poderosa sangre corriendo por mis venas.

Oh, Dios, ya no era uno de ellos. Ahora no era más que ese mortal que estaba ahí sentado, en la sofocante calidez del bar, bebiendo un café —de rico sabor, eso sí—, comiendo una rosquilla dulce, sin esperanzas de recuperar jamás su lugar.

Ah, cómo los odiaba. ¡Qué ganas me daban de hacerles daño! Pero, ¿quién tenía la culpa de todo? Lestat, ahora un hombre de un metro noventa, ojos castaños, piel bastante oscura y espesa cabellera ondulada. Lestat, de brazos musculosos y piernas fuertes, y otro resfrío mortal que lo debilitaba. Lestat, con su fiel perro Mojo. Lestat, que quería saber cómo hacer para apresar al demonio que había huido llevándose no su alma, como suele ocurrir, sino su cuerpo, un cuerpo que bien podía estar ya destruido.

La cordura me dijo que aún era muy pronto para planear nada. Además, nunca me había interesado demasiado la venganza. La venganza es para quienes en algún momento resultan vencidos. Yo no estoy vencido, me dije. Y es mucho más interesante analizar la victoria que el desquite.

Mejor pensar en cosas pequeñas, cosas que puedan ser cambiadas. David tenía que escucharme. ¡Por lo menos que me diera su consejo! Pero, ¿qué más podía dar? ¿Qué podían hacer dos mortales para perseguir al despreciable ser? Ahhh...

Mojo tenía hambre y me observaba con sus ojazos inteligentes. Cómo lo miraba la gente del bar; cómo esquivaban a ese funesto animal peludo de hocico oscuro, orejas de borde rosado y enormes patas. Imprescindible darle de comer. Al fin y al cabo, era cierto el típico lugar común: ¡ese inmenso perro era mi único amigo!

¿Satanás tenía un perro cuando lo arrojaron al infierno? De ser así, el perro tendría que haber ido con él.

—¿Cómo lo hago, Mojo? —le pregunté—. ¿Cómo hace un simple mortal para apresar al vampiro Lestat? ¿O acaso mis compañeros redujeron mi hermoso cuerpo a cenizas? ¿Fue ése el sentido de la visita que me hizo Marius? ¿Hacerme saber que ya lo habían consumado? Dios mío... ¿Qué dice la bruja en esa horrenda película? Cómo pudiste hacerle eso a mi hermosa perversidad. Me ha vuelto la fiebre, Mojo. Las cosas se van a tener que arreglar solas. ¡ME VOY A MORIR!

Oh Dios, contempla el sol que invade calladamente las calles sucias, mira cómo mi hermosa Nueva Orleáns despierta bajo la bella luz del Caribe.

—Vamos, Mojo. Hora de entrar. Después podremos descansar al calor.

Pasé por el restaurante que queda frente al viejo Mercado Francés y compré una porción de huesos y carne para él. La amable camarera me llenó una bolsa con sobras del día anterior y comentó que al perro le iban a encantar. Luego me preguntó si yo no quería el desayuno, si no tenía hambre en esa hermosa mañana invernal.

—Después, querida. —Le entregué un billete grande. Me quedaba el consuelo de que seguía siendo rico. O al menos eso creía. No lo sabría con certeza hasta que no me sentara a la computadora y averiguara las actividades del vil estafador.

Mojo consumió su comida en la cuneta sin emitir ni una protesta. Eso era un perro. ¿Por qué no habré nacido yo perro?

Ahora bien, ¿dónde diablos quedaba mi departamento? Tuve que detenerme a pensar, deambular dos cuadras y volver atrás para encontrarlo —enfriándome más a cada instante pese a que el cielo estaba azul y había un sol intenso—, porque casi nunca entraba al edificio desde la calle.

Ingresar en el edificio fue fácil. De hecho, fue sencillo forzar la puerta de la calle Dumaine y volver a cerrarla. Ah, pero ese portón va a ser lo peor, pensé, mientras arrastraba mis pesadas piernas por la escalera, piso tras piso. Mojo esperaba amablemente en los descansos a que yo llegara detrás de él.

Por último divisé los barrotes del portón, la preciosa luz del sol que caía sobre el pozo de ventilación desde el jardín de la azotea, y el movimiento de las inmensas begonias, que sólo tenían algunos bordes quemados por el frío.

Pero, ¿cómo iba a abrir esa cerradura? Me hallaba calculando qué herramientas iba a necesitar —¿una pequeña bomba?— cuando me di cuenta de que la puerta de mi departamento, cinco metros más allá, no estaba cerrada.

—¡Dios mío, el canalla ha estado aquí! —susurré—. Maldita sea. Mojo, me han saqueado mi cueva.

Desde luego, también eso podía considerarse como un signo positivo: quería decir que el delincuente aún vivía, que mis compañeros no lo habían ultimado. ¡O sea que aún podía prenderlo! Pateé el portón, con lo cual sólo conseguí un dolor fenomenal en el pie y la pierna.

Luego aferré el portón y lo sacudí sin piedad, pero estaba firme, agarrado a sus antiguas bisagras que yo mismo le había hecho poner. Un fantasma débil como Louis no podría haberlo transpuesto, y mucho menos un mortal. Indudablemente el ser abyecto no lo había tocado sino que había entrado como solía hacerlo yo: bajando de los cielos.

Bueno, basta ya. Búscate unas herramientas y hazlo de prisa. Averigua pronto qué grado de daño te causó.

Giré sobre mis talones, pero en ese preciso instante Mojo se puso en posición de alerta y lanzó su gruñido de advertencia. Alguien se movía dentro del departamento. Un trozo de sombra brincó sobre la pared del hall.

No era el Ladrón de Cuerpos. Eso era imposible, gracias a Dios. Pero, ¿quién?

Al instante se resolvió el misterio. ¡Apareció David! Vestido con traje oscuro de tweed y sobretodo, mi querido David me estudió con su característica expresión de curiosidad desde el extremo del sendero que cruzaba el jardín. No creo que nunca en mi larga vida me haya alegrado tanto el ver a otro mortal.

Pronuncié su nombre en el acto. Luego dije en francés que era yo, Lestat, que por favor me abriera el portón.

No me respondió enseguida. Creo que jamás lo vi tan señorial y dueño de sí mismo, el verdadero *gentleman* inglés que me miraba sin demostrar en su rostro arrugado nada más que mudo espanto. Miró también al perro. Luego volvió a estudiarme. Y otra vez al perro.

—¡David, te juro que soy Lestat! —clamé en inglés—. ¡Este es el cuerpo del mecánico! ¡Recuerda la fotografía! James consiguió hacer el cambio. Estoy preso dentro de este físico. ¿Qué puedo decirte para que me creas? Déjame entrar, por favor.

Siguió inmóvil. Pero de pronto se adelantó hasta el portón con paso decidido y rostro insondable.

Casi me desmayo de la alegría. Yo continuaba aferrado con ambas manos a los barrotes, como si estuviera preso; después me di cuenta de que lo estaba mirando a los ojos, que por primera vez éramos de la misma altura.

—No sabes cuánto me alegro de verte, David —exclamé, nuevamente en francés—. ¿Cómo hiciste para entrar? David, soy Lestat. Soy yo. Me crees, ¿verdad? Reconoces mi voz. David, ¡Dios y el diablo en el bar de París! ¿Quién sabe eso más que yo?

Sin embargo, no reaccionó a mi voz; me miraba a los ojos con la expresión de quien cree oír ruidos lejanos. Pero pronto cambió toda su actitud y vi en él evidentes signos de reconocimiento.

—Gracias al cielo —exclamó con un pequeño y muy británico suspiro.

Sacó un estuche del bolsillo y de él una fina pieza de metal que introdujo en la cerradura. Yo, que conocía bastante el mundo, me di cuenta de que se trataba de un implemento de ladrones. Me abrió el portón y luego me tendió los brazos.

Nos dimos un abrazo largo, cálido y silencioso, y a mí me costó un gran esfuerzo no soltar alguna lágrima. No con demasiada frecuencia había tocado a ese hombre. Y la emoción del momento me tomó un tanto desprevenido. Recordé la adormilada tibieza de mis abrazos con Gretchen. Y por un instante, quizá, no me sentí tan solo.

Pero no había tiempo para disfrutar de ese solaz.

Me separé sin muchas ganas y una vez más pensé qué espléndido estaba David. Tan impresionante me resultaba, que casi me creía joven como el cuerpo donde me hallaba. Necesitaba mucho a mi amigo.

Todas las pequeñas huellas de la edad, que antes le veía con mis ojos vampíricos, eran invisibles. Las profundas arrugas parecían ser parte de su expresiva personalidad, lo mismo que la luz serena de sus ojos. Se lo veía muy vigoroso ahí parado, con su atuendo característico y la cadenita de oro del reloj sobre su chaleco de tweed. Muy aplomado, muy inteligente, muy solemne.

—¿Sabes lo que hizo el hijo de puta? Me jugó sucio y me abandonó. Y mis compañeros también me abandonaron. Louis, Marius. Me volvieron la espalda. Estoy prisionero en este cuerpo, David. Ven, tengo que comprobar si el monstruo robó en mis aposentos.

Corrí hacia la puerta del departamento casi sin oír las pocas palabras que me contestó David, en el sentido de que no creía que hubiese entrado nadie.

Tenía razón. ¡El canalla no me había desvalijado! Todo estaba exactamente en el mismo lugar, hasta mi viejo sobretodo de pana colgado de un perchero. Estaba el block de papel amarillo donde había hecho unas anotaciones antes de partir. Y la computadora. Ah, tenía que encenderla de inmediato para apreciar la magnitud del robo. A lo mejor mi agente de París, pobre, todavía corría peligro. Debía comunicarme enseguida con él.

Pero me distrajo la luz que entraba por las paredes de vidrio, el apacible esplendor del sol al derramarse sobre sillones y sofás oscuros, sobre la suntuosa alfombra persa con sus guirnaldas de rosas, incluso sobre los pocos cuadros modernos de gran tamaño —todos abstractos furiosos— que hacía mucho había elegido para esas paredes. Me estremecí al contemplar todo eso, maravillándome una vez más de que la iluminación eléctrica no pudiera producir nunca la particular sensación de bienestar que en ese momento me inundaba.

También advertí que había un fuego encendido en la amplia chimenea revestida de cerámicos blancos —obra de David, sin duda—, y me llegó olor a café desde la cocina, habitación en la que rara vez había entrado durante los años que habité esa casa.

En el acto, David balbuceó una disculpa. Ni siquiera había ido a su hotel, por lo ansioso que estaba de encontrarme. Había venido directamente desde el aeropuerto, y sólo salió a comprar unas mínimas provisiones como para pasar la noche de vigilia por si acaso yo daba señales de vida.

—Fantástico. Qué suerte que viniste —dije, y me hizo gracia su cortesía británica. Me alegraba mucho de verlo, y él se disculpaba por haberse puesto cómodo.

Me quité el sobretodo húmedo y me senté ante la computadora.

—Esto me llevará apenas un minuto —anuncié, al tiempo que apretaba las teclas pertinentes—; enseguida te cuento todo. Pero, ¿por qué viniste? ¿Sospechabas lo que pasó?

—Por supuesto. ¿Te enteraste del crimen cometido por un vampiro en Nueva York? Sólo un monstruo pudo haber destrozado esas oficinas. Lestat, ¿por qué no me llamaste? ¿Cómo no me pediste ayuda?

—Un momento. —Ya salían en pantalla las letras y números. Mis cuentas estaban en orden. Si el sinvergüenza hubiera entrado en el sistema, me habrían aparecido señales preprogramadas por todas partes. Desde luego, no había manera de saber con certeza que no hubiera atacado mis cuentas en bancos europeos hasta que yo no pudiera entrar en sus sistemas. Y maldición, no me acordaba de las claves; más aún, me estaba costando manejar hasta los comandos más simples.

—En eso él tenía razón —musité—. Me advirtió que mis procesos del pensamiento no serían iguales. —Salí del programa financiero y pasé al Wordstar, el procesador que usaba para escribir, y redacté una nota para mi agente de París, que al instante le envié mediante el módem telefónico. En ella le pedía un inmediato informe financiero y le recordaba que tomara las mayores precauciones para salvaguardar su vida. Listo.

Me eché contra el respaldo, respiré hondo —lo cual en el acto me produjo un acceso de tos— y noté que David me miraba como si le costara creer lo que veía. De hecho, era casi cómico ver cómo me miraba. Luego posó sus ojos en el perro, que inspeccionaba el lugar perezosamente y de tanto en tanto me miraba para pedir órdenes.

Lo llamé con un chasquido de dedos y le di un fuerte abrazo. David presenció la escena como si fuera la cosa más rara del mundo.

—Dios santo, estás realmente dentro de ese cuerpo; no suelto ahí adentro, sino amarrado a cada célula.

—A mí me lo dices —me lamenté—. Es horrible. Además, los otros se niegan a ayudarme. Me echaron. —Apreté los dientes con indignación. —¡Me echaron! —Lancé un rezongo que inadvertidamente excitó a Mojo, motivándolo para venir a lamerme la cara.

"Claro que me lo merezco —dije, acariciando a Mojo—. Eso tiene el trato conmigo. ¡Siempre me hago acreedor a lo peor! La peor deslealtad, la peor traición, el peor abandono. Lestat el villano. Bueno, a este villano lo dejaron totalmente librado a sus propios recursos.

—Me he vuelto loco tratando de comunicarme contigo —aseguró David con tono a la vez discreto y medido—. Tu agente de París juró que no podía ayudarme. Ya había decidido probar suerte en esa dirección de Georgetown. —Señaló el block de papel amarillo. —Gracias a Dios que estás aquí.

—David, mi peor temor es que los demás hayan aniquilado a James y, junto con él, a mi cuerpo. A lo mejor este físico es el único que me queda.

—No, no lo creo —repuso con convincente ecuanimidad—. Tu ladrón ha dejado un rastro muy visible. Pero ven, sácate esa ropa mojada, que te estás resfriando.

—¿A qué te refieres con eso de "rastro"?

—Tú sabes que nosotros nos mantenemos informados de esos crímenes. Por favor, dame la ropa.

—¿Más crímenes después del de Nueva York? —le pregunté, interesado. Dejé que me llevara hacia la chimenea, feliz de sentir el calorcito. Me quité el suéter y la camisa húmedos. Por supuesto, en los diversos placares no había ropa que me fuera bien de tamaño. Además, caí en la cuenta de que la valija me la había olvidado la noche anterior en lo de Louis. —Lo de Nueva York fue el miércoles por la noche, ¿verdad?

—Mi ropa te va a andar —dijo David, distrayéndome de mis pensamientos, y se dirigió a una gigantesca maleta que había en un rincón.

—¿Qué pasó? ¿Por qué supones que fue James?

—Tiene que ser —respondió. Abrió la maleta, sacó varias prendas dobladas y luego un traje de invierno muy parecido al que tenía puesto y todavía en su percha, que colocó sobre la silla más próxima. —Toma, ponte esto. Si no, te vas a morir.

—Oh, David —dije, terminando de desvestirme—, estuve a punto de morir en más de una oportunidad. En realidad, mi breve vida de mortal la pasé siempre al borde de la muerte. El cuidado de este cuerpo me produce asco. No sé cómo ustedes aguantan este ciclo interminable de comer, orinar, moquear, defecar ¡y volver a comer! Si tienes fiebre, dolor de cabeza, ataques de tos y una nariz que te chorrea, ¡se convierte en un infierno! Y los profilácticos, por Dios. ¡Sacarte esas cosas horribles es peor que tener que ponértelas! ¡No sé cómo se me pudo ocurrir que quería embarcarme en esto! Los otros crímenes... ¿cuándo fueron? Es más importante cuándo que dónde.

De nuevo me miraba fijo, tan impresionado que no podía responder. Mojo ahora coqueteaba con él —digamos que lo estaba calificando—, y le lamió amistosamente la mano. David lo acarició con cariño, pero siguió con la mirada posada en mí.

—David —dije, sacándome las medias húmedas—, háblame de los otros crímenes. Dices que James dejó rastros.

—Es todo tan loco. Tengo una docena de fotos de esta cara tuya, pero verte a ti adentro de ella... Nunca lo pude imaginar. En absoluto.

—¿Cuándo atacó por última vez, ese depravado?

—Oh... La última noticia proviene de la República Dominicana. Eso fue... déjame ver... hace dos noches.

—¡República Dominicana! ¿Qué diablos fue a hacer ahí?

—Lo mismo quisiera saber yo. Antes atacó cerca de Bal Harbour, en Florida. En ambas oportunidades fue en un edificio alto, al que ingresó de la misma manera que en Nueva York: atravesando una pared de vidrio. En los tres sitios destrozó los muebles. Arrancó cajas de seguridad empotradas y se llevó oro, piedras preciosas, bonos. Mató a un hombre en Nueva York; el cadáver quedó desangrado, por supuesto. Dos mujeres succionadas en Florida y una familia muerta en Santo Domingo, pero allí succionó sólo al padre.

—¡No puede dominar su fuerza! Actúa con la torpeza de un robot.

—Exactamente lo que pensé yo. Lo primero que me llamó la atención fue esa mezcla de destructividad con fuerza bruta. ¡Ese ser es increíblemente inepto! Todo el asunto es muy estúpido. Pero no me explico por qué eligió esos tres sitios para sus robos. —De pronto dejó de hablar y me dio la espalda, casi con timidez.

Me di cuenta de que ya me había quitado toda la ropa y estaba desnudo, lo cual lo volvió extrañamente reservado, a tal punto que casi se sonrojó.

—Aquí tienes medias secas —dijo—. ¿No se te ocurre nada mejor que andar con la ropa empapada? —Me arrojó las medias sin levantar la mirada.

—Yo no sé mucho de nada. Eso es lo que he descubierto. Ahora entiendo por qué te llama la atención lo de los distintos lugares geográficos. ¿Qué necesidad de viajar al Caribe si puede robar todo lo que le dé la gana en los barrios residenciales de Boston o Nueva York?

—Sí, a menos que le esté molestando mucho el frío. ¿Puede ser eso?

—No. El no lo siente tanto. No es lo mismo.

Me agradó ponerme la camisa y los pantalones secos. Esas prendas sí me iban bien, aunque eran un poco amplias, de un estilo pasado de moda, no entalladas como las usaban los jóvenes. La camisa era gruesa y los pantalones pinzados, pero el chaleco lo sentía cómodo, abrigado.

—No puedo atarme el nudo con estos dedos mortales. Pero, ¿por qué me visto así, David? ¿Nunca usas ropa más informal, como se dice ahora? Dios santo, parece que vamos a un entierro. ¿Por qué tengo que hacerme un lazo alrededor del cuello?

—Porque quedaría muy mal que no lo usaras si te pones traje —me respondió—. Ven, que te ayudo. —Una vez más le noté cierta timidez al acercarse. Comprendí que sentía una gran atracción por mi cuerpo. Mi antiguo físico lo asombraba; éste, en cambio, encendía su pasión. Mientras lo observaba atentamente y sentía el movimiento de sus dedos haciéndome el nudo de la corbata, tomé conciencia de que yo también experimentaba una profunda atracción por él.

Recordé cuántas veces había querido tomarlo, estrecharlo en mis brazos, clavarle lenta, tiernamente los incisivos en el cuello, beberle la sangre. Ahora tal vez podría tenerlo en cierto sentido sin poseerlo, mediante el simple acto humano de enredarme con sus piernas, en cualquier combinación de gestos y abrazos íntimos que a él pudieran gustarle. Y a mí también.

La idea me paralizó y una sensación de frío corrió por mi piel humana. Me sentía *unido* a él, unido como lo había estado con la infortunada joven a la que violé, con los turistas que paseaban por la nevada ciudad capital, mis hermanos, unido como lo había estado con mi querida Gretchen.

Era tan fuerte esa percepción —la de ser humano y estar con un humano— que, de pronto, y pese a la belleza de la sensación, me dio miedo. Entonces comprendí que el miedo era parte de la belleza.

Oh, sí, yo era mortal como él. Flexioné los dedos y lentamente enderecé la espalda, con lo cual el estremecimiento se tornó en una sensación erótica al máximo.

Alarmado, David se desprendió bruscamente de mí, tomó el saco de la silla y me ayudó a ponérmelo.

—Tienes que contarme todo lo que te pasó —dijo—. Y tal vez dentro de una hora ya nos confirmen desde Londres si el hijo de puta ha vuelto a atacar.

Estiré el brazo, lo tomé del hombro con mi débil mano mortal, lo atraje hacia mí y le di un beso suave en la cara. Una vez más él dio un respingo.

—Déjate de tonterías —exclamó, como quien amonesta a un niño—. Quiero que me cuentes todo. Ahora bien, ¿tomaste ya el desayuno? Necesitas un pañuelo. Aquí tienes.

—¿Cómo vamos a recibir la comunicación de Londres?

—Por fax desde la Casa Matriz al hotel. Ven, vamos a comer algo. Tenemos todo un día por delante para hacer planes.

—Si es que él ya no está muerto —manifesté con un suspiro—. Dos noches atrás, en Santo Domingo... —Una vez más me inundó una apabullante sensación de desesperanza. El delicioso impulso erótico corría peligro.

David sacó una bufanda larga de lana de la maleta y me la puso al cuello.

—¿No puedes hablar a Londres ahora? —quise saber.

—Es un poco temprano, pero puedo intentarlo.

Encontró el teléfono junto al sofá y durante unos cinco minutos conversó con alguien que estaba del otro lado del océano. Aún no había novedades.

Al parecer, las policías de Nueva York, Florida y Santo Domingo no estaban en comunicación entre sí, pues aún no se había

280

establecido una relación entre los crímenes.

—Enviarán la información al hotel por fax, apenas la reciban —me hizo saber no bien cortó—. Vamos allí. Estoy que me muero de hambre. Me he pasado toda la noche aquí, esperando. Ah, el perro... ¿Qué vas a hacer con ese animal tan espléndido?

—El ya desayunó; se va a quedar muy contento en el jardín de la azotea. Estás ansioso por irte de aquí, ¿no? ¿Por qué no nos acostamos juntos? No entiendo.

—¿Lo dices en serio?

Me encogí de hombros.

—Por supuesto. —¿Si lo decía en serio? Ya me estaba empezando a obsesionar con esa simple posibilidad: hacer el amor antes de que ocurriera ninguna otra cosa. ¡La idea me parecía fantástica!

De nuevo se quedó mirándome como en trance.

—¿Te das cuenta de que tienes un físico estupendo? Es decir... supongo que te habrás dado cuenta de que te han dejado un... hermosísimo cuerpo de hombre.

—No olvides que lo revisé muy bien antes de aceptar el cambio. ¿Por qué no quieres...?

—Has estado con una mujer, ¿verdad?

—No me gusta que me leas los pensamientos. Es mala educación. Además, ¿eso qué te importa?

—Una mujer a la que amabas.

—Siempre he amado a hombres y mujeres por igual.

—Es un uso ligeramente distinto del verbo "amar". Mira, ahora no podemos hacerlo, así que contrólate. Me tienes que contar todo lo de ese tal James. Nos llevará cierto tiempo preparar el plan.

—El plan. ¿Sinceramente piensas que podemos frenarlo?

—¡Desde luego que sí! —Me hizo señas de que nos fuéramos.

—Pero, ¿cómo? —Ya íbamos saliendo.

—Tenemos que observar la conducta de ese ser para saber cuáles son sus puntos fuertes y débiles. Recuerda también que somos dos contra uno, y que le llevamos una enorme ventaja.

—¿Cuál?

—Lestat, quita de tu mente esas imágenes eróticas y vamos ya. No puedo pensar con el estómago vacío, y es evidente que tú no estás razonando como corresponde.

Mojo se acercó al portón con la intención de seguirnos, pero le dije que se quedara.

Le di un beso cariñoso en el costado de su narizota negra. El se tendió sobre el suelo húmedo y se limitó a mirarnos con cara de desilusión mientras bajábamos la escalera.

El hotel quedaba a escasas cuadras de distancia, y caminar bajo el cielo azul no era desagradable pese al viento helado. Sin embargo, tenía tanto frío que no quise comenzar el relato. Además, el espectáculo de la ciudad a la luz del día me distraía de mis pensamientos.

Una vez más me impresionó la actitud despreocupada de la gente que se veía de día. Todo el mundo parecía bendecido por esa luz, con independencia de la temperatura. Y al contemplar todo aquello sentí que en mí asomaba cierta tristeza, ya que yo no quería permanecer en ese mundo iluminado, por hermoso que fuere.

No; prefería recuperar mi visión sobrenatural. A mí que me den la misteriosa belleza del mundo nocturno. Devuélvanme mi fortaleza y resistencia preternaturales, y con gusto renuncio para siempre a este espectáculo. El vampiro Lestat... *c'est moi.*

David avisó en la conserjería del hotel que íbamos a estar en el comedor, que de inmediato le alcanzaran allí cualquier cosa que le llegara por fax.

Nos instalamos en una tranquila mesa con mantel blanco, ubicada en una esquina del inmenso salón antiguo, con sus recargados techos de yeso y cortinados de seda, y comenzamos a devorar el abundante desayuno de Nueva Orleáns, que incluía huevos, bizcochos, carnes fritas y mantecosos cereales.

Tuve que confesar que el problema de la comida había mejorado con el viaje al sur. También me estaba resultando más fácil comer, no me atragantaba tanto ni me raspaba la lengua contra mis propios dientes. El café almibarado de mi ciudad natal superaba toda perfección. Y el postre de bananas asadas con azúcar era como para subyugar a cualquier mortal.

Pero a pesar de tantas tentadoras exquisiteces, y del deseo desesperado de recibir pronto noticias de Londres, en ese momento lo que más quería era relatarle a David mi lamentable historia. A cada momento me exigía detalles, me interrumpía con preguntas, de modo que resultó un informe mucho más pormenorizado que el que le di a Louis, y que también me hizo sufrir muchísimo más.

Resultó muy penoso para mí revivir la ingenua conversación que tuve con James en la casa de Georgetown, confesar que no tuve la precaución de desconfiar de él, que había tenido la vanidad de creer que ningún mortal podía burlarse de mí.

Luego vino la vergonzosa violación, el punzante relato del tiempo que estuve con Gretchen, las pesadillas terribles de Claudia, la separación de Gretchen para volver a buscar a Louis, que entendió mal todo lo que le conté, prefirió dar crédito a su propia interpretación, y no me hizo el favor que le pedí.

Gran parte de mi sufrimiento radicaba en que ya no sentía enojo sino un enorme pesar. Pensé en Louis, pero ya no como la imagen del amante cariñoso al que daban ganas de abrazar, sino la de un ángel insensible que me impedía pertenecer al Misterioso Séquito.

—Entiendo por qué se negó —dije, sintiéndome casi incapaz de tratar ese tema—. Supongo que tendría que haberlo previsto. Y te digo con sinceridad: no creo que persista eternamente en esa actitud para conmigo. Lo que pasa es que se entusiasmó con la sublime idea de que debo salvar mi alma. Es lo que él haría. Sin embargo, en cierto sentido él jamás haría eso. Y nunca me comprendió. Nunca. Por eso es que en su libro me describió tantas veces sin llegar al fondo de mí. Si sigo preso en este cuerpo, si él llegara a entender que no pienso irme a la selva de la Guayana Francesa a reunirme con Gretchen, creo que con el tiempo va a ceder. A pesar de que le incendié la casa. A lo mejor demora años... ¡Años dentro de este miserable...!

—Te estás enfureciendo de nuevo. Tranquilo. ¿Y qué es eso de que le incendiaste la casa?

—¡Estaba enojado! —exclamé en un nervioso susurro—. Indignado. No, ni siquiera ésa es la palabra.

Pensé que en aquella, ocasión no era enojo lo que sentí sino más bien un gran sufrimiento, pero me di cuenta de que no era así. Me puse tan triste que no quise seguir cavilando sobre el tema. Bebí como mejor pude otro vigorizante sorbo de espeso café negro, y pasé a narrar que había visto a Marius a la luz de las llamas. Marius había querido que lo viera. El ya había emitido su juicio, pero yo sinceramente no sabía cuál era.

Una fría desesperanza me dominó, borró todo rastro de enojo en mí, y me quedé apático mirando el plato, el restaurante ya medio vacío, con sus cubiertos relucientes y las servilletas dobladas como sombreritos en cada lugar. Mis ojos siguieron de largo y se posaron en las luces silenciosas del hall, con esa desagradable tenebrosidad que se cernía sobre todas las cosas, y luego en David, que pese a su carácter, su conmiseración y su encanto, no era el ser maravilloso al que habría visto con mis ojos vampíricos sino tan sólo un mortal más, frágil, que vivía al borde de la muerte como yo.

Me sentía alicaído, triste. No podía seguir hablando.

—Escucha, Lestat. No creo que Marius haya destruido a ese ser. No habría ido a mostrarse ante ti, si hubiese cometido ese acto. No puedo imaginar qué piensa ni qué siente alguien como él; no me imagino siquiera lo que piensas tú, y eso que eres uno de mis amigos más queridos de toda la vida. Pero no creo que lo haya hecho. Se presentó ahí para mostrarte su indignación, para negarte ayuda, y ése fue el juicio que emitió. Pero apuesto a que te está dando tiempo para recuperar tu cuerpo. Y recuerda que, cualquiera sea la expresión que le hayas visto, la percibiste con tus ojos humanos.

—Eso ya lo pensé —repuse, desanimado—. ¿Qué otra cosa puedo creer, salvo que mi cuerpo todavía existe y puedo recuperarlo? No sé darme por vencido.

Me obsequió una encantadora sonrisa llena de cariño.

—Tuviste una estupenda aventura —dijo—. Ahora, antes de que pensemos cómo aprehender al ladrón, quiero hacerte una pregunta. Y por favor, no pierdas los estribos. Me doy cuenta de que no sabes cuánta fuerza tienes en este cuerpo, como tampoco lo sabías del otro.

—¿Fuerza? ¿Qué fuerza? Esto no es más que un montón de nervios y ganglios repulsivos, fofos. Ni menciones la palabra "fuerza".

—Tonterías. Eres un robusto y saludable muchacho de unos noventa kilos, sin un gramo de grasa. Te quedan por delante cincuenta años de vida mortal. Por el amor del cielo, toma conciencia de tus privilegios.

—Está bien, está bien. ¡Es hermoso estar vivo! —susurré, para no gritar—. ¡Y hoy al mediodía podría atropellarme un camión por la calle! ¿No ves, David, que me desprecio a mí mismo por no poder soportar estas simples tribulaciones? ¡Odio ser esta criatura débil y cobarde!

Me apoyé en el respaldo y dirigí mis ojos al techo tratando de no toser, llorar ni estornudar, como tampoco de cerrar la mano derecha en un puño porque corría el riesgo de romper la mesa o golpear alguna pared.

—¡Odio la cobardía! —musité.

—Lo sé —convino de buen grado. Me observó unos instantes en silencio; luego se secó los labios con la servilleta y asió la taza del café. —Suponiendo que James todavía ande por ahí con tu viejo cuerpo —dijo luego—, ¿estás totalmente seguro de que *quieres* recobrarlo y volver a ser Lestat dentro de ese otro cuerpo?

Me reí para mis adentros.

—¿Cómo quieres que te lo demuestre? *¿Cómo diablos* voy a hacer para efectuar de nuevo la transformación? De eso depende que conserve la salud mental.

—Bueno, primero tenemos que ubicar a James. Lo primordial es encontrarlo. No nos daremos por vencidos hasta que no tengamos la certeza de que no se lo puede hallar.

—¡Dicho por ti parece tan fácil! ¿Cómo se hace semejante cosa?

—Shhh, estás llamando la atención sin necesidad —me regañó, con autoridad—. Bebe el jugo de naranja, que te hará falta. Te pido otro.

—No necesito el jugo de naranja y tampoco necesito más cuidados. ¿De veras sugieres que hay posibilidades de atrapar a ese delincuente?

—Como te dije antes, Lestat, piensa en la limitación más importante que tenías en tu antiguo estado: los vampiros no pueden andar a la luz del día; más aún, de día son seres completamente indefensos. Cierto es que poseen el reflejo de dañar a quienquiera que se atreva a perturbar su descanso. Pero, salvo eso, se hallan indefensos. Y durante unas diez o doce horas deben permanecer en un mismo lugar. Eso nos da una gran ventaja, máxime porque es mucho lo que sabemos sobre el ser en cuestión. Lo único que necesitamos es la oportunidad de enfrentarnos con él y confundirlo bastante como para que se pueda hacer la mutación.

—¿Se lo puede obligar?

—Sí. Se lo puede hacer salir de ese cuerpo el tiempo necesario como para que te metas tú en él.

—Tengo que contarte algo, David. Con este cuerpo no tengo ni un solo poder extrasensorial. Tampoco los tenía cuando era un muchacho mortal. No creo que pueda... elevarme y salir de este cuerpo. Lo intenté una vez en Georgetown y no pude mover la carne.

—Cualquiera puede hacer ese truco, Lestat; sólo estabas atemorizado. Y aún llevas dentro de ti algo de todo lo que sabías cuando eras vampiro. Tenías la ventaja de las células preternaturales, sí, pero la mente propiamente dicha no olvida. Es obvio que James trasladó los poderes mentales de un cuerpo al otro, pero seguramente tú también te quedaste con parte de ese conocimiento.

—Sí, reconozco que estaba atemorizado... Después no quise intentarlo más por miedo a no poder volver a entrar en el cuerpo.

—Yo te voy a enseñar a salir del cuerpo y efectuar un ataque concertado sobre James. Recuerda que somos dos, Lestat. El ataque lo haremos juntos tú y yo. Y yo sí tengo notables dones parapsicológicos, para definirlos de una manera sencilla. Puedo hacer muchas cosas.

—David, a cambio de esto seré tu esclavo toda la eternidad. Te daré lo que me pidas. Iré hasta los confines del universo por ti, con tal de que esto se cumpla.

Titubeó como si quisiera hacer algún pequeño comentario jocoso, pero lo pensó mejor y no dijo nada. Luego prosiguió.

—Empezaremos con la preparación cuanto antes. Pero ahora que lo pienso, me parece que lo mejor es obligarlo a salir de golpe. Yo, eso lo puedo hacer incluso antes de que se dé cuenta de que estás tú allí. Cuando me vea a mí, no sospechará. Además, puedo ocultarle mis pensamientos. Y ésa es otra cosa que debes aprender: a disimular tus pensamientos.

—Pero, ¿y si te reconoce, David? El sabe quién eres, te recuerda. Me habló de ti. ¿Qué le va a impedir que te queme vivo en el instante en que te vea?

—El lugar donde se realice el encuentro. No se va a arriesgar a originar un gran incendio muy cerca de su persona. Además, vamos a atraerlo a un lugar donde no se atreva a demostrar sus dones, para lo cual habrá que pensarlo todo muy bien. Pero eso puede esperar hasta tanto sepamos cómo hacer para encontrarlo.

—Podemos acercarnos a él en una multitud.

—O cuando esté por amanecer, porque no podrá correr el riesgo de producir un incendio cerca de su cueva.

—Exacto.

—Bueno, hagamos un cálculo aproximado de sus poderes a partir de la información con que contamos.

Dejó de hablar un momento cuando el camarero llegó a la mesa con una de esas hermosas cafeteras bañadas en plata que hay en los hoteles de categoría. Siempre tienen una pátina distinta de la de cualquier platería, y pequeñísimas abolladuras. Observé el brebaje negro que salía por el pico.

En realidad yo observaba varias cosas mientras estaba ahí sentado, pese a lo desdichado que me sentía. El sólo hecho de estar con David me daba esperanzas.

David bebió un sorbo del café recién servido cuando el camarero ya se marchaba; luego metió la mano en el bolsillo de su saco y me entregó un bollito de hojas de papel.

—Son las crónicas que sacaron los diarios acerca de los asesinatos. Léelas con sumo cuidado y dime cualquier cosa que se te cruce por la mente.

La primera, titulada "Homicidio vampírico en el centro", me indignó. Se hablaba allí de la injustificable destrucción que me había mencionado David. Tenía que ser torpeza, destrozar mobiliarios tan tontamente. Y el robo... qué insensatez atroz. A mi representante le había quebrado el cuello en el acto de beberle la sangre. Más ineptitud.

—Me llama la atención que hasta pueda usar el don de volar —dije, enojado—. Sin embargo, en este caso atravesó la pared en el piso treinta.

—Eso no significa que pueda usar ese poder en grandes distancias.

—Pero entonces, ¿cómo hizo para llegar de Nueva York a Bal Harbour en una noche? Y lo que es más importante, ¿por qué? Si utiliza vuelos comerciales, ¿qué sentido tiene ir a Bal Harbour en vez de Boston, Los Angeles o París? Piensa en cuánto podría robar en un museo importante o un inmenso banco. Lo de Santo Domingo no lo entiendo. Aunque domine el arte de volar, no puede resultarle fácil. Entonces, ¿para qué ir a esos sitios? ¿Querrá atacar en lados muy distintos para que nadie relacione los hechos?

—No. Si sólo buscara el secreto, no actuaría de manera tan espectacular. Está cometiendo disparates. ¡Se comporta como si estuviera drogado!

—Así es. Y a decir verdad, ésa es la sensación que uno experimenta al principio. Uno se intoxica con los efectos magnificados de los sentidos.

—¿Podría ser que volara por el aire y atacara simplemente en cualquier lugar adonde lo llevara el viento, que no existiera un plan determinado? —preguntó David.

Pensé en la pregunta mientras leía las demás crónicas, muy frustrado por no poder escrutarlas como podría haber hecho con mis ojos de vampiro. Sí, más torpeza, más estupidez. Cuerpos humanos aplastados con "un instrumento pesado", que desde luego sólo era su puño.

—Le gusta romper vidrios, ¿eh? —dije—. Le agrada sorprender a sus víctimas. Debe disfrutar viendo su miedo. No deja testigos. Roba todo lo que le parece de valor. Y nada de eso es muy valioso. Cómo lo odio. Y sin embargo... yo también he cometido actos igual de terribles.

Recordé las conversaciones con ese depravado. ¡Cómo me dejé engañar por sus modales de caballero! Pero también me vinieron a la mente las descripciones de él que me había hecho David, todo lo que dijo sobre su estupidez y su autodestructividad. Y su torpeza. Cómo pude olvidarlo.

—No —respondí por fin—. No creo que pueda recorrer semejantes distancias. No te imaginas lo aterrador que puede llegar a ser el don de volar. Veinte veces más atemorizante que el viaje fuera del cuerpo. Todos nosotros lo odiamos. Hasta el rugir del viento produce una sensación de impotencia, un abandono peligroso, por así decirlo.

Hice una pausa. Nosotros conocemos ese vuelo en sueños, quizá porque antes de nacer lo conocimos en algún reino celestial que está más allá de esta tierra. Pero no podemos concebirlo como criaturas mortales, y sólo yo podía saber hasta qué punto me había desgarrado el corazón.

—Prosigue, Lestat, te estoy escuchando. Yo te comprendo.

Lancé un pequeño suspiro.

—Yo aprendí ese don sólo porque me encontraba en manos de un vampiro audaz, que no le temía a nada. Algunos de nosotros nunca lo aprenden. No, no creo que domine el arte. Está viajando por cualquier otro medio, y sólo se desplaza por el aire cuando está cerca de la víctima.

—Sí, eso parece cuadrar con las pruebas. Si supiéramos...

Algo lo distrajo de improviso. Un anciano empleado del hotel, de aspecto amable, había aparecido en una puerta lejana y con enloquecedora lentitud enfilaba hacia nosotros trayendo un sobre grande en la mano.

David sacó de inmediato un billete, y lo tuvo preparado.

—Un fax, señor. Acaba de llegar.

—Ah, muchísimas gracias.

Abrió el sobre.

—Te leo —me anunció—. Cable de noticias proveniente de Miami. Una residencia en lo alto de una colina, en la isla de Curaçao. Hora probable: ayer a la noche, pero no se lo descubrió hasta las 4 de la mañana. Cinco personas encontradas muertas.

—¿Dónde carajo queda Curaçao?

—Eso es más desconcertante aún. Se trata de una isla holandesa... bien al sur del Caribe. No le veo sentido en absoluto.

Leímos juntos la noticia. Una vez más, al parecer el móvil había sido el robo. El maleante rompió una claraboya para entrar y demolió el contenido de dos habitaciones. Murió una familia íntegra. La perversidad con que actuó dejó aterrada a toda la isla. Fueron hallados dos cadáveres sin sangre, uno de ellos perteneciente a un niñito.

—¡Este canalla no está sólo viajando al sur!

—Hasta en el Caribe hay lugares más interesantes —comentó David—. ¡Pasó por alto toda la costa de América Central! Ven, vamos a buscar un mapa para analizar sus movimientos. Me pareció ver una oficina de turismo en el hall central. Ahí seguramente tienen mapas. Después llevamos todo a tu casa.

El agente de viajes, un señor mayor de voz refinada, con suma amabilidad buscó unos mapas en el desorden de su escritorio. ¿Curaçao? Sí, en alguna parte tenía unos folletos. De todas las islas del Caribe, no le parecía una de las más atractivas.

—¿Por qué va la gente ahí? —pregunté.

—Bueno, en general no va mucho —confesó, rascándose la calva—. Salvo en los cruceros, por supuesto. En los últimos años han estado haciendo escala en ese puerto. Aquí están. —Me puso en la mano un folleto de un barco pequeño llamado *Corona de los Mares*, muy bonito en la foto, que recorría todas las islas y hacía su última escala en Curaçao antes de emprender el regreso.

—¡Cruceros! —murmuré mirando la ilustración. Mis ojos se posaron luego en los enormes afiches de barcos que había en las paredes de la oficina. —En su casa de Georgetown tenía muchísimas fotos de barcos —comenté—. David, ¡está viajando por mar! ¿Recuerdas lo que me dijiste acerca de que su padre trabajaba para una empresa naviera? A mí también me mencionó algo así como que quería viajar a Norteamérica en algún transatlántico.

—¡A lo mejor tienes razón! Nueva York, Bal Harbour... —Miró al agente. —¿Los cruceros suelen hacer escala en Bal Harbor?

—En Port Everglades, que queda muy cerca. Pero no muchos zarpan de Nueva York.

—¿No paran en Santo Domingo?

—Oh, sí, ése es un lugar habitual. Todos varían su itinerario. ¿En qué tipo de barco está pensando?

David anotó rápidamente las diversas localidades y las noches en que habían ocurrido los homicidios; sin dar ninguna explicación, desde luego.

Pero luego se mostró abatido.

—No —dijo—, veo que es imposible. ¿Qué crucero podría cubrir el trayecto desde Florida hasta Curaçao en tres noches?

—Bueno, hay uno —intervino el agente—, que casualmente zarpó este último miércoles de Nueva York. Es el buque insignia de la Línea Cunard, el *Queen Elizabeth II*.

—Ese mismo —confirmé yo—. El *Queen Elizabeth II*, David, el mismo barco que me mencionó. Tú dijiste que su padre...

—Creía que se lo usaba para cruces transatlánticos.

—No en invierno —repuso afablemente el señor—. Recorre el Caribe hasta marzo. Y es quizá el más veloz que existe, pues alcanza veintiocho nudos. Pero mire, podemos revisar ya mismo el itinerario.

Emprendió otra de esas búsquedas, al parecer inútiles, de papeles en su escritorio, hasta que por último halló un folleto bellamente impreso, que abrió y alisó con la mano.

—Sí, partió de Nueva York el miércoles. Arribó a Port Everglades el viernes por la mañana, zarpó antes de medianoche y prosiguió rumbo a Curaçao, adonde llegó ayer a las cinco de la mañana. Pero no hizo escala en la República Dominicana, así que no sé qué decirle.

—¡No importa; pasó por allí! —exclamó David—. ¡Pasó por la República Dominicana a la noche siguiente! Mira el mapa. No hay duda. Ah, el muy tonto. Prácticamente te lo anticipó, Lestat, con toda esa charla obsesiva. Va a bordo del *Queen Elizabeth*, el mismo barco que fue tan importante para su padre, el barco donde el viejo pasó su vida.

Agradecimos calurosamente al hombre sus mapas y folletos, y luego salimos a buscar un taxi.

—¡Es tan típico de él! —comentó David en el auto, camino a mi departamento—. Todo lo que hace ese demente es simbólico. ¿Te conté que lo habían despedido del *Queen Elizabeth* en medio de un escándalo? Ah, estuviste tan acertado. Lo suyo es una obsesión, y él mismo te dio la pista.

—Sí, claro que sí. La Talamasca no lo quiso enviar a América en el *Queen Elizabeth II*. Y eso nunca te lo perdonó, David.

—Lo odio —articuló, con un ardor tal que me sorprendió, aún teniendo en cuenta las circunstancias en las cuales estábamos involucrados.

—Pero en realidad no es una tontería tan grande, David. ¿No ves que es una cosa astuta, diabólica? Es verdad, sin darse cuenta me dio la clave en esas charlas que tuvimos en Georgetown, y eso podemos atribuírselo a su autodestructividad, porque no creo que haya supuesto que yo me iba a dar cuenta. Además, honestamente, si tú no me hubieras mostrado las noticias que publicaron los diarios sobre los otros asesinatos, a lo mejor nunca se me habría ocurrido esa posibilidad.

—Puede ser. A mí me da la impresión de que quiere que lo pesquen.

—No, David. Se está escondiendo. De ti, de mí, de mis compañeros. Oh, es muy inteligente. Digamos que es un brujo abominable, capaz de ocultarse por completo. ¿Y dónde se oculta? En el atestado mundo de mortales que viaja en las entrañas de un buque veloz. ¡Mira su itinerario! Un barco que navega todas las noches. Sólo de día se queda en los puertos.

—Como quieras —admitió David—, pero para mí sigue siendo un idiota. ¡Y vamos a apresarlo! Ahora bien. Me contaste que le habías dado un pasaporte, ¿no?

—A nombre de Clarence Oddbody, pero seguramente no lo usó.

—Pronto lo sabremos. Yo sospecho que subió al buque en Nueva

York de la manera habitual. Para él tiene que haber sido muy importante que se lo recibiera con la debida pompa, reservar la *suite* más cara y llegar hasta la cubierta superior con los ayudantes haciéndole reverencias. Esas *suites* son enormes, por lo cual no sería nada llamativo tener ahí un baúl inmenso donde esconderse de día. Ningún camarero lo tocaría.

Ya habíamos llegado de nuevo a mi edificio. David sacó unos billetes para pagar el taxi y enseguida subimos.

No bien entramos en el departamento, nos sentamos con los folletos y los recortes de los diarios, y dedujimos el cronograma con que se habían perpetrado los crímenes.

Resultaba obvio que el malhechor había matado a mi agente de Nueva York escasas horas antes de zarpar la nave. Tuvo tiempo de sobra para embarcar antes de las once de la noche. El homicidio próximo a Bal Harbour se había cometido pocas horas antes de amarrar el buque. Evidentemente utilizaba su capacidad de volar para trayectos cortos, y regresaba a su camarote u otro lugar de escondite antes de la salida del sol.

Para el crimen de Santo Domingo quizá había abandonado el barco durante una hora y lo alcanzó más adelante, en el trayecto hacia el sur. Una vez más, esas distancias no eran nada. Ni siquiera necesitaba una visión sobrenatural para localizar al gigantesco paquebote que surcaba el mar. Los asesinatos de Curaçao se habían llevado a cabo poco después de levar anclas. Probablemente él volvió al barco menos de una hora después, cargado con su botín.

El buque estaba viajando ahora rumbo al norte. Apenas dos horas antes había fondeado en La Guaira, sobre la costa venezolana. Si esa noche cometía algún crimen en Caracas o sus alrededores, sabríamos con certeza que lo habíamos ubicado, pero no teníamos intención de esperar esa ulterior confirmación.

—Bueno, pensemos un plan —dije—. ¿Nos atreveríamos a embarcarnos nosotros mismos en ese barco?

—Tenemos que hacerlo, por supuesto.

—Entonces hay que conseguir pasaportes falsos. Es posible que armemos un gran revuelo. David Talbot no debe quedar implicado y yo no puedo utilizar el pasaporte que él me dio. Además, ni siquiera sé dónde lo dejé. Tal vez esté todavía en la casa de Georgetown. Sólo Dios sabe por qué puso su propio nombre en ese documento, quizá para causarme problemas la primera vez que se me ocurriera pasar por una aduana.

—Exacto. Yo puedo ocuparme de la documentación antes de

irnos de Nueva Orleáns. Ahora bien, no podemos llegar a Caracas antes de las cinco, hora de partida del buque. No. Tendremos que abordarlo mañana en Grenada. Nos queda tiempo hasta las cinco. Es muy probable que haya camarotes disponibles, porque siempre se producen cancelaciones de último momento y a veces hasta muertes. De hecho, en un barco tan caro como el *Queen Elizabeth II* siempre hay muertes. Eso James debe saberlo seguro. O sea que, tomando las necesarias precauciones, puede saciar su apetito en el instante que se le ocurra.

—Pero, ¿por qué tiene que haber muertes?

—Por los pasajeros ancianos —respondió David—. Es algo que ocurre en esos viajes. El buque lleva un hospital grande para emergencias. No olvides que un navío de semejante envergadura es un mundo flotante. Pero no importa. Nuestros investigadores aclararán todo. En seguida me comunico con ellos. Será fácil llegar a Grenada desde Nueva Orleáns, y todavía nos va a quedar tiempo para prepararnos.

"Bueno, Lestat, analicemos todo en detalle. Supongamos que enfrentamos a este ser despreciable antes del alba, que conseguimos meterlo de vuelta en este cuerpo y que después no podemos controlarlo. Necesitamos un lugar donde esconderte a ti... un tercer camarote, reservado bajo otro nombre que no tenga nada que ver con ninguno de nosotros.

—Sí, algo que esté en el medio del buque, en alguna de las cabinas inferiores. No en la de más abajo porque sería demasiado evidente, sino más bien en la mitad, yo diría.

—Pero, ¿con qué velocidad puedes moverte? ¿Podrías bajar en cuestión de segundos hasta esa cubierta?

—Sin duda. Por eso no te preocupes. Y en el camarote tiene que caber un baúl grande. Aunque, en realidad, eso no es fundamental si de antemano he podido colocar una buena cerradura en la puerta, pero no sería mala idea.

—Ah, ya veo, ya veo lo que tenemos que hacer. Tú, descansa, bebe tu café, date una ducha, haz lo que quieras. Yo voy al otro cuarto y hago los llamados necesarios. Como esto tiene que ver con la Talamasca, debes dejarme solo.

—No lo dirás en serio. Quiero escuchar lo que...

—Hazme caso. Ah, y busca quien te pueda cuidar ese bello can (perro) tuyo. ¡Imposible llevarlo con nosotros! Y un perro de ese carácter no puede quedar abandonado.

Rápidamente se encerró en mi dormitorio para poder hacer por su cuenta los enigmáticos llamados.

—Justo cuando yo empezaba a disfrutarlo... —lamenté.

Salí a buscar a Mojo, que estaba durmiendo en el frío y húmedo jardín de la azotea como si fuera la cosa más natural del mundo. Lo llevé a casa de la mujer de la planta baja. De todos mis inquilinos, era la más afable, y seguramente le vendrían bien doscientos dólares por alojar a un perro manso.

Apenas se lo sugerí, se mostró fuera de sí de alegría. Dijo que Mojo podía usar el patio trasero del edificio, que a ella le hacía falta el dinero y la compañía, y que yo era muy bueno. Tanto como mi primo, el señor de Lioncourt, una especie de ángel guardián suyo que nunca se molestaba en cobrar los cheques con que ella le pagaba el alquiler.

Subí de nuevo al departamento y me encontré con que David seguía con su trabajo y no me dejaba escuchar. Me pidió que preparara café, cosa que por supuesto yo no sabía hacer. Bebí el café viejo y llamé a París.

Me atendió mi representante. Dijo que estaba a punto de enviarme el informe por mí solicitado. Todo andaba bien. No había habido más intentos de robo por parte del ladrón misterioso. El último había ocurrido la noche del viernes. A lo mejor se había dado por vencido. Una cuantiosa suma de dinero me aguardaba en mi banco de Nueva Orleáns.

Le reiteré todas las precauciones que debía tomar y le dije que pronto lo volvería a llamar.

Noche del viernes: quería decir que James había hecho el último intento de robo antes de que el *Queen Elizabeth II* zarpara de los Estados Unidos. Mientras iba a bordo, no tenía modo de robar por computadora. Y sin duda no planeaba hacerle daño a mi agente de París. Eso, si es que se contentaba con sus breves vacaciones en el *Queen Elizabeth*. Nada le impedía abandonar el barco cuando quisiera.

Volví a la computadora e intenté ingresar en las cuentas de Lestan Gregor, la persona que supuestamente le había girado los veinte millones al banco de Georgetown. Tal como suponía, Gregor aún existía pero prácticamente no le quedaba ni un centavo. Saldo de su cuenta: cero. Los veinte millones girados a Georgetown para que los usara Raglan James de hecho habían regresado al señor Gregor el viernes al mediodía, pero de inmediato fueron retirados de su cuenta. La extracción se había organizado la noche anterior. El viernes a las trece el dinero ya se había ido por algún camino imposible de rastrear. Toda la operación figuraba ahí, grabada en diversos códigos numéricos y terminología bancaria, que cualquier tonto podía ver. Y por cierto había un tonto mirando la pantalla en ese preciso instante.

El abyecto individuo me había advertido que sabía robar mediante la computadora. Sin duda le había sonsacado información a la gente del banco de Georgetown, o bien había violado sus mentes confiadas valiéndose de la telepatía, con el fin de averiguar las claves cifradas que le hacían falta.

Fuese como fuere, él ahora contaba con una fortuna que antes era mía, por lo cual lo odiaba mucho más. Lo odiaba porque había matado a mi agente de Nueva York. Lo odiaba porque en el mismo acto destrozó mis muebles, y por robarse todo lo demás de la oficina. Lo odiaba por su mezquindad y su intelecto, su crudeza y su osadía.

Me quedé bebiendo el café viejo y pensando en lo que nos esperaba.

Por supuesto, comprendía lo que había hecho James, por estúpido que pareciese. Supe desde el primer momento que, en su caso, el hecho de robar tenía que ver con ansias no saciadas de su alma. Y el *Queen Elizabeth II* había sido el mundo de su padre, el mundo de donde, por habérselo sorprendido robando, se lo había *expulsado*.

Oh, sí, expulsado, tal como mis compañeros hicieron conmigo. Y qué ansioso por regresar con sus nuevos poderes y su nueva riqueza debe haber estado. Probablemente lo había planeado con lujo de detalles no bien fijamos fecha para efectuar la transmutación. Sin duda, si yo lo hubiera hecho esperar, él habría tomado el barco en algún puerto más adelante. En cambio así, pudo iniciar el viaje a escasa distancia de Georgetown y aprovechó para dar muerte a mi representante antes de zarpar.

Ah, lo recuerdo sentado en esa oscura cocina de Georgetown, mirando a cada rato su reloj. Es decir, este reloj.

David salió por fin del dormitorio, anotador en mano. Estaba todo arreglado.

—No viaja ningún Clarence Oddbody en el *Queen Elizabeth*, pero un misterioso inglés joven, de nombre Jason Hamilton, reservó la lujosa *suite* Reina Victoria apenas dos días antes de que el buque zarpara de Nueva York. Por el momento debemos suponer que se trata de nuestro hombre. Recibiremos más información antes de llegar a Grenada. Nuestros detectives ya se encuentran trabajando.

"Para nosotros tenemos reservadas dos *suites* en la misma cubierta que el amigo misterioso. Nos embarcaremos mañana antes de las diecisiete, que es la hora de zarpar.

"El primero de los vuelos que deberemos tomar parte de Nueva Orleáns dentro de tres horas. Por lo menos una de esas horas la necesitamos para conseguir los pasaportes. Nos los proporcionará un señor que me fue sumamente recomendado y ya nos está esperando. Aquí está la dirección.

—Excelente. Yo tengo aquí suficiente dinero en efectivo.

—Muy bien. Bueno, uno de nuestros investigadores se reunirá con nosotros en Grenada. Se trata de un hombre muy hábil, que durante años ha trabajado conmigo. El reservó el tercer camarote, interno, en la cubierta cinco. Y se las va a ingeniar para entrar en el camarote modernas armas de fuego, como también el baúl que vamos a necesitar después.

—Esas armas no son nada para un hombre que habite en mi viejo cuerpo. Pero después, por supuesto...

—Exacto —dijo David—. Después de hacerse el cambio, me hará falta un arma para protegerme de este hermoso cuerpo joven que está aquí. —Me señaló con un gesto. —Siguiendo con el plan, luego de embarcarse con todas las de la ley, mi investigador saldrá subrepticiamente pero nos dejará las armas en el camarote. Nosotros cumpliremos con el procedimiento de rigor para embarcarnos, usando los nuevos documentos de identidad. Ah, y ya elegí nuestros nombres, no me quedó más remedio. Espero que no te moleste. Tú serás Sheridan Blackwood, un norteamericano. Yo, un cirujano inglés jubilado, Alexander Stoker. En estas pequeñas misiones, siempre lo mejor es pasar por médico. Ya vas a ver.

—Me alegro de que no hayas elegido H.P. Lovecraft —dije, exagerando un suspiro de alivio—. ¿Tenemos que irnos ya?

—Sí. Ya pedí el taxi. Antes de partir debemos comprar alguna ropa veraniega; si no, vamos a parecer ridículos. No hay un minuto que perder. Y ahora, si con esos fuertes brazos me ayudas con esta maleta, te quedaré eternamente agradecido.

—Qué desilusión.

—¿Por qué? —Se detuvo, me miró y casi en el acto se ruborizó, como le había sucedido antes. —Lestat, no tenemos tiempo para esas cosas.

—Suponiendo que nos salga todo bien, quizá ésta sea nuestra última oportunidad, David.

—De acuerdo; esta noche tendremos tiempo de sobra para hablar de ese tema en el hotel de la playa de Grenada. Según lo rápido que aprendas tus lecciones sobre proyecciones astrales, por supuesto. Y ahora, muestra por favor algo de vigor juvenil de tipo constructivo y ayúdame con la maleta. Tengo setenta y cuatro años.

—Espléndido. Pero antes de partir quiero saber algo.

—¿Qué?

—¿Por qué me estás ayudando?

—Pero si lo sabes, por el amor del cielo.

—No, no lo sé.

Me miró con aire severo un largo instante.

—Porque te tengo cariño —respondió luego—. No me importa en qué cuerpo estés. En verdad te lo digo. Pero te confieso que ese atroz Ladrón de Cuerpos, como tú le llamas, me aterra enormemente.

"Es un necio y siempre provoca su propia ruina. Pero esta vez creo que tienes razón. No tiene tantas ganas de que lo apresen, si es que alguna vez las tuvo. Cuenta con que todo le va a salir bien y quizá pronto se canse del *Queen Elizabeth*. Por eso debemos actuar. Bueno, recoge ya la maleta. Yo casi me mato subiéndola por la escalera.

Le obedecí.

Pero sus palabras cargadas de afecto me ablandaron, me entristecieron un poco, y en el acto mi mente se pobló con una serie de imágenes fragmentarias de todas las pequeñas cosas que podíamos haber hecho en la cama grande y muelle del otro cuarto.

Pero, ¿si el Ladrón de Cuerpos ya había saltado del barco? ¿Y si ya se lo había destruido esa misma mañana, tras haberme mirado Marius con tal desprecio?

—Después seguiremos viaje a Río —anunció David, que ya se dirigía hacia el portón—. Llegaremos justo para el carnaval. Será una linda vacación para los dos.

—¡Me muero si tengo que vivir tanto! —exclamé, mientras me ponía delante de él para bajar la escalera—. Lo que pasa contigo es que te has acostumbrado a ser humano porque lo eres desde hace tanto tiempo.

—Ya estaba habituado cuando tenía dos años de edad —fue su comentario.

—No te creo. Hace siglos que vengo observando a los seres humanos de dos años y te digo que son infelices, David. Corren por todas partes, se caen, viven gritando. ¡Odian ser humanos! A esa altura ya saben que se trata de una especie de juego sucio que les han hecho.

Se rió para sus adentros pero no me contestó. Tampoco quería mirarme.

Cuando llegamos a la calle ya nos estaba esperando el taxi.

20

El viaje en avión habría sido otra pesadilla, pero como estaba tan cansado, dormí. Habían pasado veinticuatro horas desde la última vez que descansé en brazos de Gretchen, y lo cierto es que caí en un sueño tan profundo que, cuando David me despertó para cambiar de avión en Puerto Rico, no sabía dónde estábamos ni qué hacíamos. Y hasta hubo un momento en que me pareció totalmente normal estar dentro de este físico grande y pesado, en estado de confusión e irreflexiva obediencia a las órdenes de David.

No salimos a la parte exterior del aeropuerto para el cambio de aviones y más tarde, al aterrizar por fin en el pequeño aeródromo de Grenada, me sorprendió la deliciosa calidez del Caribe y el cielo esplendoroso del atardecer.

Todo el mundo parecía cambiado por el suave bálsamo de las brisas que nos recibieron. Me alegré de haber hecho la incursión por los negocios de la calle Canal de Nueva Orleáns, porque la gruesa ropa de lana que teníamos era inadecuada. Mientras el taxi nos llevaba por un camino angosto y desparejo hacia el hotel situado en la playa, me deslumbraron los hibiscos rojos tras las pequeñas cercas de las casas, el bosque lujuriante que nos rodeaba, los elegantes cocoteros inclinados sobre las destartaladas casas de las laderas, y sentí ansias de ver, no ya con la limitada visión mortal, sino con la luz mágica del sol de la mañana.

Sin lugar a dudas, haber efectuado la transformación en el frío espantoso de Georgetown había tenido algo de penitencia. No obstante, si rememoraba la experiencia, la bellísima nieve blanca, la tibieza de la casa de Gretchen, no me podía quejar. Pero esa isla del Caribe me parecía el mundo verdadero, el mundo para los que realmente estaban vivos. Y me maravillé, como siempre me ocurría en esas islas, de que pudieran ser tan hermosas, tan cálidas, tan extremadamente pobres.

La pobreza se veía por doquier, en las casuchas de madera construidas sobre pilotes, en los peatones a los costados del camino, en los autos viejos y herrumbrados, en la carencia total del menor signo de riqueza, todo lo cual contribuía a crear una impresión extraña para el visitante y era señal de una existencia dura para los nativos, que nunca habían podido reunir dinero como para salir de ese lugar ni siquiera por un solo día.

El cielo de la noche era de un azul intenso, como suele serlo en esa parte del mundo, incandescente como lo es a veces el de Miami, mientras en el lejano borde del mar fulgurante las nubecitas blancas dan al panorama el mismo aspecto puro y espectacular. Fascinante, y eso no era más que una mínima partícula del gran Caribe. ¿Cómo se me pudo ocurrir nunca habitar en otros climas?

El hotel era apenas una polvorienta casa de huéspedes de estuco blanco con oxidados techos metálicos. Lo conocían sólo unos pocos británicos, era muy tranquilo y contaba con un ala de anticuadas habitaciones que daban a las arenas de la playa Grand Anse. Disculpándose porque los acondicionadores de aire estuvieran descompuestos, y por el escaso tamaño de las habitaciones —deberíamos compartir un cuarto con camas gemelas (casi me da un ataque de risa, mientras David levantaba los ojos al cielo como quejándose de su suerte)—, el propietario nos mostró que el ruidoso ventilador de techo levantaba una hermosa brisa. En las ventanas, viejos postigos con persianitas. Los muebles eran de mimbre blanco, y el piso, de viejas cerámicas.

A mí me pareció simpático, pero sobre todo por el calor dulce del aire que nos rodeaba, por el trozo de jungla que crecía alrededor de la edificación, con sus inevitables hojas de bananero y coronas de novias. Ah, qué bella enredadera. Yo debería tener por norma no vivir en ninguna parte del mundo donde no creciese esa enredadera.

En el acto empezamos a cambiarnos la ropa. Me quité las prendas de lana y me puse la camisa y el pantalón finos que antes de partir había comprado en Nueva Orleáns. Me puse también un par de zapatillas blancas y decidí no perpetrar un atentado sexual en la persona de David, que se cambiaba dándome la espalda. Luego salí, me interné bajo los cocoteros arqueados y bajé a la playa.

La noche era sumamente plácida. Me volvió todo el amor por el Caribe y recuperé también recuerdos alegres y dolorosos. Pero ansiaba ver esa noche con mis viejos ojos, ver más allá de la penumbra cada vez más densa y el manto de sombra que cubría las colinas. Deseaba fervientemente contar con mi sentido preternatural de la audición y captar las suaves canciones de la selva, pasear con velocidad vampírica por lo alto de las montañas para hallar las pequeñas cascadas y valles secretos cómo sólo podía hacerlo el vampiro Lestat.

Experimenté una tristeza abrumadora. Y quizá por primera vez comprendí que todo lo que había soñado sobre la vida mortal había sido mentira. No era que la vida no fuese mágica, que la creación no fuese un milagro, que el mundo no fuese fundamentalmente bueno. El problema era que siempre tomé con tanta naturalidad mis poderes misteriosos, que no me di cuenta del privilegio que significaban. No evalué mis facultades en su justa importancia. Y ahora las quería recuperar.

Había fracasado, ¿no es así? ¡La vida mortal tendría que haber sido suficiente! Alcé la mirada y contemplé las estrellitas, tan crueles como indignas guardianas, y oré a los dioses enigmáticos que no existen para comprender.

Pensé en Gretchen. ¿Habría llegado ya a las selvas y estaría con todos los enfermos que añoraban el consuelo de sus caricias? Qué pena no saber dónde se encontraba.

A lo mejor ya estaba trabajando en el dispensario, con brillantes frasquitos de medicamentos, o bien desplazándose a aldeas vecinas cargada de milagros en su mochila. Recordé la felicidad con que me describió la misión. Evoqué el ardor de esos abrazos, la soñolienta sensación de dulzura, el consuelo que me brindó esa pequeña habitación. Una vez más vi caer la nieve tras los vidrios de las ventanas. Vi los ojazos castaños posados en mí, oí el ritmo pausado de las palabras femeninas.

Y de nuevo reparé en el azul intenso del cielo nocturno sobre mi cabeza. Sentí la brisa que avanzaba sobre mí lo mismo que sobre el agua, y pensé en David; en David que estaba ahí, conmigo.

Lloraba cuando me tocó el brazo.

Por un instante no pude distinguir sus facciones. La playa estaba a oscuras y era tan imponente el ruido de las olas, que nada parecía funcionarme como debía. Después me di cuenta de que era David el que me miraba. Vestido con camisa blanca de algodón, pantalones veraniegos y sandalias, conseguía estar siempre elegante aun con ese atuendo. Amablemente me pidió que volviera a la habitación.

—Llegó Jake —dijo—, nuestro hombre de México. Creo que deberías regresar.

El ventilador de techo producía ruido al funcionar, y el aire atravesaba los postigos cuando entramos en el deslucido cuartito. Los cocoteros dejaban escapar un golpeteo agradable, sonido que subía y bajaba con la brisa.

Jake estaba sentado en una de las angostas y vencidas camitas. Se trataba de un individuo alto, delgado, de pantalones cortos color caqui y remera blanca, que fumaba un oloroso cigarro. Tenía la piel muy bronceada, y una mata informe de tupido pelo rubio entrecano. Su pose era totalmente relajada pero, tras esa fachada, se advertía un ser sumamente atento y desconfiado. Su boca formaba una perfecta línea recta.

Nos dimos la mano y él apenas disimuló el hecho de que me estaba mirando de arriba abajo. Ojos rápidos, sigilosos, parecidos a los de David aunque más pequeños. Sólo Dios sabe lo que vio.

—Bueno, las armas no serán problema —declaró con evidente acento australiano—. En los puertos como éste no hay detectores de metal. Yo me embarcaré a eso de las diez de la mañana; les dejo el baúl y las armas en su camarote de la cubierta cinco y me reúno con ustedes en el Café Centaur, de St. George. Espero que sepas lo que estás haciendo, David, con esto de hacer entrar armas de fuego al *Queen Elizabeth II.*

—Por supuesto que lo sé —respondió David cortésmente, con una sonrisita divertida—. Bien, ¿qué averiguaste sobre nuestro hombre?

—Ah, sí, Jason Hamilton. Uno ochenta de estatura, tez oscura, pelo rubio más bien largo, ojos azules, penetrantes. Un tipo misterioso. Muy británico, muy gentil. Se corren muchos rumores sobre su verdadera identidad. Deja cuantiosas propinas, duerme de día y al parecer no baja del barco cuando éste toca puerto. Todas las mañanas entrega al camarero unos paquetitos para que envíe por correo. Eso lo hace muy temprano y después ya desaparece por todo el día. No hemos podido averiguar a qué casilla de correo los remite, pero pronto lo sabremos. Hasta ahora nunca apareció a comer por el restaurante del barco. Se comenta que está gravemente enfermo, pero de qué, no se sabe. Por otra parte, es la imagen de la salud, lo cual sólo contribuye a ahondar el misterio. Es un hombre de buena planta, y usa ropa muy llamativa, al parecer. Juega fuerte a la ruleta y baila durante horas con las mujeres. Más concretamente, parecen gustarle las viejas. Por ese sólo dato podría despertar sospechas, si no fuera tan rico. Pasa mucho tiempo recorriendo el barco y nada más.

—Excelente. Es justo lo que me interesaba saber —acotó David—. Tienes nuestros boletos, ¿no?

El hombre señaló un sobre de cuero negro sobre la cómoda de mimbre. David revisó su contenido e hizo luego un gesto de asentimiento.

—¿Muertes que haya habido hasta ahora en el barco? —quiso saber.

—Ah, eso es sugestivo. Se han producido seis desde que partió de Nueva York, lo que es un poco más de lo habitual. Todas mujeres mayores y, al parecer, de insuficiencia cardíaca. ¿Es éste el tipo de datos que querías?

—Por cierto —contestó David.

El "traguito", pensé yo.

—Ahora tendrías que echar un vistazo a estas armas —prosiguió Jake— y saber manejarlas. —Tomó un gastado bolso de lona que había en el piso, el tipo de bolso en el que uno guardaría armas caras, supuse. Sacó de él un revólver grande Smith & Wesson y una pistolita automática del tamaño de la palma de mi mano.

—Sí, a éste lo conozco —aseguró David, tomando el revólver y apuntando al suelo—. Ningún problema. —Le sacó el cargador y luego volvió a ponérselo. —Pero ruega que no tenga que usarlo. Haría un ruido infernal.

Luego me lo pasó.

—Pálpalo, Lestat —dijo—. Lamentablemente no habrá tiempo para practicar. Yo pedí uno que tuviera gatillo sensible.

—Y éste lo tiene —afirmó Jake, mirándome sin simpatía—, así que tengan cuidado.

—Qué objeto inhumano —comenté. Era muy pesado. Un objeto de destructividad. Hice girar el tambor. Seis balas. Le noté un olor raro.

—Ambos son calibre treinta y ocho —explicó el hombre con cierto desdén. Luego me mostró una cajita de cartón.— Aquí tienen munición suficiente para lo que sea que vayan a hacer en este barco.

—No te aflijas, Jake —manifestó David en tono firme—. Las cosas saldrán a la perfección. Y gracias por tu habitual eficiencia. Ahora ve y pasa una velada agradable en la isla. Te veo en el Café Centaur antes del mediodía.

El tipo me dirigió una mirada de desconfianza, asintió con un gesto, recogió las armas y las municiones —que volvió a guardar en el bolso— y nos dio la mano, primero a mí y luego a David. Acto seguido se marchó.

Aguardé hasta que se hubiera cerrado la puerta.

—Creo que no le caigo bien —dije—. Me culpa de que te haya involucrado en una especie de crimen sórdido.

David dejó escapar una breve risa.

—He estado en situaciones mucho más comprometidas que ésta —expresó—. Y si me preocupara por lo que piensan de nosotros nuestros detectives, hace muchísimo que me habría jubilado. Ahora bien, ¿qué conclusiones podemos sacar de esta información?

—Bueno, que se está alimentando con las ancianas, y quizá

robándolas también. Envía el botín en encomiendas pequeñas para no despertar sospechas. Lo que hace con los objetos de más tamaño nunca lo sabremos. A lo mejor los arroja al mar. Yo supongo que debe tener más de una casilla de correo, pero eso no nos concierne.

—Correcto. Ahora echa llave a la puerta, que ya es hora de practicar algo de brujería. Después vendrá una regia cena. Tengo que enseñarte a ocultar tus pensamientos. Jake pudo leerte con toda facilidad. Lo mismo puedo yo. Si no, el Ladrón de Cuerpos advertirá tu presencia aunque esté doscientas millas mar adentro.

—Yo lo hacía mediante un acto de voluntad cuando era Lestat —aduje—. Ahora no tengo ni la más mínima idea de cómo se hace.

—De la misma forma. Vamos a practicar hasta que ya no pueda leerte ni una sola imagen o palabra. Después nos dedicaremos al tema de viajar fuera del cuerpo. —Miró la hora, gesto que de pronto me hizo recordar a James en aquella cocina. —Pon el cerrojo. No quiero que después aparezca ninguna camarera.

Le obedecí. Tomé asiento en la cama frente a David, que había adoptado una actitud serena aunque dominante. Se arremangó los puños de la camisa almidonada y pude verle el vello oscuro de los brazos. Por el cuello desprendido de la camisa también le asomaba vello oscuro, matizado apenas por algo de gris, como ocurría con su barba. Me resultó imposible creer que tuviera setenta y cuatro años.

—Eso te lo pesqué —comentó, enarcando las cejas—. Te adivino demasiado. Bueno, escucha lo que te digo. Hazte a la idea de que tus pensamientos no deben salir de ti, que no intentarás comunicarte con otros seres por medio de gestos faciales, ni lenguaje del cuerpo de tipo alguno. Créate la imagen de tu mente cerrada, si es preciso. Sí, así está bien. Has puesto la mente totalmente en blanco. Hasta te cambió un tanto la expresión de los ojos. Perfecto. Ahora voy a tratar de leerte. Sigue igual.

Al cabo de cuarenta y cinco minutos ya dominaba bastante bien la técnica, pero no podía leer en absoluto los pensamientos de David por más que él tratara de proyectármelos. Dentro de este cuerpo, yo no tenía las facultades parapsicológicas de antes. Pero al menos había logrado ocultar los míos, y eso era vital. Seguimos practicando la noche entera.

—Ahora estamos listos para empezar con el viaje incorpóreo —anunció luego.

—Eso va a ser un infierno. No creo que pueda salir de este cuerpo. Como ves, no tengo tus dones.

—Pamplinas. —Se distendió un poco, cruzó los tobillos y se puso más cómodo en el sillón. Pero de alguna manera, con independencia de lo que hiciera, nunca perdía el tono de maestro, de autoridad, de sacerdote. Estaba implícito en su gesticulación, pero sobre todo en su voz.

—Acuéstate en la cama, cierra los ojos y escucha bien lo que te digo.

Hice lo que me indicaba. Y de inmediato me sentí adormilado. Su voz, pese a la suavidad, adquirió un tono más perentorio, como la de un hipnotizador que me instaba a relajarme, a visualizar un doble espiritual de esta forma humana.

—¿Debo representarme la imagen de mí mismo dentro de este cuerpo?

—No; no hace falta. Lo que importa es que tú, tu mente, tu alma, tu yo se vinculen con la forma que visualizas. Ahora imagínala acorde con tu cuerpo, y luego imagina que deseas sacarla de tu cuerpo, ¡que *tú* quieres elevarte!

Durante treinta minutos continuó con sus pausadas instrucciones, reiterando en su propio estilo las lecciones que durante milenios han enseñado los sacerdotes a los iniciados. Yo conocía la vieja fórmula, pero también conocía la total vulnerabilidad mortal, una aplastante conciencia de mis propias limitaciones y un miedo paralizante.

Llevábamos quizá cuarenta y cinco minutos practicando, cuando por fin alcancé el sutil estado vibratorio en la cúspide del sueño. De hecho, tuve la sensación de que mi cuerpo entero se convertía en ese estado vibratorio ¡y nada más! Y justo cuando me daba cuenta de ello, cuando podría haber hecho algún comentario, sentí de pronto que me desprendía y comenzaba a elevarme.

Abrí los ojos, o al menos pensé que lo hacía. Vi que flotaba justo encima de mi cuerpo; después no vi ni siquiera el cuerpo de carne y hueso. "¡Sube!", me dije, ¡y al instante llegué al techo con la levedad y la rapidez de un globo lleno de gas! No me costó nada darme vuelta y mirar hacia abajo, toda la habitación.

¡Había llegado más arriba de las aspas del ventilador! Y allá abajo se encontraba dormida la forma humana donde con tanto sufrimiento había morado todos esos días. Tenía los ojos cerrados, lo mismo que la boca.

Vi a David sentado en el sillón de mimbre, su tobillo izquierdo apoyado sobre el derecho, las manos laxas sobre sus muslos mientras contemplaba al hombre dormido. ¿Se habría dado cuenta de que lo logré? No alcanzaba a oír las palabras que él pronunciaba. Lo cierto es que yo parecía estar en una esfera totalmente distinta de la de esas dos siluetas sólidas, si bien me sentía total y absolutamente yo mismo.

¡Qué placentera sensación! Se parecía tanto a la libertad de que gozaba como vampiro, que me dieron ganas de llorar. Sentí pena por las dos figuras solitarias de allá abajo. Quise traspasar el techo e internarme en la noche.

Lentamente ascendí, atravesé el techo del hotel, me desplacé y fui a quedar sobre la arena blanca.

Pero ya era suficiente, ¿no? El miedo me atenaceó, el miedo que me invadía antes, cuando realizaba el mismo truco. ¡Qué era lo que me mantenía vivo en ese estado! ¡Necesitaba mi cuerpo! En el acto me desplomé a ciegas y regresé a la carne. Me desperté con un intenso cosquilleo y miré a David, que me devolvió la mirada.

—Lo hice —declaré. Me llenó de espanto verme otra vez rodeado de carne y piel, sentir que los dedos de mis pies cobraban vida dentro de los zapatos. ¡Dios santo, qué experiencia! Y tantos mortales habían tratado de describirla. Y tantos más, en su ignorancia, no creían que semejante cosa pudiera ocurrir.

—Acuérdate de ocultar tus pensamientos —me advirtió él de improviso—. Olvídate del entusiasmo, y ¡cierra tu mente con llave!

—De acuerdo.

—Ahora hagámoslo de nuevo.

A medianoche —unas dos horas después— ya había aprendido a elevarme a voluntad. En realidad, eso era como una adicción: la sensación de liviandad, ¡el ascenso como una exhalación! La deliciosa capacidad de atravesar paredes y techos; y después, el repentino retorno. Producía un placer palpitante, puro, luminoso, como el erotismo de la mente.

—¿Por qué no puede el hombre morir de esta manera, David? Es decir, ¿por que no puede simplemente abandonar la tierra y elevarse así hasta los cielos?

—¿Es que viste alguna puerta abierta, Lestat?

—No —repuse amargamente—. Vi este mundo. Tan bello, tan claro. Pero era este mundo.

—Ahora ven, que debes aprender a realizar el ataque.

—Pensé que de eso te encargarías tú. Que de un golpe lo ibas a obligar a salir del cuerpo y...

—Sí, pero ¿si me detecta antes, no me da tiempo de hacerlo y me convierte en una hermosa hoguera? ¿Qué pasaría? No; tú también debes aprender el ardid.

Eso fue mucho más difícil, pues requería lo contrario de la pasividad y relajación que habíamos empleado antes. Tenía que orientar toda mi energía sobre David con el declarado propósito de obligarlo a salir de su cuerpo —fenómeno que no se me permitiría ver realmente— y luego entrar yo en él. La concentración que me exigía era pavorosa. El cálculo del tiempo, fundamental. Y los repetidos esfuerzos me produjeron un nerviosismo tan agotador como el de la persona diestra que trata de escribir a la perfección con la izquierda.

Más de una vez estuve a punto de derramar lágrimas de ira y frustración. Pero David se mostró inflexible: debíamos continuar porque eso se podía hacer. No, de nada serviría una medida doble de whisky. No, no comeríamos hasta más tarde. Tampoco podíamos suspender para ir a caminar por la playa o darnos un chapuzón.

La primera vez que lo logré quedé estupefacto. Avancé a toda velocidad hacia David y sentí el impacto de la misma manera puramente mental en que sentía la libertad del vuelo. Después ya estuve dentro de él, y durante una fracción de segundo me vi a mí mismo a través de las lentes oscuras de los ojos de mi amigo.

Luego experimenté una estremecedora desorientación y un golpe invisible, como si alguien me hubiera apoyado una mano enorme sobre el pecho. Comprendí que él había vuelto y me echaba. Me encontré revoloteando en el aire y por fin de regreso en mi propio cuerpo bañado en transpiración, soltando risas histéricas de la emoción y la fatiga total.

—Eso es todo lo que necesitamos —dijo—. Ahora sé que podemos llevar a cabo el plan. ¡Vamos, otra vez! Lo haremos veinte veces, si es necesario, hasta que nos salga sin errores.

Al quinto ataque que salió bien, permanecí dentro de su cuerpo durante treinta segundos enteros, totalmente fascinado por los diversos sentimientos concomitantes que me invadieron: las piernas más livianas, la visión más defectuosa y el sonido peculiar de mi voz al salir de su garganta. Bajé la mirada, vi sus manos —delgadas, surcadas por venitas— ¡y eran mis manos! Qué difícil me resultaba dominarlas. Incluso una de ellas tenía un marcado temblor que antes jamás le había notado.

Luego vino el sacudón y me encontré volando hacia arriba; luego la caída en picada y entrar de vuelta en el cuerpo de veintiséis años.

Lo habremos hecho unas doce veces antes de que David me anunciara que había llegado el momento de que él resistiera mi embate.

—Ahora debes atacarme con mucho más decisión. ¡Tu objetivo es recuperar el cuerpo! Y seguramente te opondrán resistencia.

Luchamos por espacio de una hora, hasta que por fin, cuando pude hacerlo salir de su cuerpo y mantenerlo afuera durante diez segundos, aseguró que ya era suficiente.

—El no te mintió en eso de que tus células te iban a reconocer.

Te recibirán y tratarán de retenerte. Cualquier humano adulto sabe usar su propio cuerpo mucho mejor que el intruso. Y desde luego, tú sabes usar esos dones preternaturales de formas que él ni se imagina. Creo que podremos hacerlo. Es más, estoy seguro.

—Pero dime una cosa. Antes de que suspendamos, ¿no quieres sacarme de este cuerpo y meterte tú aquí, aunque sea para ver qué se siente?

—No —repuso serenamente—. No quiero.

—¿No sientes curiosidad? ¿No deseas saber...?

Me di cuenta de que yo estaba poniendo a prueba su paciencia.

—A decir verdad, no tenemos tiempo. Y a lo mejor tampoco quiero enterarme. Recuerdo bien mi juventud; casi te diría que demasiado bien. Esto no es un juego. Lo que importa es que ya estás en condiciones de atacarlo. —Miró la hora.— Son casi las tres. Vamos a comer algo y luego a dormir. Nos espera un día intenso, pues habrá que explorar el barco y confirmar nuestros planes. Debemos estar descansados y en pleno uso de nuestras facultades. Ven, vamos a ver qué podemos conseguir para comer y beber.

Salimos y tomamos el sendero que llevaba a la pequeña cocina, una habitación rara, húmeda, algo desordenada. El amable propietario nos había dejado dos platos dentro de la oxidada y ruidosa heladera, como asimismo una botella de vino blanco. Nos sentamos a la mesa y comenzamos a devorar hasta el último bocado de arroz, batatas y carne sazonada, sin importarnos en absoluto que estuvieran muy fríos.

—¿Puedes leerme los pensamientos? —le pregunté luego de haber apurado dos vasos de vino.

—No; ya le tomaste la mano.

—¿Y cómo lo hago cuando esté dormido? El *Queen Elizabeth II* debe estar a menos de ciento cincuenta kilómetros de aquí. Va a amarrar dentro de dos horas.

—Igual que cuando estés despierto: te cierras totalmente. Porque, tú sabes, nunca estamos dormidos del todo. No lo están ni siquiera quienes se hallan en estado de coma. Siempre puede funcionar la voluntad. Y estas cosas dependen precisamente de la voluntad.

Lo observé, y si bien lo vi cansado, no se lo notaba ojeroso ni en manera alguna debilitado. Su abundante cabellera oscura acentuaba por supuesto la impresión de vitalidad, y sus grandes ojos castaños poseían la misma luz ardiente de toda la vida.

Terminé rápidamente, dejé los platos en la pileta y salí a la playa sin decirle lo que me proponía hacer. Seguro me iba a decir que ahora tenía que descansar, y yo no quería privarme de esa última noche como ser humano bajo las estrellas.

Caminé hasta el borde del mar, me desvestí y me metí en el agua. Me pareció fría pero tentadora; luego estiré los brazos y empecé a nadar. No me resultó fácil, por supuesto, pero tampoco difícil una vez que me resigné al hecho de que los mortales lo hacían de esa manera, brazada por brazada contra el empuje de las olas, dejando que el agua mantuviera a flote esa mole de cuerpo, cosa que éste estaba totalmente dispuesto a hacer.

Nadé hasta muy lejos; luego hice la plancha y contemplé el firmamento, lleno aún de nubecitas blancas. Tuve una sensación de paz pese al frío de mi piel desnuda, pese a la penumbra del entorno y a la extraña sensación de inseguridad que me producía flotar en el mar traicionero. Cuando pensé en volver a mi antiguo cuerpo no pude menos que sentirme feliz, y una vez más me convencí de que en mi aventura humana había fracasado.

No había sido el héroe de mis propios sueños. La vida humana me había resultado demasiado difícil.

Por último, volví a la playa y salí. Recogí mi ropa, la sacudí para quitarle la arena, me la colgué al hombro y regresé a la habitación.

Había una única lámpara encendida sobre la cómoda. David estaba sentado en su cama, la más próxima a la puerta. Tenía puesto sólo un largo saco pijama y fumaba uno de sus pequeños cigarros. Me gustaba ese aroma misterioso, dulzón.

Se lo veía señorial como siempre, con los brazos plegados y los ojos plenos de una normal curiosidad mientras miraba cómo yo tomaba una toalla del baño y me secaba la piel y el pelo.

—Acaban de llamar de Londres.

—¿Novedades? —Me sequé la cara; luego colgué la toalla en el respaldo de una silla. Era un gusto sentir el aire sobre mi piel desnuda, ahora que estaba seca.

—Hubo un robo en las colinas de Caracas. Muy similar a los crímenes de Curaçao. Una enorme residencia con múltiples objetos de arte, alhajas, cuadros. Muchas cosas fueron destrozadas. Sólo se llevaron lo portátil. Tres muertos. Debemos agradecer a los dioses la pobreza de la imaginación humana —por lo mezquinas que son las ambiciones de ese hombre— y que se nos haya presentado tan pronto la oportunidad de aprehenderlo. Con el tiempo, habría tomado conciencia de su monstruoso potencial. Ahora, en cambio, es para nosotros un necio de conducta predecible.

—¿Acaso algún ser utiliza todo lo que posee? —pregunté—. Quizás unos pocos genios conocen sus verdaderos límites. Y los demás, ¿qué hacemos además de protestar?

—No sé —me respondió, y por su rostro cruzó una sonrisita. Sacudió la cabeza como diciendo que no, y desvió la mirada. —Una de estas noches, cuando todo haya terminado, cuéntame de nuevo cómo te resultó la experiencia, cómo pudiste estar dentro de ese bello cuerpo joven y odiar tanto este mundo.

—Te lo diré, pero no lo comprenderás nunca. Estás del otro lado del vidrio oscuro. Sólo los muertos saben lo terrible que es estar vivo.

Saqué una camiseta de algodón de mi pequeña maleta, pero no me la puse. Me senté en la cama, a su lado. Luego le di un beso suave en la cara, como había hecho en Nueva Orleáns, y disfruté la sensación áspera de su barba mal afeitada, tal como me gustaban esas cosas cuando era realmente Lestat y estaba a punto de beber la fuerte sangre masculina.

Me acerqué más, pero de pronto me tomó la mano y sentí que me apartaba suavemente.

—¿Por qué, David?

No me respondió. Levantó la mano derecha y me retiró el pelo de los ojos.

—No lo sé —pronunció en susurros—. No puedo. Honestamente no puedo.

Se levantó con elegancia y salió a la noche.

Yo estaba tan furioso de pura pasión refrenada, que por un instante no pude reaccionar. Luego salí tras él. Se había alejado un trecho por la arena y se detuvo, como un rato antes había hecho yo.

Me aproximé por detrás.

—Dime por qué no.

—No lo sé —repitió—. Lo único que sé es que no puedo. Créeme que quiero, pero no puedo. Mi pasado... está demasiado fresco. —Dejó escapar un largo suspiro, y durante unos momentos volvió a quedar en silencio. Después prosiguió. —Tengo tan fresco el recuerdo de aquellos días... Me siento como si estuviera de nuevo en la India, o en Río. Sí, en Río. Como si fuera otra vez un hombre joven.

Sabía que la culpa de eso era mía, y que de nada valía pronunciar palabras de disculpa. También percibí algo más: yo era un ser malvado, y aun cuando me hallara dentro de este cuerpo, David captaba esa maldad. David percibía mi intensa voracidad vampírica. Se trataba de una vieja y terrible perversidad. Gretchen no la había sentido porque la engañé con el cuerpo tibio y sonriente. Pero cuando David me miraba, veía al demonio rubio de ojos azules al que tan bien conocía.

Nada dije. Me limité a contemplar el mar. Quiero recuperar mi cuerpo, pensé. A mí, que me dejen ser ese diablo. Aléjenme de esta clase de mezquino deseo, de esta debilidad. Llévenme de vuelta a los cielos misteriosos, que es donde debo estar. De pronto me pareció que mi soledad y mi sufrimiento se volvían más insoportables de lo que eran antes del experimento, antes de venir a habitar en carne más vulnerable. Sí, déjenme salir, por favor. Quiero ser un espectador. ¡Cómo pude ser tan tonto!

Oí que David decía algo, pero no entendí las palabras. Alcé los ojos con lentitud, dejé atrás mis pensamientos, vi que se había dado vuelta para mirarme a la cara y sentí que apoyaba suavemente la mano sobre mi cuello. Quise reaccionar con enojo, decir por ejemplo, "Saca esa mano de ahí", "No me atormentes", pero no abrí la boca.

—No, no eres malvado —murmuró—. El problema soy yo, ¿no te das cuenta? ¡Es mi miedo! ¡No sabes lo que ha significado esta aventura para mí! Poder estar de nuevo en esta parte del gran mundo, ¡y contigo! *Te amo.* Te amo desesperadamente, como loco. Amo el alma que llevas dentro, y que no es mala. No es voraz, pero es inmensa. Abruma incluso a ese cuerpo joven porque es el alma tuya, feroz, indomable y atemporal, el alma del verdadero Lestat. Yo no puedo entregarme a ella. No puedo... Si lo hiciera, dejaría de ser yo para siempre, como si... como si...

No pudo seguir; estaba demasiado conmovido. Me hizo mucho daño el dolor que trasuntaba su voz, el leve temblor que socavaba la firmeza de su tono. Yo no podría perdonármelo nunca. Me quedé sentado muy quieto, con la mirada perdida en la tiniebla. Los únicos sonidos eran el ruido de las olas, el golpeteo tenue de los cocoteros. Qué inconmensurables eran los cielos; qué agradables y serenas las horas previas al amanecer.

Recordé el rostro de Gretchen. Oí su voz.

Esta mañana hubo un momento en que pensé que podía abandonarlo todo... sólo para quedarme contigo... Me sentí inundada por esa sensación, tal como antes me ocurría con la música. Y aun ahora, si me dijeras "Ven conmigo", tal vez iría... La castidad significa no enamorarse... Podría enamorarme de ti. Sé que podría.

Después, tras esa imagen ardiente, tenue pero innegable, vi el rostro de Louis, y oí palabras pronunciadas con esa su voz que prefería olvidar.

¿Dónde estaba David? Permítaseme despertar de estos recuerdos. No los quiero. Levanté los ojos y lo vi otra vez, y en él vi la misma dignidad de siempre, la moderación, la fortaleza imperturbable. Pero también el dolor.

—Perdón —me pidió en un susurro. Su voz seguía vacilante pues luchaba por mantener la fachada bella y distinguida. —Cuando bebiste la sangre de Magnus abrevaste en la Fuente de Juvencia, por lo cual nunca vas a saber lo que significa ser viejo como yo. Que Dios se apiade de mí: odio la palabra viejo, pero eso es lo que soy.

—Te comprendo —dije—. No te preocupes. —Me incliné hacia adelante y volví a besarlo. —No te voy a molestar. Vamos, que nos conviene dormir. Te prometo que te voy a dejar en paz.

21

Dios santo, David, míralo! —Acabábamos de bajar del taxi en el concurrido muelle. Pintado de color azul y blanco, el *Queen Elizabeth II* era tan inmenso que no podía entrar en aquel pequeño puerto. Por eso estaba fondeado a unos dos o tres kilómetros de distancia —me costaba precisarlo—, y se lo veía tan monstruosamente grande que parecía un barco salido de una pesadilla, anclado, inmóvil, en una bahía. Sólo las hileras y más hileras de diminutas ventanitas impedían que pareciese el barco de algún gigante.

Con sus reducidas dimensiones, sus colinas verdes y su costa curva, la isla se estiraba hacia la nave como si quisiera achicarla y atraerla, pero en vano.

Verlo ahí me produjo una súbita excitación. Jamás había subido a una motonave moderna. Esa parte iba a ser divertida.

Mientras mirábamos, enfiló hacia el muelle una lanchita de madera, con el nombre del transatlántico pintado en letras destacadas, que transportaba un cargamento de sus numerosos pasajeros.

—Ahí en la proa viene Jake —anunció David—. Ven, vamos al bar.

Caminamos sin prisa bajo el sol ardiente, cómodos con nuestras camisas de manga corta y pantalones veraniegos —turistas al fin—, y pasamos por los puestos donde personas de piel oscura vendían conchas marinas, muñequitas de trapo y otros recuerdos. Qué bonita era la isla y sus colinas boscosas tachonadas de pequeñas viviendas. Las construcciones más sólidas de la ciudad de St. George se apiñaban en una pendiente escarpada, hacia la izquierda y lejos del puerto. Todo el paisaje poseía un matiz casi italiano, con esas paredes oscuras, rojizas, y los herrumbrados techos de metal corrugado que bajo el sol candente engañaban la vista, pues parecían techos de tejas. Era un precioso lugar para explorar... en otro momento.

El interior del lóbrego bar estaba fresco; había unas pocas mesas y sillas pintadas de colores chillones. David pidió botellas de cerveza fría, y al cabo de unos minutos entró Jake —vestido con la misma remera blanca y pantalones cortos— eligiendo adrede una silla desde donde pudiera controlar la puerta abierta. Allá afuera, el mundo parecía hecho de agua brillante. La cerveza tenía sabor a malta y era bastante buena.

—Misión cumplida —anunció en voz baja, imperturbable, como si no estuviera con nosotros sino absorto en sus pensamientos. Bebió un sorbo de la botella marrón y luego le pasó a David dos llaves sobre la mesa. —Transporta más de mil pasajeros. Nadie se va a percatar de que el señor Eric Sampson no vuelve a embarcar. El camarote es diminuto, en el sector interior como me pediste, mitad del barco, saliendo del pasillo. Cubierta Cinco, como sabes.

—Excelente. Y conseguiste dos juegos de llaves. Muy bien.

—El baúl está abierto y la mitad del contenido desparramado por el piso. Los revólveres los puse en el baúl, dentro de dos libros que yo mismo ahuequé. Aquí están los cerrojos. Tendrías que poder colocar en la puerta el más grande, sin demasiada dificultad, pero no sé si les va a caer muy bien a los camareros cuando lo vean. Te deseo la mejor de las suertes una vez más. Ah, te enteraste del robo que hubo esta mañana en las sierras, ¿no? Parece que tenemos un vampiro en Grenada. Tal vez debieras pensar en quedarte aquí, David, ya que tanto te atraen estas cosas.

—¿Esta mañana?

—A las tres. En la cima de esas colinas. Fue en una casa grande, de propiedad de una australiana. Todos muertos. Un gran estropicio. No se habla de otra cosa en la isla. Bueno, me voy.

Sólo después de que Jake se hubo ido, volvió a hablar David.

—Esto es malo, Lestat. A las tres de la madrugada estábamos los dos en la playa. Si él percibió aunque sea en mínimo grado nuestra presencia, quizá no esté en el barco. O tal vez se apronte para hacernos frente cuando se ponga el sol.

—Esta mañana él estaba demasiado ocupado. Además, si se hubiera percatado de nuestra presencia, nos habría incendiado el cuartito del hotel. Salvo que no sepa hacerlo, pero eso no lo podemos saber. Embarquémonos de una vez, que ya estoy cansado de esperar. Mira, está empezando a llover.

Recogimos nuestro equipaje, incluso la monstruosa valija que

David había traído de Nueva Orleáns, y nos encaminamos de prisa a la lancha. De pronto apareció una multitud de mortales viejos y endebles —saliendo de taxis, cobertizos y pequeñas tiendas de los alrededores—, por lo que demoramos unos minutos en subir a la inestable lanchita y tomar asiento en el banco de plástico, bajo la lluvia.

No bien puso proa hacia el *Queen Elizabeth II*, experimenté la embriagante emoción de ir navegando en ese mar cálido, en una embarcación tan pequeña. Me encantó el movimiento cuando cobramos velocidad.

A David lo vi muy nervioso. Abrió su pasaporte, leyó la información por enésima vez y volvió a guardarlo. Esa mañana, después del desayuno, habíamos estudiado nuestros datos de identidad, pero esperábamos no tener que usar nunca los diversos detalles.

Por si hiciera falta, el doctor Stoker, jubilado ya, estaba de vacaciones en el Caribe, pero se hallaba muy preocupado por su querido amigo Jason Hamilton, que viajaba en la *suite* Reina Victoria. Les haría saber a los camareros de la Cubierta Insigne que estaba ansioso por verlo, pero por favor, que no le transmitieran su preocupación.

Yo era simplemente alguien a quien él había conocido la noche anterior en el hotel, con el cual había entablado amistad a raíz de que ambos ibamos a viajar en el mismo buque. No debía haber ninguna otra relación entre nosotros, porque, una vez hecho el cambio, James volvería a este cuerpo y quizá David tuviera que estropearlo de alguna manera si no lo podía dominar.

Había más datos, para el caso de que nos interrogaran si se producía algún revuelo. Pero la impresión general era que no se llegaría hasta tal punto.

Por último, la lancha se puso a la par del barco y atracó junto a una amplia abertura en el medio mismo del inmenso casco azul. ¡Qué disparate, lo enorme que parecía visto desde ese ángulo! Sinceramente, me dejaba pasmado.

Casi no lo advertí cuando entregamos los boletos al tripulante encargado de recogerlos. Alguien se ocuparía de nuestro equipaje. Recibimos indicaciones algo imprecisas sobre cómo llegar a la Cubierta Insigne, y nos internamos por un pasillo interminable, de techo muy bajo e innumerables puertas a ambos lados. A los pocos minutos, nos habíamos perdido.

Seguimos caminando hasta que de repente llegamos a un amplio lugar abierto con el piso en desnivel y —nada menos— un gran piano de cola que parecía listo para un concierto. ¡Todo eso en el vientre sin ventanas del barco!

—Es el Salón del Medio —me informó David al tiempo que señalaba un gran diagrama en colores del barco que colgaba de la pared—. Ahora ya sé dónde estamos. Sígueme.

—Qué absurdo es todo esto —comenté, observando la alfombra de intensos colores, los plásticos y cromados que había por doquier—. Qué espanto me parece ver todo sintético.

—Shh, mira que para los ingleses es un gran orgullo; podrías ofender a alguien. Ya no se permite usar madera... por cierta disposición que tiene que ver con los incendios. —Se detuvo ante un ascensor y apretó el botón. —Por aquí vamos a subir a la Cubierta de Botes. ¿No dijo el hombre que buscáramos allí el Bar de la Reina?

—No tengo idea —repuse. Subí al ascensor como un zombi.

—¡Esto no tiene nombre!

—Lestat, las motonaves gigantescas existen desde principios de siglo. Se ve que has estado viviendo en el pasado.

En la Cubierta de Botes me encontré con toda una serie de maravillas. Había allí un enorme teatro y un entrepiso entero de elegantes tiendas. Debajo del entrepiso había una pista de baile, con un pequeño estrado para la orquesta y un sector de mesitas de bar y cómodos sillones de cuero. Los negocios habían cerrado porque el barco estaba en puerto, pero se veía muy bien la mercadería por entremedio de las rejas de protección. En los pequeños escaparates, había expuesta ropa cara, alhajas finas, porcelana, smokings, camisas de pechera almidonada, regalos diversos.

Por todos lados se veía pasear a los pasajeros, en su mayoría hombres y mujeres de avanzada edad con breves atuendos playeros, y muchos se habían reunido en el tranquilo salón de abajo, iluminado por el sol.

—Vamos a las habitaciones —dijo David, llevándome a la rastra.

Al parecer, las *suites* superiores, hacia donde nos dirigíamos, quedaban un tanto separadas del cuerpo del barco. Tuvimos que entrar en el Bar de la Reina, un local largo y angosto, de agradable mobiliario, reservado con exclusividad para los pasajeros de la cubierta principal, y luego buscar un ascensor casi secreto para llegar a las habitaciones. El bar contaba con grandes ventanales que permitían ver la maravilla del mar azul y el cielo límpido.

Ese sector correspondía a la primera clase en el cruce transatlántico, y aunque ahí, en el Caribe, no se le daba tal denominación, lo cierto es que el salón y el restaurante quedaban aislados del resto de ese mundo flotante.

Por último, aparecimos en la cubierta superior y entramos en un pasillo de decoración más recargada que los de abajo. Se notaba cierto tono *art déco* en las lámparas de plástico, en la bella terminación de las puertas. La iluminación también era más generosa y alegre. Un afable camarero —de unos sesenta años— salió de una cocinita y nos orientó para llegar a nuestros camarotes, casi en el final del pasillo.

—¿Dónde queda la *suite* Reina Victoria? —le preguntó David.

El camarero le respondió en el acto, con similar acento británico, que quedaba ahí nomás, y hasta le señaló la puerta.

Al mirarla, sentí que me erizaba. Yo sabía, sin asomo de duda, que el ser despreciable estaba adentro. ¿Qué necesidad tenía de buscarse un sitio más difícil donde ocultarse? Nadie me lo tenía que decir. En esa *suite* íbamos a encontrar un baúl grande cerca de la pared. Tomé leve conciencia de que David desplegaba todo su encanto y aplomo con el camarero, para explicarle que él era médico y deseaba echar un vistazo cuanto antes a su querido amigo Jason Hamilton. Pero no quería alarmar al amigo.

Claro que no, convino el alegre camarero, quien informó, sin que se lo preguntaran, que el señor Hamilton dormía todo el día. Más aún, en ese preciso momento estaba durmiendo, como lo indicaba el cartelito de "No molestar" colgado del picaporte. Pero, ¿no queríamos ir ya a nuestros cuartos? Casualmente ahí llegaba el equipaje.

Los camarotes me sorprendieron. Vi ambos cuando nos abrieron las puertas, antes de entrar en el mío.

Una vez más me llamó la atención que sólo hubiera materiales sintéticos, puesto que no tenían la calidez de la madera. Pero las habitaciones eran amplias, evidentemente lujosas, y se conectaban por una puerta para convertirse en una suntuosa *suite*. En ese momento la puerta estaba cerrada.

Ambos cuartos tenían una decoración idéntica, salvo pequeñas diferencias de detalle en el color, y parecían habitaciones de hoteles modernos, con camas bajas de dos plazas, colchas en tonos pastel y cómodas angostas empotradas en las paredes cubiertas de espejos. Estaba el obligado televisor gigantesco y había incluso un pequeño sector para sentarse, con un elegante sofá chico, mesita y sillón tapizado.

Sin embargo, la verdadera sorpresa fueron las terrazas. Una gran puerta corrediza de cristal daba a un pequeño porche privado, de un ancho suficiente como para dar cabida a una mesa y sillas. ¡Qué lujo poder salir, pararse junto a la baranda y contemplar la hermosa isla en la bahía! Y desde luego, eso quería decir que la *suite* Reina

Victoria también tenía terraza, por donde debía entrar la resplandeciente luz de la mañana.

Tuve que reírme para mis adentros al recordar las viejas motonaves del siglo pasado, con sus diminutos ojos de buey. Y aunque me desagradaban los colores pálidos, desteñidos, de la decoración, y la falta total de revestimientos antiguos, empezaba a comprender por qué a James siempre le había fascinado ese pequeño reino tan especial.

Mientras tanto, alcanzaba a oír claramente a David hablando con el camarero; la animada entonación británica parecía agudizarse cada vez que el uno le respondía al otro, hasta que el ritmo de la conversación se volvió tan rápido que me perdí y ya no entendí todo lo que hablaban.

Al parecer el tema era el pobre enfermo, y que el doctor Stoker deseaba entrar silenciosamente para controlarlo mientras él dormía, pero el camarero sentía mucho no poder permitirlo. Lo que el doctor quería era conseguir la llave adicional de esa *suite* y quedarse con ella para poder seguir de cerca la evolución del enfermo...

Poco a poco, mientras iba desempacando, caí en la cuenta de que la conversación, con toda su lírica amabilidad, iba a desembocar en un soborno. Por último, David expresó con su tono más cortés que comprendía lo incómodo que se sentía el camarero, por lo cual quería darle dinero para que se pagara una buena cena en el primer puerto que tocaran. Y si las cosas salían mal y el señor Hamilton se fastidiaba, David asumiría toda la culpa, diría que la llave la había sacado él de la cocina para no complicar en absoluto al camarero.

Parecía que la batalla estaba ganada, ya que David estaba usando su poder de persuasión casi hipnótico. Sin embargo, el diálogo prosiguió con tonterías tales como que el señor Hamilton estaba muy enfermo, que el doctor Stoker había sido enviado por la familia para que lo cuidara, y que era de suma importancia que pudiera mirarle la piel. Ah, sí, la piel. El camarero entonces debió pensar que se trataba de alguna enfermedad que ponía en peligro la vida y por último confesó que sus compañeros estaban almorzando, que él era el único que quedaba en esa cubierta y que, de acuerdo, aceptaría mirar para otro lado si el doctor le daba la seguridad de que...

—Mi estimado amigo, yo me hago responsable de todo. Ah, y tome esto por las molestias que le he causado. Vaya a cenar en algún lugar lindo... No, no proteste. Ahora deje todo en mis manos.

A los pocos segundos el pasillo había quedado vacío. Con una sonrisa triunfal, David me hizo señas de que fuera a reunirme con él. Me mostró la llave de la *suite* Reina Victoria, luego cruzamos el corredor y él la puso en la cerradura.

La *suite* era inmensa, en dos niveles separados por unos cuatro o cinco peldaños alfombrados. La cama se hallaba en el nivel inferior y se la veía muy desordenada; había almohadas metidas entre las sábanas para dar la impresión de que alguien dormía con la cabeza tapada por las mantas.

En el nivel superior estaban los sillones y las puertas que daban a la terraza. Las gruesas cortinas estaban corridas, de modo que casi no había luz. Entramos en silencio, encendimos la luz de arriba y cerramos la puerta.

Las almohadas dentro de la cama eran un ardid excelente para cualquiera que espiara desde el pasillo, pero si uno se acercaba advertía que no había tal truco sino sólo una cama revuelta.

¿Y dónde se hallaba el demonio? ¿Dónde estaba el baúl?

—Ah, ahí, en el extremo de la cama —dije. Lo había confundido con una especie de mesa pues estaba totalmente cubierto con una tela decorativa. Vi entonces que se trataba de un ropero negro de metal con bordes de bronce, de tamaño suficiente como para albergar a un hombre tendido de lado, con las piernas flexionadas. La gruesa tela que lo envolvía sin duda se mantenía firme sobre la tapa con un poquito de adhesivo. Yo mismo había usado el mismo sistema en el viejo siglo.

Todo lo demás estaba inmaculado, aunque los armarios rebosaban literalmente de ropa fina. Revisé rápidamente los cajones de la cómoda pero no encontré documentos importantes. Era evidente que los pocos papeles que necesitaba los llevaba sobre su persona, persona que en esos instantes estaba oculta dentro del baúl. No había joyas ni alhajas escondidos que pudiéramos encontrar. Lo que sí hallamos fue una cantidad de sobres gruesos y grandes, ya franqueados, que el pérfido utilizaba para desprenderse de los tesoros robados.

—Cinco casillas de correo —dije, mientras los revisaba. David anotó todos los números en su libretita con tapas de cuero; luego volvió a guardársela en el bolsillo y miró el baúl.

Le advertí en susurros que tuviera cuidado, porque aun dormido él podía presentir el peligro. Que ni se le ocurriera tocar la cerradura.

David asintió. Se arrodilló en silencio junto al baúl, apoyó suavemente la oreja contra la tapa, y enseguida la retiró con una expresión feroz en el rostro.

—Está ahí adentro con seguridad —declaró, sin quitar los ojos del baúl.

—¿Qué oíste?

—Los latidos de su corazón. Ve y escúchalos tú mismo. Es tu corazón.

—Quiero verlo —dije—. Ponte de este lado, para no estorbar.

—Creo que no deberías.

—Quiero hacerlo. Además, tengo que conocer esa cerradura por si acaso. —Me aproximé al baúl, y no bien vi la cerradura me di cuenta de que nunca había sido usada. O no la podía cerrar telepáticamente o bien nunca se había tomado la molestia. Me paré a un costado, me agaché, tomé la tapa sujetándola por su borde de bronce y la levanté hasta apoyarla contra la pared.

Al golpear contra el panel produjo un sonido ahogado, se mantuvo abierta, y yo me di cuenta de que estaba contemplando una suave tela negra plegada de manera tal de ocultar lo que había debajo. Nada se movió bajo la tela.

¡No saltó ninguna mano blanca para agarrarme del cuello!

Me paré lo más lejos posible, estiré el brazo, manoteé la tela y la retiré produciendo un gran revoloteo de brillosa seda negra. Mi corazón mortal latía desordenadamente y casi pierdo el equilibrio cuando puse un trecho de distancia entre el baúl y yo. Pero el cuerpo que allí yacía, totalmente visible, con las piernas encogidas tal como había imaginado y los brazos plegados alrededor de las rodillas, no se movió.

En realidad, el rostro bronceado parecía el de un maniquí, con los ojos cerrados y el conocido perfil destacado contra el mortuorio acolchado de seda blanca. Mi perfil, mis ojos, mi cuerpo vestido con traje negro de etiqueta —negro vampiro, si se quiere—, con pechera dura y lustrosa corbata negra. Mi pelo, suelto, abundante, dorado bajo la tenue luz.

¡Mi cuerpo!

Y yo, de pie ahí dentro del físico mortal y tembloroso, con ese rollo de seda negra que me colgaba de la mano cual capa de torero.

—¡De prisa! —murmuró David.

En el mismo instante en que esas palabras se formaban en sus labios, advertí que, dentro del baúl, comenzaba a moverse el brazo doblado. El codo se puso rígido. La mano estaba soltando la rodilla que tenía aferrada. De inmediato volví a arrojar la tela sobre el cuerpo y vi que caía de la misma manera informe que antes. Y con un rápido movimiento de mi mano izquierda solté la tapa apoyada en la pared, de modo que se cerró produciendo un ruido sordo.

Gracias a Dios, la tela que recubría el baúl no se enganchó sino que quedó bien colocada, cubriendo la cerradura intacta. Me alejé, casi descompuesto de miedo y asombro, pero fue un alivio sentir que David me apretaba el brazo.

Largo rato nos quedamos ahí en silencio, hasta que tuvimos la certeza de que el cuerpo preternatural descansaba otra vez.

Yo ya había conseguido dominarme y pude echar un último vistazo en derredor. Todavía estaba temblando, aunque muy motivado por las tareas que aún faltaban.

Pese a los gruesos revestimientos de materiales sintéticos, esos aposentos eran desde todo punto de vista suntuosos y representaban el tipo de lujo y privilegio a los que muy pocos mortales podían acceder. Y él, cómo debía haberlo disfrutado. Tanta ropa fina, de etiqueta... Hasta se había dado el gusto de tener sacos de vestir de pana negra, otros del estilo que es más conocido, e incluso una capa de teatro. Había cantidad de lustrosos zapatos en el piso del placard, y una gran variedad de costosos vinos y licores en el mueble-bar.

¿Invitaba a las mujeres allí, a tomar una copa, mientras él bebía su "traguito"?

Miré la amplia pared de vidrio, que llamaba la atención a causa de la franja de luz que se filtraba por los bordes superior e inferior del cortinado. Sólo en ese momento me di cuenta de que ese cuarto miraba al sudeste.

David me apretó el brazo. Quería saber si no podíamos marcharnos ya sin peligro.

Abandonamos de inmediato la Cubierta Insigne sin toparnos de nuevo con el camarero. David llevaba la llave en el bolsillo.

Bajamos a la Cinco, que era la última cubierta de camarotes, aunque no del barco propiamente dicho, y encontramos la pequeña cabina del inexistente Eric Sampson, donde aguardaba otro baúl destinado al cuerpo de arriba cuando volviera a pertenecerme.

Se trataba de un ambiente reducido, sin ventanas. Desde luego, tenía el cerrojo habitual pero, ¿y los otros, los que le habíamos pedido a Jake que trajera? Eran demasiado ostensibles para nuestros fines; sin embargo, noté que la puerta quedaría infranqueable con sólo apoyar el baúl contra ella. Eso bastaría para impedir la entrada de algún camarero fastidioso, o de James si se las ingeniaba para andar por ahí luego de realizarse la transformación. De ninguna manera podría empujar la puerta. Es más, si yo calzaba el baúl entre la puerta y el extremo de la litera, nadie podría moverla. Excelente. Esa parte del plan ya estaba lista.

Faltaba organizar el regreso desde la *suite* Reina Victoria hasta esa cubierta, lo cual no sería difícil puesto que en todos los salones, grandes y pequeños, había diagramas del barco.

Rápidamente advertí que el mejor camino interno lo brindaba la escalera A, quizá la única que iba desde la cubierta inferior a la nuestra hasta la Cinco sin interrupción. No bien llegamos al pie de esa escalera comprobé que no me costaría nada lanzarme desde el punto más alto utilizando las barandas, continuas y redondeadas. Subí luego a la Cubierta de Deportes para ver cómo llegar a ella desde la nuestra.

—Oh, tú puedes ir caminando, mi joven amigo —dijo David—. Yo, los ocho pisos los subo por el ascensor.

Cuando volvimos a encontrarnos en la serena luz natural del Bar de la Reina, yo ya tenía calculado el plan completo. Pedimos dos gin tonics —bebida que me resultaba tolerable— y repasamos el proyecto hasta el último detalle.

Por la noche nos ocultaríamos hasta la hora en que James decidiera retirarse a pasar el día. Si venía temprano, aguardaríamos hasta el momento crucial antes de abrir el baúl y encararlo.

David lo estaría apuntando con el Smith & Wesson mientras ambos intentábamos desalojar su espíritu del cuerpo, momento que yo aprovecharía para meterme adentro. El cálculo del tiempo era fundamental. El ya estaría sintiendo el peligro de la luz solar; ya sabría que no tenía posibilidades de permanecer dentro del cuerpo vampírico. Pero no debíamos darle la oportunidad de causarnos daño.

En caso de que el primer ataque fracasara, le mostraríamos lo insegura que era su posición. Si trataba de eliminar a cualquiera de los dos, bastarían nuestros alaridos para que de inmediato alguien acudiera en nuestra ayuda. Y si quedaba un cadáver, se lo dejaría en el camarote de James. Además, con el tiempo tan contado, ¿adónde podría ir el propio James? Probablemente no supiera cuánto tiempo podía permanecer consciente, puesto que ya estaría saliendo el sol. Me atrevería a afirmar que nunca se había extendido hasta la hora límite, como más de una vez lo hice yo.

Dada su confusión un segundo ataque daría resultado con toda seguridad. Y mientras David siguiera apuntándole al cuerpo mortal de James con el revólver grande, yo cruzaría —con velocidad sobrenatural— el pasillo de la Cubierta Insigne, bajaría por la escalera interna hasta la cubierta de abajo, la recorrería entera, atravesaría el pasillito y saldría a uno más ancho que hay detrás del Bar de la Reina; allí encontraría el inicio de la escalera A y me lanzaría ocho pisos abajo hasta la Cubierta Cinco. Al llegar, correría por el pasillo, entraría en el camarote pequeño y atrancaría la puerta. El próximo paso sería empujar el baúl hasta calzarlo entre la cama y la puerta, meterme adentro y bajar la tapa.

Aun cuando me topara con una horda de mortales que me obstaculizaran el camino no demoraría más que unos segundos, y la mayor parte de ese tiempo me hallaría a salvo en el interior del barco, aislado de la luz del sol.

James —de nuevo dentro de este físico, y sin duda furioso— no tendría la menor idea de mi paradero. Por más que redujera a David, no podría localizar mi camarote sin practicar una búsqueda minuciosa, cosa que no estaría en condiciones de realizar. Además, David dirigiría a los guardias de seguridad contra él, acusándolo de todo tipo de sórdidos crímenes.

Por supuesto, mi amigo no tenía intenciones de dejarse reducir. Seguiría apuntando a James con el Smith & Wesson hasta que el barco atracara en Barbados, momento en el cual lo acompañaría hasta la planchada y lo invitaría a bajar a tierra. Luego controlaría que no se le ocurriera regresar. Al atardecer yo me levantaría del baúl para reunirme con David, y juntos disfrutaríamos del viaje hasta el puerto siguiente.

David se echó hacia atrás en su sillón, al tiempo que apuraba el resto de su gin tonic. Era evidente que estaba analizando el plan.

—Te darás cuenta, por supuesto, de que no puedo matar a ese individuo —dijo—. Tenga yo un revólver o no.

—Bueno, claro, no puedes hacerlo a bordo —respondí— porque se oiría el disparo.

—¿Y si él se da cuenta y trata de desarmarme?

—Se hallaría en la misma situación. Supongo que será inteligente y lo sabrá.

—Estoy dispuesto a dispararle si no me queda más remedio. Ese será el pensamiento que me leerá con sus dones parapsicológicos. Si tengo que hacerlo, lo voy a hacer y después formularía las debidas acusaciones, como por ejemplo que lo encontré robando en tu camarote, que yo estaba ahí esperándote cuando él entró.

—¿Y si hiciéramos la transmutación antes del amanecer, así me queda tiempo para arrojarlo al mar?

—No conviene. Hay pasajeros y oficiales por todas partes. Seguramente alguien lo vería, gritaría "Hombre al agua" y se armaría un gran revuelo.

—También puedo partirle el cráneo.

—Entonces yo tendría que esconder el cadáver. No; esperemos que el monstruo se dé cuenta de su buena suerte y baje a tierra de buena gana. No quiero verme obligado a... No me atrae la idea de...

—Lo sé, lo sé, pero podrías limitarte a meterlo en el baúl. Total, nadie lo encontraría.

—Lestat, no quiero asustarte, ¡pero hay razones de peso para que no intentemos darle muerte! El mismo te las explicó, ¿recuerdas? Amenázalo, y saldrá de ese cuerpo para atacarte de nuevo. De hecho, no le estaríamos dejando otra salida, y por otra parte, prolongaríamos la batalla parapsicológica en el peor momento. No es inconcebible pensar que pudiera seguirte a la Cubierta Cinco y procurara volver a entrar en el cuerpo. Desde luego, sería una tontería que lo hiciera si no tiene un lugar donde ocultarse... pero supongamos que cuenta con un escondite sustituto. Piénsalo.

—En eso quizá tengas razón.

—Tampoco conocemos el alcance de sus poderes paranormales. Y no olvides que su especialidad es precisamente ésa: ¡cambio de cuerpos y posesión! No, no intentes ahogarlo ni matarlo a golpes. Déjalo que vuelva a entrar en ese cuerpo mortal, y yo lo mantendré encañonado hasta que hayas tenido tiempo de desaparecer del panorama. Luego él y yo vamos a conversar sobre el futuro.

—Entiendo lo que quieres decir.

—Después, si no tengo más remedio que matarlo de un tiro, lo mato. Luego lo meto en el baúl y confío en que nadie oiga el disparo. Quién te dice... A lo mejor no lo oyen.

—Dios mío, ¿te das cuenta de que voy a dejarte solo con ese monstruo, David? ¿Por qué no lo atacamos juntos apenas se ponga el sol?

—De ninguna manera. ¡Eso implicaría una lucha sin cuartel! Y él puede aferrarse denodadamente al cuerpo, salir volando y dejarnos a bordo de este barco, que estará navegando la noche entera. Ya lo tengo todo pensado, Lestat. Cada parte del plan es fundamental. Tenemos que encararlo en su momento más débil, poco antes del amanecer, y aprovechar cuando el buque esté por atracar, porque él va a estar muy contento de poder desembarcar. Confía en que voy a poder ocuparme de él. ¡No sabes cuánto lo odio! Si lo supieras, tal vez no te preocuparías tanto.

—Ten por seguro que cuando lo encuentre, lo mato.

—Razón de más para que prefiera bajar a tierra. Va a querer sacarte ventaja y yo, además, le aconsejaré que huya de prisa.

—La caza mayor. Me va a encantar. Lo encontraré aunque se oculte en otro cuerpo. Qué hermoso juego va a ser.

David permaneció un momento en silencio.

—Lestat, existe otra posibilidad, por supuesto...

—¿Cuál? No te entiendo.

Desvió la mirada como tratando de elegir las palabras más adecuadas. Luego me miró a los ojos.

—Podríamos destruir a ese ser, ya lo sabes.

—David, ¿estás loco...?

—Entre los dos podríamos hacerlo. Hay formas. Antes de ponerse el sol podríamos aniquilarlo, y tú quedarías...

—¡No sigas! —me irrité. Pero al ver su semblante triste, su inquietud, su evidente confusión moral, lancé un suspiro y proseguí en un tono más calmo. —David, soy el vampiro Lestat. Ese cuerpo al que te refieres es el mío, y vamos a recuperarlo.

No me respondió de inmediato. Luego asintió con energía y musitó:

—Sí, correcto.

Hicimos una pausa, que yo aproveché para repasar cada paso del plan.

Cuando volví a mirarlo, lo noté tan pensativo como antes; más aún, muy absorto.

—Creo que todo va a salir bien —sostuvo—, máxime cuando recuerdo las descripciones que me diste de él en ese cuerpo. Dijiste que se sentía incómodo, torpe. Y, por supuesto, no debemos olvidarnos de la clase de ser humano que es: su verdadera edad, su antiguo *modus operandi*, por así decirlo. Hmmm. No me va a quitar el revólver. Sí, pienso que todo saldrá como lo planeamos.

—Lo mismo digo.

—Y tomando en cuenta todos los factores —agregó—, ¡es la única oportunidad que tenemos!

22

Durante las dos horas siguientes seguimos explorando el barco. Era de capital importancia que pudiéramos escondernos dentro de él por la noche, hora en que James andaría paseando por las diferentes cubiertas. Teníamos que recorrerlo por ese motivo, aunque debo confesar que, de todos modos, el barco me inspiraba una enorme curiosidad.

Salimos del estrecho Bar de la Reina y regresamos al cuerpo principal del buque, para lo cual tuvimos que pasar frente a numerosas puertas de camarotes antes de llegar al entrepiso circular con su ciudadela de elegantes *boutiques*. Luego bajamos por una escalera de caracol, cruzamos una amplia pista de baile y arribamos a otros bares y salones, todos alfombrados y con atronadora música electrónica; pasamos por una piscina cubierta alrededor de la cual almorzaban centenares de personas en grandes mesas redondas; salimos a otra piscina, esta vez al aire libre, donde un sinnúmero de viajeros tomaban sol en reposeras, dormitaban o bien leían el diario o pequeños libros encuadernados en rústica.

Pasamos frente a una pequeña biblioteca, llena de silenciosos lectores, y un casino que no iba a abrir mientras el buque no zarpara. Había allí máquinas tragamonedas, apagadas y sombrías, y mesas para jugar al *blackjack* y a la ruleta.

A continuación, un salón y otro más, uno con ventanas, el otro en la penumbra total, y un hermoso restaurante para pasajeros de mediana categoría al que se accedía por escaleras de caracol. Un tercer salón —también muy atractivo— estaba destinado a viajeros de las cubiertas inferiores. Hacia abajo fuimos, dejando atrás el camarote que era mi escondite secreto. Descubrimos también no uno, sino dos centros de estética corporal, con sus máquinas para sacar músculos y salas para limpiar los poros con chorros de vapor.

Encontramos un pequeño hospital, con enfermeras de blanco y minúsculas habitaciones muy iluminadas; en una esquina, un amplio recinto sin ventanas y, en su interior, varias personas trabajando ante computadoras. Había una peluquería y salón de belleza para mujeres, y otro local similar para hombres. También vimos una oficina de turismo y, en otro momento, algo que parecía ser un banco.

Y siempre caminábamos por pasillos angostos que daban la impresión de no tener fin. Nos rodeaban eternamente paredes y techos de un aburrido tono beige. A continuación de una alfombra aparecía otra de distinto color, tan horrible como aquélla; los chillones diseños modernos se juntaban en los lugares de acceso con tanta violencia que daban ganas de reírse. Perdí la cuenta de las numerosas escaleras de peldaños poco profundos y alfombrados. Me costaba distinguir entre un grupo de ascensores y otro. Dondequiera que posaba los ojos veía puertas numeradas de camarotes. Los cuadros de adorno eran insulsos e imposibles de distinguir uno de otro. A cada rato tenía que consultar los diagramas para saber a ciencia cierta dónde había estado y hacia dónde me dirigía, o bien para salir de algún camino circular por el que pasaba por cuarta o quinta vez.

A David todo eso le resultaba sumamente divertido, sobre todo cuando en cada recodo nos encontrábamos con otros pasajeros perdidos. Por lo menos en seis oportunidades ayudamos a personas de mucha edad a encontrar determinado sitio. Y después volvíamos a perdernos otra vez.

Por último, no sé por qué milagro pudimos orientarnos, cruzamos el angosto Bar de la Reina, subimos la secreta Cubierta Insigne y llegamos a nuestros camarotes. Faltaba apenas una hora para el crepúsculo, y las gigantescas máquinas ya se habían puesto en funcionamiento.

No bien me hube cambiado para la noche —con remera blanca y traje de verano—, me encaminé a la terraza para ver salir el humo de la enorme chimenea. Todo el barco había comenzado a vibrar por la potencia de las máquinas. Y la tenue luz caribeña se apagaba tras las sierras lejanas.

Un miedo atroz me atenaceó, como si la vibración de los motores me hubiera apresado las entrañas. Pero no tenía nada que ver con eso. Simplemente pensaba que nunca más iba a volver a ver esa intensa luz natural. En el futuro vería la luz de escasos momentos —el atardecer—, pero nunca un manchón de sol sobre el agua, nunca ese brillo áureo en ventanas distantes ni el cielo azul tan límpido en su última hora, tras las nubes movedizas.

Quise aferrarme al instante, saborear cada cambio leve, sutil. Y al mismo tiempo no lo quería. Siglos atrás, no había habido un adiós a las horas del día. Aquel último día fatídico, el sol se estaba poniendo, y hasta este momento no se me había ocurrido pensar que no lo vería nunca más. ¡Ni se me había pasado por la mente!

Era lo más lógico que quisiera quedarme ahí, sintiendo su dulce tibieza, disfrutando esos preciados instantes de luz cabal.

Pero en realidad no lo quería. No me importaba. Había visto la luz en momentos más prodigiosos. Aquello iba a terminar, ¿no? Pronto volvería a ser Lestat, el vampiro.

Entré y crucé lentamente el camarote. Me miré en el espejo grande. Ah, ésta iba a ser la noche más larga de mi existencia, pensé; más larga incluso que aquella terrible noche de frío y enfermedad pasada en Georgetown. ¡Ni quería imaginar qué pasaría si algo salía mal!

David me esperaba en el pasillo con traje de hilo blanco, característico en él. Dijo que debíamos salir de ahí antes de que el sol se ocultara bajo las olas. Yo no estaba tan ansioso, porque no me parecía que ese ser chapucero fuera a saltar del baúl y se internara en el ardiente crepúsculo, como tanto me gustaba hacer a mí. Por el contrario, seguro que, por miedo, aguardaría un rato dentro del baúl antes de salir.

¿Qué haría después? ¿Descorrer las cortinas de su terraza, bajar del buque por esa vía para ir a robarle a alguna pobre familia de la costa lejana? Pero como ya había robado en Grenada, a lo mejor tenía pensado descansar.

Imposible saberlo.

Bajamos de nuevo al Bar de la Reina y salimos a la ventosa cubierta. Muchos pasajeros estaban afuera para ver cuando el barco se alejara del puerto. La tripulación se aprontaba. Una gruesa columna de humo gris brotaba de la chimenea, mezclándose con la luz menguante del cielo.

Apoyé los brazos en la borda y dirigí la mirada hacia la curva de tierra. Las olas, siempre cambiantes, captaban y retenían la luz con mil diferentes matices y grados de opacidad. ¡Pero cuánto más variada y translúcida me parecería mañana por la noche! Sin embargo, al contemplarla ahora, se me borró toda idea de futuro. Me abandoné a la majestad pura del mar, a la luz de un rojo ígneo que bañaba y alteraba el azul del cielo infinito.

A mi alrededor, los mortales parecían aplacados. Se conversaba poco. La gente se reunía en la ventosa popa para rendir homenaje a ese instante. La brisa allí era sedosa, fragante. El sol naranja oscuro, simple ojo que parecía espiarnos desde el horizonte, de pronto se hundió, no se lo vio más. Una gloriosa explosión de luz amarilla tiñó el borde inferior de las cuantiosas nubes, mientras un resplandor rosado subía y subía, internándose en los cielos infinitos y brillantes. Y a través de esa sublime niebla de color aparecieron los primeros parpadeos de las estrellas.

El agua se tornó oscura; las olas chocaban con fuerza contra el casco. Me di cuenta de que la nave ya se movía. Y de improviso dejó escapar un potente silbido, un grito que arrancó miedo y excitación de mis entrañas. Tan lento y uniforme era su movimiento, que me vi obligado a no apartar los ojos de la costa para medirlo. Estábamos girando hacia el oeste, internándonos en la luz que moría.

David tenía la mirada vidriosa. Su mano derecha aferraba la baranda. Contemplaba el horizonte, las nubes y, más allá, el rosa intenso del cielo.

Quise decirle algo, algo importante que le transmitiera el profundo amor que me embargaba. De pronto tuve la sensación de que el corazón se me partía, me volví lentamente hacia él y apoyé mi mano izquierda sobre su derecha, apoyada en el parapeto.

—Lo sé —dijo en susurros—. Créeme que lo sé. Pero ahora tienes que ser inteligente. Guárdatelo en tu interior.

Oh, sí, bajar el velo, convertirme en uno de los tantos centenares que están aislados, en silencio. Quedarme solo. Y ése, mi último día de mortal, había tocado a su fin.

Otra vez sonó la vibrante sirena. El barco casi había terminado de dar la media vuelta y avanzaba hacia mar abierto. El cielo se oscurecía de prisa, se acercaba la hora de bajar a alguna de las cubiertas inferiores y de buscar un rinconcito en algún salón ruidoso donde nadie reparara en nosotros.

Eché una última mirada al cielo, noté que había desaparecido toda la luz, total e irremediablemente, y me entró frío en el corazón. Pero yo no podía lamentar la falta de luz; no podía. Lo único que mi alma monstruosa anhelaba era recuperar mis facultades vampíricas. No obstante, la tierra misma parecía exigirme algo mejor: que llorara por aquello a lo que había renunciado.

No pude hacerlo. Sentía tristeza, y me pesaba el fracaso aplastante de mi aventura humana mientras seguía ahí parado sintiendo la brisa tibia.

La mano de David me tironeó suavemente del brazo.

—Sí, entremos —acepté, y le di la espalda al delicado cielo del Caribe. Ya había caído la noche. Y mis pensamientos se hallaban con James, sólo con él.

Oh, cómo deseaba poder verlo levantarse de su escondite de seda. Pero sería demasiado peligroso. No existía ningún sitio desde donde pudiéramos observarlo sin correr riesgos. Lo único que podíamos hacer era ocultarnos.

Con la llegada de la noche, el barco mismo cambió.

Vimos al pasar, en las pequeñas tiendas rutilantes del entrepiso, una actividad ruidosa y febril. Abajo, hombres y mujeres ataviados con telas refulgentes ya iban ocupando sus lugares en el teatro.

En el casino, las máquinas tragamonedas habían cobrado vida con luces centelleantes, y un gentío se agolpaba entorno a la ruleta. Las parejas de ancianos bailaban al ritmo de una música suave y lenta interpretada por una orquesta en el umbrío salón de la Reina.

Una vez que encontramos un rinconcito apropiado en el lóbrego Club Lido, y que pedimos algo de beber, David me ordenó que me quedara ahí mientras él se iba solo a la Cubierta Insigne.

—¿Por qué? ¿Qué es eso de que me quede solo? —reaccioné indignado.

—Si él te llega a ver, te reconoce en el acto —dijo, como restándole importancia, con la actitud de quien le habla a un niño. Luego, calzándose un par de anteojos negros, agregó: —En mí no va a reparar.

—Está bien, jefe —acepté con fastidio. ¡Me molestaba tener que esperar ahí mientras él salía de aventura!

Me volví a echar hacia atrás en el sillón, bebí otro antiséptico sorbo de mi gin tonic y me esforcé por ver en medio de la molesta oscuridad a las parejas jóvenes que se movían contra las luces titilantes de la pista iluminada eléctricamente. El elevado volumen de la música me resultaba insoportable. Pero la vibración sutil del gigantesco paquebote, deliciosa. Ya estábamos avanzando. En realidad, cuando miré más allá de ese pozo de sombras artificiales, a través de una de las numerosas puertas de vidrio, alcancé a ver que el cielo lleno de nubes, luminoso aún por el resplandor del atardecer, pasaba raudo junto a la nave.

Un barco extraordinario, pensé; eso debía admitirlo. A pesar de sus lucecitas chillonas y sus horribles alfombras, no obstante sus techos bajos, opresivos, y los numerosos y aburridos salones, seguía siendo un barco maravilloso.

Me hallaba cavilando al respecto, tratando de no enloquecer de impaciencia —más aún, de verlo todo desde la óptica de James—, cuando me distrajo a lo lejos la aparición de un muchacho rubio, hermosamente bronceado. Llevaba ropa de etiqueta, salvo un incongruente par de anteojos de color violeta. Me quedé un rato contemplando con deleite su apariencia cuando de pronto, horrorizado, caí en la cuenta de que ¡me estaba mirando a mí mismo!

Era James, con su traje negro de etiqueta y camisa almidonada, que escudriñaba el lugar tras unas modernas gafas y lentamente se encaminaba al salón donde yo me encontraba.

El dolor que me oprimía el pecho fue intolerable. En mi ansiedad, comencé a sentir que me temblaban todos los músculos. Levanté la mano para sostenerme la frente e incliné una pizca la cabeza, al tiempo que volvía a mirar hacia la izquierda.

¡Pero cómo no iba a divisarme con esos poderosos ojos preternaturales! La oscuridad no era un obstáculo para él. Con seguridad percibiría el aroma a miedo que emanaba de mí, ya que en ese momento estaba transpirando.

Pero no me vio. De hecho, se había sentado en el bar dándome la espalda y movió la cabeza a la derecha. Yo sólo alcanzaba a verle la línea de la mejilla y la mandíbula. Cuando vi que adoptaba un aire de tranquilidad total, noté también que estaba posando, con el codo izquierdo apoyado sobre la madera lustrada, la rodilla derecha apenas flexionada, y el taco calzado en el apoyapiés de bronce de su banqueta alta.

Movía levemente la cabeza siguiendo el ritmo de la música. Y emanaba de él un gran orgullo, la satisfacción genuina de ser lo que era y estar donde estaba.

Respiré hondo. Del otro lado del amplio salón, lejos de él, vi que la figura inconfundible de David se detenía un instante en la puerta abierta y luego seguía su camino. Gracias a Dios había divisado al monstruo, que a todo el mundo debía parecerle ya tan absolutamente normal como a mí (salvo por su llamativa belleza).

Cuando volví a sentir miedo, me obligué a imaginar un empleo que no tenía, una ciudad en la que nunca había vivido. Pensé en una novia de nombre Bárbara, bellísima y cautivante, y en una pelea entre nosotros que desde luego nunca tuvo lugar. Llené mi mente con tales imágenes y un millón de cosas más: peces tropicales que algún día me gustaría tener en una pecera, decidir si me convenía, o no, ir a ver el espectáculo del teatro.

El ser no se percató de mí; casi diría que no reparaba en nadie. Había algo casi conmovedor en su forma de sentarse, con el rostro algo levantado, al parecer disfrutando de ese pequeño salón oscuro, común y por cierto que bastante feo.

Le encanta, me dije. Estos salones públicos, con su plástico y su oropel, representan el pináculo de la elegancia y le fascina la sola idea de estar aquí. Ni siquiera desea que se fijen en él. No repara en nadie que pudiera prestarle atención. Es un pequeño mundo en sí mismo, del mismo modo que lo es este barco, que avanza raudamente por cálidos mares.

Pese a mi miedo, aquello me pareció de pronto algo conmovedor y trágico. Y me pregunté si yo no habría dado también una impresión de fracaso a los demás cuando tenía esa otra forma. ¿No me veían los otros como un ser igualmente triste?

Temblando con todo el cuerpo, tomé el vaso y apuré la bebida como si fuera remedio. Me oculté de nuevo tras las imágenes fabricadas, las usé para disfrazar mi temor y hasta me puse a tararear un poco al compás de la música, mientras observaba con aire casi ausente el juego de las luces coloreadas sobre esa hermosa cabellera rubia.

De repente se bajó de la banqueta y, enfilando hacia la izquierda, atravesó muy despacito el oscuro bar, pasó a mi lado sin verme y se encaminó hacia las luces más intensas que rodeaban la piscina techada. Levantaba el mentón y daba pasos lentos y prudentes como queriendo hacer ver que le costaban, y giraba la cabeza a diestra y siniestra mientras observaba el espacio que iba atravesando. Después, de la misma manera cautelosa —más indicativa de debilidad que de fuerza— empujó la puerta de vidrio que comunicaba con la cubierta y se sumergió en la noche.

¡Yo tenía que seguirlo! Sabía que no debía, pero sin darme cuenta ya me había levantado, la cabeza llena de la misma nube de falsa identidad, y lo seguí, eso sí, me detuve del lado de adentro de la puerta. Alcancé a verlo muy lejos, en el extremo mismo de la cubierta, con los brazos apoyados en la barandilla mientras el viento impetuoso le desordenaba el pelo. Estaba mirando el firmamento y una vez más se lo notaba lleno de orgullo y satisfacción, feliz con el viento y la oscuridad, quizás, y meciéndose levemente como suelen hacerlo los músicos ciegos cuando interpretan su música, como si apreciara cada instante que transcurría dentro de ese cuerpo, lleno de simple y puro regocijo.

De nuevo me inundó la sensación de que lo reconocía. ¿Les habría parecido yo el mismo tonto inservible a quienes me habían conocido y condenado? Oh, qué ser lamentable, haber pasado su vida preternatural en este sitio tan artificioso, con sus pasajeros viejos y tristes, en camarotes de chillona elegancia, aislados del gran universo de verdaderos esplendores que yacía más allá.

Sólo al cabo de un largo rato inclinó en tanto la cabeza y recorrió con su mano derecha la solapa de su saco, tranquilo, complacido como gato que lame su propio pelo. ¡Con cuánto cariño acariciaba ese trozo de tela sin importancia! Gesto que, más que ningún otro de los suyos, transmitía con absoluta elocuencia la totalidad de la tragedia.

Después miró a derecha e izquierda, y al ver sólo a dos personas que, a lo lejos, escudriñaban en otra dirección, ¡de pronto se elevó por los aires y desapareció!

Desde luego, no es que hubiera desaparecido, sino simplemente que iba desplazándose por los aires. Y yo me quedé temblando tras la puerta de vidrio, observando el lugar que había quedado vacío, sintiendo el sudor que me corría por la cara y la espalda. David me susurró algo al oído.

—Ven, amigo; vamos a cenar al restaurante de la Reina.

Giré y vi la expresión forzada de su rostro. Por supuesto, James todavía estaba a una distancia desde la que podía oírnos, captar cualquier cosa fuera de lo común sin tener siquiera que proponérselo deliberadamente.

—Sí, el restaurante de la Reina —dije, haciendo esfuerzos para no pensar en lo que anoche nos había dicho Jake, en el sentido de que el tipo tenía que presentarse a una comida en ese mismo lugar—. No tengo mucha hambre, pero es aburrido quedarse aquí, ¿verdad?

David temblaba igual que yo. Pero también se le notaba un gran entusiasmo.

—Te cuento —me dijo, siguiendo con el mismo tono falso mientras volvíamos a cruzar el salón rumbo a la escalera—. Están todos de rigurosa etiqueta, pero a nosotros tienen que servirnos igual porque acabamos de embarcarnos.

—No me importa ni aunque estén todos desnudos. Va a ser una noche infernal.

El famoso restaurante de primera clase era un poco más tranquilo y civilizado que los otros recintos que habíamos pasado. Estaba todo puesto con tapizados blancos y laca negra, y me pareció muy agradable el caudal de cálida luz. La decoración me pareció algo fría, la misma impresión que me causaba todo lo del barco; sin embargo no se podía decir que fuese fea. Y la comida era excelente.

Pasados veinticinco minutos desde que el pájaro levantara vuelo, me atreví a deslizar varios comentarios.

—¡No puede usar ni el diez por ciento de su fuerza porque le aterra!

—Estoy de acuerdo. Está tan asustado que hasta camina como si estuviera ebrio.

—En efecto; tú lo has dicho. No estaba ni a tres metros de mí, David, y no se percató de mi presencia.

—Lo sé, créeme que lo sé. Ay, Lestat, cuántas cosas no te he enseñado. Hace un momento te estaba observando, aterrado de que se te ocurriera practicar alguna picardía telekinésica, viendo que yo no te había dado instrucciones para defenderte de él.

—David, si de verdad él quisiera usar sus facultades, yo no podría hacer nada para impedírselo. Pero ya ves que no las sabe usar. Y si lo hubiera intentado, yo me habría cerrado por instinto, porque precisamente eso es lo que me estuviste haciendo practicar.

—Es verdad. Todo es cuestión de usar las mismas estratagemas que sabías y comprendías cuando te hallabas dentro de la otra forma. Anoche me dio la sensación de que tus mayores éxitos los lograste cuando te olvidabas de que eras mortal y volvías a comportarte como antes.

—Puede ser, pero te confieso que no lo sé. ¡Lo que fue verlo dentro de mi cuerpo!

—Shh, termina tu última comida y no levantes la voz.

—Mi última comida. —Contuve una risita. —Me voy a dar un festín con él cuando lo agarre. —Luego callé, porque tomé la desagradable conciencia de que estaba hablando de mi propia carne. Miré la mano larga, de piel morena, que sostenía el cuchillo de plata. ¿Sentía yo el menor afecto por ese cuerpo? No. Quería recuperar el mío, y no soportaba la idea de que debería esperar unas ocho horas para que volviera a ser mío.

No lo vimos más hasta pasada la una.

Sabía que me convenía evitar el pequeño Club Lido pues era el mejor lugar para bailar, cosa que a él le gustaba, y el ambiente era bastante oscuro. Preferí deambular por los salones más grandes, siempre con anteojos oscuros y el pelo engominado con un fijador que un joven camarero me consiguió. No me molestaba haber arruinado así mi apariencia, pero ello me daba un aspecto anónimo, y en consecuencia ganaba en tranquilidad.

Cuando volvimos a divisarlo se hallaba en uno de los pasillos externos, a punto de entrar en el casino. Esa vez fue David el que no aguantó y fue tras él para mirarlo de cerca.

Me dieron ganas de recordarle que no debíamos seguir a ese monstruo. Lo único que teníamos que hacer era dirigirnos a la *suite* Reina Victoria a la hora adecuada. El pequeño diario de a bordo, que ya había sacado la edición del día siguiente, traía la hora exacta en que saldría el sol: las 6,21. Me reí al verla, pero también es verdad que ya no podía determinar esas cosas tan fácilmente como antes. Bueno, a las 6,21 de la mañana volvería a ser el que siempre fui.

Por último David regresó a su sillón y tomó el diario que había estado leyendo sin cesar.

—Se encuentra en la ruleta, y está ganando. ¡El muy tonto usa sus poderes parapsicológicos para jugar!

—Sí, sigue diciendo eso. ¿Por qué no hablamos ahora de nuestras películas preferidas? Ultimamente no he visto nada del actor holandés Rutger Hauer, y lo extraño.

David soltó una risita.

—A mí también me gusta mucho —confesó.

A las tres y veinticinco, seguíamos conversando pausadamente, cuando de pronto vimos pasar de nuevo al apuesto señor Jason Hamilton. Tan lento, tan soñador, tan predestinado al fracaso. David amagó con levantarse y seguirlo, pero apoyé mi mano sobre la suya.

—No hace falta, amigo. Faltan tres horas nada más. A ver, cuéntame la trama de *Cuerpo y alma*, esa vieja película —¿recuerdas?— que trataba sobre aquel boxeador... ¿no era allí que se mencionaba al tigre de Blake?

A las seis y diez, la luz lechosa ya teñía el firmamento. Era el momento exacto en el que yo solía buscar mi lugar de descanso, y me costaba creer que él no hubiera buscado el suyo aún. Teníamos que encontrarlo dentro de su lustroso baúl negro.

No lo veíamos desde las cuatro y pico, hora en que se hallaba en la pequeña pista del Club Lido, bailando a su típica manera de borracho con una diminuta mujer canosa de vestido rojo. Nos ubicamos a cierta distancia, fuera del bar, apoyando la espalda contra la pared, y desde allí escuchamos el ritmo ágil de su voz, oh, tan británica. Después nos marchamos de prisa.

Se acercaba el momento. Ya no huiríamos más de él. La larga noche estaba a punto de concluir. Varias veces pensé que en pocos minutos, podía morir, pero semejante reflexión jamás en la vida me había disuadido de nada. Si hubiera pensado que podía pasarle algo a David, entonces sí, habría perdido el valor.

Nunca había visto tan decidido a mi amigo. Acababa de sacar el revólver grande del camarote de la Cubierta Cinco y lo llevaba en el bolsillo del saco. Dejamos abierto el baúl, listo para mí, y en la puerta ya colocado el cartelito de "No molestar" para evitar que acudieran los camareros. También resolvimos que, luego del cambio, yo no debía llevarme el revólver negro pues entonces quedaría en manos de James. No echamos llave a la puerta del pequeño camarote. En realidad las llaves estaban adentro, porque tampoco podía arriesgarme a llevarlas encima. Si algún camarero comedido trababa la puerta por fuera, me obligaría a accionar la cerradura con mi mente, cosa no muy difícil para el viejo Lestat.

Lo que sí llevaba en el bolsillo era el pasaporte falso a nombre de Sheridan Blackwood, y dinero suficiente como para que el tonto huyera al lugar del mundo que quisiera. El barco ya estaba entrando en el puerto de Barbados. Dios mediante, no le insumiría mucho tiempo atracar.

Tal como esperábamos, no había nadie en el ancho pasillo iluminado de la Cubierta Insigne. Se me ocurrió que el camarero estaba dormitando tras las cortinas de la cocinita.

En silencio avanzamos hasta la puerta de la *suite* Reina Victoria, David colocó la llave y enseguida entramos. El baúl estaba abierto y vacío. Las luces, todas encendidas. El sinvergüenza no había vuelto todavía.

Sin articular palabra, fui apagándolas una por una, caminé hasta la puerta que daba a la terraza y descorrí las cortinas. El cielo tenía todavía el color azul de la noche, pero a cada instante se volvía más claro. Una bella y suave luminosidad inundó la habitación, que sin duda le quemaría en los ojos apenas él la viera y le causaría un gran dolor en su piel expuesta.

Debía estar por regresar, a menos que tuviese otro escondite que nosotros ignorábamos.

Volví a la puerta de entrada y me paré a su izquierda. Allí él no me vería, porque cuando empujara la puerta ella misma me taparía.

David había subido los escalones hasta la salita elevada, se hallaba con la espalda hacia la pared de vidrio y de frente a la puerta del camarote, sosteniendo el arma fuertemente con ambas manos.

De pronto oí pasos rápidos que se aproximaban. No le hice señas a David porque noté que él también los había oído. Venía casi corriendo. Me sorprendió su audacia. Entonces David levantó el revólver y apuntó a la puerta cuando la llave ya giraba en la cerradura.

Se abrió la puerta contra mi cuerpo, y James la cerró de un golpe al tiempo que entraba tambaleándose en la habitación. Con el brazo se tapaba los ojos para protegerse de la luz que entraba por la pared de vidrio, mientras murmuraba una maldición contra los camareros que no habían cerrado las cortinas como les había ordenado.

Con su torpeza característica, enfiló hacia los peldaños y se paró en seco al ver que David lo apuntaba desde arriba.

—¡Ya! —gritó mi amigo.

Me lancé sobre él con todo mi ser; la parte invisible de mí se elevó de mi cuerpo mortal y se precipitó con fuerza incalculable sobre mi antigua forma, pero en el acto fui arrojado hacia atrás. Volví a entrar en el cuerpo mortal, pero lo hice con tanta rapidez que el cuerpo mismo, derrotado, se azotó contra la pared.

—¡De nuevo! —gritó David, pero una vez más salí repelido con apabullante rapidez y me costó un esfuerzo volver a dominar las pesadas piernas humanas para quedarme erguido.

Vi que sobre mí aparecía mi viejo rostro de vampiro, enrojecidos los ojos azules, entrecerrándose a causa del resplandor cada vez más intenso de la habitación. ¡Oh, yo sabía lo que estaba sufriendo! Conocía ese estado de confusión. El sol quemaba su piel tierna, que nunca había cicatrizado del todo desde la experiencia en el Gobi. Probablemente ya sintiera débiles las piernas con el entumecimiento inevitable del día naciente.

—Bien, James, el juego ha terminado —clamó David con evidente furia. ¡Use el cerebro!

Al oír la voz de David, el ser se volvió como si se cuadrara; luego se acobardó, siempre protegiéndose los ojos de la luz, cayó sobre la mesita de luz, cuyo material plástico, al deshacerse, produjo un ruido horrible. Cuando se dio cuenta del destrozo que había causado, intentó volver a mirar a David, que daba la espalda al sol.

—¿Ahora qué piensa hacer? —exigió saber David—. ¿Adónde puede ir? ¿Dónde puede esconderse? Si nos mata, registrarán este camarote no bien encuentren los cadáveres. Se acabó, amigo mío. Ríndase.

James dejó escapar un profundo gruñido y agachó la cabeza como un toro enceguecido que se apresta a lanzarse a la carga. Vi que cerraba los puños y me inundó la desesperación.

—Entréguese, James —lo instó David.

Aproveché que el individuo soltaba una andanada de insultos

para arrojarme nuevamente sobre él, movido no sólo por el coraje y la humana voluntad sino también por el pánico. ¡El primer rayo caliente de sol cruzó por el agua! Dios mío, era ahora o nunca, y no podía darme el lujo de fallar. Lo embestí con fuerza, sentí una sacudida eléctrica paralizante al atravesarlo y luego no pude ver nada más. La sensación era como si una gigantesca aspiradora me chupara, obligándome a bajar y bajar, hundiéndome en las tinieblas mientras gritaba "¡Sí, me meto dentro de él, dentro de mí mismo! ¡Dentro de mi cuerpo, sí!" Quedé, entonces, mirando de frente una llamarada de luz áurea.

El dolor en los ojos me resultaba insoportable. Era el calor del Gobi. Era la gran iluminación final del infierno. ¡Pero había conseguido mi propósito! ¡Estaba dentro de mi propio cuerpo! Y esa luminosidad era el sol que salía y escaldaba mis manos y cara maravillosas, preciadas, preternaturales.

—¡David, hemos triunfado! —grité, y las palabras me salieron con un extraño volumen. Me levanté de un salto del piso, al que me había caído, en posesión una vez más de la gloriosa fuerza y rapidez de otrora. Enceguecido, corrí hacia la puerta y tuve una última visión fugaz de mi antiguo cuerpo humano cuando, en cuatro patas, trataba de llegar a los escalones.

Llegado al pasillo, la habitación virtualmente explotó de luz y calor. No podía quedarme allí ni un minuto más, aunque oí el disparo ensordecedor del potente revólver.

—¡Dios te ayude, David! —musité. Al instante me hallaba al pie del primer tramo de escalera. Por suerte la luz del sol no penetraba hasta ese pasaje interior, pero mis piernas ya se estaban debilitando. Cuando se disparó el segundo tiro, yo ya había saltado la baranda de la escalera A y me arrojé hasta la Cubierta Cinco, donde eché a correr.

Alcancé a oír un disparo más antes de llegar al reducido camarote, pero, oh, tan débil. La bronceada mano que abrió la puerta casi no pudo hacer girar el picaporte. Ya me enfrentaba de nuevo al peligro de un resfrío, como si estuviera paseando por las nieves de Georgetown. Pero la puerta se abrió y caí de rodillas dentro de la habitación. Aunque me hubiera desplomado, ya estaba a salvo de la luz.

Con un último esfuerzo de voluntad cerré la puerta, corrí el baúl hasta su lugar y me derrumbé en su interior. Después, lo único que pude hacer fue estirarme para aferrar la tapa. Sentí que caía y se cerraba, pero ya no pude sentir nada más. Permanecí inmóvil, mientras un áspero suspiro partía de mis labios.

—¡Dios te ayude, David! —repetí. ¿Por qué había abierto fuego? ¿Por qué? ¿Y por qué tantos disparos de un arma tan potente? ¿Cómo podía el mundo no oír los tiros de un revólver tan ruidoso?

Pero no había fuerza que me permitiera acudir en su ayuda. Se me estaban cerrando los ojos, hasta que por fin quedé flotando en la oscura penumbra de terciopelo que había dejado de habitar desde aquel fatídico encuentro en Georgetown. Todo había terminado, yo era de nuevo el vampiro Lestat, y ninguna otra cosa importaba ya. Ninguna.

Creo que mis labios formaron nuevamente la palabra "David", como si fuera una plegaria.

23

No bien me desperté, presentí que David y James no estaban en el barco.

No sé muy bien cómo lo sabía, pero lo cierto es que lo sabía.

Luego de acomodarme un poco la ropa y disfrutar unos momentos de frívola felicidad al mirarme en el espejo y flexionar mis maravillosos dedos de manos y pies, salí para cerciorarme de que ninguno de los dos estaba en el barco. A James no pensaba encontrarlo, pero a David... ¿qué le había sucedido luego de disparar el revólver?

¡Con seguridad que tres balas tenían que haber matado a James! Y desde luego, todo había ocurrido en *mi* camarote —de hecho encontré en mi bolsillo *mi* pasaporte a nombre de Jason Hamilton—, de modo que me encaminé a la Cubierta Insigne con la mayor cautela.

Los camareros iban de aquí para allá para entregar bebidas y arreglar las habitaciones de los que ya se habían aventurado a salir por la noche. Utilicé toda mi habilidad para moverme rápidamente entre el pasaje y entrar sin que me vieran en la *suite* Reina Victoria.

Se notaba a las claras que ya la habían ordenado. El baúl negro que James usaba de ataúd estaba cerrado y cubierto con la tela alisada. Habían retirado la mesa de luz rota, pero quedó una marca en la pared.

No había sangre en la alfombra. Es más, no se veía la menor huella de la horrenda lucha que había tenido lugar. Y a través de los vidrios de la terraza pude advertir que estábamos saliendo del puerto de Barbados bajo un glorioso velo crepuscular, y avanzábamos hacia mar abierto.

Me asomé un instante a la terraza, sólo para contemplar la noche infinita y sentir una vez más la alegría de mi vieja visión vampírica. A lo lejos, en la costa, distinguí un millón de minúsculos detalles que jamás habría podido ver un mortal. Tanto me fascinó experimentar la antigua levedad física, la sensación de gracia y destreza, que me dieron ganas de ponerme a bailar. Me habría encantado hacer un zapateo americano en un costado del buque, luego en el otro, todo el tiempo cantando y haciendo chasquear los dedos.

Pero no tenía tiempo para esas cosas. Primero debía averiguar qué había pasado con David.

Abrí la puerta, crucé el pasillo y rápida, silenciosamente, destrabé la cerradura del camarote de David. Después, con un repentino arranque de velocidad sobrenatural, entré sin que me vieran quienes andaban por allí.

Todo había desaparecido. Incluso habían higienizado ya el camarote para un nuevo pasajero. Obviamente habían obligado a David a abandonar el buque. ¡A lo mejor ahora estaba en Barbados! De ser así, lo encontraría enseguida.

Pero, ¿y el otro cuarto, el que pertenecía a mi antigua identidad mortal? Abrí la puerta de comunicación sin tocarla, y comprobé que también la habían vaciado y limpiado.

Qué hacer. No deseaba permanecer en ese barco más de lo necesario, ya que apenas me descubrieran me convertiría por cierto en el centro de la atención general. La debacle se había producido en mi camarote.

Oí el paso fácilmente identificable del camarero que tanto nos había ayudado antes, y abrí la puerta justo cuando él pasaba por allí. Noté que al verme se llenaba de excitación y perplejidad. Le hice señas para que entrara.

—¡Señor, lo están buscando! ¡Pensaron que había bajado en Barbados! Debo dar aviso de inmediato a seguridad.

—Oh, cuénteme lo que pasó —dije, mirándolo fijo a los ojos. Noté que el hechizo surtía efecto, pues adoptó una actitud de entrega y confianza total.

Al amanecer se había producido un desagradable incidente en mi camarote. Un británico de edad avanzada —que, dicho sea de paso, antes había asegurado ser mi médico— efectuó varios disparos, sin que ninguno diera en el blanco, contra un joven asaltante que —declaró— había intentado matarlo. En realidad, no se había podido localizar al asaltante pero, por la descripción que brindó el caballero inglés, se pudo establecer que el joven había ocupado precisamente el camarote ése donde nos encontrábamos, y que se había embarcado utilizando un nombre falso.

Pero lo mismo había hecho el caballero inglés. La confusión de nombres era parte importante del embrollo. El camarero no sabía todo lo sucedido, salvo que habían arrestado al caballero, obligándolo a bajar a tierra.

El camarero estaba intrigado.

—Creo que fue un alivio para todos que lo hicieran bajar. Pero debemos llamar al jefe de seguridad, señor. Están muy preocupados por usted. Me extraña que no lo hayan detenido cuando volvió a embarcarse en Barbados. Lo han estado buscando el día entero.

Yo no estaba muy seguro de querer soportar miradas incisivas por parte de los funcionarios de seguridad, pero el tema quedó rápidamente decidido cuando en la puerta de la *suite* aparecieron dos hombres de uniforme blanco.

Di las gracias al camarero, me acerqué a los dos señores y los invité a pasar, hecho lo cual me ubiqué en la zona más oscura, como era mi costumbre en encuentros de esa naturaleza. Además, les pedí que me disculparan por no encender las lámparas, pero la luz que entraba por la puerta de la terraza era suficiente, expliqué, teniendo en cuenta el mal estado de mi piel enferma.

A ambos los noté muy desconfiados, por lo que tuve que volver a utilizar la persuasión de mi hechizo al hablar.

—¿Qué pasó con el doctor Alexander Stoker? —pregunté—. Es mi médico personal, y me preocupa su suerte.

Fue evidente que el más joven, hombre de rostro muy colorado y acento irlandés, no creyó lo que yo le decía y presintió algo raro en mi forma de hablar y conducirme. Mi única esperanza era poder sumirlo en la confusión para que se quedara callado.

Pero el otro, un inglés alto e instruido, fue mucho más fácil de embaucar, y comenzó a contarme todo sin segundas intenciones.

Parece ser que el doctor Stoker no era tal, sino un inglés de nombre David Talbot, que se negó a confesar por qué había usado un nombre falso.

—¡Imagínese, ese señor Talbot llevaba un arma en el barco! —exclamó el alto, mientras su compañero seguía mirándome con suspicacia—. Claro que esa organización de Londres, la Talamasca o como se llame, pidió muchas disculpas y quiso enmendar todo. Por último, el asunto lo arregló el capitán con unas personas de la oficina central de Cunard. Como el señor Talbot empacó sus cosas y accedió a que se lo acompañara a tomar un avión que partía de inmediato a los Estados Unidos, no se le hizo una denuncia penal.

—¿A qué lugar de Estados Unidos?

—A Miami, señor. Casualmente yo mismo lo llevé. A toda costa quiso enviarle un mensaje a usted: que se reuniera con él en Miami, a su conveniencia. Creo que en el hotel Park Central... Me repitió varias veces el recado.

—Entiendo. ¿Y el hombre que lo atacó, el que lo obligó a disparar su arma?

—No lo hemos podido encontrar, señor, aunque es indudable que varias personas lo habían visto antes a bordo ¡acompañado por el señor Talbot! Casualmente aquél era su camarote, y creo que usted estaba ahí conversando con el camarero cuando llegamos.

—Todo esto me desconcierta mucho —expresé con mi tono más convincente—. ¿Usted cree que ese muchacho de pelo castaño ya no está a bordo?

—Casi podríamos asegurarlo, señor, aunque, por supuesto, es imposible practicar una búsqueda minuciosa en un buque como éste. Las pertenencias de ese señor estaban aún en el camarote cuando lo abrimos. Tuvimos que abrirlo porque el señor Talbot insistía en que había sido atacado por ese joven, ¡y además dijo que este último también viajaba con nombre supuesto! Tenemos su equipaje en custodia, desde luego. Si me acompaña al despacho de: capitán, tal vez podría aclararnos...

Me apresuré a afirmar que no sabía nada del asunto, pues no había estado en mi cuarto en el momento del hecho. El día anterior había bajado en Grenada, y no me enteré nunca de que se hubiesen embarcado ninguno de esos dos hombres. Y esa mañana había salido a pasear por Barbados, por lo que no supe nada sobre el tiroteo.

Pero toda esa conversación mía fue una pantalla para seguir usando con ellos la persuasión, y convencerlos de que debían dejarme solo para yo poder cambiarme y descansar un rato.

Cuando cerré la puerta, luego de que se marcharon, supe que se dirigían a la oficina del capitán y que regresarían en cuestión de minutos. En realidad no importaba. David estaba a salvo, pues abandonó el buque y viajó a Miami, donde debía reunirme con él. Eso era lo único que quería saber. Gracias a Dios había podido partir de Barbados enseguida. Porque sólo Dios sabía dónde podía estar James en esos momentos.

En cuanto al señor Jason Hamilton, cuyo pasaporte llevaba yo en el bolsillo, todavía le quedaba un ropero lleno de prendas en esa *suite*, y mi intención era apropiarme rápidamente de algunas. Me saqué el arrugado traje de etiqueta y el resto de mi atuendo para la noche, y me puse pantalón, camisa de algodón y un saco decente de hilo. Desde luego, todo estaba hecho a la medida perfecta para ese cuerpo. Hasta los zapatos de lona me resultaron muy cómodos.

Llevé conmigo el pasaporte y una considerable suma de dólares norteamericanos que había encontrado en la vieja ropa.

Luego volví a salir a la terraza y permanecí inmóvil bajo la caricia de la brisa, mientras mis ojos somnolientos recorrían el mar, de un azul intenso y luminoso.

El *Queen Elizabeth II* avanzaba a los famosos veintiocho nudos, y las olas transparentes se estrellaban contra su proa majestuosa. La isla de Barbados había desaparecido por completo de la vista. Levanté la mirada y contemplé la gran chimenea negra, que por ser tan inmensa parecía la chimenea del propio infierno. Era todo un espectáculo el espeso humo gris que salía de ella, describía un arco y bajaba hasta el nivel mismo del mar empujado por el viento incesante.

Volví a mirar el lejano horizonte. Todo el universo estaba impregnado de una luz bella y azulada. Tras una fina bruma que los mortales jamás podrían percibir, vi las minúsculas constelaciones titilantes, como también los planetas luminosos que avanzaban lentamente. Estiré mis extremidades, contento de sentirlas, fascinado con el cosquilleo que me recorría hombros y espalda. Me sacudí entero y me gustó el roce del pelo contra el cuello; después apoyé los brazos sobre la baranda.

—Te voy a encontrar, James —murmuré—; de eso no te quepa la menor duda. Pero ahora tengo otras cosas que hacer. En vano podrás seguir tramando pequeños ardides.

Luego ascendí despacio, lo más despacio que pude, hasta que estuve muy alto, encima del barco, y lo miré desde arriba. Admiré sus numerosas cubiertas apiladas una sobre la otra, festoneadas por mil y una lucecitas amarillas. Qué festivo se lo veía, qué despreocupado. Valerosamente avanzaba, mudo y poderoso, por el mar ondulante, portando su pequeño reino de seres que bailaban, cenaban y charlaban, de atareados oficiales de seguridad, de presurosos camareros, de cientos y cientos de personas felices que nada sospechaban de que hubiéramos estado allí para perturbarlas con nuestro pequeño drama, ni de que nos hubiéramos ido con la misma rapidez con que llegamos, dejando sólo una mínima secuela de alboroto. Que reine la paz en el *Queen Elizabeth II*, pensé, y una vez más supe por qué el Ladrón de Cuerpos se había encariñado con esa nave, por qué se escondió en ella, por triste y de mal gusto que fuese.

Al fin y al cabo, ¿qué es todo nuestro mundo para las estrellas del firmamento? Qué piensan ellas de nuestro planeta diminuto, me pregunté, un planeta lleno de alocadas yuxtaposiciones, de ocurrencias fortuitas, luchas interminables y delirantes civilizaciones desparramadas sobre su faz, unidas no por voluntad, fe ni ambición comunitaria sino por cierta nebulosa capacidad de sus millones de habitantes de no pensar en las tragedias de la vida y lanzarse una y otra vez a la felicidad, tal como lo hacían los pasajeros de ese barquito, como si la felicidad fuese para todos los seres tan natural como el hambre, el sueño, la necesidad de amor o el miedo al frío. Me elevé cada vez más alto hasta que ya no pude ver la nave. Se interponían nubes entre mí y el mundo de abajo. Y arriba ardían las estrellas en su fría majestuosidad, y por una vez en la vida no las odié. No, no podía odiarlas, no podía odiar nada. Me sentía demasiado lleno de júbilo y de sombrío triunfo amargo. Yo era Lestat, que me desplazaba entre el cielo y el infierno, contento de serlo *quizá por vez primera.*

24

Selva tropical de Sudamérica. Una profunda maraña de bosque y jungla a través de kilómetros y kilómetros de continente; que cubre con su manto laderas de montañas y se congrega en los valles; que sólo se interrumpe para dar paso a ríos rutilantes y lagos resplandecientes; suave, y lozana, y frondosa, y aparentemente inofensiva cuando se la ve desde muy arriba, por entre las nubes.

La penumbra es total cuando uno se detiene sobre la tierra blanda, mojada. Tan altos son los árboles, que el cielo no se ve sobre sus copas. Allí la creación no es nada más que lucha y peligro en medio de esas profundas sombras húmedas. Es el triunfo final del Jardín Salvaje, y jamás los científicos del mundo podrán clasificar jamás todas las especies de mariposas, de leopardos, de peces carnívoros y serpientes gigantes que habitan el lugar.

Pájaros con alas color del cielo estival o del sol ardiente pasan raudos entre las ramas. Chillan los monos al tiempo que estiran sus manecitas inteligentes para aferrarse de enredaderas gruesas como maromas. Mamíferos lustrosos y siniestros, de mil tamaños y formas, se buscan unos a otros sin piedad sobre raíces monstruosas y tubérculos semienterrados, bajo hojas enormes y susurrantes, se trepan por los troncos retorcidos de árboles jóvenes que mueren en la fétida tiniebla, mientras absorben su último alimento del suelo pestilente.

Insensato e infinitamente vigoroso es el ciclo de hambre y saciedad, de muerte violenta y dolorosa. Reptiles de ojos implacables y brillantes como ópalos se alimentan eternamente con el serpenteante universo de insectos duros y crujientes, como lo han hecho desde las épocas en que aún no había criaturas de sangre caliente sobre la tierra. Y los insectos —con alas, con aguijones, colmados de letal veneno, deslumbrantes por su belleza horrenda y atrozmente sagaces— a la larga se hacen un festín con todos.

No hay piedad en ese bosque. No hay misericordia, justicia, veneración por su belleza ni admiración por la hermosura de sus lluvias. Hasta el astuto mono es en el fondo un idiota moral.

Es decir, no había tal cosa hasta que llegó el hombre. Nadie sabe a ciencia cierta cuántos miles de años atrás ocurrió. La jungla devora los huesos. Calladamente se traga manuscritos sagrados, corroe las piedras más obstinadas del templo. Productos textiles, cestas tejidas, cacharros decorados y hasta adornos de oro terminan disueltos en sus fauces.

Pero los pobladores de cuerpo pequeño y tez oscura están allí desde hace siglos —sobre eso no hay duda—, creando sus frágiles aldeas de chozas construidas con hojas de palmera y humeantes fogones, cazando los animales abundantes y letales con sus toscas lanzas y sus dardos mortíferos. En algunos lugares levantan, como lo han hecho siempre, granjas pequeñas donde cultivan gruesas batatas, enormes paltas, pimientos colorados y maíz. Mucho maíz amarillo, dulce y tierno. Gallinas de reducido tamaño picotean el exterior de las viviendas, hechas con esmero. Amontonados en sus chiqueros, resoplan, cerdos gordos y lustrosos.

¿Son estos humanos, que desde siempre han luchado unos contra otros, lo mejor del Jardín Salvaje? ¿O acaso tan sólo una parte no diferenciada de él, no más compleja que el ciempiés, que el furtivo jaguar de piel arrasada o la silenciosa rana de ojos saltones, tan tóxica que sólo tocar su piel moteada acarrea la muerte?

¿Qué tienen que ver las innúmeras torres de la gran Caracas con ese mundo que se extiende y llega hasta tan cerca de ella? ¿De dónde salió esa metrópolis sudamericana, con sus cielos contaminados y sus arrabales superpoblados en las laderas de las sierras? La belleza es belleza dondequiera se encuentre. Por la noche, hasta esos *ranchitos* (*), como les dicen —miles y miles de chozas que cubren las laderas en pendiente, a ambos lados de las modernas autopistas— son hermosos, porque, si bien no tienen agua ni desagües cloacales

(*) *Ranchitos*: En castellano en el original. (Nota de la T.)

y allí la gente vive apiñada transgrediendo todo concepto moderno de salud y confort, igualmente ostentan festones de brillantes lucecitas eléctricas.

¡A veces parece que la luz puede transformar cualquier cosa! Que es una innegable e irreductible metáfora de la gracia. Pero la gente de los *ranchitos*, ¿sabe esto? ¿Lo hacen así porque es más bello? ¿O acaso sólo buscan una iluminación cómoda en sus pequeñas viviendas?

No importa.

No podemos dejar de crear belleza. No podemos detener el mundo.

Miro desde arriba el río que pasa por St. Laurent, una cinta de luz que de tanto en tanto se entrevé en medio de las copas de los árboles, mientras se interna cada vez más en la jungla hasta llegar por fin a la pequeña misión de Santa Margarita María, un puñado de viviendas en un claro a cuyo alrededor aguarda pacientemente la selva. ¿No es bonito ese racimo de edificaciones con techos de lata, con paredes pintadas a la cal y toscas cruces, con ventanitas iluminadas y el sonido de una única radio por la que se oye una melodía de letra india y alegre ritmo de tambores?

Qué hermosos los porches anchos de las casas, donde se ven hamacas, sillas y sillones de madera pintada. Las telas metálicas de las ventanas confieren a las habitaciones una belleza amodorrada al dibujar diminutos enrejados de líneas finas sobre los numerosos colores y formas, con lo cual consiguen acentuarlos, volverlos más visibles y vibrantes, hacer que parezcan más premeditados, como los interiores de una pintura de Edward Hopper o las ilustraciones de un colorido libro de figuras infantiles.

Por supuesto, no hay manera de detener la desenfrenada propagación de la belleza. Eso es cuestión de reglas, de la concordancia, la estética de la composición y el triunfo de lo funcional sobre lo impensado.

¡Pero allí tampoco hay mucho de eso!

Este es el destino de Gretchen, del cual todas las sutilezas del mundo moderno han desaparecido: un laboratorio para un único y reiterativo experimento moral: hacer el bien.

En vano entona la noche su canto de caos, hambre y destrucción alrededor del reducido campamento. Lo que allí importa es el cuidado de un número limitado de humanos que han venido en busca de vacunas y antibióticos, a que se le practiquen cirugías. Como dijo la misma Gretchen, pensar en un panorama más amplio es mentir.

Durante horas me paseé describiendo un gran círculo en medio de la jungla densa, despreocupado, abriéndome paso entre el follaje infranqueable. Trepé por las fantásticas raíces altas de los árboles, me detuve aquí y allá para escuchar el coro profundo y enmarañado de la noche salvaje. Muy tiernas eran las flores húmedas que crecen en las ramas más altas y lujuriantes y dormitan en la promesa de la luz matinal.

Una vez más, no sentí el más mínimo temor ante la fealdad mojada y corrompida del proceso natural. El hedor de la podredumbre en el cenagal. Las cosas resbaladizas no pueden hacerme daño, y por ende no me disgustan. Ah, que venga hacia mí la anaconda; me encantaría sentir ese abrazo estrecho, de rápido movimiento. Cuánto me agradó el grito agudo de los pájaros, cuya intención era sin duda causar terror a un corazón más simple. Qué pena que los pequeños monos de brazos peludos estuvieran durmiendo en ese instante, pues me habría gustado cazarlos, tenerlos un rato conmigo para besarlos en sus frentes fruncidas, en sus parlanchinas bocas sin labios.

Y esos pobres mortales que dormían dentro de las numerosas casuchas, junto a sus campos prolijamente labrados, en la escuela, el hospital y la capilla, parecían un milagro divino de creación hasta en sus detalles más nimios.

Hmmm. Extrañaba a Mojo. ¿Por qué no estaba allí, merodeando conmigo por la selva? Tenía que entrenarlo para que se convirtiera en perro de vampiro. De hecho, lo imaginaba custodiando mi ataúd durante las horas del día, centinela al estilo egipcio, con orden de despedazar a cualquier intruso mortal que lograra descender las escalinatas del santuario.

Pero ya pronto lo iba a ver. El mundo enterō esperaba tras esos bosques. Cuando cerraba los ojos y convertía mi cuerpo en agudo receptor, alcanzaba a oír a través de los kilómetros el ruido intenso del tránsito de Caracas, sus voces amplificadas, el pulso de la música en esas cuevas con aire acondicionado hacia donde atraigo a los asesinos, como mariposas a la luz de la vela, para poder alimentarme.

En la selva, en cambio reinaba la paz mientras iban pasando las horas de ronroneante silencio tropical. Un resplandor de lluvia caía desde el cielo nuboso con golpecitos suaves sobre los techos de metal, apisonando el polvo y moteando los escalones ya barridos de la escuela.

Se apagaron las luces en los pequeños dormitorios y en las casitas distantes. Sólo siguió titilando una luminosidad roja en el interior de la capilla a oscuras, con su torre baja y su enorme campana reluciente y silenciosa. Lucecitas amarillas con minúsculas pantallas metálicas alumbraban los senderos despejados, las paredes blanqueadas a la cal.

Se apagaron las luces en la primera de las construcciones del hospital, donde Gretchen trabajaba sola.

De vez en cuando alcanzaba a ver su perfil contra las ventanas. Vi que estaba del lado de adentro de la puerta, que llevaba el pelo recogido en la nuca y se sentaba unos instantes a un escritorio para escribir unas notas inclinando la cabeza.

Por último me aproximé en silencio a la puerta, entré en la oficina reducida, desordenada, iluminada por una única lámpara, y enfilé hacia la entrada del pabellón.

¡Hospital de niños! Ubicadas en dos hileras, las camas eran diminutas, sencillas, toscas. ¿Estaba viendo visiones en esa semipenumbra profunda? ¿O es que las camas estaban hechas de madera ordinaria, atadas en las uniones, y tenían mosquiteros? Y sobre la mesa descolorida, ¿no había un resto de vela en un platito?

De pronto me sentí mareado; me abandonó la gran claridad de la visión. *¡Este hospital, no!* Parpadeé, tratando de separar los elementos eternos de aquellos que tenían sentido. ¡Bolsitas plásticas de suero endovenoso que brillaban colgadas de sus soportes junto a las camas, ingrávidos tubos de nylon que descendían hasta las agujas clavadas en bracitos delgados, frágiles!

Eso no era Nueva Orleáns. ¡No era aquel pequeño hospital! ¡Y sin embargo, miren las paredes! ¿No son de piedra? Me enjugué la pátina de sudor sanguinolento de la frente y miré la mancha que quedó en cl pañuelo. La que estaba allá, en la camita del fondo, ¿no era una niñita rubia? Una vez más me dominaron las náuseas. Me pareció oír una risa aguda, burlona pero llena de felicidad. No, no, debía ser un pájaro afuera, en la gran penumbra. No había una mujer de edad, de batón casero hasta los tobillos y pañoleta alrededor de los hombros. Hacía siglos que no existía más; había desaparecido junto con aquel edificio pequeño.

Pero la criatura gemía; la luz brillaba sobre su cabecita. Vi su mano regordeta contra la manta. Traté de aclarar nuevamente mi visión. Una sombra larga cayó en el piso, a mi lado. Sí, miren el indicador de apnea con sus diminutos números luminosos y los botiquines de remedios con puertitas de vidrio. No aquel hospital, sino éste.

¿Así que has venido a buscarme, papá? Cierto que dijiste que lo volverías a hacer.

—No, ¡no le voy a hacer daño! No quiero hacerle daño. —¿Estaba yo susurrando en voz alta?

La vi a lo lejos, al final de la angosta habitación, sentadita en su silla alta. Zarandeaba los pies y los bucles le llegaban hasta las mangas abullonadas.

¡Has venido a buscarla! ¡Sabes que es así!
—Shh, va a despertar a los niños. Váyase. ¡Está loco!
Todos sabían que ibas a triunfar. Sabían que derrotarías al Ladrón de Cuerpos. Y aquí estás, has venido... para llevártela.
—No para hacerle daño sino para dejar la decisión en sus manos.
—¿Señor? ¿Qué desea?

Levanté la mirada y vi al médico que tenía ante mis ojos, un hombre de edad, de patillas descoloridas y minúsculos anteojitos. ¡No, ese doctor no! ¿De dónde había salido? Le miré la cartela del nombre. Estábamos en la Guyana Francesa; por eso él hablaba en francés. Y no hay una niña sentada en una sillita alta, al final del pabellón.

—Ver a Gretchen. La hermana Marguerite. —Me había parecido verla ahí adentro, a través de las ventanas. Sabía que estaba ahí.

Ruidos apagados en el extremo más distante de la sala. El no puede oírlos, pero yo sí. Gretchen viene para acá. De pronto percibí su aroma, mezclado con el de los niños y el del anciano.

Pero ni siquiera con esos ojos míos pude ver en semejante penumbra. ¿De dónde venía la luz de este lugar? Ella acababa de apagar la lamparita del fondo; recorrió la sala entera, fue dejando atrás cama tras cama, con andar rápido y la cabeza agachada. El médico hizo un gesto de cansancio y se alejó.

No le mires las patillas desteñidas, los anteojitos ni la giba de su espalda redondeada. Ya le viste el cartelito plástico con el nombre. ¡No es un fantasma!

La puerta con tela metálica golpeó suavemente detrás del hombre, cuando él ya se alejaba.

Gretchen se hallaba parada en la leve penumbra. Qué hermoso el pelo ondulado, que llevaba hacia atrás de la tersa frente, y sus grandes ojos de mirada firme. Me vio los zapatos antes de verme a mí. De pronto, tomó conciencia del extraño, de su silueta blanquecina, callada —no dejé escapar ni un suspiro— en la quietud total de la noche, en un lugar al que no pertenecía.

El médico se había esfumado. Parecían habérselo tragado las sombras, pero sin duda andaba por ahí afuera, en las tinieblas.

Yo estaba parado contra la luz que venía de la oficina. Me abrumaba el olor femenino, en el que se mezclaba la sangre con el perfume limpio de un ser vivo. Dios mío, verla con esa visión, ver la belleza resplandeciente de sus mejillas. Pero yo tapaba la luz, ¿verdad?, porque la puerta era muy pequeña. ¿Veía ella mis facciones con suficiente nitidez? ¿Notaba el color fantasmal de mis ojos?

—¿Quién es usted? —Fue un susurro bajo, cauteloso. Estaba lejos de mí, desamparada, contemplándome con expresión recelosa.

—Gretchen, soy Lestat. Vine a verte, como te prometí.

Nada se agitó en el pabellón largo y angosto. Las camitas parecían congeladas tras el tul de los mosquiteros. Empero, la luz se movía en las rutilantes bolsitas de líquido, a la manera de infinitas lamparitas plateadas cuando brillan en la penumbra opaca. Alcancé a oír la respiración leve, regular, de los cuerpos dormidos. Y un sonido ahogado, rítmico, como el de un niño que juega a golpetear una y otra vez la pata de una silla con el taco del zapato.

Gretchen alzó lentamente su mano derecha y con instintivo aire protector la apoyó sobre su pecho, bajo el cuello. Se le aceleró el pulso. Noté que sus dedos se cerraban como aferrando un relicario, y luego vi la luz que se reflejaba en la delgada cadenita de oro.

—¿Qué es eso que llevas al cuello?

—¿Quién es usted? —volvió a preguntar con labios temblorosos. Su murmullo puede decirse que tocó fondo. La luz tenue de la oficina, a mis espaldas, resaltaba en sus ojos. Me miró la cara, las manos.

—Soy yo, Gretchen. No te haré daño. Ni se me ocurriría hacerte el menor daño. Vine porque te lo había prometido.

—No... no le creo. —Retrocedió unos pasos; sus suelas de goma apenas rasparon el piso de madera.

—No me tengas miedo, Gretchen. Quería que supieras que es verdad todo lo que te dije. —Hablaba yo con suma suavidad. ¿Ella me estaría oyendo?

Me di cuenta de que trataba de aclarar su vista, como segundos antes yo también había tenido que hacerlo. El corazón le latía con fuerza, los senos se le movían delicadamente bajo la rígida tela de algodón mientras la exquisita sangre subía de pronto a su rostro.

—Estoy aquí, Gretchen. Vine a darte las gracias. Toma, esto es para la misión.

Como un estúpido metí la mano en el bolsillo, saqué un montón de billetes del Ladrón de Cuerpos y se los tendí. Mis dedos temblaban; los de ella también. El dinero parecía sucio y absurdo, como una pila de basura.

—Tómalo, Gretchen; servirá para los niños. —Me di vuelta y otra vez vi la vela... ¡la misma vela! ¿Por qué ésa? Dejé el dinero a su lado y oí crujir las maderas del piso bajo mi peso cuando me adelanté hasta la mesita.

Cuando me volví para mirarla, ella se me acercó, temerosa, con los ojos muy abiertos.

—¿Quién es usted? —murmuró por tercera vez. Qué grandes su ojos, qué oscuras sus pupilas cuando recorrieron mi figura como dedos que se retiran de algo que los puede quemar. —¡Le pido que me diga la verdad!

—Lestat, a quien curaste en tu propia casa, Gretchen. He podido recuperar mi forma verdadera, y vine porque te lo había prometido.

Ya me estaba resultando arduo soportar el resurgimiento de mi vieja ira, a medida que en ella se intensificaba el miedo, que sus hombros se ponían rígidos, que sus brazos se juntaban y la mano que aferraba la cadenita del cuello comenzaba a temblar.

—No le creo —me espetó con el mismo susurro estrangulado, echándose atrás con todo el cuerpo aunque, en realidad, no se había movido ni un paso.

—No, Gretchen. No me mires con desprecio. ¿Qué te hice para que me mires así? Conoces mi voz. Sabes lo que hiciste por mí. Vine a darte las gracias.

—¡Mentiroso!

—Eso no es cierto. Vine porque... porque quería verte de nuevo.

Dios santo, ¿se me estaban escapando unas lágrimas? ¿Eran ahora mis emociones tan volátiles como mi poder? Y ella vería surcar por mi rostro las lágrimas de sangre, lo cual la atemorizaría más aún. No me atreví a mirarla a los ojos.

Me di vuelta y contemplé la velita. Dirigí mi voluntad al pabilo y comprobé que la llama, una lengüita amarilla, aumentaba de tamaño. *Mon Dieu, el mismo juego de sombras en la pared.* Ella contuvo el aliento al mirarla; luego me miró de nuevo a mí, al tiempo que aumentaba la iluminación que nos rodeaba, y por vez primera pudo ver clara e inconfundiblemente los ojos que estaban fijos sobre ella, el marco de pelo del rostro que la miraba, las uñas brillosas de mis manos, los dientes blancos, visibles apenas, quizá, entre mis labios entreabiertos.

—Gretchen, no me tengas miedo. En nombre de la verdad, mírame. Me hiciste prometer que iba a venir. No te mentí, Gretchen. Tú me salvaste. Estoy aquí, y no existe Dios, me dijiste. Viniendo de cualquier otra persona no me habría importado, pero tú misma lo dijiste.

Se llevó las manos a los labios, en el mismo instante retrocedió, y a la luz de la vela pude ver entonces que lo que colgaba de la cadenita era una cruz de oro. ¡Oh, Dios, gracias por ser una cruz y no un relicario! Retrocedió de nuevo, al parecer sin poder evitar un movimiento impulsivo.

347

Sus palabras fueron un susurro vacilante.

—¡Aléjate de mí, espíritu maligno! ¡Sal de esta casa de Dios!

—¡No te voy a hacer daño!

—¡Aléjate de estos pequeños!

—Gretchen, no voy a hacer ningún mal a los niños.

—En nombre de Dios, aléjate de mí... Vete. —Con la mano derecha volvió a aferrar la cruz y la levantó en dirección a mí, con el rostro encendido, los labios húmedos, flojos y temblorosos en su histeria, sus ojos privados de razón cuando volvió a hablar. Advertí que se trataba de un crucifijo con el diminuto cuerpo retorcido del Cristo muerto.

—Sal de esta casa, que está protegida por Dios. El vela por estos niños. Vete.

—En nombre de la verdad, Gretchen —respondí en voz baja como la de ella, preñada de sentimiento como era la suya también.

—¡Me acosté contigo! Y vine.

—¡Mentiroso! —sentenció—. ¡Mentiroso! —Su cuerpo se estremecía con tanto ímpetu, que parecía a punto de perder el equilibrio y caer.

—No, es verdad, totalmente verdad. Gretchen, no voy a hacer nada de malo a los niños. No te haré daño a ti.

Un instante más y seguramente iba a perder la razón por completo, lanzaría alaridos de impotencia, y la noche toda la oiría. Todos los habitantes del complejo saldrían a atenderla, aunándose tal vez en el mismo grito.

Pero permaneció ahí, temblando con todo el cuerpo, y de su boca abierta sólo escapó un llanto seco.

—Me voy, Gretchen. Te dejo, si eso es lo que quieres. ¡Pero he cumplido mi promesa! ¿Hay algo más que pueda hacer?

De una de las camitas partió un rezongo, luego, un quejido de la otra, y ella miró ansiosa hacia uno y otro lado.

Echó a correr y atravesó la pequeña oficina, mientras a su paso salieron volando unos papeles del escritorio. Cuando se internó en la noche, la puerta de tela metálica golpeó tras ella.

Oí sus sollozos lejanos y, aturdido, giré en redondo.

Vi caer la lluvia en callada llovizna. Vi que, del otro lado del claro, Gretchen corría hacia las puertas de la capilla.

Te dije que le ibas a hacer daño.

Di media vuelta y recorrí todo el pabellón con la mirada.

—No estás aquí. ¡Ya he terminado contigo! —musité.

A la luz de la vela vi con toda claridad a la niña pese a que permanecía en el otro extremo de la sala. Seguía zarandeando la pierna, golpeando con el taco la pata de la silla.

—Vete —dije lo más suavemente que pude—. Todo ha terminado.

En efecto, me caían lágrimas, lágrimas de sangre por la cara. ¿Las habría visto Gretchen?

—Vete —repetí—. Todo acabó, y yo también me voy.

Me pareció que sonreía, pero no sonreía. Su rostro se convirtió en la imagen de la inocencia, la cara del relicario del sueño. Y en la quietud, mientras yo me quedaba paralizado mirándola, toda la imagen se mantuvo en su totalidad, pero dejó de moverse. Luego se disolvió.

Y sólo vi una silla vacía.

Muy despacio, me volví hacia la puerta. Una vez más me enjugué las lágrimas, con desagrado, y guardé el pañuelo.

Las moscas zumbaban contra la tela metálica de la puerta. Qué clara era la lluvia, que seguía cayendo, persistente. Luego llegó el suave ruido del chaparrón más intenso, como si el cielo hubiera abierto lentamente la boca para suspirar. De algo me olvidaba. ¿Qué era? Ah, la vela; de apagar la vela, no fuera que provocara un incendio e hiciera daño a esos chiquitos.

Y fíjate allá en el fondo, la niñita rubia bajo la carpa de oxígeno, la envoltura de plástico crujiente lanzando destellos como si estuviera hecha con trocitos de luz. ¿Cómo pudiste ser tan tonto y encender una llama en esa habitación?

Apagué la luz haciendo chasquear los dedos. Saqué todo lo que tenía en los bolsillos y dejé ahí los billetes arrugados y sucios, cientos y más cientos de dólares, e incluso algunas monedas.

Después me marché, pasé muy despacio ante las puertas abiertas de la capilla. En medio de la lluvia que arreciaba oí sus rezos, sus murmullos rápidos, la vi arrodillada ante el altar; y tras sus brazos extendidos en cruz, divisé el fuego enrojecido de una vela que titilaba.

Sentí deseos de irme. En lo más profundo de mi alma herida, me dio la sensación de que era eso lo que quería. Pero, una vez más, algo me retuvo. Había percibido el inconfundible aroma de la sangre.

Provenía de la capilla, y no era la sangre que corría por las venas de Gretchen, sino sangre que manaba de una nueva herida.

Me acerqué más, tratando de no hacer ni el menor ruido, hasta que quedé junto a la puerta del templo. El olor se volvió más intenso. Entonces vi la sangre que le goteaba de sus manos extendidas. La vi en el piso, corriendo en delgados hilos que partían de sus pies.

—Líbrame del mal, oh Dios, llévame contigo, Sagrado Corazón de Jesús, estréchame en tus brazos...

No me vio ni oyó aproximarme. Un suave brillo afluyó a sus mejillas, brillo hecho de la luz palpitante de la vela y el resplandor que provenía de su interior, el gran arrobamiento que en ese instante la embargaba, separándola de todo el entorno, incluso de la silueta oscura que había a su lado.

Miré el altar. Vi en lo alto el enorme crucifijo y, debajo, el brillante sagrario y la vela encendida en su vasito rojo, lo cual indicaba que allí estaba el Santísimo Sacramento. Una ráfaga de aire entró por las puertas abiertas, llegó hasta la campanilla y le arrancó un leve tañido, apenas audible por sobre el sonido de la brisa misma.

Volví a mirar a Gretchen, su rostro erguido, los ojos entrecerrados, la boca muy laxa pese a que aún desgranaba palabras.

—Jesucristo, mi amado Jesucristo, tómame en tus brazos.

Y en medio de la bruma de mis lágrimas, vi la sangre roja, espesa, que fluía copiosa de sus palmas abiertas.

En el complejo se oyeron voces sosegadas. Puertas que se abrían y cerraban. Ruido de gente que corría sobre la tierra. Cuando giré, vi siluetas oscuras reunidas en la entrada, un racimo de ansiosas figuras femeninas. Oí una palabra susurrada en francés, que quería decir "desconocido". Y luego un grito ahogado:

—¡El demonio!

Por el pasillo central enfilé hacia ellos, obligándolos quizás a dispersarse, por más que en ningún momento los toqué ni los miré; pasé rápidamente a su lado y salí a la lluvia.

Luego me detuve y giré en redondo. Ella seguía de rodillas y los demás la rodeaban. Hubo exclamaciones reverentes de "¡Milagro!" y "¡Estigma!". Todos se hacían la señal de la cruz y caían de hinojos mientras, como en trance, Gretchen continuaba articulando monótonas plegarias.

—Y el Verbo estaba con Dios, y el Verbo era Dios, y el Verbo se hizo carne.

—Adiós, Gretchen —murmuré.

Después ingresé, libre y solo, en el tibio abrazo de la noche salvaje.

25

Debí haberme ido a Miami esa misma noche. David podía necesitarme.. Y por supuesto, no tenía ni idea de dónde podría estar James.

Pero no fui capaz —estaba demasiado conmovido—, y antes de la mañana me encontré a gran distancia de la pequeña Guyana Francesa, aunque todavía en la jungla voraz, sediento y sin posibilidades de saciarme.

Una hora antes del amanecer llegué a un antiguo templo —un gran rectángulo de piedra gastada— tan cubierto de enredaderas y otros retorcidos follajes, que quizá resultara invisible hasta para los mortales que acertaran a pasar a escasos centímetros de allí. Pero como no había camino, ni siquiera una senda que atravesara ese sector de la jungla, supuse que hacía siglos que no era transitado por nadie. Ese lugar era mi secreto.

Con excepción de los monos, claro, que se habían despertado con la luz del alba. Una verdadera tribu de ellos había sitiado el tosco edificio en medio de chillidos, reunidos en enjambres por todo el techo plano y los costados en declive. Con desgano y un esbozo de sonrisa en mi rostro los observé retozar. En toda la selva se había iniciado un renacimiento. El coro de los pájaros tenía mucho más volumen que en las horas de penumbra total y, a medida que aclaraba, fui percibiendo en derredor innumerables tonalidades de verde. Anonadado, tomé conciencia de que no iba a ver el sol.

Mi estupidez en cuanto a ese tema me sorprendió un poco. Cuán cierto es que somos hijos de la costumbre. Ah, ¿pero no era suficiente esa luz temprana? Qué placer volver a estar en mi viejo cuerpo...

...salvo si recordaba la expresión de asco total que puso Gretchen.

Una bruma espesa se elevaba del suelo, captaba esa bellísima iluminación y la difundía hasta las grietas y recodos más minúsculos, debajo de hojas y flores.

Miré en torno y mi tristeza aumentó, o mejor dicho, me sentí en carne viva, como si me hubieran despellejado. La palabra "tristeza" es demasiado suave y dulce. Pensé muchas veces en Gretchen, pero sólo en imágenes sin palabras. Y cuando evocaba a Claudia sentía un embotamiento, un recuerdo silencioso e inexorable de las palabras que le dije en mi sueño febril.

Como una pesadilla, el viejo médico de patillas entrecanas. La niña-muñeca en su sillita. No, ahí no. Ahí no. Ahí no.

¿Y qué importaba si hubiesen estado allí? No importaba en absoluto.

Bajo esas profundas emociones, no me sentía desdichado; y tomar conciencia de ello, saberlo a ciencia cierta fue quizá lo más maravilloso. Oh, sí, volvía a ser el de siempre.

¡Tenía que contarle a David lo de esa selva! David tenía que viajar a Río antes de regresar a Inglaterra. Yo lo acompañaría, quizás.

Quizás.

En el templo encontré dos puertas. La primera estaba trabada con pesadas piedras irregulares, pero la otra no, ya que hacía tiempo que las piedras se habían caído y yacían amontonadas en una pila informe. Trepé por ellas, encontré una empinada escalera por la que bajé, recorrí varios pasajes hasta llegar a recintos donde no entraba la luz. Fue en uno de esos ámbitos, frío, totalmente aislado de los ruidos de la selva, donde me tendí a dormir.

Habitaban allí diminutos seres resbaladizos. Cuando apoyé la cara contra el piso, frío y húmedo, sentí que esas criaturas me caminaban por las yemas de los dedos. Luego el peso sedoso de una serpiente cruzó por mi tobillo. Todo eso me arrancó una sonrisa.

Cómo se habría erizado mi antiguo cuerpo mortal. Pero también es cierto que mis ojos humanos no habrían podido ver dentro de ese lugar recóndito.

De pronto comencé a temblar, a llorar una vez más, muy quedo, pensando en Gretchen. Sabía que jamás volvería a soñar con Claudia.

—¿Qué pretendías de mí? —murmuré—. ¿Sinceramente creías que podía salvar mi alma? —La vi tal como en mi delirio, en ese viejo hospital de Nueva Orleáns donde la tomé de los hombros. ¿O acaso habíamos estado en el viejo hotel? —Te dije que lo volvería a hacer. Te lo advertí.

Algo se había salvado en aquel momento. La siniestra condena de Lestat se había salvado, y se mantendría intacta para siempre.

—Adiós, mis seres queridos —musité.

Después me dormí.

26

M iami, ah, mi bella metrópolis sureña que yace bajo el cielo brillante del Caribe, digan lo que digan los mapas! El aire me pareció más dulce aún que en las islas y soplaba, suave, sobre las multitudes de rigor del bulevar Ocean.

A medida que trasponía rápidamente el hall *art déco* del Park Central camino a las habitaciones que allí tengo, iba sacándome la ropa que usé en la selva. Saque de mi placard una remera blanca, chaqueta color caqui con cinturón, pantalón y un par de finas botas marrones de cuero. Me agradó la sensación de no tener que usar más la ropa del Ladrón de Cuerpos, por bien que me quedara.

Acto seguido llamé a conserjería; me enteré así de que David Talbot se hallaba desde el día anterior en el hotel y en esos momentos me aguardaba no lejos de allí, en el patio delantero del restaurante Bailey.

No tenía ánimo para estar en lugares muy concurridos. Trataría de convencerlo de que volviéramos a mis aposentos. Con toda seguridad él debía estar agotado por todo lo vivido. La mesa y sillones que había frente a las ventanas serían un ambiente ideal para conversar, como ciertamente íbamos a hacer.

Salí a la atestada acera, tomé hacia el norte y divisé Bailey y su inevitable letrero de neón sobre bellos toldos blancos. Ataviadas con manteles rosados y velas, las mesitas ya estaban ocupadas por los primeros contingentes nocturnos. En el rincón más apartado del patio vi la elegante figura de David, vestido con el mismo traje de hilo que había usado en el barco. Aguardaba mi llegada con su habitual expresión alerta.

Pese al alivio que sentí, a propósito lo tomé por sorpresa: me senté con tanta velocidad en la silla de al lado, que lo sobresalté.

—Ah, demonio —susurró. Vi un duro rictus como si realmente estuviera fastidiado en su boca, pero luego sonrió. —Gracias a Dios estás bien.

—¿Te parece?

Cuando apareció el camarero le pedí una copa de vino, para

que no siguiera insistiéndome si dejaba pasar el tiempo. A David ya le habían servido una bebida exótica, de aspecto asqueroso.

—¿Qué diablos pasó? —pregunté, acercándome un poco más para poder tapar el ruido del ambiente.

—Fue un caos total. El trató de atacarme y a mí no me quedó más remedio que usar el arma. Se fugó por la terraza porque yo no pude sostener firmemente el maldito revólver. Era demasiado grande para estas manos viejas. —Suspiró. Se lo veía exhausto, desmejorado. —Después, sólo tuve que comunicarme con la Casa Matriz y pedir que pagaran mi fianza. Llamadas que iban y venían a la sede de Cunard, de Liverpool. —Restó importancia al asunto con un gesto. —Al mediodía abordé un avión para Miami. No quería dejarte desprotegido en el buque, pero no pude hacer otra cosa.

—No corrí el menor peligro. Más bien temía por ti. Te dije que por mí no te preocuparas.

—Sí, eso fue lo que pensé. Los envié tras James, desde luego, con la esperanza de desalojarlo del barco. Era evidente que no podían emprender una búsqueda cuarto por cuarto. Por eso supuse que no te molestarían. Estoy casi seguro de que James bajó a tierra luego del jaleo. De lo contrario, lo habrían aprehendido. Les di una descripción fiel, por supuesto.

Se interrumpió, bebió cautelosamente un trago de su extraña bebida y la dejó.

—Se ve que eso no te gusta —le dije—. ¿Por qué no pediste el horrible whisky de siempre?

—Es la bebida de las islas y tienes razón, no me gusta, pero no importa. ¿Cómo te fue a ti?

No le respondí. Puesto que, desde luego, lo veía con mi antigua capacidad visual, su piel aparecía más translúcida y quedaban en evidencia todos sus pequeños achaques. Sin embargo, poseía ese halo de lo maravilloso que los vampiros ven en todos los mortales.

Lo noté cansado, abrumado por la tensión. Hasta tenía los ojos enrojecidos, y una vez más advertí cierta rigidez en su boca. ¿Lo habría avejentado más el suplicio vivido? No soportaba ver eso en él. Pero, cuando me miró, distinguí preocupación en su rostro.

—Te ha pasado algo malo —dijo, al tiempo que estiraba un brazo y apoyaba una mano sobre la mía. Qué tibia la sentí. —Lo noto en tus ojos.

—No quiero hablar aquí. ¿Por qué no vamos a mi habitación del hotel?

—No, prefiero quedarme —me pidió con suavidad—. Estoy muy ansioso después de todo lo que pasó. Sinceramente fue una pesadilla para un hombre de mi edad. Me siento agotado. Supuse que ibas a llegar anoche.

—Perdóname; tendría que haber venido. Me imagino lo difícil que debe resultarte, pese a lo mucho que lo disfrutabas mientras sucedía.

—¿Eso te pareció? —Me dirigió una sonrisita cansada. —Necesito otro trago. ¿Qué dijiste? ¿Whisky?

—¿Qué dije *yo*? Pensé que era tu bebida preferida.

—De vez en cuando. —Hizo señas al camarero. —A veces me resulta demasiado aburrido. —Preguntó por una única marca, que no tenían; entonces aceptó un Chivas Regal. —Gracias por darme el gusto. Me agrada este lugar, el ambiente agitado, el estar a la intemperie.

Hasta su voz sonaba cansada, carecía de una chispa que le diera vida. No era, en absoluto, el momento para proponerle un viaje a Río. Y la culpa era mía.

—Como gustes —acepté.

—Ahora cuéntame lo que pasó. Veo que lo vives como una gran carga en tu interior.

Entonces tomé conciencia de cuánto quería hablarle de Gretchen, que ésa era la razón por la que estaba yo ahí, no sólo porque él me preocupara. Me sentí avergonzado, y sin embargo no pude dejar de decírselo. Giré para mirar hacia la playa, con el codo aún apoyado sobre la mesa, y se me nubló la vista, de modo que los colores de la noche me parecieron más luminosos que antes. Le conté que había ido a ver a Gretchen porque se lo había prometido, aunque en lo profundo del corazón tenía la esperanza de poder traerla a mi mundo. Luego le expliqué lo del hospital, lo peculiar que era, el parecido del médico con el otro, el de siglos atrás, el pequeño pabellón mismo, la idea loca de que Claudia se encontraba ahí.

—Quedé desconcertado —murmuré—. Jamás imaginé que Gretchen pudiera rechazarme. ¿Sabes lo que pensé? Ahora me parece una tontería. ¡Que yo le resultaría irresistible! Pensé que las cosas tenían que ser así, que no podían ser de otra manera, que cuando me mirara a los ojos —¡los de ahora, no aquellos ojos mortales!— vería el alma verdadera que ella amó. Nunca pensé que fuera a sentir asco, una repulsión tan total —en lo físico como en lo moral—, que en el mismo instante de comprender lo que somos fuera a echarse atrás tan por completo. ¡No entiendo cómo pude ser tan tonto, por qué todavía insisto con mis ilusiones! ¿Será por vanidad? ¿O acaso estoy loco? A ti nunca te di asco, ¿verdad, David? ¿O en eso también me engaño?

—Eres hermoso —respondió en voz baja, con palabras cargadas de emoción—. Pero también eres monstruoso, y eso fue lo que vio ella. —Qué perturbado lo noté. Jamás lo había visto tan solícito en sus pacientes charlas conmigo. De hecho, parecía sentir el mismo sufrimiento que yo, de una manera aguda y total. —No era una compañera adecuada para ti, ¿no te das cuenta? —agregó serenamente.

—Sí, me doy cuenta, claro que sí. —Apoyé la frente en la mano. Qué pena que no estuviéramos en el silencio de mis habitaciones, pero no quise forzarlo. Volvía a ser mi amigo, como no lo había sido nunca ningún otro ser de la tierra, y me propuse darle el gusto.

—Sabes que tú eres el único —exclamé de repente, y a mis propios oídos mi voz sonó discordante, cansada—. El único que no me da vuelta la cara cuando fracaso.

—¿Por qué lo dices?

—Mis compañeros me condenan por mi temperamento, por mi impetuosidad. Lo disfrutan, pero cuando muestro alguna debilidad, me cierran la puerta. —Pensé en el rechazo de Louis, en que muy pronto volvería a verlo, y me inundó una malsana satisfacción. Oh, se iba a sorprender tanto. Luego se apoderó de mí cierto temor. ¿Cómo haría para perdonarlo? ¿Cómo podría dominar mi temperamento y no explotar?

—Nosotros volveríamos superficiales a nuestros héroes —respondió lentamente, casi con pesar—. Los volveríamos frágiles. Son ellos quienes deben recordarnos el verdadero significado de la fortaleza.

—¿Tú crees? —Me di vuelta, crucé los brazos sobre la mesa y clavé la mirada en la fina copa de vino blanco. —¿Soy realmente tan fuerte?

—Sí, claro, siempre lo has sido. Por eso te envidian, te desprecian y se enojan tanto contigo. Pero no hace falta que te diga todas estas cosas. Olvida a esa mujer. Habría sido un error, un error muy grande.

—¿Y tú, David? Contigo no habría sido un error. —Levanté la mirada y, sorprendido, vi que tenía los ojos húmedos y otra vez la rigidez de la boca. —¿Qué pasa, David?

—No, no habría sido un error. Ahora no creo que lo fuera, en absoluto.

—¿Quieres decir que...?

—Hazme ingresar, Lestat —pidió en susurros; luego se hizo hacia atrás, transformado en distinguido caballero inglés que censura sus propias emociones y miró, tras la multitud, el mar lejano.

—¿Lo dices en serio, David? ¿Estás seguro? —Honestamente,

no quería preguntarlo. No quería hablar ni una palabra más. Pero, ¿por qué? ¿Qué lo había hecho tomar la decisión? ¿Qué le había producido yo con mi absurda escapada? Si no fuera por él, yo no habría vuelto a ser el vampiro Lestat. Pero qué precio debió haber pagado.

Recordé el episodio en la playa de Grenada, cuando se negó al simple acto de hacer el amor. Estaba sufriendo igual que en aquella oportunidad. Y de pronto no me pareció un misterio que hubiera llegado a esa decisión. Lo había llevado yo a ella con la aventura que compartimos para enfrentar al Ladrón de Cuerpos.

—Ven —dije—, ahora *sí* llegó el momento de irnos, de poder estar solos. —Me estremecí. Cuántas veces había soñado con ese instante.

Pero había llegado muy rápido, y quedaban muchas preguntas que me parecía necesario formular.

De improviso me dominó una terrible timidez. No podía mirarlo. Pensé en la intimidad que pronto íbamos a experimentar, y no pude mirarlo a los ojos. Dios mío, me estaba comportando como lo había hecho él en Nueva Orleáns, acosándolo con mi deseo desenfrenado cuando yo habitaba el cuerpo mortal.

El corazón me latía de emoción. David, David en mis brazos. Su sangre que se mezclaría con la mía, la mía con la de él. Luego iríamos juntos a la orilla del mar, cual misteriosos hermanos inmortales. Me costaba hablar, y hasta pensar.

Me levanté sin mirarlo, crucé el patio, bajé la escalinata. Sabía que él me seguía. Me sentí como Orfeo: bastaría una mirada atrás para que me quedara sin él. Tal vez las luces intensas de algún auto iluminarían de tal manera mi pelo, mis ojos, que de pronto él quedaría paralizado de terror.

Recorrí el camino de regreso, dejé atrás el desfile de mortales con atuendo playero, las mesitas al aire libre de los bares. Fui derecho al Park Central, crucé el hall de pomposa elegancia, y subí a mis habitaciones.

Oí que entraba y cerraba la puerta tras de mí.

Me paré ante los ventanales y de nuevo me puse a mirar el reluciente sol del anochecer. ¡Quieto, corazón mío! No apresures las cosas. Es importante poder dar cada paso con cuidado.

Mira las nubes, cómo corren alejándose del paraíso. Las estrellas, meros puntitos resplandecientes luchando bajo el torrente de la clara luz crepuscular.

Tenía que decirle algunas cosas, explicarle otras. Dado que él iba a conservar eternamente el aspecto que tenía en ese momento, le pregunté si quería realizar algún cambio físico, como por ejemplo, afeitarse mejor, recortarse el pelo.

—Nada de eso me importa —repuso con su típico acento de británico culto—. ¿Qué te pasa? —Muy amable, como si fuese yo el que necesitaba que lo tranquilizaran. —¿No era lo que querías?

—Sí, claro que sí. Pero tú también tienes que estar seguro de quererlo —le contesté, y sólo entonces me volví.

Estaba de pie en las sombras, muy sereno, vestido con su traje de hilo blanco y corbata de seda correctamente anudada. La luz de la calle brillaba sobre sus ojos, y en un momento dado se reflejó sobre el minúsculo alfiler de su corbata.

—No puedo explicarlo —murmuré—. Todo ha sido tan rápido, tan repentino, y justo cuando ya creía que tú no lo deseabas. Tengo miedo por ti, miedo de que cometas un error.

—Yo quiero hacerlo —reconoció, pero qué forzada su voz, qué carente de su habitual matiz lírico—. Lo quiero más de lo que imaginas. Hazlo ahora, por favor. No prolongues mi agonía. Ven a mí. ¿Qué puedo hacer para invitarte, para que estés seguro? He tenido más tiempo que tú para meditarlo. Recuerda cuánto hace que conozco tus secretos, sin excepción.

Qué extraño me pareció su rostro, qué dura su mirada, qué agrio el rictus de su boca.

—David, algo anda mal. Lo sé. Escúchame. Debemos hablarlo. Quizá sea la conversación más importante que tengamos jamás. ¿Qué sucedió como para que tuvieras deseos de hacerlo? ¿Qué fue? ¿El tiempo que estuvimos juntos en la isla? Dímelo, porque tengo que comprenderlo.

—Estás perdiendo tiempo, Lestat.

—Oh, para esto hay que tomarse todo el que sea necesario. Será la última vez que el tiempo importe.

Me acerqué deliberadamente a él para impregnarme de su aroma, para que despertara en mí ese deseo que no reparaba en quién era él ni qué era yo, el apetito voraz que sólo podía saciarse con su muerte.

Retrocedió unos pasos y vi miedo en sus ojos.

—No, no te asustes. ¿Crees que te haría daño? ¡Jamás podría haber derrotado a ese estúpido Ladrón de Cuerpos, de no haber sido por ti!

Su rostro se puso tieso, los ojos quedaron más pequeños, la boca formó una especie de mueca. Qué horrible lo vi, qué distinto a lo que era siempre. Dios santo, ¿qué es lo que cruzaba por su mente? ¡Esa decisión, ese momento, estaba saliendo todo mal! No había alegría, intimidad. Así no debía ser.

—¡Ábrete a mí! —clamé.

Hizo gestos de negación, y sus ojos volvieron a entrecerrarse.

—¿No se va a producir cuando fluya la sangre? —Qué frágil su voz. —¡Dame una imagen para guardar en mi mente, Lestat! Una imagen que me proteja del miedo.

Yo estaba desconcertado. No sabía qué quería decir.

—¿Te parece que piense en ti, en lo bello que eres —propuso con ternura—, en que vamos a ser compañeros para siempre?

—Piensa en la India. Piensa en el bosque de mangos, en la época en que más feliz has sido...

Quise decir más, quise decir no, en eso no, pero no sabía por qué. Y dentro de mí surgió el hambre, mezclada con una ardiente soledad, y una vez más vi a Gretchen, vi su expresión de horror. Me acerqué más. David, David por fin... *¡Hazlo!* y deja ya de hablar, qué importan las imágenes, ¡hazlo! ¿Qué te pasa? ¿Acaso tienes miedo?

Esta vez lo abracé con fuerza.

De nuevo vi miedo en él, fue algo súbito, y por un instante saboreé la exuberante intimidad física, el cuerpo alto y majestuoso entre mis brazos. Mis labios recorrieron su pelo gris oscuro, aspiraron la conocida fragancia, mis dedos sostuvieron su cabeza, la acunaron. Luego, mis dientes quebraron la superficie de su piel incluso antes de que me propusiera hacerlo, y la sangre caliente, salada, fluyó sobre mi lengua, me llenó la boca.

David, David por fin.

Las imágenes me vinieron como una avalancha, los grandes bosques de la India, los elefantes grises que pasaban, las rodillas levantadas torpemente, las gigantescas cabezas que se movían, las orejas muy pequeñas golpeteando como hojas sueltas. La luz del sol que caía sobre el bosque. *¿Dónde está el tigre? Oh, Dios, ¡Lestat, el tigre eres tú! ¡Finalmente se lo hiciste! ¡Con razón no querías que pensara en eso!* Tuve una visión fugaz de él observándome en el claro del bosque, el David de años atrás, espléndido, juvenil, sonriente, y de golpe, durante una fracción de segundo, apareció otra figura, la imagen superpuesta de otro hombre, o bien surgiendo desde adentro como una flor que se abre. Era un ser delgado, demacrado, canoso, de ojos sagaces. Y antes de que se esfumara una vez más dentro de la imagen inerte de David, ¡supe que había sido James!

¡El hombre que tenía en mis brazos era James!

Lo eché hacia atrás, y con la mano me limpié la sangre que me chorreaba de los labios.

—¡James! —grité.

Cayó contra el costado de la cama, aturdido, con gotas de sangre en el cuello de la camisa y una mano en alto.

—¡No seas atropellado! —clamó, con la vieja entonación propia, sudoroso su rostro.

—¡Que te pudras en el infierno! —vociferé, mirando esos ojos frenéticos que habitaban en la cara de David.

Me abalancé sobre él, que en la desesperación dejó escapar risas de loco y más palabras, presurosas, farfulladas.

—¡Idiota! ¡Es el cuerpo de Talbot! ¡Cómo vas a hacerle daño al cuerpo de Talbot!

Lamentablemente, fue demasiado tarde. Traté de contenerme, pero lo aferré del cuello y lo arrojé contra la pared.

Horrorizado, vi que se estrellaba contra el yeso. Vi que le salía sangre de la nuca, oí el crujido espantoso de la pared rota y, cuando me estiré para abarajarlo, cayó directamente en mis brazos. Me miró con ojos bovinos, al tiempo que su boca luchaba con frenesí tratando de articular alguna palabra.

—Mira lo que hiciste, imbécil. Mira... lo que...

—¡Quédate dentro de ese cuerpo, monstruo! —dije, apretando los dientes—. ¡Manténlo con vida!

Boqueaba. Un hilillo de sangre le salía de la nariz y entraba en su boca. Se le dieron vuelta los ojos. Lo sostuve, pero le colgaban los pies, como si estuviera paralítico.

—Idiota, llama a mi madre, llámala... mamá, mamá... Raglan te necesita... No llames a Sarah. No se lo digas a Sarah. Llama a mi madre... —Luego perdió el conocimiento, la cabeza le cayó hacia un lado, y entonces lo tendí sobre la cama.

Me puse frenético. ¡Qué iba a hacer! ¿Podía curarle las heridas con mi sangre? No, el daño era interno, dentro de la cabeza, ¡del cerebro! ¡Dios mío! ¡El cerebro de David!

Manoteé el teléfono, tartamudeé el número de la habitación diciendo que era una emergencia. Había un hombre muy malherido producto de una caída. ¡Había tenido un accidente cerebral! Debían llamar de inmediato una ambulancia.

Corté y volví a donde él estaba. ¡El cuerpo y el rostro de David seguían ahí, inertes! Pestañeó, abrió y cerró la mano izquierda.

—Mamá... —murmuró—. Avísale a mamá. Dile que Raglan la necesita... Mamá.

—Ya viene. ¡Tienes que esperarla! —Suavemente le hice girar la cabeza a un lado. Pero, en verdad, ¿qué importaba? ¡Que saliera de allí si podía! ¡Ese cuerpo no se iba a curar! ¡Ese cuerpo nunca más sería apto para albergar a David!

¿Y dónde diablos estaba David?

La sangre se desparramaba por toda la sobrecama. Me mordí la muñeca. Dejé caer las gotitas en las mordeduras de su cuello. A lo mejor venía bien ponerle además otras gotitas en los labios. ¡Pero qué podía hacer por el cerebro! Dios mío, por qué lo hice...

—¡Idiota! —murmuró—. Mamá.

Su mano izquierda comenzó a agitarse de lado a lado sobre la cama. Luego vi que todo el brazo se sacudía y, más aún, que también el costado izquierdo de la boca se le iba a un lado una y otra vez. Los ojos miraban hacia arriba con fijeza, y las pupilas dejaron de moverse. Siguió saliéndole sangre de la nariz, entrándole en la boca, ensuciándole los blancos dientes.

—Oh, David, no quise hacerte esto. ¡Dios mío, se va a morir!

Creo que él articuló una vez más la palabra "mamá". Pero ya se oían las sirenas por el bulevar Ocean. Alguien golpeaba la puerta. Me coloqué a un costado cuando la abrieron, de modo que pude huir sin que me vieran. Otros mortales subían presurosos por la escalera. Cuando pasé al lado de ellos, no vieron más que una sombra fugaz. Me detuve un instante en el hall y, aturdido, miré a los empleados que corrían por doquier. El espantoso ulular de la sirena se oía cada vez más fuerte. Giré sobre mis talones y salí a la calle a los tumbos.

—Dios mío, David, ¿qué he hecho?

Una bocina de auto me sobresaltó; luego otra me sacó de mi estupor. Estaba parado en medio del tráfico. Retrocedí y me alejé en dirección a la arena.

De repente se detuvo frente al hotel una ambulancia de grandes dimensiones. Un muchacho robusto bajó del asiento delantero e ingresó en el hall, mientras el otro iba a abrir las puertas de atrás. Alguien gritó algo en el interior del edificio. Vi una silueta arriba, en la ventana de mi habitación.

Me alejé más aún. Las piernas me temblaban como si yo fuera mortal; con las manos me aferraba tontamente la cabeza, mientras contemplaba la tremenda escena a través de los anteojos ahumados, mientras veía congregarse la inevitable multitud, mientras muchos se levantaban de las mesas de restaurantes próximos para dirigirse a la entrada del hotel.

Ya no podía ver nada de manera normal, pero de todos modos reconstruí el espectáculo sacando imágenes de las mentes humanas: la camilla que cruzaba por el hall llevando atado el cuerpo inerte de David, los ayudantes apartando a los curiosos.

Se cerraron las puertas de la ambulancia y la sirena reinició su amenazante ulular. Y partió a toda velocidad, portando el cuerpo de David quién sabe adónde.

Tenía que hacer algo, pero, ¿qué? ¡Entrar en el hospital y realizar el cambio con ese cuerpo! ¿Qué otra cosa lo puede salvar? ¿Y después tener a James dentro de él? ¿Dónde está David? Dios mío, ayúdame. Pero, ¿por qué habrías de hacerlo?

Por último, entré en acción. Corrí velozmente por la calle aprovechando que los mortales casi no podían verme, encontré una cabina telefónica de vidrio, me metí en ella y cerré la puerta.

Le indiqué a la operadora que quería hablar con Londres, al número de la Talamasca, con cobro revertido. ¿Por qué demoraba tanto? Impaciente, golpeé el vidrio con el puño, sin quitar el auricular de la oreja. Por fin, una de las gentiles voces de la Talamasca aceptó el llamado.

—Escúcheme —dije, deletreando primero mi nombre completo—. Esto quizá le resulte raro, pero es muy importante. El cuerpo de David Talbot acaba de ser llevado de urgencia a un hospital de la ciudad de Miami. ¡Ni siquiera sé a cuál! Pero sé que ese cuerpo está muy malherido y puede morir. Le pido que comprenda que David no se halla dentro de ese cuerpo... ¿Me escucha? Está en otra parte...

Dejé de hablar.

Una silueta oscura había aparecido frente a mí, del otro lado del vidrio. Mis ojos la miraron sin interés, dispuestos a ignorarla —después de todo, ¿qué me importaba que un mortal pretendiera apurarme para cortar?—, pero entonces vi que el que estaba ahí era mi ex cuerpo humano, joven y moreno, el mismo en el cual había habitado el tiempo suficiente como para conocerlo al dedillo. ¡Estaba contemplando la misma cara que apenas dos días antes había visto al mirarme en el espejo! Sólo que ahora era unos cinco centímetros más alto que yo. Estaba contemplando esos ojos tan conocidos.

El cuerpo vestía el mismo traje que le había puesto yo la última vez. Es más, incluso la misma remera blanca. Y una de esas manos se levantó en un gesto, sereno como la expresión del rostro, para darme la orden inconfundible de que cortara.

Dejé el tubo en su soporte.

Con un fluido movimiento, el cuerpo dio la vuelta hasta el frente de la cabina y abrió la puerta. La mano izquierda aferró mi brazo y, con mi total colaboración, me sacó a la acera, al viento suave.

—David —dije—, ¿sabes lo que he hecho?

—Creo que sí —repuso, enarcando las cejas. De la boca joven

salía el conocido acento británico. —Vi la ambulancia en el hotel.

—¡Fue un error, David! ¡Un error horrible, espantoso!

—Vamos, vámonos de aquí. —Esa *sí, era* la voz que yo recordaba, tranquilizadora en extremo, gentil, convincente.

—Pero, David, no entiendes. Tu cuerpo...

—Ven, ya me contarás todo.

—Se está muriendo, David.

—Entonces no es mucho lo que podemos hacer.

Y ante mi total asombro, me rodeó con su brazo, se inclinó hacia mí con su consabido estilo perentorio, y me urgió para que fuera con él hasta la esquina a buscar un taxi.

—No sé en qué hospital —confesé. Seguía temblando como una hoja. No podía aquietar mis manos. Y el hecho de que me mirara con tanto aplomo me conmovió sobremanera, sobre todo cuando de ese rostro bronceado partió la misma voz de siempre.

—No vamos al hospital —dijo, como se intentara calmar a un niño histérico. Le hizo una seña a un taxi. —Vamos, sube.

Se sentó a mi lado y dio al chofer la dirección del hotel Grand Bay, de Coconut Grove.

27

Me hallaba todavía en un estado de shock como el que sufren los mortales, cuando entramos al amplio hall de pisos de mármol. En medio de una especie de bruma reparé en el mobiliario suntuoso, en los inmensos jarrones con flores, en los turistas de atuendo elegante que circulaban por allí. Con toda paciencia, el hombre alto de piel morena que antes había albergado a mi antiguo yo me condujo al ascensor, y juntos subimos en silencio hasta el piso alto.

No podía apartar mis ojos de él, pero el corazón seguía latiéndome con fuerza debido a lo sucedido un rato antes. ¡Si hasta sentía aún en la boca el gusto a la sangre del cuerpo herido!

Entramos en una *suite* amplia, decorada en tonos apagados, con amplios ventanales del piso al techo que daban a la noche, a las iluminadas torres de la apacible Biscayne Bay.

—No entiendes lo que he estado tratando de decirte —sostuve, contento por fin de estar a solas con él. Lo miré ubicarse frente a mí, ante la mesita redonda de madera. —Lo lastimé mucho, David.

Presa de furia, lo herí. Lo... aplasté contra la pared.

—Siempre el mismo temperamento, ¿eh, Lestat? —dijo, pero con la voz que uno usa para tranquilizar a un niño sobreexcitado.

Una sonrisa cariñosa encendió el rostro de finas líneas, bellamente cincelado, y la boca ancha, serena: la inconfundible sonrisa de David.

No pude reaccionar. Lentamente bajé los ojos, los aparté de su cara radiante para posarlos en sus hombros recios que en ese momento se apoyaban contra el respaldo de la silla, en toda su figura distendida.

—¡Me hizo creer que eras tú! —clamé, tratando de volver a concentrarme—. Se hizo pasar por ti. Y yo le conté todas mis desventuras. Me prestó atención, me tiró de la lengua. Después pidió el Don Misterioso. Dijo que había cambiado de opinión. ¡Hasta me engatusó para que subiera a las habitaciones y se lo diera! ¡Fue espeluznante, David! Era lo que siempre quise y, sin embargo, ¡había algo raro! Algo de siniestro que él tenía. Hubo ciertos indicios, sí, pero no los vi. Qué tonto he sido.

—Genio y figura —dijo el aplomado joven que tenía delante. Se quitó el saco, lo arrojó sobre un sillón cercano, volvió a sentarse y cruzó los brazos sobre el pecho. La tela de la remera destacaba sus músculos, y el hecho de que fuera blanca hacía resaltar el color intenso de su piel, de un marrón casi dorado.

—Sí, ya sé —agregó, con fluido acento británico—. Es muy chocante. ¡Yo viví la misma experiencia hace unos días en Nueva Orleáns, cuando el único amigo que tengo en el mundo se me presentó dentro de este cuerpo! Te comprendo perfectamente. Y también entiendo, no necesitas repetírmelo, que mi antiguo cuerpo está por morir. Lo que pasa es que no sé qué podemos hacer ninguno de los dos.

—Bueno, lo que no puedes hacer de ninguna manera es acercarte, porque James podría advertir tu presencia y realizar un esfuerzo de concentración para salir de este cuerpo.

—¿Te parece que todavía está adentro? —preguntó, volviendo a enarcar las cejas como hacía siempre David al hablar, inclinando apenas la cabeza hacia adelante y con un asomo de sonrisa en los labios.

¡David tras esa cara! El timbre de su voz era casi exactamente el mismo.

—Ah... qué... ah, sí, James. ¡Sí, James está en el cuerpo! ¡David, el golpe se lo asesté en la cabeza! ¿Recuerdas aquella vez que hablamos y me dijiste que si quería matarlo tenía que darle un golpe rápido en la cabeza? Quedó tartamudeando... dijo algo sobre la madre. Pidió por ella. No hacía más que repetir: "Díganle que Raglan la necesita." Cuando salí de la habitación seguía dentro de ese cuerpo.

—Entiendo. Eso significa que el cerebro le funciona, pero está muy deteriorado.

—¡Exacto! ¿No ves? Pensó que yo no lo iba a agredir porque el cuerpo donde mora es el tuyo. ¡Se refugió allí! ¡Ah, pero calculó mal! ¡Muy mal! ¡Y querer seducirme para que ejecutara el Truco Misterioso! ¡Qué vanidad! Tendría que haberse dado cuenta. Tendría que haberme confesado su ardid apenas me vio. Maldito sea. David, si no maté tu cuerpo, seguro que le produje daños irreparables.

Se había quedado abstraído, tal como solía hacerlo en medio de una conversación; sus ojos, muy abiertos, miraban a la distancia por los ventanales.

—Tengo que ir al hospital, ¿no te parece? —preguntó en un susurro.

—Por Dios, no. ¿Te arriesgarás a que vuelva a meterte dentro del otro cuerpo justo cuando está por morir? Supongo que no lo dices en serio.

Se puso de pie con movimiento ágil y se aproximó a la ventana. Allí se paró a contemplar la noche, y vi la inconfundible expresión reflexiva de David en el nuevo rostro.

Qué milagro total era ver a ese ser con todo su tino y sabiduría brillando dentro del físico joven. Ver su apacible inteligencia tras los ojos juveniles que me volvían a mirar.

—Me está esperando la muerte, ¿verdad? —preguntó con voz queda.

—Que espere. Fue un accidente, David. No es una muerte inevitable. Por supuesto, existe otra posibilidad, y ambos sabemos cuál es.

—¿Cuál?

—Que vayamos juntos. Buscamos la forma de entrar en la habitación, por ejemplo embrujando a varias personas de rangos diversos del ambiente médico. Tú lo obligas a salir del cuerpo y te metes adentro, y luego yo te doy la sangre. No hay herida ni daño imaginable que no se pueda sanar con una infusión total de sangre.

—No, amigo. Ya deberías saber que no debes ni sugerirlo. No lo puedo hacer.

—Sabía que ibas a contestar eso. Entonces no te acerques al hospital. ¡No hagas nada que pueda hacerlo salir de su embotamiento!

Nos quedamos callados, mirándonos. Rápidamente se me estaba yendo el miedo. Por lo pronto ya no temblaba, y de golpe me di cuenta de que él nunca había sentido temor.

No lo sentía tampoco en ese momento. Ni siquiera se lo notaba triste. Me miraba como pidiéndome sin palabras que comprendiera. O a lo mejor no pensaba en mí en absoluto.

¡Tenía setenta y cuatro años! Y había pasado de un cuerpo lleno de achaques seniles a ese otro físico joven, bello, resistente.

¡En realidad, yo podía no tener ni idea de lo que estaba sintiendo! Para estar ahí adentro, yo había tenido que entregar el cuerpo de un dios. El, en cambio, entregó el cuerpo de un viejo a un paso de la muerte, vale decir el de un hombre para quien la juventud era una colección de recuerdos dolorosos, un hombre tan conmovido por esos recuerdos que su paz de espíritu se deterioraba rápidamente, amenazando con dejarlo amargado en los pocos años que le quedaban.

¡Y había recuperado la juventud! ¡Podría vivir otra vida entera! Además, ese cuerpo le agradaba, le parecía bello, hasta magnífico. Un cuerpo que había despertado en él deseos carnales.

Y yo había estado llorando por un cuerpo anciano, todo golpeado, que perdía su vida gota a gota en una cama de hospital.

—Sí —dijo—. Pienso que ésa es exactamente la situación. ¡Y sin embargo creo que yo debería ir a ese cuerpo! Sé que es el templo indicado para esta alma. Sé que cada minuto de demora significa un riesgo inimaginable... que el cuerpo muera, que deba quedarme dentro de éste. Pero fui yo el que te trajo aquí. Y aquí es donde pienso permanecer.

Me estremecí todo, y tuve que parpadear como para despertar de un sueño. Por último dejé escapar una risita y lo invité:

—Siéntate, sírvete uno de esos asquerosos whiskies y cuéntame cómo ocurrió todo.

Aún no tenía ánimo para reírse. Parecía desconcertado, o simplemente en un gran estado de apatía al tiempo que me miraba y analizaba el problema desde el interior de ese físico maravilloso.

Permaneció un instante más ante el ventanal, recorriendo con la mirada los altos edificios, tan blancos, de aspecto tan limpio con sus cientos de balconcitos, y luego el agua que se extendía hasta el cielo.

Se dirigió al bar, que estaba en un rincón, sin un dejo de torpeza en el andar; tomó la botella de whisky un vaso, y los trajo a la mesa. Se sirvió una medida doble del brebaje, bebió la mitad, hizo la simpática mueca de siempre pero con ese cutis nuevo, de piel fresca, tal como antes lo hacía con el otro, y por último volvió a posar en mí sus ojos irresistibles.

—Es verdad: lo hizo, tal como dices, para buscar refugio —comenzó—. ¡Yo tendría que haberlo imaginado! Pero no se me ocurrió, maldito sea. Nos dedicamos por entero al problema de la transmutación y nunca pensé que fuera a seducirte para que ejecutaras el Truco Misterioso. ¿Cómo pudo creer que podía engañarte una vez que comenzara a fluir la sangre?

Hice un gesto de desaliento.

—Cuéntame todo —le pedí—. ¿Te obligó a salir de tu cuerpo?

—Totalmente. ¡Y al principio no capté lo que había pasado! ¡No te imaginas el poder que tiene! ¡Por supuesto, está desesperado, como estamos todos! ¡Traté de recuperar mi cuerpo pero me repelió, y luego empezó a dispararte a ti con el revólver!

—¿A mí? ¡A mí no podría haberme hecho daño, David!

—Pero eso yo no lo sabía con certeza. ¿Y si se te hubiera incrustado una bala en el ojo? ¡Pensé en la posibilidad de que un disparo hiciera impacto en tu cuerpo, cosa que le permitiría volver a meterse adentro! Además, no soy un experto en viajes incorpóreos; por cierto, no estoy a la misma altura que él. Me hallaba totalmente dominado por el pánico. Después te fuiste, yo seguía sin poder recuperar mi cuerpo, y para colmo él apuntó con su arma al otro, que estaba tendido en el piso.

"Yo ni sabía si podía tomar posesión de ese cuerpo; jamás lo había hecho. Ni siquiera quise intentar hacerlo cuando tú me lo propusiste. La idea de apoderarme de otro cuerpo me resulta moralmente repulsiva, tanto como quitarle la vida a alguien. Pero él estaba a punto de volarle la tapa de los sesos a ese cuerpo... si es que lograba dominar el arma. ¿Y dónde quedaba yo? ¿Qué me iba a pasar? Ese cuerpo era mi última posibilidad de reingresar en el mundo físico.

"Entré en él tal como te había hecho practicar a ti. Y enseguida conseguí ponerme de pie, de un golpe lo mandé al piso y casi le quito el arma. A esa altura el pasillo de afuera estaba lleno de atemorizados viajeros y miembros del personal. Disparó otra bala cuando yo ya huía por la terraza y me lanzaba a la cubierta inferior.

"Creo que no tomé conciencia de lo sucedido hasta que choqué con la madera del piso. Si hubiera seguido dentro de mi viejo cuerpo, la caída me habría hecho quebrar el tobillo, quizás hasta la pierna. Me apronté para sentir un dolor intolerable, pero me di cuenta de que no me había hecho nada. Me levanté casi sin esfuerzo, recorrí todo el largo de la cubierta y entré en el Bar de la Reina.

"Por supuesto, no debí haber ido allí. Los funcionarios de seguridad pasaban justo en ese momento rumbo a la escalera de la Cubierta Insigne. No tuve dudas de que lo iban a apresar. Y él actuó con tanta torpeza con ese revólver, Lestat. Es como tú dijiste: no sabe moverse dentro de los cuerpos que roba. ¡Sigue siendo siempre el mismo!

Hizo silencio, bebió otro whisky y volvió a llenar el vaso. Yo lo miraba como hechizado, escuchando esa voz, viendo esos modales perentorios unidos a una cara inocente. De hecho, ese físico joven acababa de terminar la última etapa de la adolescencia, pero antes nunca había reparado en ello. Era, en todo sentido, algo recién terminado, como la moneda recién grabada, sin el más mínimo rasponcito por el uso.

—En este cuerpo no te emborrachas tanto, ¿no?

—Es verdad —respondió—. Nada es lo mismo. Nada. Pero déjame seguir. Yo no quería dejarte en el barco. Me ponía loco pensar en tu seguridad. Pero no me quedó más remedio.

—Ya te dije que por mí no te preocuparas. Dios mío, casi las mismas palabras que le dije a él... cuando pensaba que eras tú. Bueno, prosigue. ¿Qué pasó después?

—Volví al hall que hay detrás del Bar de la Reina, desde donde podía ver el interior por la ventanita. Supuse que tendrían que traerlo por ese camino; además, no conocía otro. Y tenía que saber si lo habían detenido. Compréndeme, yo aún no había decidido qué hacer. A los pocos segundos apareció un contingente completo de oficiales, conmigo —David Talbot— en el medio, y rápidamente lo llevaron —a mi antiguo yo— hacia la parte delantera del buque. Oh, lo que fue verlo luchar para conservar la dignidad, cómo les hablaba animadamente, casi con alegría, como si fuera un caballero de gran fortuna e influencia sorprendido en algún asuntito sórdido.

—Me imagino.

—Pero qué es lo que pretende, me decía para mis adentros. No me daba cuenta, por supuesto, de que él pensaba en el futuro, en cómo refugiarse de ti. Luego se me ocurrió que los iba a enviar tras de mi pista. Y que me echaría toda la culpa del incidente, por supuesto.

"En el acto revisé mis bolsillos y encontré el pasaporte a nombre de Sheridan Blackwood, el dinero que habías puesto tú para ayudarlo a huir del barco y la llave de tu camarote. Pensé qué me convenía hacer. Si me iba al camarote, irían allí a buscarme. El no sabía el nombre que figuraba en el pasaporte, pero los camareros sacarían conclusiones, sin duda.

"Seguía indeciso cuando de pronto oí que mencionaban su nombre por los altoparlantes. Una voz pedía que el señor Raglan James se presentara de inmediato ante cualquier oficial de a bordo. Eso quería decir que me había implicado, creyendo que yo tenía el pasaporte que te había dado a ti. Y no iba a pasar mucho hasta que relacionaran el nombre de Sheridan Blackwood con el asunto. Probablemente James ya estuviera dándoles una descripción física mía.

"No me atreví a bajar a la Cubierta Cinco para constatar si habías logrado llegar sano y salvo a tu escondite, ya que corría el riesgo de conducirlos a ellos hasta ahí. Podía hacer una sola cosa: esconderme en alguna parte hasta que supiera con certeza que él ya no estaba en el buque.

"Lo lógico era que lo detuvieran en Barbados por el asunto del arma. Además, probablemente no supiera qué nombre figuraba en su pasaporte, y las autoridades lo controlarían antes de que él pudiera retirarlo.

"Bajé a la Cubierta Lido, donde la mayoría de los pasajeros estaba desayunando, bebí una taza de café, me quedé en un rincón, y a los pocos minutos comprendí que eso no iba a funcionar. Aparecieron dos oficiales en actitud de estar buscando a alguien, y por poco me descubren. Me puse a hablar con dos mujeres muy amables que tenía al lado, y más o menos logré disimularme en el grupito.

"A los pocos segundos de haberse marchado, pasaron otro anuncio por los parlantes. Esa vez ya dijeron correctamente el nombre. Que el señor Sheridan Blackwood por favor se presentara de inmediato ante cualquier oficial. Entonces tomé conciencia de otra cosa terrible: me hallaba dentro del cuerpo del mecánico londinense que había asesinado a toda su familia y huido de un psiquiátrico. Las huellas digitales de ese cuerpo estarían sin duda archivadas. James era capaz de hacer saber eso a las autoridades. ¡Y justo estábamos por atracar en Barbados británica! Si me detenían, ni la Talamasca iba a poder hacer que liberaran a este cuerpo. Por mucho que temiera dejarte solo, tenía que tratar de desembarcar.

—Tú sabías que yo no iba a tener problemas... Pero, ¿cómo fue que no te detuvieron en la planchada?

—Oh, casi me detienen, pero fue por pura confusión. El puerto de Bridgetown es bastante grande y habíamos atracado como corresponde, contra el muelle, o sea que no hubo necesidad de usar la lanchita. Y como los funcionarios de la aduana demoraron mucho en autorizar el desembarco, había centenares de personas aguardando en los pasillos de la cubierta inferior para bajar a tierra.

"Los funcionarios controlaban las tarjetas de embarque lo mejor que podían, pero yo me mezclé de nuevo con un grupo de señoras inglesas, empecé a hablar en voz muy alta sobre los lugares de interés que hay en Barbados y su clima maravilloso, y así conseguí pasar.

"Bajé directamente al muelle de cemento y de allí al edificio de aduanas. Luego empecé a sentir miedo de que allí me revisaran el pasaporte y no me permitieran seguir.

"¡Además, no olvides que no hacía ni una hora que yo estaba dentro de este cuerpo! Cada paso que daba me resultaba extraño. A cada instante me veía las manos y me asustaba... ¿Quién soy?, me preguntaba. Espiaba las caras de la gente y era como estar mirando por dos agujeritos de una pared ciega. ¡No podía imaginar lo que ellos veían!

—No sabes cómo te comprendo.

—Ah, pero la fuerza, Lestat... Eso no puedes saberlo. Fue como si hubiera ingerido un poderosísimo estimulante. Y estos ojos jóvenes, oh, qué lejos ven, con qué claridad.

Asentí.

—Bueno, para serte sincero, en ese momento ya no razonaba bien. El edificio de aduanas estaba repleto. Había varios cruceros fondeados. El *Wind Song*, el *Rotterdam* y creo que también el *Royal Viking Sun*, que amarró justo frente al *Queen Elizabeth II*. Lo cierto es que había turistas por todas partes, y pronto caí en la cuenta de que les revisaban los pasaportes sólo a quienes regresaban a los barcos.

"Entré en una de esas *boutiques*... ya sabes cómo son... llenas de mercaderías horribles, y me compré un par de anteojos para sol espejados, como los que usabas tú cuando tenías la piel tan clara, y una camiseta espantosa, con el dibujo de un loro.

"Me saqué la remera y el saco, me puse la camiseta espantosa, los anteojos, y me ubiqué en un lugar desde donde podía ver todo el largo del muelle a través de las puertas abiertas. No sabía qué otra cosa hacer. ¡Me aterraba que pudieran empezar a revisar los camarotes! ¿Qué iban a hacer cuando no pudieran abrir la puertita de la Cubierta Cinco? ¿O si llegaban a encontrar tu cuerpo en el baúl? Pero, por otra parte, ¿cómo iban a poder efectuar ese registro? ¿Y qué podía impulsarlos a hacerlo, puesto que ya tenían al hombre con el arma?

Hizo una nueva pausa para beber otro sorbo de whisky. En su aflicción, al hacer el relato parecía inocente, de una manera que nunca podría haberlo logrado con su antiguo físico.

—Estaba loco, absolutamente loco. Traté de usar mis viejos poderes telepáticos, y me llevó un tiempo descubrirlos. Además, eso tenía más relación con el cuerpo de lo que hubiera pensado.

—No me sorprende.

—Lo único que pude recoger fueron diversas imágenes y pensamientos de los pasajeros que tenía más cerca. No me sirvió de nada. Pero por suerte mis padecimientos terminaron de improviso. "Hicieron desembarcar a James. Lo acompañaba el mismo contingente de oficiales que lo había rodeado. Deben haberlo considerado el criminal más peligroso del mundo occidental. Y se había quedado con mi equipaje. Ostentaba una magnífica imagen de decoro británico, de dignidad, conversando con una alegre sonrisita, aunque era obvio que los oficiales desconfiaban enormemente y se sintieron muy incómodos cuando tuvieron que acompañarlo a la oficina de migraciones y presentar su pasaporte.

"Me di cuenta de que lo obligaban a abandonar el buque para siempre. Incluso le revisaron el equipaje antes de dejar pasar a todo el grupo.

"Y todo ese tiempo me mantuve pegado a la pared del edificio. Con el saco y la camiseta en el brazo, parecía un vagabundo que miraba con esas gafas espantosas mi noble cuerpo viejo. ¿Qué intenciones tendrá?, pensé. ¿Para qué quiere ese cuerpo? Te repito: no comprendía aún lo astuta que había sido su decisión.

"Salí tras el pequeño batallón. Afuera esperaba un patrullero, donde pusieron todo el equipaje mientras él seguía charlando y estrechando la mano a los oficiales, ahora que no lo habrían de acompañar.

"Me acerqué lo suficiente y pude escucharle profusión de agradecimientos y disculpas, atroces eufemismos, frases vacías y comentarios entusiastas sobre lo mucho que había disfrutado del breve viaje. Parecía gozar lo indecible con toda esa fantochada.

—Sí —convine, con aire lúgubre—. No cabe duda de que es él.

—Después hubo un momento extrañísimo. Cuando le sostenían la puerta del auto para que subiera, se volvió y me miró fijo como si supiera que yo había estado ahí todo el tiempo. Pero lo disimuló con mucha inteligencia paseando la mirada por el gentío que entraba y salía por los enormes portones, me miró de nuevo muy fugazmente y sonrió.

"Sólo cuando el vehículo se marchó, me di cuenta de lo que había pasado. Se había llevado mi viejo cuerpo con toda premeditación, dejándome con este otro, de veintiséis años.

Levantó su vaso una vez más, bebió un sorbo y me observó.

—Puede que hubiera sido imposible realizar la transformación en ese momento —prosiguió—. Sinceramente, no lo sé. Pero lo cierto es que él quería ese cuerpo y que yo quedé ahí, frente al edificio de aduanas, y que ¡había vuelto a ser un hombre joven!

Tenía la mirada clavada en el vaso aunque era evidente que no lo veía; luego volvió a posarla sobre mí.

—Se cumplió lo del *"Fausto"*, Lestat. Había comprado juventud, pero lo raro era que... ¡no había vendido mi alma!

Guardó silencio, meneó un tanto la cabeza, dio la impresión de que estaba por retomar el relato. Por último, dijo:

—¿Me perdonas que te haya abandonado? No tenía forma de volver al barco. Y desde luego, James iba camino a la cárcel, o al menos eso creía yo.

—Claro que te perdono. David, ambos sabíamos que esto podía suceder. ¡Calculamos que te iban a arrestar, y eso hicieron con él! No tiene la menor importancia. ¿Al final qué hiciste? ¿Adónde fuiste?

—A Bridgetown. En realidad no fue ni siquiera una decisión. Se me acercó un taxista negro muy simpático, pensando que yo era pasajero del barco, y efectivamente lo era. Me ofreció hacerme buen precio para dar un paseo por la ciudad. Había vivido muchos años en Inglaterra. Tenía una voz agradable. Creo que ni le contesté. Me limité a afirmar con la cabeza y subí al autito. Recorrimos la isla durante horas. Debe haberme considerado un tipo muy raro.

"Recuerdo que atravesamos unas bellísimas plantaciones de caña de azúcar. El me contó que el caminito se había construido para carros y caballos. Yo pensaba que probablemente esos campos tenían el mismo aspecto que hace doscientos años. Lestat me lo podrá decir; él debe saberlo, pensaba. Después me miraba las manos, movía un pie, flexionaba los brazos, hacía cualquier movimiento ¡y sentía la fuerza, el vigor de este cuerpo! Entonces empezaba de nuevo a maravillarme y no prestaba atención a la voz del hombre ni a los lugares que íbamos pasando.

"Por último, llegamos a un jardín botánico. El afable conductor estacionó y me invitó a conocerlo. A mí, ¿qué más me daba? Compré la entrada con el dinero que con tanta gentileza habías dejado en los bolsillos para el Ladrón de Cuerpos, entré y me encontré con uno de los lugares más hermosos del mundo.

"Aquello era un sueño, Lestat. Tengo que llevarte a ese lugar, tienes que verlo... tú, que tanto disfrutas de las islas. En realidad, ¡no podía pensar en otra cosa que en ti!

"Y debo explicarte algo. Desde la primera vez que nos vimos, jamás te miré a los ojos ni oí tu voz, jamás pensé siquiera en ti sin sentir pena. Es la pena que se relaciona con la mortalidad, con el hecho de tomar conciencia de la edad que uno tiene, de los propios límites, de todo lo que no volveremos a ser nunca más. ¿Me entiendes?

—Sí. Cuando recorrías el jardín botánico pensabas en mí. Y no sentiste la pena.

—Así es. No la sentí.

Esperé. David bebió con avidez otro sorbo de whisky; luego alejó el vaso. Su cuerpo alto, fornido, reflejaba su elegancia de espíritu, se movía con gestos moderados, y una vez más pude oír el tono llano, mesurado, de su voz.

—Tenemos que ir ahí —dijo—, pararnos en esa colina sobre el mar. ¿Recuerdas el sonido de las ramas de los cocoteros en Grenada, esa especie de crujido que producían al mecerse en el viento? Jamás has oído una música como la que se oye en aquel jardín de Barbados. Y las flores... qué flores alocadas, impetuosas. ¡Es tu Jardín Salvaje, pero al mismo tiempo tan apacible, tan poco peligroso! ¡Vi la gigantesca palmera de los pordioseros, con sus ramas que se trenzan no bien salen del tronco! Y la "tenaza de langosta", una cosa blanda, monstruosa; y !as azucenas... ah, tienes que verlas. También debe ser bellísimo a la luz de la luna, bello para tus ojos.

"Por mí, me habría quedado ahí para siempre. Pero un contingente de turistas me sacó de mi ensoñación. ¿Y sabes una cosa? Eran de nuestro barco. Pasajeros del *Queen Elizabeth*. —Soltó una risa alegre. Todo su cuerpo se estremeció con sus risitas. —Entonces me marché de inmediato.

"Salí, encontré a mi chofer y le pedí que me llevara a la costa oeste de la isla, pasando la zona de los hoteles suntuosos. Muchos ingleses de vacaciones. Lujo, soledad... canchas de golf. Pero después encontré un sitio... un hotel que da al mar y es exactamente lo que siempre anhelo cuando quiero alejarme de Londres, cruzar el mundo y llegar a algún lugar cálido, encantador.

"Le pedí que subiéramos por ese caminito para ir a mirar. Se trataba de una construcción irregular revestida en yeso, de color rosado, con un precioso comedor techado en paja y abierto al frente, sobre la playa blanca. Mientras paseaba por allí reflexioné sobre todo lo ocurrido, o al menos lo intenté, y resolví quedarme por el momento en ese hotel.

"Le pagué al taxista, lo despedí y me alojé en una pequeña habitación que da al mar. Para llegar a ella tuve que atravesar jardines y entrar en una construcción cuyas puertas daban a un porche cubierto. Desde allí, un senderito bajaba directamente a la playa. No había nada entre mí y el Caribe azul más que cocoteros y algunas matas de hibiscos, cubiertas de hermosísimos pimpollos rojos.

"¡Lestat, empecé a preguntarme si no me habría muerto, si todo aquello no sería más que el espejismo que uno ve cuando está por caer el telón!

Le indiqué con un gesto que comprendía.

—Me tiré en la cama y, ¿sabes qué pasó? Me quedé dormido. Me acosté con este cuerpo y me dormí.

—No me extraña —repuse con una sonrisita.

—Bueno, a mí, sinceramente, sí. ¡Pero cómo te encantaría esa habitación! Cuando me desperté a media tarde, lo primero que vi fue el mar.

"¡Luego vino el shock de comprobar que seguía dentro de este cuerpo! Descubrí que en el fondo siempre pensaba que James me iba a encontrar y obligar a salir de él, que iba a terminar vagabundeando, invisible, incapaz de encontrar un físico donde alojarme. Estaba seguro de que iba a ser más o menos así. Hasta se me ocurrió que quedaría suelto, desprendido de mí mismo.

"Sin embargo, ahí estaba yo, y eran más de las tres según este horrible reloj tuyo. Llamé en el acto a Londres. Por supuesto, cuando horas antes James les había hablado haciéndose pasar por mí, le creyeron, y sólo al escuchar atentamente el relató que ellos me hicieron pude atar cabos y saber lo que había pasado: que nuestros abogados se habían dirigido de inmediato a la sede central de la línea naviera Cunard y le allanaron el camino a James, y que él en esos momentos se hallaba viajando rumbo a los Estados Unidos. En realidad, los de la Casa Matriz pensaron que yo hablaba desde el hotel Park Central, de Miami Beach, para avisarles que había llegado bien y recibido los fondos por ellos girados.

—Tendríamos que haber previsto que él iba a pensar en eso.

—¡Sí, claro, y qué suma! Además, se la enviaron en el acto porque David Talbot sigue siendo el Superior General. Bueno, yo escuché pacientemente y luego pedí hablar con mi secretario, un hombre de suma confianza, y le conté más o menos lo que estaba ocurriendo: que un hombre de mi mismo aspecto y capaz de imitar mi voz me estaba personificando. Ese monstruo era Raglan James, y si por casualidad volvía a llamar, no debían decirle que ya estaban al tanto de la verdad sino más bien fingir que hacían todo lo que él les indicaba.

"No creo que exista en el mundo entero otra organización donde se aceptara semejante historia, ni siquiera viniendo del Superior General. Debo decir que, si bien me costó bastante convencerlos, fue mucho más sencillo de lo que podría suponerse. Había muchos detalles mínimos que sólo conocíamos mi secretario y yo, o sea que la identificación no fue problema. No le dije, desde luego, que estoy muy bien resguardado dentro del cuerpo de un hombre de veintiséis años.

"Lo que sí le dije fue que necesitaba de inmediato un pasaporte nuevo. No iba a hacer la prueba de salir de Barbados con el nombre de Sheridan Blackwood estampado sobre mi foto. Mi secretario debía comunicarse con nuestro viejo amigo Jake, de México, y éste me haría saber el nombre de alguien que pudiera realizarme el trabajito en Bridgetown esa misma tarde. También me hacía falta algo de dinero.

"Estaba a punto de cortar cuando mi asistente me contó que el impostor había dejado un mensaje para Lestat de Lioncourt: que debía reunirse cuanto antes con él en el Park Central de Miami. El impostor había dicho que Lestat de Lioncourt iba a llamar para preguntar por el mensaje, que se lo dieran sin falta.

Nuevamente se interrumpió, pero esta vez con un suspiro.

—Sé que yo tendría que haber viajado a Miami; que tendría que haberte advertido que el Ladrón de Cuerpos estaba ahí, pero algo me ocurrió cuando recibí esa información. Yo sabía que, si me ponía en movimiento sin demora, podía llegar al Park Central y enfrentarme con él quizá antes que tú.

—Pero no quisiste hacerlo.

—No, no quise.

—Es perfectamente comprensible, David.

—¿Te parece? —Me estudió con la mirada.

—¿A un pequeño demonio como yo se lo preguntas?

Esbozó una pálida sonrisa, volvió a sacudir la cabeza y prosiguió.

—Pasé la noche en Barbados, y medio día de hoy. El pasaporte estuvo listo ayer, de modo que nada me impedía tomar el último vuelo a Miami. Pero no lo hice. Me quedé en ese precioso hotel, cené ahí, paseé por Bridgetown. Y hoy al mediodía me marché.

—Ya te dije que te comprendo.

—¿Sí? ¿Y si el ser vil te hubiera atacado de nuevo?

—¡Imposible! Ambos lo sabemos. Si hubiera podido hacerlo por la fuerza, lo habría logrado también la primera vez. Deja de atormentarte, David. Yo tampoco vine anoche, y eso que pensé que podías necesitarme. Estuve con Gretchen. Bueno, deja de preocuparte por cosas sin importancia. Tú sabes qué es lo que importa: lo que le está pasando a tu antiguo cuerpo en este preciso momento. No has registrado la idea, amigo. ¡Le asesté un golpe de muerte! No, veo que no lo captas. Crees que sí, pero sigues aturdido.

Mis palabras deben haber constituido un duro golpe.

Me partió el corazón ver la expresión de dolor de sus ojos, y las arrugas de preocupación en esa piel nueva, tersa. Pero una vez más, esa mezcla de alma antigua y físico joven me pareció tan seductora, que me quedé mirándolo, recordando tal vez la manera en que él me había mirado en Nueva Orleáns y lo impaciente que eso me había puesto a mí.

—Tengo que ir a ese hospital, Lestat. Tengo que ver qué pasó.

—Yo también voy. Puedes acompañarme. Pero en la habitación del hospital entraré nada más que yo. Bueno, ¿dónde está el teléfono? ¡Quiero llamar al Park Central y averiguar adónde llevaron al señor Talbot! Y te repito: es muy probable que me estén buscando, porque el episodio se produjo en mi cuarto. A lo mejor me convendría llamar directamente al hospital.

—¡No! —Me tocó la mano. —No llames. Es preferible ir. Tendríamos que... ver... con nuestros propios ojos. Yo tengo que verlo. Tengo... cierto presentimiento.

—Yo también. —Pero era algo más que un presentimiento. Después de todo, yo había visto a ese viejo de pelo gris acerado sacudirse con silenciosas convulsiones sobre la cama manchada de sangre.

28

Se trataba de un inmenso hospital adonde se derivaban todos los casos de emergencia, e incluso a esa hora de la noche había un gran movimiento de ambulancias en las diversas entradas, mientras médicos de chaquetilla blanca trabajaban afanosamente con víctimas del tránsito callejero, de infartos, de sangrientas cuchilladas o del consabido revólver.

Pero a David Talbot lo habían llevado lejos de las luces refulgentes y del ruido implacable, al silencioso ámbito de un piso superior que se llamaba, sencillamente, Unidad de Cuidados Intensivos.

—Espérame aquí —le ordené a David, al tiempo que le señalaba una aséptica salita, con lúgubre mobiliario moderno y un puñado de revistas muy gastadas—. No te muevas de aquí.

Reinaba un silencio total en el ancho pasillo. Me encaminé hacia las puertas del fondo.

Apenas un segundo más tarde regresé. David tenía la mirada perdida, sus largas piernas cruzadas por adelante, los brazos una vez más plegados sobre el pecho.

Me miró como si despertara de un sueño.

Yo empecé de nuevo a temblar, y la serena quietud de su rostro sólo empeoró mi miedo y mi terrible remordimiento.

—David Talbot —susurré, luchando por usar palabras sencillas— murió hace media hora.

No demostró reacción alguna, como si yo no hubiese abierto la boca. Lo único que se me ocurrió pensar fue: ¡la decisión la tomé por ti! Hice entrar al Ladrón de Cuerpos en tu mundo aunque me advertiste de los peligros. ¡Y fui yo el que ultimó al otro cuerpo! Sólo Dios sabe lo que vas a pensar cuando tomes conciencia de lo ocurrido. Todavía no te das cuenta.

Lentamente se puso de pie.

—Claro que me doy cuenta —afirmó con voz pausada. Se acercó y me apoyó las manos en los hombros; su manera de actuar era tan parecida a la del antiguo Talbot, que me daba la impresión de estar mirando a dos seres conjugados en uno solo. —Piensa en *Fausto*, mi estimado amigo. Pero tú no fuiste Mefistófeles, sino sólo Lestat, que reaccionó con furia. ¡Además, ya está hecho!

Se alejó unos pasos, volvió a quedar con la mirada ausente, y en el acto su rostro perdió todo rastro de congoja. Estaba absorto en sus pensamientos, aislado de mí, que seguía todo tembloroso procurando tranquilizarme, tratando de creer que eso era lo que él quería.

Después analicé una vez más la cuestión desde la perspectiva suya. ¿Cómo podía David no querer eso? También llegué a otra conclusión: que había perdido a mi amigo para siempre. Ya nunca más aceptaría estar conmigo. Cualquier asomo de posibilidad había desaparecido, ante ese milagro. No podía ser de otra manera. La idea fue penetrándome callada, profundamente. Volví a pensar en Gretchen, en la expresión de su rostro. Y durante un instante fugaz estuve de nuevo en la habitación con el falso David, que me miraba con sus bellos ojos marrones y me pedía el Don Misterioso.

Un leve sufrimiento me recorrió; luego, lo que empezó como un débil resplandor se convirtió en algo más intenso y luminoso, como si un fuego atroz consumiera mi cuerpo.

No dije nada. Paseé la mirada por las desagradables luces fluorescentes empotradas en el techo de azulejos, por los muebles insulsos, manchados y con hilachas sueltas, por una revista ajada que en su tapa mostraba a un niño sonriente. Lo miré a él. Poco a poco el dolor fue cediendo y se transformó en una molestia sorda. Aguardé. En ese momento no habría podido pronunciar ni una palabra, por ningún motivo.

Al rato de estar cavilando, él dio la impresión de despertar de un hechizo. La gracia felina de sus movimientos volvió a embelesarme como desde el primer momento. Afirmó con voz apagada que debía ver el cadáver, porque eso sin duda se podía hacer. Le contesté que sí con la cabeza.

Luego metió la mano en el bolsillo y sacó un pasaporte británico —el fraguado, que seguramente había conseguido en Barbados— y se puso a mirarlo como tratando de descifrar un misterio importante. Acto seguido me lo entregó, aunque no me imaginaba para qué. Vi ese rostro apuesto y juvenil, que exhibía todos los atributos de la inteligencia. ¿Por qué me mostraba la foto? Pero en el mismo acto de mirarla vi, bajo la cara nueva, el viejo nombre.

David Talbot.

Había usado su nombre verdadero en el documento falso, como si...

—Sí —explicó—, como si supiera que jamás voy a volver a ser el David Talbot de antes.

Los restos del señor Talbot aún no habían sido llevados a la morgue porque un íntimo amigo suyo de Nueva Orleáns, de nombre Aaron Lightner, estaba por llegar de un momento a otro en su avión particular.

El cuerpo yacía en un cuartito inmaculado. Era un anciano de espesa cabellera gris y parecía dormido, con la cabeza apoyada sobre una almohada y los brazos a los costados. Ya tenía las mejillas un tanto hundidas, lo cual le alargaba la cara; bajo la luz amarilla de la lámpara, la nariz parecía un poco más afilada de lo que era, y además dura, como hecha no de cartílago sino de hueso.

Le habían sacado el traje de hilo; luego lo lavaron y vistieron con una sencilla túnica de algodón. Sobre él extendieron la sobrecama, pero dieron vuelta el borde de la sábana celeste por encima de la manta blanca y estiraron todo muy bien sobre el pecho. Los párpados parecían demasiado amoldados a los ojos, como si la piel ya se estuviera aflojando, e incluso consumiendo. Para los agudos sentidos de un vampiro, ya se percibía la fragancia de la muerte.

Pero eso David no lo iba a saber, como tampoco percibiría ese aroma.

Estaba parado junto a la cama contemplando el cadáver, su propio rostro inerte, con la piel amarillenta y la barba crecida, que le daba un aspecto desprolijo. Con mano insegura tocó su propio pelo canoso, acarició un instante sus ondas. Luego la retiró y se quedó sosegado, mirando simplemente, como si estuviera presentando sus respetos en un sepelio.

—Está muerto —murmuró—. Muerto de verdad. —Lanzó un profundo suspiro y sus ojos recorrieron el techo del cuartito, las paredes, la ventana con sus cortinas cerradas, el aburrido linóleo del piso. —No percibo que haya vida en él ni cerca de él —agregó con el mismo tono apagado.

—No, nada —concordé—. Ya empezó el proceso de descomposición.

—¡Pensé que él iba a estar aquí! —agregó—. Supuse que lo iba a sentir cerca de mí, luchando por volver a meterse adentro.

—A lo mejor está aquí y no puede hacerlo. Qué espeluznante, hasta para él.

—No, aquí no hay nadie —insistió. Luego siguió mirando su antiguo cuerpo como si no pudiera quitarle los ojos de encima.

Pasaban los minutos. Vi algo de tensión en su rostro, su piel tensa que reflejaba alguna emoción y luego volvía a distenderse. ¿Ya se había resignado? Estaba cerrado a mí como nunca, y en ese nuevo cuerpo parecía más desorientado, aunque su espíritu se transparentara con tan fina luz.

Una vez más suspiró, retrocedió un paso y juntos abandonamos la habitación.

En el hall pintado de beige nos detuvimos bajo las luces fluorescentes. Del otro lado del ventanal, protegido con su tela metálica, Miami resplandecía y titilaba; un rumor ahogado llegaba desde la autopista cercana, y la catarata de faros encendidos pasaba rozando a peligrosa distancia hasta donde la ruta giraba y volvía a elevarse sobre sus largas patas de hormigón.

—Como comprenderás, perdiste Talbot Manor —le dije—, porque pertenecía al hombre que murió.

—Sí, ya lo pensé —me respondió, desanimado—. Soy de la clase de ingleses que le da importancia a esas cosas. ¡Pensar que irá a parar a manos de un primo, y éste lo único que va a hacer será ponerla en venta cuanto antes!

—La compro yo y te la vuelvo a dar.

—Tal vez lo haga la orden: en mi testamento los nombro herederos de casi todos mis bienes.

—No estés tan seguro. ¡Puede ser que ni la Talamasca esté preparada para esto! Además, los humanos suelen transformarse en fieras cuando hay dinero de por medio. Llama a mi agente de París. Yo le voy a dejar instrucciones para que te dé absolutamente todo lo que desees. Me voy a encargar de que se te restituya hasta las última libra de tu fortuna, y por cierto la casa. Todo lo que yo pueda dar, es tuyo.

Lo noté algo asombrado, y profundamente conmovido.

No pude menos que preguntarme si *yo* había llegado a moverme con tanta soltura dentro de ese cuerpo alto y flexible. Mis movimientos por cierto habían sido impulsivos y hasta un tanto violentos. En realidad, había tomado con bastante indiferencia todo ese vigor físico. El, por el contrario, daba la impresión de haber adquirido un gran conocimiento de cada hueso y tendón.

Mentalmente recreé la imagen del viejo David que caminaba a paso vivo por las calles adoquinadas de Amsterdam, esquivando las bicicletas. Ya en aquel entonces tenía el mismo garbo.

—Lestat, ya no eres responsable por mí. Esto no sucedió porque tú lo causaras.

Qué hondo pesar sentí en ese instante. Pero había palabras que debían ser pronunciadas.

—David —comencé, tratando de no demostrar mi amargura, —yo no habría podido vencerlo si no hubiese sido por ti. En Nueva Orleáns te dije que sería tu esclavo para siempre con tal de que me ayudaras a recuperar mi cuerpo, cosa que hiciste. —Me temblaba la voz. Pero, ¿por qué no decirlo todo? ¿Para qué prolongar el sufrimiento?. —Sé que te he perdido para siempre, David. Sé que ahora ya nunca vas a aceptar el Don Misterioso.

—¿Por qué dices que me has perdido, Lestat? —preguntó, con ansiedad en la voz—. ¿Por qué tengo que morir para amarte? —Apretó los labios intentando detener un estallido de afecto. —¿Por qué ese precio, sobre todo ahora que estoy vivo como no lo estaba antes? ¡Dios mío, supongo que comprendes la magnitud de lo que ocurrió! He renacido.

Apoyó la mano en mi hombro; sus dedos intentaron apretar ese cuerpo extraño que apenas si sintió el roce, o más bien lo sintió de una manera muy distinta, que él nunca iba a conocer.

—Te quiero, amigo mío —musitó con ardor—. Por favor, no me dejes ahora. Esta experiencia nos ha acercado tanto...

—No, David. Estos últimos días nos sentíamos cerca porque los dos éramos mortales. Veíamos el mismo sol y el mismo atardecer, sentíamos la misma atracción de la tierra bajo nuestros pies. Bebíamos juntos y compartíamos el pan. Pudimos haber hecho el amor si lo hubieras permitido, pero ahora todo cambió. Tú tienes tu juventud, sí, y toda la maravilla embriagadora que acompaña al milagro, pero cuando te miro, sigo viendo a la muerte, David. Veo a alguien que camina bajo el sol y la muerte que le pisa los talones. Sé que no puedo ser tu compañero, ni tú el mío. Me produce demasiado dolor.

Agachó la cabeza en silencio, luchando valientemente por dominarse.

—No me dejes aún —pidió—. ¿Quién otro en este mundo puede entender?

De pronto quise suplicarle. *Piensa, David: obtener la inmortalidad dentro de ese hermoso cuerpo joven.* Quise mencionarle todos los lugares adonde podíamos ir juntos, como inmortales, y los prodigios que podíamos ver. Quise describirle el templo misterioso que había descubierto en las entrañas del bosque tropical, contarle lo que me había parecido recorrer la jungla, intrépido, tener una visión capaz de penetrar hasta en los rincones más recónditos... Oh, estuve a punto de soltar todo ese torrente de palabras, y no hice esfuerzos por disimular ni mis pensamientos ni sentimientos. Sí, claro, has vuelto a ser joven y ahora puedes serlo para siempre. Es el mejor vehículo que nadie pudiera haber ideado para tu viaje a las tinieblas; ¡como si todo esto lo hubieran hecho los espíritus misteriosos para preprararte! Tienes en tus manos belleza y sabiduría. Nuestros dioses realizaron el hechizo. Ven, ven conmigo ahora.

Pero no articulé palabra; no le imploré. De pie allí en el pasillo, me permití aspirar el olor a sangre que emanaba de él, ese aroma que despiden todos los mortales pero que en cada uno es distinto. Cuánto me hizo sufrir reparar en esa nueva vitalidad, ese calor más intenso, y el latir de su corazón, ahora más lento, más seguro, que me llegaba como si el cuerpo me estuviera hablando de una manera en que no podía hablarle a él.

En aquel bar de Nueva Orleáns, yo había aspirado la misma fragancia de vida que ahora despedía este físico, pero *no* había sido lo mismo. No, en absoluto.

No me costó nada cerrarme a todo eso, y así lo hice. Me recluí en la callada soledad del hombre común. Rehuí su mirada. No quería oír más palabras imperfectas y de disculpa.

—Te veré pronto —dije—. Sé que me vas a necesitar. Precisarás a tu único testigo cuando el horror y el misterio ya sean demasiado. Y yo vendré, pero dame tiempo. Y recuerda: llama a mi agente de París. No confíes en la Talamasca. Supongo que no pensarás dejarles también esta vida, ¿verdad?

Cuando giré para marcharme, oí el ruido lejano de las puertas del ascensor. Había llegado su amigo, un hombrecito menudo, canoso, vestido de traje y chaleco, tal como solía hacerlo David. Qué preocupado se lo veía cuando caminaba hacia nosotros con paso ágil; luego sus ojos se posaron en mí, y disminuyó el ritmo.

Me alejé de prisa, sin dar importancia al hecho de que el hombre me reconoció, supo qué y quién era yo. Tanto mejor, pensé, porque entonces le va a creer a David cuando éste comience su singular relato.

La noche me aguardaba, como siempre. Y mi sed no podía esperar más. Me detuve un instante sintiendo esa sed, ansiando rugir como bestia hambrienta. Sí, otra vez sangre cuando no hay otra cosa, cuando el mundo en toda su belleza parece vacío e insensible, cuando me siento completamente perdido. Quiero a mi vieja amiga la muerte, y la sangre que con ella fluye. Aquí está Lestat, el vampiro, padeciendo sed, y esta noche entre todas las noches, no se le negará.

Sin embargo, cuando enfilaba hacia las sucias callecitas laterales en busca de las víctimas crueles que tanto me gustaban, comprendí que había perdido mi bella ciudad de Miami. Al menos por un tiempito.

Seguí viendo con el ojo de la mente el cuarto del Park Central con sus ventanas abiertas al mar, y al falso David pidiéndome el Don Misterioso. Y a Gretchen. Alguna vez pensaría que en esos momentos no recordaba a Gretchen; recordaría que le conté la historia de Gretchen al hombre que yo suponía era David antes de que ambos subiéramos a ese cuarto, sintiendo que el corazón me daba un vuelco, pensando: ¡Por fin! ¡Por fin!

Amargado, enojado, vacío, no quise volver a ver nunca más los bonitos hoteles de South Beach.

II

Una Vez Fuera de la Naturaleza

The Dolls

by W. B. Yeats

A doll in the doll-maker's house
Looks at the cradle and bawls:
"That is an insult to us."
But the oldest of all the dolls,
Who had seen, being kept for show,
Generations of his sort,
Out-screams the whole shelf: "Although
There's not a man can report
Evil of this place,
The man and the woman bring
Hither, to our disgrace,
A noisy and filthy thing."
Hearing him groan and stretch
The doll-maker's wife is aware
Her husband has heard the wretch,
And crouched by the arm of his chair,
She murmurs into his ear,
Head upon shoulder leant:
"My dear, my dear, O dear,
It was an accident."

29

Dos noches después, regresé a Nueva Orleáns. Había estado paseando por los cayos de Florida, recorriendo pintorescos pueblitos del sur, caminando horas y horas por las playas, incluso hundiendo mis pies desnudos en la arena blanca.

Por fin estaba de vuelta, y los inevitables vientos se habían llevado el tiempo frío. El aire volvía a ser casi balsámico —mi Nueva Orleáns—, el cielo se veía alto y reluciente por sobre las nubes que corrían veloces.

De inmediato fui a ver a mi inquilina y llamé a Mojo, que estaba durmiendo en el patio de atrás porque el departamento le resultaba muy caluroso. No dio muestras de alegría cuando me vio, pero me reconoció al oír mi voz. No bien pronuncié su nombre ya fue mío una vez más.

Vino a mí, levantó las manazas para apoyarlas en mis hombros y me lamió toda la cara. Restregué mi nariz contra él, lo besé, hundí mi cara en su pelo brilloso. Me impresionó en él lo mismo que le había visto aquella primera noche en Georgetown: su fuerza y su buen temperamento.

¿Existió alguna vez una bestia de aspecto tan aterrador y al mismo tiempo tan dulce y llena de afecto? La combinación me parecía maravillosa. Me arrodillé sobre las viejas baldosas, jugueteé con él poniéndolo patas arriba, hundí mi cabeza en la pelambre de su pecho. Soltó todos esos gruñiditos que emiten los perros cuando lo quieren a uno. Y cuando uno les paga con la misma moneda.

Mi inquilina, la simpática viejita que había presenciado todo desde la puerta de la cocina, lloraba por tener que separarse de Mojo, de manera que en el acto hicimos un trato: ella lo iba a cuidar, y yo iba a entrar por el jardín a buscarlo cada vez que quisiera. Me pareció perfecto, porque no era justo pretender que durmiera conmigo en una cripta; además, yo no necesitaba semejante guardián, ¿verdad?, por atractiva que de vez en cuando me resultara la idea.

Me despedí de la mujer con un beso rápido y cariñoso, no fuera que sintiese la cercanía de un demonio, y me alejé en seguida con

Mojo por las hermosas callecitas del barrio francés. Me reía para mis adentros por la forma en que los mortales miraban a Mojo y, aterrados, daban un rodeo para esquivarlo, cuando... ¿adivinen quién era de temer?

La parada siguiente fue en el edifico de la calle Royale donde Claudia, Louis y yo habíamos pasado juntos cincuenta espléndidos y luminosos años de existencia terrena en la primera mitad del viejo siglo, un sitio parcialmente en ruinas, como ya he dicho.

Tenía que encontrarme allí con un muchacho joven, que se había hecho fama convirtiendo lóbregas casas en mansiones palaciegas. Juntos subimos la escalera hasta el derruido departamento.

—Quiero que quede como estaba hace cien años —le expliqué. —Pero le advierto: que no haya nada norteamericano, inglés ni victoriano. Todo debe ser exclusivamente francés. —Luego fuimos recorriendo pieza por pieza, y él iba anotando en una libreta —aunque casi no podía ver en la penumbra— qué empapelado quería ahí, qué tono de barniz en aquella puerta, qué clase de *bergère* podía poner en este rincón, qué estilo de alfombra, india o persa, debía adquirir para tal o cual piso.

Qué fiel era mi memoria.

A cada instante lo instaba a escribir todo lo que yo le iba señalando.

—Busque un jarrón griego; no, una reproducción no; debe ser así de alto y tener figuras de bailarines. —Ah, ¿no era la oda de Keats la que me había inspirado para adquirirlo, hace tanto tiempo? ¿Adónde había ido a parar el jarrón? —Esa chimenea de ahí no es la original. Busque un frente de mármol blanco, con tallado de volutas, arqueado sobre el hueco del hogar. Ah, y aquellas otras hay que repararlas para que funcionen a carbón.

"Pienso venirme a vivir no bien usted termine, así que apresúrese. Ah, y algo más: cualquier cosa que encuentre en el edificio, tapada por el yeso, deberá entregármela.

Qué placer estar bajo esos techos altos, y qué felicidad iba a ser cuando las derruidas molduras estuvieran restauradas. Qué libre y tranquilo me sentía. El pasado estaba ahí, pero al mismo tiempo no lo estaba. Ya no había fantasmas susurrando cosas, si es que alguna vez los hubo.

Lentamente describí las arañas que quería. Cuando no me salía el término que necesitaba, dibujaba con palabras ilustraciones de lo que estaba allí antes. Quería poner lámparas de aceite aquí y allá, aunque, desde luego, debería haber electricidad en abundancia. Disimularíamos los televisores dentro de hermosos muebles para no arruinar el efecto. Allí habría un armario para mis videocintas y discos láser. Los teléfonos irían disimulados también.

—¡Ah, y un aparato de fax! ¡Quiero tener una de esas maravillas! Busque la manera de esconderlo. Podría usar ese cuarto como oficina, siempre que quede elegante. No debe quedar nada a la vista que no sea de bronce lustrado, lana fina, buena madera o encaje de seda. Quiero un mural en ese dormitorio. Venga que le muestro. ¿Ve el empapelado? Ese es el mural mismo. Traiga a un fotógrafo para que registre hasta la última pulgada en la placa y después empiece la restauración. Trabaje a conciencia, pero rápido.

Por último, terminamos con el interior oscuro y húmedo y llegó el momento de hablar del jardín trasero con su fuente rota, y sobre cómo restaurar la cocina. Pedí que hubiera buganvillas y coronas de novia —cómo me gustaba esa planta—, y enormes hibiscos, sí, como los que acababa de ver en el Caribe, y campanillas tropicales, por supuesto. Bananeros... póngame también bananeros. Oh, los viejos tapiales se están cayendo. Remiéndelos, apuntálelos. Y en el porche de arriba quiero helechos de todo tipo. Está volviendo a hacer calor, ¿no?, así que van a andar bien.

De nuevo arriba, cruzando el largo hueco marrón de la casa hasta el porche de adelante.

Abrí la puerta-ventana y salí. La madera del piso estaba podrida. La elegante baranda de hierro no estaba tan herrumbrada. El techo habría que rehacerlo, sin duda, pero pronto me podría sentar allí como hacía en los viejos tiempos, a mirar la gente que pasaba por la acera de enfrente.

Desde luego, mis fieles y celosos lectores me encontrarían ahí de vez en cuando. Los lectores de las memorias de Louis, si llegaran a encontrar el departamento donde habíamos vivido, con seguridad reconocerían la casa.

No importa. Lo tomaron por cierto, lo cual es distinto de creer en ello. ¿Y qué era ese otro hombre joven, de tez pálida, que les sonreía desde un balcón alto con los brazos apoyados en la baranda? Yo no debería alimentarme jamás con esos tiernos inocentes aun cuando desnudaran su cuello y me pidieran: "¡Lestat, aquí!" (Esto sucedió, estimado lector, en la plaza Jackson, y más de una vez).

—Debe apresurarse —indiqué al joven, que seguía anotando, tomando medidas, murmurando para sus adentros acerca de telas y colores, y sobresaltándose a cada instante pues de pronto encontraba a Mojo a su lado, frente a él o a sus pies—. Lo quiero terminado antes del verano. —Cuando nos despedimos, se hallaba en un esta-

387

do de gran agitación. Yo no me fui; me quedé solo, con Mojo, en el vetusto edificio.

La buhardilla. En los viejos tiempos, nunca subía allí. Pero cerca del porche trasero había una antigua escalera oculta que llevaba a la habitación donde en una oportunidad Claudia atravesó mi fina piel blanca con un puñal enorme. Subí, entonces, hasta las habitaciones que había bajo el techo en pendiente. Oh, tenía la altura necesaria como para que pudiera caminar por allí un hombre de un metro ochenta, y las mansardas dejaban entrar la luz de la calle.

Ahí instalaría mi cueva, pensé, dentro de un duro sarcófago con una tapa que ningún mortal podría levantar. No sería difícil construir una pequeña cámara bajo el gablete, e instalarle dos gruesas puertas de bronce que yo mismo diseñaría. Y cuando me levante, bajaré a la casa y la encontraré tal como estaba en aquellas décadas maravillosas, sólo que viviré rodeado de todos los prodigios tecnológicos que me hagan falta. No se rescatará el pasado: será perfectamente eclipsado.

—¿No es así, Claudia? —murmuré. Nadie me respondió. No se oyó el sonido de un clavicordio, ni el canario trinando en su jaula. Pero de nuevo iba a tener pájaros cantores, sí, y la casa se llenaría con la soberbia música de Haydn y Mozart.

¡Oh, mi querida, cuánto me gustaría que estuvieras aquí!

Y mi espíritu siniestro vuelve a alegrarse, porque no sabe sentirse de otro modo durante mucho tiempo, y porque el dolor es un mar oscuro y profundo en el que me ahogaría si no remara arduamente en mi pequeña embarcación, rumbo a un sol que nunca habrá de salir.

Ya era más de medianoche y oía a mi alrededor el tenue canturreo de la ciudad, con un coro de voces entremezcladas, el traqueteo suave de un tren distante, la palpitante sirena de algún barco por el río, el rugir del tránsito por la calle Esplanade.

Entré en la vieja sala y me quedé mirando los parches de luz que entraban por los vidrios de las puertas. Me tendí sobre la madera desnuda y Mojo se echó a mi lado. Y nos quedamos dormidos.

No soñé con ella. Entonces, ¿por qué me puse a llorar suavemente cuando llegó el momento de buscar la seguridad de mi cripta? ¿Y dónde estaba mi Louis, mi traicionero y tozudo Louis? Ah, qué sufrimiento. Y se volvería más intenso cuando pronto volviera a verlo, ¿no?

Sobresaltado, comprobé que Mojo estaba lamiéndome las lágrimas de sangre de las mejillas.

—¡No, eso no debes hacerlo nunca! —dije, y con una mano le

apreté la boca—. Nunca; esa sangre, esa sangre maligna, nunca.

—Me afectó muchísimo. Y en el acto él me obedeció, se alejó apenas un tanto de mí, con su noble estilo pausado.

¡Qué diabólicos me parecieron sus ojos al contemplarme! ¡Qué decepción! Volví a besarlo debajo de los ojos, la parte más tierna de su cara peluda.

De nuevo pensé en Louis, y el dolor fue como si me hubieran asestado un potente golpe en el pecho.

Mis emociones eran tan amargas, tan fuera de mi control, que me asusté, a tal punto que no pude sentir otra cosa que ese dolor.

Mentalmente fui rememorando a los demás. Evoqué cada rostro como si fuera la bruja de Endor parada junto a la caldera, invocando las imágenes de los muertos.

Observé juntos a Maharet y Mekare, los gemelos pelirrojos, que quizá ni se habrían enterado de mi dilema, tan remotos se hallaban en su gran sabiduría, tan envueltos en preocupaciones inevitables y eternas; evoqué a Eric, Mael y Khayman, que me interesaban poco y nada pese a que voluntariamente se habían negado a acudir en mi ayuda. Nunca los consideré compañeros. Luego vi a Gabrielle, mi querida madre, que sin duda no se enteró del peligro que había corrido y debía andar deambulando por algún lejano continente, cual diosa harapienta que, como siempre, sólo confraternizaba con lo inanimado. Yo no sabía si se seguía alimentando de humanos; me asaltó un leve recuerdo de ella mientras describía el abrazo de no sé qué bestia siniestra de los bosques. ¿Se había vuelto loca mi madre, dondequiera que estuviere? Me parecía que no. Que aún existía, de eso estaba seguro. Que nunca podría encontrarla, de eso no me cabía duda.

A continuación me representé la imagen de Pandora. Pandora, la amante de Marius, quizá había perecido tiempo atrás. Hecha por Marius en la época de los romanos, la última vez que la vi la encontré al borde de la desesperación. Años atrás ella se había marchado de nuestra última cueva sin avisar. Fue la primera en partir.

En cuanto a Santino, el italiano, de él no tenía noticias ni esperaba nada. Era joven. A lo mejor nunca le llegaron mis lamentos. Y si le hubieran llegado, ¿por qué habría de escucharlos?

Luego imaginé a Armand, mi viejo enemigo y amigo Armand. Mi viejo adversario y compañero Armand, el niño angelical que había creado Isla Nocturna, nuestro último reducto.

¿Dónde estaba ahora? ¿Me había dejado ex profeso librado a mis propios recursos? ¿Y por qué no?

Permítaseme regresar a Marius, el gran maestro de antaño, que hace tantos siglos había creado a Armand con amor y ternura; Marius, el verdadero hijo de los dos milenios, que me hizo bajar hasta las profundidades de nuestra historia sin sentido y me ordenó adorar el mausoleo de Los que Deben Ser Conservados.

Los que Deben Ser Conservados. Muertos, idos ya como Claudia. Porque los reyes y reinas que hay entre nosotros pueden perecer al igual que nuestros tiernos vástagos.

Sin embargo, yo sigo adelante. Estoy aquí. Soy fuerte.

¡Y Marius, lo mismo que Louis, había sabido de mi sufrimiento! Se enteró, pero se negó a ayudarme.

Mi indignación se volvió más fuerte, más peligrosa. ¿Estaba Louis por ahí cerca, en esas mismas calles? Apreté los puños para contener la furia, luchando contra su forzosa expresión.

Marius, me diste la espalda, lo cual en realidad no me sorprendió. Siempre fuiste el maestro, el progenitor, el sumo sacerdote. No te desprecio por ello. ¡Pero Louis! ¡Yo no podría negarte nada nunca, y tú me rechazas!

Sabía que no podía quedarme ahí. No confiaba en mí mismo si llegaba a verlo. Todavía no.

Una hora antes del amanecer, llevé de regreso a Mojo a su jardincito, me despedí de él con un beso y partí de prisa hacia los alrededores de la ciudad vieja. Cuando por fin llegué a la zona de los pantanos, elevé los brazos al cielo y ascendí, dejé atrás las nubes, seguí subiendo y subiendo hasta que, mecido por la canción del viento, comencé a revolcarme con las corrientes más tenues; la alegría de poder contar con mis dones me embargaba el corazón.

30

Debo haber pasado una semana entera recorriendo el mundo. Primero fui a la nevosa Georgetown y busqué a esa muchacha joven, frágil y patética a quien, en mi experiencia de humano, había violado imperdonablemente. Como pájaro exótico me miró, haciendo un esfuerzo por ver bien en la olorosa penumbra del pequeño restaurante de mortales, y no quiso reconocer que había vivido ese episodio con "mi amigo francés"; luego la desconcerté cuando puse en su mano un antiquísimo rosario de brillantes y esmeraldas. "Véndelo, si quieres, *chérie*", le dije. "El me pidió que te lo entregara para que lo emplees como quieras. Pero dime una cosa:

¿concebiste un hijo?".

Sacudió la cabeza al tiempo que murmuraba un "no". Me dieron ganas de besarla pues volvía a verla hermosa, pero no me atreví, no sólo porque la habría asustado, sino porque el deseo de matarla era demasiado intenso. Cierto instinto feroz puramente masculino me hacía desearla tan sólo porque antes la había deseado de otra manera.

A las pocas horas ya me había marchado del nuevo mundo, y noche tras noche vagabundeé, conseguí presas en los desbordantes arrabales de Asia —en Bangkok, en Hong Kong, en Singapur— y luego en la congelada ciudad de Moscú, como también en Viena y Praga, preciosas ciudades antiguas. Pasé un breve período en París, pero a Londres no fui. Avanzaba al máximo de mi velocidad; me elevaba y zambullía en la penumbra, y a veces bajaba en ciudades que ni sabía cómo se llamaban. Me alimenté sin cesar de malvados, y de vez en cuando, de los locos o los puramente inocentes que caían bajo mi mirada.

Trataba de no matar. Trataba. Salvo cuando la persona me resultaba irresistible, cuando era un delincuente de lo peor. Entonces le provocaba una muerte lenta y salvaje y, transcurrido el momento, quedaba con tanta hambre como antes, y ahí nomás partía a saciarla antes de que saliera el sol.

Jamás me había sentido tan satisfecho con mis poderes. Nunca me había elevado tan por encima de las nubes, ni viajado a tanta velocidad.

Caminé durante horas, mezclado entre los mortales, por las viejas callecitas de Heidelberg, de Lisboa y de Madrid. Pasé por Atenas, El Cairo y Marruecos. Recorrí las costas del Golfo Pérsico, del Mediterráneo y el Adriático.

¿Qué estaba haciendo? ¿Qué pensaba? Sentía verdadera la tan trillada frase: *el mundo era mío*.

Y adondequiera que fuese, hacía sentir mi presencia. Dejaba emanar mis pensamientos de mi interior, como si fueran notas interpretadas por una lira.

Aquí está el vampiro Lestat. Aquí viene el vampiro Lestat. Abran paso.

No quería ver a mis compañeros. En realidad no los busqué, no abrí mi mente ni mis oídos para ver si los sentía. No tenía nada que decirles. Sólo quería hacerles saber que había andado por ahí.

En algunos lugares capté los sonidos de algunos compañeros, vagabundos desconocidos, seres de la noche sobrevivientes de la última masacre con los de nuestra especie. A veces era apenas un pantallazo mental de un ser poderoso, que en el acto ocultaba sus pensamientos. En otras ocasiones me llegaban los pasos nítidos de algún monstruo que caminaba por la eternidad sin artificios, sin historia ni propósito. ¡A lo mejor eso siempre va a existir!

Tenía toda la eternidad para encontrarme con tales criaturas, si alguna vez llegaba a necesitarlo. El único nombre que pronunciaban mis labios era el de Louis.

Louis.

A él no pude olvidarlo ni por un instante. Era como si otra persona murmurara todo el tiempo su nombre en mi oído. ¿Qué haría si lo volvía a encontrar? ¿Podría dominar mi reacción? ¿Lo intentaría siquiera?

Por último, me sentí cansado. Tenía la ropa hecha jirones. No podía seguir deambulando más. Quería volver a casa.

31

Me encontraba sentado en la catedral a oscuras. Aunque la habían cerrado horas antes, pude entrar subrepticiamente por uno de los accesos del frente y anulé las alarmas. Además, dejé la puerta abierta para él.

Cinco noches habían pasado desde mi regreso. El trabajo avanzaba estupendamente en el departamento de la calle Royale y él por supuesto lo sabía, ya que lo había visto parado en el porche de enfrente, mirando hacia arriba; por eso me asomé al balcón apenas un instante, un tiempo que al ojo mortal no le alcanzaba para ver.

Puede decirse que estábamos jugando al gato y el ratón.

Hoy a la noche dejé que me viera cerca del antiguo mercado francés. Y qué susto se llevó al posar sus ojos en mí, al ver a Mojo y comprobar, por el guiño que le hice, que realmente era Lestat a quien veía.

¿Qué pensó en ese instante? ¿Que era Raglan James dentro de mi cuerpo que había venido a aniquilarlo? ¿Que James se estaba haciendo una casa en la calle Royale? No: desde el primer momento supo que era Lestat.

Luego me encaminé lentamente hacia la iglesia, con Mojo siempre a mi lado. Mojo, mi cable a tierra.

Yo quería que me siguiera, pero no iba a darme vuelta para comprobar si venía o no.

Era una noche tibia. La lluvia de un rato antes había oscurecido las paredes rosadas de las casas del viejo barrio francés, había hecho más intenso el marrón de los ladrillos y dejado una fina y brillante pátina sobre baldosas y adoquines. Una noche perfecta para caminar por Nueva Orleáns. Húmedas y fragantes, las flores relucían tras los tapiales de los jardines.

Pero para volver a encontrarme con él, necesitaba el sosiego de la iglesia en penumbras.

Me temblaban un poco las manos, como me sucedía de tanto en tanto desde que había recuperado mi antigua forma. No había una causa física que lo explicara, sino sólo los accesos de enojo que me acometían, seguidos por períodos de satisfacción, y luego un vacío terrible a mi alrededor; por último recobraba una alegría total, aunque frágil, una suerte de barniz superficial. ¿Podía decir que no conocía el estado real de mi espíritu? Recordé cómo la furia incontrolada me llevó a destrozarle la cabeza al cuerpo de David, y no pude sino estremecerme. ¿Aún me afectaba el miedo?

Hmmm. Mira esos dedos bronceados por el sol, con sus uñas lustrosas. Sentí su temblor cuando apoyé las yemas contra mis labios.

Me hallaba sentado varios bancos más atrás del primero, contemplando las estatuas oscuras, los cuadros, los adornos dorados.

Ya era más de medianoche. El ruido de la calle Bourbon era el mismo de siempre. Cuánta carne mortal por allí. Me había alimentado temprano, y volvería a hacerlo después.

Pero los sonidos de la noche eran sedantes. En las callejuelas del barrio francés, en sus pequeños departamentos, en sus tabernas de clima misterioso, en sus elegantes salones de cóctel y sus restaurantes, mortales felices charlaban y reían, besaban y abrazaban.

Me puse cómodo en el banco y hasta estiré los brazos sobre el respaldo como si se tratara de un banco de plaza. Mojo ya se había echado a dormir por ahí cerca, en el pasillo.

Por qué no puedo ser tú, amigo mío, un ser que parece el mismísimo demonio pero de una gran bondad. Oh, sí, bondad. Bondad fue precisamente lo que capté cuando lo abracé y hundí mi cara en su pelo.

En ese instante sentí que *él* entraba en la iglesia.

Percibí su presencia aunque no pude leerle el más mínimo pensamiento o sentimiento, ni siquiera logré oír sus pasos. No había oído abrirse ni cerrarse la puerta de la calle pero igualmente supe que estaba ahí. Luego vi una sombra por el rabillo del ojo. Llegó y se sentó a mi lado, aunque a una pequeña distancia.

Largo rato permanecimos callados, hasta que por fin él habló.

—Incendiaste mi casa, ¿verdad? —preguntó con voz vibrante.

—¿Acaso me culpas? —repuse con una sonrisa, sin quitar los ojos del altar—. Además, en el momento en que lo hice yo era humano. Fue una debilidad humana. ¿Quieres venir a vivir conmigo?

—¿Eso significa que me perdonaste?

—No; significa que estoy jugando contigo. Quizás hasta te destruya en castigo. Todavía no lo decidí. ¿No te da miedo?

—No. Si tuvieras intención de eliminarme, ya lo habrías hecho.

—No estés tan seguro. No soy el de siempre, y sin embargo lo soy, y luego vuelvo a no serlo.

Largo silencio, sólo quebrado por la pesada respiración de Mojo, que dormía profundamente.

—Me alegro de verte —dijo—. Sabía que ibas a ganar, pero no sabía cómo.

No le respondí porque de pronto sentí que hervía por dentro. ¿Por qué se usaban mis virtudes y defectos contra mí?

Pero, ¿realmente tenía sentido hacer acusaciones, agarrarlo del cuello y sacudirlo, exigirle respuestas? Tal vez lo mejor era no saber.

—Cuéntame qué pasó, Lestat.

—No lo haré. ¿Además, qué es lo que quieres saber?

Nuestras voces apagadas producían suaves ecos en la nave de la iglesia. La luz titilante de las velas bailoteaba sobre los capiteles dorados de las columnas, sobre los rostros de las estatuas. Ah, cómo me gustaba ese silencio y ese frío. Y desde el fondo de mi corazón debía reconocer que estaba muy contento de que él hubiera venido. A veces el amor y el odio sirven exactamente para el mismo propósito.

Giré y lo miré. El se había puesto de cara a mí, con una rodilla flexionada sobre el banco y un brazo apoyado en el respaldo. Lo vi blanquecino como siempre, como un brillo sagaz en la penumbra.

—Tenías razón en lo del experimento —dije, creo que con voz firme.

—¿A qué te refieres? —Nada de maldad ni desafío en su tono; sólo el sutil deseo de saber. Y qué reconfortante era ver su cara, sentir el tenue olor a polvo de su ropa gastada, el hálito de lluvia aún fresca adherido a su pelo oscuro.

—A lo que me dijiste, mi viejo y querido amigo y amante: que yo en realidad no deseaba ser humano, que no era más que un sueño asentado en la mentira, en la fatua ilusión, en el orgullo.

—Es que no lo entendía. Tampoco lo entiendo ahora.

—Claro que lo entendiste muy bien; siempre lo has hecho. A lo mejor has vivido lo necesario o quizá hayas sido siempre el más fuerte, pero lo cierto es que lo sabías. Yo no quería la debilidad, las limitaciones, no quería las necesidades repugnantes ni la eterna vulnerabilidad; no quería empaparme de sudor ni morirme de frío. No quería la oscuridad enceguecedora, los ruidos que me impedían oír ni la culminación rápida, frenética, de la pasión erótica. No quería las banalidades, la fealdad. No quería el aislamiento, la fatiga constante.

—Eso me lo explicaste antes. Tiene que haber habido algo... aunque sea pequeño... que te gustara.

—¿Qué supones tú?

—La luz solar.

—Exacto. La luz del sol sobre la nieve, sobre el agua... la luz del sol sobre la cara, sobre las manos, descubriendo los pliegues recónditos del mundo entero como si se tratara de una flor, como si todos formáramos parte de un gran organismo anhelante. La luz del sol sobre la nieve...

Me interrumpí. Lo cierto era que no deseaba decírselo; hasta sentía que me había traicionado a mí mismo.

—Hubo otras cosas —proseguí—. Sí, hubo muchas. Sólo un tonto no las habría notado. Alguna noche, cuando de nuevo nos sintamos cómodos como si nada hubiera pasado, te las contaré.

—Pero no te bastaron.

—No. A mí no.

Silencio.

—Quizás esa parte, la del descubrimiento, haya sido lo mejor. Y el hecho de que ya no vivo engañado... Ahora sé que me encanta ser el pequeño diablo que soy.

Me volví y le obsequié la más hermosa y maligna de mis sonrisas.

Pero él era tan listo que no cayó en la trampa. Lanzó un largo suspiro casi silencioso, entornó un instante los párpados y volvió a mirarme.

—Nadie más que tú podría haber ido allí... y regresado.

Quise decirle que no era cierto, pero ¿qué otro habría sido tan tonto de confiar en el Ladrón de Cuerpos? ¿Quién se habría lanzado a la aventura con semejante grado de audacia? Y cuanto más lo pensaba, más me percataba de algo que ya debería haber descubierto: que yo sabía el riesgo que iba a correr, pero consideré que era el precio. El ser vil me advirtió que era mentiroso y tramposo. Pero yo igualmente me embarqué porque no vi otro camino.

Sin duda, no era eso lo que quería decir Louis con sus palabras, o quizás, en cierto sentido, sí. Era la verdad más profunda.

—¿Sufriste en mi ausencia? —le pregunté, volviendo a posar mis ojos en el altar.

Con la mayor tranquilidad me contestó:

—Fue un infierno.

No le respondí.

—Sufro cada vez que corres esos riesgos, pero eso es una falla mía.

—¿Por qué me amas? —pregunté.

—Eso lo sabes; siempre lo has sabido. Ojalá pudiera ser como tú, vivir la felicidad que vives constantemente.

—Y el sufrimiento... ¿también quieres vivirlo?

—¿Tu sufrimiento? —Sonrió. —Por cierto. Esa clase de dolor, en cualquier momento.

—Hijo de puta presumido, cínico y mentiroso —murmuré, sintiendo que de repente crecía mi indignación, tanto que hasta me subió la sangre a la cara—. ¡Te necesitaba y me volviste la espalda! Me cerraste la puerta en medio de la noche mortal. ¡Me abandonaste!

Se sobresaltó ante mi apasionamiento. Me sobresalté yo también. Pero fue algo sincero, y una vez más empezaron a temblarme las manos, las mismas manos que se descontrolaron y atacaron al falso David, pese a que pude dominar todo el restante poder letal que llevo dentro.

No pronunció ni una palabra. Su rostro registró esos pequeños cambios que produce el shock: el ínfimo temblor de un párpado, la boca que se estira y luego se afloja, una sutil expresión ácida que se borra no bien aparece. Todo el tiempo me sostuvo la mirada, hasta que lentamente la fue desviando.

—Fue David Talbot, tu amigo mortal, quien te ayudó, ¿verdad?

Le contesté que sí sin palabras.

Pero a la sola mención del nombre fue como si me hubieran tocado los nervios con un alambre caliente. Demasiado sufría ya. No pude hablar más sobre David. Tampoco quería hablar de Gretchen. Y de pronto tomé conciencia de que lo que más quería hacer en la vida era darme vuelta, rodearlo con mis brazos y llorar en su hombro como no lo había hecho nunca.

Qué vergüenza. ¡Qué predecible! Qué insípido. Y qué tierno.

No lo hice.

Permanecimos en silencio. La suave cacofonía de la ciudad subió y cayó tras los *vitraux* que captaban el brillo tenue de los faroles callejeros. Había vuelto a llover, esa lluvia tibia de Nueva Orleáns que permite seguir caminando tranquilamente como si no fuera más que una bruma.

—Quiero que me perdones, Lestat. Quiero que comprendas que no fue por cobardía, no fue flaqueza. Lo que te dije en aquel momento era cierto: no podía hacerlo. ¡No podía arrastrar a alguien a esta vida! Ni aunque ese alguien fuera un mortal contigo en su interior. Sencillamente no podía.

—Ya lo sé.

Traté de poner punto final al asunto, pero no pude. No se calmaba mi ánimo, mi prodigioso temperamento, el mismo que me había llevado a aplastarle la cabeza a David Talbot contra la pared.

Volvió a hablar:

—Cualquier cosa que me digas, me la merezco.

—¡Oh, más que eso! —exclamé—. Pero lo que quiero saber es esto. —Giré para mirarlo a la cara y hablé apretando los dientes. —¿Te habrías negado eternamente? Si los demás —Marius, o quienquiera que se haya enterado— hubieran destruido mi cuerpo dejándome atrapado dentro de ese físico mortal, y yo te hubiera seguido implorando, ¿te habrías negado eternamente? ¿Te habrías mantenido en tus trece?

—No lo sé.

—No me respondas tan de prisa. Busca la verdad en tu interior. Claro que lo sabes. Usa tu asquerosa imaginación. Claro que lo sabes. ¿Me habrías rechazado?

—¡No sé la respuesta!

—¡Te desprecio! —reaccioné con un murmullo áspero—. Tendría que destruirte... terminar eso que empecé cuando te hice. Reducirte a cenizas y zarandearlas entre mis dedos. ¡Sabes que lo podría hacer! ¡Así de fácil! ¡Como chasquear los dedos para los humanos! Quemarte como te quemé la casa. Y nada te podría salvar, nada.

Miré con ojos furibundos los planos agraciados de su rostro imperturbable que resaltaba, con algo de fosforescencia, contra las sombras más oscuras de la iglesia. Qué hermosa la forma de sus ojos, con sus espesas pestañas negras. Qué perfecta la curva de su labio superior.

La furia era un ácido que corroía las mismas venas por las que fluía, que consumía mi sangre preternatural.

Sin embargo, no podía hacerle daño. No podía siquiera concebir la idea de cumplir tan terribles y cobardes amenazas. Jamás podría haberle hecho daño a Claudia. Oh, hacer toda una cuestión por algo sin importancia, sí. Pero pensar en venganza... ¿qué es para mí la venganza repugnante y árida?

—Medítalo —dijo—. ¿Podrías crear otro, después de todo lo que pasó? —Con serenidad ahondó más en el tema: —¿Volverías a ejecutar el Truco Misterioso? Tómate *tú* el tiempo antes de responder. Busca las verdades en tu interior, como me dijiste a mí. Y cuando las encuentres, no necesitas decírmelas.

Luego se inclinó hacia adelante acortando la distancia entre ambos, y apretó sus labios sedosos contra el costado de mi cara. Mi intención fue retroceder, pero él usó toda su fuerza para sujetarme y yo lo permití, permití ese beso frío, desapasionado, hasta que fue él quien por fin se apartó, como una cantidad de sombras que caen una dentro de la otra. Sólo dejó su mano en mi hombro, y yo seguía con la mirada puesta en el altar.

Al final me levanté sin prisa, pasé a su lado, desperté a Mojo y le hice señas de que me siguiera.

Caminé por el pasillo central en dirección a las puertas del frente. Encontré el rinconcito oscuro donde arden las velas votivas bajo la estatua de la Virgen, un sitio lleno de bella luz titilante.

Me vinieron a la memoria el aroma y el sonido de la selva tropical, la oscuridad impenetrable de esos árboles imponentes. Luego la imagen de la capillita blanca en el claro del bosque con sus puertas abiertas, el sonido fantasmal de la campana en la brisa vagabunda. Y el olor a sangre que partía de las manos heridas de Gretchen.

Tomé la larga mecha que había para encender las velas, la acerqué a una llamita, di vida a otra, amarilla y movediza, que finalmente se estabilizó al tiempo que despedía un fuerte olor a cera quemada.

Estuve a punto de decir: "Por Gretchen", cuando me percaté de que no era por ella que la había encendido. Levanté mi rostro hacia la Virgen. Recordé el crucifijo que había sobre el altar de Gretchen. Una vez más me sentí inundado por la paz de la selva tropical y vi ese pequeño pabellón con camitas. ¿Por Claudia, mi preciosa Claudia? No, tampoco por ella, por mucho que la amara...

Sabía que esa vela era por mí.

Era por el hombre de pelo castaño que había amado a Gretchen en Georgetown. Era por el triste demonio de ojos azules que fui antes de transformarme en aquel hombre. Era por el muchacho mortal de siglos atrás, que huyó a París con las alhajas de su madre en el bolsillo y sólo la ropa que llevaba puesta. Era por el ser impulsivo y malvado que había sostenido en sus brazos a la Claudia agonizante.

Era por todos esos seres y por el demonio que en esos instantes estaba allí, porque a él le gustaban las velas, y le gustaba crear lumbre a partir de la lumbre. Porque no había un Dios en quien creyera, no había santos ni Reina del Cielo.

Porque pudo dominar su mal genio y no aniquiló al amigo.

Porque estaba solo, pese a lo cercano que pudiera ser ese amigo. También porque le había vuelto la felicidad como si fuera una dolencia que nunca pudo vencer del todo, porque la sonrisa traviesa ya se le dibujaba en los labios, porque el corazón brincaba dentro de su pecho, porque surgía en su interior el deseo de volver a salir, de pasear por las refulgentes calles de la ciudad.

Sí, la velita prodigiosa y minúscula, que aumenta en esa misma cantidad la luz existente en el universo, es por Lestat. Y quedará encendida toda la noche junto a las demás. Continuaría encendida a la mañana siguiente, cuando llegaran los fieles, cuando entrara la luz del sol por esas puertas.

Mantén tu vigilia, pequeña vela, en las tinieblas y a la luz del día. Por mí, sí.

32

Creía usted que aquí termina el relato? ¿Que la cuarta entrega de las Crónicas de Vampiros había llegado a su fin?

Sí, el libro debería concluir. Honestamente debería haber concluido cuando encendí la velita, pero no fue así. De eso me di cuenta a la noche siguiente, apenas abrí los ojos.

Si quiere enterarse de lo que pasó después, siga por favor hasta el capítulo treinta y tres. Pero si lo desea, puede abandonar aquí. Quizá hasta lamente no haberlo hecho.

33

Barbados.

Fui a buscarlo y lo encontré aún allí, en un hotel frente al mar.

Habían transcurrido varias semanas, aunque no sé por qué dejé pasar tanto tiempo. Por amabilidad no fue; tampoco por cobardía, pero lo cierto es que esperé. Pude ir viendo, paso a paso, cómo restauraban el espléndido departamento de la calle Royale hasta que estuvieron elegantemente acondicionadas por lo menos algunas habitaciones, donde podía rememorar todo lo sucedido y pensar en lo que todavía podía suceder. Louis había regresado para instalarse conmigo, y andaba muy ocupado buscando un escritorio igual al que había en la salita hace más de cien años.

David había dejado muchos mensajes a mi representante de París: que estaba por viajar al carnaval de Río, que me extrañaba, que por qué no nos reuníamos en Brasil.

El tema de sus bienes se había resuelto muy bien. Ahora él era David Talbot, primo del señor mayor muerto en Miami, y nuevo propietario de la mansión ancestral. Los miembros de la Talamasca le restituyeron la fortuna que él les había dejado y le acordaron una generosa jubilación. Si bien no era más el Superior General, seguía teniendo sus aposentos en la Casa Matriz y contaría siempre con el amparo de la organización.

Tenía un regalo para mí, si es que yo lo quería: el relicario con la miniatura de Claudia. Un retrato muy delicado, con una fina cadena de oro. Lo había encontrado, lo tenía consigo y estaba dispuesto a enviármelo si ése era mi deseo, salvo que prefiriera ir a visitarlo y recibirlo de sus propias manos.

Barbados. Evidentemente se había sentido obligado a volver al lugar del crimen, por así decirlo. Me escribió contándome que el clima era una maravilla, que estaba leyendo el *"Fausto"*. Tenía muchas preguntas que hacerme, y quería saber cuándo iba yo a ir.

No había vuelto a ver a Dios ni al diablo, pese a que antes de marcharse de Europa había recorrido diversos bares de París. Tampoco estaba dispuesto a pasarse la vida buscándolos. "Sólo tú puedes saber el hombre que soy ahora —decía—. Te extraño, quiero charlar contigo. ¿Por qué no recuerdas que te ayudé y me perdonas todo lo demás?"

Me escribía desde el hotel playero del que me había hablado, ése que estaba pintado de rosa, tenía grandes bungalows con techos de paja, bellos jardines fragantes, y una vista panorámica de la arena blanca y el mar transparente.

Antes de ir allí pasé por los vergeles de las montañas y me paré en los mismos acantilados que daban a las montañas boscosas, donde había estado él, escuchando el rumor del viento en las ramas de los ruidosos cocoteros.

¿Me había mencionado las montañas? ¿Había dicho que al mirar hacia abajo se veían los valles apacibles, y que las laderas vecinas parecían tan cercanas que daba la impresión de que se podía tocarlas, aunque en realidad estaban muy, pero muy lejos? Creo que no, pero me describió muy bien las flores, las "tenazas de langostas" y sus capullos, las orquídeas, las azucenas, sí, esas azucenas de pétalos suaves, palpitantes; los helechos acurrucados en los claros del bosque, la "flor pájaro" y los altos sauces, los pimpollos diminutos de jazmín.

Tenemos que caminar por ahí, había dicho.

Sí, claro que lo íbamos a hacer. Suave el crujido de la grava. Ah, nunca vi ramas oscilantes de cocoteros más hermosas que las de esos barrancos.

Aguardé hasta medianoche para descender al hotel. El jardín era como me lo había pintado, con azaleas rosadas y grandes macizos de begonias.

Atravesé el comedor desierto y bajé hasta la playa. Me interné en la zona no muy honda, para poder girar y mirar desde allí las habitaciones con sus galerías techadas. Enseguida lo localicé.

Las puertas que daban al patiecito estaban abiertas de par en par, y la luz amarilla se derramaba sobre el pequeño lugar y sus sillones pintados. Adentro, como en un escenario iluminado, David se hallaba sentado a un escritorio, de frente a la noche y al mar, escribiendo en una computadora portátil de reducidas dimensiones. El golpeteo de las teclas se oía en el silencio y hasta tapaba el susurro indolente de las suaves olas espumosas.

Llevaba puesto un pantaloncito corto y nada más. Por el dorado bronce de su piel parecía que pasaba los días durmiendo al sol. Tenía unas vetas amarillas en el pelo oscuro, y cierto brillo en sus hombros desnudos y en su pecho lampiño. Músculos muy firmes en la cintura. Noté también la pátina dorada que creaba el vello en sus muslos y piernas, y una leve pelusita en el dorso de las manos.

Yo no me había fijado en ese pelo cuando estuve vivo. O quizá no me gustó; no sé. Ahora sí me gustaba. También me agradó verlo más esbelto de lo que había sido yo dentro de ese físico. Sí, se le notaban más los huesos, lo cual acataba, supongo, los dictados de un estilo moderno de salud: la moda de ser elegantemente desnutrido. A él le sentaba, y al cuerpo también.

A sus espaldas, la habitación muy prolija y rústica en el estilo típico de las islas, con techo de vigas a la vista y piso de baldosas rosadas. La sobrecama era de una tela alegre, con diseños geométricos indígenas. El ropero y la cómoda eran blancos, con flores pintadas. Las lámparas, sencillas, daban abundante luz.

Tuve que sonreír, sin embargo, al verlo en medio de ese lujo, escribiendo en su computadora. David el intelectual, de mirada vivaz producto de las ideas que poblaban su mente.

Al aproximarme noté que estaba bien afeitado, que sus uñas se hallaban prolijamente cortadas y pulidas, quizá por obra de una manicura. El pelo, abundante y ondulado, seguía siendo el mismo que tuve yo cuando habité ese cuerpo, pero también se lo había recortado, por lo que ahora tenía más forma. A su lado se hallaba el ejemplar del *"Fausto"*, abierto, y sobre él una lapicera. Muchas de sus hojas estaban dobladas, o marcadas con pequeños clips metálicos.

Yo seguía inspeccionando todo sin prisa —tomé nota de la botella de whisky que había a su lado, del pesado vaso de cristal y el paquete de cigarrillos—, cuando de pronto él levantó la cabeza y me vio.

Me hallaba en la arena, lejos del pequeño porche con su baranda de cemento, pero totalmente visible.

—Lestat —susurró, y se le iluminó la cara. Al mismo tiempo se puso de pie y vino hacia mí con su elegante andar de siempre. —Gracias a Dios que viniste.

—¿Te parece? —dije. Rememoré el momento en que había visto al Ladrón de Cuerpos escabullirse del Café du Monde, en Nueva Orleáns, y pensé que ese cuerpo, ahora que tenía adentro a otra persona, podía moverse como una pantera.

Quiso tomarme en sus brazos, pero como yo me quedé tieso y retrocedí un paso, permaneció inmóvil con los brazos plegados contra el pecho, gesto que en mi opinión pertenecía a ese cuerpo nuevo, ya que antes de encontrarnos en Miami no se lo había visto nunca. Esos brazos eran más gruesos que los anteriores. El pecho, más ancho también.

Qué desnudo me pareció. Qué oscuras sus tetillas. Qué ardientes y claros sus ojos.

—Te extrañé —confesó.

—¿Ah, sí? Me imagino que aquí no habrás llevado vida de recluso.

—No, he visto a otros con excesiva asiduidad. Demasiadas cenas en Bridgetown. Y mi amigo Aaron vino varias veces a visitarme, lo mismo que otros miembros de la organización. —Hizo una pausa. —No soporto estar rodeado por ellos, Lestat. No soporto estar en Talbot Manor, con los sirvientes, y fingir que soy un primo de mi antiguo yo. Hay algo escalofriante en lo que pasó. A veces no tolero mirarme en el espejo. Pero no quiero hablar de ese aspecto.

—¿Por qué no?

—Este es un período de adaptación. Con el tiempo, ya no me va a impresionar tanto. Y tengo muchas cosas que hacer. Cuánto me alegro de que hayas venido. Tenía la sensación de que ibas a venir. Esta mañana, estuve a punto de partir a Río, pero no me fui porque tuve el presentimiento de que esta noche te iba a ver.

—No me digas.

—¿Qué te pasa? ¿A qué se debe esa expresión sombría? ¿Por qué estás enojado?

—No sé. Ultimamente me enojo sin mucho motivo. Y debería estar contento. Pronto lo voy a estar. Me ocurre a menudo; al fin y al cabo, es una noche importante.

Me miró fijo tratando de desentrañar el significado de mis palabras o, más bien, qué debía responder a ellas.

—Ven, entremos —dijo por fin.

—¿Por qué no nos quedamos aquí, en la penumbra de la galería? Me gusta la brisa.

—Como quieras.

Fue a la habitación, se sirvió un whisky y lo trajo a la mesa de afuera. Yo acababa de sentarme en uno de los sillones y contemplaba el mar.

—¿Y bien? ¿Qué has andado haciendo, David?

—¿Por dónde empiezo? Estuve escribiendo sin cesar, tratando de explicar hasta las sensaciones más pequeñas, todo lo que voy descubriendo.

—¿Acaso te queda alguna duda de que estás firmemente arraigado dentro de ese cuerpo?

—No. —Bebió un largo sorbo de whisky. —Y al parecer no hay ningún menoscabo físico. De eso tenía miedo, incluso cuando eras tú el que lo habitaba, pero no quería decirlo. Demasiado teníamos ya para preocuparnos, ¿verdad? —Se volvió para observarme, y sonrió. —Estás mirando a un hombre al que conoces del derecho y del revés.

—No, no tanto —repliqué—. A ver, dime, ¿cómo te perciben los extraños... los que no saben nada? ¿Las mujeres te invitan a sus dormitorios? ¿Y los hombres jóvenes?

Posó los ojos en el mar, y de pronto le noté cierta amargura en la cara.

—Tú sabes la respuesta. Esos encuentros no son mi vocación, no significan nada para mí. No digo que no haya disfrutado unas cuantas incursiones por las alcobas, pero tengo cosas más importantes que hacer, Lestat, mucho más importantes.

"Quiero viajar a tierras y ciudades que siempre soñé con conocer. Río es sólo la primera. Hay misterios que debo resolver, cosas por averiguar.

—Sí, me imagino.

—La última vez que nos vimos dijiste algo que me pareció importante: "Seguramente no irás a regalarle esta vida también a la Talamasca". Bueno, no, no se la voy a regalar. Lo que tengo claro es que no debo desperdiciarla, que debo hacer algo de valor con ella. Sin duda no voy a saber enseguida el rumbo. Tiene que haber un período de viajes, de aprendizaje, de evaluación, antes de decidir el curso. Y a medida que voy estudiando, escribo, anoto todo. A veces el objetivo parece la escritura misma.

—Lo sé.

—Quiero preguntarte muchas cosas.

—¿Qué tipo de cosas?

—Referentes a lo que viviste esos pocos días, y si lamentas que hayamos puesto fin tan pronto a la experiencia.

—¿Qué experiencia? ¿Te refieres a mi vida de mortal?

—Sí.

—No lo lamento.

Iba a retomar la palabra pero se detuvo. Luego volvió a hablar.

—¿Qué sacaste en limpio? —preguntó con sumo interés.

Me volví para mirarlo. Sí, decididamente el rostro parecía más angular. ¿Era la personalidad la que lo había afilado, dándole más definición? Perfecto.

—Perdón, David, pero me distraje. ¿Qué me preguntaste?

—¿Qué sacaste en limpio? —repitió con su eterna paciencia— ¿Cuál fue la lección?

—No sé si fue una lección. Y si aprendí algo, puede que me lleve un tiempo comprenderlo.

—Sí, claro.

—Te puedo decir que advierto nuevas ansias de aventuras, de paseos, muy similar a lo que te pasa a ti. Quiero volver a la selva tropical. Pude verla muy poco cuando fui a visitar a Gretchen. Había un templo allí, que quiero recorrer.

—Nunca me contaste lo que pasó.

—Oh, sí, te lo dije, pero en ese momento eras Raglan James. El Ladrón de Cuerpos fue testigo de esa pequeña confesión. ¿Por qué se le habrá ocurrido robar semejante cosa? Pero me estoy yendo del tema. Hay otros muchos lugares que deseo visitar.

—Sí.

—Vuelvo a sentir un anhelo de futuro, de conocer los misterios del mundo natural, de ser el espectador en que me convertí aquella lejana noche en París, cuando se me obligó a entrar en esto. Perdí mis ilusiones. Perdí mis mentiras preferidas. Podríamos decir que reviví en aquel momento y renací a las tinieblas de mi propio libre albedrío. ¡Y qué albedrío!

—Te comprendo.

—Oh, qué bien.

—¿Por qué hablas así? —Bajó la voz y prosiguió lentamente: —¿Necesitas mi comprensión tanto como yo necesito la tuya?

—Tú jamás me has entendido, David. Oh, no te lo digo como acusación. Te haces ilusiones sobre mí, lo cual te permite visitarme, hablar conmigo, hasta darme cobijo y ayudarme. No podrías hacer todo eso si realmente supieras lo que soy. Intenté decírtelo cuando hablaba de mis sueños...

—Estás equivocado. Hablas por vanidad. Te encanta hacer creer que eres peor de lo que realmente eres. ¿A qué sueños te refieres? No recuerdo que me hayas hablado nunca de sueños.

Sonreí.

—¿Ah, no? Haz memoria, David. El sueño del tigre, el que me hacía sentir miedo por ti. Y ahora se cumplirá la amenaza de ese sueño.

—¿Qué quieres decir?

—Que te lo voy a hacer, David. Voy a hacerte de los míos.

—¿Qué? —Su voz se convirtió en un susurro. —¿Qué me estás diciendo? —Se inclinó hacia adelante tratando de ver con claridad la expresión de mi cara. Pero la luz nos venía de atrás, y su vista humana no era lo bastante aguda.

—Acabo de decírtelo. Te lo voy a hacer.

—¿Por qué lo dices?

—Porque es verdad. —Me levanté y con la pierna empujé el sillón a un costado.

El me miró sin levantarse. Sólo entonces su cuerpo tomó conciencia del peligro. Vi que se ponían tensos los músculos de sus brazos. Sus ojos estaban fijos en los míos.

—¿Por qué hablas así? No puedes hacerme eso.

—Por supuesto que sí, y lo haré. Siempre te dije que era malvado, que era el mismísimo diablo. ¡El diablo de tu *Fausto*, el de tus visiones, el tigre de mis pesadillas!

—No, no es verdad. —Se puso de pie y, al hacerlo, volteó el sillón y casi pierde el equilibrio. Retrocedió unos pasos. —No eres el diablo, sabes bien que no. ¡No me hagas esto! ¡Te lo prohíbo! —Apretó los dientes al pronunciar las últimas palabras. —En el fondo del corazón eres tan humano como yo. Y no lo harás.

—¡Claro que sí! —Me reí porque no pude evitarlo. —¡David, el Superior General! David, el brujo del candomblé.

405

Retrocedió aún más por el piso de baldosas. La luz iluminaba de lleno su cara y los músculos tensos de sus brazos.

—¿Pretendes luchar conmigo? No hay fuerza en la tierra que pueda impedirme hacerlo.

—Antes prefiero morir —expresó con voz ahogada. Su rostro estaba más oscuro, arrebolado por la sangre. Oh, la sangre de David.

—No te voy a dejar morir. ¿Por qué no recurres a tus viejos espíritus brasileños? No recuerdas cómo se hace, ¿verdad?

—No puedes pagarme de esta manera. —David luchaba por mantener la calma.

—¡Pues así es como paga el diablo a quienes lo ayudan!

—¡Lestat, yo te ayudé a enfrentar a Raglan! ¡Te ayudé a recuperar ese cuerpo! ¿Y no me habías prometido lealtad? ¿Cuáles fueron tus palabras?

—Te mentí, David. Me mentí a mí mismo y a otros. Eso me enseñó mi pequeña aventura por la carne. Me asombras, David. Estás enojado, muy enojado, pero no tienes miedo. Eres como yo, David... tú y Claudia... los únicos que realmente tienen mi misma fuerza.

—Claudia —articuló, e hizo un gesto de asentimiento—. Ah, sí, Claudia. Tengo algo para ti, amigo mío. —Se alejó, y a propósito me dio la espalda para destacar la audacia de su gesto. Muy despacio se encaminó hasta la cómoda. Cuando giró sobre sus talones vi que tenía un pequeño relicario en las manos. —Lo traje de la Casa Matriz. El relicario que me describiste.

—Ah, sí. Dámelo.

Sólo entonces, mientras luchaba con el estuchecito ovalado, vi que le temblaban las manos. No sabía manejar bien los dedos. Al final consiguió abrirlo y me lo tendió. Yo contemplé la miniatura pintada: el rostro de Claudia, sus ojos, sus rizos dorados. Una niña que me miraba tras una máscara de inocencia. ¿Era una máscara?

Y lentamente, de entre el torbellino de mi memoria, extraje el momento en que por primera vez había posado mis ojos en esa chuchería, en su cadena de oro cuando me hallaba en la lóbrega calle de tierra y acerté a pasar por la choza donde la madre yacía muerta a causa de la peste y su hijita mortal, convertida en alimento del vampiro, era un cuerpecito blanco que temblaba, indefenso, en los brazos de Louis.

¡Cómo me reí de él en ese momento! Lo había señalado con el dedo, luego levanté de la cama apestosa el cuerpo de la muerta —la madre de Claudia—, y bailoteé con ella por la habitación. Y en el cuello de la difunta estaba la cadenita con el relicario, porque ni el más audaz de los ladrones se habría atrevido a entrar en esa choza para robar esa baratija de las fauces mismas de la peste.

Lo tomé con la mano izquierda, mientras la derecha dejaba caer el pobre cadáver. El broche se había roto e hice oscilar la cadena en alto como exhibiendo un trofeo. Luego lo guardé en el bolsillo, pasé por encima del cuerpo moribundo de Claudia y salí a la calle en pos de Louis.

Pasaron varios meses, hasta que un día encontré el relicario en el mismo bolsillo y lo miré a la luz. Cuando el retrato había sido pintado, ella era una criatura viva, pero la Sangre Misteriosa le confirió la dulce perfección del pintor. Era mi Claudia, y el relicario quedó luego dentro de un baúl. Ahora bien: cómo fue a parar a la Talamasca, no lo sé.

Lo sostuve en la mano. Levanté la vista. Tuve la sensación de haberme remontado a aquel sitio ruinoso, y de estar de vuelta de repente, mirando a David. David me había estado hablando, pero no lo oí.

—¿Serías capaz de hacérmelo? —preguntaba, perentorio. El timbre de su voz lo traicionaba, tal como minutos antes lo había dejado en evidencia el temblor de las manos. —Mírala. ¿Me harías eso a mí?

Contemplé el diminuto rostro femenino; luego lo miré a él.

—Sí, David. A ella le advertí que volvería a hacerlo. Y te lo haré.

Arrojé el relicario fuera de la habitación, y lo vi cruzar el porche, pasar sobre la arena y caer al mar. La cadenita dibujó un trazo dorado sobre la tela del firmamento y al instante desapareció, como internándose en la luz resplandeciente.

Con una velocidad que me sorprendió, David retrocedió y quedó pegado a la pared.

—No lo hagas, Lestat.

—No te resistas, amigo mío. Pierdes el tiempo. Tienes por delante una larga noche de descubrimientos.

—¡No lo harás! —clamó, pero su voz fue un rugido gutural. Se abalanzó sobre mí como si creyera que podía derribarme, me golpeó el pecho con ambos puños, pero yo no me moví. Atrás cayó, dolido por el esfuerzo, y me miraba con indignación en sus ojos lacrimosos. Una vez más le había subido la sangre a las mejillas, oscureciendo todo su semblante. Sólo entonces, cuando comprendió que era inútil defenderse, trató de huir.

Lo agarré del cuello antes de que llegara al porche. Con los dedos masajeé su carne al tiempo que él se debatía con salvajismo, como hace el animal para soltarse. Muy despacio lo levanté y, sosteniendo su cabeza con mi mano izquierda, perforé con mis dientes la piel fina, fragante y joven de su cuello, con lo cual recibí el primer borbotón de sangre.

Ah, David, mi amado David. Nunca me había lanzado en una persona a quien conociera tanto. Qué fuertes y prodigiosas las imágenes que me envolvieron: la suave luz del sol que penetraba en el bosque de mangles, el crujido del pasto alto en la estepa africana, el estampido de un arma larga, el temblor de la tierra machacada por las patas del elefante. Todo eso sentí: las lluvias estivales que bañan eternamente las junglas, el agua que llega hasta el nivel de los pilotes y cubre las maderas del porche, el cielo iluminado por los relámpagos... y en el fondo, el corazón de David latiendo con rebeldía, con recriminación, me traicionaste, me traicionaste, me tomas contra mi voluntad, y el calor salobre de la sangre misma.

Lo empujé hacia atrás. Fue suficiente como primer trago. Lo miré haciendo esfuerzos por incorporarse. ¿Qué había visto durante esos segundos? ¿Sabía ahora lo tenebroso y obstinado que era mi corazón?

—¿Me amas? —le pregunté—. ¿Soy tu único amigo de este mundo?

Avanzó gateando por las baldosas. Se aferró del respaldo de la cama y se levantó, pero al instante volvió a caer, mareado, y una vez más hizo el esfuerzo.

—¡Oh, permíteme ayudarte! —dije. Lo hice girar en redondo, lo levanté y volví a clavarle los colmillos en las mismas heridas pequeñísimas.

—Por el amor de Dios, Lestat, no sigas más. Te lo suplico.

Suplica en vano, David. Oh, qué exquisito ese cuerpo joven, esas manos que me alejaban, qué voluntad que tienes, mi bello amigo. Y ahora estamos en el viejo Brasil, ¿no es cierto?, en la pequeña habitación, y él pronuncia los nombres de los espíritus del candomblé, los invoca. ¿Vendrán los espíritus?

Lo suelto, vuelve a caer de rodillas y se da vuelta sobre un costado, mirando fijo hacia adelante. Suficiente, para ser un segundo ataque.

Se oyeron unos golpecitos en la habitación.

—Ah, ¿tenemos compañía? ¿Pequeños amigos invisibles? Sí, mira, el espejo se está bamboleando. ¡Se va a caer! —En efecto, cayó al piso, y se desprendieron del marco infinidad de trocitos de luz.

David intentaba volver a ponerse de pie.

—¿Sabes cómo los siento yo, David? ¿Alcanzas a oírme? Son como muchos banderines de seda que se extienden a mi alrededor. Así de débiles.

Una vez más se puso de rodillas y gateó por la habitación. De repente se levantó y se lanzó hacia adelante. Manoteó el libro que estaba junto a la computadora, dio media vuelta y me lo arrojó, pero cayó a mis pies. El ya tambaleaba. Apenas si se podía tener en pie, y tenía la vista nublada.

Luego giró y casi se cae de boca en la galería; consiguió apenas trasponer la barandilla y avanzó hacia la playa.

Fui tras él, que bajaba a los tumbos por la pendiente de arena blanca. Mi sed aumentaba, pues había recibido sangre segundos antes y necesitaba más. Cuando llegó al agua se detuvo, vacilante, a punto de desplomarse.

Lo sujeté del hombro con ternura, lo estreché con mi brazo derecho.

—¡No, maldito seas! ¡Que te vayas al infierno! —reaccionó. Con toda su fuerza, ya menguada, me asestó un puñetazo en la cara, pero se desgarró los nudillos al chocar contra mi piel inamovible.

Lo hice girar en redondo y vi que me pateaba las piernas, que volvía a golpearme con esas manos impotentes, y una vez más me incliné sobre su cuello, le pasé la lengua, lo olí, hasta que le clavé los dientes por tercera vez. Hmmm... esto es el éxtasis. El antiguo cuerpo de David, gastado por el paso del tiempo, ¿me habría brindado tal festín? Sentí el impacto de su mano contra mi cara. Ah, tan, pero tan fuerte. Sí, resístete, resístete como hice yo con Magnus. Qué hermoso que me ataques. Me gusta, me encanta.

¿Y qué oí en medio de tanta emoción? La más pura de las plegarias que partía de sus labios, pero no dirigida a esos dioses en quienes no creíamos, no a un Cristo crucificado ni a una antigua Virgen Madre. Me rezaba a mí. "Lestat, amigo mío, no me quites la vida. Suéltame, por favor."

Hmmm. Lo apreté con más fuerza por el pecho. Luego me eché hacia atrás, le lamí las heridas.

—No sabes elegir tus amigos, David —murmuré, pasándome la lengua por la sangre de los labios, mirándolo de frente. Estaba casi muerto. Qué bellos esos dientes blancos suyos, la carne tierna de sus labios. Bajo sus párpados sólo aparecía el blanco de sus ojos. Y cómo peleaba su corazón, ese corazón mortal joven, sano. Un corazón que había bombeado la sangre a mi cerebro. Un corazón que vaciló y se detuvo cuando yo tuve miedo, cuando vi acercarse la muerte.

Apoyé la oreja contra su pecho para escuchar. Me pareció oír el ulular de la ambulancia en Georgetown. "No me dejes morir".

Lo vi en aquella habitación de hotel soñada hace mucho tiempo, con Louis y con Claudia. ¿Es que no somos más que seres fortuitos en los sueños del demonio?

El corazón aminoraba su ritmo. Ya estaba por llegar el momento. Un traguito más, amigo.

Lo alcé y así me lo llevé por la playa, de vuelta a la habitación. Besé las minúsculas heridas, les pasé la lengua, succioné de ellas y por último volví a clavarles los dientes. Su cuerpo sufrió una convulsión, y un grito sofocado escapó de sus labios.

—Te amo —articuló.

—Y yo también a ti —le respondí, mis palabras ahogadas contra su carne, al tiempo que la sangre volvía a fluir, irresistible.

Los latidos eran muy débiles. Su mente se poblaba de recuerdos que se remontaban hasta la cuna. No articulaba sílabas claras, precisas: gemía solo, como rememorando la vieja melodía de alguna canción.

Su cuerpo pesado, tibio, estaba apretado contra el mío; los brazos le caían flojos. Tenía los ojos cerrados y la cabeza aún sostenida por mi mano izquierda. El gemido se apagó, y el corazón se aceleró de pronto con latidos pequeños, ahogados.

Me mordí la lengua hasta que no pude aguantar más el dolor. Volví a clavarme repetidas veces mis propios colmillos, moví la lengua de un lado a otro; luego apreté mi boca contra la suya, lo obligué a despegar los labios y dejé fluir mi sangre sobre su lengua.

El tiempo parecía haberse detenido. Sentí el sabor inconfundible de mi propia sangre llenándome la boca antes de pasar a la suya. Pero de improviso sus dientes se cerraron en mi lengua, me mordieron con toda la fuerza mortal que aún tenían sus mandíbulas, rasparon la carne preternatural, arrastraron la sangre que manaba del corte que yo mismo me había hecho, mordieron, digo, con tanta intensidad como para succionarme la lengua, si hubieran podido.

Un violento espasmo lo acometió. Su espalda se arqueó contra mi brazo. Y cuando me aparté, con la boca llena de sufrimiento y la lengua dolorida, él se detuvo, hambriento, sus ojos aún ciegos. Me hice una incisión en la muñeca. Ya va a salir, mi amado. Ahí sale, no en gotitas, sino del caudal mismo de mi existencia. Y esta vez, cuando su boca se apretó contra mí, sentí un dolor que llegó hasta la raíz de mi ser, enredando mi corazón en su tejido ardiente.

Para ti, David. Bebe hasta lo más hondo, para que seas fuerte.

Esto ahora no podía destruirme, por mucho que se prolongare.

Yo lo sabía, y los recuerdos de aquellas épocas pasadas en que lo había hecho, embargado de miedo, me parecieron tontos y torpes y hasta se fueron desdibujando a medida que los evocaba, dejándome a solas, con él.

Me arrodillé, sosteniéndolo, y el dolor me llegó hasta la última de mis venas y mis arterias, como tenía que ser. Y el dolor se hizo tan intenso en mí, que me tendí en el piso con él en mis brazos, mi muñeca adherida a su boca, mi mano aún bajo su cabeza. Me invadió un gran mareo. Los latidos de mi corazón se volvieron peligrosamente lentos. Él seguía succionando, y en la negrura brillante de mis ojos cerrados vi los miles de miles de minúsculos vasos sanguíneos ya vacíos, contraídos, colgando como delgados hilos negros de una telaraña desprendida por el viento.

De nuevo nos hallábamos en el cuarto del hotel de Nueva Orleáns, y allí estaba Claudia, calladita, sentada en un sillón. Afuera la ciudad pestañeaba con sus lámparas opacadas. Qué oscuro y lóbrego el firmamento, sin huellas de que estuviera por llegar la gran aurora de las ciudades.

—Te advertí que volvería a hacerlo —le dije a Claudia.

—¿Por qué te molestas en explicármelo? —me respondió—. Sabes muy bien que nunca te hice preguntas en eso. Hace muchísimos años que estoy muerta.

Abrí los ojos.

Me hallaba tendido sobre las frías baldosas de la pieza y él estaba de pie, mirándome desde arriba, y la luz eléctrica brillaba sobre su rostro. Sus ojos ya no eran marrones; estaban plenos de una deslumbrante luz áurea. Un brillo sobre natural había invadido su piel oscura, aclarándola apenas, confiriéndole un dorado más perfecto. Su pelo ya había adquirido el maravilloso lustre diabólico; toda la iluminación se concentraba en él, se refractaba y partía de él, danzaba a su alrededor como si considerara irresistible a ese hombre alto, angelical, de expresión perpleja, aturdida.

No habló. Y yo, pese a que no pude interpretar su semblante, comprendía las maravillas que iba captando con sus ojos. Supe qué fue lo que vio cuando miró en derredor, cuando reparó en la lámpara, en los trozos rotos del espejo, en el cielo sobre la playa.

Nuevamente dirigió sus ojos a mí.

—Estás herido —dijo en un murmullo.

¡Oí la sangre en su voz!

—¿Estás herido? —insistió.

—Por el amor de Dios —repliqué con voz destemplada—, no entiendo cómo te preocupa que pueda estar herido.

411

Se alejó de mí con ojos desorbitados, como si a cada segundo que pasaba se ampliara su visión; luego se volvió y fue como si se hubiera olvidado de que yo estaba ahí. Seguía mirando con la misma expresión de arrobo. Después, doblado en dos por el dolor, giró, se encaminó a la galería y salió hacia el mar.

Me incorporé. Vi la habitación envuelta en un brillo tenue. Le había dado hasta la última gota de sangre que él podía recibir. La sed me paralizaba y apenas si podía mantenerme firme. Me abracé la rodilla y traté de permanecer sentado, sin caer al piso de puro débil.

Estiré el brazo izquierdo para verme la mano a la luz. En el dorso, las venitas estaban levantadas pero ya, mientras las miraba, noté que se iban alisando.

Mi corazón bombeaba con bríos. Y por intensa y terrible que fuera la sed, yo sabía que podía esperar. No sé por qué ya me estaba reponiendo, pero algún motor siniestro que llevaba en mi interior trabajaba afanosa, calladamente, por mi restauración, como si hubiera que curarle hasta la última languidez a esa excelsa máquina de matar que era yo, para que pudiera volver a salir de cacería.

Cuando por fin logré ponerme de pie, ya era el de siempre. Le había dado más sangre de la que les di a todos los demás que había creado. Ya había terminado y lo había hecho bien. ¡David iba a ser tan fuerte! Oh Dios, mucho más potente que los otros.

Pero tenía que ir a buscarlo, pues debía estar muriéndose. Había que ayudarlo, cuando tratara de hacerme a un lado.

Lo encontré hundido en el agua hasta la cintura. Temblaba y era tanto su dolor, que jadeaba lentamente, como queriendo no hacer ruido. Tenía el relicario, y la cadenita enlazada en el puño.

Lo rodeé con el brazo para sostenerlo. Le dije que eso no iba a durar mucho. Y cuando se le pasara, sería para siempre. Movió la cabeza para decirme que entendía.

Al ratito sentí que sus músculos se aflojaban. Lo impulsé a que volviera conmigo a la playa, donde no costaba tanto caminar con independencia de la fortaleza que uno tuviera, y juntos regresamos a la arena.

—Vas a tener que alimentarte —le dije—.¿Te parece que podrás hacerlo solo?

Hizo un movimiento de negación con la cabeza.

—Bueno, te llevo yo y te enseño todo lo que hay que enseñarte. Pero primero hay que ir a una cascada que creo que hay allá arriba. Yo la oigo, ¿y tú? Allí te podrás higienizar.

Asintió y me siguió con la cabeza gacha, sujetándose la cintura con un brazo; su cuerpo cada tanto se ponía tenso con los últimos calambres violentos que la muerte siempre trae aparejados.

Cuando llegamos a la cascada, trepó sin dificultad por las rocas traicioneras, se sacó el short y se paró, desnudo bajo el chorro, que bañó su cuerpo entero. Tenía los ojos muy abiertos. En un momento dado se sacudió, escupió el agua que accidentalmente le había entrado en la boca.

Yo lo observaba, y a medida que pasaban los segundos iba sintiéndome cada vez más fuerte. Luego di un salto que me llevó hasta lo alto de la cascada, y aterricé sobre el acantilado. Desde allá lo veía, pequeña silueta envuelta en las salpicaduras, que miraba hacia arriba.

—¿Puedes venir hasta aquí? —dije en voz baja.

Hizo un ademán afirmativo. Excelente que me hubiera oído. Se inclinó hacia atrás y, desde el agua, dio un gran salto que lo llevó hasta la cima del acantilado, aunque unos metros más abajo de donde estaba yo. No tuvo problemas en sujetarse con las manos de las rocas resbaladizas. Luego completó el salto sin mirar hacia abajo, y llegó a mi lado.

Me asombró enormemente su poderío. Pero no sólo su fuerza, sino su audacia extrema. Y parecía haber olvidado todo el episodio, pues se limitó a contemplar las nubes errantes, el brillo suave del cielo. Dirigió sus ojos a las estrellas, luego a tierra firme, a la jungla que bajaba por el despeñadero.

—¿Sientes la sed? —le pregunté, y me contestó que sí sin palabras, mirándome sólo de pasada. Luego observó el mar. —Bien, ahora volvemos a tu habitación, te vistes como para ir en busca de presas y bajamos a la ciudad.

—¿Tan lejos? —preguntó, y señaló el horizonte—. Hay un barquito por allá.

Lo busqué y pude verlo a través de los ojos de un hombre que iba a bordo, un ser desagradable y cruel. Se trataba de un contrabando, y el sujeto iba molesto porque sus cómplices, ebrios, lo habían abandonado y él debía hacer todo sin ayuda.

—De acuerdo —dije—. Vamos juntos.

—No. Creo que debo ir yo solo.

Giró sin esperar mi respuesta y descendió de prisa, grácilmente, a la playa. Se alejó como un rayo de luz, se internó en las olas y comenzó a nadar con poderosas brazadas.

Yo caminé hasta el borde del acantilado, encontré un senderito rústico y por allí bajé hasta la habitación. Al llegar observé los despojos: el espejo deshecho, la mesa dada vuelta, la computadora tirada de costado, el libro caído en el piso. La silla tumbada en la galería.

Di media vuelta y salí.

Volví a ascender hasta los jardines. La luna estaba muy alta y subí por la senda hasta el borde mismo de la cima. Allí permanecí mirando la cinta angosta de blanca playa, el mar liso, callado.

Por último me senté contra el tronco grueso de un árbol cuyas ramas me cubrían formando una marquesina aérea. Apoyé el brazo en la rodilla, y la cabeza en el brazo.

Pasó una hora.

Me di cuenta de que ya volvía. Lo oí subir por el sendero con paso ágil, con unas pisadas que no podría tener mortal alguno. Cuando levanté la vista comprobé que se había bañado y cambiado, que hasta se había peinado y le quedaba aún el aroma de la sangre bebida, quizá saliéndole de los labios. No era un ser débil como Louis, oh, no; era mucho más fuerte. Y el proceso aún no había concluido. Ya le habían terminado los dolores de muerte, pero seguía robusteciéndose —cosa que noté a simple vista—, y era un placer contemplar el brillo dorado de su piel.

—¿Por qué lo hiciste? —exigió saber. Una máscara me pareció ese rostro, que se encendió de enojo al hablar. —¿Por qué lo hiciste?

—No lo sé.

—Vamos, no me vengas con ésas. ¡Y no quiero verte lágrimas! ¡Por qué lo hiciste!

—Te digo honestamente: no lo sé. Podría darte muchísimas razones, pero confieso que no lo sé. Lo hice porque quería hacerlo, porque me dio la gana, porque quería ver qué pasaba... quería... y no podía *no* hacerlo. Eso lo supe cuando regresé a Nueva Orleáns. Esperé y esperé, pero no podía dejar de hacerlo. Y ahora ya está hecho.

—¡Hijo de puta, mentiroso! ¡Lo hiciste por malvado y perverso! ¡Lo hiciste porque te fracasó el experimento con el Ladrón de Cuerpos! ¡Porque producto de ese experimento fue el milagro que me sucedió a mí, esta juventud, este renacimiento, y te indignó que esto pasara, que yo saliera beneficiado siendo que tú habías sufrido tanto!

—¡A lo mejor es verdad!

—Es verdad; reconócelo. Reconoce tu mezquindad. ¡No podías permitir que yo avanzara al futuro con este cuerpo que tú no tuviste el coraje de soportar!

—Puede ser.

Se acercó y trató de levantarme por la fuerza aferrándome del brazo, pero, por supuesto, no lo consiguió. No pudo moverme ni un centímetro.

—No tienes aún la fuerza que hace falta para esas tretas —le dije—. Si no acabas ya con esto, te doy un golpe que te dejo tumbado en el suelo, y no te va a gustar. Eres demasiado digno para eso, así que, si me haces el favor, termina con esa vulgaridad humana de los puños.

Se puso de espaldas, cruzó los brazos y agachó la cabeza. Hasta mí llegaban los pequeños sonidos de desesperación que dejaba escapar. Se alejó, y yo volví a hundir la cara en mi brazo.

Entonces oí que regresaba.

—¿Por qué? —repitió—. Quiero que me digas algo, un reconocimiento de cualquier tipo.

—No.

Estiró una mano, enredó los dedos en mi pelo y me obligó a levantar la cabeza de un tirón que me dolió en todo el cuero cabelludo.

—La verdad es que te estás excediendo, David —le recriminé, y en el acto me solté—. Un truquito más de éstos, y te juro que te arrojo al precipicio.

Pero cuando lo miré, cuando vi todo el sufrimiento que había dentro de él, me quedé callado.

Se puso de rodillas ante mí, de modo que quedamos casi a la misma altura.

—¿Por qué, Lestat? —murmuró, y su voz apesadumbrada me partió el alma.

Agobiado de vergüenza y desdicha, cerré los ojos y volví a apretarlos contra mi propio brazo derecho, mientras con el izquierdo me tapaba la cabeza. Y no hubo nada —ni sus ruegos, ni sus maldiciones, ni a la larga su partida en silencio— que me hiciera levantar la mirada otra vez.

Salí a buscarlo antes del amanecer. El cuartito ya estaba en orden, y su maleta en la cama. La computadora estaba cerrada y, sobre su estuche de plástico, el ejemplar del *"Fausto"*.

Pero él no estaba. Lo busqué por todo el hotel, sin suerte. Registré los jardines, los bosques en una y otra dirección, y nada.

Por último hallé una pequeña cueva en lo alto de la montaña, me introduje hasta el fondo y allí dormí.

¿Para qué describir la aflicción o el dolor sordo que me aquejaban? ¿Qué sentido tiene asegurar que tenía conciencia del grado de injusticia, deshonor y crueldad de mi acto? Sabía la enormidad de lo que le había hecho.

Yo me conocía, y conocía perfectamente mi maldad; por lo tanto no esperaba nada del mundo, salvo que me pagara con la misma moneda.

Me desperté no bien el sol descendió hasta el mar. Desde un barranco alto contemplé el crepúsculo; luego bajé a cazar a las calles urbanas. No pasó mucho rato hasta que sucedió lo habitual: un ladrón intentó ponerme las manos encima y robarme. Lo transporté entonces hasta un callejón, y allí me deleité succionándolo sin prisa, a pasos apenas de donde abundaban los turistas. Escondí el cadáver en las tinieblas del callejón y seguí mi camino.

¿Cuál era mi camino?

Regresé al hotel. Seguían allí sus pertenencias, pero no él. Lo busqué de nuevo, tratando de contener un miedo espantoso de que hubiera querido destruirse. Después pensé que David era demasiado fuerte, que aunque se hubiera expuesto a la furia del sol —cosa que dudaba—, no podía haber sido destruido por completo.

Pero me atormentaba todo tipo de temores: que estuviera muy quemado e imposibilitado de moverse, que los mortales lo hubieran descubierto, que mis compañeros lo hubieran secuestrado. O bien, que reapareciera y volviera a maldecirme. También temía eso.

Por último regresé a Bridgetown, pero era incapaz de marcharme de la isla sin saber qué suerte había corrido.

Continuaba aún allí una hora antes del amanecer.

Esa noche no lo encontré. Tampoco la siguiente.

Al final, dolido en la mente y el corazón, convencido de que todo ese sufrimiento me lo merecía, resolví regresar.

La tibieza de la primavera había llegado por fin a Nueva Orleáns y pululaban en ella los turistas, bajo el cielo color púrpura de la noche. Primero me dirigí a mi casa, a buscar a Mojo en lo de la mujer, que no se alegró en absoluto de entregármelo aunque se notaba que él me había extrañado mucho.

Ambos partimos luego hacia la calle Royale.

Antes de terminar de subir la escalera del fondo, supe que el departamento no estaba vacío. Me detuve un instante para contemplar desde arriba el patio restaurado, con sus grandes baldosas pulidas, la romántica fuentecilla a la que no le faltaban ni querubines y caparazones marinos en forma de cornucopia despidiendo chorros de agua pura en una vasija.

Contra el viejo tapial de ladrillo habían plantado un cantero de flores; en un rincón ya prosperaba un grupo de bananeros, y sus gráciles hojas hacían gestos de asentimiento mecidas por la brisa.

Ver eso alegró sobremanera mi corazoncito egoísta.

Entré. Terminada por fin, la sala de atrás lucía los bellos sillones de anticuario que yo había elegido, así como la gruesa alfombra persa de un tono rojo pálido.

Recorrí el pasillo con la mirada, revisé el empapelado a rayas blancas y doradas, el alfombrado oscuro, y vi a Louis parado en la puerta del salón de adelante.

—No me preguntes dónde estuve ni qué hice —me anticipé. Enfilé hacia él, lo hice a un lado y entré en la habitación. Oh, aquello superaba todas mis expectativas. Había entre las ventanas una réplica exacta de su antiguo escritorio, estaba también el sofá tapizado en tela de damasco y la mesa ovalada con incrustaciones de caoba.

—Sé dónde has estado —dijo—, y lo que hiciste.

—¿Ah, sí? ¿Y ahora qué viene? ¿Un ridículo sermón? Dímelo ya, así puedo irme a dormir.

Me volví para mirarlo y ver qué efecto le producía ese desplante —si es que le producía alguno—, y vi a David a su lado, vestido de terciopelo color negro, con los brazos plegados en el pecho, apoyado contra el marco de la puerta.

Ambos me miraban con cara inexpresiva; David era el más alto y oscuro de los dos, pero qué parecidos los vi. Demoré un poco en tomar conciencia de que Louis se había vestido para la ocasión y que, por una vez en la vida su ropa, no parecía recién sacada de un baúl del altillo.

Fue David quien habló primero.

—Mañana empieza el carnaval de Río —dijo, con voz aún más seductora de lo que era en su vida mortal—. Pensé que podíamos ir.

Lo miré fijo, y por fuerza sospeché. Me pareció notar una luz sórdida en su expresión, cierto brillo duro en sus ojos. Pero la boca era tan tierna, sin huellas de malevolencia, o de maldad. No emanaba de él amenaza alguna.

Luego Louis despertó de su ensueño y en silencio se alejó por el pasillo rumbo a su antiguo cuarto. ¡Qué conocido me resultó el tenue crujir de la madera a su paso!

Me sentía sumamente confundido y algo sofocado.

Tomé asiento en el diván y le hice señas a Mojo de que se acercara; vino y se sentó frente a mí, apoyando todo su peso contra mis piernas.

—¿Lo dices en serio? —pregunté—. ¿Quieres que vayamos juntos?

—Sí. Y después de ahí, a las selvas tropicales. ¿Te gustaría?

Internarnos en los bosques. —Bajó los brazos, agachó la cabeza y comenzó a pasearse a grandes trancos. —Me dijiste algo, no me acuerdo muy bien cuándo... a lo mejor fue una imagen que obtuve de ti antes de que sucediera todo... algo sobre un templo que los mortales no conocían, perdido en medio de la jungla. Oh, piensa en todo lo que se puede descubrir allí.

Qué genuino el sentimiento, qué sonora su voz.

—¿Por qué me perdonaste, David?

Dejó de pasearse y me miró, pero yo estaba tan absorto observando cómo la sangre le había cambiado el pelo y la piel, que por un instante no pude pensar. Levanté una mano para pedirle que no hablara. ¿Por qué no me habituaba nunca a esa magia? Solté la mano y le permití, no, lo invité a proseguir.

—Tú sabías que te iba a perdonar —repuso, adoptando su antiguo tono mesurado—. Cuando lo hiciste, ya sabías que de todos modos yo te iba a seguir queriendo, que te necesito. Que te iba a buscar y me iba a aferrar a ti, más que a nadie en este mundo.

—No, no. Juro que no lo sabía —murmuré.

—Me alejé a propósito, para castigarte. Pusiste a prueba mi paciencia. Eres el ser más maldito, como te han definido otros más inteligentes que yo. Pero sabías que yo iba a volver, que iba a estar aquí.

—Jamás se me cruzó por la mente.

—No empieces a llorar de nuevo, Lestat.

—Me gusta llorar. Debo hacerlo. Si no, ¿por qué lloro tanto?

—¡Bueno, basta!

—Oh, vamos a divertirnos, ¿verdad? Ahora te crees el jefe de este reducto, y que puedes empezar a mandonearme, ¿no?

—¿Qué dijiste?

—¡Ya ni siquiera pareces el mayor de los dos, y nunca lo fuiste! Te dejas engañar de la manera más tonta por mi aspecto bello e irresistible. El jefe soy yo. Esta es mi casa. Yo decidiré si voy a Río.

Prorrumpió en risas, lentas al principio, luego más profundas y libres. Si es que algo había en él de amenazante, eran sólo sus notables cambios de expresión, el brillo enigmático de sus ojos. Pero tampoco estaba seguro de que hubiera alguna amenaza, después de todo.

—¿Eres tú el jefe? —preguntó, con desdén. La vieja autoridad.

—Sí. Y tú huiste para demostrarme que podías prescindir de mí, que no necesitabas ayuda para cazar, que eras capaz de encontrar dónde esconderte de día. No me precisabas, ¡y sin embargo, aquí estás!

—¿Vienes, o no, a Río con nosotros?

—¿Dijiste "nosotros"?

—Así es.

Se encaminó hasta el extremo que le quedaba más cerca del diván y se sentó. Tomé conciencia entonces de que ya estaba en pleno uso de sus nuevas facultades. Y, desde luego, imposible determinar con solo mirarlo lo fuerte que realmente era. El tono oscuro de su piel engañaba mucho. Cruzó las piernas en una postura cómoda, pero sin menoscabo de la dignidad que siempre había tenido.

Tal vez haya sido porque permaneció muy erguido contra el respaldo del sillón, o por la forma en que colocó una mano sobre su tobillo y la otra sobre el apoyabrazos.

Sólo el abundante pelo enrulado traicionó en algo su aspecto digno, pues le caía tanto sobre la frente que sacudió por fin la cabeza.

Pero lo cierto es que, de pronto, se desvaneció su compostura; en su rostro se pintaron todas las arrugas de una repentina perplejidad y, luego, de angustia lisa y llana.

Me costó soportarlo, pero me propuse mantener el silencio.

—Traté de odiarte —confesó, y sus ojos se abrieron más a medida que la voz se iba perdiendo—. No pude, sencillamente no pude.

—Hubo un momento en que vi la amenaza, la inmensa furia preternatural que fluía de él, pero luego la cara mostró dolor y, por último, simple tristeza.

—¿Por qué no?

—No juegues conmigo.

—¡Jamás he jugado contigo! Todo lo que te digo lo digo en serio. No entiendo cómo no me odias.

—Si te odiara, estaría cometiendo el mismo error que tú —respondió, enarcando las cejas—. ¿No ves lo que has hecho? Me diste el don, pero me evitaste tener que capitular. Me diste, para ingresar, todas tus aptitudes y tu fortaleza, pero no exigiste mi derrota moral. Me ahorraste la decisión, y me diste lo que yo no podía sino desear.

Me quedé sin palabras. Todo era cierto, pero era la mentira más maldita que jamás había oído.

—¡Entonces el homicidio y la violación nos llevarán a la gloria! No acepto tu versión. Estamos todos condenados, y ahora tú también: eso es lo que te he hecho.

Soportó la andanada como si fueran leves palmaditas que apenas si lo inmutaban; luego volvió a fijar sus ojos en mí.

—Demoraste doscientos años en saber que lo querías —dijo—. Yo lo supe apenas salí del embotamiento y te vi tendido en el piso. Me pareciste una vieja cáscara vacía. Me di cuenta de que habías ido demasiado lejos con el experimento y sentí terror por ti. Y te estaba viendo con esos ojos nuevos.

—Sí.

—¿Sabes la idea que se me cruzó? Que habías encontrado una forma de morir. Me habías entregado hasta la última gota de tu sangre, y estabas muriendo ante mis ojos. Entonces comprendí que te amaba, y te perdoné. Y supe, con cada respiración, con cada forma o color nuevos que veía, que deseaba eso que me habías dado, ¡la nueva visión y la vida que ninguno de nosotros acierta a describir! Ah, no podía reconocerlo. Tenía que maldecirte, fingir indignación durante un rato. Pero a la larga fue nada más que eso: algo que duró un rato.

—Eres mucho más inteligente que yo —sostuve, en tono suave.

—Pero desde luego. ¿Qué suponías?

Suspiré.

—Ah, eso es el Truco Misterioso —murmuré—. Cuánta razón tuvieron los de antes en darle ese nombre. Me pregunto si estará operando el truco en mí, porque tengo ante mi vista un vampiro, un bebedor de sangre de gran poder, creado además por mí mismo, ¿y qué son ahora para él las viejas emociones?

Lo miré, y una vez más se me llenaron los ojos de lágrimas.

El fruncía el entrecejo y tenía los labios levemente separados; entonces pensé que realmente le había asestado un golpe terrible. Pero no me dijo nada. Parecía azorado; luego sacudió la cabeza como si no fuera capaz de responder.

Comprendí que lo que veía en él no era vulnerabilidad sino más bien compasión, una gran inquietud por mí.

Se levantó de improviso, se arrodilló frente a mí y apoyó las manos en mis hombros sin preocuparse por mi fiel Mojo, que lo miró con indiferencia. ¿Sabía David que ésa era la pose en que me había enfrentado a Claudia en mi sueño febril?

—Eres el mismo de siempre —dijo—. Igual que siempre.

—¿Igual a qué?

—Cada vez que venías a verme, me conmovías, me inspirabas un profundo sentimiento de protección. Me hacías sentir amor. Y ahora es lo mismo, sólo que pareces más confundido, más necesitado de mí. Yo te voy a llevar hacia adelante: eso lo veo con claridad. Soy tu nexo con el futuro. A través de mí verás los años del porvenir.

—Tú también sigues siendo el mismo. Un inocente, un idiota

total. —Traté de sacar su mano de mi hombro pero no tuve éxito.

—Te esperan grandes problemas. Ya vas a ver.

—Oh, qué emocionante. Ven, vamos ya a Río. No hay que perderse nada del carnaval. Aunque, por supuesto, podremos seguir yendo año tras año... Pero ven.

Me quedé muy quieto, observándolo un largo instante, hasta que finalmente volvió a preocuparse. Sentí la fortísima presión de sus dedos en mis hombros. Sí, me había salido bien, lo había hecho muy bien en todo sentido.

—¿Qué pasa? —preguntó con timidez—. ¿Sientes pena por mí?

—Tal vez... un poquito. Tal como dijiste, no soy tan inteligente como tú, no sé tan bien lo que quiero. Pero ahora quiero grabarme este momento para recordarlo siempre... quiero recordar cómo eres ahora, aquí, conmigo, antes de que las cosas empiecen a andar mal.

Se puso de pie y me forzó a levantarme de repente, sin el menor esfuerzo. Mi cara de asombro le produjo una sonrisa victoriosa.

—Esta puja va a ser todo un espectáculo —vaticiné.

—Puedes pelear conmigo en Río, mientras bailamos por las calles.

Me hizo señas de que lo siguiera. Yo no sabía qué íbamos a hacer a continuación ni cómo realizaríamos el viaje, pero me sentía muy entusiasmado y no me interesaban en absoluto los detalles triviales.

Por supuesto, habría que convencer a Louis para que nos acompañara, pero lo atacaríamos entre los dos y de alguna manera lo tentaríamos para que aceptara, por renuente que se mostrara.

Ya estaba por salir tras él de la sala, cuando de pronto vi algo sobre el viejo escritorio de Louis.

Era el relicario. La cadena, enrollada, captaba la luz con sus minúsculos eslabones de oro y el relicario mismo estaba abierto y apoyado contra el tintero. La carita de Claudia parecía estar mirándome directamente a mí.

Lo tomé, miré atentamente el retrato y constaté algo que me produjo tristeza.

Claudia ya no estaba en los recuerdos reales: se había transformado en aquellos delirios febriles. Era ella la imagen que vi en el hospital de la selva, una figura recortada contra el sol en Georgetown, un fantasma que deambulaba entre las sombras de Notre Dame. ¡En vida, nunca había sido mi conciencia! No. Nunca Claudia, mi despiadada Claudia. ¡Qué sueño! Puro sueño.

Una sonrisita secreta apareció en mis labios cuando la miré, amargado, a punto de soltar las lágrimas una vez más. Porque nada había cambiado cuando comprendí que yo le había dado a ella las palabras de acusación. *La cosa misma era verdad*. Tuve la oportunidad de salvarme... y dije que no.

Mientras sostenía el relicario en la mano quise decirle algo a Claudia, al ser que ella había sido, a mi propia debilidad, al ser perverso y ambicioso que hay en mí y que una vez más había triunfado. Porque había triunfado.

Sí, ¡me dieron tantas ganas de decir algo! Y ojalá ese algo estuviera lleno de poesía, de significación profunda, y liberara mi codicioso corazón de toda su maldad. Porque me marchaba a Río, ¿no?, y con David, y con Louis, y comenzaba una nueva era...

Sí, decir algo —por el amor del cielo y el amor de Claudia—, y mostrar lo que realmente es. Dios mío, abrirlo y mostrar el horror que hay en el centro.

Pero no pude.

¿*Qué* más se puede decir, realmente?

El cuento ha terminado.

Lestat de Lioncourt
Nueva Orleáns
1991

Anne Rice escribió doce novelas, entre ellas *The Witching Hour, Cry to Heaven* y su *Crónica de Vampiros,* en las que se incluye la presente obra.

Durante veintiocho años estuvo radicada en San Francisco, hasta que regresó a Nueva Orleans, su ciudad natal, donde ahora reside con su marido, el poeta y pintor Stan Rice y Christopher; hijo de ambos.

COUNSELING
A COMPREHENSIVE PROFESSION

FIFTH EDITION

Samuel T. Gladding
Wake Forest University

PEARSON

Merrill
Prentice Hall

Upper Saddle River, New Jersey
Columbus, Ohio

Library of Congress Cataloging-in-Publication Data

Gladding, Samuel T.
   Counseling : a comprehensive profession / Samuel T. Gladding.—Fifth ed.
     p. cm.
   Includes bibliographical references and index.
   ISBN 0-13-049470-4
    1. Counseling. I. Title.
  BF637.C6 G53 2004
  158′.3—dc21

                                    2002041077

Vice President and Executive Publisher: Jeffrey W. Johnston
Assistant Vice President and Publisher: Kevin M. Davis
Editorial Assistant: Autumn Crisp
Production Editor: Mary Harlan
Production Coordination: Amy Gehl, Carlisle Publishers Services
Design Coordinator: Diane C. Lorenzo
Cover Design: Debra Warrenfeltz
Cover Image: Superstock
Photo Coordinator: Kathy Kirtland
Text Design and Illustrations: Carlisle Publishers Services
Production Manager: Laura Messerly
Director of Marketing: Ann Castel Davis
Marketing Manager: Amy June
Marketing Coordinator: Tyra Poole

This book was set in Garamond by Carlisle Communications, Ltd. It was printed and bound by R. R. Donnelley & Sons Company. The cover was printed by Phoenix Color Corp.

Photo Credits: Getty Images, Inc.–PhotoDisc, p. 2; John Deeks/Photo Researchers, Inc., p. 32; Scott Cunningham/ Merrill, pp. 56, 146, 186, 244, 290, 342, 376, 398, 430; UN/DPI Photo/Guthris, p. 84; Mel Curtis/Getty Images, Inc., p. 120; Jonnie Miles/Getty Images, Inc., p. 170; Anthony Magnacca/Merrill, p. 212; Rick Singer/PH College, p. 270; Mary Hagler/Merrill, p. 314; Michal Heron/PH College, p. 454; Irene Springer/PH College, p. 474.

Pearson Prentice Hall™ is a trademark of Pearson Education, Inc.
Pearson® is a registered trademark of Pearson plc
Prentice Hall® is a registered trademark of Pearson Education, Inc.
Merrill® is a registered trademark of Pearson Education, Inc.

Pearson Education Ltd.   Pearson Education Australia Pty. Limited
Pearson Education Singapore Pte. Ltd.   Pearson Education North Asia Ltd.
Pearson Education Canada, Ltd.   Pearson Educación de Mexico, S.A. de C.V.
Pearson Education—Japan   Pearson Education Malaysia Pte. Ltd.

10 9 8 7 6 5 4
ISBN: 0-13-049470-4

PREFACE

Counseling is a dynamic, ever-evolving, and exciting profession that deals with human tragedy and possibility in an intensive, personal, and caring way. It is a profession dedicated to prevention, development, exploration, empowerment, change, and remediation in an increasingly complex and chaotic world. In the past, counseling emphasized guidance by helping people make wise choices. Now guidance is but one part of this multidimensional profession.

This text presents counseling in a broad manner covering its history, theories, activities, specialties, and trends. In addition, this book concentrates on the importance of the personhood of counselors and of the multicultural, ethical, and legal environments in which counselors operate. By focusing on the context and process of counseling, this book provides you with a better idea of what counselors do and how they do it.

Materials in *Counseling: A Comprehensive Profession,* Fifth Edition, have been divided into four main sections. Part I, Historical and Professional Foundations of Counseling, contains chapters dealing with an overview of the development of counseling and important competencies of contemporary counselors. Specific chapters that will orient you to the counseling profession as it was and is are

- History of and Trends in Counseling;
- Personal and Professional Aspects of Counseling;
- Ethical and Legal Aspects of Counseling; and
- Counseling in a Multicultural and Diverse Society.

Part II, Counseling Process and Theories, highlights the main processes, stages, and theories of the counseling profession. This section addresses the universal aspects of popular counseling approaches and zeros in on specific theories and ways of dealing with client concerns. The five chapters are

- Building a Counseling Relationship;
- Working in a Counseling Relationship;
- Termination of Counseling Relationships;
- Psychoanalytic, Adlerian, and Humanistic Theories of Counseling; and
- Behavioral, Cognitive, Systemic, Brief, and Crisis Theories of Counseling.

Part III, Core Counseling Activities in Various Settings, emphasizes universal skills required in almost all counseling environments. Counselors use group counseling, consultation, research, and assessment skills in various areas. The chapters in this section are

- Groups in Counseling;
- Consultation;
- Evaluation and Research; and
- Testing, Assessment, and Diagnosis in Counseling.

Finally, Part IV, Counseling Specialties, contains six chapters that focus on specific populations with whom counselors work or professional practices in which they are engaged that are unique. The chapters here are

- Career Counseling over the Life Span;
- Marriage and Family Counseling;
- Elementary, Middle, and Secondary School Counseling;
- College Counseling and Student-Life Services;
- Substance Abuse and Disability Counseling; and
- Mental Health and Community Counseling.

A common theme woven throughout this book is that counseling is both a generic and specialized part of the helping field. Although it is a profession that has come of age, it is also still growing. It is best represented in professional organizations such as the American Counseling Association (ACA) and Division 17 (counseling psychology) of the American Psychological Association (APA). There are also numerous other professional groups—social workers, psychiatric nurses, psychiatrists, marriage and family therapists, and pastoral counselors—that use and practice counseling procedures and theories on a daily basis. In essence, no one profession owns the helping process.

This text is the result of a lifetime of effort on my part to understand the counseling profession as it was, as it is, and as it will be. My journey has included a wide variety of experiences—working with clients of all ages and stages of life in clinical settings and with students who are interested in learning more about the essence of how counseling works. Research, observation, dialogue, assimilation, and study have contributed to the growth of the content contained in these pages.

ACKNOWLEDGMENTS

I am particularly indebted to input from my original mentors, Thomas M. Elmore and Wesley D. Hood, Wake Forest University, and W. Larry Osborne, University of North Carolina, Greensboro. Other significant colleagues who have contributed to my outlook and perception of counseling include C. W. Yonce, Peg Carroll, Allen Wilcoxon, Jim Cotton, Robin McInturff, Miriam Cosper, Charles Alexander, Michael Hammonds, Chuck Kormanski, Rosie Morganett, Jane Myers, Diana Hulse-Killacky, Ted Remley, Jerry Donigian, Donna Henderson, Art Lerner, and Thomas Sweeney. Then, of course, there have been graduate students who have contributed significantly to this endeavor, especially Shirley Ratliff, Marianne Dreyspring, Hank Paine, Don Norman, Tom McClure, Paul

Myers, Virginia Perry, Pamela Karr, Jim Weiss, and Tim Rambo. I am especially indebted to my graduate assistants, Sheryl Harper and Brandi Flannery, for their hard work and contributions to putting the last two editions of this text together.

I am also grateful to the reviewers of the current edition's manuscript for their significant contributions: Irene M. Ametrano, Eastern Michigan University; Jamie Carney, Auburn University; Thomas DeStefano, Northern Arizona University; Joshua M. Gold, University of South Carolina; and Karen N. Ripley, Georgia State University.

Also appreciated is the valuable input of reviewers of the previous editions: James S. DeLo, West Virginia University; Michael Duffy, Texas A&M University; Thomas M. Elmore, Wake Forest University; Stephen Feit, Idaho State University; David L. Fenell, University of Colorado–Colorado Springs; Janice Holden, University of North Texas; Roger L. Hutchinson, Ball State University; Robert Levison, California Polytechnic State University–San Luis Obispo; Michael Forrest Maher, Sam Houston University; A. Scott McGowan, Long Island University; Simeon Schlossberg, Western Maryland College; Holly A. Stadler, University of Missouri–Kansas City; Arthur Thomas, University of Kansas; JoAnna White, Georgia State University; Mark E. Young, Stetson University; and Scott Young, Mississippi State University. Their feedback and excellent ideas on how to improve this book were invaluable. I also owe a debt of gratitude to my past and present editors at Merrill/Prentice Hall, including Vicki Knight, Linda Sullivan, and Kevin Davis.

Finally, I am grateful to my parents, Russell and Gertrude Gladding, who gave me the opportunities and support to obtain a good education and who called my attention to the importance of serving people. Their influence continues to be a part of my life. Likewise, I am indebted to my wife, Claire, who has given me support over the years in writing and refining this text. She has been patient, understanding, encouraging, and humorous about this book, even in the midst of three pregnancies and three moves. She exemplifies what an ally in marriage should be. Her presence has brightened my days and made all the hard work a joy.

Samuel T. Gladding

DISCOVER THE COMPANION WEBSITE ACCOMPANYING THIS BOOK

THE PRENTICE HALL COMPANION WEBSITE: A VIRTUAL LEARNING ENVIRONMENT

Technology is a constantly growing and changing aspect of our field that is creating a need for content and resources. To address this emerging need, Prentice Hall has developed an online learning environment for students and professors alike—Companion Websites—to support our textbooks.

In creating a Companion Website, our goal is to build on and enhance what the textbook already offers. For this reason, the content for each user-friendly website is organized by chapter and provides the professor and student with a variety of meaningful resources.

For the Professor—

Every Companion Website integrates **Syllabus Manager**™, an online syllabus creation and management utility.

- **Syllabus Manager**™ provides you, the instructor, with an easy, step-by-step process to create and revise syllabi, with direct links into Companion Website and other online content without having to learn HTML.
- Students may logon to your syllabus during any study session. All they need to know is the web address for the Companion Website and the password you've assigned to your syllabus.
- After you have created a syllabus using **Syllabus Manager**™, students may enter the syllabus for their course section from any point in the Companion Website.
- Clicking on a date, the student is shown the list of activities for the assignment. The activities for each assignment are linked directly to actual content, saving time for students.
- Adding assignments consists of clicking on the desired due date, then filling in the details of the assignment—name of the assignment, instructions, and whether it is a one-time or repeating assignment.

- In addition, links to other activities can be created easily. If the activity is online, a URL can be entered in the space provided, and it will be linked automatically in the final syllabus.
- Your completed syllabus is hosted on our servers, allowing convenient updates from any computer on the Internet. Changes you make to your syllabus are immediately available to your students at their next logon.

For the Student—

Common Companion Website features for students include:

- **Chapter Objectives**—Outline key concepts from the text.
- **Interactive Self-quizzes**—Complete with hints and automatic grading that provide immediate feedback for students. After students submit their answers for the interactive self-quizzes, the Companion Website **Results Reporter** computes a percentage grade, provides a graphic representation of how many questions were answered correctly and incorrectly, and gives a question-by-question analysis of the quiz. Students are given the option to send their quiz to up to four e-mail addresses (professor, teaching assistant, study partner, etc.).
- **Web Destinations**—Links to www sites that relate to chapter content.
- **Message Board**—Virtual bulletin board to post or respond to questions or comments from a national audience.

To take advantage of the many available resources, please visit the *Counseling: A Comprehensive Profession,* Fifth Edition, Companion Website at

www.prenhall.com/gladding

CONTENTS

**CHAPTER 8   Psychoanalytic, Adlerian, and Humanistic Theories
of Counseling   187**

**CHAPTER 9   Behavioral, Cognitive, Systemic, Brief, and Crisis Theories
of Counseling   213**

ABOUT THE AUTHOR

Samuel T. Gladding is a professor of counselor education and director of the counselor education program at Wake Forest University in Winston-Salem, North Carolina. He has been a practicing counselor in both public and private agencies since 1971. His leadership in the field of counseling includes service as president of the Association for Counselor Education and Supervision (ACES), the Association for Specialists in Group Work (ASGW), Chi Sigma Iota (counseling academic and professional honor society international) and the American Counseling Association (ACA).

Gladding is the former editor of the *Journal for Specialists in Group Work* and the author of over 100 professional publications. In 1999, he was cited as being in the top 1% of contributors to the *Journal of Counseling and Development* for the 15-year period, 1978–1993. Some of Gladding's other recent books are: *Community and Agency Counseling* (with Debbie Newsome) (2nd ed., 2004); *Group Work: A Counseling Specialty* (4th ed., 2003); *Family Therapy: History, Theory, & Process* (3rd ed.,2002); *Becoming a Counselor: The Light, The Bright, and the Serious* (2002); *The Counseling Dictionary* (2001); and *The Creative Arts in Counseling* (2nd ed., 1998).

Gladding's previous academic appointments have been at the University of Alabama at Birmingham and Fairfield University (Connecticut). He received his degrees from Wake Forest, Yale, and the University of North Carolina—Greensboro. He is a National Certified Counselor (NCC), a Certified Clinical Mental Health Counselor (CCMHC), and a Licensed Professional Counselor (North Carolina). Gladding is a former member of the Alabama Board of Examiners in Counseling and of the Research and Assessment Corporation for Counseling (RACC). He is also a Fellow in Association for Specialists in Group Work.

Dr. Gladding is married to the former Claire Tillson and is the father of three children—Ben, Nate, and Tim. Outside of counseling, he enjoys tennis, swimming, and humor.

PART I

HISTORICAL AND PROFESSIONAL FOUNDATIONS OF COUNSELING

Counseling is a distinct profession that has developed in a variety of ways since the early years of the 20th century. In Chapter 1, counseling is defined and examined historically decade by decade, including trends in the 21st century. Chapter 2 explores personal and professional aspects involved in counseling and discusses ways of promoting practitioners' competencies. Chapter 3 focuses on the ethical and legal domains of counseling, especially counselor responsibilities to clients and society. Finally, Chapter 4 highlights the importance of being sensitive to and responsible for clients from distinct cultures, as well as the aged, women and men, and those with special concerns regarding sexual orientation and spirituality.

As you read these four chapters, I hope you will recognize both overt and subtle aspects of counseling, including ways in which it differs from other mental health disciplines and some of the major events in its historical evolution. This section should help you understand the importance of a counselor's personhood and education as well as emphasize the knowledge necessary to work ethically and legally with diverse clients.

1

HISTORY OF AND TRENDS IN COUNSELING

There is a quietness that comes
in the awareness of presenting names
and recalling places
in the history of persons
who come seeking help.
Confusion and direction are a part of the process
where in trying to sort out tracks
that parallel into life
a person's past is traveled.
Counseling is a complex riddle
where the mind's lines are joined
with scrambling and precision
to make sense out of nonsense,
a tedious process
like piecing fragments of a puzzle together
until a picture is formed.

Reprinted from "In the Midst of the Puzzles and Counseling Journey," by S. T. Gladding, 1978, Personnel and Guidance Journal, 57, *p. 148. © ACA. Reprinted with permission. No further reproduction authorized without written permission of the American Counseling Association.*

A profession is distinguished by having a specific body of knowledge, accredited training programs, a professional organization of peers, credentialing of practitioners such as licensure, a code of ethics, legal recognition, and other standards of excellence (Myers & Sweeney, 2001;VanZandt, 1990). Counseling meets all of the standards for a profession and is unique from, as well as connected with, other mental health disciplines by both its emphasis and its history. Counseling emphasizes growth as well as remediation. Counselors work with persons, groups, families, and systems who are experiencing situational and long-term problems. Counseling's focus on development, prevention, and treatment makes it attractive to those seeking healthy life-stage transitions and productive lives free from disorders (Romano, 1992).

Counseling has not always been an encompassing and comprehensive profession. It has evolved over the years from very diverse disciplines "including but not limited to anthropology, education, ethics, history, law, medical sciences, philosophy, psychology, and sociology" (Smith, 2001, p. 570). Many people associate counseling with schools or equate the word guidance *with counseling because they are unaware of counseling's evolution. As a consequence, old ideas linger in their minds in contrast to reality and they misunderstand the profession. Even among counselors themselves, those who fail to keep up in their professional development may become confused. As C. H. Patterson, a pioneer in counseling, once observed, some writers in counseling journals seem "ignorant of the history of the counseling profession ... [and thus] go over the same ground covered in publications of the 1950s and 1960s" (Goodyear & Watkins, 1983, p. 594).*

Therefore, it is important to examine the history of counseling because a counselor who is informed about the development of the profession is likely to have a strong professional identity and make real contributions to the field. This chapter covers the people, events, and circumstances that have been prominent and have shaped modern counseling as well as current directions (Paisley, 1997). By understanding the past, you may better appreciate present and future trends of the profession.

DEFINITION OF COUNSELING

There have always been "counselors"—people who listen to others and help them resolve difficulties—but the word *counselor* has been misused over the years by connecting it with descriptive adjectives to promote products. Thus, one hears of carpet counselors, color coordination counselors, pest control counselors, financial counselors, and so on. These counselors are mostly glorified salespersons or advice givers. They are to professional counseling what furniture doctors are to medicine (see Figure 1.1).

Counseling as a profession grew out of the guidance movement, in opposition to traditional psychotherapy. Yet, today professional counseling encompasses within its practice clinicians who focus on both growth and wellness as well as the remediation of mental disorders. To understand what counseling is now, it is important first to understand the concepts of guidance and psychotherapy and the history of the profession.

"Essentially, what I hear you saying is, you've resolved your sugar/saccharin conflict, but you're still not secure with your role as a decaf drinker."

Figure 1.1
The coffee counselor
Source: From a cartoon by J. Millard, 1987, *Chronicle of Higher Education, 33,* p. 49. Reprinted with permission.

Guidance

Guidance is the process of helping people make important choices that affect their lives, such as choosing a preferred lifestyle. While the decision-making aspect of guidance has long played an important role in the counseling process, the concept itself, as a word in counseling, "has gone the way of 'consumption' in medicine" (Tyler, 1986, p. 153). It has more historical significance than present-day usage. Nevertheless, it sometimes distinguishes a way of helping that differs from the more encompassing word *counseling*.

One distinction between guidance and counseling is that guidance focuses on helping individuals choose what they value most, whereas counseling focuses on helping them make changes. Much of the early work in guidance occurred in schools and career centers where an adult would help a student make decisions, such as deciding on a course of study or a vocation. That relationship was between unequals and was beneficial in helping the less experienced person find direction in life. Similarly, children have long received "guidance" from parents, ministers, scout leaders, and coaches. In the process they have gained an understanding of themselves and their world (Shertzer & Stone, 1981). This type of guidance will never become passé; no matter what the age or stage of life, a person often needs help in making choices. Yet such guidance is only one part of the overall service provided by professional counseling.

Psychotherapy

Traditionally, psychotherapy (or *therapy*) focused on serious problems associated with intrapsychic, internal, and personal issues and conflicts. It dealt with the "recovery of adequacy" (Casey, 1996, p. 175). As such, psychotherapy, especially analytically based therapy, emphasized (a) the past more than the present, (b) insight more than change, (c) the detachment of the therapist, and (d) the therapist's role as an expert. In addition, psychotherapy was seen as involving a *long-term relationship* (20 to 40 sessions over a period of 6 months to 2 years) that focused on reconstructive change as opposed to a more *short-term relationship* (8 to 12 sessions spread over a period of less than 6 months). Psychotherapy was also viewed as being provided more through *inpatient settings* (residential treatment facilities such as mental hospitals), as opposed to *outpatient settings* (nonresidential buildings such as community agencies).

However, in more modern times, the distinction between psychotherapy and counseling has blurred and professionals who provide clinical services often determine whether clients receive counseling or psychotherapy. Some counseling theories are commonly referred to as therapies as well and can be used in either a counseling or therapy setting. Therefore, the similarities in the counseling and psychotherapy processes often overlap, as Figure 1.2 shows.

Counseling

The term *counseling* has eluded definition for years. However, the Governing Council of the American Counseling Association (ACA), the largest professional organization representing counselors, accepted a *definition of the practice of professional counseling* in October 1997 (Smith, 2001). According to the ACA, the practice of *professional counseling* is:

> The application of mental health, psychological or human development principles, through cognitive, affective, behavioral or systemic interventions, strategies that address wellness, personal growth, or career development, as well as pathology. (http://counseling.org)

This definition contains a number of implicit and explicit points that are important for counselors as well as consumers to realize.

- *Counseling deals with wellness, personal growth, career, and pathological concerns.* In other words, counselors work in areas that involve relationships (Casey, 1996). These areas include intra- and interpersonal concerns related to finding meaning and adjustment in such settings as schools, families, and careers.
- *Counseling is conducted with persons who are considered to be functioning well and those who are having more serious problems.* Counseling meets the needs of a wide spectrum of people. Clients seen by counselors have developmental or situational concerns that require help in regard to adjustment or remediation. Their problems often require short-term intervention, but occasionally treatment may be extended to encompass disorders included in the *Diagnostic and Statistical Manual of Mental Disorders* (1994) of the American Psychiatric Association.

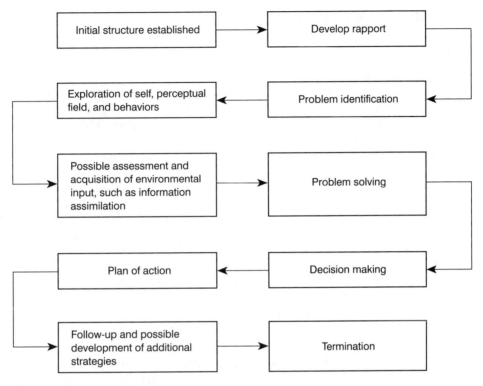

Figure 1.2
The work of counselors and psychotherapists have similar processes
Source: Pietrofesa, John J., Alan Heffman, and Howard H. Splete. *Counseling: An Introduction,* second edition. Copyright © 1984 by Houghton Mifflin.

- *Counseling is theory based.* Counselors draw from a number of theoretical approaches, including those that are cognitive, affective, behavioral, and systemic. These theories may be applied to individuals, groups, and families.
- *Counseling is a process that may be developmental or intervening.* Counselors focus on their clients' goals. Thus, counseling involves both choice and change. In some cases, "counseling is a rehearsal for action" (Casey, 1996, p. 176).

In addition to defining counseling in general, the ACA has also defined a professional *counseling specialty,* which is an area (within counseling) that is "narrowly focused, requiring advanced knowledge in the field" of counseling (http://counseling.org). Among the specialties within counseling are school or college counseling, marriage and family counseling, mental health counseling, gerontological counseling, rehabilitation counseling, addiction and offender counseling, and career counseling. According to the ACA, becoming a specialist is founded on the premise that "all professional counselors must first meet the requirements for the general practice of professional counseling" (http://counseling.org).

HISTORY OF COUNSELING

Before 1900

Counseling is a relatively new profession (Aubrey, 1977, 1982). It developed in the late 1890s and early 1900s, and was interdisciplinary from its inception (Hollis, 2000). "Some of the functions of counselors were and are shared by persons in other professions" (Herr & Fabian, 1993, p. 3). Before the 1900s, most counseling was in the form of advice or information. In the United States, counseling developed out of a humanitarian concern to improve the lives of those adversely affected by the Industrial Revolution of the mid- to late 1800s (Aubrey, 1983). The social welfare reform movement, the spread of public education, and various changes in population makeup (e.g., the enormous influx of immigrants) also influenced the growth of the emerging profession (Aubrey, 1977; Goodyear, 1984). Overall, "counseling emerged during a socially turbulent period that straddled the ending of one century and the beginning of another, a period marked by great change that caused a major shift in the way individuals viewed themselves and others" (Ginter, 2002, p. 220).

Most of the pioneers in counseling identified themselves as teachers and social reformers. They focused on teaching children and young adults about themselves, others, and the world of work. Initially, these helpers were involved primarily in child welfare, educational or vocational guidance, and legal reform. Their work was built on specific information and lessons, such as moral instruction on being good and doing right, as well as a concentrated effort to deal with intra- and interpersonal relations (Nugent, 2000). They saw needs in American society and took steps to fulfill them. Nevertheless, "no mention of counseling was made in the professional literature until 1931" (Aubrey, 1983, p. 78). Classroom teachers and administrators were the main practitioners.

One way to chart the evolution of counseling is to trace important events and personal influences through the 20th century. Keep in mind that the development of professional counseling, like the activity itself, was and is a process. Therefore, some names and events do not fit neatly into a rigid chronology.

1900–1909

Counseling was an infant profession in the early 1900s. During this decade, however, three persons emerged as leaders in counseling's development: Frank Parsons, Jesse B. Davis, and Clifford Beers.

Frank Parsons, often called the "Father of Guidance," focused his work on growth and prevention. His influence was great in his time and it is "Parson's body of work and his efforts to help others [that] lie at the center of the wheel that represents present day counseling" (Ginter, 2002, p. 221). Parsons was a "Renaissance man" and had a colorful life career in multiple disciplines, being a lawyer, an engineer, a college teacher, and a social worker before ultimately becoming a social reformer and working with youth (Hartung & Blustein, 2002; Sweeney, 2001). He has been characterized as a broad scholar, a persuasive writer, a tireless activist, and a great intellect (Davis, 1988; Zytowski, 1985). However, he is best known for founding Boston's Vocational Bureau in 1908, a major step in the institutionalization of vocational guidance.

At the Bureau, Parsons worked with young people who were in the process of making career decisions. He "envisioned a practice of vocational guidance based on rationality and reason with service, concern for others, cooperation, and social justice among its core values" (Hartung & Blustein, 2002, p. 41). He theorized that choosing a vocation was a matter of relating three factors: a knowledge of work, a knowledge of self, and a matching of the two through "true reasoning" (Drummond & Ryan, 1995). Thus, Parsons devised a number of procedures to help his clients learn more about themselves and the world of work. One of his devices was an extensive questionnaire that asked about

> experiences ("How did you spend each evening last week?"),
> preferences ("At a World's Fair, what would you want to see first? second? third?"), and
> morals ("When have you sacrificed advantage for the right?") (Gummere, 1988, p. 404).

Parsons' book *Choosing a Vocation* (1909), published 1 year after his death, was quite influential, especially in Boston. For example, the superintendent of Boston schools, Stratton Brooks, designated 117 elementary and secondary teachers as vocational counselors (Nugent, 2000). The "Boston example" soon spread to other major cities as school personnel recognized the need for vocational planning. By 1910, 35 cities were emulating Boston (Lee, 1966).

Jesse B. Davis was the first person to set up a systematized guidance program in the public schools (Aubrey, 1977; Brewer, 1942). As superintendent of the Grand Rapids, Michigan, school system, he suggested in 1907 that classroom teachers of English composition teach their students a lesson in guidance once a week, to accomplish the goal of building character and preventing problems. Influenced by progressive American educators such as Horace Mann and John Dewey, Davis believed that proper guidance would help cure the ills of American society (Davis, 1914). What he and other progressive educators advocated was not counseling in the modern sense but a forerunner of counseling: *school guidance* (a preventive educational means of teaching students how to deal effectively with life events).

Clifford Beers, a former Yale student, was hospitalized for mental illness several times during his life for depression (Kiselica & Robinson, 2001). He found conditions in mental institutions deplorable and exposed them in his book, *A Mind That Found Itself* (1908), which became a popular best-seller. Beers used the book as a platform to advocate for better mental health facilities and reform in the treatment of the mentally ill by making friends with and soliciting funds from influential people of his day, such as the Fords and Rockefellers. His work had an especially powerful influence on the fields of psychiatry and clinical psychology. "Many people in these fields referred to what they were doing as counseling," which was seen "as a means of helping people adjust to themselves and society" (Hansen, Rossberg, & Cramer, 1994, p. 5). Beers' work was the impetus for the mental health movement in the United States, as well as advocacy groups that exist today including the National Mental Health Association and the National Alliance for the Mentally Ill. His work was also a forerunner of mental health counseling.

1910s

Three events had a profound impact on the development of counseling during this decade. The first was the 1913 founding of the National Vocational Guidance Association (NVGA), which began publishing a bulletin in 1915 (Goodyear, 1984). In 1921, the

National Vocational Guidance Bulletin started regular publication. It evolved in later years to become the *National Vocational Guidance Magazine* (1924–1933), *Occupations: The Vocational Guidance Magazine* (1933–1944), *Occupations: The Vocational Guidance Journal* (1944–1952), *Personnel and Guidance Journal* (1952–1984), and, finally, the *Journal of Counseling and Development* (1984 to the present). NVGA was important because it established an association offering guidance literature and united those with an interest in vocational counseling for the first time.

Complementing the founding of NVGA was Congressional passage of the Smith-Hughes Act of 1917. This legislation provided funding for public schools to support vocational education.

World War I was the third important event of the decade. During the war "counseling became more widely recognized as the military began to employ testing and placement practices for great numbers of military personnel" (Hollis, 2000, p. 45). In this process, the Army commissioned the development of numerous psychological instruments, among them the Army Alpha and Army Beta intelligence tests. Several of the Army's screening devices were employed in civilian populations after the war, and *psychometrics* (psychological testing) became a popular movement and an early foundation on which counseling was based.

Aubrey (1977) observes that, because the vocational guidance movement developed without an explicit philosophy, it quickly embraced psychometrics to gain a legitimate foundation in psychology. Reliance on psychometrics had both positive and negative effects. On the positive side, it gave vocational guidance specialists a stronger and more "scientific" identity. On the negative side, it distracted many specialists from examining developments in other behavioral sciences, such as sociology, biology, and anthropology.

1920s

The 1920s were relatively quiet for the developing counseling profession. This was a period of consolidation. Education courses for counselors, which had begun at Harvard University in 1911, almost exclusively emphasized vocational guidance during the 1920s. The dominant influences on the emerging profession were the progressive theories of education and the federal government's use of guidance services with war veterans.

A notable event was the certification of counselors in Boston and New York in the mid-1920s (Lee, 1966). Another turning point was the development of the first standards for the preparation and evaluation of occupational materials (Lee, 1966). Along with these standards came the publication of new psychological instruments such as Edward Strong's Strong Vocational Interest Inventory (SVII) in 1927. The publication of this instrument set the stage for future directions for assessment in counseling (Strong, 1943).

A final noteworthy event was Abraham and Hannah Stone's 1929 establishment of the first marriage and family counseling center in New York City. This center was followed by others across the nation, marking the beginning of the specialty of marriage and family counseling.

Throughout the decade, the guidance movement gained acceptance within American society. At the same time, the movement's narrow emphasis on vocational interests began to be challenged. Counselors were broadening their focus to include issues of personality and development, such as those that concerned the family.

1930s

The 1930s were not as quiet as the 1920s, in part because the Great Depression influenced researchers and practitioners, especially in university and vocational settings, to emphasize helping strategies and counseling methods that related to employment (Ohlsen, 1983). A highlight of the decade was the development of the first theory of counseling, which was formulated by E. G. Williamson and his colleagues (including John Darley and Donald Paterson) at the University of Minnesota. Williamson modified Parsons' theory and used it to work with students and the unemployed. His emphasis on a direct, counselor-centered approach came to be known by several names—for example, as the *Minnesota point of view* and *trait-factor counseling*. His pragmatic approach emphasized the counselor's teaching, mentoring, and influencing skills (Williamson, 1939).

One premise of Williamson's theory was that persons had *traits* (e.g., aptitudes, interests, personalities, achievements) that could be integrated in a variety of ways to form *factors* (constellations of individual characteristics). Counseling was based on a scientific, problem-solving, empirical method that was individually tailored to each client to help him or her stop nonproductive thinking/behavior and become an effective decision maker (Lynch & Maki, 1981). Williamson thought the task of the counselor was thus to ascertain a deficiency in the client, such as a lack of knowledge or a skill, and then to prescribe a procedure to rectify the problem. Williamson's influence dominated counseling for the next 2 decades, and he continued to write about his theory into the 1970s (Williamson & Biggs, 1979).

Another major occurrence was the broadening of counseling beyond occupational concerns. The seeds of this development were sown in the 1920s, when Edward Thorndike and other psychologists began to challenge the vocational orientation of the guidance movement (Lee, 1966). The work of John Brewer completed this change in emphasis. Brewer published a book titled *Education as Guidance* in 1932. He proposed that every teacher be a counselor and that guidance be incorporated into the school curriculum as a subject. Brewer believed that all education should focus on preparing students to live outside the school environment. His emphasis made counselors see vocational decisions as just one part of their responsibilities.

During the 1930s the U.S. government became more involved in guidance and counseling. For example, in 1938 Congress passed the George-Dean Act that created the Vocational Education Division of the U.S. Office of Education and an Occupational Information and Guidance Service (Sweeney, 2001). Evolving from this measure was the creation of state supervisors of guidance positions in state departments of education throughout the nation. Thus, school counseling, still known as guidance in the 1930s, became more of a national phenomenon. Furthermore, the U. S. government established the U.S. Employment Service in the 1930s. This agency published the first edition of the *Dictionary of Occupational Titles* (DOT) in 1939. The DOT, which became a major source of career information for guidance specialists working with students and the unemployed, described known occupations in the United States and coded them according to job titles.

1940s

Three major events in the 1940s radically shaped the practice of counseling: the theory of Carl Rogers, World War II, and government's involvement in counseling after the war.

Carl Rogers rose to prominence in 1942 with the publication of his book *Counseling and Psychotherapy,* which challenged the counselor-centered approach of Williamson as well as major tenets of Freudian psychoanalysis. Rogers emphasized the importance of the client, espousing a nondirective approach to counseling. His ideas were both widely accepted and harshly criticized. Rogers advocated giving clients responsibility for their own growth. He thought that if clients had an opportunity to be accepted and listened to, then they would begin to know themselves better and become more congruent (genuine). He described the role of the professional helper as being nonjudgmental and accepting. Thus, the helper served as a mirror, reflecting the verbal and emotional manifestations of the client.

Aubrey (1977, p. 292) has noted that, before Rogers, the literature in guidance and counseling was very practical, dealing with testing, cumulative records, orientation procedures, vocations, placement functions, and so on. In addition, this early literature dealt extensively with the goals and purpose of guidance. With Rogers, there was a new emphasis on the techniques and methods of counseling, research, refinement of counseling technique, selection and training of future counselors, and the goals and objectives of counseling. Guidance, for all intents and purposes, suddenly disappeared as a major consideration in the bulk of the literature and was replaced by a decade or more of concentration on counseling. The Rogers revolution had a major impact on both counseling and psychology. Not only did Rogers' ideas come to the forefront but a considerable number of alternative systems of psychotherapy emerged as well (Corsini, 2000).

With the advent of World War II, the U.S. government needed counselors and psychologists to help select and train specialists for the military and industry (Ohlsen, 1983). The war also brought about a new way of looking at vocations for men and women. Many women worked outside the home during the war, exemplified by such personalities as "Rosie the Riveter." Women's contributions to work and the well-being of the United States during the crisis of war made a lasting impact. Traditional occupational sex roles began to be questioned, and greater emphasis was placed on personal freedom.

After the war, the U.S. government further promoted counseling through the George-Barden Act of 1946, which provided vocational education funds through the U.S. Office of Education for counselor training institutes (Sweeney, 2001). In addition, the Veterans Administration (VA) funded the training of counselors and psychologists by granting stipends and paid internships for students engaged in graduate study. The VA also "rewrote specifications for vocational counselors and coined the term 'counseling psychologist'" (Nugent, 1981, p. 25). Money made available through the VA and the GI bill (benefits for veterans) influenced teaching professionals in graduate education to define their curriculum offerings more precisely. Counseling psychology, as a profession, began to move further away from its historical alliance with vocational guidance.

1950s

"If one decade in history had to be singled out for the most profound impact on counselors, it would be the 1950s" (Aubrey, 1977, p. 292). Indeed, the decade produced at least four major events that dramatically changed the history of counseling:

1. The establishment of the American Personnel and Guidance Association (APGA);
2. The establishment of Division 17 (Counseling Psychology) within the American Psychological Association (APA);

3. The passing of the National Defense Education Act (NDEA); and
4. The introduction of new guidance and counseling theories.

American Personnel and Guidance Association.   APGA grew out of the Council of Guidance and Personnel Associations (CGPA), a loose confederation of organizations "concerned with educational and vocational guidance and other personnel activities" (Harold, 1985, p. 4). CGPA operated from 1934 to 1951, but its major drawback was a lack of power to commit its members to any course of action. APGA was formed in 1952 with the purpose of formally organizing groups interested in guidance, counseling, and personnel matters. Its original four divisions were the American College Personnel Association (Division 1), the National Association of Guidance Supervisors and Counselor Trainers (Division 2), the NVGA (Division 3), and the Student Personnel Association for Teacher Education (Division 4) (Sheeley, 2002). In 1953, the American School Counselor Association joined APGA, bringing the total membership of the umbrella organization to 6,089 (Romano, 1992). During its early history, APGA was an interest group rather than a professional organization because it did not originate or enforce standards for membership (Super, 1955).

Division 17.   In 1952, the Division of Counseling Psychology (Division 17) of APA was formally established. Its formation required dropping the term *guidance* from what had formerly been the association's Counseling and Guidance Division. Part of the impetus for the division's creation came from the VA, but the main impetus came from APA members interested in working with a more "normal" population than the one seen by clinical psychologists (Whiteley, 1984).

Once created, Division 17 became more fully defined. Super (1955), for instance, distinguished between counseling psychology and clinical psychology, holding that counseling psychology was more concerned with normal human growth and development and was influenced in its approach by both vocational counseling and humanistic psychotherapy. Despite Super's work, counseling psychology had a difficult time establishing a clear identity within the APA (Whiteley, 1984). Yet the division's existence has had a major impact on the growth and development of counseling as a profession. In fact, luminaries in the counseling profession such as Gilbert Wrenn and Donald Super held offices in both Division 17 and in APGA divisions for many years and published in the periodicals of both associations.

National Defense Education Act.   A third major event was the passage in 1958 of the National Defense Education Act (NDEA), which was enacted following the Soviet Union's launching of its first space satellite, *Sputnik I.* The act's primary purpose was to identify scientifically and academically talented students and promote their development. It provided funds through Title V-A for upgrading school counseling programs. It established counseling and guidance institutes and offered funds and stipends through Title V-B to train counselors. In 1964, the NDEA was extended to include elementary counseling. The results were impressive. From 1908 to 1958, the number of school counselors grew to 12,000. "In less than a decade, the number of school counselors quadrupled and counselor to student ratio decreased from 1 to 960 in 1958 to 1 to 450 by 1966–1967" (Bradley & Cox, 2001, p. 34). Indeed, the end of the 1950s began a boom in school counseling that lasted through the 1960s thanks to the cold war and the coming of school age of the baby boom generation (Baker, 1996).

New Theories.   The last major event during this decade was the emergence of new guidance and counseling theories. Before 1950, four main theories influenced the work of counselors: (a) psychoanalysis and insight theory (e.g., Sigmund Freud); (b) trait-factor or directive theories (e.g., E. G. Williamson); (c) humanistic and client-centered theories (e.g., Carl Rogers); and, to a lesser extent, (d) behavioral theories (e.g., B. F. Skinner). Debates among counselors usually centered on whether directive or nondirective counseling was most effective, and almost all counselors assumed that certain tenets of psychoanalysis (e.g., defense mechanisms) were true.

During the 1950s, debate gradually shifted away from this focus as new theories of helping began to emerge. Applied behavioral theories, such as Joseph Wolpe's systematic desensitization, began to gain influence. Cognitive theories also made an appearance, as witnessed by the growth of Albert Ellis's rational-emotive therapy and Eric Berne's transactional analysis. Learning theory, self-concept theory, Donald Super's work in career development, and advances in developmental psychology made an impact as well (Aubrey, 1977). By the end of the decade, the number and complexity of theories associated with counseling had grown considerably.

1960s

The initial focus of the 1960s was on counseling as a developmental profession. Gilbert Wrenn set the tone for the decade in his widely influential book, *The Counselor in a Changing World* (1962). His emphasis, reinforced by other prominent professionals such as Leona Tyler and Donald Blocher, was on working with others to resolve developmental needs. Wrenn's book had influence throughout the 1960s, and he, along with Tyler, became one of the strongest counseling advocates in the United States.

The impact of the developmental model lessened, however, as the decade continued, primarily because of three events: the Vietnam War, the civil rights movement, and the women's movement. Each event stirred up passions and pointed out needs within society. Many counselors attempted to address these issues by concentrating their attention on special needs created by the events.

Other powerful influences that emerged during the decade were the humanistic counseling theories of Dugald Arbuckle, Abraham Maslow, and Sidney Jourard. Also important was the phenomenal growth of the group movement (Gladding, 2003). The emphasis of counseling shifted from a one-on-one encounter to small-group interaction. Behavioral counseling grew in importance with the appearance of John Krumboltz's *Revolution in Counseling* (1966), in which learning (beyond insight) was promoted as the root of change. Thus, the decade's initial focus on development became sidetracked. As Aubrey notes, "the cornucopia of competing counseling methodologies presented to counselors reached an all-time high in the late 1960s" (1977, p. 293).

Another noteworthy occurrence was the passage of the 1963 Community Mental Health Centers Act, which authorized the establishment of community mental health centers. These centers opened up opportunities for counselor employment outside educational settings. For instance, alcohol abuse counseling and addiction counseling, initially called drug abuse counseling, began in the 1960s and were offered in mental health centers among other places. Marriage and family counseling also emerged in such centers during this time because of the increase in the divorce rate (Hollis, 2000).

Professionalism within the APGA and the continued professional movement within Division 17 of the APA also increased during the 1960s. In 1961, the APGA published a "sound code of ethics for counselors" (Nugent, 1981, p. 28). Also during the 1960s, Loughary, Stripling, and Fitzgerald (1965) edited an APGA report that summarized role definitions and training standards for school counselors. Division 17, which had further clarified the definition of a counseling psychologist at the 1964 Greyston Conference, began in 1969 to publish a professional journal, *The Counseling Psychologist,* with Gilbert Wrenn as its first editor.

A final noteworthy milestone was the establishment of the ERIC Clearinghouse on Counseling and Personnel Services (CAPS) at the University of Michigan. Founded in 1966 by Garry Walz and funded by the Office of Educational Research and Improvement at the U.S. Department of Education, ERIC/CAPS was another example of the impact of government on the development of counseling. Through the years ERIC/CAPS (now ERIC/CASS; http://ericcassuncg.edu/) would become one of the largest and most used resources on counseling activities and trends in the United States and throughout the world. It also sponsored conferences on leading topics in counseling that brought national leaders together.

1970s

The 1970s saw the emergence of several trends. Among the more important were the rapid growth of counseling outside educational settings, the formation of helping skills programs, the beginning of licensure for counselors, and the further development of the APGA as a professional organization for counselors.

Diversification in Counseling Settings.   The rapid growth of counseling outside educational institutions began in the 1970s when mental health centers and community agencies began to employ counselors. Before this time, almost all counselors had been employed in educational settings, usually public schools. But the demand for school counselors decreased as the economy underwent several recessions and the number of school-age children began to decline. The rate of growth for school counselors was 1% to 3% each year from 1970 through the mid-1980s, compared with an increase of 6% to 10% during the 1960s (Shertzer & Stone, 1981). In addition, the number of counselor education programs increased from 327 in 1964 to about 475 by 1980 (Hollis & Wantz, 1980). This dramatic rise in the number of programs meant that more counselors were competing for available jobs (Steinhauser, 1985).

The diversification of counseling meant that specialized training began to be offered in counselor education programs. It also meant the development of new concepts of counseling. For example, Lewis and Lewis (1977) coined the term *community counselor* for a new type of counselor who could function in multidimensional roles regardless of employment setting. Many community counseling programs were established, and counselors became more common in agencies such as mental health clinics, hospices, employee assistance programs, psychiatric hospitals, and substance abuse centers. Equally as striking, and more dramatic in growth, was the formation of the American Mental Health Counseling Association (AMHCA) within APGA. Founded in 1976, AMHCA quickly became one of the largest divisions within APGA and united mental health counselors into a professional organization where they defined their roles and goals.

Helping Skills Programs.   The 1970s saw the development of helping skills programs that concentrated on relationship and communication skills. Begun by Truax and Carkhuff (1967) and Ivey (1971), these programs taught basic counseling skills to professionals and nonprofessionals alike. The emphasis was humanistic and eclectic. It was assumed that certain fundamental skills should be mastered to establish satisfactory personal interaction. A bonus for counselors who received this type of training was that they could teach it to others rather easily. Thus, counselors could now consult by teaching some of their skills to those with whom they worked, mainly teachers and paraprofessionals. In many ways, this trend was a new version of Brewer's concept of education as guidance.

State Licensure.   By the mid-1970s, state boards of examiners for psychologists had become restrictive. Some of their restrictions, such as barring graduates of education department counseling programs from taking the psychology licensure exam, caused considerable tension, not only between APA and APGA but also within the APA membership itself (Ohlsen, 1983). The result was APGA's move toward state and national licensure for counselors. Thomas J. Sweeney (1991) chaired the first APGA Licensure Committee and he and his predecessors did so with much success. Virginia was the first state to adopt a professional counselor licensure law, doing so in 1976. It was followed quickly by Arkansas and Alabama before the decade ended. In regard to licensure, it should be noted that California passed a marriage, family, and child counselor law in 1962. The problem with the California law was it defined the term *counselor* broadly and later replaced the term with the word *therapist,* which was strictly defined, and which ultimately disenfranchised counselors.

A Strong APGA.   During the 1970s, APGA emerged as an even stronger professional organization. Several changes altered its image and function, one of which was the building of its own headquarters in Alexandria, Virginia. APGA also began to question its professional identification because guidance and personnel seemed to be outmoded ways of defining the organization's emphases.

In 1973, the Association of Counselor Educators and Supervisors (ACES), a division of APGA, outlined the standards for a master's degree in counseling. Robert Stripling of the University of Florida spearheaded that effort. In 1977, ACES approved guidelines for doctoral preparation in counseling (Stripling, 1978). During the decade, APGA membership increased to almost 40,000. Four new divisions (in addition to AMHCA) were chartered: the Association for Religious and Value Issues in Counseling, the Association for Specialists in Group Work, the Association for Non-white Concerns in Personnel and Guidance, and the Public Offender Counselor Association.

1980s

The 1980s saw the continued growth of counseling as a profession, exemplified by proactive initiatives from counselors associated with APGA and Division 17. Among the most noteworthy events of the decade were those that standardized the training and certification of counselors, recognized counseling as a distinct profession, increased the diversification of counselor specialties, and emphasized human growth and development.

Standardization of Training and Certification.   The move toward standardized training and certification was one that began early in the decade and grew stronger yearly. In 1981, the Council for Accreditation of Counseling and Related Educational

Programs (CACREP) was formed as an affiliate organization of APGA. It refined the standards first proposed by ACES in the late 1970s and initially accredited four programs and grandparented programs already recognized as accredited by the California state counselor association and ACES (Steinhauser & Bradley, 1983). In 1987, the CACREP achieved membership in the Council on Postsecondary Accreditation (COPA), bringing it "into a position of accreditation power parallel to" such specialty accreditation bodies as the APA (Herr, 1985, p. 399). The CACREP standardized counselor education programs for master's and doctoral programs in the areas of school, community, mental health, and marriage and family counseling, as well as for personnel services for college students.

Complementary to the work of CACREP, the National Board for Certified Counselors (NBCC), which was formed in 1983, began to certify counselors on a national level. It developed a standardized test and defined eight major subject areas in which counselors should be knowledgeable: (a) human growth and development, (b) social and cultural foundations, (c) helping relationships, (d) groups, (e) lifestyle and career development, (f) appraisal, (g) research and evaluation, and (h) professional orientation. To become a national certified counselor (NCC), examinees have to pass a standardized test and meet experiential and character reference qualifications. In 1984, NBCC also set up standards for certifying career counselors; as a result, many individuals became national certified career counselors (NCCCs) (Herr, 1985). By the end of the decade, there were approximately 17,000 NCC and NCCC professionals.

Finally, in collaboration with the CACREP, the National Academy of Certified Clinical Mental Health Counselors (NACCMHC), an affiliate of the AMHCA, continued to define training standards and certify counselors in mental health counseling, a process it had begun in the late 1970s (Seiler, Brooks, & Beck, 1987; Wilmarth, 1985). It also began training supervisors of mental health counselors in 1988. Both programs attracted thousands of new professionals into counseling and upgraded the credentials of those already in the field.

Counseling as a Distinct Profession.   The evolution of counseling in the 1980s as a distinct helping profession came as a result of events, issues, and forces, both inside and outside APGA (Heppner, 1990). Inside APGA was a growing awareness among its leaders that the words *personnel* and *guidance* no longer described the work of its members (Sheeley, 2002). In 1983, after considerable debate, the APGA changed its name to the American Association for Counseling and Development (AACD) to "reflect the changing demographics of its membership and the settings in which they worked" (Herr, 1985, p. 395). The name change was symbolic of the rapid transformation in identity that APGA members had been experiencing through the implementation of policies regarding training, certification, and standards. External events that influenced APGA to change its name and ultimately its focus included legislation, especially on the federal level, that recognized mental health providers and actions by other mental health services associations.

Moreover, there was a newness in professional commitment among AACD members. Chi Sigma Iota, an international academic and professional honor society, was formed in 1985 by Thomas J. Sweeney to promote excellence in the counseling profession. It grew to more than 100 chapters and 5,000 members by the end of the decade (Sweeney, 1989). Furthermore, liability insurance policies, new counseling specialty publications, legal defense funds, legislative initiatives, and a variety of other membership services were made available to AACD members by its national headquarters (Myers, 1990). By 1989, over 58,000 individuals had become members of AACD, an increase of more than 18,000 members in 10 years.

Division 17 also continued to grow at a steady rate (Woody, Hansen, & Rossberg, 1989). In 1987, a professional standards conference was assembled by its president, George Gazda, to define further the uniqueness of counseling psychology and counseling in general.

Diversification of Counseling.   During the 1980s, counselors became more diversified. Large numbers of counselors continued to be employed in primary and secondary schools and in higher education in a variety of student personnel services. Mental health counselors and community/agency counselors were the two largest blocks of professionals outside formal educational environments. In addition, the number of counselors swelled in mental health settings for business employees, the aging, and married persons and families. Symbolic of that growth, the Association for Adult Development and Aging (AADA) and the International Association for Marriage and Family Counselors (IAMFC) were organized and chartered as divisions of AACD in 1987 and 1990, respectively.

Strong membership in AACD divisions dedicated to group work, counselor education, humanistic education, measurement and development, religious and value issues, employment and career development, rehabilitation, multicultural concerns, addiction and offender work, and military personnel further exemplified the diversity of counseling during the 1980s. Special issues of AACD journals focused on topics such as violence (*Journal of Counseling and Development,* March 1987), the gifted and talented (*Journal of Counseling and Development,* May 1986), the arts (*Journal of Mental Health Counseling,* January 1985), and prevention (*Elementary School Guidance and Counseling,* October 1989). These publications helped broaden the scope of counseling services and counselor awareness.

Increased Emphasis on Human Growth and Development.   Counseling's emphasis on human growth and development during the 1980s took several forms. For example, a new spotlight was placed on developmental counseling across the life span (Gladstein & Apfel, 1987). New behavioral expressions associated with Erik Erikson's first five stages of life development were formulated, too (Hamachek, 1988), and an increased emphasis on the development of adults and the elderly resulted in the formation of the Association for Adult Aging and Development (AAAD).

A second way that human growth and development was stressed was through increased attention to gender issues and sexual preferences (see, for example, O'Neil & Carroll, 1988; Pearson, 1988; Weinrach, 1987). Carol Gilligan's (1982) landmark study on the development of moral values in females, which helped introduce feminist theory into the counseling arena, forced human growth specialists to examine the differences between genders.

An emphasis on moral development was the third way in which human growth issues were highlighted (Colangelo, 1985; Lapsley & Quintana, 1985). There was a renewed emphasis on models of moral development, such as Lawrence Kohlberg's theory (1969), and increased research in the area of enhancing moral development. In counselor education, it was found that moral development was closely related to both cognitive ability and empathy (Bowman & Reeves, 1987).

Finally, the challenges of working with different ethnic and cultural groups received more discussion (Ponterotto & Casas, 1987). In focusing on multicultural issues, the Association for

Multicultural Counseling and Development (AMCD) took the lead, but multicultural themes, such as the importance of diversity, became a central issue among all groups, especially in light of the renewed racism that developed in the 1980s (Carter, 1990).

1990s

The 1990s continued to see changes in the evolution of the counseling profession, some of them symbolic and others structural. One change that was significant was the 1992 decision by the AACD to modify its name and become the American Counseling Association (ACA). The new name better reflected the membership and mission of the organization.

A second noteworthy event in the 1990s also occurred in 1992, when counseling, as a primary mental health profession, was included for the first time in the health care human resource statistics compiled by the Center for Mental Health Services and the National Institute of Mental Health (Manderscheid & Sonnenschein, 1992). This type of recognition put counseling on par with other mental health specialties such as psychology, social work, and psychiatry. By the beginning of the 21st century, it was estimated that there were approximately 100,000 counselors in the United States (Wedding, 2000).

A third event in counseling that also originated in 1992 was the writing of the multicultural counseling competencies and standards by Sue, Arredondo, and McDavis (1992). Although these competencies mainly applied to counseling with people of color, they set the stage for a larger debate about the nature of multicultural counseling—for instance, the inclusion within the definition of other groups, such as people with disabilities. Thus, a lively discussion occurred during the decade about what diversity and counseling within a pluralistic society entailed (Weinrach & Thomas, 1998).

A fourth issue in the 1990s was a focus on health care and an increase in managed health care organizations. Conglomerates emerged, and many counselors became providers under these new organized ways of providing services. As a result, the number of independent counselor practitioners decreased as did the number of sessions a counselor could offer under managed health care plans. A new emphasis on legislation connected with these organizations forced counselors to become increasingly informed and active as legislative proponents (Barstow, 1998).

In addition, there was a renewed focus within the decade on counseling issues related to the whole person. Counselors became more aware of social factors important to the development and maintenance of mental disorders and health including the importance of organism-context interaction (i.e., contextualism) (Thomas, 1996). These factors include spirituality, family environment, socioeconomic considerations, the impact of groups and group work, and prevention (Bemak, 1998).

Other developments in the 1990s included the following:

- The merger of the National Academy of Clinical Mental Health Counselors with NBCC to credential counselors.
- The growth of CACREP- and APA-accredited programs in counselor education and counseling psychology on both the doctoral and master's levels (Hollis, 2000).
- An increase in the number of publications by ACA, APA, commercial publishers, and ERIC/CASS (Counseling and Student Services Clearinghouse) on counseling.
- The growth of Chi Sigma Iota to over 200 chapters and 20,000 members.

CURRENT TRENDS IN THE NEW MILLENNIUM

In 2002, counseling formally celebrated its 50th anniversary as a profession under the umbrella of the ACA. However, within the celebration was a realization that counseling is ever changing and that emphases of certain topics, issues, and concerns at the beginning of the 21st century would most likely change with the needs of clients and society. The changing roles of men and women, innovations in media and technology, poverty, homelessness, trauma, loneliness, and aging, among other topics, captured counseling's attention as the new century began (Bass & Yep, 2002; Hackney & Wrenn, 1990; Lee & Walz, 1998). Among the most pressing topics were dealing with violence, trauma, and crises, managed care, wellness, technology, leadership, and identity.

Dealing with Violence, Trauma, and Crises

Conflict is a part of most societies, even those that are predominantly peaceful. It occurs "when a person perceives another to be interfering or obstructing progress toward meeting important needs" (Corcoran & Mallinckrodt, 2000, p. 474). Violence results when one or more parties address conflict in terms of win-lose tactics. In the United States concerns about conflict and safety from both a prevention and treatment standpoint emerged in the 1990s in a rash of school shootings and the Oklahoma City bombing where a number of innocent people were killed (Daniels, 2002). However, a defining moment in conflict and violence occurred on September 11, 2001, when terrorists crashed commercial airliners into the World Trade Center towers in New York City and the Pentagon in Washington, DC. These acts signaled the beginning of an active and new emphasis in counseling on preparing and responding to trauma and tragedies (Bass & Yep, 2002; Walz & Kirkman, 2002). Within this new emphasis is a practical focus, such as developing crisis plans and strategies for working with different age groups from young children to the elderly.

In the area of dealing with trauma, a renewed emphasis has been focused in recent years on the treatment of stress and both *acute stress disorder (ASD)* and *posttraumatic stress disorder (PTSD)* (Jordan, 2002; Marotta, 2000). Both ASD and PTSD develop as a result of being exposed to a traumatic event involving actual or threatened injury (American Psychiatric Association, 1994). Events include such things as physical abuse, a natural disaster, or accidents. Threats are associated with intense fear, helplessness, or horror. ASD is more transient; people develop symptoms within about four weeks of a situation and resolve them within about another four weeks (Jordan, 2002). However, PTSD differs in that, while symptoms occur within about a month of an incident, they may last for months or years if not treated. People who develop PTSD may display a number of symptoms including reexperiencing the traumatic event again through flashbacks, avoidance of trauma-related activities, and emotional numbing plus other disorders such as substance abuse, obsessive-compulsive disorders, and panic disorders.

Counselors who are employed in the area of working with ASD or PTSD clients need specialized training to help these individuals. Crises often last in people's minds long after the events that produced them. Crisis counseling as well as long-term counseling services are often needed, especially with individuals who have PTSD. "It is only by recognizing and treatment of PTSD that trauma victims can hope to move past the impact of trauma and lead healthy lives" (Grosse, 2002, p. 25).

The Challenge of Managed Care

"Managed care involves a contractual arrangement between a mental health professional and a third party, the managed care company, regarding the care and treatment of the first party, the client" (Murphy, 1998, p. 3). Managed care is and will be a major concern to counselors during the 21st century and indeed has already become the new gatekeeper for mental health practice (Lawless, Ginter, & Kelly, 1999). There are only a few dominant companies in the managed care business, but their influence is tremendous. They determine how health care providers, including counselors, deliver services and what rights and recourses consumers have to receive regarding treatment. Managed care arrangements require clients first to see a gatekeeper physician before they can be referred to a specialist such as a counselor. This restriction, along with limited financial reimbursement, and the limitation of sessions allowed under managed care has had mixed results.

Managed care has advanced the counseling profession by including counselors on both managed care boards and as providers of services (Goetz, 1998). However, managed care has also had a negative impact on the profession (Daniels, 2001). As a group, counselors have not been well compensated under managed care arrangements, and client consumers have often been limited in getting the services they need. Likewise, counselors have been frustrated in being able to offer adequate treatment. In addition, there are ethical concerns in managed care services offered by counselors to clients. These concerns center around informed consent, confidentiality, maintaining records, competence, integrity, human welfare, conflict of interest, and conditions of employment (Daniels, 2001).

The challenge for counselors in the future is to find ways to either work more effectively with managed care companies or work outside such companies and still be major players in the mental health arena. If counselors stay with managed care services, it will become increasingly important for them to be on managed care provider boards, for it is these boards that will ultimately determine who is credentialed and for what with managed care organizations.

Promoting Wellness

In recent years, the idea of promoting wellness within the counseling profession has grown (Myers, Sweeney, & Witmer, 2001; Witmer & Sweeney, 1999). Wellness involves many aspects of life including the physical, intellectual, social, psychological, emotional, and environmental. Myers, Sweeney, and Witmer (2000) define wellness as a way of life oriented toward optimal health and well-being in which body, mind, and spirit are integrated by the individual to live life more fully within the human and natural community.

"Ideally, it is the optimum state of health and well-being that each individual is capable of achieving" (p. 252).

A model for promoting wellness has been developed by Myers et al., (2000). It revolves around five life tasks—spirituality, self-direction, work and leisure, friendship, and love. Some of these tasks, such as self-direction, are further subdivided into a number of subtasks, such as sense of worth, sense of control, problem solving and creativity, sense of humor, and self-care. The premise of this model is that healthy functioning occurs on a developmental continuum, and healthy behaviors at one point in life affect subsequent development and functioning as well.

Greater Emphasis on the Use of Technology

Technology use has grown rapidly in counseling and elsewhere. What once was consid-ered a promising technology has now become reality and technology "is having a pro-found impact on almost every aspect of life including education, business, science, reli-gion, government, medicine, and agriculture" (Hohenshil, 2000, p. 365).

Initally, technology was used in counseling to facilitate record keeping, manipulate data, and do word processing. More attention is now being placed on factors affecting technology and client interaction, especially on the Internet (Sampson, 2000). "The number of network-based computer applications in counseling has been increasing rapidly" (Sampson, Kolodin-sky, & Greeno, 1997, p. 203). List servers and bulletin board systems (BBSs) have become especially popular for posting messages and encouraging dialogue between counselors. E-mail is also used in counselor-to-counselor interactions as well as counselor-to-client con-versations. Web sites are maintained by counseling organizations, counselor education pro-grams, and individual counselors (Pachis, Rettman, & Gotthoffer, 2001). There are even "online" professional counseling journals, (e.g., the *Journal of Technology in Counseling*).

The similarities between working with certain aspects of technology (e.g., computers) and working with clients are notable (e.g., establishing a relationship, learning a client's language, learning a client's thought process, setting goals, and taking steps to achieve them). Although the practice is controversial, a number of counselors and helping spe-cialists offer services across the Internet and "the general public is already making use of the internet for assistance with career choice and job placement" (Sampson et al., 1997, p. 204). Furthermore, the general public surfs the Internet for mental health and pharma-cology information, such as "Dr. Bob's Psychopharmacology Tips" (http://uhs.bsd.uchicago.edu/dr-bob/tips/tips.html) (Ingram, 1998). Thus, counselors can use the Internet to access a world of information on counseling-related subjects, including Webcounseling (Wilson, 1994). They are also being bombarded with a host of new computer programs, especially in the area of testing (Sampson, 2000).

In the future, counselors will have to decide how they will collectively use technology to enhance the services they offer to meet clients' needs. Technical competencies for coun-selor education students have been developed under the leadership of Thomas Hohenshil of Virginia Tech for the Association for Counselor Education and Development. These compe-tencies include skills counselors should master such as being able to use word processing programs, audiovisual equipment, E-mail, the Internet, listservs, and CD-ROM databases. Counselors should also be aware of ethical and legal codes related to the Internet (e.g., NBCC, 1997) and the strengths and weaknesses of offering counseling services via the Internet.

Leadership, Planning, and Advocacy

With the rapid changes in society and counseling, there is an increased need for coun-selors to develop their leadership, planning, and advocacy skills. By so doing, they be-come a more positive and potent force in society. "Counselors are now challenged by the opportunity to assume leadership roles as visionaries and guides" (Stephenson, 1996, p. 91). The ACA is engaged in leadership activities through working with its regions. Di-visions within the ACA also focus on leadership development. Chi Sigma Iota (Counsel-ing Academic and Professional Honor Society International) is especially strong in pro-viding leadership training and services to counselors through workshops and seminars.

One area of leadership, *strategic planning,* involves envisioning the future and making preparations to meet anticipated needs. Similar to the counseling skill of leading, it is usually accomplished in a group and involves hard data as well as anticipations and expectations (C. Kormanski, personal interview, June 20, 1994). This skill is greatly needed in promoting the profession of counseling.

In addition to leadership and strategic planning, *advocacy* is emerging as a growing trend in counseling (Kiselica & Robinson, 2001). Advocacy counseling involves "helping clients challenge institutional and social barriers that impede academic, career, or personal-social development" (Lee, 1998, pp. 8–9). The purpose is to "increase a client's sense of personal power and to foster sociopolitical changes that reflect greater responsiveness to the client's personal needs" (Kiselica & Robinson, 2001, p. 387).

In order to be effective as an advocate, counselors need to have "the capacity for commitment and an appreciation of human suffering; nonverbal and verbal communications skills; the ability to maintain a multisystems perspective;" individual, group, and organizational intervention skills; "knowledge and use of the media, technology, and the Internet; and assessment and research skills" (p. 391). Advocates must also be socially smart, knowing themselves, others, and the systems around them. Likewise, they must know when to be diplomatic as well as confrontational. In addition, they must have a knowledge and passion for the cause or causes they advocate for and be willing to be flexible and compromise to obtain realistic goals.

In the American Counseling Association, Counselors for Social Justice (CSJ) and ACES are the leading groups for advocacy. Chi Sigma Iota (Counseling Academic and Professional Honor Society International) and the NBCC are the leading advocacy groups outside of the ACA.

Identity

Since 1952 most counselors in the United States and a number in other countries have held membership in the ACA. The composition of the ACA has been mixed, "like a ball of multicolored yarn," and sometimes within ACA there has been an emphasis within the specialties of counseling as opposed to the overall profession (Bradley & Cox, 2001, p. 39). Other professions, such as medicine, have overcome the divisiveness that comes within a profession where there is more than one professional track one can follow in practice. ACA has not been as fortunate.

However, as counseling has grown stronger and been more widely accepted by the public, the emphasis on modifying adjectives to the noun *counselor* has begun to diminish in many cases (Myers & Sweeney, 2001). Clearly, as the ACA becomes stronger, all counselors stand to benefit. The following divisions and affiliates now operate under ACA's structure:

1. *National Career Development Association (NCDA)*—founded in 1913; formerly the National Vocational Guidance Association
2. *Counseling Association for Humanistic Education and Development (CAHEAD)*—founded in 1931; formerly the Student Personnel Association for Teacher Education
3. *Association for Counselor Education and Supervision (ACES)*—founded in 1938; formerly the National Association of Guidance Supervisors and Counselor Trainers
4. *American School Counselor Association (ASCA)*—founded in 1953

5. *American Rehabilitation Counseling Association (ARCA)*—founded in 1958; formerly the Division of Rehabilitation Counseling
6. *Association for Assessment in Counseling (AAC)*—founded in 1965; formerly the Association for Measurement and Evaluation in Guidance
7. *National Employment Counselors Association (NECA)*—founded in 1966
8. *Association for Multicultural Counseling and Development (AMCD)*—founded in 1972; formerly the Association for Non-white Concerns in Personnel and Guidance
9. *International Association of Addictions and Offender Counselors (IAAOC)*—founded in 1972; formerly the Public Offender Counselor Association
10. *Association for Specialists in Group Work (ASGW)*—founded in 1973
11. *Association for Spiritual, Ethical, and Religious Values in Counseling (ASERVIC)*—founded in 1974; formerly the National Catholic Guidance Conference
12. *American Mental Health Counselors Association (AMHCA)*—founded in 1976
13. *Association for Counselors and Educators in Government (ACEG)*—founded in 1984
14. *Association for Adult Development and Aging (AADA)*—founded in 1986
15. *International Association of Marriage and Family Counselors (IAMFC)*—founded in 1989
16. *American College Counseling Association (ACCA)*—founded in 1991
17. *Association for Gay, Lesbian, and Bisexual Issues in Counseling*—founded in 1996
18. *Counselors for Social Justice*—founded in 1999

SUMMARY AND CONCLUSION

Counseling is a distinct profession. It is concerned with wellness, development, and situational difficulties as well as with helping dysfunctional persons. It is based on principles and a definition that has evolved over the years. It contains within it a number of specialties.

An examination of the history of counseling shows that the profession has an interdisciplinary base. It began with the almost simultaneous concern and activity of Frank Parsons, Jesse B. Davis, and Clifford Beers to provide, reform, and improve services in vocational guidance, character development of school children, and mental health treatment. Counseling became interlinked early in its history with psychometrics, psychology, anthropology, ethics, law, philosophy, and sociology. In addition to the development of theory and the generation of practical ways of working with people, important events in the development of counseling include the involvement of the government in counseling during and after World War I, the Great Depression, World War II, and the launching of *Sputnik*.

Ideas from innovators such as Frank Parsons, E. G. Williamson, Carl Rogers, Gilbert Wrenn, Donald Super, Leona Tyler, and Thomas J. Sweeney have shaped the development of the profession and broadened its horizon. The emergence and growth of the American Counseling Association (rooted in the establishment of the National Vocational Guidance Association in 1913) and Division 17 (Counseling Psychology) of the American Psychological Association have been major factors in the growth of the counseling profession. Challenges for the profession in the 21st century include dealing with violence, trauma, and crises, interacting positively with managed care organizations, wellness, using technology wisely and effectively, providing leadership, and working on establishing a stronger identity for the profession. The summary table that follows provides highlights in the history of counseling and spotlights current and future issues.

SUMMARY TABLE

Highlights in the History of Counseling

1900–1909

Frank Parsons, the "Father of Guidance," establishes the Boston Vocational Bureau to help young people make career decisions; writes *Choosing a Vocation.*

Jesse B. Davis sets up the first systematic guidance program in the public schools (Grand Rapids, Michigan).

Clifford Beers, a former mental patient, advocates for better treatment of the mentally ill; publishes the influential book: *A Mind That Found Itself.*

Sigmund Freud's psychoanalytic theory becomes the basis for treating the mentally disturbed.

1910s

National Vocational Guidance Association (NVGA) is established; forerunner of American Counseling Association (ACA).

Passage of the Smith-Hughes Act, which provided funding for public schools to support vocational education.

Psychometrics is embraced by the vocational guidance movement after World War I.

1920s

First certification of counselors in Boston and New York.

Publication of the Strong Vocational Interest Inventory (SVII).

Abraham and Hannah Stone establish the first marriage and family counseling center in New York City.

Counselors begin broadening their focus beyond vocational interests.

1930s

E. G. Williamson and colleagues develop a counselor-centered trait-factor approach to work with students and the unemployed. It is the first theory of counseling, often called the Minnesota point of view.

John Brewer advocates education as guidance with vocational decision making as a part of the process. The era saw the publication of the *Dictionary of Occupational Titles,* the first government effort to code job titles systematically.

1940s

Carl Rogers develops the client-centered approach to counseling; publishes *Counseling and Psychotherapy.*

With the advent of World War II, traditional occupational roles are questioned publicly; personal freedom is emphasized over authority.

U.S. Veterans Administration (VA) funds the training of counselors and psychologists; coins the term *counseling psychologist,* which begins as a profession.

1950s

American Personnel and Guidance Association (APGA) is founded; forerunner of the American Counseling Association.

Division 17 (Counseling Psychology) of American Psychological Association is created.

National Defense Education Act (NDEA) is enacted. Title V-B provides training for counselors.

New theories (e.g., transactional analysis, rational-emotive therapy) are formulated. They challenge older theories (psychoanalysis, behaviorism, trait factor, and client centered).

1960s

Emphasis in counseling on developmental issues. Gilbert Wrenn publishes *The Counselor in a Changing World.*

Leona Tyler writes extensively about counseling and counseling psychology.

Behavioral counseling emerges as a strong counseling theory; led by John Krumboltz's *Revolution in Counseling.*

Upheaval is created by civil rights and women's movements and the Vietnam War. Counseling sidetracked from a developmental emphasis; counselors are increasingly concerned with addressing social and crisis issues.

Community Mental Health Centers Act is passed; establishes community mental health centers.

Groups gain popularity as a way of resolving personal issues.

APGA publishes its first code of ethics.

ERIC/CAPS is founded; begins building database of research in counseling.

Role definitions and training standards for school counselors are formulated.

Greyston Conference helps define counseling psychology.

First publication of *The Counseling Psychologist* journal.

1970s

Diversification of counseling outside educational settings. Term *community counselor* is coined to describe this type of multifaceted counselor.

Derald Sue, editor of the *Personnel and Guidance Journal,* focuses attention on multicultural issues.

American Mental Health Counseling Association is formed.

Basic helping skills programs are begun by Robert Carkhuff, Allen Ivey, and colleagues.

State licensure of counselors begins; Virginia is first.

APGA emerges as a strong professional association.

1980s

Council for Accreditation of Counseling and Related Educational Programs (CACREP) is formed.

National Board of Certified Counselors (NBCC) is established.

Chi Sigma Iota (Counseling Academic and Professional Honor Society international) is begun.

Growing membership continues in counseling associations. New headquarter building is created for AACD.

Human growth and development is highlighted as an emphasis of counseling. *In a Different Voice* by Carol Gilligan focuses attention on the importance of studying women and women's issues in counseling.

1990s

AACD changes its name to American Counseling Association (ACA) in 1992.

Diversity and multicultural issues in counseling are stressed.

Spiritual issues in counseling are addressed more openly.

Increased focus on regulations and accountability occurs for counselors.

National Academy for Clinical Mental Health Counselors merges with NBCC.

Counselors seek to be recognized as core providers when national health care reform is discussed and enacted.

2000s

A new emphasis on counselors dealing with crises, trauma, and tragedies emerges with heightened violence in the schools and the terrorist attacks.

Managed care organizations become more of a concern for counselors in regard to credentialing and practice.

Wellness receives increased emphasis.

Uses of technology in counseling grows.

Leadership, planning, and advocacy become more common in counseling.

Counselors identify more with the American Counseling Association as their primary affiliative group and ACA became stronger as a professional organization.

CLASSROOM ACTIVITIES

1. How do you distinguish between counseling, guidance, and psychotherapy? How do you think the public perceives the similiarities and differences in these three ways of helping? Discuss your ideas with your classmates.
2. What decade do you consider the most important for the development of counseling? Is there a decade you consider least important? Be sure to give reasons for your position.
3. What do you know about counseling now that you have read this chapter? Describe how it is like and unlike what you expected. What did you discover about the profession? Explain your answer fully.

4. Investigate in more detail the life and influence of a historical or contemporary figure in counseling. You may choose one of the innovators mentioned in this chapter or a person suggested by your instructor. Share your information with the class.

5. What do you consider pressing future issues for the profession of counseling? How do you think counselors should address these concerns? See whether there is a consensus of topics and ways to address them within your class.

REFERENCES

American Psychiatric Association. (2000). *Diagnostic and statistical manual of mental disorders* (4th ed.). Text revised. Washington, DC: Author.

Aubrey, R. F. (1977). Historical development of guidance and counseling and implications for the future. *Personnel and Guidance Journal, 55,* 288–295.

Aubrey, R. F. (1982). A house divided: Guidance and counseling in twentieth-century America. *Personnel and Guidance Journal, 60,* 198–204.

Aubrey, R. F. (1983). The odyssey of counseling and images of the future. *Personnel and Guidance Journal, 61,* 78–82.

Baker, S. (1996). Recollections of the boom era in school counseling. *The School Counselor, 43,* 163–164.

Barstow, S. (1998, June). Managed care debate heats up in Congress. *Counseling Today, 1,* 26.

Bass, D. D., & Yep, R. (Eds.).(2002). *Terrorism, trauma, and tragedies: A counselor's guide to preparing and responding.* Alexandria, VA: American Counseling Association.

Beers, C. (1908). *A mind that found itself.* New York: Longman Green.

Bemak, F. (1998, February 13). *Counseling at-risk students.* Presentation at Wake Forest University Institute for Ethics and Leadership in Counseling, Winston- Salem, NC.

Bowman, J. T., & Reeves, T. G. (1987). Moral development and empathy in counseling. *Counselor Education and Supervision, 26,* 293–298.

Bradley, R. W., & Cox, J. A. (2001). Counseling: Evolution of the profession. In D. C. Locke, J. E. Myers, & E. L. Herr (Eds.), *The handbook of counseling* (pp. 27–41). Thousand Oaks, CA: Sage.

Brewer, J. M. (1932). *Education as guidance.* New York: Macmillan.

Brewer, J. M. (1942). *History of vocational guidance.* New York: Harper.

Carter, R. T. (1990). The relationship between racism and racial identity among white Americans: An exploratory investigation. *Journal of Counseling and Development, 69,* 46–50.

Casey, J. M. (1996). Gail F. Farwell: A developmentalist who lives his ideas. *The School Counselor, 43,* 174–180.

Colangelo, N. (1985). Overview. *Elementary School Guidance and Counseling, 19,* 244–245.

Corcoran, K. O., & Mallinckrodt, B. (2000). Adult attachment, self-efficacy, perspective taking, and conflict resolution. *Journal of Counseling and Development, 78,* 473–483.

Corsini, R. J. (2000). Introduction. In R. J. Corsini & D. Wedding (Eds.), *Current psychotherapies* (6th ed., pp. 1–15). Itasca, IL: Peacock.

Daniels, J. A. (2001). Managed care, ethics, and counseling. *Journal of Counseling and Development, 79,* 119–122.

Daniels, J. A. (2002). Assessing threats of school violence: Implications for counselors. *Journal of Counseling and Development, 80,* 215–218.

Davis, H. V. (1988). *Frank Parsons: Prophet, innovator, counselor.* Carbondale: University of Southern Illinois Press.

Davis, J. (1914). *Vocational and moral guidance.* Boston: Ginn.

Drummond, R. J., & Ryan, C. W. (1995). *Career counseling: A developmental approach.* Upper Saddle River, NJ: Merrill/Prentice Hall.

Gardner, G. W. (1990). *On leadership.* New York: Free Press.

Gilligan, C. (1982). *In a different voice.* Cambridge, MA: Harvard University Press.

Ginter, E. J. (2002). *Journal of Counseling and Development* (JCD) and counseling's interwoven nature: Achieving a more complete understanding of the present through "historization" (Musings of an exiting editor—an editorial postscript). *Journal of Counseling and Development, 80,* 219–222.

Gladding, S. T. (2003). *Group work: A counseling specialty* (4th ed.). Upper Saddle River, NJ: Merrill/Prentice Hall.

Gladstein, G. A., & Apfel, F. S. (1987). A theoretically based adult career counseling center. *Career Development Quarterly, 36,* 178–185.

Goetz, B. (1998, May 27). *An inside/outsider's view of the counseling profession today.* Paper presented at the Chi Sigma Iota Invitational Counselor Advocacy Conference, Greensboro, NC.

Goodyear, R. K. (1984). On our journal's evolution: Historical developments, transitions, and future directions. *Journal of Counseling and Development, 63,* 3–9.

Goodyear, R. K., & Watkins, C. E., Jr. (1983). C. H. Patterson: The counselor's counselor. *Personnel and Guidance Journal, 61,* 592–597.

Grosse, S. J. (2002). Children and post traumatic stress disorder: What classroom teachers should know. In G. R. Walz & C. J. Kirkman (Eds.), *Helping people cope with tragedy and grief* (pp. 23–27). Greensboro, NC: ERIC & NBCC.

Gummere, R. M., Jr. (1988). The counselor as prophet: Frank Parsons, 1854–1908. *Journal of Counseling and Development, 66,* 402–405.

Hackney, H., & Wrenn, C. G. (1990). The contemporary counselor in a changed world. In H. Hackney (Ed.), *Changing contexts for counselor preparation in the 1990s* (pp. 1–20). Alexandria, VA: Association for Counselor Education and Supervision.

Hamachek, D. E. (1988). Evaluating self-concept and ego development within Erikson's psychosocial framework: A formulation. *Journal of Counseling and Development, 66,* 354–360.

Hansen, J. C., Rossberg, R. H., & Cramer, S. H. (1994). *Counseling: Theory and process* (5th ed.). Boston: Allyn & Bacon.

Harold, M. (1985). Council's history examined after 50 years. *Guidepost, 27*(10), 4.

Hartung, P. J., & Blustein, D. L. (2002). Reason, intuition, and social justice: Elaborating on Parsons' career decision-making model. *Journal of Counseling and Development, 80,* 41–47.

Heppner, P. P. (1990). Life lines: Institutional perspectives [Feature editor's introduction]. *Journal of Counseling and Development, 68,* 246.

Herr, E. L. (1985). AACD: An association committed to unity through diversity. *Journal of Counseling and Development, 63,* 395–404.

Herr, E. L., & Fabian, E. S. (1993). The *Journal of Counseling and Devel-*

opment: Its legacy and its aspirations. *Journal of Counseling and Development, 72,* 3–4.

Hohenshil, T. H. (2000). High tech counseling. *Journal of Counseling and Development, 78,* 365–368.

Hollis, J. W. (2000). *Counselor preparation 1999–2001: Programs, faculty, trends* (10th ed.). Philadelphia: Taylor & Francis.

Hollis, J. W., & Wantz, R. A. (1980). *Counselor preparation.* Muncie, IN: Accelerated Development.

Ingram, J. (1998, Spring/Summer). Psychopharmacology questions? *WACES Wire, 36,* 4.

Ivey, A. E. (1971). *Microcounseling: Innovations in interviewing training.* Springfield, IL: Thomas.

Jordan, K. (2002). Providing crisis counseling to New Yorkers after the terrorist attack on the World Trade Center. *The Family Journal: Counseling and Therapy for Couples and Families, 10,* 139–144.

Kiselica, M. K., & Robinson, M. (2001). Bringing advocacy counseling to life: The history, issues, and human dramas of social justice working in counseling. *Journal of Counseling and Development, 79,* 387–397.

Kohlberg, L. (1969). *Stages in the development of moral thought and action.* New York: Holt, Rinehart, & Winston.

Kormanski, C. (1994). Personal interview.

Krumboltz, J. D. (Ed.). (1966). *Revolution in counseling.* Boston: Houghton Mifflin.

Lapsley, D. K., & Quintana, S. M. (1985). Recent approaches to the moral and social education of children. *Elementary School Guidance and Counseling, 19,* 246–259.

Lawless, L. L., Ginter, E. J., & Kelly, K. R. (1999). Managed care: What mental health counselors need to know. *Journal of Mental Health Counseling, 21,* 50–65.

Lee, C. C. (1998). Professional counseling in a global context: Collaboration for international social action. In C. C. Lee & G. R. Walz

(Eds.), *Social action: A mandate for counselors* (pp. 293–306). Alexandria, VA: American Counseling Association.

Lee, C. C., & Walz, G. R. (Eds.). (1998). *Social action: A mandate for counselors.* Alexandria, VA: American Counseling Association.

Lee, J. M. (1966). Issues and emphases in guidance: A historical perspective. In J. M. Lee & N. J. Pallone (Eds.), *Readings in guidance and counseling.* New York: Sheed & Ward.

Lewis, J., & Lewis, M. (1977). *Community counseling: A human services approach.* New York: Wiley.

Loughary, J. W., Stripling, R. O., & Fitzgerald, P. W. (Eds.). (1965). *Counseling: A growing profession.* Washington, DC: American Personnel and Guidance Association.

Lynch, R. K., & Maki, D. (1981). Searching for structure: A traitfactor approach to vocational rehabilitation. *Vocational Guidance Quarterly, 30,* 61–68.

Manderscheid, R. W., & Sonnenschein, M. A. (1992). *Mental health in the United States, 1992* (DHHS Publication No. [SMA] 92–1942). Washington, DC: U.S. Government Printing Office.

Marotta, S. A. (2000). Best practices for counselors who treat posttraumatic stress disorder. *Journal of Counseling and Development, 78,* 492–495.

Murphy, K. E. (1998). Is managed care unethical? *IAMFC Family Digest, 11*(1), 3.

Myers, J. (1990). Personal interview. Greensboro, NC.

Myers, J. E., & Sweeney, T. J. (2001). Specialties in counseling. In D. C. Locke, J. E. Myers, & E. L. Herr (Eds.), *The handbook of counseling* (pp. 43–54). Thousand Oaks, CA: Sage.

Myers, J. E., Sweeney, T. J., & Witmer, J. M. (2000). The wheel of wellness: Counseling for wellness: A holistic model for treatment planning. *Journal of Counseling and Development, 78,* 251–266.

Myers, J. E., Sweeney, T. J., & Witmer, J. M. (2001). Optimization of behavior. In D. C. Locke, J. E. Myers, & E. L. Herr (Eds.), *The handbook of counseling* (pp. 641–652). Thousand Oaks, CA: Sage.

National Board for Certified Counselors and the Center for Credentialing and Education (1997). Standards for the ethical practice of Webcounseling [online]. Available: http://www.nbcc.org/.

Nugent, F. A. (1981). *Professional counseling*. Pacific Grove, CA: Brooks/Cole.

Nugent, F. A. (2000). *An introduction to the profession of counseling* (3rd ed.). Upper Saddle River, NJ: Merrill/Prentice Hall.

Ohlsen, M. M. (1983). *Introduction to counseling*. Itasca, IL: Peacock.

O'Neil, J. M., & Carroll, M. R. (1988). A gender role workshop focused on sexism, gender role conflict, and the gender role journey. *Journal of Counseling and Development, 67,* 193–197.

Pachis, B., Rettman, S., & Gotthoffer, D. (2001). *Counseling on the net 2001.* Boston: Allyn & Bacon.

Paisley, P. O. (1997). Personalizing our history: Profiles of theorists, researchers, practitioners, and issues. *Journal of Counseling and Development, 76,* 4–5.

Parsons, F. (1909). *Choosing a vocation.* Boston: Houghton Mifflin.

Pearson, J. E. (1988). A support group for women with relationship dependency. *Journal of Counseling and Development, 66,* 394–396.

Ponterotto, J. G., & Casas, J. M. (1987). In search of multicultural competence within counselor education programs. *Journal of Counseling and Development, 65,* 430–434.

Rogers, C. R. (1942). *Counseling and psychotherapy.* Boston: Houghton Mifflin.

Romano, G. (1992, Spring). AACD's 40th anniversary. *American Counselor, 1,* 18–26.

Sampson, J. P., Jr. (2000). Using the Internet to enhance testing in counseling. *Journal of Counseling and Development, 78,* 348–356.

Sampson, J. P., Kolodinsky, R. W., & Greeno, B. P. (1997). Counseling on the information highway: Future possibilities and potential problems. *Journal of Counseling and Development, 75,* 203–212.

Seiler, G., Brooks, D. K., Jr., & Beck, E. S. (1987). Training standards of the American Mental Health Counselors Association: History, rationale, and implications. *Journal of Mental Health Counseling, 9,* 199–209.

Sheeley, V. L. (2002). American Counseling Association: the 50th year celebration of excellence. *Journal of Counseling & Development, 80,* 387–393.

Shertzer, B., & Stone, S. C. (1981). *Fundamentals of guidance.* Boston: Houghton Mifflin.

Smith, H. (2001). Professional identity for counselors. In D. C. Locke, J. E. Myers, & E. L. Herr (Eds.), *The handbook of counseling* (pp. 569–579). Thousand Oaks, CA: Sage.

Steinhauser, L. (1985). A new PhD's search for work: A case study. *Journal of Counseling and Development, 63,* 300–303.

Steinhauser, L., & Bradley, R. (1983). Accreditation of counselor education programs. *Counselor Education and Supervision, 25,* 98–108.

Stephenson, J. B. (1996). Changing families, changing systems: Counseling implications for the twenty-first century. *School Counselor, 44,* 85–99.

Stripling, R. O. (1978). ACES guidelines for doctoral preparation in counselor education. *Counselor Education and Supervision, 17,* 163–166.

Strong, E. K., Jr. (1943). *Vocational interests of men and women.* Stanford, CA: Stanford University Press.

Sue, D. W., Arredondo, P., & McDavis, R. J. (1992). Multicultural counseling competencies and standards: A call to the profession. *Journal of Multicultural Counseling and Development, 20,* 64–88.

Super, D. E. (1955). Transition: From vocational guidance to counseling psychology. *Journal of Counseling Psychology, 2,* 3–9.

Sweeney, T. J. (1989). Excellence vs. elitism. *Newsletter of Chi Sigma Iota, 5,* 1, 11.

Sweeney, T. J. (1991). Counseling credentialing: Purpose and origin. In F. O. Bradley (Ed.), *Credentialing in counseling* (pp. 1–12). Alexandria, VA: Association for Counselor Education and Supervision.

Sweeney, T. J. (2001). Counseling: Historical origins and philosophical roots. In D. C. Locke, J. E. Myers, & E. L. Herr (Eds.), *The handbook of counseling* (pp. 3–26). Thousand Oaks, CA: Sage.

Thomas, S. C. (1996). A sociological perspective on contextualism. *Journal of Counseling and Development, 74,* 529–536.

Truax, C. B., & Carkhuff, R. R. (1967). *Toward effective counseling and psychotherapy: Training and practice.* Chicago: Aldine.

Tyler, L. E. (1986). Farewell to guidance. *Journal of Counseling and Human Service Professions, 1,* 152–155.

U.S. Employment Service. (1939). *Dictionary of occupational titles.* Washington, DC: Author.

VanZandt, C. E. (1990). Professionalism: A matter of personal initiatives. *Journal of Counseling and Development, 68,* 243–245.

Walz, G. R., & Kirkman, C. J. (Eds.). (2002). *Helping people cope with tragedy and grief.* Greensboro, NC: ERIC & NBCC.

Wedding, D. (2000). Current issues in psychotherapy. In R. J. Corsini & D. Wedding (Eds.), *Current psychotherapies* (6th ed., pp. 445–460). Itasca, IL: Peacock.

Weinrach, S. G. (1987). Microcounseling and beyond: A dialogue with Allen Ivey. *Journal of Counseling and Development, 65,* 532–537.

Weinrach, S. G., & Thomas, K. R. (1998). Diversity-sensitive counseling today: A postmodern clash of values. *Journal of Counseling and Development, 76,* 115–122.

Whiteley, J. M. (1984). Counseling psychology: A historical perspective. *Counseling Psychologist, 12,* 2–109.

Williamson, E. G. (1939). *How to counsel students: A manual of techniques for clinical counselors.* New York: McGraw-Hill.

Williamson, E. G., & Biggs, D. A. (1979). Trait-factor theory and individual differences. In H. M. Burks, Jr. & B. Stefflre (Eds.), *Theories of counseling* (3rd ed., pp. 91–131). New York: McGraw-Hill.

Wilmarth, R. R. (1985, Summer). Historical perspective, part two. *AMHCA News, 8,* 21.

Wilson, F. R. (1994, Spring). Assessment and counseling information: Access via Internet. *AAC Newsnotes, 29,* 6–8.

Witmer, J. M., & Sweeney, T. J. (1999). Toward wellness: The goal of helping. In T. J. Sweeney (Ed.), *Adlerian counseling: A practitioner's approach.* Philadelphia: Taylor & Francis.

Woody, R. H., Hansen, J. C., & Rossberg, R. H. (1989). *Counseling psychology.* Pacific Grove, CA: Brooks/Cole.

Wrenn, C. G. (1962). *The counselor in a changing world.* Washington, DC: American Personnel and Guidance Association.

Zytowski, D. (1985). Frank! Frank! Where are you now that we need you? *Counseling Psychologist, 13,* 129–135.

2

PERSONAL AND PROFESSIONAL ASPECTS OF COUNSELING

In the midst of a day
that has brought only gray skies, hard rain,
and two cups of lukewarm coffee,
You come to me with Disney World wishes
waiting for me to change into:
a Houdini figure with Daniel Boone's style
Prince Charming's grace and Abe Lincoln's wisdom
Who with magic words, a wand,
frontier spirit, and perhaps a smile
can cure all troubles in a flash.
But reality sits in a green-cushioned chair,
lightning has struck a nearby tree,
yesterday ended another month,
I'm uncomfortable sometimes in silence,
And unlike fantasy figures
I can't always be
what you see in your mind.

Counseling is "an altruistic and noble profession." For the most part, "it attracts caring, warm, friendly and sensitive people" (Myrick, 1997, p. 4). Yet, individuals aspire to become counselors for many reasons. Some motivators, like the people involved, are healthier than others are, just as some educational programs, theories, and systems of counseling are stronger than others are. It is important that persons who wish to be counselors examine themselves before committing their lives to the profession. Whether they choose counseling as a career or not, people can be helped by studying themselves as well as counseling. They may gain insight into their lives, learn how to relate to others, and understand how the counseling process works (Cavanagh, 1990). They may also further develop their moral reasoning and empathetic abilities (Bowman & Reeves, 1987).

The effectiveness of a counselor and of counseling depends on numerous variables, including

- *the personality and background of the counselor;*
- *the formal education of the counselor; and*
- *the ability of the counselor to engage in professional counseling-related activities, such as continuing education, supervision, advocacy, and the building of a portfolio.*

The counselor and the counseling process have a dynamic effect on others; if it is not beneficial then it most likely is harmful (Carkhuff, 1969; Ellis, 1984; Mays & Franks, 1980). In this chapter, personal and professional factors that influence the counseling profession are examined.

THE PERSONALITY AND BACKGROUND OF THE COUNSELOR

A counselor's personality is at times a crucial ingredient in counseling. Counselors should possess personal qualities of maturity, empathy, and warmth. They should be altruistic in spirit and not easily upset or frustrated. Unfortunately, such is not always the case.

Negative Motivators for Becoming a Counselor

Not everyone who wants to be a counselor or applies to a counselor education program should enter the field. The reason has to do with the motivation behind the pursuit of the profession and the incongruent personality match between the would-be counselor and the demands of counseling.

A number of students "attracted to professional counseling . . . appear to have serious personality and adjustment problems" (Witmer & Young, 1996, p. 142). Most are weeded out or decide to pursue other careers before they finish a counselor preparation program. However, some entry-level students who matriculate into graduate counseling programs enter the profession for the wrong reasons. According to Guy (1987), dysfunctional motivators for becoming a counselor include the following:

- *Emotional distress*—individuals who have unresolved personal traumas
- *Vicarious coping*—persons who live their lives through others rather than have meaningful lives of their own

- *Loneliness and isolation*—individuals who do not have friends and seek them through counseling experiences
- *A desire for power*—people who feel frightened and impotent in their lives and seek to control others
- *A need for love*—individuals who are narcissistic and grandiose and believe that all problems are resolved through the expression of love and tenderness
- *Vicarious rebellion*—persons who have unresolved anger and act out their thoughts and feelings through their clients' defiant behaviors

Fortunately, most people who eventually become counselors and remain in the profession have healthy reasons for pursuing the profession, and a number even consider it to be a "calling" (Foster, 1996). Counselors and counselors-in-training should always assess themselves in regard to who they are and what they are doing. Such questions may include those that examine their development histories, their best and worst qualities, and personal/professional goals and objectives (Faiver, Eisengart, & Colonna, 1995).

Personal Qualities of an Effective Counselor

Among the functional and positive factors that motivate individuals to pursue careers in counseling and make them well suited for the profession are the following qualities as delineated by Foster (1996) and Guy (1987). Although this list is not exhaustive, it highlights aspects of one's personal life that make him or her more or less suited to function as a counselor.

- *Curiosity and inquisitiveness*—a natural interest in people
- *Ability to listen*—the ability to find listening stimulating
- *Comfort with conversation*—enjoyment of verbal exchanges
- *Empathy and understanding*—the ability to put oneself in another's place, even if that person is a different gender or from a different culture
- *Emotional insightfulness*—comfort dealing with a wide range of feelings, from anger to joy
- *Introspection*—the ability to see or feel from within
- *Capacity for self-denial*—the ability to set aside personal needs to listen and take care of others' needs first
- *Tolerance of intimacy*—the ability to sustain emotional closeness
- *Comfort with power*—the acceptance of power with a certain degree of detachment
- *Ability to laugh*—the capability of seeing the bittersweet quality of life events and the humor in them

In addition to personal qualities associated with entering the counseling profession, a number of personal characteristics are associated with being an effective counselor over time (Patterson & Welfel, 2000). They include stability, harmony, constancy, and purposefulness. Overall, the potency of counseling is related to counselors' personal togetherness (Carkhuff & Berenson, 1967; Kottler, 1993). The personhood or personality of counselors is as important, if not more crucial, than their mastery of knowledge, skills, or techniques (Cavanagh, 1990; Rogers, 1961). Education cannot change a person's basic characteristics. Effective counselors are growing as persons and are helping others do the same both personally and globally (Lee & Sirch, 1994). In other words, effective counselors are sensitive to themselves and others. They monitor their own biases, listen, ask for clarification, and explore racial and cultural differences in an open and positive way (Ford, Harris, & Schuerger, 1993).

Related to this sensitive and growth-enhancing quality of effective counselors are their appropriate use of themselves and their use of themselves as instruments (Brammer & MacDonald, 1999; Combs, 1982). Effective counselors are able to be spontaneous, creative, and empathetic. "There is a certain art to the choice and timing of counseling interventions" (Wilcox-Matthew, Ottens, & Minor, 1997, p. 288). Effective counselors choose and time their moves intuitively and according to what research has verified works best. It is helpful if counselors' lives have been tempered by multiple life experiences that have enabled them to realize some of what their clients are going through and to therefore be both aware and appropriate.

The ability to work from a perspective of resolved emotional experience that has sensitized a person to self and others in a helpful way is what Rollo May characterizes as being a *wounded healer* (May, Remen, Young, & Berland, 1985). It is a paradoxical phenomenon. Individuals who have been hurt and have been able to transcend their pain and gain insight into themselves and the world can be helpful to others who struggle to overcome emotional problems (Miller, Wagner, Britton, & Gridley, 1998). They have been where their clients are now. Thus, "counselors who have experienced painful life events and have adjusted positively can usually connect and be authentic with clients in distress" (Foster, 1996, p. 21).

Effective counselors are also people who have successfully integrated scientific knowledge and skills into their lives. That is, they have achieved a balance of interpersonal and technical competence (Cormier & Cormier, 1998). Qualities of effective counselors over time other than those already mentioned include the following:

- *Intellectual competence*—the desire and ability to learn as well as think fast and creatively
- *Energy*—the ability to be active in sessions and sustain that activity even when one sees a number of clients in a row
- *Flexibility*—the ability to adapt what one does to meet clients' needs
- *Support*—the capacity to encourage clients in making their own decisions while helping engender hope
- *Goodwill*—the desire to work on behalf of clients in a constructive way that ethically promotes independence
- *Self-awareness*—a knowledge of self, including attitudes, values, and feelings and the ability to recognize how and what factors affect oneself

According to Holland (1997), specific personality types are attracted to and work best in certain vocational environments. The environment in which counselors work well is primarily social and problem oriented. It calls for skill in interpersonal relationships and creativity. The act of creativity requires courage (May, 1975) and involves a selling of new ideas and ways of working that promote intra- as well as interpersonal relations (Gladding, 1998). The more aligned counselors' personalities are to their environments, the more effective and satisfied they will be.

Wiggins and Weslander (1979) found empirical support for Holland's hypothesis. They studied the personality traits and rated the job performance of 320 counselors in four states. In general, those counselors who were rated "highly effective" scored highest on the social (social, service oriented) and artistic (creative, imaginative) scales of the Vocational Preference Inventory (Holland, 1977). Counselors who were rated "ineffective" generally scored highest on the realistic (concrete, technical) and conventional (organized, practical) scales. Other factors, such as gender, age, and level of education, were not found to be statistically significant in predicting effectiveness. The results of this research affirm that the personality of counselors is related to their effectiveness in the profession. Nevertheless, the relationship of persons and environments is complex: individuals with many different personality types manage to find places within the broad field of counseling and make significant contributions to the profession.

Maintaining Effectiveness as a Counselor

Persons who become counselors experience the same difficulties as everyone else. They must deal with aging, illness, death, marriage, parenting, job changes, divorce, and a host of other common problems. Some of these life events, such as marrying for the first time late in life or experiencing the death of a child, are considered developmentally "off time," or out of sequence and even tragic (Skovholt & McCarthy, 1988). Other events consist of unintended but fortuitous chance encounters, such as meeting a person with whom one develops a lifelong friendship (Bandura, 1982).

Both traumatic and fortunate experiences are problematic because of the stress they naturally create. A critical issue is how counselors handle these life events. As Roehlke (1988) points out, Carl Jung's idea of *synchronicity,* "which he [Jung] defined as two simultaneous events that occur coincidentally [and that] result in a meaningful connection," is perhaps the most productive way for counselors to perceive and deal with unexpected life experiences (p. 133).

Besides finding meaning in potentially problematic areas, other strategies counselors use for coping with crisis situations include remaining objective, accepting and confronting situations, asserting their own wishes, participating in a wellness lifestyle, and grieving (Lenhardt, 1997; Witmer & Young, 1996). Counselors who have healthy personal lives and learn from both their mistakes and their successes are more likely than others to grow therapeutically and be able to concentrate fully and sensitively on clients' problems (Cormier, 1988). Therefore, counselors and those who wish to enter the profession need to adapt to losses as well as gains and remain relatively free from destructive triangling patterns with persons, especially parents, in their families of origin. Such a stance enables them to foster and maintain intimate yet autonomous relationships in the present as desired (Gaushell & Lawson, 1994).

Other ways effective counselors maintain their health and well-being include taking preventive measures to avoid problematic behaviors, such as burnout (Grosch & Olsen, 1994). *Burnout* is the state of becoming emotionally or physically drained to the point that one cannot perform functions meaningfully. It is the single most common personal consequence of working as a counselor (Emerson & Markos, 1996; Kottler, 1993). People cannot function adequately if they never step out of their professional roles. Counselors must develop interests outside counseling and avoid taking their work home, either mentally or physically. They also must take responsibility for rejuvenating themselves through such small but significant steps as refurbishing their offices every few years; purging, condensing, and creating new files; evaluating new materials; and contributing to the counseling profession through writing or presenting material on which they are comfortable (McCormick, 1998). A number of researchers suggest other ways in which counselors can avoid or treat burnout (Boy & Pine, 1980; Pines & Aronson, 1981; Savicki & Cooley, 1982; Watkins, 1983):

- Associate with healthy individuals
- Work with committed colleagues and organizations that have a sense of mission
- Be reasonably committed to a theory of counseling
- Use stress-reduction exercises
- Modify environmental stressors
- Engage in self-assessment (i.e., identify stressors and relaxers)
- Periodically examine and clarify counseling roles, expectations, and beliefs (i.e., work smarter, not necessarily longer)
- Obtain personal therapy
- Set aside free and private time (i.e., balance one's lifestyle)
- Maintain an attitude of detached concern when working with clients
- Retain an attitude of hope

In summing up previous research about the personalities, qualities, and interests of counselors, Auvenshine and Noffsinger (1984) concluded, "Effective counselors must be emotionally mature, stable, and objective. They must have self-awareness and be secure in that awareness, incorporating their own strengths and weaknesses realistically" (p. 151).

PROFESSIONAL ASPECTS OF COUNSELING

Levels of Helping

There are three levels of helping relationships: nonprofessional, paraprofessional, and professional. To practice at a certain level requires that helpers acquire the skills necessary for the task (see Figure 2.1).

The first level of helping involves *nonprofessional helpers*. These helpers may be friends, colleagues, untrained volunteers, or supervisors who try to assist those in need in whatever ways they can. Nonprofessional helpers possess varying degrees of wisdom and skill. No specific educational requirements are involved, and the level of helping varies greatly among people in this group.

A second and higher level of helping encompasses what is known as *generalist human services workers*. These individuals are usually human service workers who have received some formal training in human relations skills but work as part of a team rather than as individuals. People on this level often work as mental health technicians, child care workers, probation personnel, and youth counselors. When properly trained and supervised, generalist human services workers such as residence hall assistants can have a major impact on facilitating positive relationships that promote mental health throughout a social environment (Waldo, 1989).

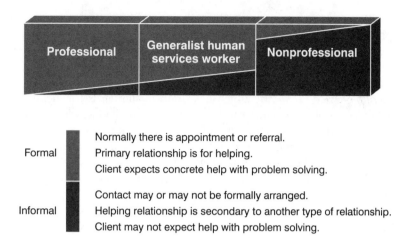

Formal	Normally there is appointment or referral. Primary relationship is for helping. Client expects concrete help with problem solving.
Informal	Contact may or may not be formally arranged. Helping relationship is secondary to another type of relationship. Client may not expect help with problem solving.

Figure 2.1
Kinds of helping relationships
Source: From *Effective Helping: Interviewing and Counseling Techniques,* 5th edition by Barbara R. Okun.
© 1997. Reprinted with permission of Wadsworth, a division of Thomson Learning: www.thomsonrights.com.
Fax 800-730-2215.

Finally, there are *professional helpers.* These persons are educated to provide assistance on both a preventive and a remedial level. People in this group include counselors, psychologists, psychiatrists, social workers, psychiatric nurses, and marriage and family therapists. Workers on this level have a specialized advanced degree and have had supervised internships to help them prepare to deal with a plethora of situations.

In regard to the education of helpers on the last two levels, Robinson and Kinnier (1988) have found that self-instructional and traditional classroom training are equally effective at teaching skills.

Professional Helping Specialties

Each helping profession has its own educational and practice requirements. Counselors need to know the educational backgrounds of other professions in order to use their services, communicate with them in an informed manner, and collaborate with them on matters of mutual concern. Three helping professions with which counselors frequently interact are psychiatrists, psychologists, and social workers.

Psychiatrists earn a medical degree (M.D.) and complete a residency in psychiatry. They are specialists in working with people who have major psychological disorders. They are schooled in the biomedical model, "which focuses on the physical processes thought to underlay mental and emotional disorders" (MacCluskie & Ingersoll, 2001, p. 8). Frequently, they prescribe medications and then evaluate the results, especially in agencies such as mental health clinics. Thus, psychiatrists take almost an exclusive biopsychological approach in treatment and as a group are not heavily engaged in counseling activities. Their clients are called *patients.* They must pass both national and state examinations to practice.

Psychologists earn one of the following advanced degrees in psychology: a doctor of philosophy (Ph.D.), a doctor of education (Ed.D.), or a doctor of psychology (Psy.D.). Their coursework and internships may be concentrated in clinical, counseling, or school-related areas. All states license psychologists, but the requirements for licensure differ from state to state. Most clinically oriented psychologists are listed in the *National Register of Health Service Providers,* which has uniform standards for inclusion. Graduates of counseling psychology programs follow a curriculum that includes courses in scientific and professional ethics and standards, research design and methodology, statistics and psychological measurement, biological bases of behavior, cognitive–affective bases of behavior, social bases of behavior, individual behavior, and courses in specialty areas. Counseling psychology and counselor education share many common roots, concerns, and significant persons in their histories (Elmore, 1984).

Social workers usually earn a master's of social work degree (M.S.W.), although some universities award a bachelor's degree in social work. There is also advanced training at the doctoral level. Regardless of their educational background, social workers on all levels have completed internships in social agency settings. Social workers vary in regard to how they function. Some administer government programs for the underprivileged and disenfranchised. Others engage in counseling activities. "Social work differentiates itself from counseling, psychology, and psychiatry in that its mission includes mandates to negotiate social systems and advocate for change, to understand clients' habitats (physical and social settings within cultural contexts) and niches (statuses and roles in community) and to provide social services" (MacCluskie & Ingersoll, 2001, p. 13). The National Association of Social Workers (NASW) offers credentials for members who demonstrate advanced clinical and educational competencies.

The Education of Professional Counselors

Few, if any, people have the ability to work effectively as counselors without formal education in human development and counseling (Kurpius, 1986). The level of education needed is directly related to the intensity, expertise, and emphasis of work in which one engages. Professional *counselors* obtain either a master's or a doctorate in counseling from a counselor education or related program and complete internships in specialty areas such as school counseling, community/agency counseling, mental health counseling, career counseling, gerontological counseling, addiction counseling, or marriage and family counseling. They are usually certified by the National Board of Certified Counselors or are licensed to practice by individual states, or both.

An *accredited counselor education program* is one recognized at either the master's or doctoral level. The accrediting body for these programs is the Council for Accreditation of Counseling and Related Educational Programs (CACREP). This independent body evolved from the efforts of the Association for Counselor Education and Supervision (ACES) and the American Counseling Association (ACA) to establish standards and guidelines for counseling independent of the National Council for Accreditation of Teacher Education (NCATE).

On the master's level, CACREP accredits programs in career counseling, community counseling, mental health counseling, school counseling, marital, couple, and family counseling/therapy, student affairs, and college counseling. Graduates from accredited masters' programs have an advantage over graduates from nonaccredited programs in (a) obtaining admittance to accredited counselor education doctoral programs, (b) meeting the educational requirements for counselor licensure and certification, and (c) obtaining employment as a counselor.

The following broad standards must be met in an accredited counselor education master's degree program (CACREP, 2001):

- The entry-level program must be a minimum of 2 full academic years in length, with a minimum of 48 semester hours required of all students. The entry-level program in mental health counseling must be 60 semester hours long, and the entry-level program in marriage and family counseling must also be 60 semester hours.
- Curricular experiences and demonstrated knowledge and skill competence is required of all students in each of eight common core areas: (a) human growth and development, (b) social and cultural foundations, (c) helping relationships, (d) groups, (e) lifestyles and career development, (f) appraisal, (g) research and evaluation, and (h) professional orientation.
- Clinical experiences are required under the direction of supervisors with specific qualifications. The student must complete 100 clock hours of a supervised practicum with 1 hour per week of individual supervision and 1.5 hours per week of group supervision with other students in similar practice.
- The program must require that each student complete 600 clock hours of a supervised internship, which is to begin only after successful completion of the student's practicum.
- Three full-time faculty members must be assigned to the academic unit in counselor education.

CACREP accredits programs on the doctoral level too in counselor education and supervision (Ed.D. and Ph.D.). In 2000 there were 54 doctoral programs in counselor education, with 39 of them accredited by CACREP (Hollis, 2000). Standards at this level assume that an individual has completed an entry-level master's degree in counseling. Doctoral-level programs require more in-depth research, supervised field experiences, and specialization. A growing number of graduate schools are applying for CACREP accreditation because of the benefits and recognition such accreditation brings to themselves and to their students. Overall, counselor education programs have become deeper in course offerings and broader developmentally as a result of accreditation standards and procedures.

CREDENTIALING OF COUNSELORS

With the recognition of counseling as a separate professional entity, professional issues have arisen that must be addressed in a positive way. One of the most important of these is credentialing. Obtaining proper credentials to practice as a counselor—certification, licensure, or both—is important in the counseling profession (Glosoff, 1992; Romano, 1992). "Credentialed counselors possess enhanced visibility and credibility" (Clawson & Wildermuth, 1992, p. 1).

There are basically four types of professional credentials, two of which, certification and licensure, have considerable prestige. In the past, most credentials were awarded by states, but now certification is also the function of a professional organization, the National Board for Certified Counselors (NBCC). Before deciding on what credentials to pursue, counselors need to know which are legally required for their practice and will enhance their credibility and development (Anderson & Swanson, 1994).

Credentialing procedures have four levels (Swanson, 1983b): inspection, registration, certification, and licensure.

Inspection

In this process "a state agency periodically examines the activities of a profession's practitioners to ascertain whether they are practicing the profession in a fashion consistent with the public safety, health, and welfare" (Swanson, 1983, p. 28). Many state agencies that employ counselors, such as mental health centers, are subject to having their personnel and programs regularly inspected. Such an inspection may include a review of case notes on treatment during a specific period, a review of agency procedures, and personal interviews.

Registration

This plan requires practitioners to submit information to the state concerning the nature of their practice. Usually a professional organization, such as a state division of the ACA, assumes the responsibility for setting standards necessary to qualify as a registrant and maintains a list of names of those who voluntarily meet those standards. This method is employed as a way to gain legal recognition for counselors who used the title "registered professional counselor."

Certification

Certification is a professional, statutory, or nonstatutory process "by which an agency or association grants recognition to an individual for having met certain predetermined professional qualifications. Stated succinctly, certification . . . is a 'limited license,' that is, the protection of title only" (Fretz & Mills, 1980, p. 7). In this case, a state or national board or department issues a certificate to an individual in a specialty. Certification basically implies that the person meets the minimum skills necessary to engage in that profession and has no known character defects that would interfere with such a practice. Often states require candidates for certification to pass a competency test and submit letters of reference before a certificate is issued. School counselors were among the first counselors to be certified.

The NBCC is the main national organization that certifies counselors. Certification specialties are available from the NBCC in school counseling, mental health counseling, and addiction counseling (see Figure 2.2).

Counselors who wish to become a national certified counselor (NCC) must have a minimum of 48 semester or 72 quarter hours of graduate study in counseling or a related field, including a master's degree in counseling from a regionally accredited institution of higher education. They must include courses in their program of study that cover human growth and development, group work, research and program evaluation,

About NBCC

The National Board for Certified Counselors, Inc. and affiliates (NBCC®), an independent not-for-profit credentialing body for counselors, was incorporated in 1982 to establish and monitor a national certification system, to identify those counselors who have voluntarily sought and obtained certification, and to maintain a register of those counselors.

NBCC's certification program recognizes counselors who have met predetermined standards in their training, experience, and performance on the National Counselor Examination for Licensure and Certification (NCE), the most portable credentialing examination in counseling. NBCC has over 31,000 certified counselors. These counselors live and work in the US and over 50 countries. Our examinations are used by more than 40 states, the District of Columbia, and Guam to credential counselors on a state level.

NBCC was initially created after the work of a committee of the American Counseling Association (ACA). The committee created NBCC to be an independent credentialing body. NBCC and ACA have strong historical ties and work together to further the profession of counseling. However, the two organizations are completely separate entities with different goals.

• ACA concentrates on membership association activities such as conferences, professional development, publications, and government relations.
• NBCC focuses on promoting quality counseling through certification. We promote professional counseling to private and government organizations.

NBCC's flagship credential is the National Certified Counselor (NCC). NBCC also offers specialty certification in several areas:

• School counseling—The National Certified School Counselor (NCSC)
• Clinical mental health counseling—The Certified Clinical Mental Health Counselor (CCMHC)
• Addictions counseling—The Master Addictions Counselor (MAC)

The NCC is a prerequisite or co-requisite for the specialty credentials.

Figure 2.2
About NBCC
Source: Reprinted with permission of National Board for Certified Counselors, Inc.

counseling theories/helping relationships, professional orientation, career and lifestyle development, ethics, social/cultural foundations, and appraisal. They must also have a minimum of two academic terms of supervised field experience in a counseling setting. In addition, they must pass the National Counselor Examination (NCE). In the case of individuals graduating from a non-CACREP program, 2 years of postmaster's field experience with 3,000 client contact hours and 100 hours of weekly face-to-face supervision with an NCC or equivalent is also required.

Counselors should obtain both NBCC certification and state licensure for four reasons (Clawson & Wildermuth, 1992). First, national certification is broader than state licensure and based on a larger population. Second, licensure is more susceptible than national certification to state politics. Third, national certification more readily provides referral sources and networking across state lines. Finally, most state counseling licenses do not recognize specialty areas, whereas national certification does.

Licensure

Fretz and Mills (1980) define *licensure* as "the statutory process by which an agency of government, usually a state, grants permission to a person meeting predetermined qualifications to engage in a given occupation and/or use a particular title and to perform specified functions" (p. 7). Licensure differs in purpose from certification but requires similar procedures in terms of education and testing for competence (Shimberg, 1981). Once licensure requirements are established, individuals cannot practice a profession legally without obtaining a license (Anderson & Swanson, 1994). Licensure is almost exclusively a state-governed process, and those states that have licensure have established boards to oversee the issuing of licenses. "A licensee who commits an offense that violates the legal or ethical codes adopted by the board to regulate practice is subject to the board's disciplinary authority. Disciplined providers of mental health services who do not face revocation or suspension of a license are generally permitted to continue to practice with one or more of the following requirements: participating in corrective education; obtaining therapy; agreeing to be monitored; limiting the scope of their practice; and having their practice supervised by specified colleagues" (Cobia & Pipes, 2002, p. 140).

In general, the licensing of professional helpers is always under scrutiny from the public, other professions, and state legislatures. The licensing of counselors gained momentum in the 1970s and 1980s, just as the licensing of psychologists did in the 1960s and 1970s. In 2002, 46 states and the District of Columbia legally regulated the practice of counseling (see Figure 2.3).

To coordinate efforts at uniformity and growth, the American Association of State Counseling Boards (AASCB) was formed in 1986 (Dingman, 1990).

ATTRIBUTION AND SYSTEMATIC FRAMEWORK OF THE COUNSELOR

Attribution and the systematic framework of counselors makes a difference in what counselors do and how effectively they do it. *Attribution* is what the counselor attributes the cause of a client's problem to (e.g., an external circumstance or an internal personality flaw). A *system* is a unified and organized set of ideas, principles, and behaviors. Systems associated with counseling are concerned with how the counselor approaches clients and are interrelated to attributes and theories. Two systems, one based on developmental issues and one based on the diagnosis of disorders, will be examined here because it is from these two perspectives (and the places in between) that counselors work.

Attributes

Both counselors and clients enter a relationship with some assumptions about what may have caused a problem. Often these personal perceptions are far apart. However, "diagnostic decisions, symptom recognition, and predictions concerning treatment response and outcome can be [and often are] influenced by counselors' explanations for the cause [or causes] of clients' presenting problems" (Kernes & McWhirter, 2001, p. 304). For example, if clients are seen as being responsible for their problems, such as bad decision making, they may be blamed, whereas if the cause of a problem is viewed as beyond their control, such as the trauma of an unexpected death, they may be treated sympathetically.

Figure 2.3
States (shaded) that legally regulate counselors, 2003

There are four main attribution models that counselors use on either a conscious or unconscious basis (Kernes & McWhirter, 2001). They are as follows:

Medical Model—"In this model, clients are not held responsible for either the cause of their problem or its solution" (p. 305). Counselors who adopt this model act basically as experts and provide the necessary services for change. While clients are not blamed, they may become dependent.

Moral Model—This model is best typified by the self-help movement and is basically the opposite of the medical model. "Clients are seen as responsible for both causing and solving their problems" (p. 305). Counselors are viewed primarily as coaches or motivators. The drawback to this model is that those who may be victims of circumstances may be held responsible for their own victimization.

Compensatory Model—In the compensatory model, clients are held "responsible only for solving their problems but not for causing them" (p. 304). Essentially, clients are viewed as "suffering from the failure of their social environments to meet their needs" (p. 304). Counselors and clients thus form a partnership to overcome problems with the counselor taking a subordinate role and acting as a teacher who provides education, skills, and opportunities for clients. The drawback to this model is that clients may "feel undue pressure at having to continually solve problems they did not create."

Enlightenment Model—This model holds "clients responsible for causing their problems but not for solving them" (p. 304). Clients are seen as "guilty individuals whose lives are out of control" (p. 304). They need enlightenment into the nature of their problems and ways of resolving these problems that the counselor can provide. While clients may feel relief in such an approach, the disadvantage in this model is that they may become dependent on the counselor who acts in the role of an authority figure or they may structure their lives around external sources of authority after they have completed counseling.

Systems of Counseling

Effective counselors adhere to certain systems of counseling as well as theories of counseling. Indeed, the strength of counseling ultimately depends on a continuation of that process.

That counseling is not governed by one dominant system approach is hardly surprising considering its historical development. Counseling started like a person who mounted a horse and rode off in all directions; that is, the person had no focus or planned direction (Ungersma, 1961).

As far back as the late 1940s, professionals noticed the lack of a system for counseling. Robert Mathewson (1949) observed that counseling was in "a search for a system . . . to win free from inadequate frames borrowed from traditional philosophy and education, from psychology, from political formulations underlying democratic government, from the concepts of physical science, etc." (p. 73).

Until the late 1940s, counseling used a variety of systems. Because the profession was without an organizational base, different factions defined what they did according to the system that suited them best. Competition among points of view, especially those connected with theories, was often spirited. Some counselors recognized the need for a unifying systematic approach to their discipline, but the unplanned growth of the profession proved an obstacle. However, by the 1990s several systems of counseling had emerged, the two most dominant being the developmental/wellness approach and the medical/pathological approach.

The Developmental/Wellness Approach.   The developmental/wellness perspective to counseling is based on stages that various personality theorists have outlined that people go through as a normal part of human growth. Counseling from this perspective is based on whether a problem a client is having is based on a developmental task of life. Behaviors that are appropriate at one stage of life may not be seen as healthy at another stage of life.

Allen Ivey (1990) was not the first to suggest that counseling systems be based on a developmental perspective, but his integration of developmental growth with counseling strategies stands out as one of the most unique expressions of this approach. Basically, Ivey suggests applying Piagetian concepts of cognitive levels (i.e., sensorimotor, concrete, formal, and postformal) to clinical interviews with adults and children. Therefore, if clients do not initially recognize their feelings, counselors will work from a sensorimotor level to bring out emotions. In a similar way, clients who are interested in planning strategies for change will be helped using a formal pattern of thought. *Developmental counseling and therapy* (DCT) "specifically addresses the sequence and process of development as it occurs in the natural language of the interview" (Ivey & Ivey, 1990, p. 299).

Wellness goes even further than development in emphasizing the positive nature and health of human beings (Myers, 1992). "Counselors have historically been in the business of helping their clients identify their strengths and build on their strengths" (Rak & Patterson, 1996, p. 368). In this perspective, individuals are seen as having the resources to solve their own problems in a practical, immediate way. "Problems are not evidence of an underlying pathology" (Mostert, Johnson, & Mostert, 1997, p. 21). Indeed, as Rak and Patterson (1996) point out, even most at-risk children show resilience and become coping adults.

An example of a counseling approach based on the wellness model is *solution-focused theory. Stress inoculation training* (SIT) (Meichenbaum, 1993), a proactive, psychoeducational intervention that can be used in schools and with adults, is another example of a present and future wellness emphasis approach (Israelashvili, 1998). In this model individuals are helped to understand their problematic situations, acquire skills for coping with them, and apply this knowledge to present and even future events through the use of imagery or simulated rehearsal.

A cornerstone of the developmental/wellness approach is an emphasis on prevention and education (Kleist & White, 1997). Counselors and clients function best when they are informed about the mental, physical, and social spheres of human life. Through such a process they recognize how they can focus on avoiding or minimizing disruptive forces that are either internal or external in nature.

The Medical/Pathological Model.   In contrast to the developmental/wellness view of counseling is the *medical/pathological model* of human nature represented by those who base treatment plans in accordance with the *Diagnostic and Statistical Manual of Mental Disorders* (DSM) (American Psychiatric Association, 2000). The DSM is compatible with the International Classification of Diseases manual (ICD-10), published by the World Health Organization, in codifying psychiatric disorders. The fourth edition text revision of this manual (DSM-IV-TR) contains 400 different categorical classifications of defined disorders and is culturally more sensitive than its predecessors. For example, "14 of the 16 major diagnostic classes (e.g., mood disorder, anxiety disorder) include some discussion of cultural issues" (Smart & Smart, 1997, p. 393).

A unique feature of the DSM system since 1980 is the use of five axes to describe client diagnoses. *Axis I* includes "clinical syndromes and other conditions that may be a focus of clinical attention" and is usually thought of as the axis on which a client's presenting problem and principal diagnosis appear (Hinkle, 1994, p. 38). *Axis II* contains diagnostic information only on personality disorders and mental limitations. *Axis III* describes information about general medical conditions of the client, such as chronic pain. *Axis IV* contains information on psychosocial and environmental problems that may affect the diagnosis, treatment, and prognosis of mental disorders, such as a lack of friends and inadequate housing. *Axis V* gives a Global Assessment of Relational Functioning (GARF) for the client on a scale from 0 to 100 (Ginter, 2001). (Higher numbers on the scale indicate a better level of functioning.) The assessment can be in relationship to the past or the present. When all of the axes are combined, the result might look like the following:

Axis I: 305.00; alcohol abuse, moderate
Axis II: 317.00; mild mental retardation
Axis III: chronic pain

Axis IV: divorced, unemployed, no friends
Axis V: GARF = 40 (present)

Overall, the DSM is an extremely interesting but controversial systemic model (Denton, 1990; Hinkle, 1994). It is atheoretical and does not substantially deal with anything but individual diagnoses, many of which are severe. Therefore, it is of limited value to group workers, marriage and family counselors, and counseling professionals who are not working with highly disturbed populations or who work from a humanistic orientation. However, the DSM-IV-TR contains information related to multicultural considerations, gender, and age in the diagnoses and treatment of persons. In addition, it is logically organized and includes a good network of decision trees. (See Appendix B for DSM-IV-TR classifications.)

Counselors should master DSM terminology regardless of their setting or specialty for the following reasons (Geroski, Rodgers, & Breen, 1997; Seligman, 1997, 1999):

1. The DSM system is universally used in other helping professions and forms the basis for a common dialogue between counselors and other mental health specialists.
2. The DSM system helps counselors recognize patterns of mental distress in clients who need to be referred to other mental health professionals or treated in a certain way.
3. By learning the DSM system, counselors establish accountability, credibility, uniform record keeping, informed treatment plans, research, and quality assurance.

ENGAGING IN PROFESSIONAL COUNSELING-RELATED ACTIVITIES

Becoming a counselor is a lifelong process. It continues well past the formal education of obtaining a master's or doctorate degree and includes participation in professional counseling-related activities. Counselors must obtain continuing education units (CEUs) to stay up-to-date, get needed supervision to ensure excellence in treatment, and advocate for both their clients and the profession of counseling.

Continuing Education

There is a need for continuing education for all counselors, even after graduation from a well-planned counselor education program. The reason is that new ideas in the treatment and practice of clients are always evolving and must be evaluated, incorporated, and, if necessary, mastered. Counselors who stop reading professional publications or stop attending in-service workshops and conventions quickly become dated in the delivery of skills. Therefore, counselors must obtain a certain number of CEUs annually to stay abreast of the latest and best methods of working.

CEUs are offered by approved professional counseling organizations on the local, state, regional, and national levels. It is possible to earn CEUs through correspondence courses as well as attending workshops. CEUs are even offered for reading some counseling journals and the ACA newsletter, *Counseling Today*. Counselors who are licensed or certified have to earn a certain number of CEUs to retain their credentials (Dingman, 1990). Engaging in such continuous efforts is sometimes expensive in terms of time and money, but the cost of not keeping up professionally (i.e., becoming incompetent or outdated) is much higher.

Supervision

Supervision is another way of improving professional counseling skills. *Supervision* is an interactive and evaluative process in which someone with more proficiency oversees the work of someone with less knowledge and skill to enhance the professional functioning of the junior member (Bernard & Goodyear, 1998). At its best, supervision is a facilitative experience that combines didactic and experiential learning in the context of a developmental relationship. It allows the acquiring of expertise in theory and practice that is not possible to gain in any other way (Borders & Leddick, 1988).

Supervision is a required area of instruction in all CACREP-accredited doctoral programs (CACREP, 2001). In addition, counselors may undergo supervision from members of the profession who have received advanced training and in the process obtain approved supervisor status. Standards for counseling supervisors have been developed for counselors, and the NBCC now offers a specialty credential in supervision. Often, those already licensed as counselors can count supervised experiences toward CEUs.

To be effective, supervision must be given on a counselor's developmental level and help the novice counselor conceptualize better what counseling is like. For beginning graduate students who have a noticeable gap between their knowledge of theory and practice, supervisors are most potent if they assume a highly structured teaching role (Ronnestad & Skovholt, 1993). For example, supervisors may be more authoritarian, didactic, and supportive in their interactions with beginning counselors in supervision. Thus, a supervisor might help counselor trainees increase their case note conceptual skills by using Prieto and Scheel's (2002) format for organizing and structuring thinking about a case using the acronym STIPS, in which the letters stand for the following:

S = "Signs and symptoms"
T = "Topics discussed in counseling"
I = "counseling Interventions used"
P = "clients' Progress and counselors' continuing plan for treatment" and
S = "any Special issues of importance regarding clients (e.g., suicidality)" (p. 11).

By using this acronym, counselor trainees enhance their "ability to acquire relevant facts about clients, better understand clients' presenting problems, better monitor counseling processes, and better evaluate and adjust treatment interventions" (p. 11). They also may gain enhanced skills in becoming more methodical in monitoring relevant elements of the counseling process, such as diagnosis and treatment planning. These skills can help them become more verbally interactive and astute in their interactions with supervisors.

With advanced graduate students or experienced counselors such a teaching modality is usually not appropriate. Instead, supervisors are more confrontive and consultative. In essence, supervision, like counseling, may increase one's self-awareness. However, this process is focused on professional rather than personal growth (Ronnestad & Skovholt, 1993).

In setting up supervisory situations, one must address several myths and many realities. Myths are made up of extreme views: for example, "one supervisor can perform all supervisory roles," "individual supervision is best," or "individuals do not need training to supervise" (McCarthy, DeBell, Kanuha, & McLeod, 1988). Realities include the following facts:

- There is not just one theoretical model of supervision but several (e.g., behavioral, facilitative, dynamic, systemic) (Landis & Young, 1994).

- Before a productive supervisory relationship can be established, the developmental level of the supervisee must be verified and a written plan of realistic goals must be completed (Borders & Leddick, 1987).
- There is a significant relationship between a supervisor's credibility, such as trustworthiness, and a supervisee's performance (Carey, Williams, & Wells, 1988).

Overall, the literature and the sophistication of supervisory techniques in counseling are growing (Dye & Borders, 1990). For example, the *reflective team model* is a recent innovative way of providing group supervision, especially in working with couples and families (Landis & Young, 1994). In this model graduate students are asked to collaborate, brainstorm, and take their clients' perspectives as they advance hypotheses about client behaviors, view situations from the clients' framework, and work cooperatively.

Counselors who take advantage of supervisory opportunities, especially opportunities for *peer supervision* (supervision among equals), can both gain and give information about themselves and their clinical abilities. This increased awareness is the bedrock on which other positive professional experiences can be built.

Advocacy

In addition to other characteristics and qualities connected with themselves and the counseling process, effective counselors engage in advocacy. "Advocacy can be defined simply as promoting an idea or a cause through public relations. It involves networking and education" (Tysl, 1997, p. 16). Counselors need to support and actively espouse client concerns and the profession of counseling. By doing so they correct injustices and improve conditions for an individual or group (Osborne et al., 1998). This process can be achieved in a number of ways, such as making presentations to clubs and civic groups, writing articles for newspapers, and focusing on community issues through giving one's time and effort. It is especially important to make others aware of social concerns of needy populations, since such groups do not usually have a voice or recognition. At times advocacy involves speaking on the behalf of such people and promoting ways of ensuring that their rights are respected and that their needs are taken care of through social action (McClure & Russo, 1996).

Another form of advocacy is working through the political process. Not only must counselors be knowledgeable about social matters, but they must also influence the passage of laws when conditions adversely affect either their clients or the profession of counseling. Counselors can make a difference by writing letters or visiting with legislators. Advocating for the passage of socially enhancing bills, such as school-to-work legislation, or the reauthorization of initiatives, such as rehabilitation acts, is vital for the health of counselors and their constituents.

Advocacy occurs at multiple levels, such as the county, state, or federal (Goetz, 1998). Counselors can work to positively impact the passage of laws in a number of ways. The first is to stay informed and know what bills are being considered. The ACA Office of Public Policy and Information is an excellent resource for federal legislative initiatives and can be accessed through the ACA Web site.

A second way to advocate is to know the rules for effective communication with legislators. The use of jargon, exaggeration, or rambling hurts a counselor's presentation.

Therefore, it is important to be organized, concise, and concrete in advocating for certain actions. Flexibility and anticipation of opposite points of view are crucial to being successful.

Finally, be persistent. As in counseling, follow-up is essential in dealing with legislative situations. Initiatives may require years of lobbying before they are enacted. For instance, counselor licensure was passed in Maryland in 1998, but only after a 20-year effort!

Portfolios

A *portfolio* is a form of communication that documents "an individual's training, work, and pertinent life experiences" (James & Greenwalt, 2001, p. 161). Counselors need to keep portfolios in order to be proactive in regard to documentation they may need to quickly retrieve for licensure, managed care organizations, employer evaluations, and even new jobs.

Counselor portfolios may be either working portfolios or presentation portfolios. A *working portfolio* is a continuous collection of unabridged artifacts counselors can use as evidence of professional competence. These portfolios typically contain the following kinds of information—vita/resume, documentation on counseling courses as well as practicum and internships taken for a degree, postdegree supervision, work experience, professional credentials, continuing education, presentations, publications, and professional service. A *presentation portfolio* is more limited in nature and usually consists of materials needed for a particular project, such as becoming an expert witness in a court of law.

Regardless of which type of portfolio a counselor works on, it is important to keep the portfolio up-to-date. Such a process should be done regularly, such as once a month or once a quarter.

SUMMARY AND CONCLUSION

The qualities necessary to become an effective counselor will probably increase as counseling evolves as a profession. Yet there will always be some basic qualities that all counselors must embody to become effective.

One such quality is the core personality of counselors. Persons feel comfortable working in counseling environments because of their interests, backgrounds, and abilities. The majority of effective counselors have social and artistic interests and enjoy working with people in a variety of problem-solving and developmental ways. Effective counselors are generally characterized as warm, friendly, open, sensitive, patient, and creative. They are consistently working on their own mental health and strive to avoid becoming burned out and ineffective.

Education is a second quality related to the effectiveness of counselors. Effective counselors have gone through an accredited counseling program or its equivalent on either a doctoral or master's level. Many have also achieved the skills and experience necessary to work in counseling specialty areas.

A third area related to effectiveness in counseling is theory and systems. Effective counselors know that theory is the *why* behind the *how* of technique and practice and that nothing is more practical than mastering major theoretical approaches to counseling. These counselors are not unsystematic and capricious in using theories and methods in their practice. Many use a healthy type of eclecticism in their work. They operate systematically from a developmental/wellness approach, a medical/pathological model, or some place in between. Regardless, effective counselors know how individuals develop over the life span and also know the terminology and uses of the latest edition of the *Diagnostic and Statistical Manual*.

Finally, effective counselors are active in counseling-related activities. They realize the importance of keeping their knowledge up-to-date by participating in continuing education programs and supervisory activities. Furthermore, they advocate for both the needs of their clients and the profession of counseling. In addition, they keep their credentials current and available through the use of a portfolio or some other organized way of maintaining important documents and credentials.

CLASSROOM ACTIVITIES

1. Research indicates that some personality types are more suited to be counselors than others are. Suppose you do not possess the ideal personality for this profession (i.e., social, artistic, and enterprising). What are some ways in which you could compensate? In groups of three, discuss your reaction to the qualities of personality associated with effective counseling.

2. Review the personal, theoretical, and educational qualities that ideal counselors possess. Discuss how you think these qualities might differ if you were counseling outside the United States—for example, in India, Sweden, Israel, Australia, or Argentina. Share your opinions with the class.

3. Discuss with another classmate how you might help each other grow professionally if you were unequal in ability as counselors. After you have made your list, share it with another group of two and then with the class as a whole. As a class, discuss how the strategies you have formulated might be helpful in your lifetime development as counselors.

4. With another classmate, discuss how you would approach clients differently and similarly if you were coming from a developmental/wellness perspective as opposed to a medical/pathological model. Report your results to the class.

5. Investigate how counseling associations or counselors have advocated for their clients' needs and for the profession of counseling itself. A good place to begin is to consult the Public Policy section of the American Counseling Association homepage.

REFERENCES

American Psychiatric Association. (2000). *Diagnostic and statistical manual of mental disorders* (4th ed., text revision), *DSM-IV-TR*. Washington, DC: Author.

Anderson, D., & Swanson, C. (1994). *Legal issues in licensure*. Alexandria, VA: American Counseling Association.

Aspy, D. N., Aspy, C. B., Russel, G., & Wedel, M. (2000). Carkhuff's Human Technology: A verification and extension of Kelly's (1997) suggestion to integrate the humanistic and technical components of counseling. *Journal of Counseling and Development, 78,* 29–37.

Auvenshine, D., & Noffsinger, A. L. (1984). *Counseling: An introduction for the health and human services.* Baltimore: University Park Press.

Bandura, A. (1982). The psychology of chance encounters and life paths. *American Psychologist, 37,* 747–755.

Bernard, J. M., & Goodyear, R. K. (1998). *Fundamentals of clinical supervision* (2nd ed.). Boston: Allyn & Bacon.

Borders, L. D., & Leddick, G. R. (1987). *Handbook of counseling supervision*. Alexandria, VA: Association for Counselor Education and Supervision.

Borders, L. D., & Leddick, G. R. (1988). A nationwide survey of supervision training. *Counselor Education and Supervision, 27,* 271–283.

Bowman, J. T., & Reeves, T. G. (1987). Moral development and empathy in counseling. *Counselor Education and Supervision, 26,* 293–298.

Boy, A. V., & Pine, G. J. (1980). Avoiding counselor burnout through role renewal. *Personnel and Guidance Journal, 59,* 161–163.

Brammer, L. M., & MacDonald, G. (1999) *The helping relationship: Process and skills* (7th ed.). Boston: Allyn & Bacon.

Carey, J. C., Williams, K. S., & Wells, M. (1988). Relationships between dimensions of supervisors' influence and counselor trainees' performance. *Counselor Education and Supervision, 28,* 130–139.

Carkhuff, R. R. (1969). *Helping and human relations* (Vols. 1 & 2). New York: Holt, Rinehart, & Winston.

Carkhuff, R. R., & Berenson, B. G. (1967). *Beyond counseling and psychotherapy.* New York: Holt, Rinehart, & Winston.

Cavanagh, M. E. (1990). *The counseling experience.* Prospect Heights, IL: Waveland.

Cheston, S. E. (2000). A new paradigm for teaching counseling theory and practice. *Counselor Education and Supervision, 39,* 254–269.

Clawson, T. W., & Wildermuth, V. (1992, December). The counselor and NBCC. *CAPS Digest,* EDO-CG-92-14.

Cobia, D. C., & Pipes, R. B. (2002). Mandated supervision: An intervention for disciplined professionals. *Journal of Counseling and Development, 80,* 140–144.

Combs, A. (1982). *A personal approach to teaching: Beliefs that make a difference.* Boston: Allyn & Bacon.

Cormier, L. S. (1988). Critical incidents in counselor development: Themes and patterns. *Journal of Counseling and Development, 67,* 131–132.

Cormier, L. S., & Cormier, W. H. (1998). *Fundamental skills and cognitive behavioral interventions* (4th ed.). Pacific Grove, CA: Brooks/Cole.

Council for Accreditation of Counseling and Related Educational Programs (CACREP). (2001). *CACREP accreditation manual.* Alexandria, VA: Author.

Denton, W. (1990). A family systems analysis of DSM-III-R. *Journal of Marital and Family Therapy, 16,* 113–126.

Dingman, R. L. (1990, November). *Counselor credentialing laws.* Paper presented at the Southern Association for Counselor Education and Supervision Conference, Norfolk, VA.

Dye, H. A., & Borders, L. D. (1990). Counseling supervisors: Standards for preparation and practice. *Journal of Counseling and Development, 69,* 27–29.

Ellis, A. (1984). Must most psychotherapists remain as incompetent as they are now? In J. Hariman (Ed.), *Does psychotherapy really help people?* Springfield, IL: Thomas.

Elmore, T. M. (1984). Counselor education and counseling psychology: A house divided? *ACES Newsletter, 44,* 4, 6.

Emerson, S., & Markos, P. A. (1996). Signs and symptoms of the impaired counselor. *Journal of Humanistic Education and Development, 34,* 108–117.

English, H. B., & English, A. C. (1956). *A comprehensive dictionary of psychological and psychoanalytical terms.* New York: Longman Green.

Faiver, C., Eisengart, S., & Colonna, R. (1995). *The counselor intern's handbook.* Pacific Grove, CA: Brooks/Col.

Ford, D. Y., Harris, J. J., III, & Schuerger, J. M. (1993). Racial identity development among gifted black students. *Journal of Counseling and Development, 71,* 409–417.

Foster, S. (1996, December). Characteristics of an effective counselor. *Counseling Today,* 21.

Fretz, B. R., & Mills, D. H. (1980). *Licensing and certification of psychologists and counselors.* San Francisco: Jossey-Bass.

Gaushell, H., & Lawson, D. (1994, November). *Counselor trainee family-of-origin structure and current intergenerational family relationships: Implications for counselor training.* Paper presented at the Southern Association of Counselor Education and Supervision Convention, Charlotte, NC.

Geroski, A. M., Rodgers, K. A., & Breen, D. T. (1997). Using the DSM-IV to enhance collaboration among school counselors, clinical counselors, and primary care physicians. *Journal of Counseling and Development, 75,* 231–239.

Ginter, E. J. (2001). Private practice. In D. C. Locke, J. E. Myers, & E. L. Herr (Eds.), *The handbook of counseling* (pp. 355–372). Thousand Oaks, CA: Sage.

Gladding, S. T. (1998). *Counseling as an art: The creative arts in counseling* (2nd ed.). Alexandria, VA: American Counseling Association.

Glosoff, H. (1992). Accrediting and certifying professional counselors. *Guidepost, 34*(12), 6–8.

Goetz, B. (1998, May 27). *An inside/outsider's view of the counseling profession today.* Paper presented at the Chi Sigma Iota Invitational Counselor Advocacy Conference, Greensboro, NC.

Grosch, W. N., & Olsen, D. C. (1994). *When helping starts to hurt.* New York: Norton.

Guy, J. D. (1987). *The personal life of the psychotherapist.* New York: Wiley.

Harman, R. L. (1977). Beyond techniques. *Counselor Education and Supervision, 17,* 157–158.

Hinkle, J. S. (1994). *Psychodiagnosis and treatment planning using the DSM-IV.* Greensboro, NC: Author.

Holland, J. L. (1977). *The self-directed search.* Palo Alto, CA: Consulting Psychologists Press.

Holland, J. L. (1997). *Making vocational choices* (3rd ed.). Odessa, FL: Psychological Assessment Resources.

Hollis, J. W. (2000). *Counselor preparation, 1999–2001: Programs, faculty, trends* (10th ed). Philadelphia: Taylor & Francis.

Israelashvili, M. (1998). Preventive school counseling: A stress inoculation perspective. *Professional School Counseling, 1,* 21–25.

Ivey, A. (1990). *Developmental counseling and therapy.* Pacific Grove, CA: Brooks/Cole.

Ivey, A. E., & Goncalves, O. F. (1988). Developmental therapy: Integrating developmental processes into the clinical practice. *Journal of Counseling and Development, 66,* 406–413.

Ivey, A. E., & Ivey, M. B. (1990). Assessing and facilitating children's cognitive development: Developmental counseling and therapy in a case of child abuse. *Journal of Counseling and Development, 68,* 299–305.

James, S. H., & Greenwalt, B. C. (2001). Documenting success and achievement: Presentation and working portfolios for counselors. *Journal of Counseling and Development, 79,* 161–165.

Kernes, J. L., & McWhirter, J. J. (2001). Counselors' attribution of responsibility, etiology, and counseling strategy. *Journal of Counseling and Development, 79,* 304–313.

Kleist, D. M., & White, L. J. (1997). The values of counseling: A disparity between a philosophy of prevention in counseling and counselor practice and training. *Counseling and Values, 41,* 128–140.

Kottler, J. A. (1993). *On being a therapist.* San Francisco: Jossey-Bass.

Kurpius, D. J. (1986). The helping relationship. In M. D. Lewis, R. L. Hayes, & J. A. Lewis (Eds.), *The counseling profession* (pp. 96–129). Itasca, IL: Peacock.

Landis, L. L., & Young, M. E. (1994). The reflective team in counselor education. *Counselor Education and Supervision, 33,* 210–218.

Lazarus, A. A. (1967). In support of technical eclecticism. *Psychological Reports, 21,* 415–416.

Lazarus, A. A., & Beutler, L. E. (1993). On technical eclecticism. *Journal of Counseling and Development, 71,* 381–385.

Lee, C. C., & Sirch, M. L. (1994). Counseling in an enlightened society: Values for a new millennium. *Counseling and Values, 38,* 90–97.

Lenhardt, A. M. C. (1997). Grieving disenfranchised losses: Background and strategies for counselors. *Journal of Humanistic Education and Development, 35,* 208–218.

Littrell, J. M. (2001). Allen E. Ivey: Transforming counseling theory and practice. *Journal of Counseling and Development, 79,* 105–118.

MacCluskie, K. C., & Ingersoll, R. E. (2001). *Becoming a 21st century agency counselor.* Pacific Grove, CA: Brooks/Cole.

Mathewson, R. H. (1949). *Guidance policy and practice.* New York: Harper.

May, R. (1975). *The courage to create.* New York: Norton.

May, R., Remen, N., Young, D., & Berland, W. (1985). The wounded healer. *Saybrook Review, 5,* 84–93.

Mays, D. T., & Franks, C. M. (1980). Getting worse: Psychotherapy or no treatment: The jury should still be out. *Professional Psychology, 2,* 78–92.

McBride, M. C., & Martin, G. E. (1990). A framework for eclecticism: The importance of theory to mental health counseling. *Journal of Mental Health Counseling, 12,* 495–505.

McCarthy, P., DeBell, C., Kanuha, V., & McLeod, J. (1988). Myths of supervision: Identifying the gaps between theory and practice. *Counselor Education and Supervision, 28,* 22–28.

McClure, B. A., & Russo, T. R. (1996). The politics of counseling: Looking back and forward. *Counseling and Values, 40,* 162–174.

McCormick, J. F. (1998). Ten summer rejuvenators for school counselors. *Professional School Counseling, 1,* 61–63.

Meichenbaum, D. (1993). Changing conceptions of cognitive behavior modification: Retrospect and prospect. *Journal of Consulting and Clinical Psychology, 61,* 202–204.

Miller, G. A., Wagner, A., Britton, T. P., & Gridley, B. E. (1998). A framework for understanding the wounding of healers. *Counseling and Values, 42,* 124–132.

Mostert, D. L., Johnson, E., & Mostert, M. P. (1997). The utility of solution-focused, brief counseling in schools: Potential from an initial study. *Professional School Counseling, 1,* 21–24.

Myers, J. E. (1992). Wellness, prevention, development: The cornerstone of the profession. *Journal of Counseling and Development, 71,* 136–138.

Myrick, R. D. (1997). Traveling together on the road ahead. *Professional School Counseling, 1,* 4–8.

Osborne, J. L., Collison, B. B., House, R. M., Gray, L. A., Firth, J., & Lou, M. (1998). Developing a social advocacy model for counselor education. *Counselor Education and Supervision, 37,* 190–202.

Patterson, L. E., & Welfel, E. R. (2000). *Counseling process* (5th ed.). Pacific Grove, CA: Brooks/Cole.

Petrocelli, J. V. (2002). Processes and stages of change: Counseling with the transtheoretical model of change. *Journal of Counseling and Development, 80,* 22–30.

Pines, A., & Aronson, E. (1981). *Burnout: From tedium to personal growth.* New York: Free Press.

Prieto, L. R., & Scheel, K. R. (2002). Using case documentation to strengthen counselor trainees' case conceptualization skills. *Journal of Counseling and Development, 80,* 11–21.

Prochaska, J. O., & DiClemente, C. C. (1992). The transtheoretical approach. In J. C. Norcross & M. R. Goldfried (Eds.), *Handbook of psychotherapy integration* (pp. 300–334). New York: Basic Books.

Rak, C. F., & Patterson, L. E. (1996). Promoting resilience in at-risk children. *Journal of Counseling and Development, 74,* 368–373.

Robinson, S. E., & Kinnier, R. T. (1988). Self-instructional versus traditional training for teaching basic counseling skills. *Counselor Education and Supervision, 28,* 140–145.

Roehlke, H. J. (1988). Critical incidents in counselor development: Examples of Jung's concept of synchronicity. *Journal of Counseling and Development, 67,* 133–134.

Rogers, C. R. (1961). *On becoming a person.* Boston: Houghton Mifflin.

Romano, G. (1992). The power and pain of professionalization. *American Counselor, 1,* 17–23.

Ronnestad, M. H., & Skovholt, T. M. (1993). Supervision of beginning and advanced graduate students of counseling and psychotherapy. *Journal of Counseling and Development, 71,* 396–405.

Savicki, V., & Cooley, E. J. (1982). Implications of burnout research and theory for counselor educators. *Personnel and Guidance Journal, 60,* 415–419.

Seligman, L. (1997). *Diagnosis and treatment planning in counseling* (2nd ed.). New York: Plenum.

Seligman, L. (1999). Twenty years of diagnosis and the DSM. *Journal of Mental Health Counseling, 21,* 229–239.

Shimberg, B. (1981). Testing for licensure and certification. *American Psychologist, 36,* 1138–1146.

Simon, G. M. (1989). An alternative defense of eclecticism: Responding to Kelly and Ginter. *Journal of Mental Health Counseling, 2,* 280–288.

Skovholt, T. M., & McCarthy, P. R. (1988). Critical incidents: Catalysts for counselor development. *Journal of Counseling and Development, 67,* 69–72.

Smart, D. W., & Smart, J. F. (1997). DSM-IV and culturally sensitive diagnosis: Some observations for counselors. *Journal of Counseling and Development, 75,* 392–398.

Swanson, C. D. (1983). The law and the counselor, In J. A. Brown & R. M. Pate, Jr. (Eds.). *Being a Counselor* (pp. 26–46). Pacific Grove, CA: Brooks/Colo.

Tysl, L. (1997, January). Counselors have a responsibility to promote the counseling profession. *Counseling Today,* 16.

Ungersma, A. J. (1961). *The search for meaning.* Philadelphia: Westminster.

Waldo, M. (1989). Primary prevention in university residence halls: Paraprofessional-led relationship enhancement groups for college roommates. *Journal of Counseling and Development, 67,* 465–471.

Watkins, C. E., Jr. (1983). Burnout in counseling practice: Some potential professional and personal hazards of becoming a counselor. *Personnel and Guidance Journal, 61,* 304–308.

Wiggins, J., & Weslander, D. (1979). Personality characteristics of counselors rated as effective or ineffective. *Journal of Vocational Behavior, 15,* 175–185.

Wilcox-Matthew, L., Ottens, A., & Minor, C. W. (1997). An analysis of significant events in counseling. *Journal of Counseling and Development, 75,* 282–291.

Witmer, J. M., & Young, M. E. (1996). Preventing counselor impairment: A wellness model. *Journal of Humanistic Education and Development, 34,* 141–155.

3

ETHICAL AND LEGAL ASPECTS OF COUNSELING

In the cool grey dawn of early September,
I place the final suitcase into my Mustang
and silently say "good-bye"
to the quiet beauty of North Carolina.
Hesitantly, I head
for the blue ocean-lined coast of Connecticut
bound for a new position and the unknown.
Traveling with me are a sheltie named "Eli"
and the still fresh memories of our last counseling session.
You, who wrestled so long with fears
that I kiddingly started calling you "Jacob,"
are as much a part of me as my luggage.
Moving in life is bittersweet
like giving up friends and fears.
The taste is like smooth, orange, fall persimmons,
deceptively delicious but tart.

Reprinted from "Bittersweet," by S. T. Gladding, 1984, Counseling and Values, 28, p. 146. © ACA. *Reprinted with permission. No further reproduction authorized without written permission of the American Counseling Association.*

Counseling is not a value-free or neutral activity (Cottone & Tarvydas, 2003; Schulte, 1990). Rather, it is an active profession based on values, which are "orienting beliefs about what is good ... and how that good should be achieved" (Bergin, 1985, p. 99). Values are at the core of counseling relationships. All goals in counseling, "whether they are goals for symptom relief or goals to modify a lifestyle, are subtended by value systems" (Bergin, 1992, p. 9). In addition, because counseling is such a complex and multifaceted profession, counselors, by necessity, must be dependent on codes of ethics as well as external codes of law (DePauw, 1986; McGovern, 1994).

Counselors who are not clear about their values, ethics, and legal responsibilities, as well as those of their clients, can cause harm despite their best intentions (Gladding, Remley, & Huber, 2001; Remley, 1991). Therefore, it is vital for counselors to be knowledgeable about themselves in addition to the ethics of and laws pertaining to the profession of counseling.

In this chapter, ethical standards and legal constraints under which counselors operate are explored. Both ethics and the law are crucial in the work and well-being of counselors and the counseling process. They promote the professionalism of counseling both directly and indirectly. In some cases, ethical and legal considerations overlap (Wilcoxon, 1993). However, counseling and the law may be quite different and operate according to different premises (Rowley & MacDonald, 2001).

DEFINITIONS: ETHICS, MORALITY, AND LAW

Ethics involves "making decisions of a moral nature about people and their interaction in society" (Kitchener, 1986, p. 306). The term is often used synonymously with *morality,* and in some cases the two terms overlap. Both deal with "what is good and bad or the study of human conduct and values" (Van Hoose & Kottler, 1985, p. 2). Yet each has a different meaning.

"Ethics is generally defined as a philosophical discipline that is concerned with human conduct and moral decision making" (Van Hoose & Kottler, 1985, p. 3). Ethics are normative in nature and focus on principles and standards that govern relationships between individuals, such as those between counselors and clients. *Morality,* however, involves judgment or evaluation of action. It is associated with such words as *good, bad, right, wrong, ought,* and *should* (Brandt, 1959; Grant, 1992). Counselors have morals, and the theories counselors employ have embedded within them moral presuppositions about human nature that explicitly and implicitly question first "what is a person and second, what should a person be or become?" (Christopher, 1996, p. 18).

Law is the precise codification of governing standards that are established to ensure legal and moral justice (Hummell, Talbutt, & Alexander, 1985). Law is created by legislation, court decision, and tradition, as in English common law (Anderson, 1996). The law does not dictate what is ethical in a given situation but what is legal. Sometimes what is legal at a given time (e.g., matters pertaining to race, age, or sex) is considered unethical or immoral by some significant segments of society. An example is the controversy between law and ethics in the 1994 Helms/Smith Amendment to the Elementary and Secondary Education Act (ESEA), an attempt to cut off funds to schools that provide counseling for gay and lesbian students.

ETHICS AND COUNSELING

As a group, professional counselors are concerned with ethics and values. Indeed, many counselors treat ethical complaints with the same seriousness that they treat lawsuits (Chauvin & Remley, 1996). However, some counselors are better informed or more attuned to these issues. Patterson (1971) has observed that counselors' professional identity is related to their knowledge and practice of ethics. Welfel (1998) has added that the effectiveness of counselors is connected to their ethical knowledge and behavior as well.

Unethical behavior in counseling can take many forms. The temptations common to people everywhere exist for counselors. They include "physical intimacy, the titillation of gossip, or the opportunity (if the gamble pays off) to advance one's career" (Welfel & Lipsitz, 1983b, p. 328). Some forms of unethical behavior are obvious and willful, whereas others are more subtle and unintentional. Regardless, the harmful outcome is the same. The following are some of the most prevalent forms of unethical behaviors in counseling (Levenson, 1986; Pope & Vetter, 1992; Swanson 1983a):

- Violation of confidentiality
- Exceeding one's level of professional competence
- Negligent practice
- Claiming expertise one does not possess
- Imposing one's values on a client
- Creating dependency in a client
- Sexual activity with a client
- Certain conflicts of interest, such as dual relationships
- Questionable financial arrangements, such as charging excessive fees
- Improper advertising

A division within the American Counseling Association (ACA)—the Association for Spiritual, Ethical, and Religious Values in Counseling (ASERVIC)—is especially concerned with the values and ethics of counseling professionals (Bartlett, Lee, & Doyle, 1985). This division, which regularly deals with ethical concerns, addressed issues such as counseling the aged, values education, and feminism long before they were concerns of counselors in general. ASERVIC has even published ethical guidelines for leaders in professional counseling organizations. In addition to the vanguard work on ethics and values that ASERVIC has done, it also publishes a journal, *Counseling and Values,* which contains articles on ethical situations.

PROFESSIONAL CODES OF ETHICS AND STANDARDS

To address ethical situations, counselors have developed professional codes of ethics and standards of conduct "based upon an agreed-on set of values" (Hansen, Rossberg, & Cramer, 1994, p. 362). Professionals in counseling voluntarily abide by such codes for many reasons.

"Among its many purposes, a code of ethical conduct is designed to offer formal statements for ensuring protection of clients' rights while identifying expectations of practitioners" (Wilcoxon, 1987, p. 510). Another reason for ethical codes is that "without a code of established ethics, a group of people with similar interests cannot be considered a professional organization" (Allen, 1986, p. 293). Ethics not only help professionalize an association on a general level but "are designed to provide some guidelines for the professional behavior of members" on a personal level (Swanson, 1983a, p. 53). Three other reasons for the existence of ethical codes according to Van Hoose and Kottler (1985) are as follows:

1. Ethical codes protect the profession from government. They allow the profession to regulate itself and function autonomously instead of being controlled by legislation.
2. Ethical codes help control internal disagreements and bickering, thus promoting stability within the profession.
3. Ethical codes protect practitioners from the public, especially in regard to malpractice suits. If counseling professionals behave according to ethical guidelines, the behavior is judged to be in compliance with accepted standards.

In addition, ethical codes help increase public trust in the integrity of a profession and provide clients with some protection from charlatans and incompetent counselors (Swanson, 1983a; Vacc, Juhnke, & Nilsen, 2001). Like counselors, clients can use codes of ethics and standards as a guide in evaluating questionable treatment.

The Development of Codes of Ethics for Counselors

The first counseling code of ethics was developed by the American Counseling Association (ACA) (then the American Personnel and Guidance Association, or APGA) based on the original American Psychological Association code of ethics (Allen, 1986). The initial ACA code was initiated by Donald Super and approved in 1961 (Callis, Pope, & DePauw, 1982). It has been revised periodically since that time (in 1974, 1981, 1988, and 1995). The ACA also produces *A Practitioner's Guide to Ethical Decision Making* (Forester-Miller & Davis, 1996), video conferences on resolving leading-edge ethical dilemmas (Salo, Forester-Miller, & Hamilton, 1996), and an *Ethical Standards Casebook* (Herlihy & Corey, 1996).

The ACA's latest ethics code is entitled a *Code of Ethics and Standards of Practice*. This code is one of the major signs that counseling has developed into a mature discipline because professions are characterized, among other things, by a claim to specialized knowledge and a code of ethics.

In the ACA, ethical standards are arranged under eight topical sectional headings. They contain material similar to that found in many other ethical codes (Allen, Sampson, & Herlihy, 1988), yet they are unique to the profession of counseling. Section 1 deals with the nature of the counseling relationship, including counselors' professional responsibilities to clients and their welfare (e.g., respecting diversity and client rights). The section also discusses counselors' personal needs and how to handle troublesome subjects such as dual relationships, fees, and termination. For example, in this section the ACA clearly states that sexual intimacies between counselors and clients are unethical. It also addresses professional competencies with clients, such as computer use in counseling.

Section 2 covers confidentiality in counseling, including the right to privacy, records, minor or incompetent clients, consultation, and research and training. Section 3 focuses on issues related to professional responsibility, such as professional competence, advertising and solicitation, credentials, and public responsibility. Section 4 covers relationships with other professionals, including employers and employees, referral fees (which are unethical), and subcontractor arrangements.

Section 5 deals with evaluation, assessment, and interpretation. In addition to general information, it includes material on competence to use and interpret tests, informed consent, release of information to competent professionals, proper diagnosis of mental disorders, testing conditions, test security, and test scoring and interpretation. Section 6 focuses on issues related to teaching, training, and supervision, including expectations of counselor educators and trainers, counselor education programs, and students and supervisees. Section 7 deals with research and publications and delineates research responsibilities, informed consent practices, and reporting of research results (including publications). Finally, Section 8 addresses ways to resolve ethical issues, including how to handle suspected violations and cooperate with ethics committees.

Limitations of Ethical Codes

Remley (1985) notes that ethical codes are general and idealistic; they seldom answer specific questions. Furthermore, he points out that such documents do not address "foreseeable professional dilemmas" (Remley, 1985, p. 181). Rather, they provide guidelines, based on experiences and values, of how counselors should behave. In many ways, ethical standards represent the collected wisdom of a profession at a particular time.

A number of specific limitations exists in any code of ethics. Here are some of the limitations most frequently mentioned (Beymer, 1971; Corey, Corey, & Callanan, 2003; Mabe & Rollin, 1986; Talbutt, 1981):

- Some issues cannot be resolved by a code of ethics.
- Enforcing ethical codes is difficult.
- There may be conflicts within the standards delineated by the code.
- Some legal and ethical issues are not covered in codes.
- Ethical codes are historical documents. Thus, what may be acceptable practice at one time may be considered unethical later.
- Sometimes conflicts arise between ethical and legal codes.
- Ethical codes do not address cross-cultural issues.
- Ethical codes do not address every possible situation.
- There is often difficulty in bringing the interest of all parties involved in an ethical dispute together systematically.
- Ethical codes are not proactive documents for helping counselors decide what to do in new situations.

Thus, ethical codes are useful in many ways, but they do have their limitations. Counselors need to be aware that they will not always find all the guidance they want when consulting these documents. Nevertheless, whenever an ethical issue arises in counseling, the counselor should first consult ethical standards to see whether the situation is addressed.

Conflicts Within and Among Ethical Codes

The adoption of ethical codes and the emphasis placed on them has paralleled the increased professionalism of counseling (Stude & McKelvey, 1979). But the presence of such standards poses a potential dilemma for many counselors, for three reasons. First, as Stadler (1986) points out, to act ethically counselors must be aware of ethical codes and be able to differentiate an ethical dilemma from other types of dilemmas, a differentiation that is not always easy. For example, a person may take a stand on a controversial issue, such as homosexuality, that he or she seemingly supports with ethical principles but in reality supports only with personal beliefs or biases.

Second, sometimes different ethical principles in a code offer conflicting guidelines about what to do in a given situation (Stadler, 1986). An example is the potential conflict over confidentiality and acting in the client's best interest where a client reveals that he or she is going to attempt to harass someone or harm him- or herself. In such a situation, the counselor who keeps this information confidential may actually act against the best interests of the client and the community in which the client resides.

Third, conflicts may occur when counselors belong to two or more professional organizations whose codes of ethics differ, such as the codes of the APA and the ACA. Such counselors may become involved in situations in which ethical action is unclear. Mabe and Rollin (1986) note, for instance, that APA's code of ethics has only six paragraphs dealing with assessment, whereas ACA's ethical standards on this topic are much more elaborate. If a professional belongs to both organizations and is dealing with assessment instruments, which code of ethics should he or she follow?

MAKING ETHICAL DECISIONS

Ethical decision making is often not easy yet is a part of being a counselor. It requires "virtues such as character, integrity, and moral courage" as well as knowledge (Welfel, 1998, p. 9). Some counselors operate from personal ethical standards without regard to the ethical guidelines developed by professional counseling associations. They usually function well until faced with a dilemma "for which there is no apparent good or best solution" (Swanson, 1983a, p. 57). At such times, ethical issues arise and these counselors experience anxiety, doubt, hesitation, and confusion in determining their conduct. Unfortunately, when they act, their behavior may turn out to be unethical because it is not grounded in any ethical code.

This fact is illustrated by a study conducted in New York (Hayman & Covert, 1986). Researchers found five types of ethical dilemmas most prevalent among the university counselors they surveyed there: (a) confidentiality, (b) role conflict, (c) counselor competence, (d) conflicts with employer or institution, and (e) degree of dangerousness. The situational dilemmas that involved danger were the least difficult to resolve, and those that dealt with counselor competence and confidentiality were the most difficult. The surprising finding of this study, however, was that less than one-third of the respondents indicated that they relied on published professional codes of ethics in resolving dilemmas. Instead, most used "common sense," a strategy that at times may be professionally unethical and at best unwise.

It is in such types of situations that counselors need to be aware of resources for ethical decision making, especially when questions arise over controversial behaviors such as setting or collecting fees or conducting dual relationships (Gibson & Pope, 1993). *Ethical reasoning,* "the process of determining which ethical principles are involved and then prioritizing them based on the professional requirements and beliefs," is also crucial (Lanning, 1992, p. 21).

In making ethical decisions, counselors should take actions "based on careful, reflective thought" about responses they think are professionally right in particular situations (Tennyson & Strom, 1986, p. 298). Several ethical principles relate to the activities and ethical choices of counselors:

- *beneficence* (doing good and preventing harm),
- *nonmaleficence* (not inflicting harm),
- *autonomy* (respecting freedom of choice and self-determination),
- *justice* (fairness), and
- *fidelity* (faithfulness or honoring commitments)

(Herlihy, 1996; Stadler, 1986).

All these principles involve conscious decision making by counselors throughout the counseling process. Of these principles, some experts identify nonmaleficence as the primary ethical responsibility in the field of counseling. Nonmaleficence not only involves the "removal of present harm" but the "prevention of future harm, and passive avoidance of harm" (Thompson, 1990, p. 105). It is the basis on which counselors respond to clients who may endanger themselves or others and why they respond to colleagues' unethical behavior (Daniluk & Haverkamp, 1993).

Other Guidelines for Acting Ethically

Swanson (1983a) also lists guidelines for assessing whether counselors act in ethically responsible ways. The first is *personal and professional honesty.* Counselors need to operate openly with themselves and those with whom they work. Hidden agendas or unacknowledged feelings hinder relationships and place counselors on shaky ethical ground. One way to overcome personal or professional honesty problems that may get in the way of acting ethically is to receive supervision (Kitchener, 1994).

A second guideline is *acting in the best interest of clients.* This ideal is easier to discuss than achieve. At times, a counselor may impose personal values on clients and ignore what they really want (Gladding & Hood, 1974). At other times, a counselor may fail to recognize an emergency and too readily accept the idea that the client's best interest is served by doing nothing.

A third guideline is that counselors *act without malice or personal gain.* Some clients are difficult to like or deal with, and it is with these individuals that counselors must be especially careful. However, counselors must be careful to avoid relationships with likable clients either on a personal or professional basis. Errors in judgment are most likely to occur when the counselor's self-interest becomes a part of the relationship with a client (St. Germaine, 1993).

A final guideline is whether counselors can *justify an action* "as the best judgment of what should be done based upon the current state of the profession" (Swanson, 1983a, p. 59). To make such a decision, counselors must keep up with current trends by reading the professional literature; attending in-service workshops and conventions; and becoming actively involved in local, state, and national counseling activities.

The *ACA Ethical Standards Casebook* (Herlihy & Corey, 1996) contains examples in which counselors are presented with issues and case studies of questionable ethical situations and given both guidelines and questions to reflect on in deciding what an ethical response would be. Each situation involves a standard of the ethical code.

As helpful as the casebook may be, in many counseling situations the proper behavior is not obvious (Gladding et al., 2001). For example, the question of confidentiality in balancing the individual rights of a person with AIDS and society's right to be protected from the spread of the disease is one with which some counselors struggle (Harding, Gray, & Neal, 1993). Likewise, there are multiple ethical dilemmas in counseling adult survivors of incest, including those of confidentiality and the consequences of making decisions about reporting abuse (Daniluk & Haverkamp, 1993). Therefore, when they are in doubt about what to do in a given situation, it is crucial for counselors to consult and talk over situations with colleagues, in addition to using principles, guidelines, casebooks, and professional codes of ethics.

EDUCATING COUNSELORS IN ETHICAL DECISION MAKING

Ethical decision making in counseling can be promoted in many ways, but one of the best is through course offerings that are now required in most graduate counseling programs and available for continuing education credit. Such courses can bring about significant attitudinal changes in students and practicing professionals, including increased knowledge about the ethical areas of self-awareness, dual relationships, impairment, and multiculturalism (Coll, 1993). Because ethical attitudinal changes are related to ethical behavioral changes, courses in ethics on any level are extremely valuable.

Van Hoose and Paradise (1979) conceptualize the ethical behavior of counselors in terms of a five-stage developmental continuum of reasoning:

1. *Punishment orientation.* At this stage the counselor believes external social standards are the basis for judging behavior. If clients or counselors violate a societal rule, they should be punished.
2. *Institutional orientation.* Counselors who operate at this stage believe in and abide by the rules of the institutions for which they work. They do not question the rules and base their decisions on them.
3. *Societal orientation.* Counselors at this stage base decisions on societal standards. If a question arises about whether the needs of society or an individual should come first, the needs of society are always given priority.
4. *Individual orientation.* The individual's needs receive top priority at this stage. Counselors are aware of societal needs and are concerned about the law, but they focus on what is best for the individual.
5. *Principle (conscience) orientation.* In this stage concern for the individual is primary. Ethical decisions are based on internalized ethical standards, not external considerations.

As Welfel and Lipsitz (1983a) point out, the work of Van Hoose and Paradise is especially important because it "is the first conceptual model in the literature that attempts to explain how counselors reason about ethical issues" (p. 36). It is *heuristic* (i.e., research-able or open to research) and can form the basis for empirical studies of the promotion of ethical behavior.

Several other models have been proposed for educating counselors in ethical decision making. Gumaer and Scott (1985), for instance, offer a method for training group workers based on the ethical guidelines of the Association for Specialists in Group Work (ASGW). Their method uses case vignettes and Carkhuff's three-goal model of helping: self-exploration, self-understanding, and action. Kitchener (1986) proposes an integrated model of goals and components for an ethics education curriculum based on research on the psychological processes underlying moral behavior and current thinking in applied ethics. Her curriculum includes "sensitizing … counselors to ethical issues, improving their abilities to make ethical judgments, encouraging responsible ethical actions, and tolerat-ing the ambiguity of ethical decision making" (Kitchener, 1986, p. 306). Her model and one proposed by Pelsma and Borgers (1986) are process oriented and assume that coun-selors do not learn to make ethical decisions on their own. Pelsma and Borgers particu-larly emphasize the *how* as opposed to the *what* of ethics—that is, how to reason ethi-cally in a constantly changing field. Other practitioner guides for making ethical decisions are a seven-step decision-making model based on a synthesis of the professional litera-ture (Forester-Miller & Davis, 1996), a nine-step ethical decision-making model based on critical-evaluative judgments (Welfel, 1998), and seven other models created between 1984 and 1998 (Cottone & Claus, 2000). These ethical decision-making models follow explicit steps or stages and are often used for specific areas of counseling practice (see Table 3.1). "As to whether one model is better than another is yet to be determined" (p. 281). How-ever, through empirical comparisons and continued dialogue, the effectiveness of the models may be validated.

In addition to the models already mentioned, the ACA Ethics Committee offers a vari-ety of educational experiences. For example, members of the committee offer learning in-stitutes at national and regional ACA conferences. In addition, they publish articles in the ACA newsletter, *Counseling Today*. Finally, to promote responsible counseling practices, the Committee through ACA publishes a type of consumer's guide entitled *The Layperson's Guide to Counselor Ethics: What You Should Know about the Ethical Practice of Professional Counselors,* which is on the ACA Web site as well as printed (Williams & Freeman, 2002).

ETHICS IN SPECIFIC COUNSELING SITUATIONS

Ethical behavior is greatly influenced by the prevalent attitudes in the setting in which one works, by one's colleagues, and by the task the counselor is performing (e.g., diagnosing). Therefore, implementing ethical decisions and actions in counseling sometimes involves "substantial personal and professional risk or discomfort" (Faiver, Eisengart, & Colonna, 1995, p. 121). The reasons are multiple, but as Ladd (1971) observes, the difficulty in mak-ing ethical decisions can sometimes be attributed to the environments in which counselors work. "Most organizations that employ counselors are organized not collegially or profes-sionally, as is in part the case with universities and hospitals, but hierarchically. In a hier-archical organization, the administrator or executive decides which prerogatives are ad-ministrative and which are professional" (Ladd, 1971, p. 262).

Table 3.1   Summary of Steps or Stages of Practice-Based Ethical Decision-Making Models

Corey, Corey, & Callanan (2003)	Forester-Miller & Davis (1996)	Keith-Spiegel & Koocher (1985)	Rae, Fournier, & Roberts (in press)	Stadler (1986)
1. Identify the problem	1. Identify the problem	1. Describe the parameters		1. Identify competing principles
2. Identify potential issues involved		2. Define the potential issues	1. Gather information	2. Secure additional information
3. Review relevant ethical guidelines	2. Apply the ACA *Code of Ethics*	3. Consult legal and ethical guidelines	2. Consult legal and ethical guidelines	3. Consult with colleagues
4. Obtain consultation	3. Determine nature of dilemma	4. Evaluate the rights, responsibilities, and welfare of all		4. Identify hoped-for outcomes
5. Consider potential consequences, determine course of action	4. Generate potential courses of action	5. Generate alternate decisions	3. Generate possible decisions	5. Brainstorm actions to achieve outcomes
6. Enumerate consequences of various decisions	5. Consider possible and probable courses of action	6. Enumerate the consequences of each decision	4. Examine possible outcomes, given context	6. Evaluate effects of actions
		7. Estimate probability for outcomes of each decision		7. Identify competing non-moral values
7. Decide on best course of action		8. Make the decision		8. Choose a course of action
	6. Evaluate selected course of action			9. Test the course of action
	7. Implement course of action		5. Implement best choice and evaluate	10. Identify steps, take action, evaluate
			6. Modify practices to avoid future problems	

ACA = American Counseling Association.

Source: Cottone, R. R., & Claus, R. E. (2000), Ethical decision-making models: A review of the literature. *Journal of Counseling and Development, 78,* p. 279.

Steinman, Richardson, & McEnroe (1998)	Tarvydas (1998)	Tymchuk (1986)	Welfel (1998)
1. Identify the problem	1. Interpret situation	1. Determine stakeholders	1. Develop ethical sensitivity
2. Identify potential issues involved	2. Review problem or dilemma		2. Define the dilemma and options
3. Review relevant ethical guidelines	3. Determine standards that apply to dilemma		3. Refer to professional standards
4. Obtain consultation			4. Search out ethics scholarship
5. Consider potential consequences, determine course of action	4. Generate possible and probable courses of action	2. Consider all possible alternatives	5. Apply ethical principles to situation
6. Enumerate consequences of various decisions	5. Consider consequences for each course of action	3. Consider consequences for each alternative	
	6. Consult with supervisor and peers		6. Consult with supervisor and peers
7. Decide on best course of action	7. Select an action by weighing competing values, given context	4. Balance risks and benefits to make the decision 5. Decide on level of review	7. Deliberate and decide
	8. Plan and execute the selected action	6. Implement the decision	8. Inform supervisor and take action
	9. Evaluate course of action	7. Monitor the action and outcome	9. Reflect on the experience

Counselors should check thoroughly the general policies and principles of an institution before accepting employment because employment in a specific setting implies that the counselor agrees with its policies, principles, and ethics. When counselors find themselves in institutions that misuse their services and do not act in the best interests of their clients, they must act either to change the institution through educational or persuasive means or find other employment.

School Counseling and Ethics

The potential for major ethical crises between a counselor and his or her employer exists in many school settings (Davis & Ritchie, 1993). School counselors are often used as tools by school administrators (Boy & Pine, 1968). When the possibility of conflict exists between a counselor's loyalty to the employer and the client, "the counselor should always attempt to find a resolution that protects the rights of the client; the ethical responsibility is to the client first and the school [or other setting] second" (Huey, 1986, p. 321). One way school counselors can assure themselves of an ethically sound program is to realize that they may encounter multiple dilemmas in providing services to students, parents, and teachers. Therefore, before interacting with these different groups, school counselors should become familiar with the ethical standards of the American School Counseling Association, which outlines counselors' responsibilities to the groups with whom they work (Henderson, 2003).

Computers, Counseling, and Ethics

The use of computers and technology in counseling is another area of potential ethical difficulty. The possibility exists for a breach of client information when computers are used to transmit information among professional counselors. Other ethically sensitive areas include client or counselor misuse and even the validity of data offered over computer links (Sampson, Kolodinsky, & Greeno, 1997). In addition, the problem of *cyber counseling or Webcounseling*—that is, counseling over the Internet in which the counselor may be hundreds of miles away—is fraught with ethical dilemmas. Thus, the National Board of Certified Counselors has issued ethical guidelines regarding such conduct (see Appendix B).

Marriage/Family Counseling and Ethics

Another counseling situation in which ethical crises are common is marriage and family counseling (Corey et al., 2003; Gladding et al., 2001; Margolin, 1982). The reason is that counselors are treating a number of individuals together as a system, and it is unlikely that all members of the system have the same goals (Wilcoxon, 1986). To overcome potential problems, Thomas (1994) has developed a dynamic, process-oriented framework for counselors to use when working with families. This model discusses six values that affect counselors, clients, and the counseling process: (a) responsibility, (b) integrity, (c) commitment, (d) freedom of choice, (e) empowerment, and (f) right to grieve.

Other Settings and Ethics

Other counseling settings or situations with significant potential for ethical dilemmas include counseling the elderly (Myers, 1998), multicultural counseling (Sue, Ivey, & Pedersen, 1996), working in managed care (Murphy, 1998), diagnosis of clients (Rueth, Demmitt, & Burger, 1998), and counseling research (Jencius & Rotter, 1998). In all of these areas, counselors face new situations, some of which are not addressed by the ethical standards of the ACA. For instance, in working with older adults, counselors must make ethical decisions regarding the unique needs of the aging who have cognitive impairments, a terminal illness, or who have been victims of abuse (Schwiebert, Myers, & Dice, 2000). In order to do so, counselors may apply *principle ethics* to these situations that are based on a set of obligations that focus on finding socially and historically appropriate answers to the question: "What shall I do?" (Corey et al., 2003). In other words, "Is this action ethical?" They may also employ *virtue ethics,* which focus on the "character traits of the counselor and nonobligatory ideals to which professionals aspire" (p. 13). Rather than solving a specific ethical question, virtue ethics are focused on the question: "Am I doing what is best for my client?" Counselors are wise to integrate both forms of ethical reasoning into their deliberations if they wish to make the best decisions possible.

In making ethical decisions where there are no guidelines, it is also critical for counselors to stay abreast of current issues, trends, and even legislation related to the situation they face. In the process, counselors must take care not to stereotype or otherwise be insensitive to clients with whom they are working. For instance, "a primary emphasis of research ethics is, appropriately, on the protection of human subjects in research" (Parker & Szymanski, 1996, p. 182). In the area of research in particular, there are four main ethical issues that must be resolved: "(1) informed consent, (2) coercion and deception, (3) confidentiality and privacy, and (4) reporting the results" (Robinson & Gross, 1986, p. 331). All of these areas involve people whose lives are in the care of the researcher. Anticipation of problems and implementation of policies that produce humane and fair results are essential.

DUAL RELATIONSHIPS

The matter of dual relationships as an ethical consideration is relatively new, emerging from debates in the 1970s on the ethical nature of counselor–client sexual relations. When professional groups concluded that sexual relationships between counselors and clients were unethical, questions were raised about the formation of other types of relationships between counselors and clients, such as business deals or friendship. Such relationships are not built on mutuality because of the past therapeutic nature of the people involved. In other words, one (the client) was more vulnerable than another (the counselor).

Discussions among professional groups concluded that nonsexual dual relationships should be avoided. The reason is "that no matter how harmless a dual relationship seems, a conflict of interest almost always exists, and any professional counselor's judgment is likely to be affected" (St. Germaine, 1993, p. 27). What follows is usually harmful because counselors lose their objectivity and clients may be placed in a situation in which they cannot be assertive and take care of themselves. For example, if a business transaction takes place between a counselor and a client at the same time that counseling is occurring, either party may be negatively affected if the product involved does not work well or work as well as expected. The thought and emotion that take place as a result will most likely have an impact on the therapeutic relationship. Therefore, as a matter of ethics, counselors should remove themselves from socializing or doing business with present or former clients; accepting gifts from them; or entering into a counseling relationship with a close friend, family member, student, lover, or employee.

Although the principles underlying the ethics of dual relationships seem clear, implementing them is sometimes difficult. For instance, many substance abuse counselors are in recovery. "For these individuals, existing ethical codes do not specifically or adequately address the unique circumstances in which they periodically find themselves" (Doyle, 1997, p. 428). Among the issues that are problematic and require thoughtful consideration are those involving confidentiality and anonymity, attending self-help groups with clients, social relationships among self-help group members, employment, and sponsorship in self-help programs.

WORKING WITH COUNSELORS WHO MAY ACT UNETHICALLY

Although most counselors are ethical, occasional situations arise in which such is not the case. In these circumstances, counselors must take some action. Otherwise, by condoning or ignoring a situation they risk eroding their own sense of moral selfhood and find it easier to condone future ethical breaches, a phenomenon known as the "*slippery slope effect.*" Herlihy (1996) suggests several steps to take in working through potential ethical dilemmas, especially with impaired professionals. The first is to identify the problem as objectively as possible and the counselor's relationship to it. Such a process is best done on paper to clarify thinking.

The second step in the process is for a counselor to apply the current ACA Code of Ethics to the matter. In such cases, clear guidance as to a course of action may emerge. Next, a counselor should consider moral principles of the helping profession discussed earlier in this chapter, such as beneficence, justice, and autonomy. Consultation with a colleague is an option, also.

If action is warranted, the colleague in question should first be approached informally. This approach involves confrontation in a caring context, which hopefully will lead to the counselor in question seeking help. If it does not, the confronting counselor should consider the potential consequences of all other options and then define a course of action. Such a course might include filing an ethical complaint with the ACA and/or a state licensure or national certification board. A complaint may be filled by either the professional, who has queried his or her colleague, or by a client who believes he or she has been treated unethically (Piercy, 2000).

In examining courses of action, a counselor must evaluate where each potential action might lead. Criteria for judgment include one's comfort surrounding (a) "publicity" (i.e., if the actions of the confronting counselor were reported in the press), (b) "justice" (i.e., fairness), (c) "moral traces" (i.e., lingering feelings of doubt), and (d) "universality" (i.e., is this a course I would recommend others take in this situation?).

Finally, a course of action is chosen and implemented. In such a case, the counselor must realize that not everyone will agree. Therefore, he or she needs to be prepared to take criticism as well as credit for what has been done.

THE LAW AND COUNSELING

The profession of counseling is also governed by legal standards. *Legal* refers to "law or the state of being lawful," and *law* refers to "a body of rules recognized by a state or community as binding on its members" (Shertzer & Stone, 1980, p. 386). Contrary to popular opinion, "law is not cut and dried, definite and certain, or clear and precise" (Van Hoose & Kottler, 1985, p. 44). Rather, it always seeks compromise between individuals and parties. It offers few definite answers, and there are always notable exceptions to any legal precedent.

There is "no general body of law covering the helping professions" (Van Hoose & Kottler, 1985, p. 45). But there are a number of court decisions and statutes that influence legal opinions on counseling, and counselors need to keep updated. The 1993 Napa County, California, case involving Gary Ramona is one such legal decision. In this widely publicized trial, Ramona sued his daughter's therapists, "charging that by implanting false memories of sexual abuse in her mind they had destroyed his life" (Butler, 1994, p. 10). Ramona was awarded $475,000 after the jury "found the therapists had negligently reinforced false memories" (Butler, 1994, p. 11). The legal opinion on which the case was decided was *duty to care*—health providers' legal obligation not to act negligently.

Another important legal case in recent years was the 1996 U.S. Supreme Court decision in *Jaffee* v. *Redmond* that held that communications between licensed psychotherapists and their patients are privileged and do not have to be disclosed in cases held in federal court (Remley, Herlihy, & Herlihy, 1997). The importance of the case for counseling is that a legal precedent was set regarding confidentiality between a master's-level clinician (in this case a social worker) and her client. The case also brought positive attention to mental health services, including counseling.

Yet a third legal case that has recently affected counselors is the Amicus Curiae Brief argued before the United States Supreme Court in 1997. This brief dealt with mental health issues associated with "physician-assisted suicide" (Werth & Gordon, 2002). In this court action, the ACA joined with several other mental health groups to protect the rights of counselors and other helping specialties to play a part in hastened death, in particular by protecting the suffering person, the person's significant others, and society as a whole from the potential problems associated with aid-in-dying.

In most cases, the law is "generally supportive or neutral" toward professional codes of ethics and counseling in general (Stude & McKelvey, 1979, p. 454). It supports licensure or certification of counselors as a means of ensuring that those who enter the profession attain at least minimal standards. It also supports the general "confidentiality of statements and records provided by clients during therapy" (p. 454). In addition, the law is neutral "in that it allows the profession to police itself and govern counselors' relations with their clients and fellow counselors" (p. 454). The only time the law overrides a professional code of ethics is when it is necessary "to protect the public health, safety, and welfare" (p. 454). This necessity is most likely in situations concerning confidentiality, when disclosure of information is necessary to prevent harm. In such cases, counselors have a duty to warn potential victims about the possibility of a client's violent behavior (Costa & Altekruse, 1994).

LEGAL RECOGNITION OF COUNSELING

Swanson (1983b) points out that, in part, counseling gained professional recognition and acceptance through the legal system. As recently as 1960, counseling did not have a strong enough identity as a profession to be recognized legally. In that year, a judge ruled in the case of *Bogust* v. *Iverson* that a counselor with a doctoral degree could not be held liable for the suicide of one of his clients because counselors were "mere teachers" who received training in a department of education.

It was not until 1971, in an *Iowa Law Review Note,* that counselors were legally recognized as professionals who provided personal as well as vocational and educational counseling. The profession was even more clearly defined in 1974 in *Weldon* v. *Virginia State Board of Psychologists Examiners.* The judgment rendered in this case stated that counseling was a profession distinct from psychology. The U.S. House of Representatives further refined the definition of counseling and recognized the profession in H.R. 3270 (94th Congress, 1976), stating that counseling is "the process through which a trained counselor assists an individual or group to make satisfactory and responsible decisions concerning personal, educational and career development."

Swanson (1983b) notes that state laws regulating counseling, such as the first one passed in Virginia in 1976 exclusively recognizing counseling as a profession, saw counseling as a "generic profession" with specialties such as career counseling (p. 29). Further impetus for defining counseling as a profession came with the adoption and implementation of minimum preparation standards, such as those adopted by CACREP in the late 1970s.

LEGAL ASPECTS OF THE COUNSELING RELATIONSHIP

Counselors must follow specific legal guidelines in working with certain populations. For example, PL 94-142 (the Education of All Handicapped Children Act of 1975) provides that schools must make provisions for the free, appropriate public education of all children in the least restrictive environment possible. Part of this process is the development of an individual education plan (IEP) for each child as well as the provision for due-process procedures and identifying and keeping records on every disabled child (Humes, 1978). School counselors who work with disabled children have specific tasks to complete under the terms of this act.

Similarly, counselors have a legal obligation under all child abuse laws to report suspected cases of abuse to proper authorities, usually specific personnel in a state social welfare office (Henderson, 2003). Such situations may be especially difficult when counselors are working directly with families in which the abuse is suspected (Stevens-Smith & Hughes, 1993). Furthermore, the legal obligations of counselors are well defined under the *Family Ed-*

ucational Rights and Privacy Act (FERPA) of 1974, known as the *Buckley Amendment.* This statute gives students access to certain records that educational institutions have kept on them.

Counselors have considerable trouble in situations in which the law is not clear or a conflict exists between the law and professional counseling ethics. Nevertheless, it is important that providers of mental health services be fully informed about what they can or cannot do legally. Such situations often involve the sharing of information among clients, counselors, and the court system.

Sharing may be broken down into confidentiality, privacy, and privileged communication. *Confidentiality* is "the ethical duty to fulfill a contract or promise to clients that the information revealed during therapy will be protected from unauthorized disclosure" (Arthur & Swanson, 1993, p. 7). Confidentiality becomes a legal as well as an ethical concern if it is broken, whether intentionally or not. It is annually one of the most inquired about ethical and legal concerns received by the ACA Ethics Committee including "dilemmas/questions regarding right to privacy, clients' right to privacy, and counselors avoiding illegal and unwarranted disclosures of confidential information (exceptions, court ordered disclosure and records)" (Williams & Freeman, 2002, pp. 253–254).

"*Privacy* is an evolving legal concept that recognizes individuals' rights to choose the time, circumstances, and extent to which they wish to share or withhold personal information" (Herlihy & Sheeley, 1987, p. 479; emphasis added). Clients who think they have been coerced into revealing information they would not normally disclose may seek legal recourse against a counselor.

Privileged communication, a narrower concept, regulates privacy protection and confidentiality by protecting clients from having their confidential communications disclosed in court without their permission. It is defined as "a client's legal right, guaranteed by statute, that confidences originating in a therapeutic relationship will be safeguarded" (Arthur & Swanson, 1993, p. 7). Most states recognize and protect privileged communication in counselor–client relationships (Glosoff, Herlihy, & Spence, 2000). However, there are nine categories of exceptions:

(a) "in cases of a dispute between counselor and client;
(b) when a client raises the issue of mental condition in legal proceedings;
(c) when a client's condition poses a danger to self or others;
(d) in cases of child abuse or neglect (in addition to mandated reporting laws);
(e) when the counselor has knowledge that the client is contemplating commission of a crime;
(f) during court ordered psychological evaluations;
(g) for purposes of involuntary hospitalization;
(h) when the counselor has knowledge that a client has been a victim of a crime; and
(i) in cases of harm to vulnerable adults." (p. 455)

As opposed to individuals, "the legal concept of privileged communication generally does not apply in group and family counseling" (Anderson, 1996, p. 35). However, counselors should consider certain ethical concerns in protecting the confidentiality of group and family members.

One major difficulty with any law governing client and counselor communication is that laws vary from state to state. It is essential that counselors know and communicate to their clients potential situations in which confidentiality may be broken (Glosoff et al., 2000; Woody, 1988).

A landmark court case that reflects the importance of limiting confidentiality is *Tarasoff* v. *Board of Regents of the University of California* (1976). In this case, Prosenjit Poddar, a student who was a voluntary outpatient at the student health services on the Berkeley campus of the University of California, informed the psychologist who was counseling him that he intended to kill his former girlfriend, Tatiana Tarasoff, when she arrived back on campus. The psychologist notified the campus police, who detained and questioned the student about his proposed activities. The student denied any intention of killing Tarasoff, acted rationally, and was released. Poddar refused further treatment from the psychologist, and no additional steps were taken to deter him from his intended action. Two months later, he killed Tarasoff. Her parents sued the Regents of the University of California for failing to notify the intended victim of a threat against her. The California Supreme Court ruled in their favor, holding, in effect, that a therapist has a duty to protect the public that overrides any obligation to maintain client confidentiality.

Thus, there is a limit to how much confidentiality a counselor can or should maintain. When it appears that a client is dangerous to him- or herself or to others, state laws specify that this information must be reported to the proper authorities. Knapp and Vandecreek (1982) note, however, that state laws vary, and reporting such information is often difficult. They suggest that when client violence is at risk, a counselor should try to defuse the danger while also satisfying any legal duty. They recommend consulting with professional colleagues who have expertise in working with violent individuals and documenting the steps taken.

CIVIL AND CRIMINAL LIABILITY

The *Tarasoff* case raises the problem of counselor liability and malpractice. Basically, *liability* in counseling involves issues concerned with whether counselors have caused harm to clients (Wittmer & Loesch, 1986). The concept of liability is directly connected with malpractice. *Malpractice* in counseling is defined "as harm to a client resulting from professional negligence, with *negligence* defined as the departure from acceptable professional standards" (Hummell et al., 1985, p. 70; emphasis added). Until recently, there were relatively few counselor malpractice lawsuits. But with the increased number of licensed, certified, and practicing counselors, malpractice suits have become more common. Therefore, professional counselors need to make sure they protect themselves from such possibilities.

Two ways to protect oneself from malpractice are (a) to follow professional codes of ethics and (b) to follow normal practice standards (Hopkins & Anderson, 1990). Regardless of how careful counselors are, however, malpractice lawsuits can still occur. Therefore, carrying liability insurance is a must (Bullis, 1993). *Avoiding Counselor Malpractice* (Crawford, 1994) is an excellent book explaining the nature and scope of malpractice and ways to take reasonable precautions to avoid being implicated in lawsuits.

Liability can be classified under two main headings: civil and criminal. *Civil liability* "means that one can be sued for acting wrongly toward another or for failing to act when there [is] a recognized duty to do so" (Hopkins & Anderson, 1990, p. 21). *Criminal liability,* however, involves a counselor working with a client in a way the law does not allow (Burgum & Anderson, 1975).

The concept of civil liability rests on the concept of *tort,* "a wrong that legal action is designed to set right" (Hopkins & Anderson, 1990, p. 21). The legal wrong can be against a person, property, or even someone's reputation and may be unintentional or direct. Counselors are most likely to face civil liability suits for malpractice in the following situations: (a) malpractice in particular situations (birth control, abortion, prescribing and administering drugs, treatment), (b) illegal search, (c) defamation, (d) invasion of privacy, and (e) breach of contract (Hopkins & Anderson, 1990). Three situations in which counselors risk criminal liability are (a) accessory to a crime, (b) civil disobedience, and (c) contribution to the delinquency of a minor (Burgum & Anderson, 1975; Hopkins & Anderson, 1990).

LEGAL ISSUES INVOLVED WHEN COUNSELING MINORS

Minors are children under the age of 18. Many school counselors work with children in this age group. Other counselors interact with children in this age range in community agencies. Working with minors in nonschool settings involves legal (and ethical) issues different from those in an educational environment (Lawrence & Kurpius, 2000). For example, since the "client-counselor relationship is fiduciary it falls under the legal jurisdiction of contract law. Typically, a minor can enter into a contract for treatment in one of three ways: (a) with parental consent, (b) involuntarily at a parent's insistence, or (c) by order of the juvenile court" (p. 133). While court-ordered treatment of a child does not require parental consent, the other two conditions do and, even with court-ordered treatment, parents or guardians should be informed. "If informed parental consent is not obtained, counselors risk the possibility of being sued for battery, failure to gain consent, and child enticement" (p. 133). It is important in obtaining consent both in school and agency settings that the custodial parent's permission be obtained if a child's parents are divorced. Furthermore, it is prudent and necessary to find out what information, if any, noncustodial parents are entitled to.

In working with minors and their families, Lawrence and Kurpius (2000, p. 135) give a number of suggestions including:

- "Be thoroughly familiar with state statutes" especially regarding privileged communication.
- "Clarify your policies concerning confidentiality with both the child and parents at the initiation of the therapeutic relationship and ask for their cooperation. Provide a written statement of these policies that everyone signs."
- "Keep accurate and objective records of all interactions and counseling sessions."
- "Maintain adequate professional liability coverage." Such coverage should be above the minimum.
- If you need help "confer with colleagues and have professional legal help available."

CLIENT RIGHTS AND RECORDS

There are two main types of client rights: implied and explicit (Hansen et al., 1994). Both relate to due process. *Implied rights* are linked to substantive due process. When a rule is made that arbitrarily limits an individual (i.e., deprives the person of his or her constitutional rights), he or she has been denied substantive due process. *Explicit rights* focus on procedural due process (the steps necessary to initiate or complete an action when an explicit rule is broken). An individual's procedural due process is violated when an explicit rule is broken and the person is not informed about how to remedy the matter. A client has a right to know what recourse he or she has when either of these two types of rights is violated.

The records of all clients are legally protected except under special circumstances. For example, in some instances, such as those provided by the Buckley Amendment, an individual has the right legally to inspect his or her record. There are also some cases (cited by Hummell et al., 1985) in which third parties have access to student information without the consent of the student or parent. In the vast majority of cases, counselors are legally required to protect clients of all ages by keeping records under lock and key, separate from any required business records, and not disclosing any information about a client without that person's written permission (Mitchell, 2001). The best method to use in meeting a request for disclosing information is a release-of-information form, which can be drawn up by an attorney (Rosenthal, 1998). Counselors should not release client information they have not obtained firsthand.

Because record keeping is one of the top five areas pertaining to legal liability of counselors (Snider, 1987), the question often arises about what should go into records. Basically, records should contain "all information about the client necessary for his or her treatment" (Piazza & Baruth, 1990, p. 313). The number and types of forms in a client record vary with the agency and practitioner, but six categories of documents are usually included:

1. *Identifying or intake information:* name, address, telephone number(s), date of birth, sex, occupation, and so on
2. *Assessment information:* psychological evaluation(s), social/family history, health history, and so on
3. *Treatment plan:* presenting problem, plan of action, steps to be taken to reach targeted behavior, and so on
4. *Case notes:* for example, documentation of progress in each session toward the stated goal
5. *Termination summary:* outcome of treatment, final diagnosis (if any), after-care plan, and so on
6. *Other data:* client's signed consent for treatment, copies of correspondence, notations about rationale for any unusual client interventions, administrative problems, and so on

It is vital for counselors to check their state legal codes for exact guidelines about record keeping. It is critical for counselors who receive third-party reimbursement to make sure that their client records refer to progress in terms of a treatment plan and a diagnosis (if required) (Hinkle, 1994). In no case, however, should confidential information about a client be given over the telephone. Counselors are also ethically and legally bound to ensure that a client's rights are protected by not discussing counseling cases in public.

THE COUNSELOR IN COURT

The court system in the United States is divided into federal and state courts. Each is similarly patterned with "trial courts, a middle-level appellate court, and a supreme court" (Anderson, 1996, p. 7). Most counselors who appear in court do so on the state level because the federal courts deal with cases arising primarily under the laws of the United States or those involving citizens of different states where the amount of controversy exceeds $50,000.

Most counselors wind up in court in two main ways. One is voluntary and professional: when the counselor serves as an *expert witness*. "An expert witness is an objective and unbiased person with specialized knowledge, skills, or information, who can assist a judge or jury in reaching an appropriate legal decision" (Remley, 1992, p. 33). A counselor who serves as an expert witness is compensated financially for his or her time.

The other way in which a counselor may appear in court is through a *court order* (a subpoena to appear in court at a certain time in regard to a specific case). Such a summons is issued with the intent of having the counselor testify on behalf of or against a present or former client. Because the legal system is adversarial, counselors are wise to seek the advice of attorneys before responding to court orders (Remley, 1991). By so doing, counselors may come to understand law, court proceedings, and options they have in response to legal requests. Role-playing possible situations before appearing in court may also help counselors function better in such situations.

Overall, in preparing for legal encounters, counselors should read some or all of the 12 volumes in the ACA Legal Series. These volumes, edited by Theodore P. Remley, Jr., are written by experts in the field of counseling who have either legal degrees or expert knowledge on important legal issues such as preparing for court appearances, documenting counseling records, counseling minors, understanding confidentiality and privileged communication, receiving third-party payments, and managing a counseling agency.

ETHICS AND THE LAW: TWO WAYS OF THINKING

In ending this chapter, it should be apparent that attorneys and counselors tend to think in different ways. The professionals in these specialties live for the most part in two different cultures and base their practices on unique worldviews. For this reason, there is a "strong rationale for considering counseling and the legal system from a cross-cultural perspective" (Rowley & MacDonald, 2001, p. 423). The relative differences in the culture between counselors and attorneys are outlined in Table 3.2. It should be noted, in considering these differences, that there are notable exceptions.

To become successful in a litigious society, counselors, who are part of a minority culture, must become acculturated into the majority culture, the law. There are several ways they can accomplish this goal including:

- becoming "knowledgeable with those elements that are common to both mental health and the law,"

Table 3.2   Relative Differences in Culture Between Counseling and Law

Counseling	Law
Systemic and linear reasoning	Linear reasoning
Artistic, subjective-objective understandings	Objective, fairness understandings
Growth, therapeutic priorities	Order, protection priorities
Individual or small group focus	Societal focus
Priority on change	Priority on stability
Relativity, contextual understanding	Normative dichotomies understanding
Cooperative, relational emphasis	Adversarial, fact-finding emphasis
Recommendation, consultation emphases	Legal sanctions and guidance emphases
Ethical, experiential, education bases	Legal reasoning basis
Deterministic worldview or unknowns, or both, accepted	Deterministic worldview

Source: Reprinted from "Counseling and The Law: A cross-cultural perspective." (p. 424) by W. J. Rowley & D. MacDonald in the *Journal for Counseling and Development* (2001), *79*, 422–429. © ACA. Reprinted with permission. No further reproduction authorized without written permission of The American Psychological Association.

- understanding and being prepared to "work with those elements of the law that differ from the culture of mental health" such as seeking information from a counselor without an appropriate release,
- reviewing the ACA *Code of Ethics and Professional Standards* and other relevant ethical codes annually,
- participating in continuing education programs that review laws pertinent to one's counseling specialty,
- learning more about the legal system through "organizations and publications that interface the mental health and legal system" (e.g., *American Psychology-Law Society News* or *The Forensic Examiner*),
- creating a collaborative relationship with a lawyer, a judge, or other legal practitioner,
- developing a relationship with a counselor who is knowledgeable about the world of law, and
- consulting and receiving feedback on possible decisions when there is an ethical–legal dilemma (Rowley & MacDonald, 2001, pp. 427–428).

SUMMARY AND CONCLUSION

Counselors are like other professionals in having established codes of ethics to guide them in the practice of helping others. The ethical standards of the ACA is one of the main documents counselors consult when they face ethical dilemmas. Acting ethically is not always easy, comfortable, or clear.

In making an ethical decision, counselors rely on personal values as well as ethical stan-

dards and legal precedents. They also consult with professional colleagues, casebooks, and principles. It is imperative that counselors become well informed in the area of ethics for the sake of their own well-being and that of their clients. It is not enough that counselors have an academic knowledge of ethical standards; they must have a working knowledge and be able to assess at what developmental level they and their colleagues are operating.

In addition, counselors must be informed about state and national legislation and legal decisions. These will affect the ways in which counselors work. Counselors are liable for civil and criminal malpractice suits if they violate client rights or societal rules. One way for counselors to protect themselves legally is to follow the ethical standards of the professional organizations with which they are affiliated and operate according to recognized normal practices. It is imperative that counselors be able to justify what they do. Counselors should also carry malpractice insurance.

Ethical standards and legal codes reflect current conditions and are ever-evolving documents. They do not cover all situations, but they do offer help beyond that contained in counselors' personal beliefs and values. As counseling continues to develop as a profession, its ethical and legal aspects will probably become more complicated, and enforcement procedures will become stricter. Ignorance of ethics and law is no excuse for any practicing counselor. It is important that counselors realize that with notable exceptions they think differently from attorneys. Therefore, as the minority culture, they need to take the initiative in learning how to deal with legal matters and lawyers.

CLASSROOM ACTIVITIES

1. Obtain copies of early ethical codes for the ACA. Compare these guidelines to the most recently published ACA ethical standards. What differences do you notice? Discuss your observations with fellow class members.

2. In groups of four, use the ACA ethical standards casebook as a guide to enact specific ethical dilemmas before your classmates. Have the other groups write down at least two courses of action they would pursue in solving your enacted situation. Have them justify the personal and professional reasons for their actions. Discuss each of these situations with the class as a whole and with your instructor.

3. Invite three or four professional counselors to your class to discuss specific ethical and

legal concerns they have encountered. Ask about what areas they find the most difficult to deal with. After their presentations, question them about the role of ethics and law in the future of counseling.

4. Obtain as many copies as you can of counseling laws in states where counselors are licensed. Check the NBCC Web site in carrying out this assignment. Compare these laws for similarities and differences. What areas do you think the laws need to address that are not being covered?

5. Write down ways that you, as a professional counselor, can influence the development of counseling ethics and law. Be specific. Share your thoughts with fellow classmates.

REFERENCES

Allen, V. B. (1986). A historical perspective of the AACD ethics committee. *Journal of Counseling and Development, 64,* 293.

Allen, V. B., Sampson, J. P., Jr., & Herlihy, B. (1988). Details of the 1988 AACD ethical standards. *Journal of Counseling and Development, 67,* 157–158.

American Counseling Association (ACA) (1995). *Ethical standards of the American Counseling Association.* Alexandria, VA: Author.

Anderson, B. S. (1996). *The counselor and the law* (4th ed.). Alexandria, VA: American Counseling Association.

Anderson, D., & Swanson, C. (1994). *Legal issues in licensure.* Alexandria, VA: American Counseling Association.

Arthur, G. L., & Swanson, C. D. (1993). *Confidentiality and privileged communication.* Alexandria, VA: American Counseling Association.

Bartlett, W. E., Lee, J. L., & Doyle, R. E. (1985). Historical development of the Association for Religious and Values Issues in Counseling. *Journal of Counseling and Development, 63,* 448–451.

Bergin, A. E. (1985). Proposed values for guiding and evaluating counseling and psychotherapy. *Counseling and Values, 29,* 99–115.

Bergin, A. E. (1992). Three contributions of a spiritual perspective to counseling, psychotherapy, and behavior change. In M. T. Burke & J. G. Miranti (Eds.), *Ethical and spiritual values in counseling* (pp. 5–15). Alexandria, VA: American Counseling Association.

Beymer, L. (1971). Who killed George Washington? *Personnel and Guidance Journal, 50,* 249–253.

Boy, A. V., & Pine, G. J. (1968). *The counselor in the schools: A reconceptualization.* Boston: Houghton Mifflin.

Brandt, R. (1959). *Ethical theory.* Upper Saddle River, NJ: Prentice Hall.

Bullis, R. K. (1993). *Law and the management of a counseling agency or private practice.* Alexandria, VA: American Counseling Association.

Burgum, T., & Anderson, S. (1975). *The counselor and the law.* Washington, DC: APGA Press.

Butler, K. (1994, July/August). Duty of care. *Family Therapy Networker, 18,* 10–11.

Callis, R., Pope, S., & DePauw, M. (1982). *Ethical standards casebook* (3rd ed.). Alexandria, VA: American Counseling Association.

Chauvin, J. C., & Remley, T. P., Jr. (1996). Responding to allegations of unethical conduct. *Journal of Counseling and Development, 74,* 563–568.

Christopher, J. C. (1996). Counseling's inescapable moral visions. *Journal of Counseling and Development, 75,* 17–25.

Clawson, T. W., & Wildermuth, V. (1992, December). The counselor and NBCC. *CAPS Digest,* EDO-CG-92-14.

Coll, K. M. (1993). Student attitudinal changes in a counseling ethics course. *Counseling and Values, 37,* 165–170.

Cobia, D. C., & Pipes, R. B. (2002). Mandated supervision: An intervention for disciplined professionals. *Journal of Counseling and Development, 80,* 140–144.

Corey, G., Corey, M. S., & Callanan, P. (2003). *Issues and ethics in the helping professions* (6th ed.). Pacific Grove, CA: Brooks/Cole.

Costa, L., & Altekruse, M. (1994). Duty-to-warn guidelines for mental health counselors. *Journal of Counseling and Development, 72,* 346–350.

Cottone, R. R., & Claus, R. E. (2000). Ethical decision-making models: A review of the literature. *Journal of Counseling and Development, 78,* p. 279

Cottone, R. R., & Tarvydas, V. M. (2003). *Ethical and professional issues in counseling* (2nd ed.). Upper Saddle River, NJ: Merrill/Prentice Hall.

Crawford, R. L. (1994). *Avoiding counselor malpractice.* Alexandria, VA: American Counseling Association.

Daniluk, J. C., & Haverkamp, B. E. (1993). Ethical issues in counseling adult survivors of incest. *Journal of Counseling and Development, 72,* 16–22.

Davis, T., & Ritchie, M. (1993). Confidentiality and the school counselor: A challenge for the 1990s. *School Counselor, 41,* 23–30.

DePauw, M. E. (1986). Avoiding ethical violations: A timeline perspective for individual counseling. *Journal of Counseling and Development, 64,* 303–305.

Dingman, R. L. (1990, November). *Counselor credentialing laws.* Paper presented at the Southern Association for Counselor Education and Supervision, Norfolk, VA.

Doyle, K. (1997). Substance abuse counselors in recovery: Implications for the ethical issue of dual relationships. *Journal of Coun-*

seling and Development, 75, 428–432.

Faiver, C., Eisengart, S., & Colonna, R. (1995). *The counselor intern's handbook.* Pacific Grove, CA: Brooks/Cole.

Forester-Miller, H., & Davis, T. E. (1996). *A practitioner's guide to ethical decision making.* Alexandria, VA: American Counseling Association.

Fretz, B. R., & Mills, D. H. (1980). *Licensing and certification of psychologists and counselors.* San Francisco: Jossey-Bass.

Gibson, W. T., & Pope, K. S. (1993). The ethics of counseling: A national survey of certified counselors. *Journal of Counseling and Development, 71,* 330–336.

Gladding, S. T., & Hood, W. D. (1974). Five cents, please. *School Counselor, 21,* 40–43.

Gladding, S. T., Remley, T. P., Jr., & Huber, C. H. (2001). *Ethical, legal and professional issues in the practice of marriage and family therapy* (3rd ed.). Upper Saddle River, NJ: Merrill/Prentice Hall.

Glosoff, H. (1992). Accrediting and certifying professional counselors. *Guidepost, 34*(12), 6–8.

Glosoff, H. L., Herlihy, B., & Spence, E. B. (2000). Privileged communication in the counselor-client relationship. *Journal of Counseling and Development, 78,* 454–462.

Grant, B. (1992). The moral nature of psychotherapy. In M. T. Burke & J. G. Miranti (Eds.), *Ethical and spiritual values in counseling* (pp. 27–35). Alexandria, VA: American Counseling Association.

Gumaer, J., & Scott, L. (1985). Training group leaders in ethical decision making. *Journal for Specialists in Group Work, 10,* 198–204.

Hansen, J. C., Rossberg, R. H., & Cramer, S. H. (1994). *Counseling: Theory and process* (5th ed.). Boston: Allyn & Bacon.

Harding, A. K., Gray, L. A., & Neal, M. (1993). Confidentiality limits with clients who have HIV: A review of ethical and legal guidelines and professional policies. *Journal of Counseling and Development, 71,* 297–304.

Hayman, P. M., & Covert, J. A. (1986). Ethical dilemmas in college counseling centers. *Journal of Counseling and Development, 64,* 318–320.

Henderson, D. A. (2003). School counseling. In R. R. Cottone & V. M. Tarvydas, *Ethical and professional issues in counseling* (2nd ed.) (pp. 236–259). Upper Saddle River, NJ: Prentice Hall.

Henderson, D. A., & Fall, M. (1998). School counseling. In R. R. Cottone & V. M. Tarvydas (Eds.), *Ethical and professional issues in counseling* (pp. 263–294). Upper Saddle River, NJ: Prentice Hall.

Herlihy, B. (1996). When a colleague is impaired: The individual counselor's response. *Journal of Humanistic Education and Development, 34,* 118–127.

Herlihy, B., & Corey, C. (1996). *ACA ethical standards casebook* (5th ed.). Alexandria, VA: American Counseling Association.

Herlihy, B., & Sheeley, V. L. (1987). Privileged communication in selected helping professions: A comparison among statutes. *Journal of Counseling and Development, 64,* 479–483.

Hinkle, J. S. (1994, September). *Psychodiagnosis and treatment planning under the DSM-IV.* Workshop presentation of the North Carolina Counseling Association, Greensboro, NC.

Hopkins, B. R., & Anderson, B. S. (1990). *The counselor and the law* (3rd ed.). Alexandria, VA: American Counseling Association.

Huey, W. C. (1986). Ethical concerns in school counseling. *Journal of Counseling and Development, 64,* 321–322.

Humes, C. W., II. (1978). School counselors and P.L. 94-142. *School Counselor, 25,* 192–195.

Hummell, D. L., Talbutt, L. C., & Alexander, M. D. (1985). *Law and ethics in counseling.* New York: Van Nostrand Reinhold.

Jencius, M., & Rotter, J. C. (1998, March). *Applying naturalistic studies in counseling.* Paper presented at the American Counseling Association World Conference, Indianapolis, IN.

Keith-Spiegel, P., & Koocher, G. P. (1985). *Ethics in psychology: Professional standards and cases.* New York: Random House.

Kitchener, K. S. (1986). Teaching applied ethics in counselor education: An integration of psychological processes and philosophical analysis. *Journal of Counseling and Development, 64,* 306–310.

Kitchener, K. S. (1994, May). Doing good well: The wisdom behind ethical supervision. *Counseling and Human Development,* 1–8.

Knapp, S., & Vandecreek, L. (1982). *Tarasoff:* Five years later. *Professional Psychology, 13,* 511–516.

Ladd, E. T. (1971). Counselors, confidences, and the civil liberties of clients. *Personnel and Guidance Journal, 50,* 261–268.

Lanning, W. (1992, December). Ethical codes and responsible decision-making. *ACA Guidepost, 35,* 21.

Lawrence, G., & Kurpius, S. E. R. (2000). Legal and ethical issues involved when counseling minors in nonschool settings. *Journal of Counseling and Development, 78,* 130–136.

Levenson, J. L. (1986). When a colleague practices unethically: Guidelines for intervention. *Journal of Counseling and Development, 64,* 315–317.

Mabe, A. R., & Rollin, S. A. (1986). The role of a code of ethical standards in counseling. *Journal of Counseling and Development, 64,* 294–297.

Margolin, G. (1982). Ethical and legal considerations in marital and family therapy. *American Psychologist, 37,* 788–801.

McGovern, T. F. (1994, May/June). Being good and doing good: An ethical reflection around alcoholism and drug abuse counseling. *The Counselor,* 14–18.

Mitchell, R. (2001). *Documentation in counseling records* (2nd ed.). Alexandria, VA: American Counseling Association.

Murphy, K. E. (1998). Is managed care unethical? *IAMFC Family Digest, 11*(1), 3.

Myers, J. E. (1998). Combatting ageism: The rights of older persons. In C. C. Lee & G. Walz (Eds.), *Social action for counselors.* Alexandria, VA: American Counseling Association.

Parker, R. M., & Szymanski, E. M. (1996). Ethics and publications. *Rehabilitation Counseling Bulletin, 39,* 162–163.

Patterson, C. H. (1971). Are ethics different in different settings? *Personnel and Guidance Journal, 50,* 254–259.

Pelsma, D. M., & Borgers, S. B. (1986). Experience-based ethics: A developmental model of learning ethical reasoning. *Journal of Counseling and Development, 64,* 311–314.

Piazza, N. J., & Baruth, N. E. (1990). Client record guidelines. *Journal of Counseling and Development, 68,* 313–316.

Piercy, F. P. (2000, March/April). To tell or not to tell? *Family Therapy Networker, 24,* 21.

Pope, K. S., & Vetter, V. A. (1992). Ethical dilemmas encountered by members of the American Psychological Association. *American Psychologist, 47,* 397–411.

Rae, W. A., Fournier, C. J., & Roberts, M. C. (2001). Ethical and legal issues in assessment of children with special needs. In R. J. Simeonsson & S. Rosenthal (Eds.), *Psychological and developmental assessment: Children with disabilities and chronic conditions* (pp. 359–376). New York: Guilford.

Remley, T. P., Jr. (1985). The law and ethical practices in elementary and middle schools. *Elementary School Guidance and Counseling, 19,* 181–189.

Remley, T. P., Jr. (1991). *Preparing for court appearances.* Alexandria, VA: American Counseling Association.

Remley, T. P., Jr. (1992, Spring). You and the law. *American Counselor, 1,* 33.

Remley, T. P., Jr., Herlihy, B., & Herlihy, S. B. (1997). The U.S. Supreme Court decision in *Jaffee* v. *Redmond:* Implications for counselors. *Journal of Counseling and Development, 75,* 213–218.

Robinson, S. E., & Gross, D. R. (1986). Counseling research: Ethics and issues. *Journal of Counseling and Development, 64,* 331–333.

Romano, G. (1992). The power and pain of professionalization. *American Counselor, 1,* 17–23.

Rosenthal, H. (1998). *Before you see your first client.* Holmes Beach, FL: Learning Publications.

Rowley, W. J., & MacDonald, D. (2001). Counseling and the law: A cross-cultural perspective. *Journal of Counseling and Development, 79,* 422–429.

Rueth, T., Demmitt, A., & Burger, S. (1998, March). *Counselors and the DSM-IV: Intentional and unintentional consequences of diagnosis.* Paper presented at the American Counseling Association World Conference, Indianapolis, IN.

Salo, M., Forester-Miller, H., & Hamilton, W. M. (1996). Report of the ACA ethics committee: 1995–1996. *Journal of Counseling and Development, 75,* 174–175.

Sampson, J. P., Kolodinsky, R. W., & Greeno, B. P. (1997). Counseling on the information highway: Future possibilities and potential problems. *Journal of Counseling and Development, 75,* 203–212.

Schulte, J. M. (1990). The morality of influencing in counseling. *Counseling and Values, 34,* 103–118.

Schwiebert, V. L., Myers, J. E., & Dice, C. (2000). Ethical guidelines for counselors working with older adults. *Journal of Counseling and Development, 78,* 123–129.

Shertzer, B., & Stone, S. (1980). *Fundamentals of counseling* (3rd ed.). Boston: Houghton Mifflin.

Shimberg, B. (1981). Testing for licensure and certification. *American Psychologist, 36,* 1138–1146.

Snider, P. D. (1987). Client records: Inexpensive liability protection for mental health counselors. *Journal of Mental Health Counseling, 9,* 134–141.

St. Germaine, J. (1993). Dual relationships: What's wrong with them? *American Counselor, 2,* 25–30.

Stadler, H. (1986). Preface to the special issue. *Journal of Counseling and Development, 64,* 291.

Steinman, S. O., Richardson, N. F., & McEnroe, T. (1998). *The ethical decision-making manual for helping professionals.* Belmont, CA: Brooks/Cole.

Stevens-Smith, P., & Hughes, M. M. (1993). *Legal issues in marriage and family counseling.* Alexandria, VA: American Counseling Association.

Stude, E. W., & McKelvey, J. (1979). Ethics and the law: Friend or foe? *Personnel and Guidance Journal, 57,* 453–456.

Sue, D. W., Ivey, A. E., & Pedersen, P. B. (1996). *A theory of multicultural counseling and therapy.* Pacific Grove, CA: Brooks/Cole.

Swanson, C. D. (1983a). Ethics and the counselor. In J. A. Brown & R. H. Pate, Jr. (Eds.), *Being a counselor* (pp. 47–65). Pacific Grove, CA: Brooks/Cole.

Swanson, C. D. (1983b). The law and the counselor. In J. A. Brown & R. H. Pate, Jr. (Eds.), *Being a counselor* (pp. 26–46). Pacific Grove, CA: Brooks/Cole.

Talbutt, L. C. (1981). Ethical standards: Assets and limitations. *Personnel and Guidance Journal, 60,* 110–112.

Tarvydas, V. M. (1998). Ethical decision making processes. In R. R. Cottone & V. M. Tarydas (Eds.), *Ethical and professional issues in counseling* (pp. 144–155). Upper Saddle River, NJ: Prentice Hall.

Tennyson, W. W., & Strom, S. M. (1986). Beyond professional standards: Developing responsibleness. *Journal of Counseling and Development, 64,* 298–302.

Thomas, V. (1994). Value analysis: A model of personal and professional ethics in marriage and family counseling. *Counseling and Values, 38,* 193–203.

Thompson, A. (1990). *Guide to ethical practice in psychotherapy.* New York: Wiley.

Tymchuk, A. J. (1986). Guidelines for ethical decision making. *Canadian Psychology, 27,* 36–43.

Vacc, N. A., Juhnke, G. A., & Nilsen, K. A. (2001). Community mental health service providers' code of ethics and the *Standards for Educational and Psychological Testing. Journal of Counseling and Development, 79,* 217–224.

Van Hoose, W. H., & Kottler, J. (1985). *Ethical and legal issues in counseling and psychotherapy* (2nd ed.). San Francisco: Jossey-Bass.

Van Hoose, W. H., & Paradise, L. V. (1979). *Ethics in counseling and psychotherapy.* Cranston, RI: Carroll.

Welfel, E. R. (1998). *Ethics in counseling and psychotherapy.* Pacific Grove, CA: Brooks/Cole.

Welfel, E. R., & Lipsitz, N. E. (1983a). Ethical orientation of counselors: Its relationship to moral reasoning and level of training. *Counselor Education and Supervision, 23,* 35–45.

Welfel, E. R., & Lipsitz, N. E. (1983b). Wanted: A comprehensive approach to ethics research and education. *Counselor Education and Supervision, 22,* 320–332.

Werth, J. L., Jr., & Gordon, J. R. (2002). Amicus Curiae Brief for the United States Supreme Court on mental health issues associated with 'physician-assisted suicides.' *Journal of Counseling and Development, 80,* 160–172.

Wilcoxon, S. A. (1986). Engaging nonattending family members in marital and family counseling: Ethical issues. *Journal of Counseling and Development, 64,* 323–324.

Wilcoxon, S. A. (1987). Ethical standards: A study of application and utility. *Journal of Counseling and Development, 65,* 510–511.

Wilcoxon, S. A. (1993, March/April). Ethical issues in marital and family counseling: A framework for examining unique ethical concerns. *Family Counseling and Therapy, 1,* 1–15.

Williams, C. B., & Freeman, L. T. (2002). Report of the ACA Ethics Committee: 2000–2001. *Journal of Counseling and Development, 80,* 251–254.

Wittmer, J. P., & Loesch, L. C. (1986). Professional orientation. In M. D. Lewis, R. L. Hays, & J. A. Lewis (Eds.), *The counseling profession* (pp. 301–330). Itasca, IL: Peacock.

Woody, R. H. (1988). *Fifty ways to avoid malpractice.* Sarasota, FL: Professional Resource Exchange.

4

COUNSELING IN A MULTICULTURAL
AND DIVERSE SOCIETY

I walk among groups of uniformed people
in a bustling, well-planned, unfamiliar land
that looks in many ways like my own.
As I hear the sound of language
alien to my ear
I futilely search for meaningful words
but end up with disappointments.
I am a foreigner
different from the rest
in looks, in style, and in expectations,
I stand out as a visitor in Osaka
who still veers right instead of left
to avoid the crowds in subways.
Amidst it all, I am filled with new awareness
as I step from cultural shelters
into a driving rain
to become drenched in falling water
and flooded with a rush of feelings.
The challenge of understanding
both myself and others
comes with each encounter.

Reprinted from "Visitor in Osaka," by S. T. Gladding, 2002, in S.T. Gladding. © 2002 by ACA. Reprinted with permission. No further reproduction authorized without written permission of the American Counseling Association.

The effectiveness of counseling depends on many factors, but among the most important is for the counselor and client to be able to understand and relate to each other. Such a relationship is usually easier to achieve if the client and counselor are similar in such diverse factors as age, culture, disability, educational level, ethnicity, gender, language, physique, race, religion, sexual orientation, and socioeconomic background (Weinrach & Thomas, 1996). Because similarities in all these categories at any one time is rare, it is imperative that counselors be acutely sensitive to their clients' backgrounds and special needs and equally attuned to their own values, biases, and abilities (Brinson, 1996; Holiday, Leach, & Davidson, 1994). Understanding and dealing positively with differences is a matter of developing self-awareness (from the inside out) as well as developing an awareness of others (from the outside in) (Okun, Fried, & Okun, 1999). Differences between counselors and clients should never be allowed to influence the counseling process negatively.

This chapter considers distinct populations and issues that impact counseling in a culturally diverse world. "Culturally neutral counseling does not exist" (Coleman, 1998, p. 153). Topics covered here include working with culturally and ethnically distinct clients, the aged, women/men, gays/lesbians/bisexuals/transgenders, and spirituality-centered persons. The variety of clients that counselors encounter in their work is almost endless. Methods that work best with one concern or population may be irrelevant or even inappropriate for others. Therefore, counselors must be constant lifelong learners and implementers of new and effective methods of working.

COUNSELING ACROSS CULTURE AND ETHNICITY

Many distinct cultural and ethnic groups live in the United States. European Americans make up the largest group (approximately 75%), with four other distinct groups—African Americans, Native American Indians, Asian Americans, and Hispanics/Latinos—composing the majority of the rest of the population (approximately 25%) (Baruth & Manning, 1999). However, minority cultural and ethnic groups are expected to grow rapidly in number and as a percentage of the population into the 21st century (Pope-Davis & Ottavi, 1994).

Several factors influence the counseling of cultural and ethnic groups, such as understanding a client's identity, education, age, religion, socioeconomic status, and experiences with racism (Brinson, 1996). An understanding of these factors is especially important if the assistance being offered is by someone outside a client's tradition. One way to systematically consider complex cultural influences in counseling is the ADRESSING model (Hayes, 1996; see Table 4.1). Letters of this model stand for "Age and generational influences, Disability, Religion, Ethnicity (which may include race), Social status, Sexual orien-

Table 4.1 The ADRESSING model: Nine cultural factors, related minority groups, and forms of oppression

Cultural Factor	Minority Group	Biases with Power
Age/generational	Older adults	Ageism
Disability	People with disabilities	_____ [a]
Religion	Religious minorities	_____ [b]
Ethnicity/race	Ethnic minorities	Racism
Social status	People of lower status	Classism
Sexual orientation	Sexual minorities	Heterosexism
Indigenous heritage	Native peoples	Racism
National origin	Refugees, immigrants, and international students	Racism and colonialism
Gender	Women	Sexism

[a]Prejudice and discrimination against people with disabilities.
[b]Religious intolerance includes anti-Semitism (i.e., against both Jewish and Muslim people) and oppression of other religious minorities (e.g., Buddhists, Hindus, Mormons).

Source: Reprinted from "Addressing the Complexities of Culture and Gender in Counseling," by P. A. Hayes, 1996, *Journal of Counseling and Development, 74*, p. 334. © ACA. Reprinted with permission. No further reproduction authorized without written permission of the American Counseling Association.

tation, Indigenous heritage, National origin, and Gender" (p. 332). This model is transcultural-specific and "places a high value on culture-specific expertise regarding minority groups" but also considers a wide range of issues that cross many cultures (p. 334).

About a quarter of those who initially use mental health facilities are from minority cultural and ethnic group populations (Cheung, 1991). Yet researchers have consistently found that these groups in the United States are collectively not as well satisfied with the services they receive. Some 50% of minority-culture group members who begin counseling terminate after one session, as compared with about 30% of majority-culture clients (Sue & Sue, 1999). This statistic suggests that, as a rule, minority-culture clients have negative experiences in counseling. As a group, ethnic minorities underuse counseling services because of the treatment they receive or fail to have provided. The results work against such clients, their families, and society in general.

DEFINING CULTURE AND MULTICULTURAL COUNSELING

Culture may be defined in several ways. They include "*ethnographic variables* such as ethnicity, nationality, religion, and language, as well as *demographic variables* of age, gender, place of residence, etc., *status variables* such as social, economic, and educational background and a wide range of formal or informal memberships and affiliations" (Pedersen, 1990, p. 550; emphasis added). A culture "structures our behavior, thoughts, perceptions, values, goals, morals, and cognitive processes" (Cohen, 1998, p. B4). It may do so on an unconscious or a conscious level.

A broad definition of *culture* that is inclusive as well as accurate is "any group of people who identify or associate with one another on the basis of some common purpose, need, or similarity of background" (Axelson, 1993, p. 2). Shared elements of a culture include learned experiences, beliefs, and values. These aspects of a culture are "webs of significance" that give coherence and meaning to life (Geertz, 1973). Whereas some cultures may define themselves partially in regard to similar physical features, others do so more in terms of a common history and philosophy, and still others combine the two. What people claim as a part of their culture and heritage is not usually apparent on first sight.

Just as the word *culture* is multidimensional, the term *multicultural* has been conceptualized in a number of different ways. There is no universal agreement as to what it includes, although accrediting groups such as the CACREP have defined the term broadly. "The lack of a concrete definition for multiculturalism has been a continuing problem" (Middleton, Flowers, & Zawaiza, 1996, p. 19). The most prominent foci of multiculturalism are distinct group uniquenesses and concepts that facilitate attention to individual differences (Locke, 1998).

Therefore, *multicultural counseling* may be viewed generally as counseling "in which the counselor and client differ" (Locke, 1990, p. 18). The differences may be the result of socialization in a unique cultural way, developmental or traumatic life events, or the product of being raised in a particular ethnic environment. The debate in the multicultural counseling field is how broad should differences be defined. On the one hand, some proponents advocate what is known as an *etic perspective,* stating universal qualities exist in counseling that are culturally generalizable. On the other hand, the *emic perspective* assumes counseling approaches must be designed to be culturally specific.

"The etic approach can be criticized for not taking important cultural differences into account. The emic approach can be criticized for placing too much emphasis on specific techniques as the vehicle for client change" (Fisher, Jome, & Atkinson, 1998, p. 578). Some professionals have tried to find common elements shared by these two approaches. For example, Fisher et al. (1998) have proposed four conditions common to any type of counseling treatment: "the therapeutic relationship, a shared worldview between client and counselor, client expectations for positive change, and interventions believed by both client and counselor to be a means of healing" (p. 531). However, this proposal has received only limited support. Thus, in the 21st century, the definition of multicultural counseling continues to be argued.

HISTORY OF MULTICULTURAL COUNSELING

The history of offering counseling services for culturally distinct populations in the United States is rather brief and uneven (Arredondo, 1998). For example, in a survey of experts in the field, Ponterotto and Sabnani (1989) found "only 8.5% of the most frequently cited books in the field [were published] before 1970" (p. 35). Indeed, the focus of multicultural counseling has shifted in its short history from an emphasis on the client (1950s), to the counselor (1960s), to the total counseling process itself (1970s to the present). In the late 1980s, multicultural counseling was described as "the hottest topic in the profession" (Lee, 1989, p. 165), and throughout the 1990s it remained so.

Although a number of scholars had already pointed out the cultural limits of counseling, Gilbert Wrenn (1962) was the first prominent professional to call attention to the unique aspects of counseling people from different cultures (Ivey, 1990). In a landmark work, he described the *culturally encapsulated counselor* as one who disregards cultural differences and works under the mistaken assumption that theories and techniques are equally applicable to all people. Such a counselor is insensitive to the actual experiences of clients from different cultural, racial, and ethnic backgrounds and therefore may discriminate against some persons by treating everyone the same. Clemmont Vontress (1966, 1967, 1996) was also an early active pioneer in defining culture and showing how it influences counseling relationships. In 1973, Paul Pedersen chaired a panel on multicultural counseling at the APA's annual convention and with his colleagues later published the first book specifically on the subject, *Counseling Across Cultures* (Pedersen, Lonner, & Draguns, 1976). Since that time, numerous publications and workshops have highlighted different aspects of multicultural counseling.

The Association for Multicultural Counseling and Development (AMCD), a division within the American Counseling Association (ACA), is dedicated primarily to defining and dealing with issues and concerns related to counseling across cultures within the United States. Originally known as the Association for Non-white Concerns in Personnel and Guidance (ANWC), the division became part of the ACA in 1972 (McFadden & Lipscomb, 1985). It publishes a quarterly periodical, the *Journal of Multicultural Counseling and Development,* which addresses issues related to counseling in a culturally pluralistic society. The AMCD has also sponsored an attempt to help counselors understand competencies needed in working with clients from non-European backgrounds and to promote standards in this area (Sue, Arredondo, & McDavis, 1992).

The AMCD, in cooperation with the ACA, regularly sponsors conferences to address real or perceived problems related to counseling relationships involving clients and counselors from different cultural groups. The focus of such training is to help counselors obtain *cultural expertise* (effectiveness in more than one culture) and *cultural intentionality* (awareness of individual differences within each culture) (Ivey, 1977, 1987). The need for such educational efforts continues to be great because many professionals have reported receiving only a minimal amount of training in multicultural counseling in their graduate programs (Allison, Crawford, Echemendia, Robinson, & Knepp, 1994).

DIFFICULTIES IN MULTICULTURAL COUNSELING

Smith and Vasquez (1985) caution that it is important to distinguish differences that arise from cultural backgrounds from those that are the result of poverty or deprived status. A failure to make this distinction can lead to *overculturalizing*—that is, "mistaking people's reactions to poverty and discrimination for their cultural pattern" (p. 533). In the United States, many members of minority culture groups live in poverty (Hodgkinson, 1992). This problem is compounded by persistent second-language patterns in which the primary language of the client is not English. Nonverbal behaviors, especially in immigrant populations, are another problematic area in that they may not be understood or accepted by counselors from other than the client's own culture.

Racism is a third problematic area in working across cultures. *Racism* is prejudice displayed in blatant or subtle ways due to recognized or perceived differences in the physical and psychological backgrounds of people. It demeans all who participate in it and is a form of projection usually displayed out of fear or ignorance. Another difficulty in multicultural counseling involves *acculturation,* "the process by which a group of people give up old ways and adopt new ones" (Romero, Silva, & Romero, 1989, p. 499). In the acculturation process individuals are simultaneously being influenced by elements of two distinct cultures to some extent or another. The process is not easy and research indicates difficulties in trying to balance contrasting values of two different cultures include "psychological stress, guilt, apathy, depression, delinquency, resentment, disorientation, and poor self-esteem" (Yeh & Hwang, 2000, p. 425). Therefore, it is crucial to know where clients are located on a continuum of acculturation in order to provide them with appropriate services (Weinrach & Thomas, 1998). Each of these difficulties in multicultural counseling must be recognized, understood, and empathetically resolved if counselors are to be effective with clients who are different from them.

ISSUES IN MULTICULTURAL COUNSELING

A primary issue of concern for some multicultural counselors in the United States, especially those with an emic perspective, is the dominance of theories based on European/North American cultural values (Katz, 1985). Some of the predominant beliefs of European/North Americans are the value of individuals, an action-oriented approach to problem solving, the work ethic, the scientific method, and an emphasis on rigid time schedules (Axelson, 1993). A liability of these values in counseling is that theories built around them may not always be applicable to clients from other cultural traditions (Lee, 1997; Nwachuku & Ivey, 1991; Sue, 1992). If this fact is not recognized and dealt with, bias and a breakdown in counselor-client relationships may occur (Pedersen, 1987).

A second issue in multicultural counseling is sensitivity to cultures in general and in particular. Pedersen (1982) believes that it is essential for counselors to be sensitive to cultures in three areas:

1. knowledge of the worldviews of culturally different clients,
2. awareness of one's own personal worldview and how one is a product of cultural conditioning, and
3. skills necessary for work with culturally different clients.

These three areas have been used by the Association for Multicultural Counseling and Development (AMCD) as a basis for developing a set of Multicultural Counseling Competencies in 1992 and for operationalizing them (Arredondo et al., 1996). Prior to this development Pedersen (1977, 1978) developed a triad model for helping counselors achieve a deeper understanding of cultures in general. The four areas in the model are "articulating the problem from the client's cultural perspective; anticipating resistance from a culturally different client; diminishing defensiveness by studying the trainee's own defensive responses; and learning recovery skills for getting out of trouble when counseling the culturally different" (1978, p. 481). In this model, an anticounselor, who functions like an alter ego and deliberately tries to be subversive, works with a counselor and a client in a videotaped session. The interaction and feedback generated through this process help break down barriers and foster greater understanding and sensitivity in counselors (Parker, Archer, & Scott, 1992).

Another model for understanding specific cultures has been devised by Nwachuku and Ivey (1991). They propose that counselors first study a culture and its values before trying to adapt a theory to fit a particular client. A starting point in achieving this goal is to view popular diversity-focused films about specific cultures. Pinterits and Atkinson

(1998) list some films that can help counselors understand different cultures and experience the issues within these cultures vicariously (see Figure 4.1).

A third issue in multicultural counseling is understanding how cultural systems operate and influence behaviors. Counselors who have gained knowledge and awareness from within the cultural system are more likely to be skilled in helping members from a specific cultural group. These counselors are able to share a particular worldview with clients, make skillful and appropriate interventions, and yet maintain a sense of personal integrity. This type of cultural sensitivity requires "active participation on the part of the practitioner" including self-awareness (Brinson, 1996, p. 201).

A fourth issue in multicultural counseling is providing effective counseling services across cultures. Sue (1978) established five guidelines for effectively counseling across cultures:

1. Counselors recognize the values and beliefs they hold in regard to acceptable and desirable human behavior. They are then able to integrate this understanding into appropriate feelings and behaviors.
2. Counselors are aware of the cultural and generic qualities of counseling theories and traditions. No method of counseling is completely culture-free.
3. Counselors understand the sociopolitical environment that has influenced the lives of members of minority groups. Persons are products of the milieus in which they live.
4. Counselors are able to share the worldview of clients and do not question its legitimacy.
5. Counselors are truly eclectic in counseling practice. They are able to use a wide variety of counseling skills and apply particular counseling techniques to specific lifestyles and experiences.

Sue (1978) further suggests a framework for multicultural counseling based on a two-dimensional concept, with locus of control on the horizontal axis and locus of responsibility on the vertical axis (see Figure 4.2). The four quadrants represent the kinds and degrees of possible interactions among these variables with clients from different cultures.

A final issue in multicultural counseling is the development and employment of counseling theories. Cultural bias is present in majority and minority counselors (Wendel, 1997) and in the past has spilled over into counseling theories. To deal with culturally limited counseling theories, bias, and to help transcend cultural limitations, McFadden (1999) and a number of leading counselor educators have devised ways to overcome ideas and methods developed before there was any awareness of the need for multicultural counseling. McFadden's model is a transcultural perspective that focuses on three primary dimensions counselors must master: cultural–historical, psychosocial, and scientific–ideological. In the cultural–historical dimension, counselors must possess knowledge of a client's culture. In the psychosocial dimension it is crucial that counselors understand the client's ethnic, racial, and social group's performance, speeches, or behaviors to communicate meaningfully. Finally, in the scientific–ideological dimension, counselors must use counseling approaches to deal with problems related to regional, national, and international environments.

Explanations of existing theories and their applicability to certain populations and problems are also becoming popular (e.g., Corsini & Wedding, 2000; Sue, Ivey, & Pedersen, 1996; Vontress, 1996). Existential counseling is one such approach that, like McFadden's transcultural perspective, is holistic and applicable across "all cultures and socioeconomic groups" (Epp, 1998, p. 7). As a theoretical approach it deals with meaning and human relationships and with the ultimate issues of life and death.

African American

Autobiography of Miss Jane Pittman
Boyz 'n the Hood
The Color Purple
Colors
Do the Right Thing
Driving Miss Daisy
Eye on the Prize
Guess Who's Coming to Dinner
I Know Why the Caged Bird Sings
Jungle Fever
Long Walk Home
Malcolm X
Matewan
Mississippi Masala
Mo' Better Blues
Raisin in the Sun
Roots I & II
Sounder
To Kill a Mockingbird
White Man's Burden

Asian American

Come See the Paradise
Dim Sum
Double Happiness
Farewell to Manzanar
Joy Luck Club
The Wash
Wedding Banquet

Latino/Latina

American Me
Ballad of Gregorio Cortez
Born in East L.A.
El Norte
Like Water for Chocolate
Mi Familia
Milagro Bean Field War
Romero
Stand and Deliver

People with Disabilities

Born on the Fourth of July
Children of a Lesser God
Coming Home
Frankie Starlight
If You Can See What I Can Hear
Miracle Worker
My Left Foot
One Flew Over the Cuckoo's Nest
The Other Side of the Mountain
A Patch of Blue
Waterdance
What's Eating Gilbert Grape

Gay, Lesbian, and Bisexual

And the Band Played On
Long Time Companion
Personal Best
Philadelphia
Priest
Strawberries and Chocolate
Torch Song Trilogy

Native American

Dances with Wolves
The Last of the Mohicans
The Mission
Never Cry Wolf
Pow Wow Highway
Thunderheart

Asian Indian

Mississippi Masala

Elderly

Cocoon
Driving Miss Daisy
Foxfire
Fried Green Tomatoes
Nobody's Fool
On Golden Pond

Figure 4.1

Sample list of films focusing on diverse populations

Source: Reprinted from "The Diversity Video Forum: An Adjunct to Diversity Sensitive Training in the Classroom," by E. J. Pinterits and D. R. Atkinson, 1998, *Counselor Education and Supervision, 37,* pp. 213–214. © 1998 by ACA. Reprinted with permission. No further reproduction authorized without written permission of the American Counseling Association.

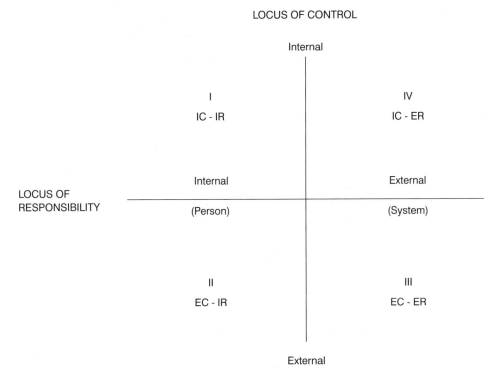

Figure 4.2
Graphic representation of worldviews
Source: From "Counseling Across Cultures," by D. W. Sue, 1978, *Personnel and Guidance Journal, 56,* p. 460.
© ACA. Reprinted with permission. No further reproduction authorized without written permission of the
American Counseling Association.

Another exciting development in multicultural counseling is the renewed emphasis on theories specifically designed for different cultures (Lee, 1997). For example, traditional Asian psychotherapies, which have existed for more than 3,000 years, have recently become more popular in the West (Walsh, 2000). Many of these traditions stress existential and transpersonal health and development over pathology, employing such techniques as meditation and yoga. They have a beneficial effect on wellness and psychological growth whether used alone or in concert with other approaches.

COUNSELING CONSIDERATIONS WITH SPECIFIC CULTURAL GROUPS

In addition to general guidelines for working with culturally different clients, counselors should keep in mind some general considerations when working with specific cultural groups. In reviewing these considerations, it is crucial that counselors remind themselves that *each individual, like each counseling session, is unique*. There are *probably more within-group differences than between-group differences in counseling people from specific cultural traditions* (Swartz-Kulstad & Martin, 1999). Therefore, knowing a cultural tradition is only a part of the information counselors need to be effective. They must work to know their clients, problems, and themselves equally well.

In examining themselves, counselors who are from minority cultures need to be aware that they may harbor "historical hostility" at either a conscious or unconscious level toward members of majority cultures (Wendel, 1997). On the opposite side, counselors from majority cultures may carry attitudes of superiority and privilege. Neither attitude is healthy or productive.

European Americans

As a group, European Americans are a diverse population. Although Europe is their common ancestral homeland, there are large differences between the cultural heritages of people from Sweden, Italy, France, England, Poland, Germany, Russia, Hungary, and Austria. (In addition, many people from Spain or from Spanish ancestry consider their heritage distinct from other Europeans in general.) Europeans who have recently arrived in the United States differ widely from those whose families settled in North America generations ago, many of whom now identify themselves as simply "American" forsaking their European ancestries (El Nasser & Overberg, 2002). Overall, there is no typical European American.

However, European Americans have a long and dominant history in the United States that has some common threads (Baruth & Manning, 1999). As a group, European Americans have blended together more than most other cultural groups. Reasons include a history of intergroup marriages and relationships that have simultaneously influenced the group as a whole and made it more homogeneous. European Americans are more likely than not to espouse a worldview that "values linear, analytical, empirical, and task solutions" and stresses that "rugged individualism should be valued, and that autonomy of the parts and independence of action are more significant than group conformance" (Sue, 1992, p. 8).

Because of their shared experiences, European Americans are usually quick to embrace counseling theories that stress their common values. Many European Americans gravitate toward rational or logical methods in understanding themselves and others. Therefore, cognitive and cognitive–behavioral approaches may work well with this group as a whole. However, existential, psychoanalytic, Adlerian, and affective counseling theories may be appropriate for some. Just as there is no typical European American, there is no one counseling theory or approach that will work with all members of this group.

African Americans

When counseling African Americans, counselors must understand African-American history, cultural values, conflicts, and coping mechanisms and be aware of their own attitudes and prejudices about this group (Garretson, 1993; Vontress & Epp, 1997). It is possible for counselors from different cultural backgrounds to work effectively with African-American clients if they understand the nature of racism and the fact that individual, institutional, and cultural racism are "major quality of life issues for African Americans living in contemporary society" (Utsey, Ponterotto, Reynolds, & Cancelli, 2000, p. 72) and that racial discrimination and self-esteem are inversely related. They must further be aware that African Americans are a diverse group and display a broad range of feelings, thoughts, and behaviors (Harper, 1994; Smith, 1977). Therefore, no one single counseling or help-ing approach works best for everyone.

"Counseling is frequently perceived by African Americans as a process that requires the client to relinquish his or her independence by first having to 'tell your business to a stranger' and then having to 'heed the unsolicited advice of that stranger'" (Priest, 1991, p. 215). There-fore, many African Americans are unwilling to voluntarily commit themselves to a counsel-ing relationship. Another factor that influences African-American participation in counseling is the perception that the relationship takes place among unequals. Given the history of slav-ery in America and the common misdiagnosis of African Americans in mental health cen-ters, members of this group who enter into an unequal relationship do so with great reluc-tance (Garretson, 1993). A third factor that affects African Americans in counseling is the emphasis on the collective in most of their community tradition. "In historical times the col-lective was the clan or tribe" (Priest, 1991, p. 213). Today, it is the family and those who live, work, or worship nearby. This emphasis on the collective and the therapeutic power of the group is the antithesis of individual responsibility for resolving difficulties (McRae, Thomp-son, & Cooper, 1999). Spirituality and the role of the minister in African-American culture are factors influencing members of this group, too. Rather than a counselor, a minister is usually sought out as a "source of mental and emotional sustenance" (Priest, 1991, p. 214).

Hispanics/Latinos

The terms *Hispanic* and *Latino* both are used to describe a heterogenous people whose ancestors come from the Spanish-speaking countries of the Americas. The common de-nominator for Hispanics is the Spanish language, but Hispanics are a very diverse group. The word *Latino* describes "people of Spanish and Indian descent whose ancestors lived in areas of the Southwest United States that were once a part of Mexico" (Fontes, 2002, p. 31). Regardless of their background, most Hispanics and Latinos in the United States are bicultural. However, they vary in their degree of acculturation (Baruth & Manning, 1999). Overall, their ethnic histories and cultures play a major part in influencing their worldviews and behaviors, and many within-group differences exist among Hispanics and Latinos (Romero et al., 1989).

As a group, Hispanics and Latinos are reluctant to use counseling services. Part of this hesitancy is cultural tradition (e.g., pride), and part is cultural heritage (e.g., reliance on extended family ties). More practical reasons are the distance to service agencies (as in the Southwest), inadequate transportation, a lack of health insurance, and the absence of counseling professionals fluent in Spanish and familiar with Hispanic and Latino cultures (Gonzalez, 1997; Ruiz, 1981).

In addition, many Hispanics and Latinos perceive psychological problems as similar to physical problems (Ruiz & Padilla, 1977). Therefore, they expect the counselor to be active, concrete, and goal directed. This perception is especially true for clients who are "very" Hispanic (Ruiz, 1981).

Overall, counselors of Hispanics and Latinos must address numerous topics and work within cultural concepts and beliefs. It is often helpful if the counselor is bilingual because many Hispanics and Latinos prefer Spanish to English. Lower socioeconomic status, racism, and discrimination are some of the universal difficulties affecting members of this popula-tion that directly or indirectly may come up in counseling (Baruth & Manning, 1999).

Asian and Pacific Islander Americans

Asian and Pacific Islander Americans (referred to here as Asian Americans) include Chinese, Japanese, Filipinos, Indochinese, Indians, and Koreans, among others. They vary widely in cultural background (Axelson, 1993; Morrissey, 1997), and "the demographic profile of Asian and Pacific Islander Americans includes an array of more than 40 disparate cultural groups" (Sandhu, 1997, p. 7). Historically, they have faced strong discrimination in the United States and have been the subject of many myths (Sue & Sue, 1972, 1999). A combination of factors has promoted stereotypes of Asian Americans.

Because of bias and misunderstandings, Asian Americans have "been denied the rights of citizenship, forbidden to own land, locked in concentration camps, maligned, mistreated, and massacred" (Sue & Sue, 1973, p. 387). Ironically, a combination of factors has also promoted a positive image of them. They are collectively described as hardworking and successful and not prone to mental or emotional disturbances. Sometimes they are referred to as the *"model minority"* (Bell, 1985). Like all stereotypes, there are kernels of truth in this descriptor, but it is still not realistic or accurate. Until counselors see Asian Americans in the context of their cultural heritage, they will be unable to offer them help in mentally healthy ways (Henkin, 1985).

There are many subtleties in Asian American cultures, as there are in all cultures. For example, religious traditions (such as Islamic, Hindu, and Buddhist) play a strong role in some of their views of mental health and mental illness. For some Asian Americans "psychological distress and disorders are explained within a religious framework in terms of either spirit possession or violation of some religious or moral principle. Healing may take the form of invoking the help of some supernatural power or restoring the sufferer to a state of well being through prescribing right conduct and belief" (Das, 1987, p. 25). Another important subtlety, which may have a major impact on career counselors, is that many Asian Americans typically eschew occupations that call for forceful self-expression (Watanabe, 1973). Genteel ways of communicating stem from cultural traditions and must be dealt with positively if a strong counseling relationship is to be established.

It is critical that counselors appreciate the history and unique characteristics of select Asian-American groups in the United States, such as the Chinese, Japanese, and Vietnamese (Axelson, 1993; Sandhu, 1997). This sensitivity often enables counselors to facilitate the counseling process in ways not otherwise possible. For example, counselors may promote self-disclosure with Chinese Americans through educational or career counseling rather than direct, confrontational psychotherapeutic approaches.

Native Americans

Native Americans, mistakenly called Indians by the first European settlers in America, are the indigenous peoples of the Western Hemisphere who were the first inhabitants of the American continents (Garrett & Pichette, 2000). Today, they are made up of "478 tribes recognized by the U.S. Bureau of Indian Affairs, plus another 52 tribes without official status" (Heinrich, Corbin, & Thomas, 1990, p. 128). Tremendous diversity prevails among Native Americans, including 149 languages, but they also have a common identity that stresses values such as harmony with nature, cooperation, holism, a concern with the present, and a reliance on one's extended family (Heinrich et al., 1990). In general, Native Americans have strong feelings about the loss of ancestral lands, a desire for self-determination, conflicts with the values of mainstream American culture, and a confused self-image resulting from past stereotyping (Axelson, 1993). Anger from or about past transgressions of people from other cultures is a theme that must be handled appropriately (Hammerschlag, 1988). Native American Indians, as a group, have high suicide, unemployment, and alcoholism rates and a low life expectancy (Garrett & Pichette, 2000). "American Indians continue to have the highest dropout rate of any ethnic group at the high school level, regardless of region or tribal affiliation" (Sanders, 1987, p. 81). In short, as a group "Native Americans face enormous problems" (Heinrich et al., 1990, p. 128).

A number of counseling approaches, from existentialism to directed counseling, have been tried with Native Americans. Effective counseling, however, depends in part on whether they live on a reservation; whether other Native Americans help facilitate the counseling process; and whether their acculturation is traditional, bicultural, or assimilated (Avasthi, 1990; Valle, 1986). Regardless, it is crucial that counselors understand Native American cultures and avoid imposing culturally inappropriate theories on them (Herring, 1996, 1997; Ivey, 1990). One way to assess the degree of cultural values held by Native American clients is by using the Native American Acculturation Scale (Garrett & Pichette, 2000). This scale measures individual's levels of acculturation along a continuum ranging from traditional Native American to assimilated mainstream American (see Figure 4.3)

According to Richardson (1981), four ideas to be considered when counseling Native Americans are silence, acceptance, restatement, and general lead. Richardson has used vignettes to model ways of using these techniques. The use of the *vision quest,* a rite of passage and religious renewal for adult men, is recommended in some cases (Heinrich et al., 1990). The use of the creative arts is also an approach that has considerable merit because emotional, religious, and artistic expression is "an inalienable aspect of Native culture" (Herring, 1997, p. 105). The creative arts do not require verbal disclosure. In addition, they

MONOCULTURAL	*danger*	BICULTURAL		MONOCULTURAL
O------------------------	<---->	--------------------------------	<---->	------------------------------O
TRADITIONAL	*zone*	ACCULTURATED		ASSIMILATED
Identifies/enculturated with traditional Native American values, behaviors, and expectations.		Raised/enculturated with traditional Native American values/worldview, but has acquired the behaviors required for functioning in mainstream American culture.		Identifies/enculturated with mainstream American values, behaviors, and expectations.

Figure 4.3
The acculturation continuum (Compiled from Little Soldier, 1985)
Source: Reprinted from "Red as an Apple: Native American Acculturation and Counseling with or without Reservation," by M. T. Garrett & E. F. Pichette in the *Journal of Counseling and Developing, 78,* 8. © ACA. Reprinted with permission. No further reproduction authorized without written permission of the American Counseling Association.

may focus on rituals and wellness in Native American culture. Using multiple counseling approaches in a synergetic way, such as network therapy, home-based therapy, indigenous-structural therapy, and traditional native activities such as "the talking circle," "the talking stick," and storytelling, are also recommended (Herring, 1996).

More important than specific ways of working is the crucial nature of a sense of "realness" when in a counseling relationship with a Native American. Being willing to be a learner and to admit one's mistakes can help a counselor and a Native American bond.

International Counseling

Counseling is a worldwide phenomenon usually spelled in the English language with double "lls" (i.e., "counselling"). The cultural perspective of the United States regarding counseling is just one among many in the world. Indeed, many countries have "counselling" associations (e.g., the United Kingdom, Australia, New Zealand, and Canada). The ACA also has a European Branch. In addition, there are worldwide associations of therapists who ascribe to particular theories, such as Adlerian and Reality Therapy. Finally, there is the International Association for Counseling (http://www.iac-irtac.org), which holds annual meetings in countries around the world and publishes the *International Journal for the Advancement of Counseling*.

Super (1983) questioned more than 20 years ago whether counseling, as practiced in North America, is adaptable to other countries. His analysis of culture and counseling concluded that prosperous and secure countries view counseling as a way of promoting individual interests and abilities. Economically less fortunate countries and those under threat of foreign domination view counseling services as a way of channeling individuals into areas necessary for cultural survival (Super, 1954). Knowledge about such cultural differences must be considered in international counseling, especially as it relates to counseling specialties such as school counseling (Watkins, 2001).

Such knowledge is crucial in counseling internationally. For instance, in Poland career counseling is more highly prized than other forms of counseling because of the developing nature of the country (Richard Lamb, personal communication, June 7, 1997). In other countries, such as China, counseling as practiced in the United States is basically a foreign concept to the majority of the population.

Regardless of their knowledge of counseling, international students who attend colleges and universities in the United States may be reluctant to receive counseling services (Mori, 2000). This reluctance is in spite of the fact that many international students experience a host of stressors beyond those that are mainly developmental in nature. These stressors include "difficulties with linguistics, academic, interpersonal, financial, and intrapersonal problems" (p. 137). The networks of family and friends these students have relied on is absent, and the fear of being seen as a failure and sent home adds to their daily stress (Boyer & Sedlacek, 1989). There is empirical evidence that international students experience greater stress than their American counterparts, which often reaches a crisis level in the first six months of study (Schneller & Chalungsooth, 2002).

In order to help international students who do use counseling services, Mori (2000) suggests the following areas of focus: developing stress management techniques, learning assertive communication skills, becoming fully aware of the American educational system, and developing career- and life-planning skills. Henkin (1985) proposes a number of practical guidelines for counselors interacting on an international level as well. Besides establishing a clear-cut structure for the counseling process and explaining the process to the client, Henkin recommends that counselors educate themselves about the culture of their clients, including the importance of family and community life.

AGED POPULATIONS

Development is traditionally defined as any kind of systematic change that is lifelong and cumulative (Papalia & Olds, 1998). Throughout their lives individuals develop on a number of levels: cognitively, emotionally, and physically. When development occurs within an expected time dimension, such as physical growth during childhood, individuals generally have only minor transitional or adjustment problems, if they have any difficulties at all. But if life events are accelerated or delayed or fail to materialize, the well-being of persons and their associates is negatively affected (Schlossberg, 1984). For instance, if individuals do not develop a positive self-esteem by young adulthood, they may act out in delinquent and inappropriate ways. Theorists such as Jean Piaget, Lawrence Kohlberg, Erik Erikson, Carol Gilligan, and Nancy Schlossberg have addressed issues associated with developmental stages from infancy to old age. The Association for Adult Development and Aging (AADA) is the division within the ACA that particularly focuses on chronological life-span growth after adolescence.

The *aged* are defined here as persons over age 65. Since 1935, age 65 has been seen as the beginning of old age. The Social Security Act of that year designated 65 as the time when people could retire from work and collect retirement funds. When the United States was founded, only 2% of its population was 65 years or older; by 2000 it was 13%; and by 2030 it will be approximately 21% (Cavanaugh, 1997). Reasons for this segment's remarkable growth include high birthrate during the 20th century, immigration policies that favored the admittance of persons who are now growing older, improved health care, better nutrition, and the reduction of infectious diseases (Lefrancois, 1996). Therefore, counselor attention needs to focus on this group.

Historically, counseling older adults has been a misunderstood and neglected area of the profession. For instance, as a group, members of this population receive only 6% of all mental health services (less than half of what might be expected since approximately 15% of the elderly population in the United States manifest at least moderate emotional problems) (Hashimi, 1991; Turner & Helms, 1994). In part, this situation stems from the group's unique developmental concerns, especially those involving financial, social, and physical losses.

In the mid-1970s, Blake (1975) and Salisbury (1975) raised counselor awareness about counseling older adults by respectively noting a lack of articles on this population in the counseling literature and a dearth of counselor education programs offering an elective course on the aged and their special needs. By the mid-1980s, the situation had changed. Based on a national survey, Myers (1983) reported that 36% of all counseling programs offered one or more courses on working with older people. That percentage has continued to increase along with new studies on the aged (Hollis, 1997; Myers, Poidevant, & Dean, 1991). Now there are standards for working with geriatric populations (Myers, 1995).

Old Age

Several prominent theories of aging, many of them multidimensional, have been proposed. For instance, Birren, Schaie, and Gatz (1996) view aging from a biological, psychological, and social perspective, recognizing that the multidimensional process may be uneven. Aging is a natural part of development (DeLaszlo, 1994; Erikson, 1963; Friedan, 1994; Havighurst, 1959). People have specific tasks to accomplish as they grow older. For example, Erikson views middle and late adulthood as a time when the individual must develop a sense of generativity and ego integrity or become stagnant and despairing. Jung believes spirituality is a domain that those over age 40 are uniquely qualified to explore.

Neugarten (1978), stressing development, sees two major periods of old age. The *young-old* are those between ages 55 and 75 who are still active physically, mentally, and socially, whether they are retired or not. The *old-old* are individuals beyond age 75 whose physical activity is far more limited. The effects of decline with age are usually more apparent in the old-old population, although patterns of aging are clearly unique.

Despite an increased understanding of aging and an ever-growing number of older adults, the elderly have to deal with age-based expectations and prejudices. For instance, "older people often are tagged with uncomplimentary labels such as senile, absent-minded, and helpless" (McCracken, Hayes, & Dell, 1997, p. 385). These negative attitudes and stereotypes, which are known as *ageism,* prevent intimate encounters with people in different age groups and sometimes lead to outright discrimination (Butler, 1988, 1998; Kimmel, 1988; Levenson, 1981). Unfortunately, individuals who are growing older often deny and dread the process, a phenomenon that Friedan (1994) calls *"the age mystique."* Even counselors are not immune to ageist attitudes (Blake, 1982).

Needs of the Aged

Older adults in the United States must deal with a wide variety of complex issues in their transition from midlife to senior citizen status, including changes in physical abilities, social roles, relationships, and even residential relocation (Cox, 1995; Kampfe, 2002). Many of these changes have the potential to spark an identity crisis within the person. Pulvino and Colangelo (1980) state that the developmental demands of older adults are probably second only to those of young children. According to Havighurst (1959), older adults must learn to cope successfully with (a) the death of friends and spouses, (b) reduced physical vigor, (c) retirement and the reduction of income, (d) more leisure time and the process of making new friends, (e) the development of new social roles, (f) dealing with grown children, and (g) changing living arrangements or making satisfactory ones.

Some of the required changes associated with aging are gradual, such as the loss of physical strength. Others are abrupt, such as death. Overall, aging is a time of both "positive and negative transitions and transformations" (Myers, 1990a, p. 249). Positive transitions for older adults involve a gain for the individual, such as becoming a grandparent or receiving a discount on purchases. Transitions that involve a high level of stress are those connected with major loss, such as the death of a spouse, the loss of a job, or the contraction of a major illness. In these situations many older adults struggle because they lack a peer support group through which to voice their grief and work through emotions (Morgan, 1994).

Major problems of the aged include loneliness, physical illness, retirement, idleness, bereavement, and abuse (Morrissey, 1998; Shanks, 1982). In addition, members of this group suffer more depression and psychosis as they grow older, with approximately 30% of the beds in mental hospitals being occupied by the elderly. About 25% of all reported suicides are committed by persons over age 60, with white males being especially susceptible. *Domestic elder abuse*—"any form of maltreatment by someone who has a special relationship with the elder," including neglect—is problematic, too (Morrissey, 1998, p. 14). Among the most common forms of maltreatment for older adults, with nearly 600,000 cases a year, are physical abuse, psychological abuse, financial exploitation, and violation of rights, including personal liberty, free speech, and privacy (Welfel, Danzinger, & Santoro, 2000).

Counseling the Aged

Most counselors interested in working with the aged need additional professional training in this specialty (Myers, 1990b; Schlossberg, 1990; Sinick, 1979). Many simply do not understand older adults and therefore do not work with them. Such may be especially true in regard to new phenomena regarding older adults, such as grandparents raising grandchildren (Pinson-Milburn, Fabian, Schlossberg, & Pyle, 1996). In such situations, counseling-related services may need to be offered on multiple levels such as direct outreach interventions that teach new coping strategies and skill training. In addition, indirect or supportive interventions may be needed, such as grandparent support groups, family support groups, and the sponsoring of events such as "Grandparents Day" at school.

Another reason that older people do not receive more attention from mental health specialists is the *investment syndrome* described by Colangelo and Pulvino (1980). According to these authors, some counselors feel their time and energy are better spent working with younger people "who may eventually contribute to society" (p. 69). Professionals who display this attitude are banking on future payoffs from the young and may well be misinformed about the possibilities for change in older adults.

A third reason that older adults may not receive attention from counselors and mental health specialists is the irrational fear of aging and the psychological distancing from older persons that this fear generates (Neugarten, 1971).

One broad and important approach to working successfully with the aged is to treat them as adults (Cox & Waller, 1991). Old age is a unique life stage and involves continuous growth. When counselors display basic counseling skills such as reflecting feelings, paraphrasing content, identifying patterns, asking open-ended questions, validating feelings and thoughts, and gently confronting inconsistencies, older adults feel free to explore difficulties or adjustment issues and are likely to respond appropriately (Kampfe, 2002).

Another strategy for promoting change in the aged is to modify the attitudes of people within the systems in which they live (Colangelo & Pulvino, 1980; Ponzo, 1978; Sinick, 1980). Many societal attitudes negatively influence older people's attitudes about themselves. Often, older adults act old because their environments encourage and support such behavior. Hansen and Prather (1980) point out that American society "equates age with obsolescence and orders its priorities accordingly" (p. 74). Therefore, counselors must become educators and advocates for change in societal attitudes if destructive age restrictions and stereotypes are to be overcome. "We need to develop a society that encourages people to stop acting their age and start being themselves" (Ponzo, 1978, pp. 143–144).

In addition to treating the aged with respect and working for changes in systems, counselors can help older adults deal with specific and immediate problems. Tomine (1986) asserts that counseling services for the elderly are most helpful if they are portable and practical, such as being educational and focused on problem solving. For example, Hitchcock (1984) reviewed successful programs to help the elderly obtain employment. A particularly successful program was a job club for older job seekers, where participants at regular meetings shared information on obtaining employment. For older adults with Alzheimer's disease, counseling based on Rogers' theories and Carkhuff's practical application is beneficial in the early stages of the disease. Group counseling, based on Yalom's existential writings, may be productive in helping family members cope as the disease progresses (LaBarge, 1981). A structured life-review process has also proven beneficial in working with the elderly (Beaver, 1991; Westcott, 1983). This approach helps them integrate the past and prepare themselves for the future. Short-term rational emotive behavioral therapy exercises have been used successfully with some older adults in increasing rational thinking and decreasing anxiety about aging (Keller, Corake, & Brooking, 1975).

The following groups are among the most popular for adults age 65 and older (Gladding, 2003):

- *Reality-oriented groups,* which help orient confused group members to their surroundings
- *Remotivation therapy groups,* which are aimed at helping older clients become more invested in the present and the future
- *Reminiscing groups,* which conduct life reviews to help members become more personally integrated
- *Psychotherapy groups,* which are geared toward specific problems of the aging, such as loss
- *Topic-specific groups,* which center on relevant areas of interest to the aging, such as health or the arts
- *Member-specific groups,* which focus on particular transition concerns of individual members, such as hospitalization or dealing with in-laws

In working with the aged, counselors often become students of life and older persons become their teachers (Kemp, 1984). When this type of open attitude is achieved, clients are more likely to deal with the most important events in their lives, and counselors are more prone to learn about a different dimension of life and be helpful in the process.

GENDER-BASED COUNSELING

The third population considered in this chapter focuses on counseling based according to gender. Clients have distinct needs and concerns that are determined in part by the cultural climates and social groups in which they live and develop (Cook, 1993; Moore & Leafgren, 1990). Women and men are "basically cultural-social beings" (McFadden, 1999, p. 234). Counselors who are not fully aware of the influence of societal discrimination, stereotypes, and role expectations based on gender are not likely to succeed in helping their clients in counseling. Effective counseling requires special knowledge and insight that focuses on particular and common aspects of sexuality and sexual orientation of people. "This attention to unique and shared experiences of women and men is the paradoxical challenge of counseling" (Lee & Robbins, 2000, p. 488).

There is no longer any debate over the question of whether counselors need to possess specialized knowledge and skill in counseling women and men as separate groups as well as genders that have much in common. However, because women and men "experience different developmental challenges," they may need different styles of interaction from professionals (Nelson, 1996, p. 343). Furthermore, counselors who work more with one gender than another may need in-depth training and experience in particular areas. For example, women in the United States suffer from major depression at twice the rate of men (7 million compared with 3.5 million) (McGrath, Keita, Strickland, & Russo, 1990). This finding holds true across cultures and countries, even when definitions of depression change (Shea, 1998). At least part of the reason may be that women are more prone to focus inwardly and passively on their emotions, a phenomenon known as *ruminative coping*.

Counseling Women

Women are the primary consumers of counseling services (Wastell, 1996). They have special needs related to biological differences and socialization patterns that make many of their counseling concerns different from men's (Cook, 1993; Huffman & Myers, 1999). Women still lack the degree of freedom, status, access, and acceptance that men possess, although their social roles and career opportunities have expanded considerably since the 1960s when the women's movement influenced substantial changes. As a group, women have quite different concerns about fundamental issues such as intimacy, career options, and life development (Bradley, Gould, & Hayes, 1992). "Women grow and/or develop in, through, and toward relationship" (Jordan, 1995, p. 52). When they feel connected with others, women have an increased sense of energy and a more accurate view of themselves and others. Furthermore, they feel empowered to act outside their relationships because they are active within them. They also feel a greater sense of worth and desire more connection (Miller & Stiver, 1997). Among the group's major concerns are development and growth, depression, eating disorders, sexual victimization, widowhood, and multiple roles.

Counseling women "is not a simple matter of picking a counseling theory or approach and commencing treatment" (Hanna, Hanna, Giordano, & Tollerud, 1998, p. 181). Rather, counselors' attitudes, values, and knowledge may either facilitate or impede the potential development of women clients. Women are basically relational beings, and counselors' approaches should be geared toward that fact (Davenport & Yurich, 1991; Nelson, 1996). An examination of the literature indicates that professionals who counsel women should be "highly empathic, warm, understanding, and sufficiently well developed as a person to appreciate the predicament in which women find themselves" (Hanna et al., 1998, p. 167).

Unfortunately, evidence indicates that some counselors and health professionals still hold sex-role stereotypes of women (Simon, Gaul, Friedlander, & Heatherington, 1992), and some counselors are simply uninformed about particular difficulties that women face in general or at different stages of their lives. For example, on a developmental level, there is "a noticeable gap in the literature with respect to studies on women in midlife who are childless, single, disabled, lesbian, ethnic minorities, or members of extended family networks" (Lippert, 1997, p. 17). False assumptions, inaccurate beliefs, and a lack of counselor understanding may all contribute to the problems of women clients (e.g., those who have primary or secondary infertility) (Gibson & Myers, 2000). It is important that counselors consider sociopolitical as well as other factors when counseling members of this population for "regardless of the presenting problem, women often blame themselves for inadequacies that were [are] actually the products of unrecognized forced enculturation" (Petersen, 2000, p. 70).

Committees and task forces within professional counseling organizations have been formed to address issues related to counseling women. For instance, there is a national Commission on Women within ACA, and APA has devoted its Division 35 exclusively to the psychology of women.

Concerns in Counseling Women.   One of the major concerns in counseling women revolves around the issue of adequate information about their lives. Many early theories of the nature and development of women, especially those based on psychoanalytic principles, tended to characterize women as innately "passive, dependent, and morally inferior to men" (Hare-Mustin, 1983, p. 594). Those theories promoted the status quo in regard to women and limited their available options (Garfield, 1981; Lewis, Hayes, & Bradley, 1992). The general standard of healthy adult behavior came to be identified with men, and a double standard of mental health evolved with regard to adult females (Lawler, 1990; Nicholas, Gobble, Crose, & Frank, 1992). This double standard basically depicted adult female behavior as less socially desirable and healthy, a perception that lowered expectations for women's behavior and set up barriers against their advancement in nontraditional roles (Broverman, Broverman, Clarkson, Rosenkrantz, & Vogel, 1970).

However, the literature in the field of women's studies and female psychology has grown from only three textbooks in the early 1970s to a plethora of texts and articles today. Many of these publications have been written by women to correct some older theoretical views generated by men without firsthand knowledge of women's issues (Axelson, 1993; Enns, 1993; Lerner, 1988). For example, some theorists have proposed that women's development is in marked contrast to Erikson's psychosocial stages of development. These theorists stress the uniqueness of women and connectedness rather than separation.

A second major concern in counseling women involves sexism, which Goldman (1972) describes as "more deep rooted than racism" (p. 84). *Sexism* is the belief (and the behavior resulting from that belief) that females should be treated on the basis of their sex without regard to other criteria, such as interests and abilities. Such treatment is arbitrary, illogical, counterproductive, and self-serving. In the past, sexism has been blatant, such as limiting women's access to certain professions and encouraging them to pursue so-called pink-collar jobs that primarily employ women, such as nursing. Today, sexism is much more subtle, involving acts more of "omission rather than commission" (Leonard & Collins, 1979, p. 6). Many acts of omission result from a lack of information or a failure to change beliefs in light of new facts. In either case, sexism hurts not only women but society in general.

Issues and Theories of Counseling Women.   One of the main issues in counseling women involves the counselor's response to them as individuals and as a group. Women are diverse, and it is important for counselors to react to women in regard to their uniqueness as well as their similarity (Cook, 1993; Van Buren, 1992). Counselors should recognize that specialized knowledge is required for counseling women at various stages of life, such as childhood and adolescence (Bradley et al., 1992), midlife (Lippert, 1997), and old age (Myers, 1992). Counselors must also understand the dynamics of working with females under various conditions, such as eating disorders (Marino, 1994), sexual abuse and rape (Enns, 1996), suicide (Rogers, 1990), and career development (Cook, Heppner, & O'Brien, 2002).

Johnson and Scarato (1979) have presented a model that outlines major areas of knowledge about the psychology of women. It proposes seven areas in which counselors should increase their knowledge of women and thereby decrease prejudice: (a) history and sociology of sex-role stereotyping, (b) psychophysiology of women and men, (c) theories of personality and sex-role development, (d) life-span development, (e) special populations, (f) career development, and (g) counseling/psychotherapy. In the last area, the authors focus on alternatives to traditional counseling approaches as well as specific problems of women.

Thames and Hill (1979) assert that, beyond the issue of basic knowledge, effective counselors of women need to be skilled in four areas of counseling: verbal, nonverbal, process, and techniques. They must also be able to apply appropriate intervention skills for special populations of women. Finally, counselors must be aware of personal difficulties they may have in dealing with female clients.

A major approach to working with women in counseling is *feminist theory*. Feminist views of counseling sprang from the eruption of the women's movement in the 1960s. Initially, this movement was a challenge to patriarchal power; but as it grew, its focus centered on the development of females as persons with common and unique qualities (Okun, 1990). Beginning with the publication of Carol Gilligan's *In a Different Voice* (1982), there has been an increased integration of feminist theory into counseling. This approach encourages individuals to become more aware of socialization patterns and personal options in altering traditional gender roles as they make changes, and encourages clients to become involved in social change activities that stress equality as a way of bringing about change (Enns & Hackett, 1993).

In many respects, feminist theory is more an approach to counseling rather than a well-formulated set of constructs. It is assertive in challenging and questioning attitudes of traditional counseling theories because these models often advocate the maintenance of the status quo of a male-dominated, hierarchical society. Two main emphases in the feminist position distinguish it from other forms of helping:

1. Its emphasis on equality in the helping relationship, which stems from a belief that women's problems are inseparable from society's oppression of women (Okun, 1997).
2. Its emphasis on valuing social, political, and economic action as a major part of the process of treatment.

Androgyny, the importance of relationships, the acceptance of one's body "as is," and non-sexist career development are also stressed in feminist thought. Overall, "feminist theory starts with the experience of women and uses women's values and beliefs as the assumptive framework" (Nwachuku & Ivey, 1991, p. 106).

Counseling Men

An outgrowth of the focus on counseling women and eliminating sexism is new attention to the unique concerns and needs of men. "Although research on men and masculinity has a long history within the past 20 years, there has been increasing research interest in men, masculinity, and the male experience" (Wade, 1998, p. 349). In the early 1980s, Collison (1981) pointed out that "there seem to be fewer counseling procedures tailored to men than to women" (p. 220). That situation has since changed, and "the burgeoning interest in men's psychology has led to a greater demand for clinical services tailored explicitly for men" (Johnson & Hayes, 1997, p. 302).

Concerns in Counseling Men. Concerns related to counseling men often stem from their socialization. Part of men's general social behavior can be explained by the fact that men's traditional sex roles are more narrowly defined than women's and beginning in childhood there are "stricter sanctions against boys adopting feminine behaviors than exist among girls adopting those deemed as masculine"(Robinson & Howard-Hamilton, 2000, p. 196). In addition, during childhood, girls are rewarded for being emotionally or behaviorally expressive; boys are reinforced primarily for nonemotional physical actions. Thus, many men internalize their emotional reactions and seek to be autonomous, aggressive, and competitive (Scher & Stevens, 1987). They are oriented to display fighterlike rather than nurturing behavior, and they often "perceive themselves as losing power and status by changing in the direction of androgyny," especially in young adulthood (Brown, 1990, p. 11). Therefore, as a group men operate primarily from a cognitive perspective (Pollack & Levant, 1998; Scher, 1979). Affective expression is usually eschewed because of a lack of experience in dealing with it and the anxiety it creates.

In such constrictive roles, insensitivity to the needs of others and self often develops, and a denial of mental and physical problems becomes lethal in the form of shorter life spans (Jourard, 1971). In addition, "men find psychological safety in independence and fear closeness" (Davenport & Yurich, 1991, p. 65). Therefore, counselors who work with men need to be aware that many of them will be loners and reticent to talk. Because of this isolation, they may well minimize their behaviors and others' actions. Most times they are not being obstinate but simply displaying behaviors for which they have been reinforced. Many men incorporate in childhood social taboos about self-disclosure, especially before other men.

Scher (1981) provides guidelines to assist counselors in understanding the realities of men's situations, including (a) an emphasis on the difficulty of change for most men, (b) the constraints imposed by sex-role stereotypes, (c) the importance of asking for assistance and dealing with affective issues, and (d) the need to distinguish between differences of roles and rules in one's personal and work lives.

As a group, men are more reluctant than women to seek counseling (Gertner, 1994; Worth, 1983). Most men enter counseling only in crisis situations because they are generally expected to be self-sufficient, deny needs, and take care of others (Moore & Leafgren, 1990). Men have unique concerns at different age and stage levels. Thus, when working with men, it is important to consult developmental models, such as those by Erikson (1968) and Levinson (1978), that underscore developmental themes.

Issues and Theories in Counseling Men.   Many myths as well as realities exist about counseling men (Kelly & Hall, 1994). When males are able to break through traditional restrictions, they usually work hard in counseling and see it as if it were another competition. They have high expectations of the process and want productive sessions. Thus, as a group, they are likely to be clear and sincere in the process and express themselves directly and honestly.

The dominance of cognitive functioning in men creates special challenges for counselors. Marino (1979) advises counselors to stay away from the cognitive domain in working with men and explore with them the feeling tones of their voices, the inconsistencies of their behaviors and feelings, and their ambivalence about control and nurturance. Scher (1979) also advises moving the client from the cognitive to the affective realm and recommends that the process be started by explaining to male clients the importance of owning feelings in overcoming personal difficulties and then working patiently with men to uncover hidden affect.

In contrast to eschewing the cognitive domain, Burch and Skovholt (1982) suggest that Holland's (1979) model of person–environment interaction may serve as the framework for understanding and counseling men. In this model, men are most likely to operate in the realistic dimension of functioning. Such individuals usually lack social skills but possess mechanical–technical skills; therefore, the authors recommend that counselors adopt a cognitive–behavioral approach to establish rapport and facilitate counseling. Giles (1983) disagrees with this idea, pointing out that no conclusive research supports it. He believes that counselors are not necessarily effective when they alter the counseling approach to fit the personal typology of clients.

Given the emphasis on interpersonal learning in groups, working with men in this way may be an effective intervention strategy (Andronico, 1996; Jolliff, 1994). The goals of men's groups are to increase personal awareness of sex-role conditioning, practice new desired behaviors, and promote a lifestyle based on the individual's needs. Three types of men—male sex offenders, gay men, and homeless men—may especially benefit from group work (DeAngelis, 1992). Men who do not do well in groups are those who are manic, very depressed, in severe crisis, addicted, inebriated, or paranoid (Horne & Mason, 1991).

Group work for men in general can be powerful in cutting through defenses, such as denial, and building a sense of community. To be effective, the counselor must publicize the availability of such a group, screen potential candidates carefully, identify specific behaviors on which to focus, institute opening and closing rituals, and develop intervention strategies aimed at resolving deep psychological issues such as conflict management (Hetzel, Barton, & Davenport, 1994; Horne & Mason, 1991).

In working with men in groups, Moore and Haverkamp (1989) found, in a well-controlled study, that "men age 30 to 50 are able to increase their level of affective expression, as measured by both self-report and behavioral tests" (p. 513). During this developmental stage of life, many men are seeking to become more intimate, deepen their relationships, and deal directly with their emotions. Thus, a group for men at this level of maturity can be very effective in producing change, especially, as the authors' state, when it follows a social-learning paradigm in which other men serve as models and reinforcers for new behaviors. The impact of Robert Bly and the *mythopoetic movement* (the use of myths and poetry with men in groups) is one example of the power of such a paradigm for change (Erkel, 1990).

While promoting change and an exploration of affective issues, it is crucial that counselors be aware that rules within most men's world of work differ from those within the personal domain. Counselors must caution men not to naively and automatically introduce newly discovered behaviors that work in their personal lives into what may be a hostile environment—that is, the world of work.

Counseling with men, as with all groups, is a complex phenomenon; but the potential benefits are enormous. They include helping men develop productive strategies for dealing with expectations and changing roles (Moore & Leafgren, 1990). Through counseling, men may also develop new skills applicable to "marital communication, stress-related health problems, career and life decision making, and family interaction" (Moore & Haverkamp, 1989, p. 516). A particularly powerful procedure that may be employed with select men involves having them interview their fathers. Using a series of structured, open-ended questions about family traditions, these men make discoveries about themselves by understanding their fathers more clearly. This new understanding can serve as a catalyst for implementing different behaviors within their own families.

COUNSELING AND SEXUAL ORIENTATION

Whether one approves or not, individuals have different lifestyles and distinct social and sexual orientations (Dworkin & Gutierrez, 1989). It is believed that between 5% and 10% of the population in the United States is homosexual (composed of gays and lesbians) (Moursund & Kenny, 2002). In addition, there is an unknown but significant percentage of bisexuals and transgender people. These individuals are often stereotyped and discriminated against. A number of myths and stereotypes have grown up around them over the years, such as that members of this population are child molesters and that same-sex relationships never last (Chen-Hayes, 1997). Within the ACA, the Association for Gay, Lesbian, and Bisexual Issues in Counseling (AGLBIC) deals with concerns specifically related to these populations.

Difficulties usually begin for gays, lesbians, bisexuals, and transgenders early in life. Children who are oriented toward any of these lifestyles frequently have trouble growing up in regard to their identity. They often have feelings of isolation and stigmatization, and trouble with peer relationships, as well as family disruptions (Marinoble, 1998). Many are frequently harassed. Even some counselors are less accepting of members of these populations than one might expect. Some of this discomfort may be a holdover from previous times since up until the mid-1970s the *Diagnostic and Statistical Manual* of the American Psychiatric Association considered homosexuality a disorder. As Rudolph (1989) states, "ministering to the psychotherapy needs of homosexuals [and bisexuals] has historically been an exercise in dissatisfaction and discomfort for many clients and counselors" (p. 96).

The majority culture, which professional helpers represent, has a predominantly negative view of persons who do not have a heterosexual orientation. When these views are voiced in strong, dogmatic ways, they can have a detrimental impact on the mental health and well-being of gays, lesbians, bisexuals, and transgenders and may severely disrupt their total development. For example, in career decision making, gay men often lack role models and are often directed into socially stereotyped occupations (Hetherington, Hillerbrand, & Etringer, 1989). In any minority culture that is treated with prejudice, people suffer and the overall culture is negatively affected.

Counseling with Gays/Lesbians/Bisexuals/Transgenders

Gays, lesbians, bisexuals, and transgenders are diverse in their lifestyles and in the problems they bring to counseling. Therefore, individuals who embrace these lifestyles do not come to counseling with a few typical concerns. In fact, members of these groups may have many of the same types of problems as those who are heterosexuals. Therefore, it is important not to make any assumptions before hearing what clients have to say.

However, there are some fairly frequent issues faced by gays, lesbians, bisexuals, and transgenders that may surface in a counseling relationship. These difficulties include "coming out," forming community organizations, following religious practices, and coping with AIDS and relationships (House & Miller, 1997). *"Coming out,"* letting others know that one is gay, lesbian, bisexual, or transgender, may raise strong feelings, such as anger, in one's family and friends and rupture relationships. The same may be true for members of these populations trying to form community organizations or follow religious practices. Therefore, rehearsing how one will act and what one will say prior to such events can be helpful. Cognitive approaches, in regard to modifying the self-talk a person generates, likewise may be therapeutic.

Gay men may need special help both in dealing with the stigma that is attached to them regarding AIDS and in the loss of friends and significant others from the AIDS epidemic (Moursund & Kenny, 2002; Springer & Lease, 2000). AIDS-related bereavement around the grief associated with multiple AIDS-related deaths may be especially needed lest one develop major depressive episodes or posttraumatic stress disorder (PTSD).

Working with gays, lesbians, bisexuals, and transgenders is bound to be an unpopular activity in many locales but one that can do much good if conducted properly. It involves not only working with clients who have these orientations but also focusing on transforming the cultural contexts in which these clients live (Carroll, Gilroy, & Ryan, 2002).

COUNSELING AND SPIRITUALITY

Spirituality is the final area that we will address in this multicultural and diversity chapter. It is a complex, multidimensional construct. "At present, there is no generally agreed on definition of spirituality" (Ganje-Fling & McCarthy, 1996, p. 253). However, "spirituality includes concepts such as transcendence, self-actualization, purpose and meaning, wholeness, balance, sacredness, altruism, and a sense of a Higher Power" (Stanard, Sandhu, & Painter, 2000, p. 209). Furthermore, such luminaries as Carl Jung, Victor Frankl, Abraham Maslow, and Rollo May have emphasized the importance of spirituality in counseling. Thus, as a concept, *spirituality* usually refers to a unique, personally meaningful experience of a transcendent dimension that is associated with wholeness and wellness (Hinterkopf, 1998; Westgate, 1996).

In a comprehensive overview of spirituality, religion, and counseling, Ingersoll (1994) points out the importance of defining spirituality and lists dimensions that describe it:

- A concept of the divine or a force greater than oneself
- A sense of meaning
- A relationship with the divine
- Openness to mystery

- A sense of playfulness
- Engagement in spiritually enhancing activities
- Systematic use of spiritual forces as an integrator of life

Thus, one's spiritual journey is often developmental in nature and involves an active search toward overcoming one's current centricity to becoming more connected with the meaning of life, including a oneness of ultimate Being (Chandler, Holden, & Kolander, 1992; Kelly, 1995).

Within counseling is an increased emphasis on spirituality and its importance in the well-being of those seeking help and wishing to maintain their own health (Burke & Miranti, 1995; Hudson, 1998). For many average people who seek out counselors, spirituality and religion "are significant aspects of their life" (Burke, Hackney, Hudson, Miranti, Watts, & Epp, 1999, p. 251). In addition, many counselors are drawn to spiritual and religious values and practices. "Spiritual competencies for counselors have been proposed and distributed nationally and are beginning to be assimilated into counselor training programs" (Myers & Truluck, 1998, p. 120).

Three events of recent years have profoundly affected the attitude on spirituality in America at large and indirectly in counseling. One has been the "informal spirituality promulgated by Alcoholics Anonymous, Adult Children of Alcoholics, and other 12-step programs" (Butler, 1990, p. 30). Another has been the writings of Scott Peck, whose books, especially *The Road Less Traveled* (1978), bridge the gap between traditional psychotherapy and religion. The final event has been the film series featuring Joseph Campbell, as interviewed by Bill Moyers, in which Campbell gives "respectability to the spiritual-psychological quest itself, even in modern-times" (Butler, 1990, p. 30).

It is impossible to determine the reasons behind the mass attraction of these three events. However, the Association for Spiritual, Ethical, and Religious Values in Counseling (ASERVIC), a division within the ACA, is devoted to exploring the place of spirituality in counseling. There has also been renewed emphases on the counselor as a spiritual person (Goud, 1990; Kottler, 1986) and the use of clients' values to aid progress in counseling (Aust, 1990; Goldberg, 1994).

Ingersoll (1994) states that counselors interested in working well with clients committed to a particular spiritual view can best do so by affirming the importance of spirituality in the client's life, using language and imagery in problem solving and treatment that is congruent with the client's worldview, and consulting with other "healers" in the client's life such as ministers. This process calls for cultural sensitivity as well as ethical practices of the highest standard. Thus, asking about a client's spirituality or spiritual resources has become more of a fundamental intake question in many counseling practices, as counselors address the total person of the client.

Sometimes spirituality is manifested in a particular philosophy or religious belief, such as Taoism or Christianity. At other times, it is more nebulous. When spirituality is in the form of religious beliefs, counselors need to be respectful and work with clients to maximize the positive nature of their beliefs and values in connection with the difficulties they are experiencing. Counselors who work best with religious issues in counseling are either pluralistic (i.e., "recognizing the existence of a religious or spiritual absolute reality" but allowing for multiple interpretations and paths toward it) or constructivist (i.e., recognizing a client worldview that includes God or spiritual realities) (Zinnbauer & Pargament, 2000, p. 167).

Regardless of the form spirituality takes, spiritual aspects of clients' lives can be enhanced through creating rituals or other ways for clients to focus on their lives that help them appreciate life rather than depreciate themselves. For example, one ritual distraught clients might be invited to engage in is writing down five things for which they are grateful (Hudson, 1998). Such an assignment can help them move away from bitterness and transcend the adversity of the moment.

In addition to helping clients, forms of spirituality, such as meditation and prayer, may be important aspects of counselors' lives as well. Kelly (1995) found in a nationally representative sample of ACA-affiliated counselors that the majority of respondents valued spirituality in their lives (even more than institutionalized religion). In many cases, a "counselor's personal spirituality/religiousness may prove a value base for being attuned to clients' spiritual and religious issues" (Kelly, 1995, p. 43). Therefore, counselors should assess their own spirituality as well as that of their clients.

SUMMARY AND CONCLUSION

In this chapter we have examined counseling issues related to special areas: the culturally different, the aged, women and men, sexual orientation, and spirituality. There is a wealth of material in the professional literature on the general concerns of each group and on the counseling theories and techniques most appropriate for working with these populations and topics. Indeed, specialty courses and counseling concentrations that focus on one or more of these groups are offered in many graduate counselor education programs.

Although information on a special population may appear unrelated to other populations, it is not. A common theme is that counselors who work with a variety of clients must be knowledgeable about them collectively and individually be able to deal effectively with their common and unique concerns. Stereotypes and prescribed roles are assigned to members of distinct cultural groups, the aged, members of genders, gays, lesbians, bisexuals, and transgenders, and even the spiritually oriented. Cultural limitations on these restrict not only the growth of the people involved in them but the larger society as well. Overcoming traditions, prejudices, fears, and anxieties and learning new skills based on accurate information and sensitivity are major parts of counseling in a multicultural and pluralistic society.

When working with specific groups, counselors need to be aware of uniqueness and common concerns. They must also realize the limitations and appropriateness of counseling theories they employ. Talking and self-disclosure are not valued in many cultures, especially with someone outside one's own tradition. Likewise, gender and sexual orientation are factors in displaying feelings and revealing personal weaknesses. Age and one's spiritual development also play a part in the counseling process. The aged need to express emotions and resolve past conflicts in their own unique ways if they are to benefit from counseling. Similarly, the spiritually oriented may wish to resolve difficulties or focus on issues in nontraditional ways.

Counselors must constantly ask themselves how each of their clients is similar to and different from others. What are within- and between-group universals and uniquenesses? They must concentrate on increasing their sensitivity to global issues as well as individual concerns. When clients differ significantly from counselors, extra attention and skill must be devoted to establishing and cultivating the counseling relationship.

CLASSROOM ACTIVITIES

1. Talk with a person from a different cultural background, and discuss the difficulties that he or she faces. How many of these problems are culturally related? How many are unique to the person? Present your findings to the class. What similarities do you and your classmates find in the results? Discuss your personal interviews as they relate to the material presented in this chapter.

2. Research counseling approaches offered in other countries. How do the theories and techniques generated in these cultures fit the needs of individuals in their societies? How do you think the counseling approach you have researched would work in the United States?

3. Role-play the following situation with another class member. Imagine that you have reached age 65. What are you doing at this age? What are your needs and expectations? How might a counselor help you? Do you find your life perspective different from your present outlook? Discuss these questions in relation to Ponzo's (1978) advice that individuals need to be themselves, not act their age.

4. Divide the class according to gender. Have the males in the class assume traditional female roles and vice versa. Then discuss making decisions about a career and marriage. Talk about what feelings each side of the class has in relation to the decision-making process. Discuss how these feelings would differ if one had a gay, lesbian, bisexual, or transgender orientation.

5. Discuss the following question in groups of three. What is the place of spirituality in counseling? Share your opinions with the class.

REFERENCES

Allison, K. W., Crawford, I., Echemendia, R., Robinson, L., & Knepp, D. (1994). Human diversity and professional competence. *American Psychologist, 49,* 792–796.

Andronico, M. P. (Ed.). (1996). *Men in groups: Insights, interventions, and psychoeducational work.* Washington, DC: American Psychological Association.

Arredondo, P. (1998). Integrating multicultural counseling competencies and universal helping conditions in culture-specific contexts. *Counseling Psychologist, 26,* 592–601.

Arredondo, P., Toporek, R., Brown, S., Jones, J., Locke, D. C., Sanchez, J., & Stadler, H. (1996). *Operationalization of the multicultural counseling competencies.* Alexandria, VA: Association for Multicultural Counseling and Development.

Aust, C. F. (1990). Using client's religious values to aid progress in therapy. *Counseling and Values, 34,* 125–129.

Avasthi, S. (1990). Native American students targeted for math and sciences. *Guidepost, 33*(6), 1, 6, 8.

Axelson, J. A. (1993). *Counseling and development in a multicultural society* (2nd ed.). Pacific Grove, CA: Brooks/Cole.

Baruth, L. G., & Manning, M. L. (1999). *Multicultural counseling and psychotherapy* (2nd ed.). Upper Saddle River, NJ: Merrill/Prentice Hall.

Beaver, M. L. (1991). Life review/reminiscent therapy. In P. K. H. Kim (Ed.), *Serving the elderly: Skills for practice* (pp. 67–89). New York: Aldine de Gruyter.

Bell, D. A. (1985, July 15 and 22). America's great success story: The triumph of Asian Americans. *The New Republic, 3678/3679,* 24–31.

Birren, J. E., Schaie, K. W., & Gatz, M. (Eds.). (1996). *Handbook of the psychology of aging* (4th ed.). San Diego: Academic Press.

Blake, R. (1975). Counseling in gerontology. *Personnel and Guidance Journal, 53,* 733–737.

Blake, R. (1982). Assessing the counseling needs of older persons. *Measurement and Evaluation in Guidance, 15,* 188–193.

Boyer, S. P., & Sedlacek, W. E. (1989). Noncognitive predictors of counseling center use by international students. *Journal of Counseling and Development, 67,* 404–407.

Bradley, L. J., Gould, L. J., & Hayes, B. A. (1992). The impact of gender social role socialization. In J. A. Lewis, B. A. Hayes, & L. J. Bradley (Eds.), *Counseling women over the life span* (pp. 55–76). Denver: Love.

Brinson, J. A. (1996). Cultural sensitivity for counselors: Our challenge for the twenty-first century. *Journal of Humanistic Education and Development, 34,* 195–206.

Broverman, I., Broverman, D., Clarkson, F., Rosenkrantz, P., & Vogel, S. (1970). Sexrole stereotypes and clinical judgments of mental health. *Journal of Consulting and Clinical Psychology, 34,* 1–7.

Brown, N. M. (1990). Men nurturing men. *Family Therapy Networker, 14,* 11.

Burch, M. A., & Skovholt, T. M. (1982). Counseling services and men in need: A problem in person-environment matching. *AMHCA Journal, 4,* 89–96.

Burke, M. T., Hackney, H., Hudson, P., Miranti, J., Watts, G. A., & Epp, L. (1999). Spirituality, religion, and CACREP curriculum standards. *Journal of Counseling and Development, 77,* 251–257.

Burke, M. T., & Miranti, J. G. (1995). *Counseling: The spiritual dimension.* Alexandria, VA: American Counseling Association.

Butler, K. (1990). Spirituality reconsidered. *Family Therapy Networker, 14,* 26–37.

Butler, R. N. (1988). Ageism. In G. L. Maddox (Ed.), *Encyclopedia of aging* (pp. 22–23). New York: Springer.

Butler, R. N. (1998). *Aging and mental health: Positive psychosocial and biomedical approaches* (5th ed.). Boston: Allyn & Bacon.

Carroll, L., Gilroy, P. J., & Ryan, J. (2002). Counseling transgendered, transexual, and gender-variant clients. *Journal of Counseling and Development, 80,* 131–139.

Cavanaugh, J. C. (1997). *Adult development and aging.* Pacific Grove, CA: Brooks/Cole.

Chandler, C. K., Holden, J. M., & Kolander, C. A. (1992). Counseling for spiritual wellness: Theory and practice. *Journal of Counseling and Development, 71,* 168–175.

Chen-Hayes, S. F. (1997). Counseling lesbian, bisexual, and gay persons in couple and family relationships: Overcoming the stereotypes. *Family Journal, 5,* 236–240.

Cheung, F. K. (1991). The use of mental health services by ethnic minorities. In H. F. Myers, P. Wholford, L. P. Guzman, & R. J. Echemendia (Eds.), *Ethnic minority perspectives on clinical training and services in psychology* (pp. 23–31). Washington, DC: American Psychological Association.

Cohen, M. N. (1998, April 17). Culture, not race, explains human diversity. *Chronicle of Higher Education,* B4–B5.

Colangelo, N., & Pulvino, C. J. (1980). Some basic concerns in counseling the elderly. *Counseling and Values, 24,* 68–73.

Coleman, H. L. K. (1998). General and multicultural counseling competency: Apples and oranges? *Journal of Multicultural Counseling and Development, 26,* 147–156.

Collison, B. B. (1981). Counseling adult males. *Personnel and Guidance Journal, 60,* 219–222.

Cook, E. P. (Ed.). (1993). *Women, relationships, and power: Implications for counseling.* Alexandria, VA: American Counseling Association.

Cook, E. P., Heppner, M. J., & O'Brien, K. M. (2002). Career development of women of color and White women: Assumptions, conceptualizations, and interventions from an ecological perspective. *Career Development Quarterly, 50,* 291–305.

Corsini, R. J., & Wedding, D. (Eds.). (2000). *Current psychotherapies* (6th ed.). Itasca, IL: Peacock.

Cox, B. J., & Waller, L. L. (1991). *Bridging the communication gap with the elderly.* Chicago: American Hospital Association.

Cox, H. G. (1995). *Later life: The realities of aging* (5th ed.). Upper Saddle River, NJ: Prentice Hall.

Das, A. K. (1987). Indigenous models of therapy in traditional Asian societies. *Journal of Multicultural Counseling and Development, 15,* 25–37.

Davenport, D. S., & Yurich, J. M. (1991). Multicultural gender issues. *Journal of Counseling and Development, 70,* 64–71.

DeAngelis, T. (1992, November). Best psychological treatment for many men: Group therapy. *APA Monitor, 23,* 31.

DeLaszlo, V. S. (1994). *The basic writings of C. G. Jung.* New York: Modern Library.

Dworkin, S. H., & Gutierrez, F. (1989). Special issue: Gay, lesbian, and bisexual issues in counseling. *Journal of Counseling and Development, 68,* 6–8.

El Nasser, H., & Overberg, P. (2002, June 5). More people identify themselves as simply 'American.' *USAToday,* A1.

Enns, C. Z. (1993). Twenty years of feminist counseling and therapy. *Counseling Psychologist, 21,* 3–87.

Enns, C. Z. (1996). Counselors and the backlash: "Rape hype" and "false-memory syndrome." *Journal of Counseling and Development, 74,* 358–367.

Enns, C. Z., & Hackett, G. (1993). A comparison of feminist and non-feminist women's and men's reactions to nonsexist and feminist counseling: A replication and extension. *Journal of Counseling and Development, 71,* 499–509.

Epp, L. R. (1998). The courage to be an existential counselor: An interview with Clemmont E. Vontress. *Journal of Mental Health Counseling, 20,* 1–12.

Erikson, E. H. (1963). *Childhood and society* (2nd ed.). New York: Norton.

Erikson, E. H. (1968). *Identity, youth and crisis.* New York: Norton.

Erkel, R. T. (1990, May/June). The birth of a movement. *Family Therapy Networker, 14,* 26–35.

Fischer, A. R., Jome, L. M., & Atkinson, R. A. (1998). Back to the future of multicultural psychotherapy with a common factors approach. *Counseling Psychologist, 26,* 602–606.

Fontes, L. A. (2002). Child discipline and physical abuse in immigrant Latino families: Reducing violence and misunderstandings. *Journal of Counseling and Development, 80,* 31–40.

Friedan, B. (1994). *The fountain of age.* New York: Touchstone.

Ganje-Fling, M. A., & McCarthy, P. (1996). Impact of childhood sexual abuse on client spiritual development: Counseling implications. *Journal of Counseling and Development, 74,* 253–258.

Garfield, S. L. (1981). Psychotherapy: A forty year appraisal. *American Psychologist, 36,* 174–183.

Garretson, D. J. (1993). Psychological misdiagnosis of African Americans. *Journal of Multicultural Counseling and Development, 21,* 119–126.

Garrett, M. T., & Pichette, E. F. (2000). Red as an apple: Native American acculturation and counseling with or without reservation. *Journal of Counseling and Development, 78,* 3–13.

Geertz, C. (1973). *The interpretation of cultures.* New York: Basic Books.

Gertner, D. M. (1994). Understanding and serving the needs of men. *Counseling and Human Development, 27,* 1–16.

Gibson, D. M., & Myers, J. E. (2000). Gender and infertility: A relational approach to counseling women. *Journal of Counseling and Development, 78,* 400–410.

Giles, T. A. (1983). Counseling services and men in need: A response to Burch and Skovholt. *AMHCA Journal, 5,* 39–43.

Gilligan, C. (1982). *In a different voice: Psychological theory and women's development.* Cambridge, MA: Harvard University Press.

Gladding, S. T. (2003). *Group work: A counseling specialty* (4th ed.). Upper Saddle River, NJ: Merrill/Prentice Hall.

Goldberg, J. R. (1994, June). Spirituality, religion and secular values: What role in psychotherapy? *Family Therapy News, 25,* 9, 16–17.

Goldman, L. (1972). Introduction. *Personnel and Guidance Journal, 51,* 85.

Gonzalez, G. M. (1997). The emergence of Chicanos in the twenty-first century: Implications for counseling, research, and policy. *Journal of Multicultural Counseling and Development, 25,* 94–106.

Goud, N. (1990). Spiritual and ethical beliefs of humanists in the counseling profession. *Journal of Counseling and Development, 68,* 571–574.

Hammerschlag, C. A. (1988). *The dancing healers.* San Francisco: Harper & Row.

Hanna, C. A., Hanna, F. J., Giordano, F. G., & Tollerud, T. (1998). Meeting the needs of women in counseling: Implications of a review of the literature. *Journal of Humanistic Education and Development, 36,* 160–170.

Hansen, J. C., & Prather, F. (1980). The impact of values and attitudes in counseling the aged. *Counseling and Values, 24,* 74–85.

Hare-Mustin, R. T. (1983). An appraisal of the relationship between women and psychotherapy. *American Psychologist, 38,* 593–599.

Harper, F. D. (1994). Afrinesians of the Americas: A new concept of ethnic identity. *Journal of Multicultural Counseling and Development, 22,* 3–6.

Hashimi, J. (1991). Counseling older adults. In P. K. H. Kim (Ed.), *Serving the elderly: Skills for practice* (pp. 33–51). New York: Aldine de Gruyter.

Havighurst, R. J. (1959). Social and psychological needs of the aging. In L. Gorlow & W. Katkovsky (Eds.), *Reading in the psychology of adjustment* (pp. 443–447). New York: McGraw-Hill.

Hayes, P. A. (1996). Addressing the complexities of culture and gender in counseling. *Journal of Counseling and Development, 74,* 332–338.

Heinrich, R. K., Corbin, J. L., & Thomas, K. R. (1990). Counseling Native Americans. *Journal of Counseling and Development, 69,* 128–133.

Henkin, W. A. (1985). Toward counseling the Japanese in America: A cross-cultural primer. *Journal of Counseling and Development, 63,* 500–503.

Herring, R. D. (1996). Synergetic counseling and Native American Indian students. *Journal of Counseling and Development, 74,* 542–547.

Herring, R. D. (1997). The creative arts: An avenue to wellness among Native American Indians. *Journal of Humanistic Education and Development, 36,* 106–113.

Hetherington, C., Hillerbrand, E., & Etringer, B. D. (1989). Career counseling with gay men: Issues and recommendations for research. *Journal of Counseling and Development, 67,* 452–453.

Hetzel, R. D., Barton, D. A., & Davenport, D. S. (1994). Helping men change: A group counseling model for male clients. *Journal for Specialists in Group Work, 19,* 52–64.

Hinterkopf, E. (1998). *Integrating spirituality in counseling: A manual for using the experiential focusing method.* Alexandria, VA: American Counseling Association.

Hitchcock, A. A. (1984). Work, aging, and counseling. *Journal of Counseling and Development, 63,* 258–259.

Hodgkinson, H. L. (1992). *A demographic look at tomorrow.* Washington, DC: Institute for Educational Leadership.

Holiday, M., Leach, M. M., & Davidson, M. (1994). Multicultural counseling and intrapersonal value conflict: A case study. *Counseling and Values, 38,* 136–142.

Holland, J. L. (1979). *The self-directed search: Professional manual.* Palo Alto, CA: Consulting Psychologists Press.

Hollis, J. W. (1997). *Counselor preparation 1996–1998* (9th ed.). Muncie, IN: Accelerated Development.

Horne, A. M., & Mason, J. (1991, August). *Counseling men.* Paper presented at the Annual Convention of the American Psychological Association, San Francisco.

House, R. M., & Miller, J. L. (1997). Counseling gay, lesbian, and bisexual clients. In D. Capuzzi & D. R. Gross (Eds.), *Introduction to the counseling profession* (2nd ed., pp. 397–432). Boston: Allyn & Bacon.

Hudson, P. (1998, April/May). Spirituality: A growing resource. *Family Therapy News, 29*(2), 10–11.

Huffman, S. B., & Myers, J. E. (1999). Counseling women in midlife: An integrative approach to menopause. *Journal of Counseling and Development, 77,* 258–266.

Ingersoll, R. E. (1994). Spirituality, religion, and counseling: Dimensions and relationships. *Counseling and Values, 38,* 98–111.

Ivey, A. E. (1977). Cultural expertise: Toward systematic outcome criteria in counseling and psychological education. *Personnel and Guidance Journal, 55,* 296–302.

Ivey, A. E. (1987). Cultural intentionality: The core of effective helping. *Counselor Education and Supervision, 25,* 168–172.

Ivey, A. E. (1990). Prejudice in the profession. *Guidepost, 33*(6), 2.

Johnson, M., & Scarato, A. M. (1979). A knowledge base for counselors of women. *Counseling Psychologist, 8,* 14–16.

Johnson, W. B., & Hayes, D. N. (1997). An identity-focused counseling group for men. *Journal of Mental Health Counseling, 19,* 295–303.

Jolliff, D. (1994). Group work with men. *Journal for Specialists in Group Work, 19,* 50–51.

Jordan, J. V. (1995). A relational approach to psychotherapy. *Women and Therapy, 16,* 51–61.

Jourard, S. (1971). *The transparent self.* Princeton, NJ: Van Nostrand.

Kampfe, C. M. (2002). Older adults' perceptions of residential relocation. *Journal of Humanistic Counseling, Education and Development, 41,* 103–113.

Katz, J. H. (1985). The sociopolitical nature of counseling. *Counseling Psychologist, 13,* 615–624.

Keller, J. F., Corake, J. W., & Brooking, J. Y. (1975). Effects of a program in rational thinking on anxieties in older persons. *Journal of Counseling Psychology, 22,* 54–57.

Kelly, E. W., Jr. (1995). *Spirituality and religion in counseling and psychotherapy.* Alexandria, VA: American Counseling Association.

Kelly, K. R., & Hall, A. S. (1994). Affirming the assumptions of the developmental model for counseling men. *Journal of Mental Health Counseling, 16,* 475–482.

Kemp, J. T. (1984). Learning from clients: Counseling the frail and dying elderly. *Personnel and Guidance Journal, 62,* 270–272.

Kimmel, D. C. (1988). Ageism, psychology, and public policy. *American Psychologist, 43,* 175–178.

Kottler, J. A. (1986). *On being a therapist.* San Francisco: Jossey-Bass.

LaBarge, E. (1981). Counseling patients with senile dementia of the Alzheimer type and their families. *Personnel and Guidance Journal, 60,* 139–142.

Lamb, R. (1997, June 7). Personal Communication.

Lawler, A. C. (1990). The healthy self: Variations on a theme. *Journal of Counseling and Development, 68,* 652–654.

Lee, C. C. (1989). AMCD: The next generation. *Journal of Multicultural Counseling and Development, 17,* 165–170.

Lee, C. C. (Ed.). (1997). *Multicultural issues in counseling* (2nd ed.). Alexandria, VA: American Counseling Association.

Lee, R. M., & Robbins, S. B. (2000). Understanding social connectedness in college women and men. *Journal of Counseling and Development, 78,* 484–491.

Lefrancois, G. R. (1996). *The lifespan* (5th ed.). Belmont, CA: Wadsworth.

Leonard, M. M., & Collins, A. M. (1979). Woman as footnote. *Counseling Psychologist, 8,* 6–7.

Lerner, H. G. (1988). *Women in therapy.* Northvale, NJ: Aronson.

Levenson, A. J. (1981). Ageism: A major deterrent to the introduction of curricula in aging. *Gerontology and Geriatrics Education, 1,* 161–162.

Levinson, D. (1978). *The seasons of a man's life.* New York: Knopf.

Lewis, J. A., Hayes, B. A., & Bradley, L. J. (Eds.). (1992). *Counseling women over the life span.* Denver: Love.

Lippert, L. (1997). Women at midlife: Implications for theories of women's adult development. *Journal of Counseling and Development, 76,* 16–22.

Locke, D. C. (1990). A not so provincial view of multicultural counseling. *Counselor Education and Supervision, 30,* 18–25.

Locke, D. C. (1998, Spring). Beyond U.S. borders. *American Counselor, 1,* 13–16.

Marino, T. M. (1979). Resensitizing men: A male perspective. *Personnel and Guidance Journal, 58,* 102–105.

Marino, T. M. (1994, December). Starving for acceptance. *Counseling Today, 37,* 1, 4.

Marinoble, R. M. (1998). Homosexuality: A blind spot in the school mirror. *Professional School Counseling, 1,* 4–7.

McCracken, J. E., Hayes, J. A., & Dell, D. (1997). Attributions of responsibility for memory problems in older and younger adults. *Journal of Counseling and Development, 75,* 385–391.

McFadden, J. (Ed.). (1999). *Transcultural counseling* (2nd ed.). Alexandria, VA: American Counseling Association.

McFadden, J., & Lipscomb, W. D. (1985). History of the Association for Non-white Concerns in Personnel and Guidance. *Journal of Counseling and Development, 63,* 444–447.

McGrath, E., Keita, G. F., Strickland, N. R., & Russo, N. (1990). *Women and depression.* Washington, DC: American Psychological Association.

McRae, M. B., Thompson, D. A., & Cooper, S. (1999). Black churches as therapeutic groups. *Journal of Multicultural Counseling and Development, 27,* 207–220.

Middleton, R. A., Flowers, C., & Zawaiza, T. (1996). Multiculturalism, affirmative action, and section 21 of the 1992 Rehabilitation Act amendments: Fact or fiction? *Rehabilitation Counseling Bulletin, 40,* 11–30.

Miller, J. B., & Stiver, I. R. (1997). The healing connection: How women form relationships in therapy and in life. Northvale, NJ: Jason Aronson.

Moore, D., & Haverkamp, B. E. (1989). Measured increases in

male emotional expressiveness following a structured group intervention. *Journal of Counseling and Development, 67,* 513–517.

Moore, D., & Leafgren, F. (Eds.). (1990). *Problem solving strategies and interventions for men in conflict.* Alexandria, VA: American Counseling Association.

Morgan, J. P., Jr. (1994). Bereavement in older adults. *Journal of Mental Health Counseling, 16,* 318–326.

Mori, S. (2000). Addressing the mental health concerns of international students. *Journal of Counseling and Development, 78,* 137–144.

Morrissey, M. (1997, October). The invisible minority: Counseling Asian Americans. *Counseling Today,* 1, 21.

Morrissey, M. (1998, January). The growing problem of elder abuse. *Counseling Today,* 14.

Moursund, J., & Kenny, M. C. (2002). *The process of counseling and therapy* (4th ed.). Upper Saddle River, NJ: Prentice Hall.

Myers, J. E. (1983). A national survey of geriatric mental health services. *AMHCA Journal, 5,* 69–74.

Myers, J. E. (1990a). Aging: An overview for mental health counselors. *Journal of Mental Health Counseling, 12,* 245–259.

Myers, J. E. (Ed.). (1990b). Techniques for counseling older persons. *Journal of Mental Health Counseling, 12,* 245–394.

Myers, J. E. (1992). Mature women: Confronting the social stereotypes. In J. A. Lewis, B. A. Hayes, & L. J. Bradley (Eds.), *Counseling women over the life span* (pp. 211–240). Denver: Love.

Myers, J. E. (1995). From "forgotten and ignored" to standards and certification: Gerontological counseling comes of age. *Journal of Counseling and Development, 74,* 143.

Myers, J. E., Poidevant, J. M., & Dean, L. A. (1991). Groups for older persons and their caregivers: A review of the literature. *Journal for Specialists in Group Work, 16,* 197–205.

Myers, J. E., & Truluck, M. (1998). Human beliefs, religious values, and the counseling process: A comparison of counselors and other mental health professionals. *Counseling and Values, 42,* 106–123.

Nelson, M. L. (1996). Separation versus connection: The gender controversy: Implications for counseling women. *Journal of Counseling and Development, 74,* 339–344.

Neugarten, B. (1971, December). Grow old along with me! The best is yet to be. *Psychology Today,* 48–56.

Neugarten, B. L. (1978). The rise of the young-old. In R. Gross, B. Gross, & S. Seidman (Eds.), *The new old: Struggling for decent aging* (pp. 47–49). New York: Doubleday.

Nicholas, D. R., Gobble, D. C., Crose, R. G., & Frank, B. (1992). A systems view of health, wellness, and gender: Implications for mental health counseling. *Journal of Mental Health Counseling, 14,* 8–19.

Nwachuku, U., & Ivey, A. (1991). Culture-specific counseling: An alternative model. *Journal of Counseling and Development, 70,* 106–111.

Okun, B. F. (1990). *Seeking connections in psychotherapy.* San Francisco: Jossey-Bass.

Okun, B. F. (1997). *Effective helping* (5th ed.). Pacific Grove, CA: Brooks/Cole.

Okun, B. F., Fried, J., & Okun, M. L. (1999). *Understanding diversity: A learning-as-practice primer.* Pacific Grove, CA: Brooks/Cole.

Papalia, D. E., & Olds, S. W. (1998). *Human development* (7th ed.). New York: McGraw-Hill.

Parker, W. M., Archer, J., & Scott, J. (1992). *Multicultural relations on campus.* Muncie, IN: Accelerated Development.

Peck, M. S. (1978). *The road less traveled.* New York: Simon & Schuster.

Pedersen, P. (1987). Ten frequent assumptions of cultural bias in counseling. *Journal of Multicultural Counseling and Development, 15,* 16–22.

Pedersen, P. (1990). The constructs of complexity and balance in multicultural counseling theory and practice. *Journal of Counseling and Development, 68,* 550–554.

Pedersen, P., Lonner, W. J., & Draguns, J. G. (Eds.). (1976). *Counseling across cultures.* Honolulu: University Press of Hawaii.

Pedersen, P. B. (1977). The triad model of cross-cultural counselor training. *Personnel and Guidance Journal, 56,* 94–100.

Pedersen, P. B. (1978). Four dimensions of cross-cultural skill in counselor training. *Personnel and Guidance Journal, 56,* 480–484.

Pedersen, P. B. (1982). Cross-cultural training for counselors and therapists. In E. Marshall & D. Kurtz (Eds.), *Interpersonal helping skills: A guide to training methods, programs, and resources.* San Francisco: Jossey-Bass.

Petersen, S. (2000). Multicultural perspective on middle-class women's identity development. *Journal of Counseling and Development, 78,* 63–71.

Pinson-Milburn, N. M., Fabian, E. S., Schlossberg, N. K., & Pyle, M. (1996). Grandparents raising grandchildren. *Journal of Counseling and Development, 74,* 548–554.

Pinterits, E. J., & Atkinson, D. R. (1998). The diversity video forum: An adjunct to diversity sensitive training in the classroom. *Counselor Education and Supervision, 37,* 203–216.

Pollack, W. S., & Levant, R. F. (Eds.). (1998). *New psychotherapies for men.* New York: Wiley.

Ponterotto, J. G., & Sabnani, H. B. (1989). "Classics" in multicultural counseling: A systematic five-year content analysis. *Journal of Multicultural Counseling and Development, 17,* 23–37.

Ponzo, Z. (1978). Age prejudice of "act your age." *Personnel and Guidance Journal, 57,* 140–144.

Pope-Davis, D. B., & Ottavi, T. M. (1994). The relationships between racism and racial identity among white Americans. *Journal of Counseling and Development, 72,* 293–297.

Priest, R. (1991). Racism and prejudice as negative impacts on African American clients in therapy. *Journal of Counseling and Development, 70,* 213–215.

Pulvino, C. J., & Colangelo, N. (1980). Counseling the elderly: A developmental perspective. *Counseling and Values, 24,* 139–147.

Richardson, E. H. (1981). Cultural and historical perspectives in counseling American Indians. In D. W. Sue (Ed.), *Counseling the culturally different* (pp. 216–249). New York: Wiley.

Robinson, T. L., & Howard-Hamilton, M. (2000). *The convergence of race, ethnicity, and gender: Multiple identities in counseling.* Upper Saddle River, NJ: Merrill/Prentice Hall.

Rogers, J. R. (1990). Female suicide: The trend toward increased lethality in method of choice and its implications. *Journal of Counseling and Development, 69,* 37–38.

Romero, D., Silva, S. M., & Romero, P. S. (1989). In memory: Rene A. Ruiz. *Journal of Counseling and Development, 67,* 498–505.

Rudolph, J. (1989). The impact of contemporary ideology and AIDS on the counseling of gay clients. *Counseling and Values, 33,* 96–108.

Ruiz, R. A. (1981). Cultural and historical perspectives in counseling Hispanics. In D. W. Sue (Ed.), *Counseling the culturally different* (pp. 186–215). New York: Wiley.

Ruiz, R. A., & Padilla, A. M. (1977). Counseling Latinos. *Personnel and Guidance Journal, 55,* 401–408.

Salisbury, A. (1975). Counseling older persons: A neglected area in counselor education and supervision. *Counselor Education and Supervision, 4,* 237–238.

Sanders, D. (1987). Cultural conflicts: An important factor in the academic failures of American Indian students. *Journal of Multicultural Counseling and Development, 15,* 81–90.

Sandhu, D. S. (1997). Psychocultural profiles of Asian and Pacific Islander Americans: Implications for counseling and psychotherapy. *Journal of Multicultural Counseling and Development, 25,* 7–22.

Scher, M. (1979). On counseling men. *Personnel and Guidance Journal, 57,* 252–254.

Scher, M. (1981). Men in hiding: A challenge for the counselor. *Personnel and Guidance Journal, 60,* 199–202.

Scher, M., & Stevens, M. (1987). Men and violence. *Journal of Counseling and Development, 65,* 351–355.

Schlossberg, N. K. (1984). *Counseling adults in transition: Linking practice with theory.* New York: Springer.

Schlossberg, N. K. (1990). Training counselors to work with older adults. *Generations, 15,* 7–10.

Schneller, G., & Chalungsooth, P. (2002, June). Development of a multilingual tool to assess client presenting problems. *American College Counseling Association Visions,* 5–7.

Shanks, J. L. (1982). Expanding treatment for the elderly: Counseling in a private medical practice. *Personnel and Guidance Journal, 61,* 553–555.

Shea, C. (1998, January 30). Why depression strikes more women than men: "Ruminative coping" may provide answers. *Chronicle of Higher Education, 44,* A14.

Simon, L., Gaul, R., Friedlander, M. L., & Heatherington, L. (1992). Client gender and sex role: Predictors of counselors' impressions and expectations. *Journal of Counseling and Development, 71,* 48–52.

Sinick, D. (1979). Professional development in counseling older persons. *Counselor Education and Supervision, 19,* 4–12.

Sinick, D. (1980). Attitudes and values in aging. *Counseling and Values, 24,* 148–154.

Smith, E. J. (1977). Counseling black individuals: Some stereotypes. *Personnel and Guidance Journal, 55,* 390–396.

Smith, E. M. J., & Vasquez, M. J. T. (1985). Introduction. *Counseling Psychologist, 13,* 531–536.

Springer, C. A., & Lease, S. H. (2000). The impact of multiple AIDS-related bereavement in the gay male population. *Journal of Counseling and Development, 78,* 297–304.

Stanard, R. P., Sandhu, D. S., & Painter, L. C. (2000). Assessment of spirituality in counseling. *Journal of Counseling and Development, 78,* 204–210.

Sue, D. W. (1978). Counseling across cultures. *Personnel and Guidance Journal, 56,* 451.

Sue, D. W. (1992, Winter). The challenge of multiculturalism. *American Counselor, 1,* 6–14.

Sue, D. W., Arredondo, P., & McDavis, R. J. (1992). Multicultural counseling competencies and standards: A call to the profession. *Journal of Counseling and Development, 70,* 477–486.

Sue, D. W., Ivey, A. E., & Pedersen, P. (1996). *A theory of multicultural counseling and therapy.* Pacific Grove, CA: Brooks/Cole.

Sue, D. W., & Sue, D. (1973). Understanding Asian-Americans: The neglected minority: An overview. *Personnel and Guidance Journal, 51,* 387–389.

Sue, D. W., & Sue, D. (1999). *Counseling the culturally different: Theory and practice* (3rd ed.). New York: Wiley.

Sue, D. W., & Sue, S. (1972). Counseling Chinese-Americans. *Personnel and Guidance Journal, 50,* 637–644.

Super, D. E. (1954). Guidance: Manpower utilization or human development? *Personnel and Guidance Journal, 33,* 8–14.

Super, D. E. (1983). Synthesis: Or is it distillation? *Personnel and Guidance Journal, 61,* 511–514.

Swartz-Kulstad, J. L., & Martin, W. E., Jr. (1999). Impact on culture and context on psychosocial adaptation: The cultural and contextual guide process. *Journal of Counseling and Development, 77,* 281–293.

Thames, T. B., & Hill, C. E. (1979). Are special skills necessary for counseling women? *Counseling Psychologist, 8,* 17–18.

Tomine, S. (1986). Private practice in gerontological counseling. *Journal of Counseling and Development, 64,* 406–409.

Turner, J., & Helms, D. (1994). *Lifespan development* (5th ed.). Chicago: Holt, Rinehart.

Utsey, S. O., Ponterotto, J. G., Reynolds, A. L., & Cancelli, A. A. (2000). Racial discrimination, coping, life satisfaction, and self-esteem among African Americans. *Journal of Counseling and Development, 78,* 72–80.

Valle, R. (1986). Cross-cultural competence in minority communities: A curriculum implementation strategy. In M. R. Miranda & H. H. L. Kitano (Eds.), *Mental health research and practice in minority communities: Development of culturally sensitive training programs* (pp. 29–49). Rockville, MD: National Institute of Mental Health. (ERIC Document Reproduction Service No. ED 278 754.)

Van Buren, J. (1992). Gender-fair counseling. In J. A. Lewis, B. Hayes, & L. J. Bradley (Eds.), *Counseling women over the life span* (pp. 271–289). Denver: Love.

Vontress, C. E. (1966). Counseling the culturally different adolescent: A school-community approach. In J. C. Gowan & G. Demos (Eds.), *The disadvantaged and potential dropout* (pp. 357–366). Springfield, IL: Thomas.

Vontress, C. E. (1967). The culturally different. *Employment Service Review, 4,* 35–36.

Vontress, C. E. (1996). A personal retrospective on cross-cultural counseling. *Journal of Multicultural Counseling and Development, 16,* 73–83.

Vontress, C. E., & Epp, L. R. (1997). Historical hostility in the African client: Implications for counseling. *Journal of Multicultural Counseling and Development, 25,* 170–184.

Wade, J. C. (1998). Male reference group identity dependence: A theory of male identity. *Counseling Psychologist, 26,* 349–383.

Walsh, R. (2000). Asian psychotherapies. In R. J. Corsini & D. Wedding (Eds.), *Current psychotherapies* (6th ed., pp. 407–444). Itasca, IL: Peacock.

Wastell, C. A. (1996). Feminist development theory: Implications for counseling. *Journal of Counseling and Development, 74,* 575–581.

Watanabe, C. (1973). Self-expression and the Asian American experience. *Personnel and Guidance Journal, 51,* 390–396.

Watkins, C. (2001). Comprehensive guidance programs in an international context. *Professional School Counseling, 4,* 262–270.

Weinrach, S. G., & Thomas, K. R. (1996). The counseling profession's commitment to diversity-sensitive counseling: A critical reassessment. *Journal of Counseling and Development, 73,* 472–477.

Weinrach, S. G., & Thomas, K. R. (1998). Diversity-sensitive counseling today: A postmodern clash of values. *Journal of Counseling and Development, 76,* 115–122.

Welfel, E. R., Danzinger, P. R., & Santoro, S. (2000). Mandated reporting of abuse/maltreatment of older adults: A primer for counselors. *Journal of Counseling and Development, 78,* 284–292.

Wendel, P. (1997, October). Cultural bias among minority counselors. *Counseling Today,* 1, 20.

Westcott, N. A. (1983). Application of the structured life-review technique in counseling elders. *Personnel and Guidance Journal, 62,* 180–181.

Westgate, C. E. (1996). Spiritual wellness and depression. *Journal of Counseling and Development, 75,* 26–35.

Worth, M. R. (1983). Adults. In J. A. Brown & R. H. Pate, Jr., (Eds.), *Being a counselor* (pp. 230–252). Pacific Grove, CA: Brooks/Cole.

Wrenn, C. G. (1962). The culturally encapsulated counselor. *Harvard Educational Review, 32,* 444–449.

Yeh, C. J., & Hwang, M. Y. (2000). Interdependence in ethnic identity and self: Implications for theory and practice. *Journal of Counseling and Development, 78,* 420–429.

Zinnbauer, B. J., & Pargament, K. I. (2000). Working with the sacred: Four approaches to religious and spiritual issues in counseling. *Journal of Counseling and Development, 78,* 162–171.

PART II

COUNSELING PROCESS AND THEORIES

Counseling is a process guided by theories. Chapters 5 through 7 discuss three major stages of the process: building, working in, and terminating a relationship. For each stage, the universal qualities and problems associated with it are outlined. Regardless of their theoretical orientation, counselors must be aware of the process of counseling.

Chapters 8 and 9 describe and briefly discuss the importance of theory in counseling and the nature of eclectic counseling. Then 14 major theories of counseling are examined in a uniform manner for comparison purposes on the following seven factors: founders/contributors, view of human nature, role of the counselor, goals, techniques, strengths/contributions, and limitations. The theories included are: psychoanalytic, Adlerian, person-centered, existential, Gestalt, behavioral, rational emotive behavior therapy (REBT), reality therapy (RT), Bowenian, structural, strategic, solution-focused, narrative, and crisis. They are among the most popular in the profession. Most of these theories work well with individuals, families, and groups. Some have evolved from a linear orientation while others are systemic in nature. A few are long term but most are brief.

5

BUILDING A COUNSELING RELATIONSHIP

Your words splash heavily upon my mind
like early cold October rain
falling on my roof at dusk.
The patterns change like an autumn storm
from violently rumbling thundering sounds
to clear, soft steady streams of expression.
Through it all I look at you
soaked in past fears and turmoil;
Then patiently I watch with you in the darkness
for the breaking of black clouds
that linger in your turbulent mind
And the dawning of your smile
that comes in the light of new beginnings.

Reprinted from "Autumn Storm," by S. T. Gladding, 1975, Personnel and Guidance Journal, *54, p. 149. © 1975*
by ACA. Reprinted with permission. No further reproduction authorized without written permission of the
American Counseling Association.

The process of counseling develops in definable stages with recognizable transitions. The first stage involves building a relationship and focuses on engaging clients to explore issues that directly affect them. Two struggles take place at this time (Napier & Whitaker, 1978). One is the battle for structure, *which involves issues of administrative control (e.g., scheduling, fees, participation in sessions). The other is the* battle for initiative, *which concerns the motivation for change and client responsibility. It is essential that counselors win the first battle and clients win the second. If there are failures at these points, the counseling effort will be prematurely terminated, and both the counselor and client may feel worse for the experience.*

Other factors that influence the progress and direction of counseling are the physical setting, the client's background, the counselor's skill, and the quality of the relationship established. They will be examined here as well as the nature of the first interview and the exploration stage of counseling. Carkhuff (1969, 1993) and Ivey (1971) have demonstrated that some counseling responses cut across theoretical lines in helping build a client–counselor relationship. These responses are sometimes known as microskills *and include atheoretical and social-learning behaviors such as attending, encouraging, reflecting, and listening. When mastered, these abilities allow counselors to be with their clients more fully, "act in a culturally appropriate manner, and find positives in life experience" (Weinrach, 1987, p. 533). Thus, part of this chapter will focus on microskills.*

FACTORS THAT INFLUENCE THE COUNSELING PROCESS

A number of factors affect the counseling process for better or worse. Those covered here are structure, initiative, physical setting, client qualities, and counselor qualities.

Structure

Clients and counselors sometimes have different perceptions about the purpose and nature of counseling. Clients often do not know what to expect from the process or how to act (Riordan, Matheny, & Harris, 1978). Seeing a counselor is a last resort for many individuals. They are likely to have already sought help from more familiar sources, such as friends, family members, ministers, or teachers (Hinson & Swanson, 1993). Therefore, many clients enter counseling reluctantly and hesitantly. This uncertainty can inhibit the counseling process unless some structure is provided (Ritchie, 1986). *Structure* in counseling is defined as "a joint understanding between the counselor and client regarding the characteristics, conditions, procedures, and parameters of counseling" (Day & Sparacio, 1980, p. 246). Structure helps clarify the counselor–client relationship and give it direction; protect the rights, roles, and obligations of both counselors and clients; and ensure the success of counseling (Brammer, Abrego, & Shostrom, 1993; Day & Sparacio, 1980).

Practical guidelines are part of building structure. They include time limits (such as a 50-minute session), action limits (for the prevention of destructive behavior), role limits (what will be expected of each participant), and procedural limits (in which the client is given the responsibility to work on specific goals or needs) (Brammer & MacDonald, 2003;

Goodyear & Bradley, 1980; Kelly & Stone, 1982). Guidelines also provide information on fee schedules and other important concerns of clients. In general, structure promotes the development of counseling by providing a framework in which the process can take place. "It is therapeutic in and of itself" (Day & Sparacio, 1980, p. 246).

Structure is provided throughout all stages of counseling but is especially important at the beginning. Dorn (1984) states that "clients usually seek counseling because they are in a static behavior state" (p. 342). That is, clients feel stuck and out of control to change behavior. To help clients gain new directions in their lives, counselors provide constructive guidelines. Their decisions on how to establish this structure are based on their theoretical orientation to counseling, the personalities of their clients, and the major problem areas with which they will deal. Too much structure can be just as detrimental as not enough (Patterson & Welfel, 2000). Therefore, counselors need to stay flexible and continually negotiate the nature of the structure with their clients.

The importance of structure is most obvious when clients arrive for counseling with unrealistic expectations (Patterson & Welfel, 2000). Counselors need to move quickly to establish structure at such times. One way is for counselors to provide information about the counseling process and themselves with professional disclosure statements such as the counselor–client contract depicted in Figure 5.1 (Gill, 1982). These statements often define a counselor's philosophy of human nature as well as the purposes, expectations, responsibilities, methods, and ethics of counseling.

Initiative

Initiative can be thought of as the motivation to change. Ritchie (1986) notes that most counselors and counseling theories assume that clients will be cooperative. Indeed, many clients come to counseling on a voluntary or self-referred basis. They experience tension and concern about themselves or others, but they are willing to work hard in counseling sessions. Other clients, however, are more reserved about participating in counseling. Vriend and Dyer (1973) estimate that the majority of clients who visit counselors are reluctant to some degree. When counselors meet clients who seem to lack initiative, they often do not know what to do with them, much less how to go about counseling. Therefore, some counselors are impatient, irritated, and may ultimately give up trying to work with such persons (Doyle, 1998). The result is not only termination of the relationship but also *scapegoating*, blaming a person when the problem was not entirely his or her fault. Many counselors end up blaming themselves or their clients if counseling is not successful (West, 1975). Such recriminations need not occur if counselors understand the dynamics involved in working with difficult clients. Part of this understanding involves assuming the role of an involuntary client and imagining how it would feel to come for counseling. A role-reversal exercise can promote counselor empathy in dealing with reluctant and resistant clients.

A *reluctant client* is one who has been referred by a third party and is frequently "unmotivated to seek help" (Ritchie, 1986, p. 516). Many schoolchildren and court-referred clients are good examples. They do not wish to be in counseling, let alone talk about themselves. Many reluctant clients terminate counseling prematurely and report dissatisfaction with the process (Paradise & Wilder, 1979).

A *resistant client* is a person in counseling who is unwilling, unready, or opposed to change (Otani, 1989; Ritchie, 1986). Such an individual may actively seek counseling but

A COUNSELOR–CLIENT CONTRACT

By Joseph Wittmer, Ph.D., NCC, and Theodore P. Remley, J.D., Ph.D., NCC

The following statement was written by Joe Wittmer, Ph.D., NCC, and Theodore P. Remley, J.D., Ph.D., NCC. Wittmer is Distinguished Service Professor and Department Chair, Department of Counselor Education, at the University of Florida, Gainesville. Remley holds both a law degree and a Ph.D. in Counselor Education. He is chairperson of the Counselor Education Department at the University of New Orleans.

Our profession is becoming more attuned to client rights as well as to counselor accountability. The client–counselor contract given here addresses both of these important issues. Please feel free to change and use the contract as you deem appropriate. However, be aware of the laws in your state, the uniqueness of your own setting, and your own competencies in your use of the contract. NBCC considers this document particularly helpful to those formulating state-mandated disclosure statements used in most licensure states.

INFORMATION AND CONSENT

Qualification/Experience:

I am pleased you have selected me as your counselor. This document is designed to inform you about my background and to ensure that you understand our professional relationship.

I am licensed by (your state) as a Professional Counselor. In addition, I am certified by the National Board for Certified Counselors, a private national counselor certifying agency. My counseling practice is limited to (types of clients, i.e. adolescents, personal, career, marriage, etc.).

Nature of Counseling:

I hold a (your postgraduate degree or degrees relevant to counseling) from (name of institution[s]) and have been a professional counselor since (year of your master's degree in counseling or related field).

I accept only clients who I believe have the capacity to resolve their own problems with my assistance. I believe that as people become more accepting of themselves, they are more capable of finding happiness and contentment in their lives. However, self-awareness and self-acceptance are goals that sometimes take a long time to achieve. Some clients need only a few counseling sessions to achieve these goals, while others may require months or even years of counseling relationship at any point. I will be supportive of that decision. If counseling is successful, you should feel that you are able to face life's challenges in the future without my support or intervention.

Although our sessions may be very intimate emotionally and psychologically, it is important for you to realize that we have a professional relationship rather than a personal one. Our contact will be limited to the paid sessions you have with me. Please do not invite me to social gatherings, offer gifts, or ask me to relate to you in any way other than in the professional context of our counseling sessions. You will be best served if our relationship remains strictly professional and if our sessions concentrate exclusively on your concerns. You will learn a great deal about me as we work together during your counseling experience. However, it is important for you to remember that you are experiencing me only in my professional role.

Referrals:

If at any time for any reason you are dissatisfied with my services, please let me know. If I am not able to resolve your concerns, you may report your complaints to the Board for Professional Counselors in (your state) at (phone number) or the National Board for Certified Counselors in Greensboro, NC, at 336-547-0607.

Fees, Cancellation and Insurance Reimbursement:

In return for a fee of $_____ per individual session, $_____ per couple/family session, and/or $_____ per group session, I agree to provide services for you. The fee for each session will be due and must

Figure 5.1
A counselor–client contract

124

be paid at the conclusion of each session. Cash or personal checks are acceptable for payment. In the event that you will not be able to keep an appointment, you must notify me 24 hours in advance. If I do not receive such advance notice, you will be responsible for paying for the session that you missed.

Some health insurance companies will reimburse clients for my counseling services and some will not. In addition, most will require that I diagnose your mental health condition and indicate that you have an "illness" before they will agree to reimburse you. Some conditions for which people seek counseling do not qualify for reimbursement. If a qualifying diagnosis is appropriate in your case, I will inform you of the diagnosis I plan to render before I submit it to the health insurance company. Any diagnosis made will become part of your permanent insurance records.

If you wish to seek reimbursement for my services from your health insurance company, I will be happy to complete any forms related to your reimbursement provided by you or the insurance company. Because you will be paying me each session for my services, any later reimbursement from the insurance company should be sent directly to you. Please do not assign any payments to me.

Those insurance companies that do reimburse for counselors usually require that a standard amount be paid (a "deductible") by you before reimbursement is allowed, and then usually only a percentage of my fee is reimbursable. You should contact a company representative to determine whether your insurance company will reimburse you and what schedule of reimbursement is used.

Records and Confidentiality:

All of our communication becomes part of the clinical record, which is accessible to you on request. I will keep confidential anything you say to me, with the following exceptions: a) you direct me to tell someone else, b) I determine that you are a danger to yourself or others, or c) I am ordered by a court to disclose information.

By your signature below (please sign both copies, keep one for your files and return the other copy to me), you are indicating that you have read and understood this statement, and/or that any questions you have had about this statement have been answered to your satisfaction.

_____	_____
(Counselor's Name and Signature)	(Client's Name and Signature)
Date: _____	Date: _____

Figure 5.1 *continued*
Source: From "A Counselor-Client Contract," by J. Wittmer and T. P. Remley, 1994, *NBCC News Notes, 2,* pp. 12–13. Reprinted with permission of J. Wittmer and T. P. Remley.

does not wish to go through the emotional pain, change in perspective, or enhanced awareness that counseling demands (Cowan & Presbury, 2000). Instead, the client clings to the certainty of present behavior, even when such action is counterproductive and dysfunctional. Some resistant clients refuse to make decisions, are superficial in dealing with problems, and take any action to resolve a problem (i.e., do anything a counselor says). According to Sack (1988), "the most common form of resistance is the simple statement 'I don't know'" (p. 180). Such a response makes the counselor's next move difficult and protects the client from having to take any action.

Otani (1989) has proposed four broad categories of resistance: "amount of verbalization; content of message; style of communication; and attitude toward counselors and counseling sessions" (p. 459). The 22 forms of resistance included in these categories are shown in Figure 5.2.

Counselors can help clients win the battle for initiative and achieve success in counseling in several ways. One is to anticipate the anger, frustration, and defensiveness that some clients display (Ritchie, 1986). Counselors who realize that a percentage of their clients are reluctant or resistant can work with these individuals because they are not surprised by them or their behaviors.

A second way to deal with a lack of initiative is to show acceptance, patience, and understanding as well as a general nonjudgmental attitude. This stance promotes trust, which is the basis of an interpersonal relationship. Nonjudgmental behavior also helps clients better understand their thoughts and feelings about counseling. Thus, acceptance opens clients up to others, themselves, and the counseling process (Doyle, 1998).

A third way to win the battle for initiative is for counselors to use persuasion (Kerr, Claiborn, & Dixon, 1982; Senour, 1982). All counselors have some influence on clients, and vice versa (Dorn, 1984; Strong, 1982). How a counselor responds to the client, directly or indirectly, can make a significant difference in whether the client takes the initiative in working to produce change. Roloff and Miller (1980) mention two direct persuasion techniques employed in counseling: the *"foot in the door"* and the *"door in the face."* In the first technique, the counselor asks the client to comply with a minor request and then later follows with a larger request. For example, an initial request might be: "Would you keep a journal of your thoughts and feelings for this week" followed the next week by: "I'd like for you to keep a journal of your thoughts and feelings from now on." In the second technique, the counselor asks the client to do a seemingly impossible task and then follows by requesting the client to do a more reasonable task. For instance, the initial request might be: "I'd like for you to talk briefly to 100 people a day between now and our next session" followed, after the client's refusal, by "Since that assignment seems to be more than you are comfortable in handling, I'd like for you to say hello to just three new people each day."

A fourth way a counselor can assist clients in gaining initiative is through *confrontation*. In this procedure the counselor simply points out to the client exactly what the client is doing, such as being inconsistent. The client then takes responsibility for responding to the confrontation. The three primary ways of responding are denying the behavior, accepting all or part of the confrontation as true, or developing a middle position that synthesizes the first two (Young, 1998). Doing something differently or gaining a new perception on a problem can be a beneficial result of confrontation, especially if what has previously been tried has not worked.

Counselors can also use language, especially metaphors, to soften resistance or reluctance. "Metaphors can be used to teach and reduce threat levels by providing stories, by painting images, by offering fresh insights, by challenging rigid thinking, by permitting tolerance for new beliefs, and by overcoming the tension often present between a counselor and the resistant [or reluctant] client" (James & Hazler, 1998, p. 122). For instance, in addressing a client who keeps repeating the same mistake over again, the counselor might say, "What does a fighter do when he gets badly beaten up every time he fights?" (James & Hazler, 1998, p. 127).

Finally, Sack (1988) recommends the use of pragmatic techniques, such as silence (or pause), reflection (or empathy), questioning, describing, assessing, pretending, and shar-

Category A: Response quantity resistance

Definition: The client limits the amount of information to be communicated to the counselor.

Forms
Silence
Minimum talk
Verbosity

Category B: Response content resistance

Definition: The client restricts the type of information to be communicated to the counselor.

Forms
Intellectual talk
Symptom preoccupation
Small talk
Emotional display
Future/past preoccupation
Rhetorical question

Category C: Response style resistance

Definition: The client manipulates the manner of communicating information to the counselor.

Forms
Discounting
Thought censoring/editing
Second-guessing
Seductiveness
Last-minute disclosure
Limit setting
Externalization
Counselor focusing/stroking
Forgetting
False promising

Category D: Logistic management resistance

Definition: The client violates basic rules of counseling.

Forms
Poor appointment keeping
Payment delay/refusal
Personal favor-asking

Figure 5.2
Twenty-two forms of resistance

Source: Reprinted from "Client Resistance in Counseling: Its Theoretical Rationale and Taxonomic Classification," by A. Otani, 1989, *Journal of Classification and Development, 67,* p. 459. © 1989 by ACA. Reprinted with permission. No further reproduction authorized without written permission of the American Counseling Association.

ing the counselor's perspective, as ways to overcome client resistance. These techniques are especially helpful with individuals who respond to counselor initiatives with "I don't know." Depending on one's theoretical orientation, resistance can also be declared officially dead (deShazer, 1984). From such a perspective, change is inevitable and clients are seen as cooperative. The reason change has not occurred is that the counselor has yet to find a way to help stuck clients initiate a sufficient push to escape patterns that have been troubling them.

The Physical Setting

Counseling can occur almost anywhere, but some physical settings promote the process better than others. Benjamin (1987) and Shertzer and Stone (1980) address external conditions involved in counseling. Among the most important factors that help or hurt the process is the place where the counseling occurs. Most counseling occurs in a room, although Benjamin (1987) tells of counseling in a tent. He says that there is no universal quality that a room should have "except [that] it should not be overwhelming, noisy, or distracting" (p. 3). Shertzer and Stone (1980) implicitly agree: "The room should be comfortable and attractive" (p. 252). Erdman and Lampe (1996) believe that certain features of a counseling office will improve its general appearance and probably facilitate counseling by not distracting the client. These features include soft lighting; quiet colors; an absence of clutter; harmonious, comfortable furniture; and diverse cultural artifacts. They go on to recommend that when working with families who have children or with children apart from families, counselors need to have furniture that is child size.

In an extensive review of the research on the physical environment and counseling, Pressly and Heesacker (2001, p. 156) looked at eight common architectual characteristics of space and their potential impact on counseling sessions. The factors they reviewed and their findings are as follows:

1. Accessories (i.e., artwork, objects, plants)—"people prefer textually complex images of natural settings, rather than posters of people, urban life, and abstract compositions;" people feel "more comfortable in offices that are clean and have plants and artwork"
2. Color (i.e., hue, value, intensity)—"bright colors are associated with positive emotions and dark colors are linked with negative emotions"
3. Furniture and room design (i.e., form, line, color, texture, scale)—"clients prefer intermediate distance in counseling and . . . more protective furniture layouts . . . than do counselors"
4. Lighting (i.e., artificial, natural)—"general communication tends to occur in bright environments, whereas more intimate conversation tends to occur in softer light;" "full-spectrum lighting helps to decrease depression symptomalology"
5. Smell (i.e., plants, ambient fragrances, general odors)—"unpleasant smells elicit unhappy memories, whereas pleasant smells trigger happy memories;" "inhaled food and fruit fragrances have resulted in self-reported depressive symptoms"
6. Sound (i.e., loudness, frequency)—"sound may enhance or detract from task performance;" "music may enhance the healing process and affect muscle tone, blood pressure, heart rate, and the experience of pain"
7. Texture (i.e., floors, walls, ceilings, furniture)—"counselors should consider using soft, textured surfaces to absorb sound and to increase clients' feelings of privacy"

8. Thermal conditions (i.e., temperature, relative humidity, air velocity)—"most individuals feel comfortable in temperatures ranging from 69 to 80 degrees F and 30% to 60% relative humidity"

The distance between counselor and client (the spatial features of the environment, or *proxemics*) can also affect the counseling relationship and have been studied. Individuals differ about the level of comfort experienced in interactions with others. Among other things, comfort level is influenced by cultural background, gender, and the nature of the relationship (Shertzer & Stone, 1980; Sielski, 1979). A distance of 30 to 39 inches has been found to be the average range of comfort between counselors and clients of both genders in the United States (Haase, 1970). This optimum distance may vary because of room size and furniture arrangement (Haase & DiMattia, 1976).

How the furniture is arranged depends on the counselor. Some counselors prefer to sit behind a desk during sessions, but most do not. The reason desks are generally eschewed by counselors is that a desk can be a physical and symbolic barrier against the development of a close relationship. Benjamin (1987) suggests that counselors include two chairs and a nearby table in the setting. The chairs should be set at a 90-degree angle from one another so that clients can look either at their counselors or straight ahead. The table can be used for many purposes, such as a place to keep a box of tissues. Benjamin's ideas are strictly his own; each counselor must find a physical arrangement that is comfortable for him or her.

Regardless of the arrangement within the room, counselors should not be interrupted when conducting sessions. All phone calls should be held. If necessary, counselors should put "do not disturb" signs on the door to keep others from entering. Auditory and visual privacy are mandated by professional codes of ethics and assure maximum client self-disclosure.

Client Qualities

Counseling relationships start with first impressions. The way that counselor and client perceive one another is vital to the establishment of a productive relationship. Warnath (1977) points out that "clients come in all shapes and sizes, personality characteristics, and degrees of attractiveness" (p. 85). Some clients are more likely to be successful in counseling than others. The most successful candidates for traditional approaches tend to be YAVIS: young, attractive, verbal, intelligent, and successful (Schofield, 1964). Less successful candidates are seen as HOUNDs (homely, old, unintelligent, nonverbal, and disadvantaged) or DUDs (dumb, unintelligent, and disadvantaged) (Allen, 1977). These acronyms are cruel (Lichtenberg, 1986), but counselors are influenced by the appearance and sophistication of the people with whom they work. According to Brown (1970), counselors most enjoy working with clients who they think have the potential to change.

Ponzo (1985) notes that a number of stereotypes have been built around the physical attractiveness of individuals and these stereotypes generalize to clients. The physically attractive are perceived as healthiest and are responded to more positively than others. Goldstein (1973), for instance, found that clients who were seen by their counselors as most attractive talked more and were more spontaneous when compared with other clients. Most likely counselors were more encouraging to and engaged with the attractive clients. Therefore, aging clients and those with physical disabilities may face invisible but powerful barriers in certain counseling situations. Ponzo (1985) suggests that counselors become aware of the importance of physical attractiveness in their own lives and monitor their behavioral reactions when working with attractive clients. Otherwise, stereotypes and unfounded assumptions may "lead to self-fulfilling prophecies" (p. 485).

The nonverbal behaviors of clients are also very important. Clients constantly send counselors unspoken messages about how they think or feel. Mehrabian (1971) and his associates found that expressed like and dislike between individuals could be explained as follows:

> Total liking equals 7% verbal liking plus 38% vocal liking plus 55% facial liking. The impact of facial expression is greatest, then the impact of the tone of voice (or vocal expression), and finally that of the words. If the facial expression is inconsistent with the words, the degree of liking conveyed by the facial expression will dominate and determine the impact of the total message. (p. 43)

Thus, a client who reports that all is going well but who looks down at the ground and frowns while doing so is probably indicating just the opposite. A counselor must consider a client's body gestures, eye contact, facial expression, and vocal quality to be as important as verbal communication in a counseling relationship. It is also crucial to consider the cultural background of the person whose body language is being evaluated and interpret nonverbal messages cautiously (Gazda, Asbury, Balzer, Childers, & Phelps, 1998; Sielski, 1979).

Counselor Qualities

The personal and professional qualities of counselors are very important in facilitating any helping relationship. Okun (2002) notes that it is hard to separate the helper's personality characteristics from his or her levels and styles of functioning, as both are interrelated. She then lists five important characteristics that helpers should possess: self-awareness, honesty, congruence, ability to communicate, and knowledge.

Counselors who continually develop their self-awareness skills are in touch with their values, thoughts, and feelings. They are likely to have a clear perception of their own and their clients' needs and accurately assess both. Such awareness can help them be honest with themselves and others. They are able to be more congruent and build trust simultaneously. Counselors who possess this type of knowledge are more likely to communicate clearly and accurately.

Three other characteristics that make counselors initially more influential are perceived expertness, attractiveness, and trustworthiness (Strong, 1968). *Expertness* is the degree to which a counselor is perceived as knowledgeable and informed about his or her specialty. Counselors who display evidential cues in their offices, such as certificates and diplomas, are usually perceived as more credible than those who do not and, as a result, are likely to be effective (Loesch, 1984; Siegal & Sell, 1978). Clients want to work with counselors who appear to know the profession well.

Attractiveness is a function of perceived similarity between a client and counselor as well as physical features. Counselors can make themselves attractive by speaking in clear, simple, jargon-free sentences and offering appropriate self-disclosure (Watkins & Schneider, 1989). The manner in which a counselor greets the client and maintains eye contact can also increase the attractiveness rating. Counselors who use nonverbal cues in responding to clients, such as head nodding and eye contact, are seen as more attractive than those who do not (Claiborn, 1979; LaCross, 1975). The attire of the counselor also makes a difference (Hubble & Gelso, 1978). Clothes should be clean, neat, and professional looking but not call attention to themselves. Physical features make a difference, too, in that under controlled conditions, research suggests individuals are more willing to self-disclose to an attractive counselor than to an unattractive one (Harris & Busby, 1998).

Trustworthiness is related to the sincerity and consistency of the counselor. The counselor is genuinely concerned about the client and shows it over time by establishing a close relationship. "There is and can be no such thing as instant intimacy" or trustworthiness (Patterson, 1985, p. 124). Rather, both are generated through patterns of behavior that demonstrate care and concern. Most clients are neither completely distrusting nor given to blind trust. But, as Fong and Cox (1983) note, many clients test the trustworthiness of the counselor by requesting information, telling a secret, asking a favor, inconveniencing the counselor, deprecating themselves, or questioning the motives and dedication of the counselor. It is essential, therefore, that the counselor respond to the question of trust rather than the verbal content of the client in order to facilitate the counseling relationship.

Many beginning counselors make the mistake of dealing with surface issues instead of real concerns. For example, if a client asks a counselor, "Can I tell you anything?" a novice counselor might respond, "What do you mean by anything?" An experienced counselor might say, "It sounds as if you are uncertain about whether you can really trust me and this relationship. Tell me more." Trust with children, like adults, is built by listening first and allowing children the freedom to express themselves openly on a verbal or nonverbal level before the counselor responds (Erdman & Lampe, 1996).

TYPES OF INITIAL INTERVIEWS

The counseling process begins with the initial session. Levine (1983) points out that authorities in the profession have observed that "the goals of counseling change over time and change according to the intimacy and effectiveness of the counseling relationship" (p. 431). How much change happens or whether there is a second session is usually determined by the results of the first session.

In the first session, both counselors and clients work to decide whether they want to or can continue the relationship. Counselors should quickly assess whether they are capable of handling and managing clients' problems through being honest, open, and appropriately confrontive (Okun, 2002). However, clients must ask themselves whether they feel comfortable with and trust the counselor before they can enter the relationship wholeheartedly.

Client- versus Counselor-Initiated Interviews

Benjamin (1987) distinguishes between two types of first interviews: those initiated by clients and those initiated by counselors. When the initial interview is requested by a client, the counselor is often unsure of the client's purpose. This uncertainty may create anxiety in the counselor, especially if background information is not gathered before the session. Benjamin (1987) recommends that counselors work to overcome these feelings by listening as hard as possible to what clients have to say. In such situations, as with counseling in general, listening "requires a submersion of the self and immersion in the other" (Nichols, 1998, p. 1). There is no formula for beginning the session. The helping interview is as much an art as a science, and every counselor must work out a style based on experience, stimulation, and reflection. The counselor is probably prudent not to inquire initially about any problem the client may have because the client may not have a problem in the traditional sense of the word and may just be seeking information.

When the first session is requested by the counselor, Benjamin (1987) believes that the counselor should immediately state his or her reason for wanting to see the client. In the case of a school counselor, for instance, a session might be requested so that the counselor can introduce him- or herself to the client. If the counselor does not immediately give a reason for requesting the session, the client is kept guessing and tension is created.

Patterson and Welfel (2000) think that all clients enter counseling with some anxiety and resistance regardless of prior preparation. Benjamin (1987) hypothesizes that most counselors are also a bit frightened and uncertain when conducting a first interview. Uncertain feelings in both clients and counselors may result in behaviors such as seduction or aggression (Watkins, 1983). Counselors can prevent such occurrences by exchanging information with clients. Manthei (1983) advocates that counselors' presentations about themselves and their functioning be *multimodal:* visual, auditory, written, spoken, and descriptive. Although such presentations may be difficult, they pay off by creating good counselor–client relationships. Overall, early exchanges of information increase the likelihood that clients and counselors will make meaningful choices and participate more fully in the counseling process.

Information-Oriented First Interview

Cormier and Hackney (1999) point out that the initial counseling interview can fulfill two functions: (a) it can be an intake interview to collect needed information about the client, or (b) it can signal the beginning of a relationship. Either type of interview is appropriate, and certain tasks are common to both, though the skills emphasized in each differ.

If the purpose of the first interview is to gather information, the structure of the session will be counselor focused: the counselor wants the client to talk about certain subjects. The counselor will respond to the client predominantly through the use of probes, accents, closed questions, and requests for clarification (Cormier & Hackney, 1999). These responses are aimed at eliciting facts.

The *probe* is a question that usually begins with who, what, where, or how. It requires more than a one- or two-word response: for example, "What do you plan to do about getting a job?" Few probes ever begin with the word *why,* which usually connotes disapproval, places a client on the defensive (e.g., "Why are you doing that?"), and is often unanswerable (Benjamin, 1987).

An *accent* is highlighting the last few words of the client. For example:

> CLIENT: The situation I'm in now is driving me crazy!
> COUNSELOR: Driving you crazy?

A *closed question* is one that requires a specific and limited response, such as yes or no. It often begins with the word *is, do,* or *are* (Galvin & Ivey, 1981):

> COUNSELOR: Do you enjoy meeting other people?
> CLIENT: Yes.

The closed question is quite effective in eliciting a good deal of information in a short period of time. But it does not encourage elaboration that might also be helpful.

In contrast to the closed question is the *open question,* which typically begins with *what, how,* or *could* and allows the client more latitude to respond. Examples are "How does this affect you?" "Could you give me more information?" and "Tell me more about it." The major difference between a closed and open question "is whether or not the question encourages more client talk" (Galvin & Ivey, 1981, p. 539). It is the difference between a multiple-choice inquiry that checks the facts and an essay in which a deeper level of understanding and explanation is encouraged (Young, 1998).

Finally, a *request for clarification* is a response the counselor uses to be sure he or she understands what the client is saying. These requests require the client to repeat or elaborate on material just covered. For example, a counselor might say, "Please help me understand this relationship" or "I don't see the connection here."

Counselors wish to obtain several facts in an information-oriented first interview. They often assume this information may be used as a part of a psychological, vocational, or psychosocial assessment. Counselors employed by medical, mental health, correctional, rehabilitation, and social agencies are particularly likely to conduct these types of interviews. Cormier and Hackney (1999) outline some of the data counselors gather in these initial sessions (see Figure 5.3).

Relationship-Oriented First Interview

Interviews that focus on feelings or relationship dynamics differ markedly from information-oriented first sessions. They concentrate more on the client's attitudes and emotions. Common counselor responses include restatement, reflection of feeling, summary of feelings, request for clarification, and acknowledgment of nonverbal behavior (Cormier & Hackney, 1999).

A *restatement* is a simple mirror response to a client that lets the client know the counselor is actively listening. Used alone, it is relatively sterile and ineffective:

> CLIENT: I'm not sure if I'll ever find a suitable mate. My job keeps me on the road and isolated.
>
> COUNSELOR: You don't know if you will ever find a spouse because of the nature of your job.

Reflection of feeling is similar to a restatement, but it deals with verbal and nonverbal expression. Reflections may be on several levels; some convey more empathy than others. An example is this counselor response to a client who is silently sobbing over the loss of a parent: "You're still really feeling the pain."

Summary of feelings is the act of paraphrasing a number of feelings that the client has conveyed. For example, a counselor might say to a client, "John, if I understand you correctly, you are feeling depressed over the death of your father and discouraged that your friends have not helped you work through your grief. In addition, you feel your work is boring and that your wife is emotionally distant from you."

Acknowledgment of nonverbal behavior differs from the previous examples. For instance, acknowledgment comes when the counselor says to a client, "I notice that your arms are folded across your chest and you're looking at the floor." This type of response does not interpret the meaning of the behavior.

I. **Identifying data**
   A. Client's name, address, telephone number through which client can be reached. This information is important in the event the counselor needs to contact the client between sessions. The client's address also gives some hint about the conditions under which the client lives (e.g., large apartment complex, student dormitory, private home, etc.).
   B. Age, sex, marital status, occupation (or school class and year). Again, this is information that can be important. It lets you know when the client is still legally a minor and provides a basis for understanding information that will come out in later sessions.

II. **Presenting problems, both primary and secondary**
   It is best when these are presented in exactly the way the client reported them. If the problem has behavioral components, these should be recorded as well. Questions that help reveal this type of information include
   A. How much does the problem interfere with the client's everyday functioning?
   B. How does the problem manifest itself? What are the thoughts, feelings, and so on that are associated with it? What observable behavior is associated with it?
   C. How often does the problem arise? How long has the problem existed?
   D. Can the client identify a pattern of events that surround the problem? When does it occur? With whom? What happens before and after its occurrence?
   E. What caused the client to decide to enter counseling at this time?

III. **Client's current life setting**
   How does the client spend a typical day or week? What social and religious activities, recreational activities, and so on are present? What is the nature of the client's vocational and/or educational situation?

IV. **Family history**
   A. Father's and mother's ages, occupations, descriptions of their personalities, relationships of each to the other and each to the client and other siblings.
   B. Names, ages, and order of brothers and sisters; relationship between client and siblings.
   C. Is there any history of mental disturbance in the family?
   D. Descriptions of family stability, including number of jobs held, number of family moves, and so on. (This information provides insights in later sessions when issues related to client stability and/or relationships emerge.)

V. **Personal history**
   A. Medical history: any unusual or relevant illness or injury from prenatal period to present.
   B. Educational history: academic progress through grade school, high school, and post-high school. This includes extracurricular interests and relationships with peers.
   C. Military service record.
   D. Vocational history: Where has the client worked, at what types of jobs, for what duration, and what were the relationships with fellow workers?

Figure 5.3
An information-oriented first interview

E. Sexual and marital history: Where did the client receive sexual information? What was the client's dating history? Any engagements and/or marriages? Other serious emotional involvements prior to the present? Reasons that previous relationships terminated? What was the courtship like with present spouse? What were the reasons (spouse's characteristics, personal thoughts) that led to marriage? What has been the relationship with spouse since marriage? Are there any children?

F. What experience has the client had with counseling, and what were the client's reactions?

G. What are the client's personal goals in life?

VI. Description of the client during the interview

Here you might want to indicate the client's physical appearance, including dress, posture, gestures, facial expressions, voice quality, tensions; how the client seemed to relate to you in the session; client's readiness of response, motivation, warmth, distance, passivity, etc. Did there appear to be any perceptual or sensory functions that intruded upon the interaction? (Document with your observations.) What was the general level of information, vocabulary, judgment, and abstraction abilities displayed by the client? What was the stream of thought, regularity, and rate of talking? Were the client's remarks logical? Connected to one another?

VII. Summary and recommendations

In this section you will want to acknowledge any connections that appear to exist between the client's statement of a problem and other information collected in this session. What type of counselor do you think would best fit this client? If you are to be this client's counselor, which of your characteristics might be particularly helpful? Which might be particularly unhelpful? How realistic are the client's goals for counseling? How long do you think counseling might continue?

Figure 5.3 *continued*
Source: From *Counseling Strategies and Interventions* (pp. 66–68), by L. S. Cormier and H. Hackney, Boston: Allyn & Bacon, 1999. All rights reserved. Reprinted by permission of Allyn & Bacon.

CONDUCTING THE INITIAL INTERVIEW

There is no one place to begin an initial interview, but experts recommend that counselors start by trying to make their clients feel comfortable (Cormier & Hackney, 1999). Counselors should set aside their own agendas and focus on the person of the client, including listening to the client's story and presenting issues (Myers, 2000; Wilcox-Matthew, Ottens, & Minor, 1997). This type of behavior, in which there is a genuine interest in and accepting of a client, is known as *rapport.*

Ivey and Ivey (1999) state that the two most important microskills for rapport building are basic attending behavior and client-observation skills. A counselor needs to tune in to what the client is thinking and feeling and how he or she is behaving. In this process, "counselor sensitivity to client-generated metaphors may help to convey understanding of the client's unique way of knowing and at the same time contribute to the development of a shared language and collaborative bond between the client and counselor" (Lyddon, Clay, & Sparks, 2001, p. 270). For instance, a client may describe herself as being treated by others as "yesterday's leftovers." This metaphor gives both the client and couselor information about the thinking and behavior going on in the client as she seeks to be seen "as the blue plate special." Regardless, establishing and maintaining rapport is vital for the disclosure of information, the initiation of change, and the ultimate success of counseling.

Inviting clients to focus on reasons for seeking help is one way in which counselors may initiate rapport. Such noncoercive invitations to talk are called *door openers* and contrast with judgmental or evaluative responses known as *door closers* (Bolton, 1979). Appropriate door openers include inquiries and observations such as "What brings you to see me?" "What would you like to talk about?" and "You look like you are in a lot of pain. Tell me about it." These unstructured, open-ended invitations allow clients to take the initiative (Cormier & Hackney, 1999; Young, 1998). In such situations, clients are most likely to talk about priority topics.

The amount of talking that clients engage in and the insight and benefits derived from the initial interview can be enhanced by the counselor who appropriately conveys empathy, encouragement, support, caring, attentiveness, acceptance, and genuineness. Of all of these qualities, empathy is the most important.

Empathy

Rogers (1961) describes *empathy* as the counselor's ability to "enter the client's phenomenal world, to experience the client's world as if it were your own without ever losing the 'as if' quality" (p. 284). Empathy involves two specific skills: perception and communication (Patterson & Welfel, 2000).

An effective counselor perceives the cultural frame of reference from which his or her client operates, including the client's perceptual and cognitive process (Weinrach, 1987). This type of sensitivity, if it bridges the cultural gap between the counselor and client, is known as *culturally sensitive empathy* and is a quality counselors may cultivate (Chung & Bemak, 2002). Nevertheless, a counselor who can accurately perceive what it is like to be the client but cannot communicate that experience is a limited helper. Such a counselor may be aware of client dynamics, but no one, including the client, knows of the counselor's awareness. The ability to communicate clearly plays a vital role in any counseling relationship (Okun, 2002).

In the initial interview, counselors must be able to convey primary empathy (Patterson & Welfel, 2000). *Primary empathy* is the ability to respond in such a way that it is apparent to both client and counselor that the counselor has understood the client's major themes. Primary empathy is conveyed through nonverbal communication and various verbal responses. For example, the counselor, leaning forward and speaking in a soft, understanding voice, may say to the client, "I hear that your life has been defined by a series of serious losses." *Advanced empathy* (discussed further in Chapter 6) is a process of helping a client explore themes, issues, and emotions new to his or her awareness (Patterson & Welfel, 2000). This second level of empathy is usually inappropriate for an initial interview because it examines too much material too quickly. Clients must be developmentally ready for counseling to be beneficial.

Verbal and Nonverbal Behavior

Whatever its form, empathy may be fostered by *attentiveness* (the amount of verbal and nonverbal behavior shown to the client). Verbal behaviors include communications that show a desire to comprehend or discuss what is important to the client (Cormier & Cormier, 1998). These behaviors (which include probing, requesting clarification, restating, and summarizing feelings) indicate that the counselor is focusing on the person of the client. Equally important are the counselor's nonverbal behaviors. According to Mehrabian (1970), physically attending behaviors such as smiling, leaning forward, making eye contact, gesturing, and nodding one's head are effective nonverbal ways of conveying to clients that the counselor is interested in and open to them.

Egan (2002) summarizes five nonverbal skills involved in initial attending. They are best remembered in the acronym SOLER. The *S* is a reminder to face the client *squarely,* which can be understood literally or metaphorically depending on the situation. The important thing is that the counselor shows involvement and interest in the client. The *O* is a reminder to adopt an *open* posture, free from crossed arms and legs and showing nondefensiveness. The *L* reminds the counselor to *lean* toward the client. However, leaning too far forward and being too close may be frightening, while leaning too far away indicates disinterest. The counselor needs to find a middle distance that is comfortable for both parties. The *E* represents *eye* contact. Good eye contact with most clients is a sign that the counselor is attuned to the client. For other clients, less eye contact (or even no eye contact) is appropriate. The *R* is a reminder to the counselor to *relax.* A counselor needs to be comfortable.

Okun (2002) lists supportive verbal and nonverbal behavioral aids that counselors often display throughout counseling (see Table 5.1).

One of the last nonverbal behaviors on Okun's list, occasional touching, is politically sensitive and somewhat controversial. Although Willison and Masson (1986) (in agreement with Okun) point out that human touch may be therapeutic in counseling, Alyn (1988) emphasizes that "the wide range of individual motivations for, interpretations of, and responses to touch make it an extremely unclear and possibly a dangerous means of communication in therapy" (p. 433). As a general counseling principle, Young (1998) suggests that touch should be appropriately employed, applied briefly and sparingly, and used to

Table 5.1 Helpful behaviors

Verbal	Nonverbal
Uses understandable words	Tone of voice similar to helpee's
Reflects back and clarifies helpee's statements	Maintains good eye contact
Appropriately interprets	Occasional head nodding
Summarizes for helpee	Facial animation
Responds to primary message	Occasional smiling
Uses verbal reinforcers (for example, "Mm-mm," "I see," "Yes")	Occasional hand gesturing
Calls helpee by first name or "you"	Close physical proximity to helpee
Appropriately gives information	Moderate rate of speech
Answers questions about self	Body leans toward helpee
Uses humor occasionally to reduce tension	Relaxed, open posture
Is nonjudgmental and respectful	Confident vocal tone
Adds greater understanding to helpee's statement	Occasional touching
Phrases interpretations tentatively so as to elicit genuine feedback from helpee	

Source: From *Effective Helping: Interviewing and Counseling Techniques* (p. 24) by Barbara F. Okun. Copyright © by Brooks/Cole Publishing Company. Reprinted by permission of Wadsworth Publishing Company.

communicate concern. Applying the "Touch Test," which simply asks, "Would you do this with a stranger?" is one way to implement Young's suggestions (Del Prete, 1998, p. 63). Thus, counselors who use touch in their work should do so cautiously and with the understanding that what they are doing can have adverse effects. This same critical scrutiny is suggested when using any verbal or nonverbal technique.

Nonhelpful Interview Behavior

When building a relationship, counselors must also realize what they should *not* do. Otherwise, nonhelpful behaviors may be included in their counseling repertoire. Patterson and Welfel (2000) list four major actions that usually block counselor–client communication and should be generally avoided: advice giving, lecturing, excessive questioning, and storytelling by the counselor.

Advice giving is the most controversial of these four behaviors. Knowles (1979) found that 70% to 90% of all responses from volunteer helpers on a crisis line consisted of giving advice. When a counselor gives advice, especially in the first session, it may in effect deny a client the chance to work through personal thoughts and feelings about a subject and ultimately curtail his or her ability to make difficult decisions. A response meant to be helpful ends up being hurtful by disempowering the client. For example, if a client is advised to break off a relationship he or she is ambivalent about, the client is denied the opportunity to become aware and work through the thoughts and feelings that initially led to the ambivalence.

Sack (1985) suggests that advice giving need not always be destructive. He notes that there are emergency situations (as in crisis counseling) when, for the client's immediate welfare and safety, some direct action must be taken, which includes giving advice. He cautions counselors, however, to listen carefully to make sure the client is really asking for advice or simply being reflective through self-questions. There is a big difference between "What should I do?" and "I wonder what I should do." In addition, Sack advocates the responses developed by Carkhuff (1969) as ways in which counselors can answer direct requests for advice. In this model, counselors respond using one of seven approaches: respect, empathy, genuineness, concreteness, self-disclosure, confrontation, and immediacy. Sack (1985) concludes that counselors must examine their roles in counseling to "free themselves of the limitations and pitfalls of giving advice and move toward employing a variety of responses that can more appropriately address their clients' needs" (p. 131).

Lecturing, or preaching, is really a disguised form of advice giving (Patterson & Welfel, 2000). It sets up a power struggle between the counselor and client that neither individual can win. For example, if a sexually active girl is told "Don't get involved with boys anymore," she may do just the opposite to assert her independence. In such a case, both the counselor and client fail in their desire to change behaviors. Counselors are probably lecturing when they say more than three consecutive sentences in a row to their clients. Instead of lecturing, counselors can be effective by following the client's lead (Evans, Hearn, Uhlemann, & Ivey, 1998).

Excessive questioning is a common mistake of many counselors. Verbal interaction with clients needs to include statements, observations, and encouragers as well as questions. When excessive questioning is used, the client feels as though he or she is being interrogated rather than counseled. The client has little chance to take the initiative and may become guarded. Children may especially respond in this way or make a game out of answering a question, waiting for the next one, answering it, waiting, and so on (Erdman & Lampe, 1996). Counseling relationships are more productive when counselors avoid asking more than two questions in a row and keep their questions open rather than closed.

Storytelling by the counselor is the final nonhelpful behavior. There *are* a few prominent professionals who can use stories to benefit clients. Milton Erickson, a legendary pioneer in family counseling, was one. His stories were always metaphorically tailored to his clients' situations. They were beneficial because they directed clients to think about their own situations in light of the stories he told. Most counselors, however, should stay away from storytelling because the story usually focuses attention on the counselor instead of the client and distracts from problem solving.

Okun (2002) lists other nonhelpful verbal and nonverbal behaviors (see Table 5.2). Some of these behaviors, such as yawning, clearly show the counselor's disinterest. Others, such as advice giving, appear to be helpful only at select times (for example, when the client is interested or there is a crisis). As you examine this list, think of when you last experienced the behaviors it mentions.

Table 5.2 Nonhelpful behaviors

Verbal	Nonverbal
Interrupting	Looking away from helpee
Advice giving	Sitting far away or turned away from helpee
Preaching	Sneering
Placating	Frowning
Blaming	Scowling
Cajoling	Tight mouth
Exhorting	Shaking pointed finger
Extensive probing and questioning, especially "why" questions	Distracting gestures
Directing, demanding	Yawning
Patronizing attitude	Closing eyes
Overinterpretation	Unpleasant tone of voice
Using words or jargon helpee doesn't understand	Rate of speech too slow or too fast
Straying from topic	Acting rushed
Intellectualizing	
Overanalyzing	
Talking about self too much	
Minimizing or disbelieving	

Source: From *Effective Helping: Interviewing and Counseling Techniques* (p. 25) by Barbara F. Okun. Copyright © by Brooks/Cole Publishing Company. Reprinted by permission of Wadsworth Publishing Company.

EXPLORATION AND THE IDENTIFICATION OF GOALS

In the final part of building a counseling relationship, the counselor helps the client explore specific areas and begin to identify goals that the client wants to achieve. Hill (1975) emphasizes that establishing goals is crucial in providing direction. Egan (2002) observes that exploring and ultimately identifying goals often occur when a client is given the opportunity to talk about situations, or to tell personal stories. The counselor reinforces the client's focus on self by providing structure, actively listening (hearing both content and feelings), and helping identify and clarify goals.

Rule (1982) states that goals "are the energizing fabric of daily living" but are often elusive (p. 195). He describes some goals as unfocused, unrealistic, and uncoordinated. *Unfocused goals* are not identified, too broad, or not prioritized. Sometimes counselors and clients may leave unfocused goals alone because the time and expense of chasing them is not as productive as changing unwanted behaviors. In most cases, however, it is helpful to identify a client's goals, put them into a workable form, and decide which goals to pursue first.

Unrealistic goals, as defined by either counselor or client, include happiness, perfection, progress, being number one, and self-actualization. They have merit but are not easily obtained or sustained. For example, the client who has worked hard and is happy about being promoted will soon have to settle into the duties of the new job and the reality of future job progress. Unrealistic goals may best be dealt with by putting them into the context of broader life goals. Then the counselor may encourage the client to devise exploratory and homework strategies for dealing with them.

Uncoordinated goals, according to Rule (1982), are generally divided "into two groups: those probably really uncoordinated and those seemingly uncoordinated" (p. 196). In the first group are goals that may be incompatible with one another or with the personality of the client. A person who seeks counseling but really does not wish to work on changing exemplifies an individual with incompatible goals. These clients are often labeled resistant. Into the second group, Rule places the goals of clients who appear to have uncoordinated goals but really do not. These individuals may be afraid to take personal responsibility and engage any helper in a "yes, but . . ." dialogue.

Dyer and Vriend (1977) emphasize seven specific criteria for judging effective goals in counseling:

1. *Goals are mutually agreed on by client and counselor.* Without mutuality neither party will invest much energy in working on the goals.
2. *Goals are specific.* If goals are too broad, they will never be met.
3. *Goals are relevant to self-defeating behavior.* There are many possible goals for clients to work on, but only those that are relevant to changing self-defeating action should be pursued.
4. *Goals are achievement and success oriented.* Counseling goals need to be realistic and have both intrinsic and extrinsic payoffs for clients.
5. *Goals are quantifiable and measurable.* It is important that both client and counselor know when goals are achieved. When goals are defined quantitatively, achievement is most easily recognized.

6. *Goals are behavioral and observable.* This criterion relates to the previous one: an effective goal is one that can be seen when achieved.

7. *Goals are understandable and can be restated clearly.* It is vital that client and counselor communicate clearly about goals. One way to assess how well this process is achieved is through restating goals in one's own words.

Egan (2002) cautions that in the exploratory and goal-setting stage of counseling, several problems may inhibit the building of a solid client-counselor relationship. The most notable include moving too fast, moving too slow, fear of intensity, client rambling, and excessive time and energy devoted to probing the past. Counselors who are forewarned about such potential problems are in a much better position to address them effectively. It is vital that counselors work with clients to build a mutually satisfying relationship from the start. When this process occurs, a more active working stage of counseling begins.

SUMMARY AND CONCLUSION

Building a relationship, the first stage in counseling, is a continuous process. It begins by having the counselor win the battle for structure and the client win the battle for initiative. In such situations, both parties are winners. The client wins by becoming more informed about the nature of counseling and learning what to expect. The counselor wins by creating an atmosphere in which the client is comfortable about sharing thoughts and feelings.

Counseling may occur in any setting, but some circumstances are more likely than others to promote its development. Counselors need to be aware of the physical setting in which the counseling takes place. Clients may adjust to any room, but certain qualities about an environment, such as the seating arrangement, make counseling more conducive. Other less apparent qualities also affect the building of a relationship. For example, the perception that clients and counselors have about one another is important. Attractive clients who are young, verbal, intelligent, and social may be treated in a more positive way than clients who are older, less intelligent, and seemingly unmotivated.

Clients are likely to work best with counselors they perceive as trustworthy, attractive, and knowledgeable.

Regardless of the external circumstances and the initial perceptions, a counselor who attends to the verbal and nonverbal expressions of a client is more likely to establish rapport. The counselor's conveying of empathy and the use of other helpful microskills, such as restatement and reflection that cut across counseling theory, may further enhance the relationship. When counselors are attuned to their own values and feelings, they are able to become even more effective. The initial counseling interview can be counselor or client initiated and can center on the gathering of information or on relationship dynamics. In any situation, it is vital for the counselor to explore with the client the reasons for the possibilities of counseling. Such disclosures can encourage clients to define goals and facilitate the setting of a mutually agreed-upon agenda in counseling. When this step is accomplished, the work of reaching goals begins.

CLASSROOM ACTIVITIES

1. Imagine that you are about to conduct your first counseling session in an environment of your own choosing. How would you furnish this setting, and how would you spend your first 10 minutes with an ideal client? Make notes and drawings of this experience and share it with another class member.

2. What type of people most appeal to you? With what kind of individuals do you have the most difficulty? In groups of three, role-play a 15-minute session with an imagined difficult client. Notice your verbal and non-verbal behaviors. Give your client and observer feedback on what you noticed about yourself, and then listen to their feedback on what they observed.

3. What are some things that you can do to make yourself more attractive (likable) to your client? Share your list with fellow class-mates in an open discussion. Does your combined list of behaviors differ from Okun's list? How? Which items do you consider most crucial in becoming an effective counselor?

4. In groups of four, discuss strategies you could employ to help an unrealistic client become realistic about counseling. In your discussion, have each member of the group play a different type of unrealistic client. Notice how your responses differ in particular situations.

5. What are your feelings about being a counselor now that you have some idea about what the initial process is like? Discuss your feelings and the thoughts behind them with other members of the class. Do those feelings and thoughts differ substantially from what they were at the beginning of the course? How?

REFERENCES

Allen, G. (1977). *Understanding psychotherapy: Comparative perspectives*. Champaign, IL: Research Press.

Alyn, J. H. (1988). The politics of touch in therapy: A response to Willison and Masson. *Journal of Counseling and Development, 66,* 432–433.

Benjamin, A. (1987). *The helping interview* (4th ed.). Boston: Houghton Mifflin.

Bolton, R. (1979). *People skills: How to assert yourself, listen to others, and resolve conflicts*. Upper Saddle River, NJ: Prentice Hall.

Brammer, L. M., Abrego, P., & Shostrom, E. (1993). *Therapeutic counseling and psychotherapy* (6th ed.). Upper Saddle River, NJ: Merrill/Prentice Hall.

Brammer, L. M., & MacDonald, G. (2003). *The helping relationship* (8th ed.). Boston: Allyn & Bacon.

Brown, R. D. (1970). Experienced and inexperienced counselors' first impressions of clients and case outcomes: Are first impressions lasting? *Journal of Counseling Psychology, 17,* 550–558.

Carkhuff, R. R. (1969). *Helping and human relations*. New York: Holt, Rinehart, & Winston.

Carkhuff, R. R. (1993). *The art of helping* (7th ed.). Amherst, MA: HRD Press.

Chung, R., C-Y., & Bemak, F. (2002). The relationship of culture and empathy in cross-cultural counseling. *Journal of Counseling and Development, 80,* 154–159.

Claiborn, C. D. (1979). Counselor verbal intervention, non-verbal behavior and social power. *Journal of Counseling Psychology, 26,* 378–383.

Cormier, L. S., & Hackney, H. (1999). *Counseling strategies and interventions* (5th ed.). Boston: Allyn & Bacon.

Cormier, W. H., & Cormier, L. S. (1998). *Interviewing strategies for helpers* (4th ed.). Pacific Grove, CA: Brooks/Cole.

Cowan, E. W., & Presbury, J. H. (2000). Meeting client resistance and reactance with reverence. *Journal of Counseling and Development, 78,* 411–419.

Day, R. W., & Sparacio, R. T. (1980). Structuring the counseling process. *Personnel and Guidance Journal, 59,* 246–249.

Del Prete, T. (1998). Getting back in touch with students: Should we risk it? *Professional School Counseling, 1*(4), 62–65.

deShazer, S. (1984). The death of resistance. *Family Process, 23,* 11–17.

Dorn, F. J. (1984). The social influence model: A social psychological approach to counseling. *Personnel and Guidance Journal, 62,* 342–345.

Doyle, R. E. (1998). *Essential skills & strategies in the helping process* (2nd ed.). Pacific Grove, CA: Brooks/Cole.

Dyer, W. W., & Vriend, J. (1977). A goal-setting checklist for counselors. *Personnel and Guidance Journal, 55,* 469–471.

Egan, G. (2002). *The skilled helper* (7th ed.). Pacific Grove, CA: Brooks/Cole.

Erdman, P., & Lampe, R. (1996). Adapting basic skills to counsel children. *Journal of Counseling and Development, 74,* 374–377.

Evans, D. R., Hearn, M. T., Uhlemann, M. R., & Ivey, A. E. (1998). *Essential interviewing* (5th ed.). Pacific Grove, CA: Brooks/Cole.

Fong, M. L., & Cox, B. G. (1983). Trust as an underlying dynamic in the counseling process: How clients test trust. *Personnel and Guidance Journal, 62,* 163–166.

Galvin, M., & Ivey, A. E. (1981). Researching one's own interviewing style: Does your theory of choice match your actual practice? *Personnel and Guidance Journal, 59,* 536–542.

Gazda, G. M., Asbury, F. R., Balzer, F. J., Childers, W. C., & Phelps, R. E. (1998). *Human relations development: A manual for educators* (6th ed.). Boston: Allyn & Bacon.

Gill, S. J. (1982). Professional disclosure and consumer protection in counseling. *Personnel and Guidance Journal, 60,* 443–446.

Goldstein, A. P. (1973). *Structural learning therapy: Toward a psychotherapy for the poor.* New York: Academic Press.

Goodyear, R. K., & Bradley, F. O. (1980). The helping process as contractual. *Personnel and Guidance Journal, 58,* 512–515.

Haase, R. F. (1970). The relationship of sex and instructional set to the regulation of interpersonal interaction distance in a counseling analogue. *Journal of Counseling Psychology, 17,* 233–236.

Haase, R. F., & DiMattia, D. J. (1976). Spatial environments and verbal conditioning in a quasi-counseling interview. *Journal of Counseling Psychology, 23,* 414–421.

Harris, S. M., & Busby, D. M. (1998). Therapist physical attractiveness: An unexplored influence on client disclosure. *Journal of Marital and Family Therapy, 24,* 251–257.

Hill, C. (1975). A process approach for establishing counseling goals and outcomes. *Personnel and Guidance Journal, 53,* 571–576.

Hinson, J. A., & Swanson, J. L. (1993). Willingness to seek help as a function of self-disclosure and problem severity. *Journal of Counseling and Development, 71,* 465–470.

Hubble, M. A., & Gelso, C. J. (1978). Effects of counselor attire in an initial interview. *Journal of Counseling Psychology, 25,* 581–584.

Ivey, A. E. (1971). *Microcounseling.* Springfield, IL: Thomas.

Ivey, A. E., & Ivey, M. B. (1999). *Intentional interviewing and counseling* (4th ed.). Pacific Grove, CA: Brooks/Cole.

James, M. D., & Hazler, R. J. (1998). Using metaphors to soften resistance in chemically dependent clients. *Journal of Humanistic Education and Development, 36,* 122–133.

James, S. H., & Greenwalt, B. C. (2001). Documenting success and achievement: Presentation and working portfolios for counselors. *Journal of Counseling and Development, 79,* 161–165.

Kelly, K. R., & Stone, G. L. (1982). Effects of time limits on the interview behavior of type A and B persons within a brief counseling analog. *Journal of Counseling Psychology, 29,* 454–459.

Kerr, B. A., Claiborn, C. D., & Dixon, D. N. (1982). Training counselors in persuasion. *Counselor Education and Supervision, 22,* 138–147.

Knowles, D. (1979). On the tendency of volunteer helpers to give advice. *Journal of Counseling Psychology, 26,* 352–354.

LaCross, M. B. (1975). Non-verbal behavior and perceived counselor attractiveness and persuasiveness. *Journal of Counseling Psychology, 22,* 563–566.

Levine, E. (1983). A training model that stresses the dynamic dimensions of counseling. *Personnel and Guidance Journal, 61,* 431–433.

Lichtenberg, J. W. (1986). Counseling research: Irrelevant or ignored? *Journal of Counseling and Development, 64,* 365–366.

Loesch, L. (1984). Professional credentialing in counseling: 1984. *Counseling and Human Development, 17,* 1–11.

Lyddon, W. J., Clay, A. L., & Sparks, C. L. (2001). Metaphor and change in counseling. *Journal of Counseling and Development, 79,* 269–274.

Manthei, R. J. (1983). Client choice of therapist or therapy. *Personnel and Guidance Journal, 61,* 334–340.

Mehrabian, A. (1970). Some determinants of affiliation and conformity. *Psychological Reports, 27,* 19–29.

Mehrabian, A. (1971). *Silent messages.* Belmont, CA: Wadsworth.

Myers, S. (2000). Empathetic listening: Reports on the experience of being heard. *Journal of Humanistic Psychology, 40,* 148–173.

Napier, A., & Whitaker, C. (1978). *The family crucible.* New York: Harper & Row.

Nichols, M. P. (1998). The lost art of listening. *IAMFC Family Digest, 11*(1), 1–2, 4, 11.

Okun, B. F. (2002). *Effective helping* (6th ed.). Pacific Grove, CA: Brooks/Cole.

Otani, A. (1989). Client resistance in counseling: Its theoretical rationale and taxonomic classification. *Journal of Counseling and Development, 67,* 458–461.

Paradise, L. V., & Wilder, D. H. (1979). The relationship between client reluctance and counseling effectiveness. *Counselor Education and Supervision, 19,* 35–41.

Patterson, C. H. (1985). *The therapeutic relationship.* Pacific Grove, CA: Brooks/Cole.

Patterson, L. E., & Welfel, E. R. (2000). *The counseling process* (5th ed.). Pacific Grove, CA: Brooks/Cole.

Ponzo, Z. (1985). The counselor and physical attractiveness. *Journal of Counseling and Development, 63,* 482–485.

Pressly, P. K., & Heesacker, M. (2001). The physical environment and counseling: A review of theory and research. *Journal of Counseling and Development, 79,* 148–160.

Riordan, R., Matheny, K., & Harris, C. (1978). Helping counselors minimize client resistance. *Counselor Education and Supervision, 18,* 6–13.

Ritchie, M. H. (1986). Counseling the involuntary client. *Journal of Counseling and Development, 64,* 516–518.

Rogers, C. R. (1961). *On becoming a person.* Boston: Houghton Mifflin.

Roloff, M. E., & Miller, G. R. (Eds.). (1980). *Persuasion: New directions in theory and research.* Beverly Hills, CA: Sage.

Rule, W. R. (1982). Pursuing the horizon: Striving for elusive goals. *Personnel and Guidance Journal, 61,* 195–197.

Sack, R. T. (1985). On giving advice. *AMHCA Journal, 7,* 127–132.

Sack, R. T. (1988). Counseling responses when clients say "I don't know." *Journal of Mental Health Counseling, 10,* 179–187.

Schofield, W. (1964). *Psychotherapy: The purchase of friendship.* Upper Saddle River, NJ: Prentice Hall.

Senour, M. N. (1982). How counselors influence clients. *Personnel and Guidance Journal, 60,* 345–349.

Shertzer, B., & Stone, S. C. (1980). *Fundamentals of counseling* (3rd ed.). Boston: Houghton Mifflin.

Siegal, J. C., & Sell, J. M. (1978). Effects of objective evidence of expertness and nonverbal behavior on client perceived expertness. *Journal of Counseling Psychology, 25,* 188–192.

Sielski, L. M. (1979). Understanding body language. *Personnel and Guidance Journal, 57,* 238–242.

Strong, S. R. (1968). Counseling: An interpersonal influence process. *Journal of Counseling Psychology, 15,* 215–224.

Strong, S. R. (1982). Emerging integrations of clinical and social psychology: A clinician's perspective. In G. Weary & H. Mirels (Eds.), *Integrations of clinical and social psychology* (pp. 181–213). New York: Oxford University Press.

Vriend, J., & Dyer, W. W. (1973). Counseling the reluctant client. *Journal of Counseling Psychology, 20,* 240–246.

Warnath, C. F. (1977). Relationship and growth theories and agency counseling. *Counselor Education and Supervision, 17,* 84–91.

Watkins, C. E., Jr. (1983). Counselor acting out in the counseling situation: An exploratory analysis. *Personnel and Guidance Journal, 61,* 417–423.

Watkins, C. E., Jr., & Schneider, L. J. (1989). Self-involving versus self-disclosing counselor statements during an initial interview. *Journal of Counseling and Development, 67,* 345–349.

Weinrach, S. G. (1987). Microcounseling and beyond: A dialogue with Allen Ivey. *Journal of Counseling and Development, 65,* 532–537.

West, M. (1975). Building a relationship with the unmotivated client. *Psychotherapy, 12,* 48–51.

Wilcox-Matthew, L., Ottens, A., & Minor, C. W. (1997). An analysis of significant events in counseling. *Journal of Counseling and Development, 75,* 282–291.

Willison, B., & Masson, R. (1986). The role of touch in therapy: An adjunct to communications. *Journal of Counseling and Development, 65,* 497–500.

Young, M. E. (1998). *Learning the art of helping.* Upper Saddle River, NJ: Merrill/Prentice Hall.

6

WORKING IN A COUNSELING RELATIONSHIP

I listen and you tell me how
  the feelings rage and toss within you.
A mother died, a child deserted,
   and you, that child, have not forgotten
     what it is to be alone.
I nod my head, your words continue
   rich in anger from early memories,
Feelings that you tap with care
   after years of shaky storage.
As you drink their bitter flavor,
   which you declined to taste at seven,
I mentally wince while watching you
   open your life to the dark overflow
     of pain that has grown strong with age.

From "Memory Traces," by S. T. Gladding, 1977, North Carolina Personnel and Guidance Journal, 6, *p. 50.*
© 1977 by S. T. Gladding.

The successful outcome of any counseling effort depends on a working alliance between counselor and client (Kottler, Sexton, & Whiston, 1994; Okun, 2002). Building this relationship is a developmental process that involves exploring the situation that has motivated the client to seek help. According to Carkhuff and Anthony (1979), the involvement and exploration phases of helping should occur at this time. (See Chapter 5 for a review of how to become involved and build a counseling relationship.) After these phases have been completed, the counselor works with the client to move into the understanding and action phases. Initially, the client's concerns may be stated broadly and in general terms; as the counseling process continues, specific objectives are defined or refined.

Clients arrive in counseling with certain areas of their lives open or understood and other areas hidden or suppressed. The Johari window, shown in Figure 6.1, is a conceptual device used to represent the way in which most individuals enter the counseling relationship (Luft, 1970).

The objectives of the first two phases of counseling are to help clients relax enough to tell their story and discover information located in blind areas of themselves, regions about which they have been unaware (see Figure 6.1). Once they obtain a better understanding of these areas (either verbally or nonverbally), informed clients can decide how to proceed. If they are successful in their work, they extend the dimensions of the area of free activity as represented in the Johari Window while shrinking the dimensions of the more restrictive areas (see Figure 6.2).

It may appear that the counseling process described in this book and represented in the Johari window is linear, but such is not the case (Moursund & Kenny, 2002). Counseling is multifaceted, with various factors impacting each other continuously.

	Known to Self	Not Known to Self
Known to Others	I. Area of Free Activity	III. Blind Area—Blind to self, seen by others
Not Known to Others	II. Avoided or Hidden Area—Self hidden from others	IV. Area of Unknown Activity

Figure 6.1
The Johari window of the client

Source: From *Of Human Interaction* (p. 13), by J. Luft, Palo Alto, CA: National Press Books, 1969 and *Group Processes: An Introduction to Group Dynamics* (3rd ed.) by J. Luft, Mountain View, CA: Mayfield Publishing Co., 1984. Copyright 1969 by Joseph Luft. Reprinted by permission of the author.

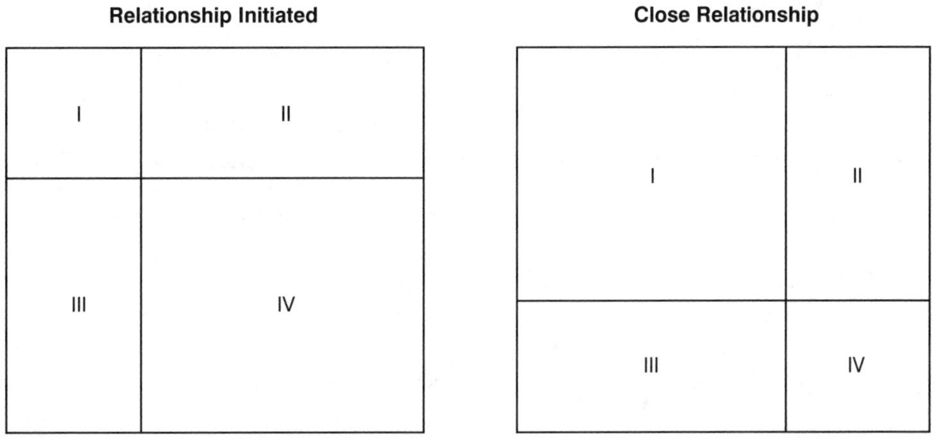

Relationship Initiated   **Close Relationship**

Figure 6.2
Johari window as modified through the relationship with the counselor
Source: From *Of Human Interaction* (p. 14), by J. Luft, 1969, Palo Alto, CA: National Press Books, 1969 and *Group Processes: An Introduction to Group Dynamics* (3rd ed.) by J. Luft, Mountain View, CA: Mayfield Publishing Co., 1984. Copyright 1969 by Joseph Luft. Reprinted by permission of the author.

Therefore, procedures overlap considerably (Egan, 2002). Some techniques used in the involvement and exploration phases are also employed in the understanding and action phases. Yet as counseling progresses, new and different skills are regularly incorporated. Counseling requires constant sensitivity to the status of the relationship and the client's developmental nature. The counselor must be alert to new needs and demands as they develop.

In this chapter, we explore the skills commonly associated with the understanding and action phases of counseling. These phases involve a number of counselor skills, including changing perceptions, leading, multifocused responding, accurate empathy, self-disclosure, immediacy, confrontation, contracting, and rehearsal. In addition, clients and counselors must work through any transference or countertransference issues that arise out of earlier situations or present circumstances (Gelso & Carter, 1985). There is, of course, a constant need to uncover real aspects of the counselor–client relationship (i.e., those not overlaid with defense mechanisms such as denial or projection) and use them therapeutically.

COUNSELOR SKILLS IN THE UNDERSTANDING AND ACTION PHASES

Counselors must be active in helping clients change. After rapport has been established, counselors need to employ skills that result in clients' viewing their lives differently and thinking, feeling, and behaving accordingly.

Changing Perceptions

Clients often come to counseling as a last resort, when they perceive that the situation is not only serious but hopeless (Watzlawick, 1983). People think their perceptions and interpretations are accurate. When they communicate their view of reality to others, it is commonly accepted as factual (Cavanagh, 1990). This phenomenon, called *functional fixity,* means seeing things in only one way or from one perspective or being fixated on the idea that this particular situation or attribute is the issue (Cormier & Cormier, 1998).

For example, a middle-aged man is concerned about taking care of his elderly mother. He realizes that personal attention to this task will take him away from his family and put a strain on them and him. Furthermore, he is aware that his energy will be drained from his business and he might not receive the promotion he wants. He is torn between caring for two families and sees his situation as an either–or problem. Appropriate and realistic counseling objectives would include finding community and family resources the man could use to help take care of his mother, his family, and himself. In the process the man would discover what he needs to do to relieve himself of sole responsibility in this case and uncover concrete ways he can increase his work efficiency but not his stress. The focus on taking care of self and others as well as using community and family resources gives the man a different perspective about his situation and may help him deal with it in a healthy manner.

Counselors can help clients change distorted or unrealistic objectives by offering them the opportunity to explore thoughts and desires within a safe, accepting, and nonjudgmental environment. Goals are refined or altered using cognitive, behavioral, or cognitive–behavioral strategies, such as redefining the problem, altering behavior in certain situations, or perceiving the problem in a more manageable way and acting accordingly (Okun, 2002). By paying attention to both verbal (i.e., language) and nonverbal (i. e., behaviors) metaphors, counselors can help clients become more aware of both where they are and where they wish to be (Lyddon, Clay, & Sparks, 2001). For example, in the previous illustration, the man taking care of his mother alone might initially view himself as a "lone juggler" while he wants to be "just one act under the big top."

Perceptions commonly change through the process of *reframing,* a technique that offers the client another probable and positive viewpoint or perspective on a situation. Such a changed point of view gives a client a different way of responding (Young, 1998). Effective counselors consistently reframe life experiences for both themselves and their clients. For instance, a person's rude behavior may be explained as the result of pressure from trying to complete a task quickly rather than dislike for the rudely treated person.

Reframing is used in almost all forms of counseling. For example, in family counseling reframing helps families change their focus from viewing one member of the family as the source of all their problems (i.e., the scapegoat) to seeing the whole family as responsible. In employment counseling, Amundson (1996) has developed 12 reframing strategies that deal with looking back, looking at the present, and looking ahead to help clients widen their perspective of themselves and the labor market. In cases concerning individuals, Cormier and Cormier (1998) point out that reframing can reduce resistance and mobilize the client's energy to do something differently by changing his or her perception of the problem. In short, reframing helps clients become more aware of situational factors associated with behavior. It shifts the focus from a simplistic attribution of traits, such as "I'm a bum," to a more complex and accurate view, such as "I have some days when things don't go very well and I feel worthless" (Ellis, 1971). Through reframing, clients see themselves and their environments with greater accuracy and insight.

Leading

Changing client perceptions requires a high degree of persuasive skill and some direction from the counselor. Such input is known as *leading*. The term was coined by Francis Robinson (1950) to describe certain deliberate behaviors counselors engage in for the benefit of their clients. Leads vary in length, and some are more appropriate at one stage of counseling than another. Robinson used the analogy of a football quarterback and receiver to describe a lead. A good quarterback anticipates where the receiver will be on the field and throws the ball to that spot. The same is true of counselors and clients. Counselors anticipate where their clients are and where they are likely to go. Counselors then respond accordingly. If there is misjudgment and the lead is either too far ahead (i.e., too persuasive or direct) or not far enough (too uninvolved and nondirect), the counseling relationship suffers.

Patterson and Welfel (2000) list a number of leads that counselors can use with their clients (Figure 6.3). Some, such as silence, acceptance, and paraphrasing, are most appropriate at the beginning of the counseling process. Others, such as persuasion, are directive and more appropriate in the understanding and action phases.

The type of lead counselors use is determined in part by the theoretical approach they embrace and the current phase of counseling. *Minimal leads* (sometimes referred to as *minimal encouragers*) such as "hmmm," "yes," or "I hear you" are best used in the building phase of a relationship because they are low risk (Young, 1998). *Maximum leads*, however, such as confrontation, are more challenging and should be employed only after a solid relationship has been established.

Multifocused Responding

People have preferences for the way they process information through their senses. Counselors can enhance their effectiveness by remembering that individuals receive input from their worlds differently and that preferred styles influence perceptions and behaviors. Some clients experience the world visually: they see what is happening. Others are primarily auditory: they hear the world around them. Still others are kinesthetically oriented: they feel situations as though physically in touch with them. (Two of my three children are olfactory; they judge much of their environment through smell.) Regardless, Ivey and Ivey (1999) and Lazarus (2000) think that tuning into clients' major modes of perceiving and learning is crucial to bringing about change. Because many clients have multiple ways of knowing the world, counselors should vary their responses and incorporate words that reflect an understanding of clients' worlds. For example, the counselor might say to a multimodal sensory person, "I see your point and hear your concern. I feel that you are really upset."

The importance of responding in a client's own language can be powerful, too. Counselors need to distinguish between the predominantly affective, behavioral, and cognitive nature of speech. *Affective responses* focus on a client's feelings, *behavioral responses*

Least leading response

Silence	When the counselor makes no verbal response at all, the client will ordinarily feel some pressure to continue and will choose how to continue with minimum input from the counselor.
Acceptance	The counselor simply acknowledges the client's previous statement with a response such as "yes" or "uhuh." The client is verbally encouraged to continue, but without content stimulus from the counselor.
Restatement (paraphrase)	The counselor restates the client's verbalization, including both content and affect, using nearly the same wording. The client is prompted to reexamine what has been said.
Clarification	The counselor states the meaning of the client's statement in his or her own words, seeking to clarify the client's meaning. Sometimes elements of several of the client's statements are brought into a single response. The counselor's ability to perceive accurately and communicate correctly is important, and the client must test the "fit" of the counselor's lead.
Approval (affirmation)	The counselor affirms the correctness of information or encourages the client's efforts at self-determination: "That's good new information," or "You seem to be gaining more control." The client may follow up with further exploration as he or she sees fit.
General leads	The counselor directs the client to talk more about a specific subject with statements such as "Tell me what you mean," or "Please say some more about that." The client is expected to follow the counselor's suggestion.
Interpretation	The counselor uses psychodiagnostic principles to suggest sources of the client's stress or explanations for the client's motivation and behavior. The counselor's statements are presented as hypotheses, and the client is confronted with potentially new ways of seeing self.
Rejection (persuasion)	The counselor tries to reverse the client's behavior or perceptions by actively advising different behavior or suggesting different interpretations of life events than those presented by the client.
Reassurance	The counselor states that, in his or her *judgment,* the client's concern is not unusual and that people with similar problems have succeeded in overcoming them. The client may feel that the reassurance is supportive but may also feel that his or her problem is discounted by the counselor as unimportant.
Introducing new information or a new idea	The counselor moves away from the client's last statement and prompts the client to consider new material.

Most leading response

Figure 6.3
Continuum of leads
Source: From *The Counseling Process* (3rd ed., pp. 126–127), by L. E. Patterson and S. Eisenberg, 1983, Boston: Houghton Mifflin. Copyright 1983 by Houghton Mifflin. Reprinted by permission of S. Eisenberg. All rights reserved.

Table 6.1   Commonly used affect words

Level of Intensity	Category of Feeling						
	Happiness	Sadness	Fear	Uncertainty	Anger	Strength, Potency	Weakness, Inadequacy
Strong	Excited Thrilled Delighted Overjoyed Ecstatic Elated Jubilant	Despairing Hopeless Depressed Crushed Miserable Abandoned Defeated Desolate	Panicked Terrified Afraid Frightened Scared Overwhelmed	Bewildered Disoriented Mistrustful Confused	Outraged Hostile Furious Angry Harsh Hateful Mean Vindictive	Powerful Authoritative Forceful Potent	Ashamed Powerless Vulnerable Cowardly Exhausted Impotent
Moderate	"Up" Good Happy Optimistic Cheerful Enthusiastic Joyful "Turned on"	Dejected Dismayed Disillusioned Lonely Bad Unhappy Pessimistic Sad Hurt Lost	Worried Shaky Tense Anxious Threatened Agitated	Doubtful Mixed up Insecure Skeptical Puzzled	Aggravated Irritated Offended Mad Frustrated Resentful "Sore" Upset Impatient Obstinate Self-confident Skillful	Tough Important Confident Fearless Energetic Brave Courageous Daring Assured Adequate	Embarrassed Useless Demoralized Helpless Wom out Inept Incapable Incompetent Inadequate Shaken
Weak	Pleased Glad Content Relaxed Satisfied Calm	"Down" Discouraged Disappointed "Blue" Alone Left out	Jittery Jumpy Nervous Uncomfortable Uptight Uneasy Defensive Apprehensive Hesitant Edgy	Unsure Surprised Uncertain Undecided Bothered	Perturbed Annoyed Grouchy Hassled Bothered Disagreeable	Determined Firm Able Strong	Frail Meek Unable Weak

Source: Reprinted from *The Skills of Helping* written by Carkhuff, R. R. & Anthony, W. A., copyright 1979. Reprinted by permission of the publisher, HRD Press, Amherst Road, Amherst, MA, (413) 253-3488.

focus on actions, and *cognitive responses* focus on thought. Thus, counselors working with affectively oriented individuals select words accordingly. Table 6.1 shows some of the most common of these words, as identified by Carkhuff and Anthony (1979).

Accurate Empathy

There is near-universal agreement among practitioners and theorists that the use of empathy is one of the most vital elements in counseling, one that transcends counseling stages (Fiedler, 1950; Gladstein, 1983; Hackney, 1978; Rogers, 1975; Truax & Mitchell, 1971). In Chapter 5, two types of empathy were briefly noted. The basic type is called *primary empathy;* the second level is known as *advanced empathy* (Carkhuff, 1969). Accurate empathy on both levels is achieved when counselors see clients' worlds from the clients' point of view and are able to communicate this understanding back (Egan, 2002). Two factors that make empathy possible are (a) realizing that "an infinite number of feelings" does not exist and (b) having a personal security so that "you can let yourself go into the world of this other person and still know that you can return to your own world. Everything you are feeling is 'as if'" (Rogers, 1987, pp. 45–46).

Primary accurate empathy involves communicating a basic understanding of what the client is feeling and the experiences and behaviors underlying these feelings. It helps establish the counseling relationship, gather data, and clarify problems. For example, a client might say, "I'm really feeling like I can't do anything for myself." The counselor replies, "You're feeling helpless."

Advanced accurate empathy reflects not only what clients state overtly but also what they imply or state incompletely. For example, a counselor notes that a client says, ". . . and I hope everything will work out" while looking off into space. The counselor responds, "For if it doesn't, you're not sure what you will do next."

Empathy involves three elements: perceptiveness, know-how, and assertiveness (Egan, 2002). Several levels of responses reflect different aspects of counselor empathy. A scale formulated by Carkhuff (1969), called Empathic Understanding in Interpersonal Process, is a measure of these levels. Each of the five levels either adds to or subtracts from the meaning and feeling tone of a client's statement.

1. The verbal and behavioral expressions of the counselor either do not attend to or detract significantly from the verbal and behavioral expressions of the client.
2. Although the counselor responds to the expressed feelings of the client, he or she does so in a way that subtracts noticeable affect from the communications of the client.
3. The expressions of the counselor in response to the expressions of the client are essentially interchangeable.
4. The responses of the counselor add noticeably to the expressions of the client in a way that expresses feelings a level deeper than the client was able to express.
5. The counselor's responses add significantly to the feeling and meaning of the expressions of the client in a way that accurately expresses feeling levels below what the client is able to express.

Responses at the first two levels are not considered empathic; in fact, they inhibit the creation of an empathic environment. For example, if a client reveals that she is heartbroken over the loss of a lover, a counselor operating on either of the first two levels might reply, "Well, you want your former love to be happy, don't you?" Such a response misses the pain that the client is feeling.

At level 3 on the Carkhuff scale, a counselor's response is rated as "interchangeable" with that of a client. The cartoon in Figure 6.4 depicts the essence of such an interchange.

On levels 4 and 5, a counselor either "adds noticeably" or "adds significantly" to what a client has said. This ability to go beyond what clients say distinguishes counseling from conversation or other less helpful forms of behavior (Carkhuff, 1972). The following interchange is an example of a higher-level empathetic response:

Figure 6.4

Interchangeable client and counselor reactions

Source: Reprinted from N. Goud [cartoon], 1983, *Personnel and Guidance Journal, 61,* p. 635. © 1983 by ACA. Reprinted with permission. No further reproduction authorized without written permission of the American Counseling Association.

CLIENT: I have been running around from activity to activity until I am so tired I feel like I could drop.

COUNSELOR: Your life has been a merry-go-round of activity, and you'd like to slow it down before you collapse. You'd like to be more in charge of your own life.

Means (1973) elaborates on levels 4 and 5 to show how counselors can add noticeably and significantly to their clients' perceptions of an emotional experience, an environmental stimulus, a behavior pattern, a self-evaluation, a self-expectation, and beliefs about self. Clients' statements are extremely varied, and counselors must therefore be flexible in responding to them (Hackney, 1978). Whether a counselor's response contains accurate empathy is determined by the reaction of clients (Turock, 1978). Regardless, in the understanding and action phases of counseling, it is important that counselors integrate the two levels of empathy they use in responding to clients seeking help.

Self-Disclosure

Self-disclosure is a complex, multifaceted phenomenon that has generated more than 200 studies (Watkins, 1990). It may be succinctly defined as "a conscious, intentional technique in which clinicians share information about their lives outside the counseling relationship" (Simone, McCarthy, & Skay, 1998, p. 174). Sidney Jourard (1958, 1964) did the original work in this area. For him, self-disclosure referred to making oneself known to another person by revealing personal information. Jourard discovered that self-disclosure helped establish trust and facilitated the counseling relationship. He labeled reciprocal self-disclosure the *dyadic effect* (Jourard, 1968).

Client self-disclosure is necessary for successful counseling to occur. Yet it is not always necessary for counselors to be self-disclosing. "Each counselor-client relationship must be evaluated individually in regard to disclosure," and when it occurs, care must be taken to match disclosure "to the client's needs" (Hendrick, 1988, p. 423).

Clients are more likely to trust counselors who disclose personal information (up to a point) and are prone to make reciprocal disclosures (Curtis, 1981; Kottler et al., 1994). Adolescents especially seem to be more comfortable with counselors who are "fairly unguarded and personally available" (Simone et al., 1998, p. 174). Counselors employ self-disclosure on a formal basis at the initial interview by giving clients written statements about the counselor and the counseling process (the professional disclosure statement illustrated in Figure 5.1). They also use self-disclosure spontaneously in counseling sessions to reveal pertinent personal facts to their clients, especially during the understanding and action phases. Spontaneous self-disclosure is important in facilitating client movement (Doster & Nesbitt, 1979; Watkins, 1990).

According to Egan (2002), counselor self-disclosure serves two principal functions: modeling and developing a new perspective. Clients learn to be more open by observing counselors who are open. Counselor self-disclosure can help clients see that counselors are not free of problems or devoid of feelings (Cormier & Hackney, 1999). Thus, while hearing about select aspects of counselors' personal lives, clients may examine aspects of their own lives, such as stubbornness or fear, and realize that some difficulties or experiences are universal and manageable. Egan (2002) stresses that counselor self-disclosure should be brief and focused, should not add to the clients' problems, and should not be used frequently. The process is not linear, and more self-disclosure is not necessarily better. Before self-disclosing, counselors should ask themselves such questions as "Have I thought through why I am disclosing?" "Are there other more effective and less risky ways to reach the same goal?" and "Is my timing right?" (Simone et al., 1998, pp. 181–182).

Kline (1986) observes that clients perceive self-disclosure as risky and may be hesitant to take such a risk. Hesitancy may take the form of refusing to discuss issues, changing the subject, being silent, and talking excessively. Kline suggests that counselors help clients overcome these fears by not only modeling and inviting self-disclosure but also exploring negative feelings that clients have about the counseling process, contracting with clients to talk about a certain subject area, and confronting clients with the avoidance of a specific issue.

Immediacy

"*Immediacy* involves a counselor's understanding and communicating of what is going on between the counselor and client within the helping relationship, particularly the client's feelings, impressions, and expectations, as well as the wants of the counselor" (Turock, 1980, p. 169; emphasis added). There are basically three kinds of immediacy:

1. Overall relationship immediacy—"How are you and I doing?"
2. "Immediacy that focuses on some particular event in a session—'What's going on between you and me right now?'"

3. Self-involving statements (i.e., present-tense, personal responses to a client that are sometimes challenging)—"I like the way you took charge of your life in that situation" (Egan, 2002, pp. 180–181).

Egan (2002) believes that immediacy is difficult and demanding. It requires more courage or assertiveness than almost any other interpersonal communication skill.

Turock (1980) lists three fears many counselors have about immediacy. First, they may be afraid that clients will misinterpret their messages. Immediacy requires counselors to make a tentative guess or interpretation of what their clients are thinking or feeling, and a wrong guess can cause counselors to lose credibility with their clients.

Second, immediacy may produce an unexpected outcome. Many counseling skills, such as reflection, have predictable outcomes; immediacy does not. Its use may break down a familiar pattern between counselors and clients. In the process, relationships may suffer.

Third, immediacy may influence clients' decisions to terminate counseling sessions because they can no longer control or manipulate relationships. Some clients play games, such as "ain't it awful," and expect their counselors to respond accordingly (Berne, 1964). When clients receive an unexpected payoff, they may decide not to stay in the relationship. Egan (2002) states that immediacy is best used in the following situations:

- In a directionless relationship
- Where there is tension
- Where there is a question of trust
- When there is considerable social distance between counselor and client, such as in diversity
- Where there is client dependency
- Where there is counterdependency
- When there is an attraction between counselor and client

Humor

Humor involves giving an incongruent or unexpected response to a question or situation. It requires both sensitivity and timing on the part of the counselor. Humor in counseling should never be aimed at demeaning anyone (Gladding, 1995). Instead, it should be used to build bridges between counselors and clients. If used properly, it is "a clinical tool that has many therapeutic applications" (Ness, 1989, p. 35). Humor can circumvent clients' resistance, dispel tension, and help clients distance themselves from psychological pain. "Ha-ha" often leads to an awareness of "ah-ha" and a clearer perception of a situation (i.e., insight) (Kottler, 1991). For instance, when a counselor is working with a client who is unsure whether he or she wants to be in counseling, the counselor might initiate the following exchange:

COUNSELOR: Joan, how many counselors does it take to change a lightbulb?
CLIENT: (hesitantly) I'm not sure.
COUNSELOR: Just one, but the lightbulb has got to really want to be changed.
CLIENT: (smiling) I guess I'm a lightbulb that's undecided.
COUNSELOR: It's OK to be undecided. We can work on that. Our sessions will probably be more fruitful, however, if you can turn on to what you'd like to see different in your life and what it is we could jointly work on. That way we can focus more clearly.

Overall, humor can contribute to creative thinking; help keep things in perspective; and make it easier to explore difficult, awkward, or nonsensical aspects of life (Bergman, 1985; Piercy & Lobsenz, 1994). However, "counselors must remember that to use humor effectively they must understand what is humorous and under what circumstances it is humorous" (Erdman & Lampe, 1996, p. 376). Therefore, they need to realize before attempting humor in a counseling situation that both clients and counselors must be comfortable with it as an activity, that there should be a purpose to it, that trust and respect must have been established before humor is used, and that humor should be tailored or customized to a particular client's specific cultural orientation and uniqueness (Maples, Dupey, Torres-Rivera, Phan, Vereen, & Garrett, 2001). Counselors can use humor to challenge client's beliefs, magnify irrational beliefs to absurdity, or even to make a paradoxical intervention (Goldin & Bordan, 1999). When handled right, humor can open up counselor-client relationships.

Confrontation

Confrontation, like immediacy, is often misunderstood. Uninformed counselors sometimes think confrontation involves an attack on clients, a kind of "in your face" approach that is berating. Instead, confrontation is invitational. At its best, confrontation challenges a client to examine, modify, or control an aspect of behavior that is currently nonexistent or improperly used. Sometimes confrontation involves giving metacommunication feedback that is at variance with what the client wants or expects. This type of response may be inconsistent with a client's perception of self or circumstances (Wilcox-Matthew, Ottens, & Minor, 1997).

Confrontation can help "people see more clearly what is happening, what the consequences are, and how they can assume responsibility for taking action to change in ways that can lead to a more effective life and better and fairer relationships with others" (Tamminen & Smaby, 1981, p. 42). A good, responsible, caring, and appropriate confrontation produces growth and encourages an honest examination of oneself. Sometimes it may actually be detrimental to the client if the counselor fails to confront. Avoiding confrontation of the client's behavior is known as the *MUM effect* and results in the counselor's being less effective than he or she otherwise would be (Rosen & Tesser, 1970).

However, there are certain boundaries to confrontation (Leaman, 1978). The counselor needs to be sure that the relationship with the client is strong enough to sustain a confrontation. The counselor also must time a confrontation appropriately and remain true to the motives that have led to the act of confronting (Cavanagh, 1990). It is more productive in the long run to confront a client's strengths than a client's weaknesses (Berenson & Mitchell, 1974). The counselor should challenge the client to use resources he or she is failing to employ.

Regardless of whether confrontation involves strengths or weaknesses, counselors use a "you said . . . but look" structure to implement the confrontation process (Cormier & Hackney, 1999). For example, in the first part of the confrontation, a counselor might say, "You said you wanted to get out more and meet people." In the second part, the counselor highlights the discrepancy or contradiction in the client's words and actions—for instance, "But you are now watching television four to six hours a night."

Contracting

There are two aspects of contracting: one focuses on the processes involved in reaching a goal, the other concentrates on the final outcome. In goal setting, the counselor operates from a theoretical base that directs his or her actions. The client learns to change ways of thinking, feeling, and behaving to obtain goals. It is natural for counselors and clients to engage in contractual behavior. Goodyear and Bradley (1980) point out that all interpersonal relationships are contractual, but some are more explicit than others are. Because the median number of counseling sessions may be as few as five to six (Lorion, 1974), it is useful and time saving for counselors and clients to work on goals through a contract system. Such a system lets both parties participate in determining direction in counseling and evaluating change. It helps them be more specific (Brammer, Abrego, & Shostrom 1993).

Thomas and Ezell (1972) list several other advantages to using contracts in counseling. First, a contract provides a written record of goals the counselor and client have agreed to pursue and the course of action to be taken. Second, the formal nature of a contract and its time limits may act as motivators for a client who tends to procrastinate. Third, if the contract is broken down into definable sections, a client may get a clear feeling that problems can be solved. Fourth, a contract puts the responsibility for any change on the client and thereby has the potential to empower the client and make him or her more responsive to the environment and more responsible for his or her behaviors. Finally, the contract system, by specifically outlining the number of sessions to be held, assures that clients will return to counseling regularly.

There are several approaches to setting up contracts. Goodyear and Bradley (1980) offer recommendations for promoting maximum effectiveness:

- It is essential that counselors indicate to their clients that the purpose of counseling is to work. It is important to begin by asking the client, "What would you like to work on?" as opposed to "What would you like to talk about?"
- It is vital that the contract for counseling concern change in the client rather than a person not present at the sessions. The counselor acts as a consultant when the client wishes to examine the behavior of another person, such as a child who throws temper tantrums, but work of this type is limited.
- The counselor must insist on setting up contracts that avoid the inclusion of client con words such as *try* or *maybe,* which are not specific. Such words usually result in the client's failing to achieve a goal.
- The counselor must be wary of client goals that are directed toward pleasing others and include words such as *should* or *must.* Such statements embody externally driven goals. For instance, a client who sets an initial goal that includes the statement "I should please my spouse more" may do so only temporarily because in the long run the goal is not internally driven. To avoid this kind of contract-goal, the counselor needs to ask what the client really wants.
- It is vital to define concretely what clients wish to achieve through counseling. There is a great deal of difference between clients who state that they wish to be happy and clients who explain that they want to lose 10 pounds or talk to at least three new people a day. The latter goals are more concrete, and both counselors and clients are usually aware when they are achieved.
- The counselor must insist that contracts focus on change. Clients may wish to understand why they do something, but insight alone rarely produces action. Therefore,

counselors must emphasize contracts that promote change in a client's behaviors, thoughts, or feelings.

Another briefer way to think of what to include in a contract is to use the acronym "SAFE," where the letters stand for Specificity (i.e., treatment goals), Awareness (i.e., knowledge of procedures, goals, and side effects of counseling), Fairness (i.e., the relationship is balanced and both client and counselor have enough information to work), and Efficacy (i.e., making sure the client is empowered in the areas of choice and decision making) (Moursund & Kenny, 2002).

Even though contracts are an important part of helping clients define, understand, and work on specific aspects of their lives, a contract system does have disadvantages. Okun (2002) stresses that contracts need to be open for renegotiating by both parties. This process is often time-consuming and personally taxing. Thomas and Ezell (1972) list several other weaknesses of a contract system. First, a counselor cannot hold a client to a contract. The agreement has no external rewards or punishments that the counselor can use to force the client to fulfill the agreement. Second, some client problems may not lend themselves to the contract system. For example, the client who wants to make new friends may contract to visit places where there is a good opportunity to encounter the types of people with whom he or she wishes to be associated. There is no way, however, that a contract can ensure that the client will make new friends. Third, a contractual way of dealing with problems focuses on outward behavior. Even if the contract is fulfilled successfully, the client may not have achieved insight or altered perception. Finally, the initial appeal of a contract is limited. Clients who are motivated to change and who find the idea fresh and appealing may become bored with such a system in time.

In determining the formality of the contract, a counselor must consider the client's background and motivational levels, the nature of the presenting problems, and what resources are available to the client to assure the successful completion of the contract. Goodyear and Bradley (1980) suggest that the counselor ask how the client might sabotage the contract. This question helps make the client aware of any resistance he or she harbors to fulfillment of the agreement.

Rehearsal

Once a contract is set up, the counselor can help the client maximize the chance of fulfilling it by getting him or her to rehearse or practice designated behavior. The old adage that practice makes perfect is as true for clients who wish to reach a goal as it is for athletes or artists. Clients can rehearse in two ways: overtly and covertly (Cormier & Cormier, 1998). *Overt rehearsal* requires the client to verbalize or act out what he or she is going to do. For example, if a woman is going to ask a man out for a date, she will want to rehearse what she is going to say and how she is going to act before she actually encounters the man. *Covert rehearsal* is imagining or reflecting on the desired goal. For instance, a student giving a speech can first imagine the conditions under which he will perform and then reflect about how to organize the subject matter that he will present. Imagining the situation beforehand can alleviate unnecessary anxiety and help the student perform better.

Sometimes a client needs counselor coaching during the rehearsal period. Such coaching may take the form of providing temporary aids to help the client remember what to do next (Bandura, 1976). It may simply involve giving feedback to the client on how he or she is doing. Feedback means helping the client recognize and correct any problem areas that he or she has in mastering a behavior, such as overexaggerating a movement. Feedback works well as long as it is not overdone (Geis & Chapman, 1971). To maximize its effectiveness, feedback should be given both orally and in writing.

Counselors can also assign clients *homework* (sometimes called "empowering assignments" or "between-session tasks") to help them practice the skills learned in the counseling sessions and generalize such skills to relevant areas of their lives. Homework involves additional work on a particular skill or skills outside the counseling session. It has numerous advantages, such as:

- keeping clients focused on relevant behavior between sessions,
- helping them see clearly what kind of progress they are making,
- motivating clients to change behaviors,
- helping them evaluate and modify their activities,
- making clients more responsible for control of themselves, and
- celebrating a breakthrough achieved in counseling (Hay & Kinnier, 1998; Hutchins & Vaught, 1997).

Cognitive–behavioral counselors are most likely to emphasize homework assignments. For instance, counselors with this theoretical background may have clients use workbooks to augment cognitive–behavioral in-session work. Workbooks require active participation and provide a tangible record of what clients have done. Two excellent cognitive–behavioral workbook exercises geared toward children are Vernon's (1989) *"Decisions and Consequences,"* in her book *Thinking, feeling and behaving,* which focuses on cause and effect by having the counselor do such things as drop an egg into a bowl, and Kendall's (1990) *Coping Cat Workbook,* which concentrates on the connections between thoughts and feelings by having children engage in such activities as viewing life from a cat's perspective.

However, counselors from all theoretical perspectives can use homework if they wish to help clients help themselves. For homework to be most effective, it needs to be specifically tied to some measurable behavior change (Okun, 2002). It must also be relevant to clients' situations if it is to be meaningful and helpful (Cormier & Cormier, 1998; Young, 1998). Furthermore, clients need to complete homework assignments if they are to benefit from using a homework method.

"The kinds of homework that can be assigned are limited only by the creativity of the counselor and the client" (Hay & Kinnier, 1998, p. 126). Types of homework that are frequently given include those that are paradoxical (an attempt to create the opposite effect), behavioral (practicing a new skill), risk-taking (doing something that is feared), thinking (mulling over select thoughts), written (keeping a log or journal), bibliotherapeutic (reading, listening, or viewing literature), and not doing anything (taking a break from one's usual habits) (Hay & Kinnier, 1998).

TRANSFERENCE AND COUNTERTRANSFERENCE

Counselor skills that help promote development during the counseling process are essential if the counselor is to avoid *circular counseling,* in which the same ground is covered over and over again. There is an equally important aspect of counseling, however, that influences the quality of the outcome: the relationship between counselor and client.

The ability of the counselor and client to work effectively with each other is influenced largely by the relationship they develop. Counseling can be an intensely emotional experience (Cormier & Cormier, 1998; Sexton & Whiston, 1994). In a few instances, counselors and clients genuinely dislike each other or have incompatible personalities (Patterson & Welfel, 2000). Usually, however, they can and must work through transference and countertransference phenomena that result from the thoughts and emotions they think, feel, and express to one another. Although some counseling theories emphasize transference and countertransference more than others, these two concepts occur to some extent in almost all counseling relationships.

Transference

Transference is the client's projection of past or present feelings, attitudes, or desires onto the counselor (Brammer, Abrego, & Shostrom, 1993; Brammer & MacDonald, 2003). It can be used in two ways. Initially, transference reactions help counselors understand clients better. A second way to use transference is to employ it as a way of resolving client's problems (Teyber, 2000). Transference as a concept comes from the literature of psychoanalysis. It originally emphasized the transference of earlier life emotions onto a therapist where they would be worked through. Today, transference is not restricted to psychoanalytic therapy and it may be based on current as well as past experiences (Corey, Corey, & Callanan, 2003).

All counselors have what Gelso and Carter (1985) describe as a *transference pull,* an image generated through the use of personality and a particular theoretical approach. A client reacts to the image of the counselor in terms of the client's personal background and current conditions. The way the counselor sits, speaks, gestures, or looks may trigger a client reaction. An example of such an occurrence is a client saying to a counselor, "You sound just like my mother." The statement in and of itself may be observational. But if the client starts behaving as if the counselor were the client's mother, transference has occurred.

Five patterns of transference behavior frequently appear in counseling: the client may perceive the counselor as ideal, seer, nurturer, frustrator, or nonentity (Watkins, 1983, p. 207). The counselor may at first enjoy transference phenomena that hold him or her in a positive light. Such enjoyment soon wears thin. To overcome any of the effects associated with transference experiences, Watkins (1983) advocates the specific approaches shown in Table 6.2.

Cavanagh (1990) notes that transference can be either direct or indirect. Direct transference is well represented by the example of the client who thinks of the counselor as his or her mother. Indirect transference is harder to recognize. It is usually revealed in client statements or actions that are not obviously directly related to the counselor (e.g., "Talk is cheap and ineffective" or "I think counseling is the experience I've always wanted").

Regardless of its degree of directness, transference is either negative or positive. *Negative transference* is when the client accuses the counselor of neglecting or acting negatively toward him or her. Although painful to handle initially, negative transference must be worked through for the counseling relationship to get back to reality and ultimately be productive. It has a direct impact on the quality of the relationship. *Positive transference,* especially a mild form, such as client admiration for the counselor, may not be readily

Table 6.2 Conceptualizing and intervening in transference patterns

Transference Pattern	Client Attitudes/Behaviors	Counselor Experience	Intervention Approach
Counselor as ideal	Profuse complimenting, agreements Bragging about counselor to others Imitating counselor's behaviors Wearing similar clothing Hungering for counselor's presence General idealization	Pride, satisfaction, strength Feelings of being all-competent Tension, anxiety, confusion Frustration, anger	Focus on: client's expectations, effects of these expectations intra-punitive expressions trend toward self-negation tendency to give up on oneself
Counselor as seer	Ascribes omniscience, power to counselor Views counselor as "the expert" Requests answers, solutions Solicits advice	Feelings of being all-knowing Expertness, "God-complex" Self-doubt, questioning of self Self-disillusionment Sense of incompetence	Focus on: client's need for advice lack of decision lack of self-trust opening up of options
Counselor as nurturer	Profuse emotion, crying Dependence and helplessness Indecision, solicitation of advice Desire for physical touch, to be held Sense of fragility	Feeling of sorrow, sympathy Urge to soothe, coddle, touch Experiences of frustration, ineptitude Depression and despair Depletion	Focus on: client's need for dependence feeling of independence unwillingness to take responsibility for self behavior–attitudinal alternatives
Counselor as frustrator	Defensive, cautious, guarded Suspicious and distrustful "Enter-exit" phenomenon Testing of counselor	Uneasiness, on edge, tension "Walking on eggshells" experience Increased monitoring of responses Withdrawal and unavailability Dislike for client Feelings of hostility, hate	Focus on: trust building, relationship enhancement purpose of transference pattern consequences of trusting others reworking of early experience
Counselor as nonentity	"Topic shifting," lack of focus Volubility, thought pressure Desultory, aimless meanderings	Overwhelmed, subdued Taken aback Feelings of being used, discounted Lack of recognition Sense of being a "nonperson" Feelings of resentment, frustration Experience of uselessness	Focus on: establishing contact getting behind the client's verbal barrier effects of quietness-reflection on client distancing effects of the transference

Source: Reprinted from "Countertransference: Its Impact on the Counseling Situation," by C. E. Watkins, Jr., 1983, *Journal of Counseling and Development, 64*, p. 208. © 1983 by ACA. Reprinted with permission. No further reproduction authorized without written permission of the American Counseling Association.

acknowledged because it appears at first to add something to the relationship (Watkins, 1983). Indirect or mild forms of positive transference are least harmful to the work of the counselor and client.

Cavanagh (1990) holds that both negative and positive transference are forms of resistance. As long as the client keeps the attention of the counselor on transference issues, little progress is made in setting or achieving goals. To resolve transference issues, the counselor may work directly and interpersonally rather than analytically. For example, if the client complains that a counselor only cares about being admired, the counselor can respond, "I agree that some counselors may have this need, and it is not very helpful. On the other hand, we have been focusing on your goals. Let's go back to them. If the needs of counselors, as you observe them, become relevant to your goals, we will explore that issue."

Corey and associates (2003) see a therapeutic value in working through transference. They believe that the counselor–client relationship improves once the client resolves distorted perceptions about the counselor. If the situation is handled sensitively, the improved relationship is reflected in the client's increased trust and confidence in the counselor. Furthermore, by resolving feelings of transference, a client may gain insight into the past and become free to act differently in the present and future.

Countertransference

Countertransference refers to the counselor's projected emotional reaction to or behavior toward the client (Hansen, Rossberg, & Cramer, 1994). For example, a counselor might manifest behaviors toward her client as she did toward her sister when they were growing up or a female counselor may overidentify with her client who has an eating disorder (DeLucia-Waack, 1999). Such interaction can destroy the counselor's ability to be therapeutic, let alone objective. Unless resolved adequately, countertransference can be detrimental to the counseling relationship.

Kernberg (1975) takes two major approaches to the problem of conceptualizing countertransference. In the classic approach, countertransference is seen negatively and viewed as the direct or indirect unconscious reaction of the counselor to the client. The total approach sees countertransference as more positive. From this perspective, countertransference is a diagnostic tool for understanding aspects of the client's unconscious motivations. Blanck and Blanck (1979) describe a third approach. This approach sees countertransference as both positive and negative. Watkins (1985) considers this third approach more realistic than the first two.

The manifestation of countertransference takes several forms (Corey et al., 2003). The most prevalent are (a) feeling a constant desire to please the client, (b) identifying with the problems of the client so much that one loses objectivity, (c) developing sexual or romantic feelings toward the client, (d) giving advice compulsively, and (e) wanting to develop a social relationship with the client.

Watkins (1985) thinks that countertransference can be expressed in a myriad of ways. He views four forms as particularly noteworthy: overprotective, benign, rejecting, and hostile. The first two forms are examples of *overidentification,* in which the counselor loses his or her ability to remain emotionally distant from the client. The latter two forms are examples of *disidentification,* in which the counselor becomes emotionally removed from the client. Disidentification may express itself in counselor behavior that is aloof, nonempathetic, hostile, cold, or antagonistic.

It is vital that counselors work through any negative or nonproductive countertransference. Otherwise, the progress of the client will lessen, and both counselor and client will be hurt in the process (Brammer & MacDonald, 2003; Watkins, 1985). It is also important that a counselor recognize that he or she is experiencing countertransference feelings. Once aware of these feelings, a counselor needs to discover the reasons behind them. It is critical to develop some consistent way of monitoring this self-understanding, and one way is to undergo supervision (DeLucia-Waack, 1999). Counselors, like clients, have blind spots, hidden areas, and aspects of their lives that are unknown to them. *Supervision* involves working in a professional relationship with a more experienced counselor so that the counselor being supervised can simultaneously monitor and enhance the services he or she offers to clients (Bernard & Goodyear, 1998). Among the procedures used in supervision are observing counselor–client interactions behind one-way mirrors, monitoring audiotapes of counseling sessions, and critiquing videotapes of counseling sessions (Borders, 1994). Analyzing the roles a counselor plays in sessions is a crucial component of supervision.

THE REAL RELATIONSHIP

This chapter has emphasized the skills and interpersonal qualities that contribute to a working alliance between counselors and clients and ultimately result in clients' self-understanding and goal achievement. Using leads, levels of empathy, confrontation, encouragement, and contracts; recognizing transference and countertransference; and working through personal issues in professional ways all contribute to the counseling process. According to Gelso and Carter (1985), if helping skills have been used well, a *real relationship* (one that is reality oriented, appropriate, and undistorted) will emerge. The real relationship begins as a two-way experience between counselors and clients from their first encounter. Counselors are real by being genuine (owning their thoughts and feelings), trying to facilitate genuineness in their clients, and attempting to see and understand clients in a realistic manner. Clients contribute to the realness of the relationship by being genuine and perceiving their own situations realistically.

The real relationship that exists in counseling has been written about mostly from counselors' viewpoints and has been misunderstood or incompletely defined. According to Gelso and Carter (1985), there are specific propositions about the nature of a real relationship. One is that the relationship increases and deepens during the counseling process. Another is that counselors and clients have different expectations and actualizations of what a real relationship is like.

The work of Gelso and Carter has been evaluated by Sexton and Whiston (1994), who have reviewed the clinical literature on counselor–client relationships. Among other results, they have found that "the alliance between the client and counselor is a complex interactional phenomenon" (p. 45). Counseling is a dynamic, interactional process, and the strength of relationships between counselors and clients varies over time.

Study of the real relationship has headed in a promising direction: toward the *social construction perspective*—that is, "the process by which people come to describe, explain, or otherwise account for the world (including themselves) in which they live" (Sexton &

Whiston, 1994, p. 60). Realness and growth, although not precisely defined at present, appear to be an important part of counseling relationships that will continue to attract attention and be important.

SUMMARY AND CONCLUSION

This chapter has emphasized the understanding and action phases of counseling, which occur after clients and counselors have established a relationship and explored possible goals toward which to work. These phases are facilitated by mutual interaction between the individuals involved. The counselor can help the client by appropriate leads, challenges to perception, multifocused responding, accurate empathy, self-disclosure, immediacy, confrontation, contracts, and rehearsal. These skills are focused on the client, but they also help the counselor gain self-insight.

Client and counselor must work through transference and countertransference, which can occur in several forms in a counseling relationship. Some clients and counselors will encounter less transference and countertransference than others, but it is important that each person recognize when he or she is engaged in such modes of communication. The more aware people are about these ways of relating, the less damage they are likely to do in their relationships with significant others and the more self-insight they are likely to achieve. A successful resolution of these issues promotes realness, and at the root of growth and goal attainment is the ability to experience the world realistically.

CLASSROOM ACTIVITIES

1. In groups of three, discuss ways of using the counseling skills that you learned about in this chapter. For example, how will you know when to be silent and when to confront?

2. In this chapter as well as previous ones, persuasion has been mentioned as an appropriate counselor skill. In groups of three, role-play the following situations in which persuasion might be employed: (a) a small boy is afraid of all dogs, (b) a student has high test anxiety, (c) an elderly person is withdrawn, and (d) a marriage partner will not fight fairly with his or her spouse. How do you experience persuasion differently in these situations? How effective are the persuasive techniques that you used? Discuss your feelings with the class as a whole.

3. In groups of four, two people should role-play a counselor and client and two should observe. Enact situations in which the counselor demonstrates that he or she knows how to display the different levels of empathy. After the counselor has demonstrated these skills, he or she should receive feedback from the client and the observers about their impressions of each enactment.

4. In the same groups that were formed for activity 3, practice confrontation and immediacy skills. Discuss among yourselves and then with the class as a whole the differences and similarities between these two counseling skills.

5. Transference and countertransference are still hotly debated issues in counseling. Divide the class into two teams. One team should take the position that these phenomena do occur in counseling, while the other should argue that only real relationships are manifested between counselors and clients. Select a three-member panel from the class to judge the debate and give the class feedback on the points made by each side.

REFERENCES

Amundson, N. E. (1996). Supporting clients through a change in perspective. *Journal of Employment Counseling, 33,* 155–162.

Bandura, A. (1976). Effecting change through participant modeling. In J. D. Krumboltz & C. E. Thoresen (Eds.), *Counseling methods* (pp. 248–265). New York: Holt, Rinehart, & Winston.

Berenson, B. G., & Mitchell, K. M. (1974). *Confrontation: For better or worse.* Amherst, MA: Human Resource Development Press.

Bergman, J. S. (1985). *Fishing for barracuda.* New York: Norton.

Bernard, J. M., & Goodyear, R. K. (1998). *Fundamentals of clinical supervision* (2nd ed.). Boston: Allyn & Bacon.

Berne, E. (1964). *Games people play.* New York: Grove.

Blanck, G., & Blanck, R. (1979). *Egopsychology II: Psychoanalytic developmental psychology.* New York: Columbia University Press.

Borders, L. D. (Ed.). (1994). *Supervision: Exploring the effective components.* Greensboro, NC: ERIC/CASS.

Brammer, L. M., Abrego, P. J., & Shostrom, E. (1993). *Therapeutic counseling and psychotherapy* (6th ed.). Upper Saddle River, NJ: Merrill/Prentice Hall.

Brammer, L. M., & MacDonald, G. (2003). *The helping relationship* (8th ed.). Boston: Allyn & Bacon.

Carkhuff, R. R. (1969). *Helping and human relations: Selection and training* (Vol. 1). New York: Holt, Rinehart, & Winston.

Carkhuff, R. R. (1972). *The art of helping.* Amherst, MA: Human Resource Development Press.

Carkhuff, R. R., & Anthony, W. A. (1979). *The skills of helping.* Amherst, MA: Human Resource Development Press.

Cavanagh, M. E. (1990). *The counseling experience.* Prospect Heights, IL: Waveland.

Corey, G., Corey, M. S., & Callanan, P. (2003). *Issues and ethics in the helping professions* (6th ed.). Pacific Grove, CA: Brooks/Cole.

Cormier, L. S., & Hackney, H. (1999). *Counseling strategies and objectives* (5th ed.). Boston: Allyn & Bacon.

Cormier, W. H., & Cormier, L. S. (1998). *Interviewing strategies for helpers* (4th ed.). Pacific Grove, CA: Brooks/Cole.

Curtis, J. M. (1981). Indications and contraindications in the use of therapist's self disclosure. *Psychological Reports, 49,* 449–507.

DeLucia-Waack, J. L. (1999). Supervision for counselors working with eating disorders groups: Countertransference issues related to body image, food, and weight. *Journal of Counseling and Development, 77,* 379–388.

Doster, J. A., & Nesbitt, J. G. (1979). Psychotherapy and self-disclosure. In G. J. Chelune (Ed.), *Self-disclosure: Origins, patterns, and implications and openness in interpersonal relationships* (pp. 177–224). San Francisco: Jossey-Bass.

Egan, G. (2002). *The skilled helper* (7th ed.). Pacific Grove, CA: Brooks/Cole.

Ellis, A. (1971). *Growth through reason.* Palo Alto, CA: Science and Behavior Books.

Erdman, P., & Lampe, R. (1996). Adapting basic skills to counsel children. *Journal of Counseling and Development, 74,* 374–377.

Fiedler, F. (1950). The concept of the ideal therapeutic relationship. *Journal of Consulting Psychology, 45,* 659–666.

Geis, G. L., & Chapman, R. (1971). Knowledge of results and other possible reinforcers in self-instructional systems. *Educational Technology, 2,* 38–50.

Gelso, C. J., & Carter, J. A. (1985). The relationship in counseling and psychotherapy: Components, consequences, and theoretical antecedents. *Counseling Psychologist, 13,* 155–243.

Gladding, S. T. (1995). Humor in counseling: Using a natural resource. *Journal of Humanistic Education and Development, 34,* 3–12.

Gladstein, G. A. (1983). Understanding empathy: Integrating counseling, developmental, and social psychology perspectives. *Journal of Counseling Psychology, 30,* 467–482.

Goldin, E., & Bordan, T. (1999). The use of humor in counseling: The laughing cure. *Journal of Counseling and Development, 77,* 405–410.

Goodyear, R. K., & Bradley, F. O. (1980). The helping process as contractual. *Personnel and Guidance Journal, 58,* 512–515.

Hackney, H. (1978). The evolution of empathy. *Personnel and Guidance Journal, 57,* 35–38.

Hansen, J. C., Rossberg, R. H., & Cramer, S. H. (1994). *Counseling: Theory and process* (5th ed.). Boston: Allyn & Bacon.

Hay, C. E., & Kinnier, R. T. (1998). Homework in counseling. *Journal of Mental Health Counseling, 20,* 122–132.

Hendrick, S. S. (1988). Counselor self-disclosure. *Journal of Counseling and Development, 66,* 419–424.

Hutchins, D. E., & Vaught, C. G. (1997). *Helping relationships and strategies* (3rd ed.). Pacific Grove, CA: Brooks/Cole.

Ivey, A. E., & Ivey, M. B. (1999). *Intentional interviewing and counseling* (4th ed.). Pacific Grove, CA: Brooks/Cole.

Jourard, S. M. (1958). *Personal adjustment: An approach through the study of healthy personality.* New York: Macmillan.

Jourard, S. M. (1964). *The transparent self: Self-disclosure and well-being.* Princeton, NJ: Van Nostrand.

Jourard, S. M. (1968). *Disclosing man to himself.* Princeton, NJ: Van Nostrand.

Kendall, P. C. (1990). *Coping cat workbook*. Philadelphia: Temple University.

Kernberg, O. (1975). *Borderline conditions and pathological narcissism*. New York: Aronson.

Kline, W. B. (1986). The risks of client self-disclosure. *AMHCA Journal, 8*, 94–99.

Kottler, J. A. (1991). *The complete therapist*. San Francisco: Jossey-Bass.

Kottler, J. A., Sexton, T. L., & Whiston, S. C. (1994). *The heart of healing*. San Francisco: Jossey-Bass.

Lazarus, A. A. (2000). *Multimodal therapy*. In R. J. Corsini & D. Wedding (Eds.), *Current psychotherapies* (5th ed., pp. 340–374). Itasca, IL: Peacock.

Leaman, D. R. (1978). Confrontation in counseling. *Personnel and Guidance Journal, 56*, 630–633.

Lorion, R. P. (1974). Patient and therapist variables in the treatment of low-income patients. *Psychological Bulletin, 81*, 344–354.

Luft, J. (1970). *Group process: An introduction to group dynamics*. Palo Alto, CA: National Press Books.

Lyddon, W. J., Clay, A. L., & Sparks, C. L. (2001). Metaphor and change in counseling. *Journal of Counseling and Development, 79*, 269–274.

Maples, M. F., Dupey, P., Torres-Rivera, E., Phan, L. T., Vereen, L., & Garrett, M. T. (2001). Ethnic diversity and the use of humor in counseling: Appropriate or inappropriate? *Journal of Counseling and Development, 79*, 53–60.

Means, B. L. (1973). Levels of empathic response. *Personnel and Guidance Journal, 52*, 23–28.

Moursund, J., & Kenny, M. C. (2002). *The process of counseling and therapy* (4th ed.). Upper Saddle River, NJ: Prentice Hall.

Ness, M. E. (1989). The use of humorous journal articles in counselor training. *Counselor Education and Supervision, 29*, 35–43.

Okun, B. F. (2002). *Effective helping: Interviewing and counseling techniques* (6th ed.). Pacific Grove, CA: Brooks/Cole.

Patterson, L. E., & Welfel, E. R. (2000). *Counseling process* (5th ed.). Pacific Grove, CA: Brooks/Cole.

Piercy, F. P., & Lobsenz, N. M. (1994). *Stop marital fights before they start*. New York: Berkeley.

Robinson, F. P. (1950). *Principles and procedures of student counseling*. New York: Harper.

Rogers, C. R. (1975). Empathic: An unappreciated way of being. *Counseling Psychologist, 5*, 2–10.

Rogers, C. R. (1987). The underlying theory: Drawn from experience with individuals and groups. *Counseling and Values, 32*, 38–46.

Rosen, S., & Tesser, A. (1970). On the reluctance to communicate undesirable information: The MUM effect. *Sociometry, 33*, 253–263.

Sexton, T. L., & Whiston, S. C. (1994). The status of the counseling relationship: An empirical review, theoretical implications, and research directions. *Counseling Psychology, 22*, 6–78.

Simone, D. H., McCarthy, P., & Skay, C. L. (1998). An investigation of client and counselor variables that influence the likelihood of counselor self-disclosure. *Journal of Counseling and Development, 76*, 174–182.

Tamminen, A. W., & Smaby, M. H. (1981). Helping counselors learn to confront. *Personnel and Guidance Journal, 60*, 41–45.

Teyber, E. (2000). *Interpersonal process in psychotherapy: A relational approach*. Belmont, CA: Wadsworth/Thompson.

Thomas, G. P., & Ezell, B. (1972). The contract as counseling technique.

Personnel and Guidance Journal, 51, 27–31.

Truax, C., & Mitchell, K. (1971). Research on certain therapist interpersonal skills in relation to process and outcome. In A. E. Bergin & S. L. Garfield (Eds.), *Handbook of psychotherapy and behavior change: An empirical analysis*. New York: Wiley.

Turock, A. (1978). Effective challenging through additive empathy. *Personnel and Guidance Journal, 57*, 144–149.

Turock, A. (1980). Immediacy in counseling: Recognizing clients' unspoken messages. *Personnel and Guidance Journal, 59*, 168–172.

Vernon, A. (1989). *Thinking, feeling, and behaving: An emotional education curriculum for children (Grades 1–6)*. Champaign, IL: Research Press.

Watkins, C. E., Jr. (1983). Transference phenomena in the counseling situation. *Personnel and Guidance Journal, 62*, 206–210.

Watkins, C. E., Jr. (1985). Countertransference: Its impact on the counseling situation. *Journal of Counseling and Development, 63*, 356–359.

Watkins, C. E., Jr. (1990). The effects of counselor self-disclosure: A research review. *Counseling Psychologist, 18*, 477–500.

Watzlawick, P. (1983). *The situation is hopeless, but not serious*. New York: Norton.

Wilcox-Matthew, L., Ottens, A., & Minor, C. W. (1997). An analysis of significant events in counseling. *Journal of Counseling and Development, 75*, 282–291.

Young, M. E. (1998). *Learning the art of helping*. Upper Saddle River, NJ: Merrill/Prentice Hall.

7

TERMINATION OF COUNSELING RELATIONSHIPS

Active as I am in sessions
going with you to the marrow of emotions
our shared journey has an end.
Tonight, as you hesitantly leave my office
to the early darkness of winter days
and the coldness of December nights,
you do so on your own.
Yet, this season of crystallized rain
changes, if however slowly,
and our time and words together
can be a memory from which may grow
a new seed of life within you,
Not without knowledge of past years' traumas
but rather in the sobering realization
that in being heard a chance is created
to fill a time with different feelings,
And savor them in the silent hours
when you stand by yourself alone.

From "Memory Traces," by S. T. Gladding, 1977, North Carolina Personnel and Guidance Journal, 6, *51.*
© *1977 by S. T. Gladding.*

Termination "refers to the decision, one-sided or mutual, to stop counseling" (Burke, 1989, p. 47). It is probably the least researched, most neglected aspect of counseling. Many theorists and counselors assume that termination will occur naturally and leave both clients and counselors pleased and satisfied with the results. Goodyear (1981) states that "it is almost as though we operate from a myth that termination is a process from which the counselor remains aloof and to which the client alone is responsive" (p. 347).

But the termination of a counseling relationship has an impact on all involved, and it is often complex and difficult. Termination may well produce mixed feelings on the part of both the counselor and the client (Cowger, 1994; Kottler, Sexton, & Whiston, 1994). For example, a client may be both appreciative and regretful about a particular counseling experience. A client may also be ambivalent, anxious, fearful, confused, and sad about ending counseling. Unless it is handled properly, termination has the power to harm as well as heal (Doyle, 1998).

This chapter addresses termination as a multidimensional process that can take any of several forms. Specifically, we will examine the general function of termination as well as termination of individual sessions and counseling relationships. Termination strategies, resistance to termination, premature termination, counselor-initiated termination, and the importance of terminating a relationship on a positive note will also be discussed. The related areas of follow-up, referral, and recycling in counseling will be covered, too.

FUNCTION OF TERMINATION

Historically, addressing the process of termination directly has been avoided for several reasons. Ward (1984) has suggested two of the most prominent. First, termination is associated with loss, a traditionally taboo subject in all parts of society. Even though Hayes (1993) points out that loss may be associated with re-creation, transcendence, greater self-understanding, and new discoveries, counseling is generally viewed as emphasizing growth and development unrelated to endings. Second, termination is not directly related to the microskills that facilitate counseling relationships (Ivey, 1998). Therefore, termination is not a process usually highlighted in counselor education. Its significance has begun to emerge, however, because of societal trends, such as the aging of the American population (Hodgkinson, 1992), the wide acceptance of the concept of life stages (Sheehy, 1976), and an increased attention to death as a part of the life span (Kubler-Ross, 1969).

Termination serves several important functions. First, termination signals that something is finished. Life is a series of hellos and good-byes (Goldberg, 1975; Maholick & Turner, 1979; Meier & Davis, 2001). Hellos begin at birth, and good-byes end at death. Between birth and death, individuals enter into and leave a succession of experiences, including jobs, relationships, and life stages. Growth and adjustment depend on an ability to make the most of these experiences and learn from them. To begin something new, a former experience must be completed and resolved (Perls, 1969). Termination is the opportunity to end a learning experience properly, whether on a personal or professional level (Hulse-Killacky, 1993). In counseling, termination is more than an act signifying the end of therapy; it is also a motivator (Yalom, 1995).

Both client and counselor are motivated by the knowledge that the counseling experience is limited in time (Young, 1998). This awareness is similar to that of a young adult who realizes that he or she cannot remain a promising young person forever—an event that often occurs on one's 30th birthday. Such a realization may spur one on to hard work while there is still time to do something significant. Some counselors, such as those associated with strategic, systemic, and solution-focused family therapy, purposely limit the number of counseling sessions so that clients and counselors are more aware of time constraints and make the most of sessions (Gladding, 2002). Limiting the number of sessions in individual counseling is also effective (Munro & Bach, 1975).

Second, termination is a means of maintaining changes already achieved and generalizing problem-solving skills acquired in counseling (Dixon & Glover, 1984; Doyle, 1998). Successful counseling results in significant changes in the way the client thinks, feels, or acts. These changes are rehearsed in counseling, but they must be practiced in the real world. Termination provides an opportunity for such practice. The client can always go back to the counselor for any needed follow-up, but termination is the natural point for the practice of independence to begin. It is a potentially empowering experience for the client and enables him or her to address the present in an entirely new or modified way. At termination, the opportunity to put "insights into actions" is created (Gladding, 1990, p. 130). In other words, what seems like an exit becomes an entrance.

Third, termination serves as a reminder that the client has matured (Vickio, 1990). Besides offering the client new skills or different ways of thinking about him- or herself, effective counseling termination marks a time in the client's life when he or she is less absorbed by and preoccupied with personal problems and more able to deal with outside people and events. This ability to handle external situations may result in more interdependent relationships that are mutually supportive and consequently lead toward a "more independent and satisfying life" (Burke, 1989, p. 47). Having achieved a successful resolution to a problem, a client now has new insights and abilities that are stored in memory and may be recalled and used on occasions.

TIMING OF TERMINATION

When to terminate a relationship is a question that has no definite answer. However, "termination should be planned, not abrupt" (Meier & Davis, 2001, p. 20). If the relationship is ended too soon, clients may lose the ground they gained in counseling and regress to earlier behaviors. However, if termination is never addressed, clients can become dependent on the counselor and fail to resolve difficulties and grow as persons. There are several pragmatic considerations in the timing of termination (Cormier & Hackney, 1999; Young, 1998).

- *Have clients achieved behavioral, cognitive, or affective contract goals?* When both clients and counselors have a clear idea about whether particular goals have been reached, the timing of termination is easier to figure out. The key to this consideration is setting up a mutually agreed-on contract before counseling begins.
- *Can clients concretely show where they have made progress in what they wanted to accomplish?* In this situation, specific progress may be the basis for making a decision about termination.

- *Is the counseling relationship helpful?*   If either the client or the counselor senses that what is occurring in the counseling sessions is not helpful, termination is appropriate.
- *Has the context of the initial counseling arrangement changed?*   In cases where there is a move or a prolonged illness, termination (as well as a referral) should be considered.

Overall, there is no one right time to terminate a counseling relationship. The "when" of termination must be figured out in accordance with the uniqueness of the situation and overall ethical and professional guidelines.

ISSUES OF TERMINATION

Termination of Individual Sessions

Termination is an issue during individual counseling sessions. Initial sessions should have clearly defined time limits (Brammer & MacDonald, 2003; Cormier & Hackney, 1999). A range of 45 to 50 minutes is generally considered adequate for an individual counseling session. It usually takes a counselor 5 to 10 minutes to adjust to the client and the client's concerns. Counseling sessions that terminate too quickly may be as unproductive as ones that last too long.

Benjamin (1987) proposes two important factors in closing an interview. First, both client and counselor should be aware that the session is ending. Second, no new material should be introduced or discussed during this ending. If the client introduces new material, the counselor needs to work to make it the anticipated focus of the next session. On rare occasions, the counselor has to deal with new material on an emergency basis.

A counselor can close an interview effectively in several ways. One is simply to make a brief statement indicating that time is up (Benjamin, 1987; Cormier & Hackney, 1999). For example, he or she might say, "It looks like our time is up for today." The simpler the statement, the better it is. If a client is discussing a number of subjects in an open-ended manner near the end of a session, the counselor should remind the client that there are only 5 or 10 minutes left. The client can then focus attention on important matters. As an alternative or in addition to the direct statement, the counselor can use nonverbal gestures to indicate that the session is ending. These include looking at his or her watch or standing up. Nonverbal gestures are probably best used with verbal indicators. Each reinforces the other.

Toward the end of the interview, it is usually helpful to summarize what has happened in the session. Either the counselor or the client may initiate this summation. A good summary ties together the main points of the session and should be brief, to the point, and without interpretation (Cormier & Hackney, 1999). If both the counselor and client summarize, they may gain insight into what each has gotten out of the session. Such a process provides a means for clearing up any misunderstandings.

An important part of terminating any individual session is setting up the next appointment (Hansen, Rossberg, & Cramer, 1994). Most problems are resolved over time. Clients and counselors need to know when they will meet again to continue the work in progress. It is easier and more efficient to set up a next appointment at the end of a session than to do it later by phone.

Termination of a Counseling Relationship

Counseling relationships vary in length and purpose. It is vital to the health and well-being of everyone that the subject of termination be brought up early so that counselor and client can make the most of their time together (Cavanagh, 1990). Individuals need time to prepare for the end of a meaningful relationship. There may be some sadness, even if the relationship ends in a positive way. Thus, termination should not necessarily be presented as the zenith of the counseling experience. Cormier and Hackney (1999) stress that it is better to play down the importance of termination rather than play it up.

The counselor and client must agree on when termination of the relationship is appropriate and helpful (Young, 1998). Generally, they give each other verbal messages about a readiness to terminate. For example, a client may say, "I really think I've made a lot of progress over the past few months." Or a counselor may state, "You appear to be well on your way to no longer needing my services." Such statements suggest the beginning of the end of the counseling relationship. They usually imply recognition of growth or resolution. A number of other behaviors may also signal the end of counseling. These include a decrease in the intensity of work; more humor; consistent reports of improved abilities to cope, verbal commitments to the future, and less denial, withdrawal, anger, mourning, or dependence (McGee, Schuman, & Racusen, 1972; Patterson & Welfel, 2000; Shulman, 1999).

Cormier and Hackney (1999) believe that, in a relationship that has lasted more than 3 months, the final 3 or 4 weeks should be spent discussing the impact of termination. For instance, counselors may inquire how their clients will cope without the support of the relationship. Counselors may also ask clients to talk about the meaning of the counseling relationship and how they will use what they have learned in the future. Shulman (1999) suggests that, as a general rule of thumb, one-sixth of the time spent in a counseling relationship should be devoted to focusing on termination.

Maholick and Turner (1979) discuss specific areas of concern when deciding whether to terminate counseling:

- An examination of whether the client's initial problem or symptoms have been reduced or eliminated
- A determination of whether the stress-producing feelings that led to counseling have been eliminated
- An assessment of the client's coping ability and degree of understanding of self and others
- A determination of whether the client can relate better to others and is able to love and be loved
- An examination of whether the client has acquired abilities to plan and work productively
- An evaluation of whether the client can better play and enjoy life

These areas are not equally important for all clients, but it is essential that, before termination of counseling, clients feel confident to live effectively without the relationship (Huber, 1989; Ward, 1984; Young, 1998).

There are at least two other ways to facilitate the ending of a counselor–client relationship. One involves the use of fading. Dixon and Glover (1984) define *fading* as "a gradual decrease in the unnatural structures developed to create desired changes" (p. 165).

In other words, clients gradually stop receiving reinforcement from counselors for behaving in certain ways, and appointments are spread out. A desired goal of all counseling is to help clients become less dependent on the counselor and the counseling sessions and more dependent on themselves and interdependent with others. From counseling, clients should also learn the positive reinforcement of natural contingencies. To promote fading, counseling sessions can be simply shortened (for example, from 50 to 30 minutes) as well as spaced further apart (for example, from every week to every two weeks) (Cormier & Cormier, 1998; MacCluskie & Ingersoll, 2001).

Another way to promote termination is to help clients develop successful problem-solving skills (Dixon & Glover, 1984). Clients, like everyone else, are constantly faced with problems. If counselors can help their clients learn more effective ways to cope with these difficulties, clients will no longer need the counseling relationship. This is a process of generalization from counseling experience to life. At its best, this process includes an emphasis on education and prevention as well as decision-making skills for everyday life and crisis situations.

RESISTANCE TO TERMINATION

Resistance to termination may come from either the counselor or client. Patterson and Welfel (2000) note that resistance is especially likely when the counseling relationship has lasted for a long time or has involved a high level of intimacy. Other factors that may promote resistance include the pain of earlier losses, loneliness, unresolved grief, need gratification, fear of rejection, and fear of having to be self-reliant. Some of these factors are more prevalent with clients, whereas others are more likely to characterize counselors.

Client Resistance

Clients resist termination in many ways. Two easily recognized expressions of resistance are (a) asking for more time at the end of a session and (b) asking for more appointments once a goal has been reached. Another more troublesome form of client resistance is the development of new problems that were not part of his or her original concerns, such as depression or anxiety. The manifestation of these symptoms makes termination more difficult; in such situations, a client may convince the counselor that only he or she can help. Thus, the counselor may feel obligated to continue working with the person for either personal or ethical reasons.

Regardless of the strategy employed, the termination process is best carried out gradually and slowly (Cormier & Cormier, 1998). Sessions can become less frequent over time, and client skills, abilities, and resources can be highlighted simultaneously. Sometimes when clients are especially hesitant to terminate, the counselor can "prescribe" a limited number of future sessions or concentrate with clients on how they will set themselves up for relapse (Anderson & Stewart, 1983). These procedures make the covert more overt and help counselors and clients identify what issues are involved in leaving a helping relationship.

Vickio (1990) has developed a unique way of implementing a concrete strategy for college students who are dealing with loss and termination. In *The Goodbye Brochure*, he describes what it means to say good-bye and why good-byes should be carried out. He then discusses five *D*s for successfully dealing with departure and loss and an equal number of *D*s for unsuccessfully dealing with them (Vickio, 1990, p. 576).

Successfully Dealing with Loss
1. Determine ways to make your transition a gradual process.
2. Discover the significance that different activities have had in your life.
3. Describe this significance to others.
4. Delight in what you have gained and in what lies ahead of you.
5. Define areas of continuity in your life.

Unsuccessfully Dealing with Loss
1. Deny the loss.
2. Distort your experience by overglorifying it.
3. Denigrate your activities and relationships.
4. Distract yourself from thinking about departure.
5. Detach yourself abruptly from your activities and relationships.

Lerner and Lerner (1983) believe that client resistance often results from a fear of change. If clients come to value a counseling relationship, they may fear that they cannot function well without it. For example, people who have grown up in unstable or chaotic environments involving alcoholism or divorce may be especially prone to hold on to the stability of counseling and the relationship with the counselor. It is vital that the counselor recognize the special needs of these individuals and the difficulties they have in coping with loneliness and intimacy (Loewenstein, 1979; Weiss, 1973). It is even more critical that the counselor take steps to help such clients help themselves by exploring with them the advantages of working in other therapeutic settings, such as support or self-help groups. For such clients, counseling is potentially addictive. If they are to function in healthy ways, they must find alternative sources of support.

Counselor Resistance

Although the "ultimate goal in counseling is for counselors to become obsolete and unnecessary to their clients," some counselors are reluctant to say good-bye at the appropriate time (Nystul, 1993, p. 36). Clients who have special or unusual needs or those who are very productive may be especially attractive to counselors. Goodyear (1981) lists eight conditions in which termination may be particularly difficult for counselors:

1. When termination signals the end of a significant relationship
2. When termination arouses the counselor's anxieties about the client's ability to function independently
3. When termination arouses guilt in the counselor about not having been more effective with the client
4. When the counselor's professional self-concept is threatened by the client who leaves abruptly and angrily
5. When termination signals the end of a learning experience for the counselor (for example, the counselor may have been relying on the client to learn more about the dynamics of a disorder or a particular culture)
6. When termination signals the end of a particularly exciting experience of living vicariously through the adventures of the client

7. When termination becomes a symbolic recapitulation of other (especially unresolved) farewells in the counselor's life

8. When termination arouses in the counselor conflicts about his or her own individuation (p. 348)

It is important that counselors recognize any difficulties they have in letting go of certain clients. A counselor may seek consultation with colleagues in dealing with this problem or undergo counseling to resolve the problem. The latter option is quite valuable if the counselor has a personal history of detachment, isolation, and excessive fear of intimacy. Kovacs (1965, 1976) and Guy (1987) report that some persons who enter the helping professions possess just such characteristics.

PREMATURE TERMINATION

The question of whether a client terminates counseling prematurely is not one that can be measured by the number of sessions the client has completed. Rather, premature termination has to do with how well the client has achieved the personal goals established in the beginning and how well he or she is functioning generally (Ward, 1984).

Some clients show little, if any, commitment or motivation to change their present circumstances and request that counseling be terminated after the first session. Other clients express this desire after realizing the work necessary for change. Still others make this wish known more indirectly by missing or being late for appointments. Regardless of how clients express a wish for premature termination, it is likely to trigger thoughts and feelings within the counselor that must be dealt with. Hansen, Warner, and Smith (1980) suggest that the topic of premature termination be discussed openly between a counselor and client if the client expresses a desire to terminate before specified goals have been met or if the counselor suspects that premature termination may occur. With discussion, thoughts and feelings of both the client and counselor can be examined and a premature ending prevented.

Sometimes a client fails to keep an appointment and does not call to reschedule. In such cases, the counselor should attempt to reach the client by phone or mail. Sending a letter to a client allows him or her more "space" in which to consider the decision of whether to continue counseling or not (MacCluskie & Ingersoll, 2001). A model for a "no show" letter is as follows.

Dear_____:

I have missed you at our last scheduled sessions. I would like very much for us to continue to work together, yet the choice about whether to counsel is yours. If you do wish to reschedule, could you please do so in the next 30 days? Otherwise, I will close your chart and assume you are not interested in services at this time.

Sincerely,

Mary Counselor (p. 179)

If the counselor finds that the client wishes to quit, an exit interview may be set up. Ward (1984) reports four possible benefits from such an interview:

1. An exit interview may help the client resolve any negative feelings resulting from the counseling experience.

2. An exit interview serves as a way to invite the client to continue in counseling if he or she so wishes.
3. Another form of treatment or a different counselor can be considered in an exit interview if the client so desires.
4. An exit interview may increase the chance that the next time the client needs help, he or she will seek counseling.

Cavanagh (1990) believes that, in premature termination, counselors often make one of two mistakes. One is to blame either him- or herself or the client for what is happening. A counselor is more likely to blame the client, but in either case, someone is berated and the problem is compounded. It may be more productive for the counselor to think of the situation as one in which no one is at fault. Such a strategy is premised on the idea that some matches between clients and counselors work better than others do.

A second mistake on the counselor's part is to act in a cavalier manner about the situation. An example is the counselor who says, "It's too bad this client has chosen not to continue counseling, but I've got others." To avoid making either mistake, Cavanagh (1990) recommends that counselors find out why a client terminated prematurely. Possible reasons include the following:

- To see whether the counselor really cares
- To try to elicit positive feelings from the counselor
- To punish or try to hurt the counselor
- To eliminate anxiety
- To show the counselor that the client has found a cure elsewhere
- To express to the counselor that the client does not feel understood

Cavanagh (1990) believes that counselors need to understand that, regardless of what they do, some clients terminate counseling prematurely. Such a realization allows counselors to feel that they do not have to be perfect and frees them to be more authentic in the therapeutic relationship. It also enables them to acknowledge overtly that, no matter how talented and skillful they are, some clients find other counselors more helpful. Ideally, counselors are aware of the anatomy of termination (see Figure 7.1). With such knowledge, they become empowered to deal realistically with situations concerning client termination.

Not all people who seek counseling are equally ready to work in such a relationship, and the readiness level may vary as the relationship continues. Some clients need to terminate prematurely for good reasons, and their action does not necessarily reflect on the counselor's competence. Counselors can control only a limited number of variables in a counseling relationship. The following list includes several of the variables most likely to be effective in preventing premature termination (Young, 1998):

- *Appointments.* The less time between appointments and the more regularly they are scheduled, the better.
- *Orientation to counseling.* The more clients know about the process of counseling, the more likely they are to stay with it.
- *Consistency of counselor.* Clients do not like to be processed from counselor to counselor. Therefore, the counselor who does the initial intake should continue counseling the client if at all possible.

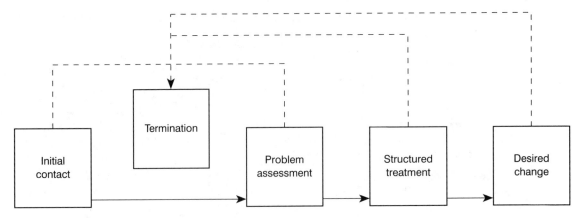

Figure 7.1
The anatomy of termination
Source: From *Contemporary Approaches to Psychotherapy and Counseling* (p. 37), by J. F. Burke, 1989, Pacific Grove, CA: Brooks/Cole. Copyright 1989 by Brooks/Cole Publishing Company, Pacific Grove, CA 93950, a division of Thomson Publishing Company Inc. Based on Gottman and Leiblum's *How to Do Psychotherapy and How to Evaluate It: A Manual for Beginners* (p. 4). Copyright by Holt, Rinehart, & Winston. Adapted by permission.

- *Reminders to motivate client attendance.*   Cards, telephone calls, or E-mail can be effective reminders. Because of the sensitivity of counseling, however, a counselor should always have the client's permission to send an appointment reminder.

COUNSELOR-INITIATED TERMINATION

Counselor-initiated termination is the opposite of premature termination. A counselor sometimes needs to end relationships with some or all clients. Reasons include illness, working through countertransference, relocation to another area, the end of an internship or practicum experience, an extended trip, or the realization that client needs could be better served by someone else. These are what Cavanagh (1990) classifies as "good reasons" for the counselor to terminate.

There are also poor reasons for counselor-initiated termination. They include a counselor's feelings of anger, boredom, or anxiety. If a counselor ends a relationship because of such feelings, the client may feel rejected and even worse than he or she did in the beginning. It is one thing for a person to handle rejection from peers; it is another for that same person to handle rejection from a counselor. Cavanagh (1990) notes that, although a counselor may have some negative feelings about a client, it is possible to acknowledge and work through those feelings without behaving in an extreme or detrimental way.

Both London (1982) and Seligman (1984) present models for helping clients deal with the temporary absence of the counselor. These researchers stress that clients and counselors should prepare as far in advance as possible for temporary termination by openly discussing the impending event and working through any strong feelings about the issue of separation. Clients may actually experience benefits from counselor-initiated termination by realizing that the counselor is human and replaceable. They may also come to understand that people have choices about how to deal with interpersonal relationships. Furthermore, they may explore previous feelings and major life decisions, learning more clearly that new behaviors carry over into other life experiences (London, 1982). Refocusing may also occur during the termination process and help clients see issues on which to work more clearly.

Seligman (1984) recommends a more structured way of preparing clients for counselor-initiated termination than London does, but both models can be effective. It is important in any situation like this to make sure clients have the names and numbers of a few other counselors to contact in case of an emergency.

There is also the matter of permanent counselor-initiated termination. In today's mobile society "more frequently than before, it is counselors who leave, certain they will not return" (Pearson, 1998, p. 55). In such cases, termination is more painful for clients and presents quite a challenge for counselors. The timing expected in the counseling process is off.

In permanent counselor-initiated termination, it is still vital to review clients' progress, end the relationship at a specific time, and make postcounseling plans. A number of other tasks also must be accomplished (Pearson, 1998); among these are counselors working through their own feelings about their termination, such as sadness, grief, anger, and fear. Furthermore, counselors need to put clients' losses in perspective and plan accordingly how each client will deal with the loss of the counseling relationship. Counselors must take care of their physical needs as well and seek professional and personal support where necessary.

In the process of their own termination preparations, counselors should be open with clients about where they are going and what they will be doing. They should make such announcements in a timely manner and allow clients to respond spontaneously. "Advanced empathy is a powerful means for helping clients express and work through the range of their emotions" (Pearson, 1998, p. 61). Arranging for transfers or referrals to other counselors is critical if clients' needs are such. Finally, there is the matter of saying good-bye and ending the relationship. This process may be facilitated through the use of immediacy and/or rituals.

ENDING ON A POSITIVE NOTE

The process of termination, like counseling itself, involves a series of checkpoints that counselors and clients can consult to evaluate the progress they are making and determine their readiness to move to another stage (Maholick & Turner, 1979). It is important that termination be mutually agreed on, if at all possible, so that all involved can move on in ways deemed most productive. Nevertheless, this is not always possible. Patterson and Welfel (2000, pp. 113–114) present four guidelines a counselor can use to end an intense counseling relationship in a positive way:

1. *"Be clearly aware of the client's needs and wants and allow the client time to express them."* At the end of a counseling relationship, the client may need time to express gratitude for the help received. Counselors should accept such expressions "without minimizing the value of their work."
2. *"Review the major events of the counseling experience and bring the review into the present."* The focus of this process is to help a client see where he or she is now as compared with the beginning of counseling and realize more fully the growth that has been accomplished. The procedure includes a review of significant past moments and turning points in the relationship with a focus on personalizing the summary.
3. *"Supportively acknowledge the changes the client has made."* At this point the counselor lets the client know that he or she recognizes the progress that has been

achieved and actively encourages the client to maintain it. "When a client has chosen not to implement action plans" for issues that emerged in counseling, "the process of termination should also include an inventory of such issues and a discussion of the option of future counseling . . . ."

4. *"Request follow-up contact."*   Counseling relationships eventually end, but the caring, concern, and respect the counselor has for the client are not automatically terminated at the final session. Clients need to know that the counselor continues to be interested in what is happening in their lives. It is an additional incentive for clients to maintain the changes that counseling has produced.

ISSUES RELATED TO TERMINATION: FOLLOW-UP AND REFERRAL

Follow-up

Follow-up entails checking to see how the client is doing, with respect to whatever the problem was, sometime after termination has occurred (Okun, 2002). In essence, it is a positive monitoring process that encourages client growth (Doyle, 1998; Egan, 2003). Follow-up is a step that some counselors neglect. It is important because it reinforces the gains clients have made in counseling and helps both counselor and client reevaluate the experience. It also emphasizes the counselor's genuine care and concern for the client.

Follow-up can be conducted on either a short- or long-term basis (Cormier & Cormier, 1998). Short-term follow-up is usually conducted 3 to 6 months after a counseling relationship terminates. Long-term follow-up is conducted at least 6 months after termination.

Follow-up may take many forms, but there are four main ways in which it is usually conducted (Cormier & Cormier, 1998). The first is to invite the client in for a session to discuss any progress he or she has continued to make in achieving desired goals. A second way is through a telephone call to the client. A call allows the client to report to the counselor, although only verbal interaction is possible. A third way is for the counselor to send the client a letter asking about the client's current status. A fourth and more impersonal way is for the counselor to mail the client a questionnaire dealing with his or her current levels of functioning. Many public agencies use this type of follow-up as a way of showing accountability. Such procedures do not preclude the use of more personal follow-up procedures by individual counselors. Although time-consuming, a personal follow-up is probably the most effective way of evaluating past counseling experiences. It helps assure clients that they are cared about as individuals and are more than just statistics.

Sometimes, regardless of the type of follow-up used, it is helpful if the client monitors his or her own progress through the use of graphs or charts. Then, when relating information to the counselor, the client can do so in a more concrete and objective way. If counselor and client agree at the end of the last session on a follow-up time, this type of self-monitoring may be especially meaningful and give the client concrete proof of progress and clearer insight into current needs.

Referral and Recycling

Counselors are not able to help everyone who seeks assistance. When a counselor realizes that a situation is unproductive, it is important to know whether to terminate the relationship or make a referral. A referral involves arranging other assistance for a client when the initial arrangement is not or cannot be helpful (Okun, 2002). There are many reasons for referring, including the following (Goldstein, 1971):

- The client has a problem the counselor does not know how to handle.
- The counselor is inexperienced in a particular area (e.g., substance abuse or mental illness) and does not have the necessary skill to help the client.
- The counselor knows of a nearby expert who would be more helpful to the client.
- The counselor and client have incompatible personalities.
- The relationship between counselor and client is stuck in an initial phase of counseling.

Referrals involve a how, a when, and a who. The *how* involves knowing how to call on a helping resource and handle the client to maximize the chances that he or she will follow through with the referral process. A client may resist a referral if the client feels rejected by the counselor. Patterson and Welfel (2000) suggest that a counselor spend at least one session with the client in preparation for the referral. Some clients will need several sessions.

The *when* of making a referral involves timing. The longer a client works with a counselor, the more reluctant the client may be to see someone else. Thus, timing is crucial. If a counselor suspects an impasse with a certain client, he or she should refer that client as soon as possible. However, if the counselor has worked with the client for a while, he or she should be sensitive about giving the client enough time to get used to the idea of working with someone else.

The *who* of making a referral involves the person to whom you are sending a client. The interpersonal ability of that professional may be as important initially as his or her skills if the referral is going to work well. A good question to ask oneself when making a referral is whether the new counselor is someone you would feel comfortable sending a family member to see (MacCluskie & Ingersoll, 2001).

Recycling is an alternative when the counselor thinks the counseling process has not yet worked but can be made to do so. It means reexamining all phases of the therapeutic process. Perhaps the goals were not properly defined or an inappropriate strategy was chosen. Whatever the case, by reexamining the counseling process, counselor and client can decide how or whether to revise and reinvest in the counseling process. Counseling, like other experiences, is not always successful on the first attempt. Recycling gives both counselor and client a second chance to achieve what each wants: positive change.

SUMMARY AND CONCLUSION

Termination is an important but often neglected and misunderstood phase of counseling. The subjects of loss and ending are usually given less emphasis in counseling than those of growth and development. Thus, the subject of termination is frequently either ignored or taken for granted. Yet successful termination is vital to the health and well-being of both counselors and clients. It is a phase of counseling that can determine the success of all previous phases and must be handled with skill. Otherwise, everyone in the counseling

relationship will become stuck in reviewing data in areas that may be of little use. In addition, termination gives clients a chance to try new behaviors and serves as a motivator.

This chapter has emphasized the procedures involved in terminating an individual counseling session as well as the extended counseling relationship. These processes can be generalized to ending group or family counseling sessions. Both clients and counselors must be prepared for these endings. One way to facilitate this preparation is through the use of structure, such as time frames, and both verbal and nonverbal signals. Clients need to learn problem-solving skills before a counseling relationship is over so that they can depend on themselves rather than their counselors when they face difficult life situations. Nevertheless, it is important that a client be given permission to contact the counselor again if needed. An open policy does much to alleviate anxiety.

At times the counselor, client, or both resist terminating the relationship. Many times this resistance is related to unresolved feelings of grief and separation (Cowger, 1994). When a client has such feelings, he or she may choose to terminate the relationship prematurely. A counselor may also initiate termination but usually does so for good reasons. Regardless of who initiates termination, it is vital that all involved know what is happening and prepare accordingly. If possible, it is best to end counseling on a positive note. Once termination is completed, it is helpful to conduct some type of follow-up within a year. Sometimes referrals or recycling procedures are indicated to ensure that the client receives the type of help needed.

CLASSROOM ACTIVITIES

1. In pairs, discuss the most significant termination experience of your life, such as the death of a loved one, graduation, or moving from one life stage to another. Evaluate with your partner the positive things you learned from these experiences as well as the pain you felt.

2. In small groups, take turns role-playing different forms of counselor–client resistance to termination at the end of a session. Have one person play the part of the counselor, one person the part of the client, two persons the parts of alter egos for counselor and client, and one person the part of an observer/evaluator. After everyone has had a chance to play the counselor, discuss the feelings you had related to resistance in yourself and others and what strategies seemed to work best in overcoming resistance.

3. Write down ways that you think you can tell whether a counselor or client is ready to end a relationship. Then silently enact two or more of your behaviors in front of your classmates and let them describe what you are doing and how they would react to it.

4. As a class, divide into two teams and debate the issue of whether counseling relationships must end on a positive note. Pay special attention to the benefits that a client or counselor might derive from terminating counseling on a negative note.

5. What are your feelings about recycling? In groups of four, discuss what you think and feel about this procedure. Also, role-play how you would refer a difficult client to another professional.

REFERENCES

Anderson, C. M., & Stewart, S. (1983). *Mastering resistance: A practical guide to family therapy.* New York: Guilford.

Benjamin, A. (1987). *The helping interview* (4th ed.). Boston: Houghton Mifflin.

Brammer, L. M., & MacDonald, G. (2003). *The helping relationship* (7th ed.). Boston: Allyn & Bacon.

Burke, J. F. (1989). *Contemporary approaches to psychotherapy and counseling.* Pacific Grove, CA: Brooks/Cole.

Cavanagh, M. E. (1990). *The counseling experience.* Prospect Heights, IL: Waveland.

Cormier, L. S., & Hackney, H. (1999). *Counseling strategies and objectives* (5th ed.). Boston: Allyn & Bacon.

Cormier, W. H., & Cormier, L. S. (1998). *Interviewing strategies for helpers* (4th ed.). Pacific Grove, CA: Brooks/Cole.

Cowger, E. (1994, November). *Dealing with grief and loss.* Presentation at the Southern Association for Counselor Education and Supervision conference, Charlotte, NC.

Dixon, D. N., & Glover, J. A. (1984). *Counseling: A problem-solving approach*. New York: Wiley.

Doyle, R. E. (1998). *Essential skills and strategies in the helping process* (2nd ed.). Pacific Grove, CA: Brooks/Cole.

Egan, G. (2003). *The skilled helper* (8th ed.). Pacific Grove, CA: Brooks/Cole.

Gladding, S. T. (1990). Coming full cycle: Reentry after the group. *Journal for Specialists in Group Work, 15,* 130–131.

Gladding, S. T. (2002). *Family therapy: History, theory, and practice* (3rd ed.). Upper Saddle River, NJ: Merrill/Prentice Hall.

Goldberg, C. (1975). Termination: A meaningful pseudo-dilemma in psychotherapy. *Psychotherapy, 12,* 341–343.

Goldstein, A. (1971). *Psychotherapeutic attraction*. New York: Pergamon.

Goodyear, R. K. (1981). Termination as a loss experience for the counselor. *Personnel and Guidance Journal, 59,* 349–350.

Guy, J. D. (1987). *The personal life of the psychotherapist*. New York: Wiley.

Hansen, J., Warner, R., & Smith, E. (1980). *Group counseling: Theory and process* (2nd ed.). Chicago: Rand McNally.

Hansen, J. C., Rossberg, R. H., & Cramer, S. H. (1994). *Counseling theory and process* (5th ed.). Boston: Allyn & Bacon.

Hayes, R. L. (1993). Life, death, and reconstructive self. *Journal of Humanistic Education and Development, 32,* 85–88.

Hodgkinson, H. L. (1992). *A demographic look at tomorrow*. Washington, DC: Institute for Educational Leadership.

Huber, C. H. (1989). Paradox-orthodox: Brief pastoral psychotherapy. *Individual Psychology, 45,* 230–237.

Hulse-Killacky, D. (1993). Personal and professional endings. *Journal of Humanistic Education and Development, 32,* 92–94.

Ivey, A. E. (1998). *Intentional interviewing and counseling* (4th ed.). Pacific Grove, CA: Brooks/Cole.

Kottler, J. A., Sexton, T. L., & Whiston, S. C. (1994). *The heart of healing*. San Francisco: Jossey-Bass.

Kovacs, A. L. (1965). The intimate relationship: A therapeutic paradox. *Psychotherapy, 2,* 97–103.

Kovacs, A. L. (1976). The emotional hazards of teaching psychotherapy. *Psychotherapy, 13,* 321–334.

Kubler-Ross, E. (1969). *On death and dying*. New York: Macmillan.

Lerner, S., & Lerner, H. (1983). A systematic approach to resistance: Theoretical and technical considerations. *American Journal of Psychotherapy, 37,* 387–399.

Loewenstein, S. F. (1979). Helping family members cope with divorce. In S. Eisenberg & L. E. Patterson (Eds.), *Helping clients with special concerns* (pp. 193–217). Boston: Houghton Mifflin.

London, M. (1982). How do you say good-bye after you've said hello? *Personnel and Guidance Journal, 60,* 412–414.

MacCluskie, K. C., & Ingersoll, R. E. (2001). *Becoming a 21st century agency counselor*. Pacific Grove, CA: Brooks/Cole.

Maholick, L. T., & Turner, D. W. (1979). Termination: The difficult farewell. *American Journal of Psychotherapy, 33,* 583–591.

McGee, T. F., Schuman, B. N., & Racusen, F. (1972). Termination in group psychotherapy. *American Journal of Psychotherapy, 26,* 521–532.

Meier, S. T., & Davis, S. R. (2001). *The elements of counseling* (4th ed.). Pacific Grove, CA: Brooks/Cole.

Munro, J. N., & Bach, T. R. (1975). Effect of time-limited counseling on client change. *Journal of Counseling Psychology, 22,* 395–398.

Nystul, M. S. (1993). *The art and science of counseling and psychotherapy*. Upper Saddle River, NJ: Merrill/Prentice Hall.

Okun, B. F. (2002). *Effective helping* (6th ed.). Pacific Grove, CA: Brooks/Cole.

Patterson, L. E., & Welfel, E. R. (2000). *The counseling process* (5th ed.). Pacific Grove, IL: Brooks/Cole.

Pearson, Q. M. (1998). Terminating before counseling has ended: Counseling implications and strategies for counselor relocation. *Journal of Mental Health Counseling, 20,* 55–63.

Perls, F. S. (1969). *Gestalt therapy verbatim*. Lafayette, CA: Real People Press.

Seligman, L. (1984). Temporary termination. *Journal of Counseling and Development, 63,* 43–44.

Sheehy, G. (1976). *Passages: Predictable crises of adult life*. New York: Bantam.

Shulman, L. (1999). *The skills of helping individuals, families, groups, and communities* (4th ed.). Itasca, IL: Peacock.

Vickio, C. J. (1990). The goodbye brochure: Helping students to cope with transition and loss. *Journal of Counseling and Development, 68,* 575–577.

Ward, D. E. (1984). Termination of individual counseling: Concepts and strategies. *Journal of Counseling and Development, 63,* 21–25.

Weiss, R. S. (Ed.). (1973). *Loneliness*. Cambridge, MA: MIT Press.

Yalom, I. D. (1995). *The theory and practice of group psychotherapy* (4th ed.). New York: Basic Books.

Young, M. E. (1998). *Learning the art of helping*. Upper Saddle River, NJ: Merrill/Prentice Hall.

8

PSYCHOANALYTIC, ADLERIAN, AND HUMANISTIC THEORIES OF COUNSELING

I know how the pressure can build sometimes
in your own metallic tea-kettle world,
Sporadically you whistle to me,
at other times you explode!
Somewhere beneath that noisy facade
(in silence or stillness perhaps)
Feelings might flow with quickness and strength,
like the Dan or the Shenandoah,
But now they incessantly boil in your mind
steam-filling dark shadows and choking conversation.

Counseling, by definition, is a process that involves interpersonal relationships (Patterson, 1985). Frequently it is conducted on an individual level in which an atmosphere of trust is fostered between counselor and client that ensures communication, exploration, planning, change, and growth. In counseling, a client gains the benefit of immediate feedback from the counselor about behaviors, feelings, plans, and progress.

The following four variables determine the amount of growth and change that takes place in any type of counseling:

1. counselor,

2. client,

3. setting, and

4. theoretical orientation.

We have already examined some of the universal qualities of effective counselors and the counseling process. Certain characteristics seem to distinguish these aspects of counseling. For example, effective counselors have a good understanding of themselves and others, an appreciation for the influence of cultures, and a sound educational background. They understand and work with their clients on agreed-upon goals and realize that the personalities of counselors and clients have a powerful impact on each other and the counseling process. The setting in which counseling is conducted is also a critical variable. Counselors respond to client needs in different ways in different settings, such as schools, agencies, and mental health centers. The stages of counseling relationships likewise play a role in how counseling is conducted.

Chapter 8 focuses on three theoretical orientations to counseling: psychoanalytic, Adlerian, and humanistic. There are variations within the psychoanalytic and Adlerian approaches, but there is a common base. However, within the humanistic orientation, there are three different theories—person-centered, existential, and Gestalt—that are quite distinct. The theories covered in this chapter are among the oldest and most well-established in the profession. Before examining them, however, we will first focus on the nature of and importance of theory within the counseling process.

THEORY

A *theory* is a model that counselors use as a guide to hypothesize about the formation of possible solutions to a problem. Effective counselors decide which theory or theories to use on the basis of their educational background, philosophy, and the needs of clients. Not all approaches are appropriate for all counselors or clients. Exceptional practitioners who formulated their ideas on the basis of their experiences and observations have developed most counseling theories. Yet most theorists are somewhat tentative about their positions, realizing that no one theory fits all situations. Indeed, one theory may not be adequate for the same client over an extended period. Counselors must choose their theoretical positions carefully and regularly reassess them.

Some theoretical models are more comprehensive than others are, and effective counselors are aware of which theories are most comprehensive and for what reasons. Hansen, Stevic, and Warner (1986) list five requirements of a good theory:

1. *Clear, easily understood, and communicable.* It is coherent and not contradictory.
2. *Comprehensive.* It encompasses explanations for a wide variety of phenomena.
3. *Explicit and heuristic.* It generates research because of its design.
4. *Specific in relating means to desired outcomes.* It contains a way of achieving a desired end product.
5. *Useful to its intended practitioners.* It provides guidelines for research and practice.

In addition to these five qualities, a good theory for counselors is one that matches their personal philosophies of helping. Shertzer and Stone (1974) suggest that a counseling theory must fit counselors like a suit of clothes. Some theories, like some suits, need tailoring. Therefore, effective counselors realize the importance of alterations. Counselors who wish to be versatile and effective should learn a wide variety of counseling theories and know how to apply each without violating its internal consistency (Auvenshine & Noffsinger, 1984).

Importance of Theory

Theory is the foundation of good counseling. It challenges counselors to be caring and creative within the confines of a highly personal relationship that is structured for growth and insight (Gladding, 1990). Theory has an impact on how client communication is conceptualized, how interpersonal relationships develop, how professional ethics are implemented, and how counselors view themselves as professionals. Without theoretical backing, counselors operate haphazardly in a trial-and-error manner and risk being both ineffective and harmful. Brammer, Abrego, and Shostrom (1993) stress the pragmatic value of a solidly formulated theory for counselors. Theory helps explain what happens in a counseling relationship and assists the counselor in predicting, evaluating, and improving results. Theory provides a framework for making scientific observations about counseling. Theorizing encourages the coherence of ideas about counseling and the production of new ideas. Hence, counseling theory can be practical by helping to make sense out of the counselor's observations.

Boy and Pine (1983) elaborate on the practical value of theory by suggesting that theory is the *why* behind the *how* of counselors' roles, providing a framework within which counselors can operate. Counselors guided by theory can meet the demands of their roles because they have reasons for what they do. Boy and Pine point out six functions of theory that help counselors in a practical way:

1. Theory helps counselors find unity and relatedness within the diversity of existence.
2. Theory compels counselors to examine relationships they would otherwise overlook.
3. Theory gives counselors operational guidelines by which to work and helps them evaluate their development as professionals.
4. Theory helps counselors focus on relevant data and tells them what to look for.
5. Theory helps counselors assist clients in the effective modification of their behavior.

6. Theory helps counselors evaluate both old and new approaches to the process of counseling. It is the base from which new counseling approaches are constructed.

"The ultimate criterion for all counseling theories is how well they provide explanations of what occurs in counseling" (Kelly, 1988, pp. 212–213). The value of theories as ways of organizing information "hinges on the degree to which they are grounded in the reality of people's lives" (Young, 1988, p. 336).

Theory into Practice

As of 2000, more than 400 systems of psychotherapy and counseling were available worldwide (Corsini, 2000). Thus, counselors have a wide variety of theories from which to choose. Effective counselors scrutinize theories for proven effectiveness and match them to personal beliefs and realities about the nature of people and change.

However, as Okun (1990) states, the present emphasis in counseling is on connecting theories instead of creating them. This emphasis is built on the fundamental assumption that "no one theoretical viewpoint can provide all of the answers for the clients we see today" (p. xvi). Furthermore, counselors seem to be pragmatically flexible in adapting techniques and interventions from different theoretical approaches into their work without actually accepting the premises of some theoretical points of view. This practice seems to be of necessity because counselors must consider intrapersonal, interpersonal, and external factors when working with clients, and few theories blend all these dimensions together.

Thus, most professional counselors today (approximately 60% to 70%) identify themselves as *eclectic* in the use of theory and techniques (Lazarus & Beutler, 1993). That is, they use various theories and techniques to match their clients' needs with "an average of 4.4 theories making up their therapeutic work with clients" (Cheston, 2000, p. 254). As needs change, counselors depart from a theory they are using to another approach (a phenomenon called *style-shift counseling*). Changes counselors make are related to the client's developmental level (Ivey & Goncalves, 1988). To be effective, counselors must consider how far their clients have progressed in their structural development, as described by Jean Piaget. For example, a client who is not developmentally aware of his or her environment may need a therapeutic approach that focuses on "emotions, the body, and experience in the here and now"; whereas a client who is at a more advanced level of development may respond best to a "consulting-formal operations" approach, in which the emphasis is on thinking about actions (Ivey & Goncalves, 1988, p. 410). The point is that counselors and theories must start with where their clients are, helping them develop in a holistic manner.

While a strength of eclecticism is its ability to draw on various theories, techniques, and practices to meet client needs, this approach has its drawbacks. For instance, an eclectic approach can be hazardous to the counseling process if the counselor is not thoroughly familiar with all aspects of the theories involved. In such situations the counselor may become a technician without understanding why certain approaches work best with specific clients at certain times and certain ways (Cheston, 2000). This unexamined approach of undereducated counselors is sometimes sarcastically referred to as "electric"; that is, such counselors try any and all methods that "turn them on." The problem with an eclectic orientation is that counselors often do more harm than good if they have little or no understanding about what is helping the client.

To combat this problem, McBride and Martin (1990) advocate a hierarchy of eclectic practices and discuss the importance of having a sound theoretical base as a guide. The lowest or first level of eclecticism is really *syncretism*—a sloppy, unsystematic process of putting unrelated clinical concepts together. It is encouraged when graduate students are urged to formulate their own theories of counseling without first having experienced how tested models work. The second level of eclecticism is *traditional*. It incorporates "an orderly combination of compatible features from diverse sources [into a] harmonious whole" (English & English, 1956, p. 168). It is more thought out than syncretism, and theories are examined in greater depth.

On a third level, eclecticism is described as professional or theoretical or as *theoretical integrationism* (Lazarus & Beutler, 1993; Simon, 1989). This type of eclecticism requires that counselors master at least two theories before trying to make any combinations. The trouble with this approach is that it assumes a degree of equality between theories (which may not be true) and the existence of criteria "to determine what portions or pieces of each theory to preserve or expunge" (Lazarus & Beutler, 1993, p. 382). It differs from the traditional model in that no mastery of theory is expected in the traditional approach.

A fourth level of eclecticism is called *technical eclecticism,* exemplified in the work of Arnold Lazarus (1967). In this approach, procedures from different theories are selected and used in treatment "without necessarily subscribing to the theories that spawned them" (Lazarus & Beutler, 1993, p. 384). The idea is that techniques, not theories, are actually used in treating clients. Therefore, after properly assessing clients, counselors may use behavioral methods (such as assertiveness training) with existential techniques (such as confronting persons about the meaning in their lives) if the situations warrant.

This approach is in line with what Cavanagh (1990) proposes as a healthy eclectic approach to counseling. It requires counselors to have (a) a sound knowledge and understanding of the counseling theories used, (b) a basic integrative philosophy of human behavior that brings disparate parts of differing theories into a meaningful collage, and (c) a flexible means of fitting the approach to the client, not vice versa. Counselors who follow this model may operate pragmatically and effectively within an eclectic framework. The critical variables in being a healthy eclectic counselor are a mastery of theory and an acute sensitivity to knowing what approach to use when, where, and how (Harman, 1977).

A final type of eclectic approach is the *transtheoretical* model (TTM) of change (Prochaska & DiClemente, 1992). This model is developmentally based and has been empirically derived over time. It is "an alternative to technical eclectic approaches that tend to be inclusive to the point that various components are 'poorly' held together" (Petrocelli, 2002, p. 23). The model is direction focused and proposes five stages of change from precontemplation to maintenance. There are also five levels of change—symptom/situation problems, maladaptive cognitions, current interpersonal conflicts, family system conflicts, and intrapersonal conflicts.

"Counseling from a TTM perspective allows for a more *macroscopic approach* (involving a broad and comprehensive theoretical framework) and *personal adaptation* (involving an increase in critical, logical, accurate, and scientific-like thinking) rather than simple *personal adjustment*" (Petrocelli, 2002, p. 25). Its main drawbacks are its comprehensiveness and complexity and the fact that TTM has only been tested among limited groups (for example, addictions populations).

PSYCHOANALYTIC THEORIES

From a historical point of view alone, psychoanalytic theories are important. They were among the first to gain public recognition and acceptance. Psychoanalysis, as developed by Sigmund Freud, is examined in this section. Freud's conceptualization and implementation of psychoanalysis is the basis from which many other theories developed, either by modifying parts of this approach or reacting against it.

Psychoanalysis

Founders/Developers.   Sigmund Freud, a Viennese psychiatrist (1856–1939), is the person primarily associated with psychoanalysis, especially the classical school of thought. His genius created the original ideas. His daughter, Anna Freud, further elaborated the theory, especially as it relates to children and development of defense mechanisms. In more recent times, Heinz Kohut has extended the theory to developmental issues, especially attachment, through his conceptualization of object relations theory.

View of Human Nature.   Freud's view of human nature is dynamic with the transformation and exchange of energy within the personality (Hall, 1954). People have a *conscious mind* (attuned to an awareness of the outside world), a *preconscious mind* (that contains hidden memories or forgotten experiences that can be remembered), and an *unconscious mind* (containing the instinctual, repressed, and powerful forces). According to Freud, the personality consists of three parts:

1. *id* (comprised of amoral basic instincts, and which operates according to the pleasure principle),
2. *ego* (the conscious, decision-making "executive of the mind," which operates according to the reality principle), and
3. *superego* (the conscience of the mind that contains the values of parental figures and that operates according to the moral principle).

The id and the superego are confined to the unconscious; the ego operates primarily in the conscious but also in the preconscious and unconscious.

Psychoanalysis is also built on what Freud referred to as *psychosexual developmental stages*. Each of the stages focuses on a zone of pleasure that is dominant at a particular time: the *oral stage*, where the mouth is the chief pleasure zone and basic gratification is from sucking and biting; the *anal stage*, where delight is in either withholding or eliminating feces; the *phallic stage*, where the chief zone of pleasure is the sex organs, and members of both sexes must work through their sexual desires; *latency*, where energy is focused on peer activities and personal mastery of cognitive learning and physical skills; and the *genital stage*, where if all has gone well previously, each gender takes more interest in the other and normal heterosexual patterns of interaction appear. Excessive frustration or overindulgence in the first three stages are the main difficulties that can arise going through these stages, in which case the person could become *fixated* (or arrested) at that level of development and/or overly dependent on the use of *defense mechanisms* (i.e., a way of coping with anxiety on the unconscious level by denying or distorting reality) (see Table 8.1).

Table 8.1 Psychoanalytic defense mechanisms

• **Repression**	The most basic of the defense mechanisms, repression is the unconscious exclusion of distressing or painful thoughts and memories. All other defense mechanisms make some use of repression.
• **Denial**	In this process, a person refuses to see or accept any problem or troublesome aspect of life. Denial operates at the preconscious or conscious level.
• **Regression**	When individuals are under stress, they often return to a less mature way of behaving.
• **Projection**	Instead of stating what one really thinks or feels, he or she attributes an unacceptable thought, feeling, or motive onto another.
• **Rationalization**	This defense mechanism involves giving an "intellectual reason" to justify a certain action. The reason and the action are connected only in the person's mind after the behavior has been completed.
• **Reaction Formation**	When an individual behaves in a manner that is just the opposite of how he or she feels, it is known as a "reaction formation." This type of behavior is usually quite exaggerated, such as acting especially nice to someone whom one dislikes intensely.
• **Displacement**	This defense is a redirection of an emotional response onto a "safe target." The substitute person or object receives the feeling instead of the person directly connected with it.

Source: Gladding, S. T. (2003). *Group work: A counseling specialty.* Upper Saddle River, NJ: Prentice Hall.

Role of the Counselor. Professionals who practice classical psychoanalysis function as experts. They encourage their clients to talk about whatever comes to mind, especially childhood experiences. To create an atmosphere in which the client feels free to express difficult thoughts, psychoanalysts, after a few face-to-face sessions, often have the client lie down on a couch while the analyst remains out of view (usually seated behind the client's head). The analyst's role is to let clients gain insight by reliving and working through the unresolved past experiences that come into focus during sessions. The development of transference is encouraged to help clients deal realistically with unconscious material. Unlike some other approaches, psychoanalysis encourages the counselor to interpret for the client.

Goals. The goals of psychoanalysis vary according to the client, but they focus mainly on personal adjustment, usually inducing a reorganization of internal forces within the person. In most cases a primary goal is to help the client become more aware of the unconscious aspects of his or her personality.

A second major goal, often tied to the first, is to help a client work through a developmental stage not previously resolved. If accomplished, clients become unstuck and are able to live more productively. Working through unresolved developmental stages may require a major reconstruction of the personality.

A final goal of psychoanalysis is helping clients cope with the demands of the society in which they live. Unhappy people, according to this theory, are not in tune with themselves or society. Psychoanalysis stresses environmental adjustment, especially in the areas of work and intimacy. The focus is on strengthening the ego so that perceptions and plans become more realistic.

Techniques.   Psychoanalytic techniques are most often applied within a specific setting, such as a counselor's office or a hospital's interview room. Among the most prominent of these techniques are free association, dream analysis, analysis of transference, analysis of resistance, and interpretation. Although each technique is examined separately here, in practice they are integrated.

- *Free Association.*   In free association, the client abandons the normal way of censoring thoughts by consciously repressing them and instead says whatever comes to mind, even if the thoughts seem silly, irrational, suggestive, or painful. In this way, the id is requested to speak and the ego remains silent (Freud, 1936). Unconscious material enters the conscious mind, and there the counselor interprets it.
- *Dream Analysis.*   Freud believed that dreams were a main avenue to understanding the unconscious, even calling them "the royal road to the unconscious." He thought dreams were an attempt to fulfill a childhood wish or express unacknowledged sexual desires. In dream analysis, clients are encouraged to dream and remember dreams. The counselor is especially sensitive to two aspects of dreams: the *manifest content* (obvious meaning) and the *latent content* (hidden but true meaning) (Jones, 1979). The analyst helps interpret both aspects to the client.
- *Analysis of Transference.*   *Transference* is the client's response to a counselor as if the counselor were some significant figure in the client's past, usually a parent figure. The analyst encourages this transference and interprets the positive or negative feelings expressed. The release of feelings is therapeutic, an emotional catharsis. But the real value of these experiences lies in the client's increased self-knowledge, which comes through the counselor's analysis of the transference. Those who experience transference and understand what is happening are then freed to move on to another developmental stage.
- *Analysis of Resistance.*   Sometimes clients initially make progress while undergoing psychoanalysis and then slow down or stop. Their resistance to the therapeutic process may take many forms, such as missing appointments, being late for appointments, not paying fees, persisting in transference, blocking thoughts during free association, or refusing to recall dreams or early memories. A counselor's analysis of resistance can help clients gain insight into it as well as other behaviors. If resistance is not dealt with, the therapeutic process will probably come to a halt.
- *Interpretation.*   Interpretation should be considered part of the techniques we have already examined and complementary to them. When interpreting, the counselor helps the client understand the meaning of past and present personal events. Interpretation encompasses explanations and analysis of a client's thoughts, feelings, and actions. Counselors must carefully time the use of interpretation. If it comes too soon in the relationship, it can drive the client away. However, if it is not employed at all or used infrequently, the client may fail to develop insight.

Strengths and Contributions.   Classical psychoanalysis has several unique emphases:

- The approach emphasizes the importance of sexuality and the unconscious in human behavior. Before this theory came into being, sexuality (especially childhood sexuality) was denied and little attention was paid to unconscious forces.
- The approach lends itself to empirical studies; it is heuristic. Freud's proposals have generated a tremendous amount of research.

- The approach provides a theoretical base of support for a number of diagnostic instruments. Some psychological tests, such as the Thematic Apperception Test or the Rorschach Ink Blots, are rooted in psychoanalytic theory.
- Psychoanalysis continues to evolve and most recently has emphasized adaptive processes and social relations.
- The approach appears to be effective for those who suffer from a wide variety of disorders, including hysteria, narcissism, obsessive-compulsive reactions, character disorders, anxiety, phobias, and sexual difficulties (Arlow, 2000).
- The approach stresses the importance of developmental growth stages.

Limitations. The following limiting factors are a part of psychoanalysis:

- The approach is time-consuming and expensive. A person who undergoes psychoanalysis is usually seen three to five times a week over a period of years (Bankart, 1997; Nye, 2000).
- The approach does not seem to lend itself to working with older clients or even a large variety of clients. "Patients benefiting most from analysis" are mainly "middle-aged men and women oppressed by a sense of futility and searching for meaning in life" (Bradley & Cox, 2001, p. 35).
- The approach has been claimed almost exclusively by psychiatry, despite Freud's wishes (Vandenbos, Cummings, & Deleon, 1992). Counselors and psychologists without medical degrees have had a difficult time getting extensive training in psychoanalysis.
- The approach is based on many concepts that are not easily communicated or understood—the id, ego, and superego, for instance. Psychoanalytical terminology seems overly complicated.
- The approach is deterministic. For instance, Freud attributed certain limitations in women to be a result of gender—that is, of being female.
- The approach does not lend itself to the needs of most individuals who seek professional counseling. The psychoanalytic model has become associated with people who have major adjustment difficulties or want or need to explore the unconscious.

ADLERIAN THEORY

Adlerian theory focuses on social interests as well as the purposefulness of behavior and the importance of developing a healthy style of life. The therapeutic approach that has grown out of this theory is internationally popular.

Adlerian Counseling

Founders/Developers. Alfred Adler (1870–1937) was the founder of the Adlerian approach to counseling, also known as *Individual Psychology* (to emphasize the holistic and indivisible nature of people). He was a contemporary of Sigmund Freud and even a member of his Vienna Psychoanalytic Society. However, Adler differed from Freud about the importance of biological drives as the primary motivating force of life and stressed the importance of subjective feelings and social interests. His theory is more hopeful. Individual psychology waned in popularity after his death but was revitalized by Rudolph Driekurs, Manford Sonstegard, Oscar Christensen, Raymond Corsini, Donald Dinkmeyer, and Thomas Sweeney, among others.

View of Human Nature.   A central idea for Adler in regard to human nature is that people are primarily motivated by *social interest,* that is, a feeling of being connected to society as a part of the social whole, an active interest in and empathy with others, as well as a need and willingness to contribute to the general social good (Mosak, 2000). Those with social interest take responsibility for themselves and others and are cooperative and positive in regard to their mental health. "Those who are failures, including neurotics, psychotics, and criminally oriented individuals are failures because they are lacking in social interest" (Daugherty, Murphy, & Paugh, 2001, p. 466).

Adler's theory holds that conscious aspects of behavior, rather than the unconscious, are central to the development of personality. A major Adlerian tenet is that people strive to become successful (i.e., the best they can be); a process he called *striving for perfection* or completeness (Adler, 1964). There is also a tendency for each person initially to feel inferior to others. If this feeling is not overcome, the person develops an *inferiority complex.* Such a complex, if not changed, becomes the basis by which one's personality is defined. In contrast, a person who overcompensates for feelings of inferiority develops a *superiority complex,* which is what Adler also described as a *neurotic fiction* that is unproductive.

Adler believed that people are as influenced by future (teleological) goals as by past causes. His theory also places considerable emphasis on *birth order:* those who share ordinal birth positions (e.g., firstborns) may have more in common with one another than siblings from the same family (Dreikurs, 1950). Five ordinal positions are emphasized in Adlerian literature on the family constellation: firstborns, secondborns, middle children, youngest children, and the only child (Dreikurs, 1967; Dreikurs & Soltz, 1964; Sweeney, 1998).

In addition to birth order, the family environment is important to a person's development, particularly in the first 5 years of life. Adlerian theory stresses that each person creates a style of life by age 5, primarily through interacting with other family members. A negative family atmosphere might be authoritarian, rejective, suppressive, materialistic, overprotective, or pitying (Dreikurs & Soltz, 1964), whereas a positive family atmosphere might be democratic, accepting, open, and social. Nevertheless, perception of the family atmosphere, rather than any events themselves, is crucial to the development of a style of life (Adler, 1964). Individuals behave as if the world were a certain way and are guided by their *fictions*—that is, their subjective evaluations of themselves and their environments.

Overall, Adlerians believe there are three main life tasks: society, work, and sexuality. As mentioned previously, Adlerian theory places strong emphasis on developing social interest and contributing to society. His theory holds that work is essential for human survival and that we must learn to be interdependent. Furthermore, a person must define his or her sexuality in regard to self and others, in a spirit of cooperation rather than competition. He also mentions two other challenges of life, although he does not fully develop them: spirituality and coping with self (Dreikurs & Mosak, 1966). According to Adlerian theory, it is crucial to emphasize that, when facing any life task, *courage* (a willingness to take risks without knowing what the consequences may be) is required.

Role of the Counselor.   Adlerian counselors function primarily as diagnosticians, teachers, and models in the equalitarian relationships they establish with their clients. They try to assess why clients are oriented to a certain way of thinking and behaving. The counselor makes an assessment by gathering information on the family constellation and a client's earliest memories. The counselor then shares impressions, opinions, and feelings with the client and concentrates on promoting the therapeutic relationship. The client is encouraged to examine and change a faulty lifestyle by developing social interest (Adler, 1927, 1931).

Adlerians are frequently active in sharing hunches or guesses with clients and are often directive when assigning clients homework, such as to act "as if" the client were the person he or she wants to be. Adlerian counselors employ a variety of techniques, some of which are borrowed from other approaches.

Goals.   The goals of Adlerian counseling revolve around helping people develop healthy, holistic lifestyles. This may mean educating or reeducating clients about what such lifestyles are as well as helping them overcome feelings of inferiority. One of the major goals of Adlerian counseling is to help clients overcome a *faulty style of life;* that is, a life that is self-centered and based on mistaken goals and incorrect assumptions associated with feelings of inferiority. These feelings might stem from being born with a physical or mental defect, being pampered by parents, or being neglected. The feelings must be corrected and inappropriate forms of behavior must be stopped. To do so, the counselor assumes the role of teacher and interpreter of events. Adlerian counseling deals with the whole person (Kern & Watts, 1993). The client is ultimately in charge of deciding whether to pursue social or self-interests.

Techniques.   The establishment of a counseling relationship is crucial if the goals of Adlerian counseling are to be achieved. Certain techniques help enhance this process. Adlerian counselors try to develop a warm, supportive, empathic, friendly, and equalitarian relationship with clients. Counseling is seen as a collaborative effort (Adler, 1956). Counselors actively listen and respond in much the same way that person-centered counselors do (Gilliland & James, 2003).

After a relationship has been established, the counselor concentrates on an analysis of the client's lifestyle, including examination of the family constellation, early memories, dreams, and priorities. As previously noted, the family constellation and the atmosphere in which children grow greatly influence both self-perception and the perceptions of others. No two children are born into the same environment, but a child's ordinal position and assessment of the family atmosphere have a major impact on development and behavior. Often a client is able to gain insight by recalling early memories, especially events before the age of 10. Adler (1931) contended that a person remembers childhood events that are consistent with his or her present view of self, others, and the world in general. Adlerian counselors look both for themes and specific details within these early recollections (Slavik, 1991; Statton & Wilborn, 1991; Watkins, 1985). Figures from the past are treated as prototypes rather than specific individuals. Recent and past dreams are also a part of lifestyle analysis. Adlerian theory holds that dreams are a possible rehearsal for future courses of action. Recurrent dreams are especially important. A look at the client's priorities is helpful in understanding his or her style of life. A client may persist in one predominant lifestyle, such as always trying to please, unless challenged to change.

Counselors next try to help clients develop insight, especially by asking open-ended questions and making interpretations. Open-ended questions allow clients to explore patterns in their lives that have gone unnoticed. Interpretation often takes the form of intuitive guesses. The ability to empathize is especially important in this process, for the counselor must be able to feel what it is like to be the client before zeroing in on the reasons for the client's present behaviors. At other times, interpretations are based on the counselor's general knowledge of ordinal position and family constellation.

To accomplish behavioral change, the counselor uses specific techniques:

- *Confrontation.* The counselor challenges clients to consider their own private logic. When clients examine this logic, they often realize they can change it and their behavior.
- *Asking "the question."* The counselor asks, "What would be different if you were well?" Clients are often asked "the question" during the initial interview, but it is appropriate at any time.
- *Encouragement.* Encouragement implies faith in a person (Dinkmeyer & Losoncy, 1980; Dreikurs & Soltz, 1964). Counselors encourage their clients to feel good about themselves and others (Adler, 1931). They state their belief that behavior change is possible for clients. Encouragement is the key to making productive lifestyle choices in learning and living.
- *Acting "as if."* Clients are instructed to act "as if" they are the persons they want to be; for instance, the ideal persons they see in their dreams (Gold, 1979). Adler originally got the idea of acting "as if" from Hans Vaihinger (1911), who wrote that people create the worlds they live in by the assumptions they make about the world.
- *Spitting in the client's soup.* A counselor points out certain behaviors to clients and thus ruins the payoff for the behavior. For example, a mother who always acts superior to her daughter by showing her up may continue to do so after the behavior has been pointed out, but the reward for doing so is now gone.
- *Catching oneself.* Clients learn to become aware of self-destructive behaviors or thoughts. At first, the counselor may help in the process, but eventually this responsibility is taken over by clients.
- *Task setting.* Clients initially set short-range, attainable goals and eventually work up to long-term, realistic objectives. Once clients make behavioral changes and realize some control over their lives, counseling ends.
- *Push button.* Clients are encouraged to realize they have choices about what stimuli in their lives they pay attention to. They are taught to create the feelings they want by concentrating on their thoughts. The technique is like pushing a button because clients can choose to remember negative or positive experiences (Mosak, 2000).

Strengths and Contributions.   The Adlerian approach to counseling has a number of unique contributions and emphases:

- The approach fosters an equalitarian atmosphere through the positive techniques that counselors promote. Rapport and commitment are enhanced by its processes, and the chances for change are increased. Counselor encouragement and support are valued commodities. Adlerian counselors approach their clients with an educational orientation and take an optimistic outlook on life.

- The approach is versatile over the life span. "Adlerian theorists have developed counseling models for working with children, adolescents, parents, entire families, teacher groups, and other segments of society" (Purkey & Schmidt, 1987, p. 115). Play therapy for children ages 4 to 9 seems to be especially effective.
- The approach is useful in the treatment of a variety of disorders, including conduct disorders, antisocial disorders, anxiety disorders of childhood and adolescence, some affective disorders, and personality disorders (Seligman, 1997).
- The approach has contributed to other helping theories and to the public's knowledge and understanding of human interactions. Many of Adler's ideas have been integrated into other counseling approaches.
- The approach can be employed selectively in different cultural contexts (Brown, 1997). For instance, the concept of "encouragement" is appropriately emphasized in working with groups that have traditionally emphasized collaboration such as Hispanics and Asian Americans, while the concept "sibling rivalry" may be highlighted with traditional European North Americans who stress competition.

Limitations.   Adlerian theory is limited in the following ways:

- The approach lacks a firm, supportive research base. Relatively few empirical studies clearly outline Adlerian counseling's effectiveness.
- The approach is vague in regard to some of its terms and concepts.
- The approach may be too optimistic about human nature, especially social cooperation and interest. Some critics consider his view neglectful of other life dimensions, such as the power and place of the unconscious.
- The approach's basic principles, such as a democratic family structure, may not fit well in working with clients whose cultural context stresses the idea of a lineal social relationship, such as with traditional Arab Americans (Brown, 1997).
- The approach, which relies heavily on verbal erudition, logic, and insight, may be limited in its applicability to clients who are not intellectually bright (Gilliland & James, 2003).

HUMANISTIC THEORIES

The term *humanistic,* as a descriptor of counseling, focuses on the potential of individuals to actively choose and purposefully decide about matters related to themselves and their environments. Professionals who embrace humanistic counseling approaches help people increase self-understanding through experiencing their feelings. The term is broad and encompasses counseling theories that are focused on people as decision makers and initiators of their own growth and development. Three of these theories are covered here: person-centered, existential, and Gestalt.

Person-Centered Counseling

Founders/Developers.   Carl Rogers (1902–1987) is the person most identified with person-centered counseling. Indeed, it was Rogers who first formulated the theory in the form of nondirective psychotherapy in his 1942 book, *Counseling and Psychotherapy.* The theory later evolved into client-centered and person-centered counseling with multiple applications to groups, families, and communities as well as individuals.

View of Human Nature.   Implicit in person-centered counseling is a particular view of human nature: people are essentially good (Rogers, 1961). Humans are characteristically "positive, forward-moving, constructive, realistic, and trustworthy" (Rogers, 1957, p. 199). Each person is aware, inner directed, and moving toward self-actualization from infancy on.

According to Rogers, self-actualization is the most prevalent and motivating drive of existence and encompasses actions that influence the total person. "The organism has one basic tendency and striving, to actualize, maintain, and enhance the experiencing organism" (Rogers, 1951, p. 487). Person-centered theorists believe that each person is capable of finding a personal meaning and purpose in life.

Rogers views the individual from a *phenomenological perspective:* what is important is the person's perception of reality rather than an event itself (Rogers, 1955). This way of seeing the person is similar to Adler's. The concept of self is another idea that Rogers and Adler share. But for Rogers the concept is so central to his theory that his ideas are often referred to as *self theory.* The self is an outgrowth of what a person experiences, and an awareness of self helps a person differentiate him- or herself from others (Nye, 2000).

For a healthy self to emerge, a person needs *positive regard*—love, warmth, care, respect, and acceptance. But in childhood, as well as later in life, a person often receives *conditional regard* from parents and others. Feelings of worth develop if the person behaves in certain ways because conditional acceptance teaches the person to feel valued only when conforming to others' wishes. Thus, a person may have to deny or distort a perception when someone on whom the person depends for approval sees a situation differently. An individual who is caught in such a dilemma becomes aware of incongruities between self-perception and experience. If a person does not do as others wish, he or she will not be accepted and valued. Yet if a person conforms, he or she opens up a gap between the *ideal self* (what the person is striving to become) and the *real self* (what the person is). The further the ideal self is from the real self, the more alienated and maladjusted a person becomes.

Role of the Counselor.   The counselor's role is a holistic one. He or she sets up and promotes a climate in which the client is free and encouraged to explore all aspects of self (Rogers, 1951, 1980). This atmosphere focuses on the counselor–client relationship, which Rogers describes as one with a special "I-Thou" personal quality. The counselor is aware of the client's verbal and nonverbal language, and the counselor reflects back what he or she is hearing or observing (Braaten, 1986). Neither the client nor the counselor knows what direction the sessions will take or what goals will emerge in the process. Yet the counselor trusts the client to develop an agenda on which he or she wishes to work. The counselor's job is to work as a facilitator rather than a director. In the person-centered approach, the counselor is the process expert and expert learner (of the client). Patience is essential (Miller, 1996).

Goals.   The goals of person-centered counseling center around the client as a person, not his or her problem. Rogers (1977) emphasizes that people need to be assisted in learning how to cope with situations. One of the main ways to accomplish this is by helping a client become a fully functioning person who has no need to apply defense mechanisms to everyday experiences. Such an individual becomes increasingly willing to change and grow. He or she is more open to experience, more trusting of self-perception, and engaged in self-exploration and evaluation (Rogers, 1961). Furthermore, a fully functioning person develops a greater acceptance of self and others and becomes a better decision maker in the here and now. Ultimately, a client is helped to identify, use, and integrate his or her own resources and potential (Boy & Pine, 1983; Miller, 1996).

Techniques.   For person-centered therapists, the quality of the counseling relationship is much more important than techniques (Glauser & Bozarth, 2001). Rogers (1957) believes there are three necessary and sufficient (i.e., core) conditions of counseling:

1. empathy,
2. positive regard (acceptance), and
3. congruence (genuineness).

Empathy is the counselor's ability to feel with clients and convey this understanding back to them. It is an attempt to think with, rather than for or about, them (Brammer, Abrego, & Shostrom, 1993). Rogers (1975) noted, "The research keeps piling up and it points strongly to the conclusion that a high degree of empathy in a relationship is possibly the most potent and certainly one of the most potent factors in bringing about change and learning" (p. 3). *Positive regard,* also known as acceptance, is a deep and genuine caring for the client as a person—that is, prizing the person just for being (Rogers, 1961, 1980). *Congruence* is the condition of being transparent in the therapeutic relationship by giving up roles and facades (Rogers, 1980).

Since 1980, person-centered counselors have tried a number of other procedures for working with clients, such as limited self-disclosure of feelings, thoughts, and values (Corey, 2001). Clients, however, grow by experiencing themselves and others in relationships (Cormier & Cormier, 1998). Therefore, Rogers (1967) believed that "significant positive personality change" could not occur except in relationships (p. 73).

Methods that help promote the counselor–client relationship include, but are not limited to, active and passive listening, accurate reflection of thoughts and feelings, clarification, summarization, confrontation, and general or open-ended leads.

Strengths and Contributions.   Person-centered counseling's unique aspects include the following:

- The approach revolutionized the counseling profession by linking counseling with psychotherapy and demystifying it with the publication of an actual transcript of a counseling session (Goodyear, 1987).
- The person-centered approach to counseling is applicable to a wide range of human problems, including institutional changes, labor–management relationships, leadership development, career decision making, and international diplomacy.
- The approach has generated a great deal of research and initially set the standard for doing research on counseling variables, especially those that Rogers (1957) deemed "necessary and sufficient" to bring about therapeutic change.
- The approach is effective. Person-centered counseling helps improve psychological adjustment, learning, and frustration tolerance and decrease defensiveness (Grummon, 1972). It is appropriate in treating mild to moderate anxiety states, adjustment disorders, and conditions not attributable to mental disorders, such as uncomplicated bereavement or interpersonal relations (Seligman, 1997).

- The approach focuses on the open and accepting relationship established by counselors and clients and the short-term nature of the process.
- The basics of the approach take a relatively short time to learn. With its emphasis on mastering listening skills, person-centered counseling is a foundation for training many paraprofessional helpers.
- The approach has a positive view of human nature.

Limitations.   The limitations of person-centered theory are also noteworthy:

- The approach initially provided few instructions for counselors on how to establish relationships with clients and bring about change.
- The approach depends on bright, insightful, hard-working clients for best results. It has limited applicability and is seldom employed with the severely disabled or young children (Thompson & Rudolph, 2000).
- The approach ignores diagnosis, the unconscious, and innately generated sexual and aggressive drives. Many critics think it is overly optimistic.
- The approach deals only with surface issues and does not challenge the client to explore deeper areas. Because person-centered counseling is short term, it may not make a permanent impact on the person.

Existential Counseling

Founders/Developers.   Rollo May (1909–1994) and Viktor Frankl (1905–1997) are two of the most influential professionals in the field of existential counseling. May dealt extensively with anxiety while Frankl, who was interred in Nazi concentration camps during World War II, focused on the meaning of life even under the most horrendous conditions.

View of Human Nature.   As a group, existentialists believe that people form their lives by the choices they make. Even in the worst situations, such as the Nazi death camps, there is an opportunity to make important life-and-death decisions, such as whether to struggle to stay alive (Frankl, 1969). Existentialists focus on this freedom of choice and the action that goes with it. They view people as the authors of their lives. They contend that people are responsible for any choice they make and that some choices are healthier and more meaningful than others.

According to Frankl (1962), the "meaning of life always changes but it never ceases to be" (p. 113). Meaning goes beyond self-actualization and exists at three levels: (a) ultimate meanings (e.g., there is an order to the universe); (b) meaning of the moment; and (c) common, day-to-day meaning (Das, 1998). We can discover life's meaning in three ways:

1. *by doing a deed,* that is, by achieving or accomplishing something,
2. *by experiencing a value,* such as a work of nature, culture, or love, and
3. *by suffering,* that is, by finding a proper attitude toward unalterable fate

Existentialists believe that psychopathology is a failure to make meaningful choices and maximize one's potential (McIllroy, 1979). Choices may be avoided and potentials not realized because of the anxiety that is involved in action. Anxiety is often associated with paralysis, but May (1977) argues that normal anxiety may be healthy and motivational and can help people change.

Role of the Counselor. There are no uniform roles that existential counselors follow. Every client is considered unique. Therefore, counselors are sensitive to all aspects of their clients' character, "such as voice, posture, facial expression, even dress and apparently accidental movements of the body" (May, 1939, p. 101). Basically, counselors concentrate on being authentic with their clients and entering into deep and personal relationships with them. It is not unusual for a counselor to share personal experiences with a client to deepen the relationship and help the client realize a shared humanness and struggle. Buhler and Allen (1972) suggest that existential counselors focus on person-to-person relationships that emphasize mutuality, wholeness, and growth. Counselors who practice from a Frankl perspective are Socratic in engaging their clients in dialogue (Das, 1998).

However, all existential counselors serve as a model of how to achieve individual potential and make decisions. They concentrate on helping the client experience subjective feelings, gain clearer self-understanding, and move toward the establishment of a new way of being in the world. The focus is living productively in the present, not recovering a personal past. They also "focus on ultimate human concerns (death, freedom, isolation, and meaninglessness)" (May & Yalom, 2000, p. 289).

Goals. The goals of existentialists include helping clients realize the importance of meaning, responsibility, awareness, freedom, and potential. Existentialists hope that during the course of counseling, clients will take more responsibility for their lives. "The aim of therapy is that the patient experience his existence as real" (May, Angel, & Ellenberger, 1958, p. 85). In the process, the client is freed from being an observer of events and becomes a shaper of meaningful personal activity.

Techniques. The existential approach has fewer techniques available than almost any other model of counseling. Yet this apparent weakness is paradoxically a strength because it allows existential counselors to borrow ideas as well as use a wide range of personal and professional skills. "Approaching human beings merely in terms of techniques necessarily implies manipulating them," and manipulation is opposed to what existentialists espouse (Frankl, 1967, p. 139). Thus, existentialists are free to use techniques as widely diversified as desensitization and free association or to disassociate themselves from these practices entirely (Corey, 2001).

The most effective and powerful technique existential counselors have is the relationship with the client. Ideally, the counselor transcends his or her own needs and focuses on the client (Wallace, 1986). In the process, the counselor is open and self-revealing in an attempt to help the client become more in touch with personal feelings and experiences. The emphasis in the relationship is on authenticity, honesty, and spontaneity.

Existential counselors also make use of confrontation. Clients are confronted with the idea that everyone is responsible for his or her own life. Existential counselors borrow some techniques such as imagery exercises, awareness exercises, and goal-setting activities from other models.

Strengths and Contributions. The existential approach to counseling has a number of strengths:

- The approach emphasizes the uniqueness of each individual. It is a very humanistic way of working with others (Yalom, 1980).

- The approach recognizes that anxiety is not necessarily a negative condition. Anxiety is a part of human life and can motivate some individuals to make healthy and productive decisions.
- The approach gives counselors access to a tremendous amount of philosophy and literature that is both informative and enlightening about human nature.
- The approach stresses continued human growth and development and offers hope to clients through directed readings and therapeutic encounters with the counselor.
- The approach is effective in multicultural counseling situations because its global view of human existence allows counselors to focus on the person of the client in an "I-Thou" manner without regard to ethnic or social background (Epp, 1998; Jackson, 1987).
- The approach helps connect individuals to universal problems faced by humankind, such as the search for peace and the absence of caring (Baldwin, 1989).
- The approach may be combined with other perspectives and methods (such as those based on learning principles and behaviorism) to treat extremely difficult problems, such as alcoholism.

Limitations.   Professionals who embrace different and more structured approaches have noted several limitations in the existential approach:

- The approach has not produced a fully developed model of counseling. Professionals who stress developmental stages of counseling are particularly vehement in this criticism.
- The approach lacks educational and training programs. Each practitioner is unique. Although uniqueness is valued, it prohibits the systematic teaching of theory.
- The approach is difficult to implement beyond an individual level because of its subjective nature. Existentialism lacks the type of methodology and validation processes prevalent in most other approaches. In short, it lacks the uniformity that beginning counselors can readily understand.
- The approach is closer to existential philosophy than to other theories of counseling. This distinction limits its usefulness.

Gestalt Therapy

Gestalt therapy is associated with Gestalt psychology, a school of thought that stresses perception of completeness and wholeness. The term *gestalt* means whole figure. Gestalt psychology and therapy arose as a reaction to the reductionist emphasis in other schools of psychology and counseling, such as psychoanalysis and behaviorism. Thus, Gestalt therapy emphasizes how people function in their totality.

Founders/Developers.   Frederick (Fritz) Perls (1893–1970) is credited with establishing Gestalt therapy and popularizing it both through his flamboyant personality and his writings. Laura Perls (his wife) and Paul Goodman helped Perls develop and refine his original ideas. A number of other theorists, particularly Joen Fagan and Irma Lee Shepherd (1970), developed the model further.

View of Human Nature.   Gestaltists believe that human beings work for wholeness and completeness in life. Each person has a self-actualizing tendency that emerges through personal interaction with the environment and the beginning of self-awareness. Self-actualization is centered in the present; it "is the process of being what one is and not a process of striving to become" (Kempler, 1973, p. 262). The Gestalt view of human nature places trust on the inner wisdom of people, much as person-centered counseling does. Each person seeks to live integratively and productively, striving to coordinate the various parts of the person into a healthy, unified whole. From a Gestalt perspective, persons are more than a sum of their parts (Perls, 1969).

The Gestalt view is antideterministic: each person is able to change and become responsible (Hatcher & Himelsteint, 1997). Individuals are actors in the events around them, not just reactors to events. Overall, the Gestalt point of view takes a position that is existential, experiential, and phenomenological: the now is what really matters. One discovers different aspects of oneself through experience, not talk, and a person's own assessment and interpretation of his or her life at a given moment in time are what is most important.

According to Gestalt therapy, many troubled individuals have an overdependency on intellectual experience (Simkin, 1975). Such an emphasis diminishes the importance of emotions and the senses, limiting a person's ability to respond to various situations. Another common problem is the inability to identify and resolve unfinished business—that is, earlier thoughts, feelings, and reactions that still affect personal functioning and interfere with living life in the present. The most typical unfinished business in life is not forgiving one's parents for their mistakes. Gestaltists do not attribute either of these difficulties to any unconscious forces within persons. Rather, the focus is on awareness, "the ability of the client to be in full mental and sensory" contact of "experiencing the now" (Gilliland & James, 2003, p. 142). Every person operates on some conscious level, from being very aware to being very unaware. Healthy individuals are those who are most aware.

According to Gestaltists, a person may experience difficulty in several ways. First, he or she may lose contact with the environment and the resources in it. Second, the person may become overinvolved with the environment and thus out of touch with the self. Third, he or she may fail to put aside unfinished business. Fourth, he or she may become fragmented or scattered in many directions. Fifth, the person may experience conflict between the *top dog* (what one thinks one should do) and the *underdog* (what one wants to do). Finally, the person may have difficulty handling the dichotomies of life, such as love/hate, masculinity/femininity, and pleasure/pain.

Role of the Counselor.   The role of the Gestalt counselor is to create an atmosphere that promotes a client's exploration of what is needed to grow. The counselor provides such an atmosphere by being intensely and personally involved with clients and being honest. Polster and Polster (1973) stress that counselors must be exciting, energetic, and fully human. Involvement occurs in the now, which is a continuing process (Perls, 1969). The now often involves having the counselor help a client focus on blocking energy and using that energy in positive and adaptive ways (Zinker, 1978). The now also entails the counselor's helping the client recognize patterns in his or her life (Fagan, 1970).

Goals.   The goals of Gestalt therapy are well defined. They include an emphasis on the here and now and a recognition of the immediacy of experience (Bankart, 1997). Further goals include a focus on both nonverbal and verbal expression, and a focus on the concept that life includes making choices (Fagan & Shepherd, 1970). The Gestalt approach concentrates on helping a client resolve the past to become integrated. This goal includes the completion of mentally growing up. It emphasizes the coalescence of the emotional, cognitive, and behavioral aspects of the person. A primary focus is the acceptance of polarities within the person (Gelso & Carter, 1985).

As a group, Gestalt therapists emphasize action, pushing their clients to experience feelings and behaviors. They also stress the meaning of the word *now*. Perls (1969) developed a formula that expresses the word's essence: "Now = experience = awareness = reality. The past is no more and the future not yet. Only the now exists" (p. 14).

Techniques.   Some of the most innovative counseling techniques ever developed are found in Gestalt therapy (Harman, 1997). These techniques take two forms: exercises and experiments. *Exercises* are ready-made techniques, such as the enactment of fantasies, role-playing, and psychodrama (Covin, 1977). They are employed to evoke a certain response from the client, such as anger or exploration. *Experiments,* on the other hand, are activities that grow out of the interaction between counselor and client. They are not planned, and what is learned is often a surprise to both the client and the counselor. Many of the techniques of Gestalt therapy take the form of unplanned experiments (Zinker, 1978). The concentration here, however, is on exercise-oriented counseling techniques.

One common exercise is dream work. Perls describes dreams as messages that represent a person's place at a certain time (Bernard, 1986). Unlike psychoanalysts, Gestalt counselors do not interpret. Rather, clients present dreams and are then directed to experience what it is like to be each part of the dream—a type of dramatized free association. In this way, a client can get more in touch with the multiple aspects of the self.

Another effective technique is the empty chair (see Figure 8.1). In this procedure, clients talk to the various parts of their personality, such as the part that is dominant and the part that is passive. An empty chair is the focus. A client may simply talk to the chair as a representative of one part of the self, or the client may switch from chair to chair and have each chair represent a different part. In this dialogue, both rational and irrational parts of the client come into focus; the client not only sees these sides but also becomes able to deal with the dichotomies within the self. This method is not recommended for the severely emotionally disturbed (Bernard, 1986).

One of the most powerful Gestalt exercises is confrontation. Counselors point out to clients incongruent behaviors and feelings, such as a client's smiling when admitting to nervousness. Truly nervous people do not smile. Confrontation involves asking clients *what* and *how* questions. *Why* questions are avoided because they lead to intellectualization.

Some other powerful Gestalt exercises that are individually oriented are often used in groups (Harman, 1997).

- *Making the rounds.*   This exercise is employed when the counselor feels that a particular theme or feeling expressed by a client should be faced by every person in the group. The client may say, for instance, "I can't stand anyone." The client is then instructed to say this sentence to each person in the group, adding some remarks about each group member. The rounds exercise is flexible and may include nonverbal and positive feelings, too. By participating in it, clients become more aware of inner feelings.
- *I take responsibility.*   In this exercise clients make statements about perceptions and close each statement with the phrase "and I take responsibility for it." The exercise helps clients integrate and own perceptions and behaviors.
- *Exaggeration.*   Clients accentuate unwitting movement or gestures. In doing so, the inner meaning of these behaviors becomes more apparent.

Figure 8.1
The empty chair

- *May I feed you a sentence?* The counselor, who is aware that implicit attitudes or messages are implied in what the client is saying, asks whether the client will say a certain sentence (provided by the counselor) that makes the client's thoughts explicit. If the counselor is correct about the underlying message, the client will gain insight as the sentence is repeated.

Strengths and Contributions.   Gestalt therapy strengths and contributions include the following:

- The approach emphasizes helping people incorporate and accept all aspects of life. An individual cannot be understood outside the context of a whole person who is choosing to act on the environment in the present (Passons, 1975).
- The approach helps a client focus on resolving areas of unfinished business. When a client is able to make these resolutions, life can be lived productively.
- The approach places primary emphasis on doing rather than talking. Activity helps individuals experience what the process of change is about and make more rapid progress.
- The approach is flexible and not limited to a few techniques. Any activity that helps clients become more integrative can be employed in Gestalt therapy.
- The approach is appropriate for certain affective disorders, anxiety states, somatoform disorders, adjustment disorders, and DSM-IV-TR diagnoses such as occupational problem and interpersonal problem (Seligman, 1997). In short, Gestalt therapy is versatile.

Limitations.   Gestalt therapy also has some limitations:

- The approach lacks a strong theoretical base. Some critics view Gestalt counseling as all experience and technique—that is, as too gimmicky (Corey, 2001). They maintain that it is antitheoretical.
- The approach deals strictly with the now and how of experience (Perls, 1969). This two-pronged principle does not allow for passive insight and change, which some clients are more likely to use.
- The approach eschews diagnosis and testing.
- The approach is too concerned with individual development and is criticized for its self-centeredness. The focus is entirely on feeling and personal discovery.

SUMMARY AND CONCLUSION

This chapter has covered the nature of and importance of theory in counseling. In addition, it has focused on the practice of theory in counseling today, especially different forms of eclecticism.

Three orientations to counseling—psychoanalytic, Adlerian, and humanistic—were also discussed. There are some variations in the practice of psychoanalytic and Adlerian counseling but the core of these approaches remains basically the same regardless of what aspects of the theories are emphasized. In the humanistic orientation, however, there are three distinct theories—person-centered, existential, and Gestalt. Each of these theories, while helping and empowering clients to make choices and be in touch with their feelings, differs significantly from the others. Therefore, the humanistic orientation to counseling is more diverse than the psychoanalytic and Adlerian. Regardless, with each of the five counseling theories covered, a brief overview was given in a uniform manner on:

- the founders/developers of the approach,
- the theory's view of human nature,
- the role of the counselor,
- therapeutic goals,
- primary techniques,
- strengths/contributions, and
- limitations of the approach.

HCLASSROOM ACTIVITIES

1. Talk with another classmate about what counseling would be like without theories. Then talk with your class as a whole about counseling as an atheoretical profession and the advantages and disadvantages of such an approach.
2. Compare and contrast the strengths and limitations of psychoanalysis. How would you explain its benefits and drawbacks to a person unfamiliar with it?
3. Adler emphasized courage (a willingness to take risks without knowing what the consequences may be) as one part of his theory. Talk to another classmate about when you have had courage and what a difference it has made in your life.
4. Which of the humanistic theories described in this chapter appeals to you the most? Divide into subgroups within your class with individuals who also find that theory appealing and talk about the way it resonates in your mind as well as its strengths and weaknesses.
5. Which of the theories covered in this chapter appeals most to you? Try to understand why that is so, in other words, is the appeal more emotional, cognitive, pragmatic, etc. Talk with your classmates about the theory you favor most and the reasons for it.

REFERENCES

Adler, A. (1927). *Understanding human nature*. Greenwich, CT: Fawcett.

Adler, A. (1931). *What life should mean to you*. Boston: Little, Brown.

Adler, A. (1956). *The individual psychology of Alfred Adler: A systematic presentation in selections from his writings* (H. L. Ansbacher & R. R. Ansbacher, Eds.). New York: Norton.

Adler, A. (1964). *Social interest: A challenge to mankind*. New York: Capricorn.

Arlow, J. A. (2000). Psychoanalysis. In R. J. Corsini & D. Wedding (Eds.), *Current psychotherapies* (6th ed., pp. 16–53). Itasca, IL: Peacock.

Auvenshine, D., & Noffsinger, A. L. (1984). *Counseling: An introduction for the health and human services*. Baltimore: University Park Press.

Baldwin, C. (1989). Peaceful alternatives: Inner peace. *Journal of Humanistic Education and Development, 28,* 86–92.

Bankart, C. P. (1997). *Talking cures*. Pacific Grove, CA: Brooks/Cole.

Bernard, J. M. (1986). Laura Perls: From ground to figure. *Journal of Counseling and Development, 64,* 367–373.

Boy, A. V., & Pine, G. J. (1983). Counseling: Fundamentals of theoretical renewal. *Counseling and Values, 27,* 248–255.

Braaten, L. J. (1986). Thirty years with Rogers's necessary and sufficient conditions of therapeutic personality change. *Person-Centered Review, 1,* 37–49.

Bradley, R. W., & Cox, J. A. (2001). Counseling: Evolution of the profession. In D. C. Locke, J. E. Myers, & E. L. Herr (Eds.), *The handbook of counseling* (pp. 27–41). Thousand Oaks, CA: Sage.

Brammer, L. M., Abrego, P., & Shostrom, E. (1993). *Therapeutic counseling and psychotherapy* (6th ed.). Upper Saddle River, NJ: Prentice Hall.

Brown, D. (1997). Implications of cultural values for cross-cultural consultation with families. *Journal of Counseling and Development, 76,* 29–35.

Buhler, C., & Allen, M. (1972). *Introduction to humanistic psychology*. Pacific Grove, CA: Brooks/Cole.

Cavanagh, M. E. (1990). *The counseling experience*. Prospect Heights, IL: Waveland.

Cheston, S. E. (2000). A new paradigm for teaching counseling theory and practice. *Counselor Education and Supervision, 39,* 254–269.

Corey, G. (2001). *Theory and practice of counseling and psychotherapy* (6th ed.). Pacific Grove, CA: Brooks/Cole.

Cormier, W. H., & Cormier, L. S. (1998). *Interviewing strategies for helpers* (4th ed.). Pacific Grove, CA: Brooks/Cole.

Corsini, R. J. (2000). Introduction. In R. J. Corsini & D. Wedding (Eds.), *Current psychotherapies* (6th ed., pp. 1–15). Itasca, IL: Peacock.

Covin, A. B. (1977). Using Gestalt psychodrama experiments in rehabilitation counseling. *Personnel and Guidance Journal, 56,* 143–147.

Das, A. K. (1998). Frankl and the realm of meaning. *Journal of Humanistic Education and Development, 36,* 199–211.

Daugherty, D. A., Murphy, M. J., & Paugh, J. (2001). An examination of the Adlerian construct of social interest with criminal offenders. *Journal of Counseling and Development, 79,* 465–471.

Dinkmeyer, D., & Losoncy, L. E. (1980). *The encouragement book: Becoming a positive person*. Upper Saddle River, NJ: Prentice Hall.

Dreikurs, R. R. (1950). *Fundamentals of Adlerian psychology*. Chicago: Alfred Adler Institute.

Dreikurs, R. R. (1967). *Psychodynamics, psychotherapy, and counseling*. Chicago: Alfred Adler Institute.

Dreikurs, R. R., & Mosak, H. H. (1966). The tasks of life. I: Adler's

three tests. *Individual Psychologist, 4,* 18–22.

Dreikurs, R. R., & Soltz, V. (1964). *Children: The challenge*. New York: Hawthorne.

English, H. B., & English, A. C. (1956). *A comprehensive dictionary of psychological and psychoanalytical terms*. New York: Longman Green.

Epp, L. R. (1998). The courage to be an existential counselor: An interview with Clemmont E. Vontress. *Journal of Mental Health Counseling, 20,* 1–12.

Fagan, J. (1970). The task of the therapist. In J. Fagan & I. L. Shepherd (Eds.), *Gestalt therapy now* (pp. 88–106). Palo Alto, CA: Science and Behavior Books.

Fagan, J., & Shepherd, I. L. (1970). Theory of Gestalt therapy. In J. Fagan & I. L. Shepherd (Eds.), *Gestalt therapy now* (pp. 1–7). Palo Alto, CA: Science and Behavior Books.

Frankl, V. (1962). *Man's search for meaning: An introduction to logotherapy*. New York: Washington Square Press.

Frankl, V. (1967). *Psychotherapy and existentialism: Selected papers on logotherapy*. New York: Washington Square Press.

Frankl, V. (1969). *Psychotherapy and existentialism: Selected papers on logotherapy*. New York: Simon & Schuster.

Freud, A. (1936). *The ego and the mechanisms of defense* (J. Strachey, Trans.). New York: International Universities Press.

Gelso, C. J., & Carter, J. A. (1985). The relationship in counseling and psychotherapy: Components, consequences, and theoretical antecedents. *Counseling Psychologist, 13,* 155–243.

Gilliland, B. E., & James, R. K. (2003). *Theories and strategies in counseling and psychotherapy* (5th ed.). Boston: Allyn & Bacon.

Gladding, S. T. (1990). Let us not grow weary of theory. *Journal for Specialists in Group Work, 15,* 194.

Glauser, A. S., & Bozarth, J. D. (2001). Person-centered counseling: The culture within. *Journal of Counseling and Development, 79,* 142–147.

Gold, L. (1979). Adler's theory of dreams: An holistic approach to interpretation. In B. B. Wolman (Ed.), *Handbook of dreams: Research, theories, and applications.* New York: Van Nostrand Reinhold.

Goodyear, R. K. (1987). In memory of Carl Ransom Rogers. *Journal of Counseling and Development, 65,* 523–524.

Grummon, D. L. (1972). Client-centered therapy. In B. Stefflre & W. H. Grant (Eds.), *Theories of counseling* (2nd ed.). New York: McGraw-Hill.

Hall, C. S. (1954). *A primer of Freudian psychology.* New York: New American Library.

Hansen, J. C., Stevic, R. R., & Warner, R. W. (1986). *Counseling: Theory and process* (4th ed.). Boston: Allyn & Bacon.

Harman, R. L. (1977). Beyond techniques. *Counselor Education and Supervision, 17,* 157–158.

Harman, R. L. (1997). *Gestalt therapy techniques: Working with groups, couples, and sexually dysfunctional men.* Northvale, NJ: Aronson.

Hatcher, C., & Himelsteint, P. (Eds.). (1997). *The handbook of Gestalt therapy.* Northvale, NJ: Aronson.

Ivey, A. E., & Goncalves, O. F. (1988). Developmental therapy: Integrating developmental processes into the clinical practice. *Journal of Counseling and Development, 66,* 406–413.

Jackson, M. L. (1987). Cross-cultural counseling at the crossroads: A dialogue with Clemmont E. Vontress. *Journal of Counseling and Development, 66,* 20–23.

Jones, R. M. (1979). Freudian and post-Freudian theories of dreams. In B. B. Wolman (Ed.), *Handbook of dreams: Research, theories, and applications.* New York: Litton.

Kelly, K. R. (1988). Defending eclecticism: The utility of informed choice. *Journal of Mental Health Counseling, 10,* 210–213.

Kempler, W. (1973). Gestalt therapy. In R. Corsini (Ed.), *Current psychotherapies* (pp. 251–286). Itasca, IL: Peacock.

Kern, C. W., & Watts, R. E. (1993). Adlerian counseling. *Texas Counseling Association Journal, 21,* 85–95.

Lazarus, A. A. (1967). In support of technical eclecticism. *Psychological Reports, 21,* 415–416.

Lazarus, A. A., & Beutler, L. E. (1993). On technical eclecticism. *Journal of Counseling and Development, 71,* 381–385.

May, R. (1939). *The art of counseling.* New York: Abingdon-Cokesbury.

May, R. (1977). *The meaning of anxiety* (rev. ed.). New York: Norton.

May, R., Angel, E., & Ellenberger, H. (Eds.). (1958). *Existence.* New York: Simon & Schuster.

May, R., & Yalom, I. (2000). Existential psychotherapy. In R. J. Corsini & D. Wedding (Eds.), *Current psychotherapies* (6th ed., pp. 273–302). Itasca, IL: Peacock.

McBride, M. C., & Martin, G. E. (1990). A framework for eclecticism: The importance of theory to mental health counseling. *Journal of Mental Health Counseling, 12,* 495–505.

McIllroy, J. H. (1979). Career as lifestyle: An existential view. *Personnel and Guidance Journal, 57,* 351–354.

Miller, M. J. (1996). Client-centered reflections on career decision making. *Journal of Employment Counseling, 33,* 43–46.

Mosak, H. (2000). Adlerian psychotherapy. In R. J. Corsini & D. Wedding (Eds.), *Current psychotherapies* (6th ed., pp. 54–98). Itasca, IL: Peacock.

Nye, R. D. (2000). *Three psychologies: Perspectives from Freud, Skinner, and Rogers* (6th ed.). Pacific Grove, CA: Brooks/Cole.

Okun, B. K. (1990). *Seeking connections in psychotherapy.* San Francisco: Jossey-Bass.

Passons, W. R. (1975). *Gestalt approaches to counseling.* New York: Holt, Rinehart, & Winston.

Patterson, C. H. (1985). *The therapeutic relationship.* Pacific Grove, CA: Brooks/Cole.

Perls, F. (1969). *Gestalt therapy verbatim.* Lafayette, CA: Real People Press.

Petrocelli, J. V. (2002). Processes and stages of change: Counseling with the transtheoretical model of change. *Journal of Counseling and Development, 80,* 22–30.

Polster, E., & Polster, M. (1973). *Gestalt therapy integrated: Contours of theory and practice.* New York: Brunner/Mazel.

Prochaska, J. O., & DiClemente, C. C. (1992). The transtheoretical approach. In J. C. Norcross & M. R. Goldfried (Eds.), *Handbook of psychotherapy integration* (pp. 300–334). New York: Basic Books.

Purkey, W. W., & Schmidt, J. J. (1987). *The inviting relationship.* Upper Saddle River, NJ: Prentice Hall.

Rogers, C. R. (1942). *Counseling and Psychotherapy.* Boston: Houghton Mifflin.

Rogers, C. R. (1951). *Client-centered therapy.* Boston: Houghton Mifflin.

Rogers, C. R. (1955). Persons or science? A philosophical question. *American Psychologist, 10,* 267–278.

Rogers, C. R. (1957). The necessary and sufficient conditions of therapeutic personality change. *Journal of Consulting Psychology, 21,* 95–103.

Rogers, C. R. (1961). *On becoming a person.* Boston: Houghton Mifflin.

Rogers, C. R. (1967). The conditions of change from a client-centered view. In B. Berenson & R. Cankhuff (Eds.), *Sources of gain in counseling and psychotherapy* (pp. 71–86). New York: Holt, Rinehart, & Winston.

Rogers, C. R. (1975). Empathic: An unappreciated way of being. *Counseling Psychologist, 5,* 2–10.

Rogers, C. R. (1977). *Carl Rogers on personal power: Inner strength and its revolutionary impact.* New York: Delacorte.

Rogers, C. R. (1980). *A way of being.* Boston: Houghton Mifflin.

Seligman, L. (1997). *Diagnosis and treatment planning in counseling* (2nd ed.). New York: Plenum.

Shertzer, B., & Stone, S. C. (1974). *Fundamentals of counseling.* Boston: Houghton Mifflin.

Simkin, J. S. (1975). An introduction to Gestalt therapy. In F. D. Stephenson (Ed.), *Gestalt therapy primer* (pp. 3–12). Springfield, IL: Thomas.

Simon, G. M. (1989). An alternative defense of eclecticism: Responding to Kelly and Ginter. *Journal of Mental Health Counseling, 2,* 280–288.

Slavik, S. (1991). Early memories as a guide to client movement through life. *Canadian Journal of Counseling, 25,* 331–337.

Statton, J. E., & Wilborn, B. (1991). Adlerian counseling and the early recollections of children. *Individual Psychology, 47,* 338–347.

Sweeney, T. J. (1998). *Adlerian counseling* (4th ed.). Muncie, IN: Accelerated Development.

Thompson, C. D., & Rudolph, L. B. (2000). *Counseling children* (5th ed.). Pacific Grove, CA: Brooks/Cole.

Vaihinger, H. (1911). *The philosophy of "as if."* New York: Harcourt, Brace, & World.

Vandenbos, G. R., Cummings, N., & Deleon, P. H. (1992). A century of psychotherapy: Economic and environmental influences. In D. K. Freedheim (Ed.), *History of psychotherapy: A century of change* (pp. 65–102). Washington, DC: American Psychological Association.

Wallace, W. A. (1986). *Theories of counseling and psychotherapy.* Boston: Allyn & Bacon.

Watkins, C. E., Jr. (1985). Early recollections as a projective technique in counseling: An Adlerian view. *AMHCA Journal, 7,* 32–40.

Yalom, I. D. (1980). *Existential psychotherapy.* New York: Basic Books.

Young, R. A. (1988). Ordinary explanations and career theories. *Journal of Counseling and Development, 66,* 336–339.

Zinker, J. (1978). *Creative process in Gestalt therapy.* New York: Random House.

9

BEHAVIORAL, COGNITIVE, SYSTEMIC, BRIEF, AND CRISIS THEORIES OF COUNSELING

She stands

> *leaning on his outstretched arm*

> *sobbing awkwardly*

Almost suspended between

> *the air and his shoulder*

> *like a leaf being blown*

>> *in the wind from a branch of a tree*

>> *at the end of summer.*

He tries to give her comfort

> *quietly offering up soft words*

> *and patting her head sporadically.*

"It's okay," he whispers

> *realizing that as the words leave his mouth*

> *he is lying*

And that their life together has collapsed

> *like the South Tower of the World-Trade Center*

> *that killed their only son.*

Reprinted from: "Reflections on Counseling After the Crisis" by S. T. Gladding. In G. R. Walz & C. J. Kirkman (Eds.), (2002). Helping People Cope with Tragedy & Grief *(p. 9). Greensboro, NC: CAPS Publication. Reprinted with permission. No further reproduction authorized without written permission of the ERIC Counseling and Student Services Clearinghouse and the National Board for Certified Counselors.*

This chapter covers a plethora of theories that are currently in vogue in counseling. These theories fall under five main orientations—behavioral counseling, cognitive counseling, systemic counseling, brief counseling, and crisis counseling. Within each orientation are several theoretical ways of working with clients that emphasize different aspects of the orientation. For this chapter, behavioral counseling will be treated as an entity even though those who are more cognitively based and professionals who are more action oriented also appear within this approach. Under cognitive counseling, rational emotive behavior therapy (REBT), a theory that started out much more cognitive than it is today, will be described along with reality therapy. Both of these theories could easily be described as cognitive-behavioral.

Systemic theories are even more diverse. In this chapter, Bowenian, structural, and strategic theories are highlighted. Likewise, brief therapy contains a number of theories, but in this chapter only solution-focused and narrative therapy will be featured, followed by crisis counseling. In all of these theories, a uniformed descriptive method will be used as in Chapter 8. Specifically, the sections describing these theories will focus on founders/developers, the view of human nature, the role of the counselor, goals, techniques, strengths and contributions, and limitations.

BEHAVIORAL COUNSELING

Behavioral theories of counseling focus on a broad range of client behaviors. Often, a person has difficulties because of a deficit or an excess of behavior. Counselors who take a behavioral approach seek to help clients learn new, appropriate ways of acting, or help them modify or eliminate excessive actions. In such cases, adaptive behaviors replace those that were maladaptive, and the counselor functions as a learning specialist for the client (Krumboltz, 1966).

Behavioral counseling approaches are especially popular in institutional settings, such as mental hospitals or sheltered workshops. They are the approaches of choice in working with clients who have specific problems such as eating disorders, substance abuse, and psychosexual dysfunction. Behavioral approaches are also useful in addressing difficulties associated with anxiety, stress, assertiveness, parenting, and social interaction (Cormier & Hackney, 1999; Seligman, 1997).

Behavioral Therapy

Founders/Developers.   B. F. (Burrhus Frederick) Skinner (1904–1990) is the person most responsible for the popularization of behavioral treatment methods. Applied behavior analysis is "a direct extension of Skinner's (1953) radical behaviorism" (Wilson, 2000, p. 206), which is based on operant conditioning. Other notables in the behavioral therapy camp are historical figures, such as Ivan Pavlov, John B. Watson, and Mary Cover Jones. Contemporary figures, such as Albert Bandura, John Krumboltz, and Neil Jacobson, among others, have also greatly added to this way of working with clients.

View of Human Nature. Behaviorists, as a group, share the following ideas about human nature (Rimm & Cunningham, 1985):

- A concentration on behavioral processes—that is, processes closely associated with overt behavior (except for cognitive-behaviorists)
- A focus on the here and now as opposed to the then and there of behavior
- An assumption that all behavior is learned, whether it be adaptive or maladaptive
- A belief that learning can be effective in changing maladaptive behavior
- A focus on setting up well-defined therapy goals with their clients
- A rejection of the idea that the human personality is composed of traits

In addition, behaviorists stress the importance of obtaining empirical evidence and scientific support for any techniques they use. Some behaviorists, who embrace the social-cognitive form of learning, stress that people acquire new knowledge and behavior by observing other people and events without engaging in the behavior themselves and without any direct consequences to themselves *(i.e., modeling)*. This type of learning does not require active participation.

Role of the Counselor. A counselor may take one of several roles, depending on his or her behavioral orientation and the client's goal(s). Generally, however, a behaviorally based counselor is active in counseling sessions. As a result, the client learns, unlearns, or relearns specific ways of behaving. In the process, the counselor functions as a consultant, teacher, adviser, reinforcer, and facilitator (Gilliland, & James, 2003). He or she may even instruct or supervise support people in the client's environment who are assisting in the change process. An effective behavioral counselor operates from a broad perspective and involves the client in every phase of the counseling.

Goals. The goals of behaviorists are similar to those of many other counselors. Basically, behavioral counselors want to help clients make good adjustments to life circumstances and achieve personal and professional objectives. Thus, the focus is on modifying or eliminating the maladaptive behaviors that clients display, while helping them acquire healthy, constructive ways of acting. Just to eliminate a behavior is not enough; unproductive actions must be replaced with productive ways of responding. A major step in the behavioral approach is for counselors and clients to reach mutually agreed-on goals.

Techniques. Behavioral counselors have at their disposal some of the best-researched and most effective counseling techniques available.

General behavioral techniques. General techniques are applicable in all behavioral theories, although a given technique may be more applicable to a particular approach at a given time or in a specific circumstance. Some of the most general behavioral techniques are briefly explained here.

Use of reinforcers. *Reinforcers* are those events that, when they follow a behavior, increase the probability of the behavior repeating. A reinforcer may be either positive or negative.

Schedules of reinforcement.   When a behavior is first being learned, it should be reinforced every time it occurs—in other words, by continuous reinforcement. After a behavior is established, however, it should be reinforced less frequently—in other words, by intermittent reinforcement. Schedules of reinforcement operate according to either the number of responses *(ratio)* or the length of time *(interval)* between reinforcers. Both ratio and interval schedules are either fixed or variable.

Shaping.   Behavior learned gradually in steps through successive approximation is known as *shaping*. When clients are learning new skills, counselors may help break down behavior into manageable units.

Generalization.   Generalization involves the display of behaviors in environments outside where they were originally learned (e.g., at home, at work). It indicates that transference into another setting has occurred.

Maintenance.   Maintenance is defined as being consistent in performing the actions desired without depending on anyone else for support. In maintenance, an emphasis is placed on increasing a client's self-control and self-management. One way this may be done is through self-monitoring, when clients learn to modify their own behaviors. It involves two self-monitoring related processes: self-observation and self-recording (Goldiamond, 1976). *Self-observation* requires that a person notice particular behaviors he or she does; *self-recording* focuses on recording these behaviors.

Extinction.   Extinction is the elimination of a behavior because of a withdrawal of its reinforcement. Few individuals will continue doing something that is not rewarding.

Punishment.   Punishment involves presenting an aversive stimulus to a situation to suppress or eliminate a behavior.

Specific behavioral techniques.   Specific behavioral techniques are refined behavioral methods that combine general techniques in precise ways. They are found in different behavioral approaches.

Behavioral rehearsal.   Behavioral rehearsal consists of practicing a desired behavior until it is performed the way a client wishes (Lazarus, 1985).

Environmental planning.   Environmental planning involves a client's setting up part of the environment to promote or limit certain behaviors (Krasner & Ullmann, 1973).

Systematic desensitization.   Systematic desensitization is designed to help clients overcome anxiety in particular situations. A client is asked to describe the situation that causes anxiety and then to rank this situation and related events on a hierarchical scale (see Table 9.1), from aspects that cause no concern (0) to those that are most troublesome (100). To help the client avoid anxiety and face the situation, the counselor teaches him or her to relax physically or mentally. The hierarchy is then reviewed, starting with low-anxiety items. When the client's anxiety begins to mount, the client is

Table 9.1 Joe's anxiety hierarchy

Amount of Anxiety (%)	Event
90	Marriage relationship
85	In-law relationship
80	Relating to my newborn child
75	Relating to my dad
70	Relating to my mother
65	General family relations and responsibilities
60	Being a project manager at work
50	Work in general
40	Coming to counseling
35	Personal finances
20	Having fun (being spontaneous)
10	Going to sleep

helped to relax again and the procedures then start anew until the client is able to be calm even when thinking about or imagining the event that used to create the most anxiety.

Assertiveness training. The major tenet of assertiveness training is that a person should be free to express thoughts and feelings appropriately without feeling undue anxiety (Alberti & Emmons, 1996). The technique consists of counterconditioning anxiety and reinforcing assertiveness. A client is taught that everyone has the right (not the obligation) of self-expression. The client then learns the differences among aggressive, passive, and assertive actions.

Contingency contracts. *Contingency contracts* spell out the behaviors to be performed, changed, or discontinued; the rewards associated with the achievement of these goals; and the conditions under which rewards are to be received (Corey, 2001).

Implosion and flooding. *Implosive therapy* is an advanced technique that involves desensitizing a client to a situation by having him or her imagine an anxiety-producing situation that may have dire consequences. The client is not taught to relax first (as in systematic desensitization). *Flooding* is less traumatic, as the imagined anxiety-producing scene does not have dire consequences.

Time-out. Time-out is a mild aversive technique in which a client is separated from the opportunity to receive positive reinforcement. It is most effective when employed for short periods of time, such as 5 minutes.

Overcorrection. Overcorrection is a technique in which a client first restores the environment to its natural state and then makes it "better than normal."

Covert sensitization. Covert sensitization is a technique in which undesired behavior is eliminated by associating it with unpleasantness.

Strengths and contributions.   Among the unique and strong aspects of the behavioral approach are the following:

- The approach deals directly with symptoms. Because most clients seek help for specific problems, counselors who work directly with symptoms are often able to assist clients immediately.
- The approach focuses on the here and now. A client does not have to examine the past to obtain help in the present. A behavioral approach saves both time and money.
- The approach offers numerous techniques for counselors to use.
- The approach is based on learning theory, which is a well-formulated way of documenting how new behaviors are acquired (Krumboltz & Thoresen, 1969, 1976).
- The approach is buttressed by the Association for the Advancement of Behavior Therapy (AABT), which promotes the practice of behavioral counseling methods.
- The approach is supported by exceptionally good research on how behavioral techniques affect the process of counseling.
- The approach is objective in defining and dealing with problems and demystifies the process of counseling.

Limitations.   The behavioral approach has several limitations, among which are:

- The approach does not deal with the total person, just explicit behavior. Critics contend that many behaviorists have taken the person out of personality.
- The approach is sometimes applied mechanically.
- The approach is best demonstrated under controlled conditions that may be difficult to replicate in normal counseling situations.
- The approach ignores the client's past history and unconscious forces.
- The approach does not consider developmental stages (Sprinthall, 1971).
- The approach programs the client toward minimum or tolerable levels of behaving, reinforces conformity, stifles creativity, and ignores client needs for self-fulfillment, self-actualization, and feelings of self-worth (Gilliland & James, 2003).

COGNITIVE AND COGNITIVE-BEHAVIORAL COUNSELING

Cognitions are thoughts, beliefs, and internal images that people have about events in their lives (Holden, 1993). Cognitive counseling theories focus on mental processes and their influences on mental health and behavior. A common premise of all cognitive approaches is that how people think largely determines how they feel and behave (Beck & Weishaar, 2000).

As a rule, cognitive theories are successful with clients who have the following characteristics (Cormier & Hackney, 1999):

- They are average to above-average in intelligence.
- They have moderate to high levels of functional distress.
- They are able to identify thoughts and feelings.
- They are not psychotic or disabled by present problems.
- They are willing and able to complete systematic homework assignments.
- They possess a repertoire of behavioral skills and responses.

- They process information on a visual and auditory level.
- They frequently have inhibited mental functioning, such as depression.

Two theories that have a cognitive base, rational emotive behavior therapy and reality therapy, are discussed here under the cognitive umbrella. In practice, both theories are cognitive-behavioral in nature because they emphasize both cognitions and behaviors. They are both humanistic as well.

Rational Emotive Behavior Therapy (REBT)

Founders/Developers.   The founder of rational emotive behavior therapy (REBT) is Albert Ellis (1913–). His theory has similarities to Aaron Beck's cognitive therapy (which was formulated independently at about the same time) and David Burns' new mood therapy. An interesting variation on REBT is rational behavior therapy (RBT), which was formulated by Maxie Maultsby, and is more behavioral.

View of Human Nature.   Ellis (2000) believes that people have both self-interest and social interest. However, REBT theory also assumes that people are "inherently rational and irrational, sensible and crazy" (Weinrach, 1980, p. 154). According to Ellis (2000), this latter duality is biologically inherent and perpetuated unless a new way of thinking is learned (Dryden, 1994). *Irrational thinking,* or as Ellis defines it, *irrational Beliefs* (iBs), may include the invention of upsetting and disturbing thoughts.

Although Ellis (1973) does not deal with the developmental stages of individuals, he thinks that children are more vulnerable to outside influences and irrational thinking than adults are. By nature, he believes human beings are gullible, highly suggestible, and are easily disturbed. Overall, people have within themselves the means to control their thoughts, feelings, and actions, but they must first realize what they are telling themselves *(self-talk)* to gain command of their lives (Ellis, 1962; Weinrach, et al., 2001). This is a matter of personal, conscious awareness. The unconscious mind is not included in Ellis's conception of human nature. Furthermore, Ellis believes it is a mistake for people to evaluate or rate themselves beyond the idea that everyone is a fallible human being.

Role of the Counselor.   In the REBT approach, counselors are active and direct. They are instructors who teach and correct the client's cognitions. "Countering a deeply ingrained belief requires more than logic. It requires consistent repetition" (Krumboltz, 1992). Therefore, counselors must listen carefully for illogical or faulty statements from their clients and challenge beliefs. Ellis (1980) and Walen, DiGuiseppe, and Dryden (1992) have identified several characteristics desirable for REBT counselors. They need to be bright, knowledgeable, empathetic, respectful, genuine, concrete, persistent, scientific, interested in helping others, and users themselves of REBT.

Goals.   The primary goals of REBT focus on helping people realize that they can live more rational and productive lives. REBT helps clients stop making demands and becoming upset through "catastrophizing." Clients in REBT may express some negative feelings, but a major goal is to help them avoid having more of an emotional response to an event than is warranted (Weinrach et al., 2001).

Another goal of REBT is to help people change self-defeating habits of thought or behavior. One way this is accomplished is through teaching clients the *A-B-C-D-E model of REBT: A* signifies the activating experience; *B* represents how the person thinks about the experience; *C* is the emotional reaction to *B*. REBT counselors dispute *(D)* irrational thoughts and seek to replace them with effective *(E)* new personal philosophies that will help clients achieve great life satisfaction (Ellis, 2000). Through this process, REBT helps people learn how to recognize an *emotional anatomy*—that is, to learn how feelings are attached to thoughts. Thoughts about experiences may be characterized in four ways: positive, negative, neutral, or mixed.

REBT also encourages clients to be more tolerant of themselves and others and urges them to achieve personal goals. These goals are accomplished by having people learn to think rationally to change self-defeating behavior and by helping them learn new ways of acting.

Techniques.   REBT encompasses a number of diverse techniques. Two primary ones are teaching and disputing. Teaching involves having clients learn the basic ideas of REBT and understand how thoughts are linked with emotions and behaviors. This procedure is didactic and directive and is generally known as rational emotive education (REE).

Disputing thoughts and beliefs takes one of three forms: cognitive, imaginal, and behavioral. The process is most effective when all three forms are used (Walen et al., 1992). *Cognitive disputation* involves the use of direct questions, logical reasoning, and persuasion. *Imaginal disputation* uses a client's ability to imagine and employs a technique known as rational emotive imagery (REI) (Maultsby, 1984). *Behavioral disputation* involves behaving in a way that is the opposite of the client's usual way, including role-playing and the completion of a homework assignment in which a client actually does activities previously thought impossible to do. Sometimes behavioral disputation may take the form of bibliotherapy, in which the client reads a self-help book.

Two other powerful REBT techniques are confrontation and encouragement. REBT counselors explicitly encourage clients to abandon thought processes that are not working and try REBT. Counselors will also challenge a client who claims to be thinking rationally but in truth is not.

Strengths and Contributions.   REBT has a number of unique dimensions and special emphases:

- The approach is clear, easily learned, and effective. Most clients have few problems in understanding the principles or terminology of REBT.
- The approach can easily be combined with other behavioral techniques to help clients more fully experience what they are learning.
- The approach is relatively short term and clients may continue to use the approach on a self-help basis.
- The approach has generated a great deal of literature and research for clients and counselors. Few other theories have developed as much bibliotherapeutic material.
- The approach has continued to evolve over the years as techniques have been refined.

Limitations.   The limitations of the REBT approach are few but significant:

- The approach cannot be used effectively with individuals who have mental problems or limitations, such as schizophrenics and those with severe thought disorders.

- The approach may be too closely associated with its founder, Albert Ellis. Many individuals have difficulty separating the theory from Ellis's eccentricities.
- The approach is direct, and the potential for the counselor being overzealous and not as therapeutic as would be ideal is a real possibility (Gilliland & James, 2003).
- The approach's emphasis on changing thinking may not be the simplest way of helping clients change their emotions.

Reality Therapy

Founders/Developers. William Glasser (1925–) developed reality therapy in the mid-1960s. Robert Wubbolding has advanced this approach both through his explanation of it and his research into it.

View of Human Nature. Reality therapy does not include a comprehensive explanation of human development, as Freud's system does. Yet it offers practitioners a focused view of some important aspects of human life and human nature. A major tenet of reality therapy is its focus on consciousness: human beings operate on a conscious level; they are not driven by unconscious forces or instincts (Glasser, 1965, 1988).

A second belief about human nature is that everyone has a health/growth force (Glasser & Wubbolding, 1996), manifested on two levels: the physical and the psychological. Physically, there is the need to obtain life-sustaining necessities such as food, water, and shelter and use them. According to Glasser, human behavior was once controlled by the physical need for survival (e.g., behaviors such as breathing, digesting, and sweating). He associates these behaviors with physical, or old-brain, needs because they are automatically controlled by the body. In modern times, most important behavior is associated with psychological, or new-brain, needs. The four primary psychological needs include the following:

1. *Belonging*—the need for friends, family, and love
2. *Power*—the need for self-esteem, recognition, and competition
3. *Freedom*—the need to make choices and decisions
4. *Fun*—the need for play, laughter, learning, and recreation

Associated with meeting these psychological needs is the need for *identity*—that is, the development of a psychologically healthy sense of self. Identity needs are met by being accepted as a person by others.

Reality therapy proposes that human learning is a life-long process based on choice. If individuals do not learn something early in life, such as how to relate to others, they can choose to learn it later. In the process they may change their identity and the way they behave (Glasser, 2000; Glasser & Wubbolding, 1996).

Role of the Counselor. The counselor serves primarily as a teacher and model, accepting the client in a warm, involved way and creating an environment in which counseling can take place. The counselor immediately seeks to build a relationship with the client by developing trust through friendliness, firmness, and fairness (Wubbolding, 1998). Counselors use "-ing" verbs, such as *angering* or *bullying,* to describe client thoughts and actions. Thus, there is an emphasis on choice, on what the client chooses to do. Counselor–client interaction focuses on behaviors that the client would like to change and ways to go about making these desires a reality. It emphasizes positive, constructive actions (Glasser, 1988). Special attention is paid to metaphors and themes clients verbalize.

Goals.   The primary goal of reality therapy is to help clients become psychologically strong and rational and realize they have choices in the ways they treat themselves and others. Related to this first goal is a second one: to help clients clarify what they want in life. It is vital for persons to be aware of life goals if they are to act responsibly. In assessing goals, reality therapists help their clients examine personal assets as well as environmental supports and hindrances. It is the client's responsibility to choose behaviors that fulfill personal needs. A third goal of reality therapy is to help the client formulate a realistic plan to achieve personal needs and wishes.

An additional goal of reality therapy is to have the counselor become involved with the client in a meaningful relationship (Glasser, 1980, 1981, 2000). This relationship is based on understanding, acceptance, empathy, and the counselor's willingness to express faith in the client's ability to change. A fifth goal of reality therapy is to focus on behavior and the present. Glasser (1988) believes that behavior (i.e., thought and action) is interrelated with feeling and physiology. Thus, a change in behavior also brings about other positive changes.

Finally, reality therapy aims to eliminate punishment and excuses from the client's life. Often, a client uses the excuse that he or she cannot carry out a plan because of punishment for failure by either the counselor or people in the outside environment. Reality therapy helps the client formulate a new plan if the old one does not work.

Techniques.   Basically, reality therapy uses action-oriented techniques that help clients realize they have choices in how they respond to events and people and that others do not control them any more than they control others (Glasser, 1998). Reality therapy eschews external control psychology and what Glasser (2000) calls its seven deadly habits (i.e., "criticizing, blaming, complaining, nagging, threatening, punishing, and bribing") (p. 79). Some of reality therapy's more effective and active techniques are teaching, employing humor, confronting, role-playing, offering feedback, formulating specific plans, and composing contracts.

Reality therapy uses the *WDEP system* as a way of helping counselors and clients make progress and employ techniques. In this system the *W* stands for *wants;* at the beginning of the counseling process counselors find out what clients want and what they have been doing (Wubbolding, 1988, 1991). Counselors in turn share their wants for and perceptions of clients' situations. The *D* in WDEP involves clients further exploring the *direction* of their lives. Effective and ineffective self-talk that they use is discussed and even confronted. Basic steps strategically incorporated in these two stages include establishing a relationship and focusing on present behavior.

The *E* in the WDEP procedure stands for *evaluation* and is the cornerstone of reality therapy. Clients are helped to evaluate their behaviors and how responsible their personal behaviors are. Behaviors that do not contribute to helping clients meet their needs often alienate them from self and significant others. If clients recognize a behavior as unproductive, they may be motivated to change. If there is no recognition, the therapeutic process may break down. It is therefore crucial that clients, not the counselor, do the evaluation. The use of humor, role-playing, and offering feedback can help at this juncture.

After evaluation, the final letter of the WDEP system, *P,* for *plan,* comes into focus. A client concentrates on making a plan for changing behaviors. The plan stresses actions that the client will take, not behaviors that he or she will eliminate. The best plans are simple, attainable, measurable, immediate, and consistent (Wubbolding, 1998). They are also controlled by clients and sometimes committed to the form of a written contract in which responsible alternatives are spelled out. Clients are then requested to make a commitment to the plan of action.

Strengths and Contributions.   Reality therapy has a number of strengths and has made contributions to counseling as follows:

- The approach is versatile and can be applied to many different populations. It is especially appropriate in the treatment of conduct disorders, substance abuse disorders, impulse control disorders, personality disorders, and antisocial behavior. It can be employed in individual counseling with children, adolescents, adults, and the aged and in group, marriage, and family counseling.
- The approach is concrete. Both counselor and client are able to assess how much progress is being made and in what areas, especially if a goal-specific contract is drawn up.
- The approach emphasizes short-term treatment. Reality therapy is usually limited to relatively few sessions that focus on present behaviors.
- The approach has national training centers and is taught internationally.
- The approach promotes responsibility and freedom within individuals without blame or criticism or an attempt to restructure the entire personality.
- The approach has successfully challenged the medical model of client treatment. Its rationale and positive emphasis are refreshing alternatives to pathology-centered models (Gilliland & James, 2003).
- The approach addresses conflict resolution.
- The approach stresses the present because current behavior is most amenable to client control. Like behaviorists, Gestaltists, and rational emotive behavior therapists, reality therapists are not interested in the past (Wubbolding, 2000).

Limitations.   Reality therapy also has limitations, among which are the following:

- The approach emphasizes the here and now of behavior so much that it sometimes ignores other concepts, such as the unconscious and personal history.
- The approach holds that all forms of mental illness are attempts to deal with external events (Glasser, 1984).
- The approach has few theoretical constructs, although it is now tied to choice theory, which means that it is becoming more sophisticated.
- The approach does not deal with the full complexity of human life, preferring to ignore developmental stages.
- The approach is susceptible to becoming overly moralistic.
- The approach is dependent on establishing a good counselor–client relationship.
- The approach depends on verbal interaction and two-way communication. It has limitations in helping clients who, for any reason, cannot adequately express their needs, options, and plans (Gilliland & James, 2003).
- The approach keeps changing its focus (Corey, 2001).

SYSTEMS THEORIES

Systems theory is a generic term for conceptualizing a group of related elements (e.g., people) that interact as a whole entity (e.g., a family or a group). As a concept, systems theory "is more of a way of thinking than a coherent, standardized theory" (Worden, 2003, p. 8). The originator of general systems theory was Ludwig von Bertalanffy (1968), a biologist. According to the theory, any living organism is composed of interacting components mutually affecting one another. Three basic assumptions distinguish systems theory from other counseling approaches:

1. causality is interpersonal,
2. "psychosocial systems are best understood as repeated patterns of interpersonal interaction," and
3. "symptomatic behaviors must . . . be understood from an interactional viewpoint" (Sexton, 1994, p. 250).

Thus, the focus in general systems theory is on how the interaction of parts influences the operation of the system as a whole.

Circular causality is one of the main concepts introduced by this theory: the idea that events are related through a series of interacting feedback loops. *Scapegoating* (in which one person is singled out as the cause of a problem) and *linear causality* (in which one action is seen as the cause of another) are eliminated.

There are a number of approaches to counseling that are based on systems theory. One is Bowenian systems theory, which was developed to help persons differentiate themselves from their families of origin. Structural family therapy is a second theory and one that focuses on creating healthy boundaries. A third approach, strategic therapy, originated from the work of Milton Erickson and has a variety of forms, which can be employed in a variety of ways.

Bowenian Systems Theory

Founders/Developers. One of the earliest systems approaches to working with clients, especially in regard to family members, was created by Murray Bowen (1913–1990). According to Bowen, who had personal difficulty with his own family of origin, individuals who do not examine and rectify patterns passed down from previous generations are likely to repeat them in their own families (Kerr, 1988). Therefore, it is important to examine the past so as to be informed in the present. Michael Kerr is the successor to Bowen at the Georgetown Family Center. Edwin Friedman also made major contributions to Bowenian systems work.

View of Human Nature. Bowen believed that there is chronic anxiety in all life that is both emotional and physical. Some individuals are more affected than others by this anxiety "because of the way previous generations in their families have channeled the transmission" of it to them (Friedman, 1991, p. 139). If anxiety remains low, few problems exist for people or families. However, if anxiety becomes high, people are much more "prone to illness" and they may become chronically dysfunctional (Greene, Hamilton, & Rolling, 1986, p. 189). Thus, the focus of Bowenian systems theory is on *differentiation,* or distinguishing one's thoughts from one's emotions and oneself from others (Kerr & Bowen, 1988).

For example, couples marry at the same level of emotional maturity, with those who are less mature being prone to have a more difficult time in their marriage relationships than those who are more mature. When a great deal of friction exists in a marriage, the less mature partners tend to display a high degree of *fusion* (undifferentiated emotional togetherness) or *cutoff* (physical or psychological avoidance) because they have not separated themselves from their families of origin in a healthy way, nor have they formed a stable self-concept. When they are stressed as persons within the marriage, these individuals tend to *triangulate* (focus on a third party) (Papero, 1996). The third party can be the marriage itself, a child, an institution (such as a church or school), or even a somatic complaint. Regardless, it leads to unproductive couple interactions.

Role of the Counselor.   The role of the counselor is to coach and teach the client to be more cognitive in his or her dealings with others. At its best the process of counseling is "just like a Socratic dialogue, with the teacher or 'coach' calmly asking questions, until the student learns to think for him- or herself" (Wylie, 1991, p. 27). The counselor may construct a multigenerational genogram (which is explained under techniques) with the client to aid in this process (see Figure 9.1).

Goals.   If counseling is successful, clients will understand and modify the coping strategies and patterns of coping with stress that have been passed on from generation to generation. They will display a non-anxious presence in their daily lives and will be able to separate their thoughts from their feelings and themselves from others.

Techniques.   Techniques in this approach focus on ways to create an individuated person with a healthy self-concept who can interact with others and not experience undue anxiety every time the relationship becomes stressful. Ways of achieving this goal include assessment of self and family in a number of ways. One of them is through the construction of a multigenerational *genogram*, which is a visual representation of a person's family tree depicted in geometric figures, lines, and words (Sherman, 1993). "Genograms include information related to a family and its members' relationships with each other over at least three generations. A genogram helps people gather information, hypothesize, and track relationship changes in the context of historic and contemporary events" (Gladding, 2002, p. 130).

Another technique is a focus on cognitive processes, such as *asking content-based questions* of one's family (Bowen, 1976). The objective is to understand what happened in one's family without any emotional overlay. A client may also *go home again* and visit with his or her family in order to get to know them better. Such a procedure promotes *person-to-person relationships* on a dyadic level and the *asking of questions* about pivotal events that had an impact on the family such as deaths, births, and marriages. Asking questions is an especially important tool in Bowen's work.

In addition, there is a focus on *detriangulation,* which involves "the process of being in contact and emotionally separate" with others (Kerr, 1988, p. 55). Detriangulation operates on two levels. One is to resolve anxiety over family situations and not project feelings onto others. The second is to avoid becoming a target or scapegoat for people

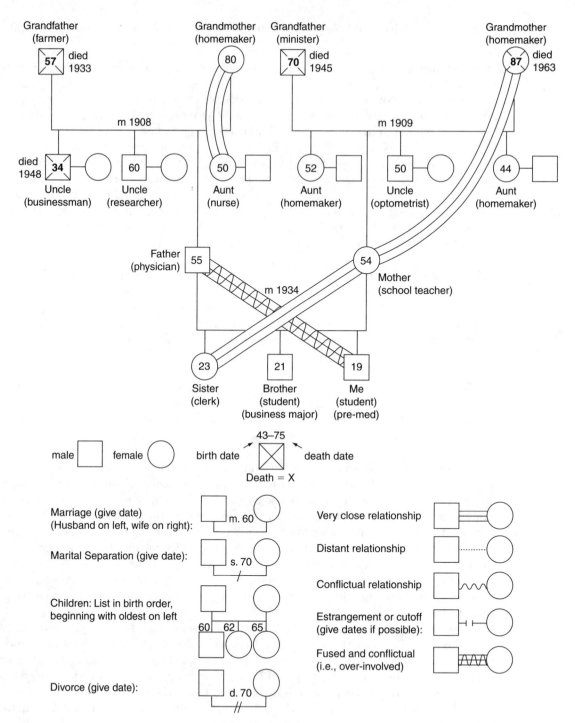

Figure 9.1

Genogram: Three generations of the Smith family (as of 1965)

Source: *Community and Agency Counseling* by Samuel T. Gladding,(p. 132). ©1997 by Prentice-Hall, Inc. Reprinted by permission of Pearson Education, Inc., Upper Saddle River, NJ.

who may be overcome with anxiety. Finally, there is the *differentiation of self*, which is the ability of a person to distinguish between subjective feelings and objective thinking. Becoming differentiated involves most, if not all, of the techniques previously mentioned plus some confrontation between the client and counselor.

Strengths and Contributions. There are a number of unique aspects surrounding Bowenian systems theory:

- The approach focuses on multigenerational family history and the importance of noticing and dealing with past patterns in order to avoid repeating these behaviors in interpersonal relationships.
- The approach uses genograms in plotting historical links, which is a specific tool that was originated with the Bowenian approach. It has now become an instrument borrowed by many approaches.
- The cognitive emphasis of this approach and its focus on differentiation of self and detriangulation are unique, too.

Limitations. Bowenian systems theory, however, is limited in that:

- The approach is extensive and complex. The theory is inseparable from the therapy and the intertwine makes the approach more involved than many other therapeutic approaches.
- Clients who benefit most from Bowenian work are those who are severely dysfunctional or have a low differentiation of self.
- This approach may require considerable investment on multiple levels, which some clients may not be willing or able to do.

Structural Family Counseling

Founders/Developers. Salvador Minuchin (1921–) is the founder of structural family counseling. Minuchin formulated the theory while director of the Philadelphia Child Guidance Clinic in the 1960s. Braulio Montalvo and Jay Haley are also notable contributors to this approach.

View of Human Nature. Every family has a structure according to Minuchin (1974). A *structure* is the informal way in which a family organizes itself and interacts. Structure influences people in families for better or worse. If there is a hierarchical structure, people relate well to each other. However, if there is no such structure or little structure, developmental or situational events increase family stress, rigidity, chaos, and dysfunctionality, throwing the family into crisis. In such circumstances, *coalitions*, (i.e., alliances between specific members against a third member) or *cross-generational alliances* (alliances between family members of two different generations) arise. Neither works well in the healthy growth of individuals or a family.

Role of the Counselor. Structural family counseling practitioners are both observers and experts in making interventions to modify and change the underlying structure of a family. They advocate for structural changes in the organization of the family unit, with particular attention on changing interactional patterns in subsystems of the family such as in the marital dyad. They also work at establishing clear boundaries among family members (Minuchin, Montalvo, Guerney, Rosman, & Schumer, 1967).

In working with families, structural family counselors join with the family in a position of leadership. They map within their minds the structure of a family, determining how it is stuck in a dysfunctional pattern, and how to help it change.

Goals.   In structural family therapy, action is emphasized over insight in order to alter and reorganize a family into a more functional and productive unit. Dated and outgrown rules are replaced with ones that are more related to the family's current realities. Distinctions and differentiation between subsystems are stressed with a special focus on parents being in charge of their children. If all works well, the cultural context of a family is changed.

Techniques.   Structuralists employ a number of techniques aimed at getting a family to change the way it operates (Minuchin & Fishman, 1981). One primary technique is to work with *family interaction*. When family members repeat nonproductive sequences of behavior or demonstrate a disengaged or enmeshed position in the family structure, the counselor will rearrange the physical environment so they have to act in a different way. The technique may be as simple as having people face each other when they talk.

Structural family counselors also use *reframing*, a technique that involves helping the family see its problem from a different and more positive perspective. For example, if a child is misbehaving, the behavior may be labeled "naughty" instead of "crazy." As a consequence, the child and his or her actions will be viewed as less pathological.

Other structural techniques are:

- *Punctuation*—"the selective description of a transaction" (Colapinto, 2000, p. 158); for instance, declaring a person competent at a specific moment in time.
- *Unbalancing*—a procedure wherein the counselor supports an individual or subsystem against the rest of the family (e.g., a daughter who is lobbying for a later curfew against her parents).
- *Enactment*—a process that consists of a family bringing their problematic behaviors, such as making decisions, into treatment sessions and demonstrating them. In the process, the counselor challenges their existing patterns and rules as the family gains heightened awareness of the way they function.
- *Boundary making*—the process of creating lines that separate people or subsystems from each other psychologically in order to maximize individual and group development and functioning.
- *Intensity*—the structural method of changing maladaptive transactions by using strong affect, repeated intervention, or prolonged pressure in order to help an individual or family reach a goal by doing something differently (Minuchin & Fishman, 1981).
- *Restructuring*—changing the structure of a family by altering existing hierarchies or interaction patterns so that problems are not maintained, (e.g., uniformly refusing to obey a certain request or to act in a specific way).
- *Adding cognitive constructions*—the verbal component of what is a primarily action-oriented approach that includes advice, information, pragmatic fictions (i.e., pronouncements that help people change), and *paradox* (a confusing message, such as "don't change," meant to frustrate and motivate an individual or group to seek alternative actions).

Strengths and Contributions. Structural family therapy is unique in its contribution to counseling in that:

- The approach is quite versatile, being an approach that is appropriate for low-socioeconomic-level families as well as for high-income families (Minuchin, Colapinto, & Minuchin, 1999).
- The approach is effective, having been used in treating juvenile delinquents, alcoholics, and anorexics (Fishman, 1988).
- The approach is culturally sensitive and appropriate for use in multicultural settings.
- The approach is clear in its definition of terms and procedures and is easily applicable.
- The approach emphasizes symptom removal and a reorganization of the family in a pragmatic way.

Limitations. The structural approach's main limitations include the following:

- Critics have charged that structural work is not complex enough, may be sexist at times, and focuses too much on the present.
- The accusation that structural therapy has been influenced by strategic family therapy and the charge that it is difficult to distinguish it from strategic therapy at times is problematic.
- Since the counselor is in charge of the process of change, families may not become empowered enough, which may limit their overall adjustment and change in the future (Friesen, 1985).

Strategic (Brief) Counseling

Founders/Developers. John Weakland, Paul Watzlawick, Jay Haley, Cloe Madanes, and the Milan Group (Selvini-Palazzoli, Boscolo, Cecchin, & Prata, 1978) are prominent leaders in the strategic school of counseling. This school and the individuals who are proponents of it are subdivided into several branches—the Mental Research Institute (California), the Milan Systemic theory approach (Italy), and the Family Therapy Institute (Washington, D.C.). Nevertheless, there are some common threads that weave the strategic counseling approach together so that it is recognizable as an entity with a number of subgroup emphases.

View of Human Nature. Strategic theory is based on the belief that when dysfunctional symptoms occur, they are an attempt to help people adapt. This approach sees problems as occurring within a developmental framework of the family life cycle. For instance, marital difficulties are generated by the system the couple is in. Consequently, the symptoms that emerge help maintain the marital system in which they operate (Todd, 1986).

As a group, strategic counselors focus on several dimensions of family life that are developmentally significant, such as:

- *family rules*—the overt and covert rules families use to govern themselves,
- *family homeostasis*—the tendency of families to remain in their same pattern of functioning unless challenged to do otherwise,
- *quid pro quo*—the responsiveness of family members to treat each other in the ways they are treated (i.e., something for something), and

- *circular causality*—the idea that events are interconnected and that factors behind a behavior are multiple.

Role of the Counselor.   Strategic counselors take a systemic view of problem behaviors and focus on the process rather than the content of dysfunctional interactions. The job of a strategic counselor is to get people to try new behaviors because their old behaviors are not working. Usually, a specific behavior is targeted for change. If this behavior can be modified, a *spillover effect* is hypothesized; that is, the results will help individuals make other behavior changes as well.

Thus, strategic counselors strive to resolve presenting problems and pay little attention to instilling insight. To bring about change, counselors are active, direct, and goal oriented as well as problem focused, pragmatic, and brief (Snider, 1992; Todd, 1986). They usually limit the number of times they see families to 10 visits or less.

Goals.   The idea behind the strategic approach is to resolve, remove, or ameliorate a problematic behavior brought to counseling. In the process, new functional behaviors are generated that will help individuals, couples, and families achieve a specific goal. By limiting the number of sessions available for treatment, strategic counselors hope to increase the motivation and determination of the client to be successful. Another goal of the approach is for the persons involved in the process to learn new skills for resolving future conflicts.

Techniques.   As a group, strategic family counselors are quite innovative. Each intervention is tailored to the specifics of persons and problems. This customization makes strategic counseling one of the most technique-driven approaches to helping within systems theory. Strategic family counselors *accept the presenting problems* of families and view symptoms as serving the positive purpose of communication.

Relabeling (giving a new perspective to a behavior) is frequently used, as are *paradoxing* (insisting on just the opposite of what one wants) and *prescribing the symptom* (having the couple or family display voluntarily what they had previously manifested involuntarily, such as fighting). The counselor may also use *pretend* to have the client make changes or carry out homework assignments that would not be completed otherwise (Madanes, 1984; Minuchin, 1974).

Individuals or families are sometimes asked to go through *ordeals*, such as traveling or suffering, during the treatment process. The idea is that if people have to make sacrifices to get better, then the long-term improvements of treatment are enhanced. A major aspect of strategic family counseling is the assignment of original *homework* tasks (often given in the form of prescriptions or directives) that are to be completed between sessions.

Strengths and Contributions.   Like other approaches, strategic counselors have unique aspects to what they do and how. Among the most prominent of these emphases are:

- Many of these therapists work in teams.
- The nature of the approach is pragmatic and flexible.
- The focus of practitioners is on innovation and creativity, which is in the linage of Milton Erickson who was especially good at devising novel ways to help his clients.
- The emphasis within the approach is to change the perceptions within people as a way of fostering new behaviors.

- A deliberate attempt is made to work on one problem at a time and limit the number of sessions clients can be seen so that the focus and motivation for doing things differently is enhanced.

Limitations.   The limitations of the strategic approach are few in number but significant:

- First, some of its underlying foundation and techniques overlap with other system and brief therapy theories. Therefore, there is sometimes confusion as to whether a counselor is using the strategic approach or another approach, such as the structural.
- Second, some of the stands taken by leading strategic practitioners are controversial, such as Jay Haley's view that schizophrenia is not biologically based.
- In addition, the emphasis within strategic camps on the expertise and power of the counselor may mean that clients do not attain as much independence or ability as they might otherwise.

BRIEF COUNSELING APPROACHES

Brief counseling has grown in scope and influence in recent years. Some older systemic approaches, like the Mental Research Institute (MRI) approach to strategic therapy in Palo Alto, California (Watzlawick, Weakland, & Fisch, 1974), are brief in nature and have been designated as brief therapy. Likewise, some newer approaches to counseling, specifically solution-focused counseling and narrative therapy, have been explicitly designed to be brief in regard to treatment. Regardless, brief therapies are particularly important in an age where people and institutions are demanding quick and effective mental health services. The skills employed in these approaches are vital for counselors working in managed care settings and for counselors in public settings who are expected to do more in less time (Presbury, Echterling, & McKee, 2002).

Brief counseling approaches are characterized by both their foci and time-limited emphasis. Most brief counseling is not systemic in nature. However, as has been previously mentioned, strategic counseling is both systemic and time limited. Techniques used in brief counseling are concrete and goal oriented. In addition, counselors are active in helping foster change and in bringing it about. The emphasis in brief counseling is to identify solutions and resources rather than to focus on etiology, pathology, or dysfunction. Therefore, the number of sessions conducted is limited to increase client focus and motivation.

Solution-Focused Counseling

Founders/Developers.   Solution-focused counseling is a Midwest phenomenon, having been originated in its present form in the 1980s by Steve deShazer and Bill O'Hanlon, both of whom were influenced directly by Milton Erickson, the creator of brief therapy in the 1940s. Other prominent practitioners and theorists connected with solution-focused counseling are Michele Weiner-Davis and Insoo Kim Berg.

View of Human Nature.   Solution-focused counseling does not have a comprehensive view regarding human nature. Rather, it traces its roots, as do some of the other theories in this chapter, to the work of Milton Erickson (1954), particularly Erickson's idea that people have within themselves the resources and abilities to solve their own problems even if they do not have a causal understanding of them. Erickson also "believed that a small change in one's behavior is often all that is necessary to lead to more profound changes in a problem context" (Lawson, 1994, p. 244).

In addition to its Ericksonian heritage, solution-focused counseling sees people as being *constructivist* in nature, meaning that reality is a reflection of observation and experience. Finally, solution-focused counseling is based on the assumption that people really want to change and that change is inevitable.

Role of the Counselor. The solution-focused counselor's first role is to determine how active and committed a client is to the process of change. Clients usually fall into three categories:

1. *visitors,* who are not involved in the problem and are not a part of the solution,
2. *complainants,* who complain about situations but can be observant and describe problems even if they are not invested in resolving them, and
3. *customers,* who are not only able to describe problems and how they are involved in them, but are willing to work on finding solutions (Fleming & Rickord, 1997).

In addition to determining commitment, solution-focused counselors act as facilitators of change to help clients "access the resources and strengths they already have but are not aware of or are not utilizing" (Cleveland & Lindsey, 1995, p. 145). They encourage, challenge, and set up expectations for change. They do not blame or ask "why?" They basically allow the client to be the expert on his or her life (Helwig, 2002).

Goals. A major goal of solution-focused counseling is to help clients tap inner resources and to notice *exceptions* to the times when they are distressed. The goal is then to direct them toward solutions to situations that already exist in these exceptions (West, Bubenzer, Smith, & Hamm, 1997). Thus, the focus of sessions and homework is on positives and possibilities either now or in the future (Walter & Peller, 1992).

Techniques. Solution-focused counseling is a collaborative process between the counselor and client. Besides encouraging the client to examine exceptions to times when there are problems, several other techniques are commonly used. One is the *miracle question,* which basically focuses on a hypothetical situation where a problem has disappeared. One form of it goes as follows: "Let's suppose tonight while you were sleeping a miracle happened that solved all the problems that brought you here. How would you know it? What would be different?" (deShazer, 1991).

Another technique is *scaling,* where the client is asked to use a scale from 1 (low) to 10 (high) to evaluate how severe a problem is. Scaling helps clients understand both where they are in regard to a problem and where they need to move in order to realistically achieve their goals.

Another intervention is to give clients *compliments,* which are written messages designed to praise clients for their strengths and build a "yes set" within them (i.e., a belief that they can resolve difficulties). Compliments are usually given right before clients are given tasks or assignments.

Two final techniques are:

1. *clues,* which are intended to alert clients to the idea that some behaviors they are doing now are likely to continue and they should not worry about them; and
2. *skeleton keys,* which are procedures that have worked before and that have universal applications in regard to unlocking a variety of problems.

Strengths and Contributions.   Unique strengths of solution-focused family counseling include:

- The approach emphasizes brevity and its empowerment of client families (Fleming & Rickord, 1997).
- The approach displays flexibility and excellent research in support of its effectiveness.
- The approach reveals a positive nature to working with a variety of clients.
- The approach focuses on change and its premise that emphasizes small change in behaviors.

Limitations.   Solution-focused counseling has its limitations. These include the following:

- The approach pays almost no attention to client history.
- The approach has a lack of focus on insight.
- The approach uses teams, at least by some practitioners, to make the cost of this treatment high.

Narrative Counseling

Founders/Developers.   Michael White and David Epston (1990), practitioners from Australia and New Zealand, respectively, created narrative counseling, a postmodern and social constructionist approach. Other prominent practitioners and theorists in the field include Michael Durrant and Gerald Monk.

View of Human Nature.   Narrative counselors emphasize "that meaning or knowledge is constructed through social interaction" (Worden, 2003, p. 8). There is no absolute reality except as a social product. People are seen as internalizing and judging themselves through creating stories of their lives. Many of these stories highlight negative qualities about individuals or situations in their lives and are troublesome or depressing. Through treatment, clients can reauthor their lives and change their outlooks in a positive way.

Role of the Counselor.   The narrative approach to change sees counselors as collaborators and masters of asking questions (Walsh & Keenan, 1997). Like counselors in other traditions, those who take a narrative orientation engage their clients and use basic relationship skills such as attending, paraphrasing, clarifying, summarizing, and checking to make sure they hear the client's story or problem correctly (Monk, 1998). They assume that symptoms do not serve a function and are, in fact, oppressive. Therefore, an effort is made by the counselor to address and eliminate problems as rapidly as possible. Overall, the counselor uses *narrative reasoning,* which is characterized by stories, meaningfulness, and liveliness, in an effort to help clients redefine their lives and relationships through new narratives.

Goals.   According to the narrative viewpoint, "people live their lives by stories" (Kurtz & Tandy, 1995, p. 177). Therefore, the emphasis in this approach is shifted to a narrative way of conceptualizing and interpreting the world. Clients who undergo narrative therapy will learn to value their own life experiences and stories if they are successful. They will also learn how to construct new stories and meaning in their lives and, in the process, create new realities for themselves.

Techniques.   The narrative approach emphasizes developing unique and alternative stories of one's life in the hope that a client will come up with novel options and strategies for living. In order to do so, the problem that is brought to counseling is externalized. In externalization, the problem is the problem. Furthermore, *externalization of the problem* separates a person from a problem and objectifies difficulties so that the resources of a client can be focused on how a situation, such as chaos, or a feeling, such as depression, can be dealt with. Awareness and objectivity are also raised through asking *how the problem affects the person and how the person affects the problem.*

Other ways narrative therapists work are *raising dilemmas,* so that a client examines possible aspects of a problem before the need arises, and *predicting setbacks,* so the client will think about what to do in the face of adversity. *Reauthoring* lives is one of the main foci for the treatment, though. By refining one's life and relationships through a new narrative, change becomes possible (White, 1995). In changing their stories, clients perceive the world differently and are freed up to think and behave differently.

Counselors send *letters* to families about their progress. They also hold formal *celebrations* at the termination of treatment and give out *certificates* of accomplishment when clients overcome an externalized problem such as apathy or depression.

Strengths and Contributions.   In the narrative approach a number of unique qualities have contributed to counseling. Among them are the following:

- Blame is alleviated and dialogue is generated as everyone works to solve a common problem (Walsh & Keenan, 1997).
- Clients create a new story and new possibilities for action.
- Exceptions to problems are highlighted as in solution-focused therapy.
- Clients are prepared ahead of time for setbacks or dilemmas through counselor questions.

Limitations.   Narrative counseling is not without its limitations, however. These include the fact that:

- This approach is quite cerebral and does not work well with clients who are not intellectually astute.
- There are no norms regarding who clients should become.
- The history of a difficulty is not dealt with at all.

CRISIS COUNSELING APPROACHES

A *crisis* is "a perception of an event or situation as an intolerable difficulty that exceeds the person's resources and coping mechanisms" (James & Gilliland, 2001, p. 3). *Crisis counseling* is the employment of a variety of direct and action-oriented approaches to help individuals find resources within themselves and/or deal externally with crisis. In all forms of crisis counseling, quick and efficient services are provided in specialized ways.

Crisis Counseling

Founders/Developers. Erich Lindemann (1944, 1956) and Gerald Caplan (1964) are considered two of the most prominent pioneers in the field of crisis counseling. Lindemann helped professionals recognize normal grief due to loss and the stages that individuals go through in resolving grief. Caplan expanded Lindemann's concepts to the total field of traumatic events. He viewed crisis as a state resulting from impediments to life's goals that are both situational and developmental.

View of Human Nature. Loss is an inevitable part of life. Developmentally and situationally, healthy people grow and move on, leaving some things behind, whether intentionally, by accident, or because of growth. In leaving, there may be grieving, which is a natural reaction to loss. The extent of the grief and its depth are associated with the value of what has been lost and how. In some cases, the pain may be small because the person was not attached to or invested in the object left behind, or the person had adequate time to prepare. In other cases, an individual may feel overwhelmed because of the value the person, possession, or position had in his or her life or because of the sudden and/or traumatic way the loss occurred. In such cases, there is a crisis.

People can have a variety of crises, the four most common being:

1. *Developmental,* which takes place in the normal flow of human growth and development under circumstances that are considered normal (e.g., birth of a child, retirement).
2. *Situational,* in which uncommon and extraordinary events occur that an individual has no way of predicting or controlling (e.g., automobile accident, kidnapping, loss of job).
3. *Existential,* which includes inner conflicts and anxieties that accompany important human issues of purpose, responsibility, independence, freedom, and commitment (James & Gilliland, 2001, p. 6) (e.g., realizing at age 50 that one has wasted one's life and cannot relive past years).
4. *Environmental,* in which "some natural or human caused disaster overtakes a person or a . . . group of people who find themselves, through no fault or action of their own, inundated in the aftermath of an event that may adversely affect virtually every member of the environment in which they live" (James & Gilliland, 2001, p. 6) (e.g., a hurricane, a blizzard, an act of terrorism).

Goals. Most crises are time limited and last somewhere between 6 and 8 weeks. Goals within crisis counseling revolve around getting those who are suffering immediate help in a variety of forms (e.g., psychological, financial, legal). Counselors especially help people "in crisis recognize and correct temporary affective, behavioral, and cognitive distortions brought on by traumatic events" (James & Gilliland, 2001, p. 9). This service is different from brief counseling approaches that try to help individuals find remediation for more ongoing problems. Long-term adjustment and health may require considerable follow-up on the part of the crisis counselor or another helping specialist.

Role of the Counselor. Counselors who work in crises need to be mature individuals with a variety of life experiences with which they have successfully dealt. They need to also have a good command of basic helping skills, high energy, and quick mental reflexes, and yet be poised, calm, creative, and flexible in the midst of highly charged situations.

Counselors are often direct and active in crisis situations. The role is quite different from that of ordinary counseling.

Techniques. Techniques used in crisis counseling vary according to the type of crisis as mentioned earlier, and the potential for harm. However, according to James and Gilliland (2001), what a crisis worker does and when he or she does it is dependent on assessing the individuals experiencing crisis in a continuous and fluid manner (see Figure 9.2). After assessment, there are three essential listening activities that need to be implemented:

1. *defining the problem,* especially from the client's viewpoint;
2. *ensuring client safety,* which means minimizing physical and psychological danger to the client or others; and
3. *providing support,* which means communicating to the client genuine and unconditional caring.

After, and sometimes during, the middle of listening skills come *acting strategies* which include:

1. *examining alternatives* (i.e., recognizing alternatives that are available and realizing some choices are better than others);
2. *making plans,* where clients feel a sense of control and autonomy in the process so they do not become dependent; and
3. *obtaining commitment* from the client to take actions that have been planned.

Where possible, counselors should follow up with clients to make sure they have been able to complete their plan and to further assess whether they have had delayed reactions to the crisis they have experienced, such as posttraumatic stress disorder.

Critical Incident Stress Debriefing (CISD) and one-on-one crisis counseling are two of the most common approaches that make use of the techniques just described (Jordan, 2002). In CISD a seven-stage group approach is used that helps individuals deal with their thoughts and feelings in a controlled environment using two counselors (Roberts, 2000). This approach evolves through an emphasis on introduction, facts, thoughts, reactions,

ASSESSING:
Overarching, continuous, and dynamically ongoing throughout the crisis;
evaluating the client's present and past situational crises in terms of the client's ability to cope,
personal threat, mobility or immobility, and making a judgment regarding type of action needed by the
crisis worker. (See crisis worker's action continuum, below.)

Listening	Acting
LISTENING: Attending, observing, understanding, and responding with empathy, genuineness, respect, acceptance, nonjudgment, and caring.	ACTING: Becoming involved in the intervention at a nondirective, collaborative, or directive level, according to the assessed needs of the client and the availability of environmental supports.
1. *Define the problem.* Explore and define the problem from the client's point of view. Use active listening, including open-ended questions. Attend to both verbal and nonverbal messages of the client.	4. *Examine alternatives.* Assist client in exploring the choices he or she has available to him or her now. Facilitate a search for immediate situational supports, coping mechanisms, and positive thinking.
2. *Ensure client safety.* Assess lethality, criticality, immobility, or seriousness of threat to the client's physical and psychological safety. Assess both the client's internal events and the situation surrounding the client, and if necessary, ensure that the client is made aware of alternatives to impulsive, self-destructive actions.	5. *Make plans.* Assist client in developing a realistic short-term plan that identifies additional resources and provides coping mechanisms—definite action steps that the client can own and comprehend.
3. *Provide support. Communicate* to the client that the crisis worker is a valid support person. Demonstrate (by words, voice, and body language) a caring, positive, nonpossessive, nonjudgmental, acceptant, personal involvement with the client.	6. *Obtain commitment.* Help client commit himself or herself to definite, positive action steps that the client can own and realistically accomplish or accept.

Crisis Worker's Action Continuum

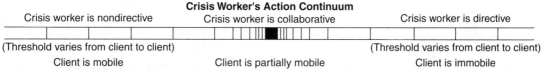

Crisis worker is nondirective	Crisis worker is collaborative	Crisis worker is directive
(Threshold varies from client to client)		(Threshold varies from client to client)
Client is mobile	Client is partially mobile	Client is immobile

The crisis worker's level of action/involvement may be anywhere on the continuum according to a valid and realistic
assessment of the client's level of mobility/immobility.

Figure 9.2
The six-step model of crisis intervention
Source: From *Crisis Intervention Strategies* (4th ed.) by R. K. James & B. E. Gilliland. Copyright © by Brooks/Cole
Publishing Company. Reprinted by permission of Wadsworth Publishing Company.

symptoms, teaching, and reentry. The CISD group ranges from 1 to 3 hours and is generally "provided 1 to 10 days after an acute crisis and 3 to 4 weeks after the disaster in mass disasters" (Roberts, 2000, p. 86). One-to-one counseling uses some of the same techniques as in CISD but the treatment lasts from 15 minutes to 2 hours and for only one to three sessions (Everly, Lating, & Mitchell, 2000).

Strengths and Contributions. As a speciality, crisis counseling is unique and has contributed to the profession of counseling in the following ways:

- The approach benefits from its brevity and its directness.
- The approach uses modest goals and objectives because of the sudden and/or traumatic nature of crises.
- The approach relies on its intensity, which is greater than regular forms of counseling.
- The approach utilizes a more transitional nature.

Limitations. Crisis counseling is limited in the fact that:

- The approach deals with situations of an immediate nature.
- The approach does not go into the same depth in regard to resolution that most counseling approaches do.
- The approach is more time limited and trauma oriented than most forms of therapeutic interventions.

SUMMARY AND CONCLUSION

This chapter has covered a wealth of counseling theories, specifically

- behavioral counseling;

- two cognitive-behavioral theories—rational emotive behavior therapy (REBT) and reality therapy (RT);

- three systems theories—Bowenian systems theory, structural family therapy, and strategic counseling;

- two brief theories—solution-focused and narrative; and

- crisis counseling.

All of these approaches are widely used and in demand because of the premises on which they are based and the effectiveness of them in practice. The fact that none of them are extensive in regard to a time commitment is a positive factor influencing their popularity. As in the preceding chapter, these theories were examined by briefly discussing their founders/developers, the view of human nature, goals, the role of the counselor, techniques, strengths and contributions, and limitations.

Counselors who wish to work with families, couples, groups, or individuals may well find a theory or theories in this chapter that will serve them and their client(s) well.

CLASSROOM ACTIVITIES

1. If possible, read articles by Milton Erickson and consider his views regarding the essential components of counseling. If original material by Erickson is not available, read a copy of Jay Haley's *Uncommon Therapy*. Discuss with your class what you see in the approaches in this chapter that appear to have a basis in Erickson's ideas.

2. Make a multigenerational genogram of your family. See what repetitive patterns you notice in terms of behaviors and vocations.

3. Think of a problem that you have had or currently have in your life. Then think of times that this problem was not prevalent. Talk about the exception with a fellow classmate and how this phenomenon relates to solution-focused therapy.

4. Discuss with a friend or family member the impact that a time-limited therapeutic approach might have on him or her as opposed to an open-ended therapeutic approach. Discuss the results with your class and see if there is any underlying theme when these two options are given to others.

5. What theories of counseling covered in this chapter and chapter 8 most appeal to you? Can you imagine integrating them in such a way that you could develop a healthy eclectic approach? Discuss your ideas with a fellow classmate. Be as specific as possible.

REFERENCES

Alberti, R. E., & Emmons, M. L. (1996). *Your perfect right: A guide to assertive behavior* (7th ed.). San Luis Obispo, CA: Impact.

Beck, A. T., & Weishaar, M. (2000). Cognitive therapy. In R. J. Corsini & D. Wedding (Eds.), current psychotherapies (6th ed.) (pp. 241–272). Itascar, IL: Peacock.

Bertalanffy, L. von (1968). *General systems theory: Foundations, development, application.* New York: Brazillier.

Bowen, M. (1976). Theory in the practice of psychotherapy. In P. J. Guerin, Jr. (Ed.), *Family therapy: Theory and practice* (pp. 42–90). New York: Gardner.

Bowen, M. (1978). *Family therapy in clinical practice.* New York: Aronson.

Caplan, G. (1964). *Principles of preventive psychiatry.* New York: Basic Books.

Cheston, S. E. (2000). A new paradigm for teaching counseling theory and practice. *Counselor Education and Supervision, 39,* 254–269.

Cleveland, P. H., & Lindsey, E. W. (1995). Solution-focused family interventions. In A. C. Kilpatrick & T. P. Holland (Eds.), *Working with families* (pp. 145–160). Boston: Allyn & Bacon.

Colapinto, J. (2000). Structural family therapy. In A. M. Horne (Ed.), *Family counseling and therapy* (3rd ed., pp. 140–169). Itasca, IL: F. E. Peacock.

Corey, G. (2001). *Theory and practice of counseling and psychotherapy* (6th ed.). Pacific Grove, CA: Brooks/Cole.

Cormier, L. S., & Hackney, H. (1999). *Counseling strategies and interventions* (5th ed.). Boston: Allyn & Bacon.

deShazer, S. (1985). *Keys to solution in brief family therapy.* New York: Norton.

deShazer, S. (1988). *Clues: Investigating solutions in brief therapy.* New York: Norton.

deShazer, S. (1991). *Putting differences to work.* New York: Norton.

Dryden, W. (1994). Reason and emotion in psychotherapy: Thirty years on. *Journal of Rational Emotive and Cognitive Behavior Therapy, 12,* 83–89.

Ellis, A. (1962). *Reason and emotion in psychotherapy.* New York: Stuart.

Ellis, A. (1973). Rational-emotive therapy. In R. Corsini (Ed.), *Current psychotherapies* (pp. 167–206). Itasca, IL: Peacock.

Ellis, A. (1980). Foreword. In S. R. Walen, R. DiGiuseppe, & R. L. Wesslon (Eds.), *A Practitioner's guide to nationale/-e motive therapy.* (pp. vii–xii). New York: Oxford University Press.

Ellis, A. (2000). Rational-emotive behavior therapy. In R. J. Corsini & D. Wedding (Eds.), *Current psychotherapies* (6th ed., pp. 168–204). Itasca, IL: Peacock.

English, H. B., & English, A. C. (1956). *A comprehensive dictionary of psychological and psychoanalytical terms.* New York: Longman Green.

Erickson, M. (1954). Special techniques of brief hypnotherapy. *Journal of Clinical and Experimental Hypnosis, 2,* 109–129.

Everly, G. S., Lating, J. M., & Mitchell, J. T. (2000). Innovations in group intervention: Critical Incident Stress Debriefing (CISD) and Critical Incident Stress Management (CISM). In A. R. Roberts (Eds.), *Crisis intervention handbook: Assessment, treatment, and research.* New York: Oxford Press.

Fishman, C. H. (1988). *Treating troubled adolescents: A family therapy approach.* New York: Basic Books.

Fleming, J. S., & Rickord, B. (1997). Solution-focused brief therapy: One answer to managed mental health care. *Family Journal, 5,* 286–294.

Friedman, E. H. (1991). Bowen theory and therapy. In A. S. Gurman & D. P. Kniskern (Eds.), *Handbook of family therapy* (Vol. II, pp. 134–170). New York: Brunner/ Mazel.

Friesen, J. D. (1985). *Structural-strategic marriage and family therapy*. New York: Gardner.

Gilliland, B. E., & James, R. K. (2003). *Theories and strategies in counseling and psychotherapy* (5th ed.). Boston: Allyn & Bacon.

Gilliland, B. E., James, R. K., & Bowman, J. T. (1998). *Theories and strategies in counseling and psychotherapy* (4th ed.). Boston: Allyn & Bacon.

Gladding, S. T. (2002). *Family therapy: History, theory, and practice* (3rd ed.). Upper Saddle River, NJ: Prentice Hall.

Glasser, W. (1965). *Reality therapy: A new approach to psychiatry*. New York: Harper & Row.

Glasser, W. (1980). Reality therapy: An explanation of the steps of reality therapy. In W. Glasser (Ed.), *What are you doing? How people are helped through reality therapy*. New York: Harper & Row.

Glasser, W. (1981). *Stations of the mind*. New York: Harper & Row.

Glasser, W. (1984). *Control theory: A new explanation of how we control our lives*. New York: Harper & Row.

Glasser, W. (1988, November). *Reality therapy*. Workshop presented at the Alabama Association for Counseling and Development, Fall Conference, Birmingham.

Glasser, W. (1998). *Choice theory*. New York: HarperCollins.

Glasser, W. (2000). School violence from the perspective of William Glasser. *Professional School Counseling, 4*, 77–80.

Glasser, W., & Wubbolding, R. (1995). Reality therapy. In R. Corsini & D. Wedding (Eds.), *Current psychotherapies* (5th ed., pp. 293–321). Itasca, IL: Peacock.

Goldiamond, I. (1976). Self-reinforcement. *Journal of Applied Behavior Analysis, 9*, 509–514.

Greene, G. J., Hamilton, N., & Rolling, M. (1986). Differentiation of self and psychiatric dialogue: An empirical study. *Family Therapy, 8*, 187–194.

Haley, J. (1973). *Uncommon therapy*. New York: Norton.

Haley, J. (1982, January/February). The contribution to therapy of Milton H. Erickson, M. D. *Family Therapy Networker, 3–4*, 6, 36–38.

Haley, J., & Richeport, M. (1993). *Milton H. Erickson, M. D.: Explorer in hypnosis and therapy* [videotape]. New York: Brunner/Mazel.

Harman, R. L. (1977). Beyond techniques. *Counselor Education and Supervision, 17*, 157–158.

Helwig, A. (2002, Summer). New Orleans workshop highlights. *NECA Newsletter, 2*.

Holden, J. (1993). *Behavioral consequences on behavior*. Unpublished manuscript, University of North Texas, Denton.

Ivey, A. E., & Goncalves, O. F. (1988). Developmental therapy: Integrating developmental processes into the clinical practice. *Journal of Counseling and Development, 66*, 406–413.

James, R. K., & Gilliland, B. E. (2001). *Crisis intervention strategies* (4th ed.). Pacific Grove, CA: Brooks/Cole.

Jordan, K. (2002). Providing crisis counseling to New Yorkers after the terrorist attack on the World Trade Center. *The Family Journal: Counseling and Therapy for Couples and Families, 10*, 139–144.

Kerr, M. E. (1988). Chronic anxiety and defining a self. *The Atlantic Monthly, 262*, 35–37, 40–44, 46–58.

Kerr, M. E., & Bowen, M. (1988). *Family evaluation: An approach based on Bowen theory*. New York: Norton.

Krasner, L., & Ullmann, L. P. (1973). *Behavior influence and personality: The social matrix of human action*. New York: Holt, Rinehart, & Winston.

Krumboltz, J. D. (1966). Behavioral goals of counseling. *Journal of Counseling Psychology, 13*, 153–159.

Krumboltz, J. D. (1992, December). Challenging troublesome career beliefs. *CAPS Digest,* EDO-CG-92-4.

Krumboltz, J. D., & Thoresen, C. E. (1969). *Behavioral counseling*. New York: Holt, Rinehart, & Winston.

Krumboltz, J. D., & Thoresen, C. E. (1976). *Counseling methods*. New York: Holt, Rinehart, & Winston.

Kurtz, P. D., & Tandy, C. C. (1995). Narrative family interventions. In A. C. Kilpatrick & T. P. Holland (Eds.), *Working with families* (pp. 177–197). Boston: Allyn & Bacon.

Lawson, A. W. (1994). Family therapy and addictions. In J. A. Lewis (Ed.), *Addiction: Concepts and strategies for treatment* (pp. 211–232). Gathersburg, MD: Aspen.

Lawson, D. (1994). Identifying pretreatment change. *Journal of Counseling and Development, 72*, 244–248.

Lazarus, A. A. (1967). In support of technical eclecticism. *Psychological Reports, 21*, 415–416.

Lazarus, A. A. (1985). Behavior rehearsal. In A. S. Bellack & M. Hersen (Eds.), *Dictionary of behavior therapy techniques* (p. 22). New York: Pergamon.

Lazarus, A. A., & Beutler, L. E. (1993). On technical eclecticism. *Journal of Counseling and Development, 71*, 381–385.

Lindemann, E. (1944). Symptomatology and management of acute grief. *American Journal of Psychiatry, 101*, 141–148.

Lindemann, E. (1956). The meaning of crisis in individual and family. *Teachers College Record, 57*, 310.

Littrell, J. M. (2001). Allen E. Ivey: Transforming counseling theory and practice. *Journal of Counseling and Development, 79*, 105–118.

Madanes, C. (1984). *Behind the one-way mirror: Advances in the practice of strategic therapy*. San Francisco: Jossey-Bass.

Madanes, C. (1991). Strategic family therapy. In A. S. Gurman & D. P. Kniskern (Eds.), *Handbook of family therapy* (Vol. 2, pp. 396–416). New York: Brunner/Mazel.

Maultsby, M. C., Jr. (1984). *Rational behavior therapy*. Upper Saddle River, NJ: Prentice Hall.

McBride, M. C., & Martin, G. E. (1990). A framework for eclecticism: The importance of theory to mental health counseling. *Journal of Mental Health Counseling, 12,* 495–505.

Minuchin, P., Colapinto, J., & Minuchin, S. (1999). *Working with families of the poor.* New York: Guilford.

Minuchin, S. (1974). *Families and family therapy.* Cambridge, MA: Harvard University Press.

Minuchin, S., & Fishman, H. C. (1981). *Family therapy techniques.* Cambridge, MA: Harvard University Press.

Minuchin, S., Montalvo, B., Guerney, B., Rosman, B., & Schumer, F. (1967). *Families of the slums.* New York: Basic Books.

Monk, G. (1998). Narrative therapy: An exemplar of the post-modern breed of therapies. *Counseling and Human Development, 30*(5), 1–14.

O'Hanlon, W. H., & Weiner-Davis, M. (1989). *In search of solutions: A new direction in psychotherapy.* New York: Norton.

Okun, B. K (1990). *Seeking connections in psychotherapy.* San Francisco: Jossey-Bass.

Papero, D. V. (1996). Bowen family systems and marriage. In N. S. Jacobson & A. S. Gurman (Eds.), *Clinical handbook of marital therapy.* New York: Guilford.

Petrocelli, J. V. (2002). Processes and stages of change: Counseling with the transtheoretical model of change. *Journal of Counseling and Development, 80,* 22–30.

Presbury, J. H., Echterling, L. G., & McKee, J. E. (2002). *Ideas and tools for brief counseling.* Upper Saddle River, NJ: Prentice Hall.

Prochaska, J. O., & DiClemente, C. C. (1992). The transtheoretical approach. In J. C. Norcross & M. R. Goldfried (Eds.), *Handbook of psychotherapy integration* (pp. 300–334). New York: Basic Books.

Rimm, D. C., & Cunningham, H. M. (1985). Behavior therapies. In S. J. Lynn & J. P. Garske (Eds.), *Contemporary psychotherapies: Models and methods* (pp. 221–259). Upper Saddle River, NJ: Prentice Hall.

Roberts, A. R. (2000). *Crisis intervention handbook: Assessment, treatment, and research.* New York: Oxford Press.

Rossi, E. (1982, January/February). Erickson's creativity. *Family Therapy Networker,* 5.

Seligman, L. (1997). *Diagnosis and treatment planning in counseling.* New York: Plenum.

Selvini-Palazzoli, M., Boscolo, L., Cecchin, G., & Prata, G. (1978). *Paradox and counterparadox.* New York: Monson.

Sexton, T. L. (1994). Systemic thinking in a linear world: Issues in the application of interactional counseling. *Journal of Counseling and Development, 72,* 249–258.

Sherman, R. (1993). The intimacy genogram. *The Family Journal: Counseling and Therapy for Couples and Families, 1,* 91–93.

Simon, G. M. (1989). An alternative defense of eclecticism: Responding to Kelly and Ginter. *Journal of Mental Health Counseling, 2,* 280–288.

Skinner, B. F. (1953). *Science and human behavior.* New York: Macmillan.

Snider, M. (1992). *Process family therapy.* Boston: Allyn & Bacon.

Sprinthall, N. A. (1971). A program for psychological education: Some preliminary issues. *Journal of School Psychology, 9,* 373–382.

Todd, T. C. (1986). Structural-strategic marital therapy. In N. S. Jacobson & A. S. Gurman (Eds.), *Clinical handbook of marital therapy* (pp. 71–105). New York: Guilford.

Walen, S. R., DiGuiseppe, R., & Dryden, W. (1992). *A practitioner's guide to rational-emotive therapy.* New York: Oxford University Press.

Walsh, W. M., & Keenan, R. (1997). Narrative family therapy. *Family Journal, 5,* 332–336.

Walter, J., & Peller, J. (1992). *Becoming solution-focused in brief therapy.* New York: Brunner/Mazel.

Watzlawick, P., Weakland, J. H., & Fisch, R. (1974). *Change: Principles of problem formation and problem resolution.* New York: W. W. Norton.

Weinrach, S. G. (1980). Unconventional therapist: Albert Ellis. *Personnel and Guidance Journal, 59,* 152–160.

Weinrach, S. G., Ellis, A., MacLaren, C., DiGiuseppe, R., Vernon, A., Wolfe, J., Malkinson, R., & Backx, W. (2001). Rational emotive behavior therapy successes and failures: Eight personal perspectives. *Journal of Counseling and Development, 79,* 259–268.

West, J. D., Bubenzer, D. L., Smith, J. M., & Hamm, T. L. (1997). Insoo Kim Berg and solution-focused therapy. *Family Journal, 5,* 286–294.

White, M. (1995). *Re-authoring lives.* Adelaide, Australia: Dulwich Centre Publications.

White, M., & Epston, D. (1990). *Narrative means to therapeutic ends.* New York: Norton.

Wilson, G. T. (2000). Behavior therapy. In R. J. Corsini & D. Wedding (Eds.), *Current psychotherapies* (6th ed., pp. 205–240). Itasca, IL: Peacock.

Worden, M. (2003). *Family therapy basics* (3rd ed.). Pacific Grove, CA: Brooks/Cole.

Wubbolding, R. E. (1988). *Using reality therapy.* New York: Harper/Collins.

Wubbolding, R. E. (1991). *Understanding reality therapy.* New York: Harper/Collins.

Wubbolding, R. E. (1998). *Cycle of managing, supervising, counseling, and coaching using reality therapy.* Cincinnati: Center for Reality Therapy.

Wubbolding, R. E. (2000). *Reality therapy for the 21st century.* New York: Brunner-Routledge.

Wylie, M. S. (1991, March/April). Family therapy's neglected prophet. *Family Therapy Networker, 15,* 24–37, 77.

PART III

CORE COUNSELING ACTIVITIES
IN VARIOUS SETTINGS

Professional counselors work in a variety of settings and with many different populations. Nevertheless, some of the activities in which they are regularly engaged overlap. This common core of functions unites counselors in a way similar to that in which the history and foundations of the profession, examined in Part I, does. Some of the most prevalent practices of counselors include conducting groups, offering consultation, participating in evaluation and research, and utilizing tests and assessment methods to diagnose and treat clients.

The four chapters in this section (Chapters 10–13) deal with these vital tasks. Almost all counselors find themselves immersed in these activities as a part of their responsibilities. Thus, it is not surprising that there is considerable interest in these topics at professional meetings and continuing education seminars. Counselors must lead groups, consult, evaluate the services they offer, and assess those they work with so as to give everyone the services they need and deserve.

10

GROUPS IN COUNSELING

Who am I in this pilgrim group

whose members differ so in perception?

Am I timid like a Miles Standish,

letting others speak for me

because the experience of failure is softened

if a risk is never personally taken?

Or am I more like a John Alden

speaking boldly for others in the courting of beauty

but not seeking such for myself?

Perhaps I am more than either man

or maybe I'm both at different times!

In the silence and before others, I ponder the question anew.

Reprinted from "A Restless Presence: Group Process as a Pilgrimage," by S. T. Gladding, 1979, School
Counselor, 27, *126.* © *1979 by ACA. Reprinted with permission. No further reproduction authorized without
written permission of the American Counseling Association.*

Working in groups is a counseling activity that is often effective in helping individuals resolve personal and interpersonal concerns. Organized groups make use of people's natural tendency to gather and share thoughts and feelings as well as work and play cooperatively. "Groups are valuable because they allow members to experience a sense of belonging, to share common problems, to observe behaviors and consequences of behaviors in others, and to find support during self-exploration and change" (Nims, 1998, p. 134). By participating in a group, people develop social relationships, emotional bonds, and often become enlightened (Posthuma, 1999).

This chapter examines the following aspects of groups: their history; their place in counseling, including the types of groups most often used; their theoretical basis; issues and stages in groups; and qualities of effective group leaders. Both national and local organizations have been established for professionals engaged primarily in leading groups. One of the most comprehensive (and the one to which most professional counselors belong) is the Association for Specialists in Group Work (ASGW), a national division of the American Counseling Association (ACA). This organization, which has a diverse membership, was chartered by the ACA in 1974 (Carroll & Levo, 1985). It has been a leader in the field of group work in establishing best practice guidelines, training standards, and principles for diversity-competent group workers. ASGW also publishes a quarterly periodical, the Journal for Specialists in Group Work. *Other prominent group organizations are the American Group Psychotherapy Association (AGPA), the American Society of Group Psychotherapy and Psychodrama (ASGPP), and the Group Psychology and Group Psychotherapy division of the American Psychological Association (APA) (Division 49).*

A BRIEF HISTORY OF GROUPS

Groups have a long and distinguished history in the service of counseling. Joseph Hersey Pratt, a Boston physician, is generally credited with starting the first psychotherapy/counseling group in 1905. Pratt's group members were tubercular outpatients at Massachusetts General Hospital who found the time they regularly spent together informative, supportive, and therapeutic. Although this group was successful, the spread of groups to other settings and the development of different types of groups was uneven and sporadic until the 1970s. The following people were pioneers in the group movement along with Pratt:

- Jacob L. Moreno, who introduced the term *group psychotherapy* into the counseling literature in the 1920s;
- Kurt Lewin, whose field theory concepts in the 1930s and 1940s became the basis for the Tavistock small study groups in Great Britain and the T-group movement in the United States;
- Fritz Perls, whose Gestalt approach to groups attracted new interest in the field;
- W. Edwards Deming, who conceptualized and implemented the idea of quality work groups to improve the processes and products people produced and to build morale among workers in businesses;

- William Schutz and Jack Gibb, who emphasized a humanistic aspect to T-groups that focused on personal growth as a legitimate goal; and
- Carl Rogers, who devised the basic encounter group in the 1960s that became the model for growth-oriented group approaches.

Besides influential individuals, a number of types of groups, some of which have just been mentioned, developed before groups were classified as they are today. Chronologically, psychodrama was the first, followed by T-groups, encounter groups, group marathons, and self-help/support groups. We will briefly look at each type of group since each has had an influence on what groups are now.

Psychodrama

Jacob L. Moreno, a Viennese psychiatrist, is credited as the originator of psychodrama. This type of group experience, employed for decades with mental patients at Saint Elizabeth's Hospital in Washington, D.C., was initially used with ordinary citizens in Vienna, Austria (Moreno's home), at the beginning of the 20th century. In psychodrama, members enact unrehearsed role-plays, with the group leader serving as the director. Other group members are actors in the protagonist's play, give feedback to the protagonist as members of the audience, or do both (Blatner, 2000). This type of group is popular with behaviorists, Gestaltists, and affective-oriented group leaders who have adapted it as a way of helping clients experience the emotional qualities of an event.

T-Groups

The first T-group (the *T* stands for training) was conducted at the National Training Laboratories (NTL) in Bethel, Maine, in 1946. These groups appeared at a time when neither group counseling nor group psychotherapy had evolved. In fact, they may be considered the beginning of modern group work (Ward, 2002). Kurt Lewin's ideas about group dynamics formed the basis for the original groups. Since that time, T-groups have evolved from a focus on task accomplishment to a primary emphasis on interpersonal relationships. Although it is difficult to classify T-groups in just one way, members of such groups are likely to learn from the experience how one's behavior in a group influences others' behavior and vice versa. In this respect, T-groups are similar to some forms of family counseling in which the emphasis is on both how the system operates and how an individual within the system functions.

Encounter Groups

According to Lynn and Frauman (1985), encounter groups emerged from T-groups in an attempt to focus on the growth of individual group members rather than the group itself. Encounter groups are intended for "normally functioning" people who want to grow, change, and develop (Lieberman, 1991). These groups took many forms in their heyday (the 1970s), from the minimally structured groups of Carl Rogers (1970) to the highly structured, open-ended groups of William Schutz (1971). Regardless of the structure, the primary emphasis of such groups was and is on individual expression and recognition of affect.

Group Marathons

A group marathon is an extended, one-session group experience that breaks down defensive barriers that individuals may otherwise use. It usually lasts for a minimum of 24 hours. Frederick Stoller and George Bach pioneered the concept in the 1960s. Group marathons have been used successfully in working with substance abusers in rehabilitation programs and normally functioning individuals in other group counseling settings. Often labor and peace negotiations are held in a group marathon setting to achieve breakthroughs.

Self-Help/Support Groups

Since the 1970s, self-help and support groups have grown in prominence. A *self-help group* usually develops spontaneously, centers on a single topic, and is led by a layperson with little formal group training but with experience in the stressful event that brought the group together (Riordan & Beggs, 1987). For example, residents in a neighborhood may meet to help each other make repairs and clean up after a natural disaster, or they may assemble to focus government attention on an issue, such as toxic waste, that directly affects the quality of their lives. Self-help groups can be either short or long term, but they basically work to help their members gain greater control of their lives. Over 10 million people are involved in approximately 500,000 such groups in the United States, and the number continues to increase.

A *support group* is similar to a self-help group in its focus on a particular concern or problem, but an established professional helping organization or individual (such as Alcoholics Anonymous, Lamplighters, or Weight Watchers) organizes it (Gladding, 2003). Some support groups charge fees; others do not. The involvement of laypeople as group leaders varies. Like self-help groups, support groups center around topics that are physical, emotional, or social (L'Abate & Thaxton, 1981).

Self-help and support groups partly fill the needs of populations who can best be served through groups and that might otherwise not receive services. They meet in churches, recreation centers, schools, and other community buildings as well as in mental health facilities. Lieberman (1994) sees self-help and support groups as healthy for the general public, and Corey (2001) thinks such groups are complementary to other mental health services. Like other group experiences, however, "cohesion is always a vital characteristic for success," and proper guidelines must be set up to ensure the group will be a positive, not a destructive, event (Riordan & Beggs, 1987, p. 428).

MISPERCEPTIONS AND REALITIES ABOUT GROUPS

Since the history of groups is uneven, certain misperceptions about groups have sprung up. Some of the reasons for these misperceptions occurred in the 1960s when groups were unregulated and yet a popular part of the culture, with the *New York Times* even declaring 1968 as the "Year of the Group." It was during this time that a number of inappropriate behaviors happened in groups, with the stories generated from the actions taking on a life of their own after being passed on by word of mouth. It is the remnants of these stories that make some people skeptical about groups or keep them from joining groups (Gladding, 2003). The majority of misperceptions involve counseling and psychotherapy groups (as opposed to psychoeducational and task/work groups). Some prevalent myths about groups are as follows (Childers & Couch, 1989):

- They are artificial and unreal.
- They are second-rate structures for dealing with problems.
- They force people to lose their identity by tearing down psychological defenses.
- They require people to become emotional and spill their guts.
- They are touchy-feely, confrontational, and hostile; they brainwash participants.

The reality is that none of these myths are true, at least in well-run groups. Indeed, the opposite is normally true. Therefore, it is important that individuals who are unsure about groups ask questions before they consider becoming members of them. In such a way, doubts and misperceptions they have can be addressed and their anxiety may be lessened. Therefore, they may be able to benefit significantly within a group environment.

THE PLACE OF GROUPS IN COUNSELING

A *group* is defined as two or more people interacting together to achieve a goal for their mutual benefit. Groups have a unique place in counseling. Everyone typically spends some time in group activities each day (for example, with schoolmates or business associates). Gregariousness is part of human nature, and many personal and professional skills are learned through group interactions. It is only natural, then, for counselors to make use of this primary way of human interaction. Groups are an economical and effective means of helping individuals who share similar problems and concerns. Counselors who limit their competencies to individual counseling skills limit their options for helping.

Most counselors have to make major decisions about when, where, and with whom to use groups. In some situations groups are not appropriate ways of helping. For instance, a counselor employed by a company would be unwise to use groups to counsel employees with personal problems who are unequal in rank and seniority in the corporate network. Likewise, a school counselor would be foolish to use a group setting as a way of working with children who are all behaviorally disruptive. But a group may be ideal for helping people who are not too disruptive or unequal in status and who have common concerns. In such cases, counselors generally schedule a regular time for people to meet in a quiet, uninterrupted setting and interact together.

Groups differ in purpose, composition, and length. Basically, however, they all involve *work,* which Gazda (1989) describes as "the dynamic interaction between collections of individuals for prevention or remediation of difficulties or for the enhancement of personal growth/enrichment" (p. 297). Hence, the term *group work* is often used to describe what goes on within groups. The ASGW (2000) defines *group work* as "a broad professional practice involving the application of knowledge and skill in group facilitation to assist an independent collection of people to reach their mutual goals, which may be intrapersonal, interpersonal, or work related. The goals of the group may include the accomplishment of tasks related to work, education, personal development, personal and interpersonal problem solving, or remediation of mental and emotional disorders" (pp. 329–330).

Groups have a number of general advantages. Yalom (1995) has characterized these positive forces as *therapeutic factors* within groups. For counseling and psychotherapy groups these factors include:

- *Instillation of hope*   (i.e., assurance that treatment will work)
- *Universality*   (i.e., the realization that one is not alone, unique, or abnormal)

- *Imparting of information*   (i.e., instruction about mental health, mental illness, and how to deal with life problems)
- *Altruism*   (i.e., sharing experiences and thoughts with others, helping them by giving of one's self, working for the common good)
- *Corrective recapitulation of the primary family group*   (i.e., reliving early family conflicts and resolving them)
- *Development of socializing techniques*   (i.e., interacting with others and learning social skills as well as more about oneself in social situations)
- *Imitative behavior*   (i.e., modeling positive actions of other group members)
- *Interpersonal learning*   (i.e., gaining insight and correctively working through past experiences)
- *Group cohesiveness*   (i.e., bonding with other members of the group)
- *Catharsis*   (i.e., experiencing and expressing feelings)
- *Existential factors*   (i.e., accepting responsibility for one's life in basic isolation from others, recognizing one's own mortality and the capriciousness of existence)

The group may also serve as a catalyst to help persons realize a want or a need for individual counseling or the accomplishment of a personal goal.

BENEFITS AND DRAWBACKS OF GROUPS

Groups have specific advantages that can be beneficial in helping individuals with a variety of problems and concerns. Literally hundreds of studies describe group approaches and statistically support the effectiveness of various forms of groups. Documentation of group experiences is occurring at such a fast rate, however, that it is difficult to stay abreast of the latest developments. Some researchers in the field, such as Zimpfer (1990), regularly write comprehensive reviews on select group activities that help practitioners become better informed.

Some recent findings about groups reveal the following:

- Group counseling can be used to help 9th- and 10th-grade students learn social problem-solving behaviors that help them in career decision preparation (Hutchinson, Freeman, & Quick, 1996).
- Groups can promote career development in general (Pyle, 2000) and can be used effectively in vocational planning with some underserved populations, such as battered and abused women (Peterson & Priour, 2000).
- Group treatment, under the right conditions, can help adult women improve their functioning and general subjective well-being (Marotta & Asner, 1999).
- Group counseling and psychoeducational programs can help persons who have sustained heart attacks deal better with stressors in their lives (Livneh & Sherwood-Hawes, 1993).
- Group intervention with adolescent offenders can help them increase their maturational processes, especially the ability to work in a sustained way and to achieve a sense of relationship with others (Viney, Henry, & Campbell, 2001).

Yet groups are not a panacea for all people and problems. They have definite limitations and disadvantages. For example, some client concerns and personalities are not well-suited for groups. Likewise, the problems of some individuals may not be dealt with in enough depth within groups. In addition, group pressure may force a client to take action, such as self-disclosure, before being ready. Groups may also lapse into a *groupthink* mentality, in which stereotypical, defensive, and stale thought processes become the norm and creativity and problem solving are squelched. Another drawback to groups is that individuals may try to use them for escape or selfish purposes and disrupt the group process. Furthermore, groups may not reflect the social milieu in which individual members normally operate. Therefore, what is learned from the group experience may not be relevant. Finally, if groups do not work through their conflicts or developmental stages successfully, they may become regressive and engage in nonproductive and even destructive behaviors such as scapegoating, group narcissism, and projection (McClure, 1994).

TYPES OF GROUPS

Groups come in many forms: "there seems to be a group experience tailored to suit the interests and needs of virtually anyone who seeks psychotherapy, personal growth, or simply support and companionship from others" (Lynn & Frauman, 1985, p. 423). There are a number of group models appropriate for a wide variety of situations. Although lively debate persists about how groups should be categorized, especially in regard to goals and process (Waldo & Bauman, 1998), the following types of groups have training standards developed by the ASGW (2000).

Psychoeducational Groups

Psychoeducational groups, sometimes known as guidance groups or educational groups, are preventive and instructional (Brown, 1998; Pence, Paymar, Ritmeester, & Shepard, 1998). Their purpose is to teach group participants how to deal with a potential threat (such as AIDS), a developmental life event (such as growing older), or an immediate life crisis (such as the death of a loved one). These types of groups are often found in educational settings, such as schools, but are increasingly being used in other settings such as hospitals, mental health centers, social service agencies, and universities (Jones & Robinson, 2000).

One of the most important parts of the process in such groups revolves around group discussions of how members will personalize the information presented in the group context (Ohlsen, 1977). In school settings, instructional materials such as unfinished stories, puppet plays, films, audio interviews, and guest speakers are employed in psychoeducational groups. In adult settings, other age-appropriate means, using written materials or guest lecturers, are used.

An example of a psychoeducational group is the promotion of student development on college and university campuses. During the traditional college-age years, "students grow and change in complexity along a variety of dimensions" (Taub, 1998, p. 197). Their development can be enhanced through psychoeducational groups that address issues important to them such as control of anger, dating relationships, and study skills. These groups are relatively brief in duration and meet for only a limited time. Yet, they prepare those who attend more adequately for the issues that are covered.

Counseling Groups

Counseling groups, sometimes known as interpersonal problem-solving groups, seek "to help group participants to resolve the usual, yet often difficult, problems of living through interpersonal support and problem solving. An additional goal is to help participants to develop their existing interpersonal problem-solving competencies so they may be better able to handle future problems. Non-severe career, educational, personal, social, and developmental concerns are frequently addressed" (ASGW, 1992, p. 143).

Distinguishing between a group counseling and a psychoeducational group is sometimes difficult to do. Generally, group counseling is more direct than a psychoeducational group in attempting to modify attitudes and behaviors. For instance, group counseling stresses the affective involvement of participants, whereas a psychoeducational group concentrates more on the cognitive understanding of its members. A second difference is that group counseling is conducted in a small, intimate setting, whereas a psychoeducational group is more applicable to room-size environments (Gazda, Ginter, & Horne, 2001).

At times, a counseling group and a psychoeducational group may overlap (Taub, 1998; Waldo & Bauman, 1998). An example of a brief but effective group counseling approach that overlaps some with a psychoeducational group is a structured group for high school seniors making the transition to college and to military service (Goodnough & Ripley, 1997). These groups are held for soon-to-be high school graduates. They give the students an opportunity to deal with the complex set of emotions they are experiencing while providing them with information that will assist them in gaining a helpful cognitive perspective on what they are about to do. In group counseling such as this, participants get *"airtime"* (an opportunity to speak), and discuss their own concerns. The interaction of group members and the personalizing of the information is greater than in a psychoeducational group.

Psychotherapy Groups

Psychotherapy groups, sometimes known as personality reconstruction groups, are set up to help individual group members remediate in-depth psychological problems. "Because the depth and extent of the psychological disturbance is significant, the goal is to aid each individual to reconstruct major personality dimensions" (ASGW, 1992, p. 13).

Sometimes there is overlap in group counseling and group psychotherapy, but the emphasis on major reconstruction of personality dimensions usually distinguishes the two. Group psychotherapy often takes place in *inpatient facilities,* such as psychiatric hospitals or other mental health facilities that are residential in nature, because it may be necessary to keep close control over the people involved. Certain types of individuals are poor candidates for outpatient, intensive group psychotherapy. Among them are depressives, incessant talkers, paranoids, schizoid and sociopathic personalities, suicidals, and extreme narcissists (Yalom, 1995). It may be easier to identify group psychotherapy candidates who should be excluded than choose those who should be included. Regardless, group psychotherapy is an American form of treatment and has provided much of the rationale for group counseling.

Task/Work Groups

Task groups help members apply the principles and processes of group dynamics to improve practices and accomplish identified work goals. "The task/work group specialist is able to assist groups such as task forces, committees, planning groups, community organizations, discussion groups, study circles, learning groups, and other similar groups to correct or develop their functioning" (ASGW, 1992, p. 13).

Like other types of groups, task/work groups run best when the following factors are in place:

- the purpose of the group is clear to all participants,
- process (dynamics) and content (information) are balanced,
- time is taken for culture building and learning about each other,
- conflict is addressed,
- feedback between members is exchanged,
- leaders pay attention to the here-and-now, and
- time is taken by leaders and members to reflect on what is happening (Hulse-Killacky, Killacky, & Donigian, 2001).

The classic example of a task group is a team. In athletics, art, and employment settings, teams are often formed to accomplish objectives that would be impossible for an individual to achieve alone. The *quality circle,* an employee-run group of workers who meet weekly to examine the processes they are using in their jobs and devise ways to improve them, is a business example of a task group (Johnson & Johnson, 2000). However, counselors often work in teams to resolve internal and external situations as well as to plan and implement ideas, so these groups have broad applicability.

THEORETICAL APPROACHES IN CONDUCTING GROUPS

Theoretical approaches to counseling in groups vary as much as individual counseling approaches. In many cases, the theories are the same. For instance, within group work there are approaches based on psychoanalytic, Gestalt, person-centered, rational emotive behavior, cognitive, and behavioral theories. Because the basic positions of these theories are examined elsewhere in this text, they will not be reviewed here. Yet the implementation of any theoretical approach differs when employed with a group because of *group dynamics* (the interaction of members within the group).

In an evaluation of seven major theoretical approaches to groups, Ward (1982) analyzes the degree to which each approach pays attention to the individual, interpersonal, and group levels of the process. For instance, psychoanalytic, Gestalt, and behavioral approaches are strong in focusing on the individual but weak on interpersonal and group level components of the group process. However, the person-centered approach is strong on the individual level and medium on the interpersonal and group level. Ward points out the limiting aspects of each approach and the importance of considering other factors, such as the group task and membership maturity, in conducting comprehensive group assignments.

Similarly, Frey (1972) outlines how eight approaches to group work can be conceptualized on a continuum from insight to action and rational to affective; whereas Hansen,

Warner, and Smith (1980) conceptualize group approaches on a continuum from process to outcome and leader centered to member centered. Group leaders and potential group members must know how theories differ to make wise choices. Overall, multiple theoretical models provide richness and diversity for conducting groups.

Three factors, in addition to the ones already mentioned, are useful for group leaders to consider when deciding on what theoretical approach to take:

1. Do I need a theoretical base for conducting the group?
2. What uses will the theory best serve?
3. What criteria will be employed in the selection process?

A theory is a lot like a map. In a group, it provides direction and guidance in examining basic assumptions about human beings. It is also useful in determining goals for the group, clarifying one's role and functions as a leader, and explaining the group interactions. Finally, a theory can help in evaluating the outcomes of the group. Trying to lead a group without an explicit theoretical rationale is similar to attempting to fly an airplane without a map and knowledge of instruments. Either procedure is foolish, dangerous, and likely to lead to injury.

A good theory also serves practical functions (Gladding, 2003). For example, it gives meaning to and a framework for experiences and facts that occur within a setting. Good theory helps make logical sense out of what is happening and leads to productive research. With so many theories from which to choose, the potential group leader is wise to be careful in selecting an approach.

Ford and Urban (1998) believe counselors should consider four main factors when selecting a theory: personal experience, consensus of experts, prestige, and a verified body of knowledge. All these criteria contain liabilities and advantages. Therefore, it is crucial for beginning counselors to listen to others and read the professional literature critically to evaluate the theories that are most verifiable and that fit in with their personality styles.

STAGES IN GROUPS

Groups, like other living systems, go through stages. If an individual or group leader is not aware of these stages, the changes that occur within the group may appear confusing rather than meaningful and the benefits may be few. Leaders can maximize learning by either setting up conditions that facilitate the development of the group or "using developmentally based interventions, at both individual and group levels" (Saidla, 1990, p. 15). In either case, group members and leaders benefit.

There is debate in the professional literature about what and when groups go through stages. Developmental stages have been identified in various types of groups, such as learning groups and training groups, yet much of the debate about stages centers around group counseling. Group counseling is most often broken into four or five stages, but some models depict as few as three stages and others as many as six. Tuckman's stage model is considered mainstream.

Tuckman (1965) was one of the first theorists to design a stage process for group counseling. He believed there were four stages of group development: forming, storming, norming, and performing. This concept was later expanded to include a fifth stage: adjourning (Tuckman & Jensen, 1977) or mourning/morning (Waldo, 1985). In each stage certain tasks are performed. For example, in the *forming stage,* the foundation is usually laid down for what is to come and who will be considered in or out of group deliberations. In this stage (the group's infancy), members express anxiety and dependency and talk about nonproblematic issues. One way to ease the transition into the group at this stage is to structure it so that members are relaxed and sure of what is expected of them. For example, before the first meeting, members may be told they will be expected to spend 3 minutes telling others who they are (McCoy, 1994).

In the second stage, *storming,* considerable turmoil and conflict usually occur, as they do in adolescence. Conflict within the group at this and other times "forces group members to make some basic decisions about the degree of independence and interdependence in their relationship with one another" (Rybak & Brown, 1997, p. 31). Group members seek to establish themselves in the hierarchy of the group and deal successfully with issues concerning anxiety, power, and future expectations. Sometimes the group leader is attacked at this stage.

The third stage, *norming,* is similar to young adulthood, in which "having survived the storm the group often generates enthusiasm and cohesion. Goals and ways of working together are decided on" (Saidla, 1990, p. 16). This stage is sometimes combined with the storming stage, but whether it is combined or not, it is followed by *performing,* which parallels adulthood in a developmental sense. In the performing stage, group members become involved with each other and their individual and collective goals. This is the time when the group, if it works well, is productive.

Finally, in the *adjourning* or *mourning/morning* stage, the group comes to an end, and members say good-bye to one another and the group experience. In termination, members feel either fulfilled or bitter. Sometimes there is a celebration experience at this point of the group; at a minimum, a closure ceremony almost always takes place.

Table 10.1 offers a brief breakdown of the characteristics of each of the five stages discussed here with the characteristics most prevalent in the storming/norming stages combined.

Overall, the developmental stages of a group are not always easily differentiated at any one point in time. "A group does not necessarily move step by step through life stages, but may move backward and forward as a part of its general development" (Hansen et al., 1980, p. 476). The question of what stage a group is in and where it is heading can best be answered through retrospection or insightful perception.

ISSUES IN GROUPS

Conducting successful groups entails a number of issues. Some deal with procedures for running groups; others deal with training and ethics. Before a group is set up, the leader of the group needs to have a clear idea of why the group is being established and what its intermediate as well as ultimate goals are. It is only from such a process that a successful group will emerge.

Table 10.1   Four stages of groups

	Forming	Storming/Norming	Performing	Adjourning
Emphasis	Help members feel they are part of the group. Develop trust and inclusiveness.	Leader and members work through overt and covert tension, frustration, and conflict as they find their place in the group and develop a sense of cohesiveness (i.e., "we-ness").	Productivity, purposefulness, constructiveness, achievement, and action are highlighted.	Completeness, closure, and accomplishment of tasks/goals are highlighted along with celebration and ultimately the dismissal of the group.
Dynamics/ Characteristics	Members initiate conversations/ actions that are safe; interactions are superficial.	Energy, anxiety, and anticipation increase temporarily. Focus on functioning of group as an entity heightens. Cooperation and security increase toward end of this stage.	Members are more trusting of self and others. Increased risk taking, hopefulness, problem solving, and inclusiveness of others in achieving goals/objectives. Leader less involved in directing or structuring group. Members become increasingly responsible for running group.	About 15% of the group's time is spent concentrating and reflecting on events signifying the end of the group, such as completion of a task. Members deal with the issue of loss, as well as celebration, individually or collectively.
Role of Leader	Leader sets up a structured environment where members feel safe; clarifies purpose of group; establishes rules; makes introductions. Leader models appropriate behaviors; initiates ice-breaker activities; engages in limited self-disclosure; outlines vision of the group.	Leader manages conflict between members; emphasizes rules and regulations regularly; helps group become a more unified entity.	Leader concentrates on helping members and group as a whole achieve goals by encouraging interpersonal interactions. Prevention of problems through use of helping skills and renewed focus on reaching goal(s). Modeling of appropriate behavior(s) by leader.	The leader helps members assess what they have learned from the group and encourages them to be specific. Leader provides a structure for dealing with loss and celebration of group as well as its ending; arranges for follow-up and evaluation.

Table 10.1   *continued*

	Forming	Storming/Norming	Performing	Adjourning
Role of Members	Members need to dedicate them-selves to "owning" the group and becoming involved. They need to voice what they expect to get out of the group as well as what they plan to give to it.	Members seek and receive feedback from others, which changes from more negative to neutral/ positive as group works through power issues and becomes more unified. "I state-ments" become more necessary and prevalent.	Members concentrate on individual and group accomplish-ments; give and receive input in the form of feedback about their ideas and behaviors.	Group members focus on the work they have accom-plished and what they still need to achieve. Members celebrate their accomplishments, resolve unfinished business with oth-ers, and incorpo-rate their group experiences in both unique and universal ways.
Problem Areas	Inactive, unfocused, or uninvolved group members will inhibit the group from progressing. Too much open-ness is also detri-mental. Anxiety that is denied or unaddressed will surface again.	Group may deterio-rate and become chaotic and con-flictual with less involved members. Corrective feed-back may be mis-understood and underused. A sense of cohesive-ness may fail to develop, and group may regress and become more artificial.	Unresolved conflicts or issues may resurface. Inappropriate behaviors may be displayed and inhibit the growth of the group. Rules may be broken.	Members may deny the group is ending and be unprepared for its final ses-sion(s). Members may also be reluc-tant to end the group and may ask for an extension. Leaders may not prepare members for the ending and may in fact foster dependency.

Selection and Preparation of Group Members

Screening and preparation are essential for conducting a successful group (Couch, 1995) because the maturity, readiness, and composition of membership plays a major role in whether the group will be a success or not (Riva, Lippert, & Tackett, 2000). Some individ-uals who wish to be members of groups are not appropriate candidates for them. If such persons are allowed to join a group, they may end up being difficult group members (e.g., by monopolizing or manipulating) and cause the group leader considerable trouble (Kot-tler, 1994b). They may also join with others who are at an equally low level of function-ing and contribute to the regression of the group. When this happens, members become psychologically damaged, and the group is unable to accomplish its goals (McClure, 1990).

Screening and preparation are usually accomplished through pregroup interviews and training, which take place between the group leader and prospective members. During a *pregroup interview* group members should be selected whose needs and goals are com-patible with the established goals of the group. These are members who will not impede the group process, and whose well-being will not be jeopardized by the group experience. Research indicates that *pregroup training,* in which members learn more about a group and what is expected of them, provides important information for participants and gives them a chance to lower their anxiety (Sklare, Petrosko, & Howell, 1993).

In following ethical guidelines and best practices for group counselors (ASGW, 1998), certain individuals may need to be screened out or may elect to screen themselves out of the group. Screening is a two-way process. Potential group members may not be appropriate for a certain group at a particular time with a designated leader. They should be advised of their options if they are not selected for a group, such as joining another group or waiting for a group to form that is better able to address their situation. In selecting group members, a group leader should heed Gazda's (1989) advice that individuals in the group be able to identify with other group members at least on some issues. In essence, the screening interview "lays the foundation upon which the group process will rest" (McCoy, 1994, p. 18).

Before the group begins, group members and leaders need to be informed as much as possible about *group process* (how group member interactions influence the development of the group). For instance, in *homogeneous groups* (in which members are more alike than unalike), there is usually less conflict and risk taking, more cohesion and support, and better attendance. In contrast, in *heterogeneous groups* (in which members are more unalike than alike), there is more conflict initially and greater risk taking, but support and cohesion may lag and members may drop out (Merta, 1995). It is the process of the group, not the content, focus, or purpose, that will eventually determine whether a group succeeds. In successful groups, the process is balanced with content (Donigian & Malnati, 1997; Kraus & Hulse-Killacky, 1996) (see Figure 10.1). "When either the content or the process of . . . groups becomes disproportionate, the group may experience difficulty accomplishing work" (Nelligan, 1994, p. 8). Veterans of group experiences usually need minimal information about how a group will be conducted, whereas novice participants may require extensive preparation. Members who are informed about the procedures and focus of a group before they begin will do better in the group once it starts.

In joining a group, it is important to check first with the group organizer and become clear about what possibilities and outcomes are expected in a group experience. Corey (2001) lists issues that potential participants should clarify before they enroll in a group. The following are among the most important:

- A clear statement of the group's purpose
- A description of the group format, ground rules, and basic procedures
- A statement about the educational and training qualifications of the group leader(s)
- A pregroup interview to determine whether the potential group leader and members are suited for one's needs at the time
- A disclosure about the risks involved in being in a group and the members' rights and responsibilities
- A discussion about the limitations of confidentiality and the roles group leaders and participants are expected to play within the group setting

Regardless of the perceived need for information, research supports the idea that "providing a set of expectations for participants prior to their initiation into a group im-

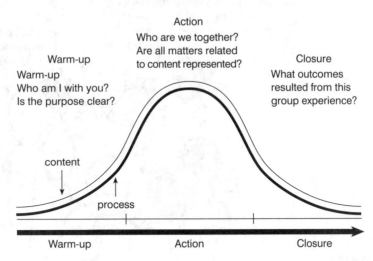

Focus Questions:

Figure 10.1
Balanced process and content
Source: From "Leadership in Groups: Balancing Process and Content," presentation at the annual convention of the American Counseling Association, April 1994, Minneapolis, MN. Reprinted with permission of Diane Hulse-Killacky, University of New Orleans.

proves the possibility of members having a successful group . . . experience" (Sklare, Keener, & Mas, 1990, p. 145). Specifically, group leaders can facilitate "here and now group counseling . . . by discouraging 'you' and 'we' language, questioning, speaking in the third person, seeking approval, rescuing, and analyzing. Group leaders must model the behaviors they wish others to emulate, such as using 'I messages,'" as the cartoon in Figure 10.2 shows (Sklare et al., 1990, p. 145).

Finally, group leaders must know how to handle challenges to their leadership and resistance from individual group members or the group as a whole.

Group Size and Duration

A group's size is determined by its purpose and preference. Large groups are less likely to spotlight the needs of individual members. Therefore, outside of group guidance there is an optimal number of people that should be involved. A generally agreed-on number is six to eight group members, although Gazda (1989) notes that if groups run as long as 6 months, up to 10 people may productively be included. Group size and duration affect each other. Corey (2001) states, "For ongoing groups of adults, about eight members with one leader seems to be a good size. Groups with children may be as small as three or four. In general, the group should have enough people to afford ample interaction so it doesn't drag and yet be small enough to give everyone a chance to participate frequently without . . . losing the sense of 'group'" (p. 93).

Figure 10.2
The group. The use of I in the group.
Source: © 1994 by Kurt Kraus. Used with permission.

Open versus Closed Groups

Open-ended groups admit new members after they have started; *closed-ended groups* do not. Lynn and Frauman (1985) point out that open-ended groups are able to replace lost members rather quickly and maintain an optimal size. Many long-term outpatient groups are open ended. Closed-ended groups, although not as flexible in size, promote more cohesiveness among group members and may be productive in helping members achieve stated goals.

Confidentiality

Groups function best when members feel a sense of *confidentiality*—that is, what has been said within the group setting will not be revealed outside. To promote a sense of confidentiality and build trust, a group leader must be active. In the prescreening interview the subject of confidentiality should be raised. The importance of confidentiality needs to be stressed during the first meeting of the group and on a regular basis thereafter (Corey, Corey, & Callanan, 2003).

Furthermore, it is the group leader's role to protect his or her members by clearly defining what confidentiality is and the importance and difficulty of enforcing it. Whenever any question arises about the betrayal of confidentiality within a group, it should be dealt with immediately. Otherwise, the problem grows and the cohesiveness of the group breaks down. Olsen (1971) points out that counselors must realize they can only guarantee their own adherence to the principles of confidentiality. Still, they must strive to ensure the rights of all group members.

Physical Structure

The setting where a group is conducted is either an asset or a liability. Terres and Larrabee (1985) emphasize the need for a physical structure (a room or a setting) that ensures the safety and growth of group members. Groups within schools and community agencies need to be conducted in places that promote the well-being of the group. The furnishings of the space (attractive) and the way the group is assembled (preferably in a circle) can facilitate the functioning of the group.

Co-leaders

It is not necessary for groups to have *co-leaders* (two leaders), but such an arrangement can be beneficial to the group and the leaders, especially if the group is large (over 10 members). With co-leaders, one leader can work with the group while the other monitors the group process. A co-leader arrangement may also be beneficial when an inexperienced leader and experienced leader are working together. In such a setup, the inexperienced leader can learn from the experienced one. Many group specialists advocate that an inexperienced leader co-lead a group first before attempting the process alone (Ritter, 1982).

Dinkmeyer and Muro (1979) suggest that successful, experienced co-leaders (a) possess a similar philosophical and operational style, (b) have similar experience and competence, (c) establish a model relationship for effective human interaction, (d) be aware of splitting and member loyalty ties to one leader or the other and help the group deal with this, and (e) agree on counseling goals and the processes to achieve them so that power struggles are avoided.

Pietrofesa, Hoffman, and Splete (1984) recommend that co-leaders sit opposite each other in a group so that leader responsibility and observation are maximized. They point out that it is not necessary for group co-leaders to be of the opposite sex; skills, not gender, matter most.

Self-disclosure

Shertzer and Stone (1981) define *self-disclosure* as "here and now feelings, attitudes, and beliefs" (p. 206). The process of self-disclosure is dependent on the trust that group members have for one another (Bunch, Lund, & Wiggins, 1983). If there is high trust, greater self-disclosure will ensue. An interesting aspect of this phenomenon is that self-disclosure builds on itself. During the first stages of the group, it may have to be encouraged. Morran (1982) suggests that leaders, in the beginning sessions of a group, use self-disclosure often to serve as a model for others and promote the process. As Stockton, Barr, and Klein (1981) document, group members who make few verbal self-disclosures are more likely than others to drop out of a group.

Feedback

Feedback is a multidimensional process that consists of group members' responding to the verbal messages and nonverbal behaviors of one another. It is one of the most important and abused parts of any group experience. When feedback is given honestly and with care, group members can gauge the impact of their actions on others and attempt new behaviors.

Corey (2001) distinguishes between group feedback given at the end of a session and that given at the termination of a group. During the latter process, Corey encourages group members to be clear, concise, and concrete with one another. Group members should give themselves feedback about how they have changed during the group experience. After processing feedback information, group members should record some of the things said during final feedback sessions so they will not forget and can make use of the experience in evaluating progress toward their goals.

To promote helpful feedback, Pietrofesa, Hoffman, and Splete (1984) list criteria for feedback evaluation. Here are some important recommendations:

- Feedback should be beneficial to the receiver and not serve the needs of the giver.
- Feedback is more effective when it is based on describable behavior.
- In the early stages of group development, positive feedback is more beneficial and more readily accepted than negative feedback.
- Feedback is most effective when it immediately follows a stimulus behavior and is validated by others.
- Feedback is of greater benefit when the receiver is open and trusts the giver (p. 376).

Follow-up

Follow-up is used in a group to keep in touch with members after the group has terminated to determine how well they are progressing on personal or group goals. Often group leaders fail to conduct proper follow-up. This failure is especially prevalent in short-term counseling groups or groups led by an outside leader (Gazda, 1989). ASGW's *Best Practice Guidelines* (1998) (which clarify the application of the ACA's Code of Ethics and Standards of Practice to the field of group work) states that group workers provide for follow-up after the termination of a group as appropriate to assess outcomes or when requested by a group member(s). Follow-up helps group members and leaders assess what they gained in the group experience and allows the leader to refer a group member for help, if appropriate (Gladding, 2003). Follow-up sessions maximize the effects of a group experience and encourage members to keep pursuing original goals (Jacobs, Harvill, & Masson, 2002).

Corey (2001) suggests that a follow-up session for a short-term group be conducted about 3 months after termination. He points out that the process of mutual feedback and support from other group members at this time can be very valuable. If group members are aware during the termination stage of their group that they will meet again for a follow-up, they are more likely than not to continue pursuing their goals. In addition to a whole group follow-up, individual follow-up between leaders and group members is important, even if these sessions are conducted by phone.

QUALITIES OF EFFECTIVE GROUP LEADERS

There are distinguishing qualities of effective and ineffective group leaders. For instance, group leaders who are authoritarian, aggressive, confrontational, or emotionally removed from the group are ineffective and produce *group casualties* (members who drop out or are worse after the group experience) (Yalom & Lieberman, 1971). However, four leadership qualities have a positive effect on the outcome of groups, if they are not used excessively (Yalom, 1995):

1. *Caring*—the more, the better
2. *Meaning attribution*—includes clarifying, explaining, and providing a cognitive framework for change
3. *Emotional stimulation*—involves activity, challenging, risk taking, self-disclosure
4. *Executive function*—entails developing norms, structuring, and suggesting procedures

It is vital that group leaders find a position between the two extremes of emotional stimulation and executive function for the group's well-being. Leaders should not allow members to experience so much emotion that they are unable to process the material being discovered in the group or structure the situation so rigidly that no emotion is expressed.

Kottler (1994a) states that effective leaders understand the forces operating within a group, recognize whether these forces are therapeutic, and, if they are not, take steps to better manage the group with the assistance of its members. His assessment of leadership complements that of Yalom's (1995) and Osborne's (1982), who believe that good group leaders behave with intentionality because they are able to anticipate where the group process is moving and recognize group needs. An example of this phenomenon is the ability of group leaders to treat the group homogeneously when there is a need to manage group tensions and protect members and to emphasize heterogeneous qualities when the group has become too comfortable and is not working.

In addition, Corey (2001) maintains that effective group leaders are committed to self-improvement to become effective as human beings. He lists a number of personal qualities that are related to effective group leadership. Among them are presence, personal power, courage, willingness to confront oneself, sincerity, authenticity, enthusiasm, sense of identity, and inventiveness/creativity.

A final quality of effective group leaders is that they are well educated in group theory, practice, and techniques. For instance, in group counseling and psychotherapy, "the group leader's task is to translate symptoms into interpersonal issues" (Pistole, 1997, p. 7). By so doing, the leader helps participants in groups learn how to develop distortion-free and gratifying relationships. Regardless of the type of group, leaders employ a number of techniques such as those listed in Table 10.2.

THE FUTURE OF GROUP WORK

The future of group work is filled with possibilities. It is headed in many directions. One focus of group work is the development of new ways of working in groups that are theory driven. For example, solution-focused counseling and brief therapy groups appear to

Table 10.2   Overview of group leadership skills

Skills	Description	Aims and Desired Outcomes
Active Listening	Attending to verbal and nonverbal aspects of communication without judging or evaluating.	To encourage trust and client self-disclosure and exploration.
Restating	Saying in slightly different words what a participant has said to clarify its meaning.	To determine whether the leader has understood correctly the client's statement; to provide support and clarification.
Clarifying	Grasping the essence of a message at both the feeling and the thinking levels; simplifying client statements by focusing on the core of the message.	To help clients sort out conflicting and confused feelings and thoughts; to arrive at a meaningful understanding of what is being communicated.
Summarizing	Pulling together the important elements of an interaction or session.	To avoid fragmentation and give direction to a session; to provide for continuity and meaning.
Questioning	Asking open-ended questions that lead to self-exploration of the "what" and "how" of behavior.	To elicit further discussion; to get information; to stimulate thinking; to increase clarity and focus; to provide for further self-exploration.
Interpreting	Offering possible explanations for certain behaviors, feelings, and thoughts.	To encourage deeper self-exploration; to provide a new perspective for considering and understanding one's behavior.
Confronting	Challenging participants to look at discrepancies between their words and actions or body messages and verbal communication; pointing to conflicting information or messages.	To encourage honest self-investigation; to promote full use of potentials; to bring about awareness of self-contradictions.
Reflecting Feelings	Communicating understanding of the content of feelings.	To let members know that they are heard and understood beyond the level of words.
Supporting	Providing encouragement and reinforcement.	To create an atmosphere that encourages members to continue desired behaviors; to provide help when clients are facing difficult struggles; to create trust.
Empathizing	Identifying with clients by assuming their frames of references.	To foster trust in the therapeutic relationship; to communicate understanding; to encourage deeper levels of self-exploration.
Facilitating	Opening up clear and direct communication within the group; helping members assume increasing responsibility for the group's direction.	To promote effective communication among members; to help members reach their own goals in the group.
Initiating	Taking action to bring about group participation and to introduce new directions in the group.	To prevent needless group floundering; to increase the pace of group process.

Table 10.2   *continued*

Skills	Description	Aims and Desired Outcomes
Goal Setting	Planning specific goals for the group process and helping participants define concrete and meaningful goals.	To give direction to the group's activities; to help members select and clarify their goals.
Evaluating	Appraising the ongoing group process and the individual and group dynamics.	To promote deeper self-awareness and better understanding of group movement and direction.
Giving Feedback	Expressing concrete and honest reactions based on observation of members' behaviors.	To offer an external view of how the person appears to others; to increase the client's self-awareness.
Suggesting	Offering advice and information, direction, and ideas for new behavior.	To help members develop alternative courses of thinking and action.
Protecting	Safeguarding members from unnecessary psychological risks in the group.	To warn members of possible risks in group participation; to reduce these risks.
Disclosing Oneself	Revealing one's reactions to here-and-now events in the group.	To facilitate deeper levels of interaction in the group; to create trust; to model ways of making oneself known to others.
Modeling	Demonstrating desired behavior through actions.	To provide examples of desirable behavior; to inspire members to fully develop their potential.
Dealing with Silence	Refraining from verbal and nonverbal communication.	To allow for reflection and assimilation; to sharpen focus; to integrate emotionally intense material; to help the group use its own resources.
Blocking	Intervening to stop counterproductive behavior in the group.	To protect members; to enhance the flow of group process.
Terminating	Preparing the group to end a session or finalize its history.	To prepare members to assimilate, integrate, and apply in-group learning to everyday life.

Note: The format of this chart is based on Edwin J. Nolan's article "Leadership Interventions for Promoting Personal Mastery," *Journal for Specialists in Group Work,* 1978, *3*(3), 132–138.
Source: From *Theory and Practice of Group Counseling* (4th ed., pp. 72–73) by Gerald Corey. Copyright © 1995 Brooks/Cole Publishing Company. Reprinted by permission of Wadsworth Publishing Company.

be gaining popularity and have been found through research to be effective (LaFountain, Garner, & Eliason, 1996; Shapiro, Peltz, & Bernadett-Shapiro, 1998). These groups differ from problem-solving groups in their "focus on beliefs about change, beliefs about complaints, and creating solutions" (LaFountain et al., 1996, p. 256).

Groups are also becoming more preventive. Life-skill training in groups is one example of the prevention emphasis. Four areas of this approach are (a) interpersonal communication and human relations, (b) problem solving and decision making, (c) physical fitness and health maintenance, and (d) development of identity and purpose of life. But the biggest manifestation of prevention in groups is in managed health care, where financial premiums are attached to helping individuals stay well or prevent future difficulties.

Overall, the future of group work seems robust and headed toward more diversity in both its theory and practice (DeLucia-Waack, 1996). Multicultural issues, especially in regard to awareness of others, self, training, and research, are receiving more attention (Merta, 1995). For example, Conyne (1998) has developed a set of "multicultural sensitizers" that can be used along with Hanson's (1972) original group process observation guidelines to help students and other trainees become more aware of multicultural issues in group work. Likewise, guidelines for groups that focus on working with specific cultural minorities have been devised. For instance, ways of working with African-American women in groups have been formulated and published (Pack-Brown, Whittington-Clark, & Parker, 1998). More such developments should occur in the 21st century.

SUMMARY AND CONCLUSION

Groups are an exciting, necessary, and effective way to help people. They can take an educational, preventive, or remedial form. The ASGW has formulated standards for psychoeducational groups, counseling groups, psychotherapy groups, and task groups. The theories and some of the techniques used in groups are often the same as those employed in working with individuals. There are differences in application, however.

To be maximally effective, group leaders must be competent in dealing with individual as well as group issues. Learning how to do this is a developmental process. Effective group leaders know what type of groups they are leading and share this information with potential members. Leaders follow ethical, legal, and procedural guidelines of professional organizations. They are concerned with the general well-being of their groups and the people in them. They anticipate problems before they occur and take proactive steps to correct them. They systematically follow-up with group members after the group has terminated. They keep up with the professional literature about groups and are constantly striving to improve their personal and professional levels of functioning.

Overall, groups are a stage-based and expanding way of working with people to achieve individual and collective goals. Professional counselors must acquire group skills if they are to be well-rounded and versatile.

CLASSROOM ACTIVITIES

1. Reflect on the types of groups mentioned in this chapter. Discuss those groups you are most knowledgeable and comfortable with now. Anticipate the types of groups you might lead in the future.

2. Divide into pairs and discuss the problems and potentials you see in leading a group. Pretend you have been asked to lead a group of your own choosing. What feelings do you have about this upcoming event? How do

you see yourself behaving and thinking during each stage of the process?

3. Examine copies of professional counseling journals from the past 5 years. Report to the class on articles about groups that you are particularly interested in. Compare your findings with those of other class members.

4. Imagine you are a counselor without any group skills. How do you see yourself functioning in the following settings: a school, an

employee assistance program, a private practice? Discuss with the class your thoughts about counselor engagement in various types of groups.

5. Select a topic that is interesting to a wide variety of individuals (e.g., proper diet or deal-

ing with anger), and present a psychoeducational group lesson to your classmates based on information you have researched. Process this experience directly with the class as soon as you complete it. How difficult or easy was the project?

REFERENCES

Association for Specialists in Group Work. (1992). Professional standards for the training of group workers. *Journal for Specialists in Group Work, 17,* 12–19.

Association for Specialists in Group Work. (1998). Best practice guidelines. *Journal for Specialists in Group Work, 23,* 237–244.

Association for Specialists in Group Work. (2000). Professional standards for the training of group workers. *Journal for Specialists in Group Work, 25,* 327–342.

Blatner, A. (2000). *Foundations for psychodrama: History, theory, and practice* (4th ed). New York: Springer.

Brown, N. W. (1998). *Psychoeducational groups.* Muncie, IN: Accelerated Development.

Bunch, B. J., Lund, N. L., & Wiggins, F. K. (1983). Self-disclosure and perceived closeness in the development of group process. *Journal for Specialists in Group Work, 8,* 59–66.

Carroll, M. R., & Levo, L. (1985). The association for specialists in group work. *Journal for Counseling and Development, 63,* 453–454.

Childers, J. H., Jr., & Couch, R. D. (1989). Myths about group counseling: Identifying and challenging misconceptions. *Journal for Specialists in Group Work, 14,* 105–111.

Conyne, R. K. (1998). What to look for in groups: Helping trainees become more sensitive to multicultural issues. *Journal for Specialists in Group Work, 23,* 22–32.

Corey, G. (2001). *Theory and practice of group counseling* (5th ed.). Pacific Grove, CA: Brooks/Cole.

Corey, G., Corey, M. S., & Callanan, P. (2003). *Issues and ethics in the helping profession* (5th ed.). Pacific Grove, CA: Brooks/Cole.

Couch, R. D. (1995). Four steps for conducting a pregroup screening interview. *Journal for Specialists in Group Work, 20,* 18–25.

DeLucia-Waack, J. L. (1996). Multiculturalism is inherent in all group work. *Journal for Specialists in Group Work, 21,* 218–223.

Dinkmeyer, D. C., & Muro, J. J. (1979). *Group counseling: Theory and practice* (2nd ed.). Itasca, IL: Peacock.

Donigian, J., & Malnati, R. (1997). *Systemic group therapy: A triadic model.* Pacific Grove, CA: Brooks/Cole.

Ford, D., & Urban, H. (1998). *Systems of psychotherapy: A comparative study* (2nd ed.). New York: Wiley.

Frey, D. H. (1972). Conceptualizing counseling theories. *Counselor Education and Supervision, 11,* 243–250.

Gazda, G. M. (1989). *Group counseling: A developmental approach* (4th ed.). Boston: Allyn & Bacon.

Gazda, G. M., Ginter, E. J., & Horne, A. M. (2001). *Group counseling and group psychotherapy: Theory and application.* Boston: Allyn & Bacon.

Gladding, S. T. (2003). *Group work: A counseling specialty* (3rd ed.). Upper Saddle River, NJ: Merrill/Prentice Hall.

Goodnough, G. E., & Ripley, V. (1997). Structured groups for high school seniors making the transition to college and to military service. *School Counselor, 44,* 230–234.

Hansen, J. C., Warner, R. W., & Smith, E. J. (1980). *Group counseling* (2nd ed.). Chicago: Rand McNally.

Hanson, P. (1972). What to look for in groups: An observation guide. In J. Pfeiffer & J. Jones (Eds.), *The 1972 annual handbook for group facilitators* (pp. 21–24). San Diego: Pfeiffer.

Hulse-Killacky, D., Killacky, J., & Donigian, J. (2001). *Making task groups work in your world.* Upper Saddle River, NJ: Prentice Hall.

Hutchinson, N. L., Freeman, J. G., & Quick, V. E. (1996). Group counseling intervention for solving problems on the job. *Journal of Employment Counseling, 33,* 2–19.

Jacobs, E. E., Harvill, R. L., & Masson, R. L. (2002). *Group counseling* (4th ed.). Pacific Grove, CA: Brooks/Cole.

Johnson, D. W., & Johnson, F. P. (2000). *Joining together* (7th ed.). Boston: Allyn & Bacon.

Jones, K. D., & Robinson, E. H. (2000). Psychoeducational groups: A model for choosing topics and exercises appropriate to group stages. *Journal for Specialists in Group Work, 25,* 356–365.

Kottler, J. A. (1994a). *Advanced group leadership.* Pacific Grove, CA: Brooks/Cole.

Kottler, J. A. (1994b). Working with difficult group members. *Journal for Specialists in Group Work, 19,* 3–10.

Kraus, K., & Hulse-Killacky, D. (1996). Balancing process and content in groups: A metaphor. *Journal for Specialists in Group Work, 21,* 90–93.

L'Abate, L., & Thaxton, M. L. (1981). Differentiation of resources in mental health delivery: Implications of training. *Professional Psychology, 12,* 761–767.

LaFountain, R. M., Garner, N. E., & Eliason, G. T. (1996). Solution-focused counseling groups: A key for school counselors. *School Counselor, 43,* 256–267.

Lieberman, M. A. (1991). Group methods. In F. H. Kanfer & A. P. Goldstein (Eds.), *Helping people change: A textbook of methods* (4th ed.). Boston: Allyn & Bacon.

Lieberman, M. A. (1994). Self-help groups. In H. I. Kaplan & B. J. Sadock (Eds.), *Comprehensive group psychotherapy* (3rd ed.). Baltimore: Williams & Wilkins.

Livneh, H., & Sherwood-Hawes, A. (1993). Group counseling approaches with persons who have sustained myocardial infarction. *Journal of Counseling and Development, 72,* 57–61.

Lynn, S. J., & Frauman, D. (1985). Group psychotherapy. In S. J. Lynn & J. P. Garske (Eds.), *Contemporary psychotherapies: Models and methods* (pp. 419–458). Upper Saddle River, NJ: Merrill/Prentice Hall.

Marotta, S. A., & Asner, K. K. (1999). Group psychotherapy for women with a history of incest: The research base. *Journal of Counseling and Development, 77,* 315–323.

McClure, B. A. (1990). The group mind: Generative and regressive groups. *Journal for Specialists in Group Work, 15,* 159–170.

McClure, B. A. (1994). The shadow side of regressive groups. *Counseling and Values, 38,* 77–89.

McCoy, G. A. (1994, April). A plan for the first group session. *ASCA Counselor, 31,* 18.

Merta, R. J. (1995). Group work: Multicultural perspectives. In J. G.

Ponterotto, J. M. Casas, L. A. Suzuki, & C. M. Alexander (Eds.), *Handbook of multicultural counseling* (pp. 567–585). Thousand Oaks, CA: Sage.

Morran, D. K. (1982). Leader and member self-disclosing behavior in counseling groups. *Journal for Specialists in Group Work, 7,* 218–223.

Nelligan, A. (1994, Fall). Balancing process and content: A collaborative experience. *Together, 23,* 8–9.

Nims, D. R. (1998). Searching for self: A theoretical model for applying family systems to adolescent group work. *Journal for Specialists in Group Work, 23,* 133–144.

Ohlsen, M. M. (1977). *Group counseling* (2nd ed.). New York: Holt, Rinehart, & Winston.

Olsen, L. D. (1971). Ethical standards for group leaders. *Personnel and Guidance Journal, 50,* 288.

Osborne, W. L. (1982). Group counseling: Direction and intention. *Journal for Specialists in Group Work, 7,* 275–280.

Pack-Brown, S. P., Whittington-Clark, L. E., & Parker, W. M. (1998). *Images of me: A guide to group work with African-American women.* Boston: Allyn & Bacon.

Pence, E., Paymar, M., Ritmeester, T., & Shepard, M. (1998). *Education groups for men who batter: The Duluth model.* New York: Springer.

Peterson, N., & Priour, G. (2000). Battered women: A group vocational counseling model. In N. Peterson & R. C. Gonzalez (Eds.), *Career counseling models for diverse populations* (pp. 205–218). Pacific Grove, CA: Brooks/Cole.

Pietrofesa, J. J., Hoffman, A., & Splete, H. H. (1984). *Counseling: An introduction* (2nd ed.). Boston: Houghton Mifflin.

Pistole, M. C. (1997). Attachment theory: Contributions to group work. *Journal for Specialists in Group Work, 22,* 7–21.

Posthuma, B. W. (1999). *Small groups in counseling and therapy: Process and leadership* (3rd ed.). Boston: Allyn & Bacon.

Pyle, K. R. (2000). A group approach to career decision making. In N. Peterson & R. C. Gonzalez (Eds.), *Career counseling models for diverse populations* (pp. 121–136). Pacific Grove, CA: Brooks/Cole.

Riordan, R. J., & Beggs, M. S. (1987). Counselors and self-help groups. *Journal of Counseling and Development, 65,* 427–429.

Ritter, K. Y. (1982). Training group counselors: A total curriculum perspective. *Journal for Specialists in Group Work, 7,* 266–274.

Riva, M. T., Lippert, L., & Tackett, M. J. (2000). Selection practices of group leaders: A national survey. *Journal for Specialists in Group Work, 25,* 157–169.

Rogers, C. R. (1970). *Carl Rogers on encounter groups.* New York: Harper & Row.

Rybak, C. J., & Brown, B. M. (1997). Group conflict: Communication patterns and group development. *Journal for Specialists in Group Work, 22,* 31–42.

Saidla, D. D. (1990). Cognitive development and group stages. *Journal for Specialists in Group Work, 15,* 15–20.

Schutz, W. (1971). *Here comes everybody: Bodymind and encounter culture.* New York: Harper & Row.

Shapiro, J. L., Peltz, L. S., & Bernadett-Shapiro, S. (1998). *Brief group treatment: Practical training for therapists and counselors.* Pacific Grove, CA: Brooks/Cole.

Shertzer, B., & Stone, S. C. (1981). *Fundamentals of guidance* (4th ed.). Boston: Houghton Mifflin.

Sklare, G., Keener, R., & Mas, C. (1990). Preparing members for "here-and-now" group counseling. *Journal for Specialists in Group Work, 15,* 141–148.

Sklare, G., Petrosko, J., & Howell, S. (1993). The effect of pre-group training on members' level of anxiety. *Journal for Specialists in Group Work, 18,* 109–114.

Stockton, R., Barr, J. E., & Klein, R. (1981). Identifying the group dropout: A review of the literature. *Journal for Specialists in Group Work, 6,* 75–82.

Taub, D. J. (1998). Promoting student development through psychoeducational groups: A perspective on the goals and process matrix. *Journal for Specialists in Group Work, 23,* 196–201.

Terres, C. K., & Larrabee, M. J. (1985). Ethical issues and group work with children. *Elementary School Guidance and Counseling, 19,* 190–197.

Tuckman, B. (1965). Developmental sequence in small groups. *Psychological Bulletin, 63,* 384–399.

Tuckman, B. W., & Jensen, M. A. (1977). Stages of small group development revisited. *Group and Organizational Studies, 2,* 419–427.

Viney, L. L., Henry, R. M., & Campbell, J. (2001). The impact of group work on offender adolescents. *Journal of Counseling and Development, 79,* 373–381.

Waldo, M. (1985). Curative factor framework for conceptualizing group counseling. *Journal for Counseling and Development, 64,* 52–58.

Waldo, M., & Bauman, S. (1998). Regrouping the categorization of group work: A goal and process (GAP) matrix for groups. *Journal for Specialists in Group Work, 23,* 164–176.

Ward, D. E. (1982). A model for the more effective use of theory in group work. *Journal for Specialists in Group Work, 7,* 224–230.

Ward, D. E. (2002). Like old friends, old familiar terms and concepts need attention. *Journal for Specialists in Group Work, 27,* 119–121.

Yalom, I. D. (1995). *The theory and practice of group psychotherapy* (4th ed.). New York: Basic Books.

Yalom, I. D., & Lieberman, M. (1971). A study of encounter group casualties. *Archives of General Psychiatry, 25,* 16–30.

Zimpfer, D. G. (1990). Publications in group work, 1989. *Journal for Specialists in Group Work, 15,* 179–189.

11

CONSULTATION

She went about kissing frogs
for in her once-upon-a time mind
that's what she had learned to do.
With each kiss came expectations
of slimy green changing to Ajax white.
With each day came realizations
that quick-tongued, fly-eating, croaking creatures
Don't magically turn to instant princes
from the after effects of a fast-smooching,
smooth-talking helping beauty.
So with regret she came back from a lively lily-pond
to the sobering stacks of the village library
To page through the well-worn stories again
and find in print what she knew in fact
that even loved frogs sometimes stay frogs
no matter how pretty the damsel or how high the hope.

From "Of Frogs, Princes and Lily Pond Changes," by S. T. Gladding, 1976, in Reality Sits in a Green Cushioned Chair *(p. 17). Atlanta: Collegiate Press. © 1976 by S. T. Gladding.*

Although counselors in a variety of work settings provide "some consulting services as part of their professional responsibilities, the formal literature on consultation as a function of counselors did not emerge until the late 1960s and early 1970s" (Randolph & Graun, 1988, p. 182). Initially, consultant was defined as an expert with special knowledge to share with the consultee. Therefore, certain theoretical approaches to counseling (such as Adlerian, cognitive, and behavioral) were considered to be best suited for this activity because of their emphases on teaching and pragmatic application. Affective theories were considered to be less desirable because of their focus on close personal relationships and their generally less precise structure. However, as time has shown, consultation can be premised on a variety of theoretical concepts depending on the need of the client or the group.

Regardless of the orientation, consultation is a function expected of all counselors and one that is receiving increased attention (Hollis, 2000). Sometimes counselors who function in this capacity are referred to as counselor–consultants *(Randolph & Graun, 1988); at other times, only the word* consultant *is used. "First and foremost, [consultation is] a human relationship" process (Dougherty, 2000, p. v). It requires a personal touch as well as professional input if it is to be effective. It also requires an acute sensitivity to cultural nuances and multicultural issues (Jackson & Hayes, 1993).*

CONSULTATION: DEFINING A MULTIFACETED ACTIVITY

Many attempts have been made through the years to define *consultation,* although there is still no universal agreement on the definition. As early as 1970, Caplan defined it as "a process between two professional persons, the consultant, who is a specialist, and the consultee, who invokes the consultant's help in regard to current work problems" (p. 19). In the late 1970s, two special issues of the *Personnel and Guidance Journal* (February and March 1978) were published on consultation, which were followed 7 years later by a special issue of *The Counseling Psychologist* (July 1985) devoted exclusively to the same topic. Eight years later, two issues of the *Journal for Counseling and Development* (July/August and November/December 1993) addressed the subject of consultation again in multiple ways. All five publications, and others like them, brought consultation to the forefront of counseling and helped professionals delineate common aspects of the consultation process: its problem-solving focus, its tripartite nature, and its emphasis on improvement (Dougherty, 2000).

In spite of all the attention it has received, consultation is not well conceptualized by many counselors, who often do not understand its exact nature (Drapela, 1983). Consequently, some counselors misinterpret the concept, feel uncomfortable about engaging in consultative activities, or both (Goodyear, 1976). Brown (1983) relates the story of a man whose image of a consultant was "someone who blows in, blows off, and blows out" (p. 124). As inaccurate as this idea is, it may well reflect the impreciseness implied by the term.

Yet consultation has "proliferated wildly" since the early 1970s. However, the "theory and research lag far behind" actual practice (Gallessich, 1985, p. 336). The reasons for this lag include the following:

- There is an atheoretical attitude toward consultation that inhibits its development. Consultation originated in many different settings with various groups and has multiple forms, thereby making it hard to organize (Gallessich, 1982). In addition, many counseling consultants do not conceptualize or practice consultation as a specialized professional process.
- Consultation is not the primary activity of all professionals or of any professional group. It lacks "the organizational support, leadership, and resources necessary for theory-building and research" (Gallessich, 1985, p. 342).
- Consultation practices have changed rapidly. Unlike most other forms of helping, consultation reacts quickly to social, political, or technical changes. For example, the humanistic consultation practices of the late 1960s were not widely employed in the more conservative 1980s.

Other factors inhibiting the growth and development of consultation involve difficulties in (a) defining variables and obtaining permission to do specialized research in organizational settings and (b) understanding the changing nature of goals in the consultation process. In other words, initial goals may change.

Some debate still persists about the exact definition of *consultation* (Kurpius & Fuqua, 1993). One of the best definitions was adapted in pre-1995 editions of the ACA code of ethics. It was originated by Kurpius (1978), who defined *consultation* as "a voluntary relationship between a professional helper and help-needing individual, group, or social unit in which the consultant is providing help to the client(s) in defining and solving a work-related problem or potential problem with a client or client system."

In general, consulting approaches have the following characteristics in common (Gallessich, 1985; Kurpius & Fuqua, 1993; Newman, 1993):

- Consultation is content based (supported by a recognized body of knowledge).
- Consultation is goal oriented; it has an objective, often a work-related one.
- Consultation is governed by variable roles and relationship rules.
- Consultation is process oriented; it involves gathering data, recommending solutions, and offering support.
- Consultation is triadic.
- Consultation is based on ideologies, value systems, and ethics.

Kurpius (1986, 1988) also stresses that consultation is systems oriented. It aims to help change aspects of the system, such as its structure or people and to change the system itself. Forces within systems either facilitate or inhibit their receptivity to the consultation process (Kurpius, Fuqua, & Rozecki, 1993) (see Figure 11.1).

Because of its importance to the overall role of counselors, "a generic consultation course is required in many counselor training programs, and consultation experiences have been included in the Council for Accreditation of Counseling and Related Programs (CACREP) . . . standards for accreditation of such programs" (Randolph & Graun, 1988, p. 182).

	System Is Closed to Change	System Is Open to Change
Equilibrium	1. Do Not Accept Contract—Little Chance for Helping	2. Accept Contract but Inform Members That Change May Be Slower
Disequilibrium	3. Accept Contract but Expect High Conflict and Slow Change	4. Best Chance for Successful Helping

Figure 11.1
System openness and balance of forces
Source: Reprinted from "The Consulting Process: A Multidimensional Approach," by D. J. Kurpius, D. R. Fuqua, and T. Rozecki, 1993, *Journal of Counseling and Development, 71,* p. 602. © 1993 by ACA. Reprinted with permission. No further reproduction authorized without written permission of the American Counseling Association.

CONSULTATION VERSUS COUNSELING

Schmidt and Osborne (1981) found that in actual practice most counselors they surveyed did not distinguish between consultation and counseling activities. These researchers concluded "the ultimate goals of both are so similar that it is difficult to differentiate between the two when studying them as general processes" (p. 170). Indeed, many of the principles and processes are similar. For example, consultation and counseling may be offered on a primary (preventive) level, and both are interpersonal processes. Yet there are distinctions.

One of the differences between consultation and counseling is that "the content of the consulting interview, unlike counseling, is a unit external to the counseltee" (Stum, 1982, p. 297). Most consultation takes place in a natural setting (often the consultee's work environment), whereas most counseling occurs at the designated center where a counselor is employed (Kurpius, 1986).

A further distinction between counseling and consultation is that consultation services are usually sought when a "system is in decline or crisis" (Nelson & Shifron, 1985, p. 301). Some people do not seek counseling until they are under stress or in distress; others seek counseling for primary prevention reasons or in anticipation of situational or developmental concerns.

Skill in communication is another area in which there are contrasts between these two activities. Communication skills employed in consultation do not differ much from those used in counseling (Kurpius, 1988; Schmidt, 1999). Both counselors and consultants listen, attend, question, clarify, confront, and summarize. But consultants initially focus more on content than feeling because the process concentrates primarily on problems and issues.

Another difference between consultation and counseling is in the role of practitioners. Professionals who operate from either position try to initiate change in the people with whom they work. Yet consultants play more of a catalyst role because they do not have "direct control over the consultee or the consultee's client" (Kurpius, 1986, p. 58).

Finally, even though the goals of counseling and consulting are similar ("to help individuals become more efficient, effective, independent, and resourceful in their abilities to solve the problems that they face"), consultation activities work indirectly rather than directly (Nelson & Shifron, 1985, p. 298). Often consultants teach consultees a skill that can be applied to a third party, whereas counseling skills are usually focused on and directly applicable to a specific individual, group, or system with which counselors work.

FOUR CONCEPTUAL MODELS

Many different models of consultation exist, but only a few of them are comprehensive and useful in counseling. Four of the most comprehensive models of consultation elaborated on by a number of experts (Keys, Bemak, Carpenter, & King-Sears, 1998; Kurpius, 1978; Kurpius & Brubaker, 1976; Schein, 1978) follow:

1. *Expert or provision model.* In the expert model, consultants provide a direct service to consultees who do not have the time, inclination, or perceived skills to deal with a particular problem area. This model of consultation was the first to develop (Kurpius & Robinson, 1978). It was used extensively in the 1940s and early 1950s. The advantage of the model is that experts can handle difficult problems and leave consultees free to manage their other duties without work conflicts. The major disadvantage is that consultants are blamed if a particular problem does not get better.

2. *Doctor-patient or prescription model.* In the prescription model, consultants advise consultees about what is wrong with the targeted third party and what should be done about it. A good way to conceptualize this method is to compare it with the traditional medical model in which patients' problems are diagnosed and a prescription to rectify their situations is given. This model is usually implemented when consultees lack confidence in their own intervention strategies. It does not require consultants to bring about a change or a cure, as the provision model does.

3. *Mediation model.* Consultants act as coordinators in the mediation model. Their main function is to unify the services of a variety of people who are trying to solve a problem (Baker & Gerler, 2001). They accomplish this goal by (a) coordinating the services already being provided or (b) creating an alternative plan of services that represents a mutually acceptable synthesis of several solutions. A consultant might work this way in a school system in which a disabled child is receiving a variety of different services that are disruptive to both the child and school. Through mediation, services are offered in a systematic way, and less disruption results.

4. *Process consultation or collaboration model.* Consultants are facilitators of the problem-solving process in the collaboration model. Their main task is to get consultees actively involved in finding solutions to the present difficulties they have with clients. Thus, in a school situation consultees (i.e., parents, educators, youth, counselors, and community agency professionals) would define their problems clearly, analyze them

thoroughly, design workable solutions, and then implement and evaluate their own plans of action. This approach does not assume that any one person has sufficient knowledge to develop and implement solutions and that the group assembled must work as an interdependent team (Keys et al., 1998).

Setting up an atmosphere in which this process can happen is a major task for collaboration consultants. It requires the use of a number of interpersonal counseling skills, such as empathy, active listening, and structuring (Baker, 2000). In addition, counselors who work as consultants in these situations must be highly intelligent and analytical thinkers who are able to generate enthusiasm, optimism, and self-confidence in others. They must also be able to integrate and use affective, behavioral, and cognitive dimensions of problem solving.

LEVELS OF CONSULTATION

Consultation services may be delivered on several levels. Three of the most common ways to implement the process involve working at the individual, group, and organizational/community level (Kurpius, 1985).

Individual Consultation

Kisch (1977) has discussed aspects of one-to-one consultation. He employs a *role-reversal process,* in which a client role-plays either an active or passive consultant while the counselor role-plays the client. The client sits in different chairs when playing the separate roles. When passive, the client gives only familiar, safe, nonthreatening advice in response to the presented problem, and there is no confrontation. When active, the client reflects "thoughts, feelings, and strategies that are assertive, confrontive, and may be novel and frightening" (p. 494). In each case, counselors ask clients about the payoffs and risks of the client-consultant ideas for change.

Another form of individual consultation involves teaching self-management skills. Kahn (1976) points out that externally maintained treatment modalities are not very effective. To replace them, he proposes a four-part interdependent component model with the following requirements:

- *Self-monitoring:*   persons observe their own behavior.
- *Self-measurement:*   persons validate the degree to which the problem exists.
- *Self-mediation:*   persons develop and implement strategies of change.
- *Self-maintenance:*   persons continually monitor and measure the desired effects of the self-management process.

Kahn gives examples of excessive and deficit behaviors that can be managed through this model, including cigarette smoking, obesity, assertiveness, and depression. He points out that when individuals learn the steps of self-management, they can take preventive and remedial actions on their own.

Kurpius (1986) emphasizes that "mutual trust and respect are essential" on an individual consultation level (p. 61). For example, Fogle (1979) suggests that teaching individuals a constructive negative-thinking process can sometimes alleviate anxiety, restore motivation, promote risk-taking behaviors, and shift attention to the present. In this process, clients are instructed to think negatively about future-oriented events and make contingency plans if the worst possible situation occurs. They are instructed only to follow the instructions of the consultant if they believe what is being suggested will work.

Overall, at the individual consultation level, a consultant is often required to model a skill or prescribe a solution. Working on an individual level is appropriate if the consultee clearly has an individual problem, a systems intervention is inappropriate or impossible, or individual change would be more beneficial and efficient (Fuqua & Newman, 1985).

Group Consultation

Group consultation is employed when several individuals share a similar problem (e.g., in a work setting). Kurpius (1986) states that in work situations in which group consultation is employed, the group may be focused on either problem solving or persons. In problem-solving groups, the consultant acts as a catalyst and facilitator. In person-focused groups, the consultant may help group members build teams to understand and resolve person problems.

The *C group* was one of the first effective collaborative consultation models (Dinkmeyer, 1971, 1973; Dinkmeyer & Carlson, 1973). All aspects of the approach begin with a *C:* collaboration, consultation, clarification, confrontation, concern, confidentiality, and commitment. Its primary purpose is to present new knowledge about human behavior to members of the group. It encourages group members to work together as equals (collaboration); give and receive input from each other (consultation); understand the relationship among beliefs, feelings, and actions (clarification); share openly with each other (confrontation); empathize with one another (concern); keep information within the group (confidentiality); and make plans for specific changes (commitment). Although the C group has the potential to influence parent-child interactions dramatically, the group is always composed of adults because its Adlerian orientation assumes that adults control parent-child interactions for better or worse. Furthermore, it is never used for counseling purposes, only for sharing information and mutual support.

Voight, Lawler, and Fulkerson (1980) have developed a program that assists women who are making midlife decisions. It has some parallels to C groups because it is directed toward promoting self-help and providing information in a group setting. The program makes use of women's existing social networks to help them become psychologically stronger and more informed about community resources and opportunities. A lasting advantage is that participants not only become better educated and self-directed but continue to live in an environment where they can receive support and input from others who have gone through the same experience. Similarly, a self-help center for adolescents has been designed to function as a form of group consultation (O'Brien & Lewis, 1975). At the center, which was originally set up for substance abusers, clients are empowered with information and methods of helping themselves and each other.

Organization/Community Consultation

Because organization and community consultations are much larger in scope than individual or group consultations, consultants must possess sophisticated knowledge of systems to operate effectively on this level. Unlike individual or group consultants, organization or community consultants are external to the project, although most of their activities involve individuals or groups. For example, counselors may function as political consultants because they are "in a pivotal position to effectively communicate the concerns of people they serve to policy makers at local, state, and national levels of government" (Solomon, 1982, p. 580). Such activities involve lobbying with individual representatives as well as testifying before and making recommendations to special committees.

Conyne (1975) mentions other ways of consulting on a community or organizational level. He emphasizes the individual within the environment, stressing *environmental mapping*. In other words, he believes that when counselors find individuals who exist in less-than-optimal mental health settings, they can work as change agents to improve the situation of the target population. Focusing on social action improves clients' conditions and their mental health while lessening their need sometimes for counseling (Lee & Walz, 1998).

Barrow and Prosen (1981) also address the importance of working as consultants on environmental factors, but they advocate a global-change process. In addition to helping clients find coping techniques to deal with stress, counselors must help clients change stress-producing environments. This process is best achieved by working to change the structure of the system rather than the person within it. Aplin (1985) formulated a model that depicts the content and process areas that a consultant should be aware of when working on an organizational or community basis (see Figure 11.2).

STAGES AND ATTITUDES IN CONSULTATION

Developmental stages are an important part of many consultation activities (Wallace & Hall, 1996). Two well-known theories propose distinct consultation stages. The first is Splete's (1982) nine-stage process based on the premise that clients collaborate with consultants to work on predetermined concerns. The order of the stages in this approach are as follows:

1. *Precontract.*   The consultant clarifies personal skill and areas of expertise that can be used in the consultation process.
2. *Contract and exploration of relationship.*   The consultant discusses a more formal arrangement between him- or herself and the consultee. The consultee's readiness and the consultant's ability to respond must be determined.
3. *Contracting.*   A mutual agreement is set up that defines what services are to be offered and how.
4. *Problem identification.*   Both the consultant and consultee determine and define the precise problem to be worked on and the desired outcome.
5. *Problem analysis.*   The focus is on reviewing pertinent information and generating possible solutions.
6. *Feedback and planning.*   Here the alternative solutions generated in stage 5 are evaluated and the probabilities of success are determined. One or more solution plans are then systematically implemented.
7. *Implementation of the plan.*   The consultee carries out the proposed plan with the consultant's support.
8. *Evaluation of the plan.*   Both the consultant and consultee determine how well the plan worked in relationship to the desired outcome.

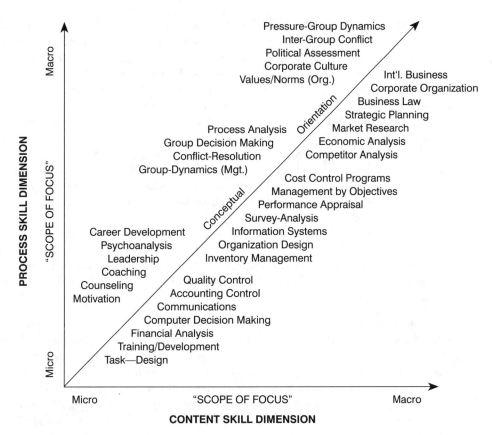

Figure 11.2
Aplin's model
Source: From "Business Realities and Organizational Consultation," by J. C. Aplin, 1978, *Counseling Psychologist, 13,* p. 400, copyright © 1978 by Sage Publications, Inc. Reprinted by permission of Sage Publications, Inc.

9. *Conclusion and termination of relationship.*   Both parties in the process review what has happened and plan for any follow-up, either independently or with the consultant.

Although Splete's plan is detailed and useful, it does not elaborate on counselor skills contained within the process. A second model that does has been proposed by Dustin and Ehly (1984). It outlines a five-stage process of consultation along with counselor techniques and behaviors that accompany each stage. The model assumes that the consultant is working in a school setting with either a parent or teacher, but it has potential usefulness outside the school environment—for example, in business, government, corrections, and rehabilitation. Its stages are as follows:

1. *Phasing in.*   The focus is on relationship building and can be compared with Splete's (1982) precontract stage. The consultant uses skills such as active listening, self-disclosure, and empathy and promotes a sense of trust.

2. *Problem identification.*   Comparable to stages 2 through 4 in the Splete model, this step focuses on determining whether a suspected third-party problem really exists. Consultants employ focusing skills as well as other counseling techniques, such as paraphrasing, restatement, genuineness, and goal setting.

3. *Implementation.*   Similar to stages 5 through 7 of Splete's scheme, this stage defines strategies and sets up a time frame. Feedback is an important part of this process. Flexibility, dealing with resistance and negative feelings, and patience are other counselor skills involved.

4. *Follow-up and evaluation.*   This stage merges with stage 3 at times, but its focus is distinct. It concentrates on the results gained from the consultation process, especially if the consultee is satisfied with the outcome of changes. Counselor skills include risk taking, openness, and persistence. These skills are especially important if the consultee is dissatisfied or frustrated.

5. *Termination.*   The consultant helps bring closure to previous activities. Relationship skills such as empathy and genuineness are again employed. Giving and asking for feedback time are important. It is vital that the consultant and consultee evaluate what was most profitable for each and what aspects of the procedure were less effective.

Splete (1982) also lists four attitude areas that are important for consultants. First, they must display an attitude of professionalism. They must take responsibility for helping their clients deal with immediate and long-term problems. Second, consultants must show maturity. They have to be willing to stand up for their own views, take risks, and deal with hostility or rejection. Third, consultants need to demonstrate open-mindedness and not close off ideas and input into the problem-solving process too soon. Finally, they need to believe in the importance of individuals and place people above technology.

SPECIFIC AREAS OF CONSULTATION

Consultation often takes place in schools and community agencies, but the process may take place in almost any environment. In this section, some of the work conducted in schools and agencies will be examined as examples of the kinds of consultation programs that can be set up.

School Consultation

Kahnweiler (1979) has traced the concept of school counselors as consultants from its beginnings in the late 1950s. As he points out, the accompanying literature has evolved in theory and practice. The development of school consultation has been summarized by Bundy and Poppen (1986), who surveyed articles from *Elementary School Guidance and Counseling* and *The School Counselor* over 28 years and found that consultation was effective in prevention and intervention in schools. Consultation by school counselors also enhances overall school achievement, improves student self-concept, reduces stress in certain populations, leads to better classroom management skills, and facilitates the moral growth of students (Carlson & Dinkmeyer, 2001; Cecil & Cobia, 1990; Conoley & Conoley, 1992). As a process, "consultation is an efficient method of impacting the well-being and personal development of many more students than can be seen directly by a counselor" (Otwell & Mullis, 1997, p. 25).

Generally, school counselors are in the perfect position to act as consultants and change agents (Baker & Gerler, 2001; Podemski & Childers, 1980). On most school organizational charts, the counselor is positioned as a staff authority rather than a line authority. Persons in staff authority positions are expected to have specialized knowledge, such as familiarity with local, state, and federal laws (McCarthy & Sorenson, 1993). Therefore, they can act in an advisory and supportive way for others. By functioning in this manner, school counselors help bring about environmental and systemic changes (Schmidt, 1999). They advise persons in positions of power about what conditions need modifying and then support efforts to make improvements.

Umansky and Holloway (1984) view the many aspects of consultation as a way of serving students and the larger population of the school community without increasing expenditures. They advocate four approaches to consultation in the schools: Adlerian, behavioral, mental health, and organizational development.

The *Adlerian-based approach* is a psychological education model that assumes individuals, groups, and communities lack information. The consultant teaches within the organizational structure of the school and emphasizes ways to promote positive behavior in children.

The *behavioral approach,* also geared to teaching, concentrates on instructing consultees how to use behavioral principles in working with students and collect empirical data to validate each intervention strategy.

The *mental health approach* is based on the broader community mental health approach developed by Caplan (1970). Psychodynamic theory underlies mental health consultation. The goal of this approach is to help teachers and other powerful personnel in the school gain new insight into themselves and their students.

Finally, the *organizational development approach* emphasizes the context in which problems arise. Thus, if students and teachers have problems, the climate of the school becomes the focus of concern. To be most helpful, the consultant has to work on changing the school's atmosphere and structure (Baker, 2000). Sometimes the task requires the support of administrators who may not favor such an objective. In other cases, it involves asking school counselors to set up an environment in which other school personnel, mainly teachers, feel "that it is natural to consult and work with counselors" (Edgemon, Remley, & Snoddy, 1985, p. 298).

Group consultation sessions with teachers are an effective way to provide services for them and the schools in general. Offering consultation services for exceptional children, students, parents, curriculum developers, and community organizations takes time and effort but is worth it. Theoretical bases in the group consultation process include those that are person centered, Adlerian, and behavioral.

School counselors can also work from a parent-counselor consulting model, which aims to solve student problems (behavioral, attitudinal, or social) and educate parents on how to help their children with particular situations (Campbell, 1993; Ritchie & Partin, 1994). In offering consultation services to parents, counselors may face resistance, such as

- excuses ("I can't come during the day"),
- negative mindsets ("My child is doing well; why bother me?"), and
- denial ("There is nothing wrong with my child's relationship to the school").

To overcome resistance, school counselors can be empathetic, arrange for parental ob-servations of a child, help the parent refocus or reframe situations, and share parables (i.e., stories of similar situations).

One aspect of school consultation (which can be used in agency consultation, too) is the use of peers. A peer consultant group can "provide appropriate supervision and feed-back for school counselors" (Logan, 1997, p. 4) while increasing self-confidence, self-direction, and independence for counselors. Peer consultation also is time efficient. It can be organized to provide "(a) case consultation; (b) solution-focused problem solving; (c) peer support; (d) constructive feedback without concern for evaluation or necessity for change unless the member chooses to do so; and (e) access to needed materials and resources" (p. 4). In the Structured Peer Consultation Model for School Counselors (SPCM-SC), a to-tal of nine 90-minute sessions are held every other week in which counselors "use their basic helping skills" to help one another progress in their growth as professionals (Ben-shoff & Paisley, 1996, p. 314). Such a model makes use of talent within a group of simi-larly employed counselors and can be as useful and productive as more formalized su-pervision sessions.

A final model for school consultation is to have an outside professional, a collabora-tive consultant, work with the school community in an action research approach (Lusky & Hayes, 2001). Such an approach is global in scope and premised on the fact that many school counselors cannot for various reasons provide overall consultation services for their schools. However, they can participate with others in the school environment in such re-search and evaluation and help implement outcomes that are generated from the process. This type of collaborative consultation involves five major phases: planning, analyzing, de-signing, implementing, and evaluating. At the genesis of this process an outside consul-tant meets with the school program stakeholders including the superintendent and school board in order to get a buy in for the consultation intervention that reexamines current practices within a school and future goals. School personnel, parents, and students help shape and own the process by contributing ideas, giving feedback along the way, and working in teams with the consultant. Such a procedure, when successful, takes time and effort but is focused at the uniqueness of the school and results in a school climate that is ready and willing to implement needed changes on a continuous basis.

Agency Consultation

According to Werner (1978), agency consultation resulted from the passage of the Com-munity Mental Health Centers Act of 1963. Implicit within the act is the philosophy that mental health should be viewed from a local community perspective with an emphasis on prevention.

Caplan (1964) sets forth a three-level definition of *prevention*. The first level consists of *primary prevention,* a reduction in the incidence of mental disorders. This goal is achieved within the general population "by actively changing environments and settings and by teaching life skills" (Goodyear, 1976, p. 513). One of the primary activities at this level of intervention is consultation. *Secondary prevention,* a reduction in the duration of mental disorders, is the next focus. This goal is achieved by working with individuals to forestall or alleviate problem areas and attempting early detection and reversal of acute psychological crises. Finally, *tertiary prevention* is a reduction in the impairment that may result from psychological disorders. One way to conceptualize this level of prevention is as treatment. The more successful primary and secondary prevention are, the less need there is for tertiary prevention.

Examples abound of primary prevention in agency settings. Werner (1978) and Caplan and Caplan (1993) propose six levels of community mental health consultation:

1. *Client-centered case consultation.* The goal is to enable the consultee to deal more effectively with the current situation and similar situations in the future.
2. *Consultee-centered case consultation.* The goal is collaboratively to identify consultee difficulties in working with certain types of clients and help the consultee develop the skills to deal effectively with this and similar situations in the future.
3. *Program-centered administrative consultation.* The goal is to help the consultee deal more effectively with specific parts of a mental health program and improve his or her abilities to function with similar program problems in the future.
4. *Consultee-centered administrative consultation.* The goal is to identify consultee problems generated by implementing a mental health program and develop collaboratively the consultee's skills in dealing with similar problems.
5. *Community-centered ad hoc consultation.* The goal is to enable an ad hoc consultee to deal more effectively with community problems encountered while developing a temporary program of mental health services.
6. *Consultee-centered ad hoc consultation.* The goal is to identify collaboratively the ad hoc consultee's problems generated in providing temporary mental health services and take steps to help the consultee develop skills in dealing with these problems.

Aplin (1985) points out that consultants who work with agencies such as public corporations, governments, or universities must be aware of trends that affect the process of consultation itself. He lists five trends that have continued to influence agency consultation:

1. Downsizing of organizations
2. Creation of semiautonomous work units brought about by mergers
3. Rebirth of commitment leadership by managers
4. Process-based technologies (such as robotics and computers) in manufacturing
5. Egalitarian social and organizational values

Because of the rapid changes in agencies, consultation skills are in great demand, but "the key to successfully implementing systems change programs is to increase the basic skills the consultant brings to the change process." Aplin (1985) stresses that the demands on consultants "will grow in direct proportion to growth in organizational complexity and turbulence associated with underlying social and economic change" (p. 401).

TRAINING IN CONSULTATION

Since the late 1970s, a number of models for training individuals in consultation skills have been proposed and developed (Brown, 1993; Brown, Pryzwansky, & Schulte, 2001; Conoley, 1981; Kratochwill & Bergan, 1978; Randolph, 1980). Most models are competency based and emphasize various modes of training consultants, such as didactic, laboratory, field placement, and supervision (Gallessich, 1974).

Stum's (1982) Directed Individual Response Educational Consulting Technique (DIRECT) is an excellent example of a model that has attempted to synthesize previous knowledge and help students learn what they are supposed to do in a consulting interview and how they are supposed to do it. Stum views consulting as a systematic process with sequential steps. The model is structured so that beginning students can conceptualize the consultation process developmentally. It includes the following steps: (a) establish the consulting relationship, (b) identify and clarify the problem situation, (c) determine the desired outcome, (d) develop ideas and strategies, (e) develop a plan, (f) specify the plan, and (g) confirm the consulting relationship. The DIRECT model also specifies four sequential leads for each of the seven developmental steps. Based on systematic human relations training, these leads provide guidelines for the consultant and consultee to enter, initiate, educate, and evaluate each step in the consulting process. Cue words are provided for the consultant trainee at each step and level of the process. An evaluation chart, the Technique and Relationship Evaluation Chart (TREC), is available to assess the degree of competency that the consultant trainee achieves (see Figure 11.3).

Brown (1985, 1993) also proposes developmental stages for training human services consultants. He stresses didactic, laboratory, and field placement competencies that must be mastered. In addition, he elaborates on problems (e.g., resistance) and strategies to overcome these problems (e.g., ways to select proper interventions). His model requires instructors to help trainees master consultation skills by analyzing case histories, modeling cognitive strategies by talking through cases, and employing a Socratic method of inquiry. Brown emphasizes that the well-trained consultant should master conceptual and relationship skills at five discernable stages of consultation: (a) relationship or entry, (b) assessment or problem identification, (c) goal setting, (d) choosing and implementing change strategies, and (e) evaluation and termination.

Gallessich (1985) advocates that future consultation models and training be based on one of three models, which are not mutually exclusive:

1. *Scientific/technological consultation.* In this model, which focuses on knowledge deficits, the consultant's primary role is that of an expert on information and technique.
2. *Human-development consultation.* The consultant's primary role, according to this model, is to be an educator and facilitator in affective and cognitive processes that influence professional and personal relationships in an organization.
3. *Social/political consultation.* In this model, the consultant takes a partisan role to help change organizations so that they conform with particular values, such as democracy. Methods of training consultants in this model are still being developed.

In addition to training consultants, Zins (1993) emphasizes the need to educate consultees in skills such as problem solving, communication, and intervention techniques before the actual consultation process. If consultees have these skills, they can make better use of consultation services within specific environments.

Step A—Establish Consulting Format

Behavior	Lead
Level 1 The consultant listens, observes, repeats, and paraphrases. Attending and responding promotes understanding.	"You're saying that _____ ." "The problem seems to be _____ ." "So, the situation is _____ ."
Level 2 The consultant uses the term *consult* or *collaborate* in regards to working together. Explaining the use of a systematic process sets the tone for the interview.	"We can consult together about _____ ." "In our work, we'll use a problem-solving process."
Level 3 The consultant briefly explains the initial steps in the problem-resolution process. This is the first "teaching" of the model and further establishes the direction for the consulting interview.	"We'll go through several steps working together." "First, in clarifying the problem, we'll be _____ ." "Later on, we'll be trying to set some goals in regards to _____ ."
Level 4 The consultant "checks-in" regarding this step and then suggests moving ahead to the next step.	"Can we work together along these lines?" "Let's go ahead and clarify the problem further."

Step B—Identify-Clarify the Problem

Behavior	Lead
Level 1 The consultant clarifies the history, environment, causes and effects of the problem-situation.	"Tell me more about the background of _____ ." "What do you see as the effects of _____ ." "So, your position in this is that of _____ ."
Level 2 The consultant summarizes the major factors presented in the problem-situation. A dominant "theme" is stated.	"The major factor seems to be _____ ." "Then to summarize, _____ ."

Figure 11.3
DIRECT chart

Source: Reprinted from "DIRECT—A Consultation Skills Training Model," by D. Stum, 1982, *Personnel and Guidance Journal, 60*, p. 300. © 1982 by ACA. Reprinted with permission. No further reproduction authorized without written permission of the American Counseling Association.

SUMMARY AND CONCLUSION

Consultation is a systematic concept with a set of skills (Parsons, 1996). Although it is growing in importance, it is still in the process of being defined. Several definitions of *consultation* emphasize that it is primarily an indirect service; usually triadic; voluntary; and based on roles, rules, values, and goals. Consultation and counseling have distinct differences, such as the directness of the activity, the setting in which it is conducted, and the way communications are focused. Counselors are in an ideal position to function as human service consultants, but they must receive specialized training to do so (Brown, 1993).

The four models of comprehensive consultation found in the literature (i.e., expert [provision],

doctor-patient [prescription], mediation, and process/collaboration) emphasize the multidimensional aspects of consultation. There are distinct consultation levels (individual, group, and organizational) and definite stages that the process goes through (e.g., phasing in, identifying problems, implementing, following up, terminating). Important skills and attitudes make up the complete process. Consultation is implemented in schools and agencies, and training models are being used to teach consultation skills. The concept and implementation of counselor as consultant are ideas that are still developing.

CLASSROOM ACTIVITIES

1. How do you distinguish consultation from counseling? Discuss your ideas with a fellow classmate and then with the class as a whole.
2. Which of the four comprehensive models of consultation do you think is most appropriate for clients you plan to work with in the future? Why? Which of these models do you consider least appropriate for your future work? Discuss your opinions with another classmate and then with the class as a whole.
3. Which stage in the consultation process do you think is most important? Which one do you think is most difficult? Are they the same? With three other classmates, discuss what skills you possess that will enable you to be

an effective consultant. Identify skills you must refine or develop within yourself to work in this capacity.
4. What theoretical approach do you find most attractive as a basis for consultation services? Divide the class into groups based on similar orientations. After each group has had an opportunity to discuss its ideas, share them with fellow classmates.
5. Do you think there are other proactive activities counselors can engage in that cannot be classified as a part of counseling or consultation? What specific behaviors would you place in this category? Discuss your ideas in groups of four and then with the class as a whole.

REFERENCES

Aplin, J. C. (1985). Business realities and organizational consultation. *Counseling Psychologist, 13,* 396–402.

Baker, S. B. (2000). *School counseling for the twenty-first century* (3rd

ed.). Upper Saddle River, NJ: Prentice Hall.

Baker, S. B., & Gerler, E. R. (2001). Counseling in schools. In D. C. Locke, J. E. Myers, & E. L. Herr (Eds.), *The handbook of counsel-*

ing (pp. 289–318). Thousand Oaks, CA: Sage.

Barrow, J. C., & Prosen, S. S. (1981). A model of stress and counseling interventions. *Personnel and Guidance Journal, 60,* 5–10.

Benshoff, J. M., & Paisley, P. O. (1996). The structured peer consultation model for school counselors. *Journal of Counseling and Development, 74*, 314–318.

Brown, D. (1985). The preservice training and supervision of consultants. *Counseling Psychologist, 13*, 410–425.

Brown, D. (1993). Training consultants: A call to action. *Journal of Counseling and Development, 72*, 139–143.

Brown, D., Pryzwansky, W. B., & Schulte, A. C. (2001). *Psychological consultation* (5th ed.). Boston: Allyn & Bacon.

Brown, J. A. (1983). Consultation. In J. A. Brown & R. H. Pate, Jr. (Eds.), *Being a counselor: Directions and challenges* (pp. 124–146). Pacific Grove, CA: Brooks/Cole.

Bundy, M. L., & Poppen, W. A. (1986). School counselors' effectiveness as consultants: A research review. *Elementary School Guidance and Counseling, 20*, 215–222.

Campbell, C. (1993). Strategies for reducing parent resistance to consultation in the schools. *Elementary School Guidance and Counseling, 28*, 83–90.

Caplan, G. (1964). *Principles of preventive psychiatry*. New York: Basic Books.

Caplan, G. (1970). *The theory and practice of mental health consultation*. New York: Basic Books.

Caplan, G., & Caplan, R. (1993). *Mental health consultation and collaboration*. San Francisco: Jossey-Bass.

Carlson, J., & Dinkmeyer, D., Jr. (2001). *Consultation: Creating school-based interventions*. New York: Brunner/Mazel.

Cecil, J. H., & Cobia, D. C. (1990). Educational challenge and change. In H. Hackney (Ed.), *Changing contexts for counselor preparation in the 1990s* (pp. 21–36). Alexandria, VA: Association for Counselor Education and Supervision.

Conoley, J. C. (1981). Emergent training issues in consultation. In J. C.

Conoley (Ed.), *Consultation in schools: Theory, research procedures* (pp. 223–263). New York: Academic Press.

Conoley, J. C., & Conoley, C. W. (1992). *School consultation: Practice and training* (2nd ed.). Boston: Allyn & Bacon.

Conyne, R. K. (1975). Environmental assessment: Mapping for counselor action. *Personnel and Guidance Journal, 54*, 150–154.

Dinkmeyer, D. C. (1971). The "C" group: Integrating knowledge and experience to change behavior. *Counseling Psychologist, 3*, 63–72.

Dinkmeyer, D. C. (1973). The parent C group. *Personnel and Guidance Journal, 52*, 4.

Dinkmeyer, D. C., & Carlson, J. (1973). *Consulting: Facilitating human potential and processes*. Upper Saddle River, NJ: Prentice Hall.

Dougherty, A. M. (2000). *Consultation: Practice and perspectives* (3rd ed.). Pacific Grove, CA: Brooks/Cole.

Drapela, V. J. (1983). Counseling, consultation, and supervision: A visual clarification of their relationship. *Personnel and Guidance Journal, 62*, 158–162.

Dustin, D., & Ehly, S. (1984). Skills for effective consultation. *School Counselor, 31*, 23–29.

Edgemon, A. W., Remley, T. P., Jr., & Snoddy, H. N. (1985). Integrating the counselor's point of view. *School Counselor, 32*, 296–301.

Fogle, D. O. (1979). Preparing students for the worst: The power of negative thinking. *Personnel and Guidance Journal, 57*, 364–367.

Fuqua, D. R., & Newman, J. L. (1985). Individual consultation. *Counseling Psychologist, 13*, 390–395.

Gallessich, J. (1974). Training the school psychologist for consultation. *Journal of School Psychology, 12*, 138–149.

Gallessich, J. (1982). *The profession and practice of consultation*. San Francisco: Jossey-Bass.

Gallessich, J. (1985). Toward a metatheory of consultation. *Counseling Psychologist, 13*, 336–354.

Goodyear, R. K. (1976). Counselors as community psychologists. *Personnel and Guidance Journal, 54*, 512–516.

Hollis, J. W. (2000). *Counselor preparation, 1999–2001: Programs, personnel, trends* (10th ed.). Philadelphia: Taylor & Francis.

Jackson, D. N., & Hayes, D. H. (1993). Multicultural issues in consultation. *Journal of Counseling and Development, 72*, 144–147.

Kahn, W. J. (1976). Self-management: Learning to be our own counselor. *Personnel and Guidance Journal, 55*, 176–180.

Kahnweiler, W. M. (1979). The school counselor as consultant: A historical review. *Personnel and Guidance Journal, 57*, 374–380.

Keys, S. G., Bemak, F., Carpenter, S. L., & King-Sears, M. E. (1998). Collaborative consultant: A new role for counselors serving at-risk youths. *Journal of Counseling and Development, 76*, 123–133.

Kisch, R. M. (1977). Client as "consultant-observer" in the role-play model. *Personnel and Guidance Journal, 55*, 494–495.

Kratochwill, T. R., & Bergan, J. R. (1978). Training school psychologists: Some perspectives on competency-based behavioral consultation models. *Professional Psychology, 9*, 71–82.

Kurpius, D. J. (1978). Consultation theory and process: An integrated model. *Personnel and Guidance Journal, 56*, 335–338.

Kurpius, D. J. (1985). Consultation interventions: Successes, failures, and proposals. *Counseling Psychologist, 13*, 368–389.

Kurpius, D. J. (1986). Consultation: An important human and organizational intervention. *Journal of Counseling and Human Service Professions, 1*, 58–66.

Kurpius, D. J. (1988). *Handbook of consultation: An intervention for advocacy and outreach*. Alexandria, VA: American Counseling Association.

Kurpius, D. J., & Brubaker, J. C. (1976). *Psycho-educational consultation: Definitions-functions-preparation*. Bloomington: Indiana University Press.

Kurpius, D. J., & Fuqua, D. R. (1993). Fundamental issues in defining consultation. *Journal of Counseling and Development, 71,* 598–600.

Kurpius, D. J., Fuqua, D. R., & Rozecki, T. (1993). The consulting process: A multidimensional approach. *Journal of Counseling and Development, 71,* 601–606.

Kurpius, D. J., & Robinson, S. E. (1978). An overview of consultation. *Personnel and Guidance Journal, 56,* 321–323.

Lee, C. C., & Walz, G. R. (1998). *Social action: A mandate for counselors*. Alexandria, VA: American Counseling Association.

Logan, W. L. (1997). Peer consultation group: Doing what works for counselors. *Professional School Counseling, 1,* 4–6.

Lusky, M. B., & Hayes, R. L. (2001). Collaborative consultation and program evaluation. *Journal of Counseling and Development, 79,* 26–38.

McCarthy, M., & Sorenson, G. (1993). School counselors and consultants: Legal duties and liabilities. *Journal of Counseling and Development, 72,* 159–167.

Nelson, R. C., & Shifron, R. (1985). Choice awareness in consultation. *Counselor Education and Supervision, 24,* 298–306.

Newman, J. L. (1993). Ethical issues in consultation. *Journal of Counseling and Development, 72,* 148–156.

O'Brien, B. A., & Lewis, M. (1975). A community adolescent self-help center. *Personnel and Guidance Journal, 54,* 212–216.

Otwell, P. S., & Mullis, F. (1997). Counselor-led staff development: An efficient approach to teacher consultation. *Professional School Counseling, 1,* 25–30.

Parsons, R. D. (1996). *The skilled consultant: A systematic approach to the theory and practice of consultation*. Boston: Allyn & Bacon.

Podemski, R. S., & Childers, J. H., Jr. (1980). The counselor as change agent: An organizational analysis. *School Counselor, 27,* 168–174.

Randolph, D. (1980). Teaching consultation for mental health and educational settings. *Counselor Education and Supervision, 33,* 117–123.

Randolph, D. L., & Graun, K. (1988). Resistance to consultation: A synthesis for counselor-consultants. *Journal of Counseling and Development, 67,* 182–184.

Ritchie, M. H., & Partin, R. L. (1994). Parent education and consultation activities of school counselors. *School Counselor, 41,* 165–170.

Schein, E. H. (1978). The role of the consultant: Content expert or process facilitator? *Personnel and Guidance Journal, 56,* 339–343.

Schmidt, J. J. (1999). *Counseling in schools* (3rd ed.). Boston: Allyn & Bacon.

Schmidt, J. J., & Osborne, W. L. (1981). Counseling and consultation: Separate processes or the same? *Personnel and Guidance Journal, 60,* 168–170.

Solomon, C. (1982). Special issue on political action: Introduction. *Personnel and Guidance Journal, 60,* 580.

Splete, H. H. (1982). Consultation by the counselor. *Counseling and Human Development, 15,* 1–7.

Stum, D. (1982). DIRECT: A consultation skills training model. *Personnel and Guidance Journal, 60,* 296–302.

Umansky, D. L., & Holloway, E. L. (1984). The counselor as consultant: From model to practice. *School Counselor, 31,* 329–338.

Voight, N. L., Lawler, A., & Fulkerson, K. F. (1980). Community-based guidance: A "Tupperware party" approach to mid-life decision making. *Personnel and Guidance Journal, 59,* 106–107.

Wallace, W. A., & Hall, D. L. (1996). *Psychological consultation: Perspectives and applications*. Pacific Grove, CA: Brooks/Cole.

Werner, J. L. (1978). Community mental health consultation with agencies. *Personnel and Guidance Journal, 56,* 364–368.

Zins, J. E. (1993). Enhancing consultee problem-solving skills in consultative interactions. *Journal of Counseling and Development, 72,* 185–188.

12

EVALUATION AND RESEARCH

There you sit Alice Average
  midway back in the long-windowed classroom
    in the middle of Wednesday's noontime blahs,
Adjusting yourself to the sound of a lecture
  and the cold of the blue plastic desk that supports you.
In a world full of light words, hard rock,
  Madonnas, long hair, confusion and change
Dreams fade like blue jeans
  and "knowing" goes beyond the books
    that are bound in semester days
      and studied until the start of summer. . . .

*Reprinted from "Thoughts on Alice Average Midway through the Mid-day Class on Wednesday," by S. T.
Gladding, 1980/1986, Humanist Educator, 18, p. 203. © 1980, 1986 by ACA. Reprinted with permission. No
further reproduction authorized without written permission of the American Counseling Association.*

Evaluation and research are essential parts of counseling and counseling-related activities (LaFountain & Bartos, 2002). It is not enough for counselors to be warm, caring, and empathetic persons trained in the theories, methods, and techniques of counseling. Rather, counselors must be evaluators and researchers, too, for it is through evaluation and research that they come to understand and improve their practices (Hadley & Mitchell, 1995; May, 1996). Counselors who lack research and evaluation abilities place themselves and the counseling profession in jeopardy with the general public, third-party payers, and specific clients who rightfully demand accountability. A failure to evaluate and research counseling methods also puts counselors in danger of being unethical because they cannot prove that the counseling services they offer have a reasonable promise of success as the ethical codes of the professional counseling associations require (Sexton & Whiston, 1996).

Thus, evaluation and research are ways counselors can ensure quality client care and positive outcomes (Herman, 1993). These counseling procedures also help counselors pause and examine their practices. At such times, counselors may "think differently about, and even behave differently in counseling," thereby improving themselves and the profession (Watkins & Schneider, 1991, p. 288).

Being an evaluator, a researcher, and a consumer of evaluations and research demands time and a thorough understanding of the commonly used methods in these domains (Sexton, 1996). This chapter explores the processes of evaluation and research in counseling, with the assumption that counselors can cultivate skills in these areas.

THE NATURE OF EVALUATION AND RESEARCH

Evaluation and research are different, yet they have much in common. Wheeler and Loesch (1981) note that the two terms have often been paired conceptually and are frequently used interchangeably. Krauskopf (1982) asserts that there is "essentially no difference between the two. The same empirical attitude is there, and the same tools are needed" (p. 71). However, Burck and Peterson (1975) make a distinction between the concepts. According to these authors, *evaluation* "is more mission-oriented, may be less subject to control, is more concerned with providing information for decision makers, tends to be less rigorous or sophisticated, and is concerned primarily with explaining events and their relationship to established goals and objectives" (p. 564). For example, in counselor preparation programs, students may prepare a portfolio as an end of the term project on which they will be evaluated (i.e., receive a grade). Based on their grade, faculty and students decide how much progress has been made and whether to continue their course of study. Whether academic or clinical, "quality services, careful evaluation, and good communication of evaluation" are the three main components of a solid counseling program (Ohlsen, 1983, p. 357). If evaluation is not conducted or positive results are not disseminated, a counseling program will most likely suffer.

Research, however, is "more theory-oriented and discipline-bound, exerts greater control over the activity, produces more results that may not be immediately applicable, is more sophisticated in terms of complexity and exactness of design, involves the use of judgment on the part of the researcher, and is more concerned with explaining and predicting phenomena" (Burck & Peterson, 1975, p. 564). For example, counselors may conduct research to assess which of several theoretical techniques has the most positive results when applied to a client population all suffering from the same disorder, such as anxiety. In such a setting, variables, such as age, gender, and cultural background, are controlled as tightly as possible so that the researcher can be accurate in gaining a clear picture of what works and on whom so that the results can be reported and the findings translated appropriately. In counseling research, most counselors are *applied researchers:* they use knowledge from research studies in their own work settings.

In the following sections, we will explore how evaluation and research are commonly employed in the practical world of professional counseling.

EVALUATION

Evaluation usually involves gathering meaningful information on various aspects of a counseling program to guide decisions about the allocation of resources and assure maximum program effectiveness (Gay & Airasian, 2000; Wheeler & Loesch, 1981). Evaluation has a quality of immediate utility. In clinical settings, it gives counselors direct feedback on the services they provide and insight into what new services they need to offer. It also enables clients to have systematic, positive input into a counseling program. Some type of evaluation should be provided for every counseling program regardless of the setting (Hosie, 1994; Oetting, 1976).

Incorrect Evaluation Methods

Although many solid models of evaluation are available, there are a number of incorrect evaluation procedures used by the uninformed (Daniels, Mines, & Gressard, 1981). These ill-conceived methods, which produce invalid and unreliable results, have some or all of the following defects (Burck & Peterson, 1975):

- They restrict opinion sampling.
- They make comparisons between nonequivalent groups.
- They promote services rather than evaluate.
- They try to assess a program without any clear goals.

Steps in Evaluation

Program evaluation should be systematic and follow a sequential step-by-step process. The steps may vary in different evaluations, but a procedure that Burck and Peterson (1975) have laid out for implementing an evaluation program is a solid one to follow.

According to Burck and Peterson, the first step in formulating an evaluation program involves a *needs assessment*. If counselors are to be accountable, they must first identify problems or concerns within their programs. A *need* is "a condition among members of a specific group . . . that reflects an actual lack of something or an awareness (perception) that something is lacking" (Collison, 1982, p. 115). Needs are assumed to exist based on a number of factors, such as institutional or personal philosophy, government mandate, available resources, history or tradition, and expert opinion. "Need assessment techniques include clearly identifying the target of the survey, specifying a method of contact, and re-solving measurement-related issues" (Cook, 1989, p. 463).

The second step in evaluation is "stating goals and performance objectives." Here, both *terminal program outcomes* (those that are most immediately recognizable) and *ultimate program outcomes* (those that are most enduring) are described in terms of mea-surable performance objectives. There are normally "several performance objectives for each goal statement" (Burck & Peterson, 1975, p. 567).

The third step in evaluation is designing a program. When a program is developed to meet stated objectives, activities that focus on the stated goals can be precisely designed. The fourth step is revising and improving a program. Specific activities and the adequacy of communication patterns are both evaluated at this point.

The fifth and final step is "noting and reporting program outcome" (Burck & Peter-son, 1975, p. 567). This task is performed primarily by disseminating the findings of the program evaluation to the general public. Such consumer information is vital for potential clients if they are to make informed decisions, and counselors within a clinical program need this kind of feedback to improve their skills and services.

Evaluators must get others involved in the evaluation process for the results of the study to have any direct impact on a program. Individuals who have an investment in con-ducting a needs assessment are more likely to help counselors meet identified needs and establish program goals than those people who are not involved.

Selecting an Evaluation Model

Because evaluation is a continual part of their profession, counselors must prepare ac-cordingly (Wheeler & Loesch, 1981). Part of this preparation includes setting aside time to conduct evaluations. Equally important is educating oneself and others about the different models of evaluation available. House (1978) offers a list of evaluation models and the crit-ical dimensions of each (see Table 12.1). The models are systems analysis, behavioral ob-jectives, decision making, goal free, art criticism, accreditation, adversary, and transaction.

Daniels and colleagues (1981) studied the dimensions along which these major eval-uation models are judged and have offered some practical ways of comparing them to de-termine the most appropriate model for a specific situation. They note that both internal and external restrictions "define the limits to which each model may be effectively ap-plied" (p. 580). They provide a framework to help counselors judge which model to em-ploy in given situations (see Figure 12.1).

Questions raised before an evaluation (i.e., *a priori questions*) are more likely to be answered satisfactorily than those brought up after an evaluation is complete (*ex post facto questions*). In some cases, such as investigations into clients' perspectives on suicide be-havior, researchers have little choice but to ask survivors of suicide attempts to give them insights into their thoughts after they have displayed their behaviors (Paulson & Worth, 2002). A methodological approach to research where questioning of the underlying struc-tures of a phenomenon as experienced by participants is studied is called *concept map-ping* (Kunkel & Newsom, 1996). Regardless, evaluators must ask themselves at the outset what they wish to evaluate and how they are going to do it (Davidson, 1986). Two mod-els incorporate these concerns: the planning, programming, budgeting systems (PPBS) and the context-input-process-product (CIPP) model (Humes, 1972; Stufflebeam et al., 1971).

Table 12.1 Comparison of major evaluation models

Type of Model	Major Audiences	Outcome	Consensual Assumptions	Methodology	Typical Questions
Systems analysis	Economists, managers	Program efficiency	Goals, known cause and effects, quantified variables	PPBS, cost-benefit analysis	Are the expected effects achieved? What are the most efficient programs?
Behavioral objectives	Managers, psychologists	Productivity, accountability	Prespecified objectives, quantified variables	Behavioral objectives, achievement tests	Are the students achieving the objectives? Is the teacher producing?
Decision making	Administrators	Effectiveness, quality control	General goals, evaluation criteria	Surveys, questionnaires, interviews, natural variation	Is the program effective? What parts are effective?
Goal free	Consumers	Consumer choices, social utility	Consequences, evaluation criteria	Bias control, logical analysis	What are all of the effects of the program?
Art criticism	Connoisseurs, consumers	Improved standards	Critics, standards of criticism	Critical review	Would a critic approve this program?
Accreditation	Professional peers, public	Professional acceptance	Panel of peers, procedures and criteria for evaluation	Review by panel, self-study	How would professionals rate this program?
Adversary	Jury, public	Resolution	Procedures, judges	Quasi-legal procedures	What are the arguments for and against the program?
Transaction	Client practitioners	Understanding	Negotiations, activities	Case studies, interviews, observations	What does the program look like to different people?

Source: Reprinted from "A Meta-model for Evaluating Counseling Programs," by M. H. Daniels, R. Mines, and C. Gressard, 1981 (adapted from House, 1978), *Personnel and Guidance Journal, 59*, p. 579. © 1981 by ACA. Reprinted with permission. No further reproduction authorized without written permission of the American Counseling Association.

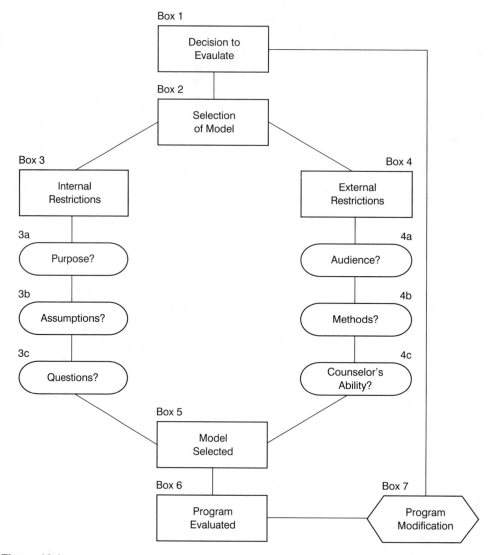

Figure 12.1

An evaluation framework

Source: Reprinted from "A Meta-model for Evaluating Counseling Programs," by M. H. Daniels, R. Mines, and C. Gressard, 1981, *Personnel and Guidance Journal, 59,* p. 581. © 1981 by ACA. Reprinted with permission. No further reproduction authorized without written permission of the American Counseling Association.

The *PPBS model* emphasizes planning programs with specifically stated goals, objectives, and evaluation criteria. The situation, population, and treatment involved are all major concerns of this model. Humes (1972) points out that information derived from a PPBS model is *criterion referenced* (related directly to the dimension being measured) rather than *normative referenced* (related to other members of a group, as is the case when standardized tests are used). Therefore, if proper planning and programming are carried out, the evaluator is able to demonstrate that effective counseling is an important variable in a client's progress. Moreover, when budgeting decisions are being made, the impact of counseling and its cost-effectiveness can be clearly shown and program strengths and weaknesses can be documented. Counseling services administrators are in a better position at such times to justify requests for funds for developing and delivering services not currently being provided. This aspect of program analysis is vital.

The *CIPP model* presents four types of evaluation. In the first, *context evaluation,* a comparison is made between what the program set out to do and what it actually accomplished. In the second, *input evaluation,* information is gathered about what resources are needed and which are available to meet program objectives. This part of the evaluation demonstrates cost-effectiveness and points out the need for additional resources as well. The third type of evaluation, *process evaluation,* focuses on the strengths and weaknesses of the program's design. If there are weaknesses, such as the design of communication flow, corrective measures may be taken. The fourth type of evaluation, *product evaluation,* focuses on the final results of the entire program. At this stage evaluators ask how effective the program really was. Plans can be made to continue, reuse, expand, or eliminate the program. Regardless of the type of evaluation used, most evaluation processes employ research in reaching their conclusions.

COUNSELORS AND RESEARCH

The profession of counseling has had "a long and ambivalent relationship" with research (Sprinthall, 1981, p. 465). The word *research* has a certain mystique about it (Leedy & Ormrod 2001). It suggests an activity that is exclusive, elusive, and removed from everyday life. Some counselors are drawn to research because of its mystique and their own general interests in investigation. However, "research typically evokes emotional reactions of fear, anxiety, and even disdain" among other counselors (Fall & VanZandt, 1997, p. 2). These counselors feel that the majority of research studies are poorly related to their practical needs. Furthermore, they perceive research as cold and impersonal (Krauskopf, 1982).

Some practitioners find that the demands of daily work with clients leaves them little time to be investigative, let alone keep up with the latest findings and outcome studies (Sexton, 1993). Therefore, most counselors do not engage in research activities, and there appears to be a serious gap in the integration of research into the practice of counseling (Sexton & Whiston, 1996). Indeed, a number of counselor practitioners have even "shown evidence of hostility and resentment toward researchers" and research (Robinson, 1994, p. 339).

Counselors' negative feelings about research and their reluctance to spend time and energy on it are related to a number of factors, chief among which are:

- a lack of knowledge about research methods,
- an absence of clear goals and objectives for the programs in which they work,
- a lack of awareness of the importance of research in planning effective treatment procedures,
- a fear of finding negative results,
- a discouragement from peers or supervisors,
- a lack of financial support, and
- low aptitudes and limited abilities for conducting investigative studies (Heppner & Anderson, 1985; Sexton, 1993).

In addition, some counseling theories deemphasize the importance of empirical investigations.

Table 12.2 Analogous stages of counseling practice and the research process

Stages in Counseling	Stages in Outcome Research
1. Identification of problems or difficulties	1. Identification of research question(s)
2. Formulation of goals	2. Formulation of research design
3. Determine interventions	3. Determine methods for ensuring treatment integrity and measures of outcome
4. Implementation of counseling	4. Data collection
5. Appraisal and evaluation of progress	5. Data analysis
6. Termination	6. Interpretation and conclusions

Source: Reprinted from "Accountability through Action Research: Research Methods for Practitioners," by S. C. Whiston, 1996, *Journal of Counseling and Development, 74*, p. 617. © 1996 by ACA. Reprinted with permission. No further reproduction authorized without written permission of the American Counseling Association.

Yet, despite the strain between some counselors and research, there are similarities between the activities of counseling practice and outcome research. Both involve a six-stage process (Whiston, 1996) (see Table 12.2).

For instance, the first stage in both processes involves identification. In counseling, the identification is of a client's problem or difficulty while in research the focus is on identifying a question or questions to investigate. Similarly, in step 2, there is an analogy in formulating treatment goals and formulating a research design. Then a determining stage follows in which counseling interventions are selected, whereas, in research, methods for ensuring treatment integrity are chosen. In the fourth stage, action occurs in the form of either implementing counseling or collecting data, followed by an appraisal and evaluation of progress in counseling or data analysis in research. Finally, both processes end with either the completion of counseling or the interpretation and conclusions from research.

RESEARCH

There are many definitions of research, but Barkley (1982) gives one of the best: "*Research is the systematic collection, organization, and interpretation of observations in order to answer questions as unambiguously as possible*" (p. 329; emphasis added). The challenge of research is to answer questions that do not yield truths easily. The quality of research depends on the degree to which resistance can be overcome and ways can be devised to answer questions with maximum confidence by minimizing contaminating influences.

Steps in the Research Process

Good research is scientific in the broadest definition of the word. It begins with systematic observations that concentrate on a particular population, variable, or question (Gay & Airasian, 2000; Heppner, Kivlighan, & Wampold, 1999). Such complete and systematic observation attempts to explain relations among variables and why certain events happen. Explanation leads to understanding and eventually to some degree of prediction and control.

Some guidelines for conducting research investigations are available. Campbell and Katona (1953), for instance, developed a flowchart to indicate the sequence of steps involved in carrying out surveys. More recently, Ary (1996) devised an eight-step process for conducting research. It is ideally suited for clinical work but is also applicable to other areas of counseling research.

1. *Statement of the problem.* This statement must be clear and concise. If there is confusion at this step, the investigative endeavor will probably produce little of value. An example of a clear problem statement is, "The purpose of this research is to test the hypothesis that eye contact between counselor and client is related to the effectiveness of the counseling process."

2. *Identification of information needed to solve the problem.* This step may include a variety of information derived from sources such as psychological or educational tests or systematic observations, including experiments. Some data that investigators need may be impossible to collect. They must then decide whether to modify the problem statement or end the research.

3. *Selection or development of measures for gathering data.* Common measures for gathering data are surveys, tests, and observational report sheets. If researchers cannot find an existing appropriate measure, they must develop one and test its reliability and validity.

4. *Identification of the target population and sampling procedures.* If a group is small enough, an entire population may be studied. Otherwise, a sample is selected by careful standard sampling procedures.

5. *Design of the procedure for data collection.* This step involves determining how, when, where, and by whom information will be collected.

6. *Collection of data.* A systematic procedure is implemented to obtain the desired information. Usually this process involves careful monitoring and a substantial investment of time.

7. *Analysis of data.* Select procedures are employed at this step to organize the data in a meaningful fashion and determine whether they provide an answer to the problem being investigated.

8. *Preparation of a report.* Research results should be made available to others in some meaningful form, such as a journal article or a professional presentation.

The Relevance of Research

One primary question raised by readers of counseling research focuses on the relevance of a study's results for practitioners. Much research does not produce results relevant to practical issues and is not useful (Goldman, 1976, 1977, 1978, 1979, 1986, 1992). Many research efforts lack vision, concentrating instead on small details. Researchers who conduct their work in such a way have too readily accepted the experimental research designs of the physical and biological sciences and, in the process, have failed to develop research methods appropriate for counseling. What they pass on as research is often sterile and trivial.

The argument for research relevancy centers on the fact that not all knowledge is equally useful for counselors (Krumboltz & Mitchell, 1979). Therefore, limited funds and energy should be directed toward studies that are likely to make a difference in the way in which counselors function. One way to define relevance in research is to emphasize studies that focus on the reasons individuals seek counseling, such as their goals, intentions, and purposes (Howard, 1985). Another important way to assess relevance is to determine "how closely the research approximates what is done in the counseling office" (Gelso, 1985, p. 552). Such research is called *experience-near research*. Because it is applicable to counselors, it is likely to be read and used.

Action research is a form of experience-near research. It focuses on resolving practical problems that counselors routinely encounter, such as how to help manage a child with learning disabilities or evaluate the effects of a self-esteem program on a group of children (Gillies, 1993). Action research includes studies aimed at diagnostic action, participant action, empirical action, and experimental action. Some of this research is likely to be less controlled and not as easily generalized as more rigorous research. To help solve the problem of relevancy in research, Gelso (1985) suggests reading all research studies with certain questions in mind, for example, "How was this research conducted?" and "How will it influence the way I practice counseling?"

Choosing a Research Method

Despite problems inherent in counseling research, counselors regularly employ a number of investigative methodologies. Kaplan (1964) defines a *method* as a procedure that is applicable to many disciplines. In contrast, a *technique* is a discipline-specific procedure. Most counseling research uses procedures, such as controlled observations, that are common to other disciplines. Therefore, the term *method* rather than *technique* is appropriate when referring to ways of doing counseling research. None of these methods is considered "best to test the counseling process" (Hill, 1982, p. 16). Rather, different research methods address different research questions (Watkins & Schneider, 1991). Ultimately, research methods provide answers to research questions by controlling select variables that have an impact on the counseling process (Kerlinger & Lee, 2000).

All research methods have what Gelso (1979) describes as *bubbles,* or flaws. Gelso says that selecting research methods is like putting a sticker on a car windshield. Bubbles always appear; even though one may try to eliminate as many bubbles as possible, some remain. The only way to eliminate the bubbles totally is to remove the sticker. In research, the only way to avoid all flaws is not to do research. Yet as imperfect as research methods are, they are necessary for professional edification and development. The alternative is to remain uninformed about the effects of counseling and forego the development of newer methods and techniques.

Emphases of Research

Counseling research has several different emphases. Four of the most prominent can be represented as contrasts (Bloland, 1992; Gelso, 1979; Hill, 1982; Neimeyer & Resnikoff, 1982):

1. Laboratory versus field research
2. Basic versus applied research
3. Process versus outcome research
4. Quantitative (group) versus qualitative (individual) research

Each of these emphases is concerned with the contrast between two investigative dimensions. The various dimensions are not mutually exclusive; many research studies, such as those that quantitatively report the outcome of counseling techniques in a laboratory setting, include more than one of them.

The first emphasis is on laboratory research versus field research. *Laboratory research* concentrates on conducting the investigation within a confined environment, such as a counseling lab, where as many extraneous variables as possible may be controlled (Dobson & Campbell, 1986). Under such conditions, some researchers think they can obtain the most reliable information. Practitioners of *field research*, however, see laboratory investigations as artificial and believe that counseling theories and techniques are best observed and recorded in actual counseling situations, such as counseling centers and clinics. They argue that these settings are realistic and that the results are likely to be applicable to other practitioners.

The second emphasis is basic research versus applied research. *Basic research* is oriented to theory, and those who practice it are "interested in investigating some puzzle or problem that is suggested by theory" (Forsyth & Strong, 1986, p. 113). An example is research that focuses on the number of times Rogerian-based counselors use reflective versus confrontive clinical methods. In contrast, *applied research* focuses on examining practical problems and applying their findings to existing problems. An example of applied research is the work of Jesness (1975), who compared the effectiveness of transactional analysis and behavior modification in counseling delinquents. Tracey (1991) offers one way of distinguishing basic and applied research (see Figure 12.2).

The third emphasis is process research versus outcome research. According to Hill (1991), *process research* focuses on what "happens in counseling and therapy sessions" (p. 85). She states that identifying the changes in counseling "can be quite overwhelming and frustrating" (1982, p. 7). It demands a concentrated amount of time and energy focused on a few variables, such as the reactions of the counselor to the client. The burnout rate among process-oriented researchers is high. Yet such research is indispensable in enlightening counselors about the dynamics of the counseling relationship itself. An example of process research is the work of Allen Ivey (1980) in assessing the importance of counselor skills in select stages of counseling. *Outcome research,* however, is "the experimental investigation of the impact of counseling on clients" (Lambert, Masters, & Ogles, 1991, p. 51). It is "typified by measurement before and after treatment on specified dependent variables" (Hill, 1982, p. 7). An example of outcome research would be the effect of person-centered counseling with depressed persons. Outcome research emphasizes results rather than the factors producing them.

Figure 12.2
Relation of basic research, applied research, and practice
Source: From "Counseling Research as an Applied Science," by T. J. Tracey, 1991, in C. E. Watkins, Jr., and L. J. Schneider (Eds.), *Research in Counseling* (p. 27), Hillsdale, NJ: Erlbaum. © 1991 by Lawrence Erlbaum Associates, Inc. Used with permission.

The fourth emphasis is quantitative research versus qualitative research (i.e., naturalistic inquiry). *Quantitative research* is deductive and objective, usually involving numbers and subordinating subjective understanding to clarity, precision, and reproducibility of objective phenomena (Neimeyer & Resnikoff, 1982). A quantitative approach is based on a positive-reductive conceptual system that "values objectivity, linearity, cause and effect, repeatability, and reproductivity, predictability, and the quantification of data" (Merchant & Dupuy, 1996, p. 538). Two basic quantitative research designs are the experimental and the survey (Rosenthal, 2001).

In contrast, *qualitative research* is "inductive and phenomenological, placing primary emphasis on understanding the unique frameworks within which persons make sense of their feelings, thoughts, and behaviors" (Neimeyer & Resnikoff, 1982, p. 84). It focuses on understanding a complex social situation without previously defined parameters (Jencius & Rotter, 1998). Furthermore, "qualitative research examines what people are doing and how they interpret what is occurring rather than pursuing patterns of cause and effect in a controlled setting" (Merchant & Dupuy, 1996, p. 537). Two frequently used qualitative methods are field research and in-depth interviewing (Rosenthal, 2001).

Thus, the emphasis of these two approaches differs because of the different assumptions each makes about the goals of research (Bloland, 1992; May, 1996; Merchant & Dupuy, 1996). Neither quantitative nor qualitative research is superior to the other per se. Rather, the use of each depends on what question is being asked and for what reason. The major strength of quantitative research is its emphasis on analyzing large amounts of data in a clear, mathematical fashion. The major strength of qualitative research is the way it picks up subtle, individually focused, developmental, and experientially reported aspects of counseling (Denzin & Lincoln, 2000; Mertens, 1998).

Counseling is moving toward espousing research that is more qualitative (versus quantitative) and more field oriented (versus laboratory) (Goldman, 1992; Watkins & Schneider, 1991). Clients are seen as active rather than passive in the counseling process (Gelso, 1985; Howard, 1985). Overall, a more holistic emphasis within counseling research is being proposed (Froehle, 1985).

Major Research Methods

The research methods that counselors choose are determined by the questions they are trying to answer, their special interests, and the amount of time and resources they have available for the study (Heppner et al., 1999). Methods should be the slaves of research, not the masters (Smith, 1981). No method is suitable for all research attempts. Indeed, as Ohlsen (1983) states, "developing and clarifying a research question is a slow, painstaking process" (p. 361). A *research question* provides the context in which one begins to consider a method. In most cases, a research question is about the state of affairs in the field of counseling (LaFountain & Bartos, 2002). Once a question has been decided on, a quantitative or qualitative method may be chosen.

Methods and ways of obtaining data may differ for research conducted in personal, group, or couple/family counseling. A research strategy, which is "the guiding or underlying force that directs" a research project, is intended to place the investigator "in the most advantageous position" possible (Husband & Foster, 1987, p. 53). The primary research method can be chosen from among those that present data from historical, descriptive, or experimental points of view (Galfo & Miller, 1976; Vacc & Loesch, 2001). The procedures used in these methods are not mutually exclusive. For example, Tracey (1983) reports that *N of 1 research,* which focuses on the study of a single qualitative entity (such as a person), may be employed in historical studies, case studies, and intensive design studies. Such research may be either associational or experimental. The fact that this and other research methods are so flexible gives investigators more latitude in planning their strategies and carrying out their studies.

Historical Methods.   Historical research has been largely neglected in counseling (Goldman, 1977). The reasons are numerous, but among the most salient is the association of historical research with psychohistory (Frey, 1978). Psychohistory has been closely linked to the theory of psychoanalysis, and its usefulness as a way of understanding persons and events has been questioned (Thoresen, 1978). Yet as Frey (1978) reports, psychohistory as practiced by Erik Erikson (1958) and the Wellfleet group (whose members included Kenneth Keniston and Robert Coles) involves two aspects:

1. experiencing and reporting events and procedures from earlier times that have influenced the development of the profession, and
2. embellishing current theories and generating new research hypotheses.

For the most part, counseling journals limit their dealings with historical research to printing obituaries of prominent counselors and featuring interviews with pioneers in the profession (Heppner, 1990). Although the methods used in historical research are usually less rigorous and more qualitative than those employed in other research, they produce both interesting and enlightening results. They have an important place in the understanding of persons, as exemplified in Gordon Allport's idiographic studies of traits and personality. This approach to research is clearly open to further development.

Descriptive Methods.   Descriptive research concentrates on depicting present factors in a profession. It has three subcategories: surveys, case studies, and comparative studies.

Surveys.   Surveys are one of the most popular and widely used methods for gathering information about the occurrence of behaviors and describing the characteristics of those that are not well understood (Fong, 1992; Heppner et al., 1999). Surveys are similar to other methods of research: they begin with the formation of a research question, then generate hypotheses, select a research design, and collect and analyze data (Kerlinger & Lee, 2000). Survey data can be collected in four ways: personal interviews, mailed questionnaires, telephone interviews, and nonreactive measures such as existing records or archives (Hackett, 1981; Marken, 1981; Moser & Kalton, 1972). Data are gathered in either a structured or nonstructured way with either a *cross-section* of people (many people at one point in time) or *longitudinally* (the same people at two or more points in time).

If conducted properly, survey research can provide counselors with a great deal of information about how clients perceive them and their programs. Surveys can also offer information about clients' needs (Heppner et al., 1999; Hosie, 1994). Nevertheless, four major problems often plague survey research. First, survey instruments may be poorly constructed. Second, they may not generate a very high rate of return. Third, the sample surveyed is sometimes nonrandom and unrepresentative of the population (Hackett, 1981; Marken,

1981). In any of these three cases, the results are essentially useless because the design and methodology of the survey research lack rigor (Fong, 1992). A final problem of survey research (or almost any research, for that matter) is that it can be expensive (Robinson, 1994).

The social impact of well-conceived and well-conducted survey research is apparent in the work of Kinsey on the sexual practices of men and women. The Hollis (2000) survey is an example of the usefulness of the method for counseling. Every few years Hollis has gathered information for a published directory of counselor education programs. This survey is quantitative in emphasis and yields relevant data about national program trends in counseling.

Case Studies.   A *case study* is an attempt to understand one unit, such as a person, group, or program, through an intense and systematic investigation of that unit longitudinally. Almost any phenomenon can be examined by means of the case study method (Leedy & Ormrod, 2001). Some case studies rely on self-report methods that are not very reliable; others involve naturalistic inquiry in which the study extends over a period of time (Smith, 1981). The difficulties involved in naturalistic research are many and include issues such as what constitutes good research, the high cost of labor, the problems of establishing causality, and restrictions on generalizing results. In addition, they often demonstrate problems of observed bias and the *halo effect* (a favorable observation generalized to a person or situation as a whole) (Goldman, 1977). To help minimize such problems, Anton (1978) and Huber (1980) describe several intensive experimental designs suitable for case studies. Counselors with limited time and resources may find them useful in tracing changes over time. These designs will be discussed in a later section on experimental methods.

Comparative Studies.   Comparative research studies (also called *correlational studies*) form a link between historical/case study methods and experimental and quasi-experimental designs. They make directional and quantitative comparisons between sets of data. Such studies are nonmanipulative (Cozby, 2001). They simply note similarities in variations among factors with no effort to discern cause-and-effect relationships. An example of such a study is the relationship of scores on a test of religiosity with scores on instruments measuring various aspects of mental health (Gladding, Lewis, & Adkins, 1981). A major finding of this study was that people who scored high on the religiosity test also scored high on the mental health instruments. The results do not suggest that religiosity causes a person to have better mental health; rather, it simply compares the direction of the scores. Any study that compares measures in this manner is an example of comparative research.

Experimental Methods.   *Experimental research* methods are employed to describe, compare, and analyze data under controlled conditions (Galfo & Miller, 1976; Heppner et al., 1999; McLeod, 1995). Experimental methods used in counseling research have their origin in the natural sciences. The purpose of using these methods is to determine the effect of one variable on another by controlling for other factors that might explain the effect. In other words, researchers who use this method are seeking to determine causation. To do this, they define independent and dependent variables. The *independent variable* is the one manipulated by the researcher, such as treatment. The *dependent variable* is the one in which the potential effect is recorded, such as the client's behavior. The researcher assumes that if the effect of other factors is eliminated, then any change in the dependent variable will be a result of the independent variable. Examples of independent variables in counseling might be the age, gender, personal attractiveness, or physical appearance of the counselor. Examples of dependent variables are a client's reactions to these counselor traits, such as degree of relaxation, cooperation, and overall responsiveness in the counseling setting. The reactions could be measured by a variety of procedures, including an analysis of an audio- or videotape or a postcounseling interview or questionnaire.

Cohen (1990) recommends two general principles for those who are conducting research with independent and dependent variables: less is more, and simple is better. The fewer variables there are to keep track of and the more clearly they can be reported (e.g., through graphs), the easier it is for researchers and consumers to understand the significance of counseling research studies.

It is imperative in conducting experimental research that the counselor be sure to control for *contaminating variables* (variables that invalidate a study, such as one group of clients that is healthier than another). One of the most common ways of controlling for potentially contaminating variables is by establishing equivalent experimental and control groups. When the independent variable is manipulated for the experimental group while being held constant for the control group, the effect of the independent variable can be determined by comparing the postexperimental data for the two groups. Campbell and Stanley (1963) describe in detail the problems involved in experimental and quasi-experimental research; their work is recommended to readers who wish to pursue the issue further.

Traditional experimental research has involved group comparison studies. Since the 1970s, however, *single-subject research,* commonly known as N of 1 research, has become increasingly popular. There are a number of advantages to single-case research designs. Among these are:

- They are theory free, thus allowing counselors of any persuasion to use them.
- They are flexible and appropriate for use in practice settings.
- They may improve counseling effectiveness.
- They do not require the use of statistical methods.
- They produce scientifically effective evidence that leads to professional credibility.
- They are "consistent with CACREP standards that call for increased emphasis on research, accountability, and diverse research methodologies in the scientist-practitioner model of counselor preparation" (Lundervold & Belwood, 2000, p. 100).

Miller (1985, p. 491) summarizes six major advantages that single-subject research has over traditional group studies. (His study is derived from Hill, Carter, & O'Farrell [1983] and Sue [1978].)

1. It allows a more adequate description of what happens between a counselor and client.
2. Positive and negative outcomes can be understood in terms of process data.
3. Outcome measures can be tailored to the client's specific problems.
4. It allows for the study of a rare or unusual phenomenon.
5. It is flexible enough to allow for novel procedures in diagnosis and treatment.
6. It can be used in evaluating the effectiveness of an intervention strategy on a single client.

A potential problem in single-subject studies is "when they are used following a period of standard treatment that has not worked. Some general improvement may occur that has nothing to do with the treatment being used but is a *regression toward the mean* (i.e., "the tendency of an extreme value when it is remeasured to be closer to the mean"; Aldridge, 1994, p. 337). To overcome this problem, especially if medication is involved, the researcher may allow for a *washout period:* a time when no treatment occurs and there is an opportunity for previous effects (such as medication) to leave the body by natural means.

Anton (1978) and Huber (1980) describe three intense experimental designs that focus on individuals: simple time series, reversal design, and multiple baseline design.

Simple Time Series.   A simple time series, the most common intense experimental design method, is referred to as an *AB design.* First, a baseline (A) is established by having the client observe and record the occurrence of the targeted behavior every day. Then an intervention strategy (B) is introduced. The client continues to record the targeted behavior in the same way as before. The manifestation of the targeted behavior is compared during these two periods and trends are noted. By graphing results, counselors can determine what, if any, effect the intervention strategy had.

Reversal Design.   A reversal design is more complex than a simple time series. It involves a reversal—an *ABAB design.* The first part is executed as it is in the simple time series, but the intervention strategy (B) is discontinued after a time, and a second baseline and intervention follow. "If the second intervention period produces proportionately the same results as the first intervention period, then it can be safely assumed that it is the strategy itself that is causing the changes in the level of interactions made" (Huber, 1980, p. 212).

Multiple Baseline Design.   The most complex of these experimental designs, the multiple baseline design, permits greater generalization of the results. There are three types of multiple baseline research designs: across individuals, across situations, and across behaviors (Schmidt, 1974). Each emphasizes a different focus. The common trait of all three is that intervention is initially employed with a select individual, situation, or behavior while the researcher continues to gather baseline data on other persons, situations, or behaviors. When intervention strategies are extended to the baseline populations, counselors are able to see more clearly the power of the intervention. As with other designs, it is important to graph the results.

Overall, there are five steps in intensive experimental designs on individuals:

1. identify an observable problem that can be monitored for change,
2. gather baseline data,
3. decide on the intervention to be studied,
4. carry out the intervention strategy within one of the three research designs, and
5. evaluate the changes, if any, in the targeted behavior.

Guidelines for Using Research

Counselors who use research as a base for their practices can follow certain guidelines. They include recognizing the flaws and strengths of research methods, taking care to define terms carefully, and not overgeneralizing beyond the scope of particular findings.

Such procedures help consumers evaluate studies as objectively as possible so that they can employ the results more skillfully and ethically.

Several writers have been concerned about the fair assessment of gender differences (McHugh, Koeske, & Frieze, 1986; Wakefield, 1992). Altmaier, Greiner, and Griffin-Pierson (1988, p. 346) offer some of the most salient advice on this issue.

- Readers should note the values on which particular research studies are based.
- Counselors should look for findings that are in accord with their experiences and findings that converge across settings and studies.
- Consumers of research should not overlook topics of importance to women, such as childbearing.
- The assumption should not be made that differences between men and women fall along one continuum in a bipolar fashion.
- The magnitude of effects should be considered in reading research about gender differences. In other words, the reader should note how much variance in the observed behavior is accounted for by the significance of gender difference.

In the final analysis, counselors who use research should do so in relation to the skills they acquired in their graduate and continuing education programs. Clinicians must study research methodology well so that their practices reflect only the best professional knowledge available.

STATISTICS

Statistics and statistical testing first became prominent in the early 1900s (Thompson, 2002). They have been the lifeblood and bane of helping professionals, such as counselors, ever since. Whether counselors are drawn to do statistically significant research or not, all counselors should be aware of several research tools, such as libraries and their resources, computers and their software, techniques of measurement, and statistics. Statistics are not a fixed part of evaluation and research, and using statistics is not what "makes" or "breaks" a good study (Leedy & Ormrod, 2001). Rather, statistics are simply a means for researchers to use in analyzing and interpreting findings and communicating those findings to others (Wilson & Yager, 1981). As Barkley (1982) emphasizes, "it is possible to be a good researcher and know nothing about sophisticated statistical techniques. It is also possible to know a great deal about statistics and be a mediocre or poor researcher" (p. 327). The distinction between research and statistics is important.

Statistical Concepts

There are some statistical concepts that every counselor must know to read and evaluate research reports intelligently. One is *measures of the central tendency*—that is, the median, the mean, and the mode. All these measures encompass different meanings of the term *average* (LaFountain & Bartos, 2002). The *median* is the midpoint of a distribution of scores ranked highest to lowest. The *mean* is the arithmetic average of scores. The *mode* is the score or measure that occurs most often in a distribution. In a true normally distributed population (which can be graphed as a *bell-shaped or normal curve*), the median, mean, and mode are the same. In actuality, however, this situation rarely occurs.

Two other important statistical concepts are standard deviation and sampling procedure. A *standard deviation* is "a measure of the dispersion of scores about their mean" (Marken, 1981, p. 42). It indicates how much response variability is reflected in a set of scores; that is, it is a measure of how homogeneous a group is. "The larger the standard deviation, the greater the variability among the individuals" (Thorndike, 1997, p. 41). *Sampling* is important because it determines how applicable research findings are. If a sample does not adequately represent the population on which it is based, the results cannot be considered applicable to the population. When samples are chosen in a representative, random way, results can be generalized to the population with confidence.

Statistical Methods

Descriptive, correlational, and inferential statistics are the three most widely used statistical methods in research (Mertens, 1998). *Descriptive statistics* literally describe characteristics of a sample. These devices, which are used to organize and summarize data, are also used in analyzing single-subject research and simply describing populations (Miller, 1985). Mean and standard deviation are examples of descriptive statistics. *Correlational statistics* describe the strength and connection of relationships—for example, the strength of a relationship between one's attitude toward drugs and one actually using drugs. Finally, *inferential statistics* allow for group comparisons or make predictions about an entire population from a given sample. They determine whether research results are due to chance or the treatment of variables in a study (Cozby, 2001).

A number of statistical tests have been devised to measure the probability of change occurring by chance in an experimental research design. Two broad categories of tests are used for this purpose: parametric and nonparametric. *Parametric tests* are usually more powerful. Parametric tests are used when it is thought that the population being described has evenly distributed characteristics that could be represented by a bell-shaped curve. Examples of parametric tests are the Pearson product moment correlation and *t* tests. *Nonparametric tests* are used when no normal curve distribution can be assumed but sharp dichotomies can. Nonparametric tests require larger sample sizes to yield a level of significance similar to parametric tests. Examples of nonparametric tests are the Spearman rank-order correlation and chi-square (Leedy & Ormrod, 2001).

In addition, statistics can be used to compare research findings across studies. One prominent approach is through an empirically based method known as *meta-analysis* (Glass, 1976; Willson, 1981). Before the conceptualization of meta-analysis, researchers were forced to compare studies through narrative methods that were often filled with errors. With meta-analysis, large amounts of data can be compared and contrasted (Baker, Swisher, Nadenichek, & Popowicz, 1984).

Statistics are invaluable to the counselor who wants to understand, organize, communicate, and evaluate data (Remer, 1981). Consumers of research should expect that authors of research reports will provide them with indices of practical and clinical significance of their works (e.g., effect size) for "statistical significance is not sufficiently useful to be invoked as the sole criterion for evaluating the noteworthiness of counseling research" (Thompson, 2002, p. 66).

SUMMARY AND CONCLUSION

This chapter focused on the relationship between evaluation and research. Although the terms are sometimes defined identically, each has an individual purpose. Evaluation aims at helping counselors decide how programs are meeting the goals and objectives of staff and clients. A major first step in conducting an evaluation is to do a needs assessment. Several excellent models are available for counselors to use in completing this task.

Research scares many counselors. Yet this fear may diminish as counselors become more aware that there are many ways to conduct investigative studies. Three main research methods are historical, descriptive, and experimental. For years, experimental research has been val-

ued most highly, but this emphasis is changing. Case studies and intensive experimental designs are gaining popularity. In addition, the difference between understanding research methods and statistical concepts is growing; that is, people are realizing that the two approaches are not the same. Both are important, but it is possible for researchers to be stronger in one area than the other.

Counselors must constantly strive to update their research and evaluation skills and stay current. The life span of knowledge is brief, and counselors who do not exercise their minds and find areas of needed change will become statistics instead of an influence.

CLASSROOM ACTIVITIES

1. In small groups, visit a mental health agency or school and find out what procedures are used to evaluate services and personnel. Read the institution's annual reports, and assess how uniformly an evaluative method is employed in describing the institution's activities. Report your field study findings to the class. Discuss what recommendations you would make to the agency or school.

2. As a class, gather examples of needs assessments from schools and agencies. Evaluate the instruments according to the step-by-step procedure outlined in this chapter. What are the strengths and weaknesses of these assessments? What improvements would you make if you were put in charge of the procedure? Have select members of the class role-play the steps they would take when conducting a needs assessment at a particular site.

3. As a class, choose two three-person teams to debate the pros and cons of this statement: Counseling research must be relevant. What definition of *relevant* does each side advocate? How does an interpretation of the term

influence the type of research recommended? After the debate, discuss the merits of doing basic and applied research.

4. Which of the three major types of research (historical, descriptive, or experimental) would you be most comfortable conducting? Divide the class according to research interests and, in individual groups, discuss the reasons behind your choice. After your group agrees on a combined rationale for choosing a particular research approach, report your ideas to the class as a whole.

5. What are your feelings about statistics? In triads, discuss how feelings can either promote or interfere with learning statistical procedures. Practice taking a thinking approach to learning statistics. Does thinking rather than feeling affect your attitude and approach to learning these procedures? Discuss your impressions with the class. Does your class believe there are any counseling approaches that would be useful in helping a person overcome anxiety related to learning statistics? Which ones?

REFERENCES

Aldridge, D. (1994). Single-case research designs for the creative art therapist. *Arts in Psychotherapy, 21,* 333–342.

Altmaier, E. M., Greiner, M., & Griffin-Pierson, S. (1988). The new scholarship on women. *Journal of Counseling and Development, 66,* 345–346.

Anton, J. L. (1978). Intensive experimental designs: A model for the counselor/researcher. *Personnel and Guidance Journal, 56,* 273–278.

Ary, D. (1996). *Introduction to research in education* (5th ed.). New York: Harcourt Brace.

Baker, S. B., Swisher, J. D., Nadenichek, P. E., & Popowicz, C. L. (1984). Measured effects of primary prevention strategies. *Personnel and Guidance Journal, 62,* 459–464.

Barkley, W. M. (1982). Introducing research to graduate students in the helping professions. *Counselor Education and Supervision, 21,* 327–331.

Bloland, P. A. (1992, December). Qualitative research in student affairs. *CAPS Digest,* EDO-CG-92-26.

Burck, H. D., & Peterson, G. W. (1975). Needed: More evaluation, not research. *Personnel and Guidance Journal, 53,* 563–569.

Campbell, A., & Katona, G. (1953). The sample survey: A technique for social science research. In L. Festinger & D. Katz (Eds.), *Research methods in the behavioral sciences* (pp. 15–55). New York: Dryden.

Campbell, D. T., & Stanley, J. C. (1963). *Experimental and quasi-experimental designs for research.* Chicago: Rand McNally.

Cohen, J. (1990). Things I have learned (so far). *American Psychologist, 45,* 1304–1312.

Collison, B. B. (1982). Needs assessment for guidance program planning: A procedure. *School Counselor, 30,* 115–121.

Cook, D. W. (1989). Systematic need assessment: A primer. *Journal of Counseling and Development, 67,* 462–464.

Cozby, P. C. (2001). *Methods in behavioral research* (7th ed.). Palo Alto, CA: Mayfield.

Daniels, M. H., Mines, R., & Gressard, C. (1981). A meta-model for evaluating counseling programs. *Personnel and Guidance Journal, 5*(9), 578–582.

Davidson, J. P., III. (1986, March). *Developing an effective evaluation plan.* Paper presented at the Jefferson County (Alabama) Model School Program, Birmingham, AL.

Denzin, N. K., & Lincoln, Y. S. E. (2000). *Handbook of qualitative research* (2nd ed.). Thousand Oaks, CA: Sage.

Dobson, J. E., & Campbell, N. J. (1986). Laboratory outcomes of personal growth groups. *Journal for Specialists in Group Work, 11,* 9–15.

Erikson, E. H. (1958). *Young man Luther.* New York: Norton.

Fall, M., & VanZandt, C. E. Z. (1997). Partners in research: School counselors and counselor educators working together. *Professional School Counseling, 1,* 2–3.

Fong, M. L. (1992). When a survey isn't research. *Counselor Education and Supervision, 31,* 194–195.

Forsyth, D. R., & Strong, S. R. (1986). The scientific study of counseling and psychotherapy. *American Psychologist, 41,* 113–119.

Frey, D. H. (1978). Science and the single case in counseling research. *Personnel and Guidance Journal, 56,* 263–268.

Froehle, T. C. (1985). Guest editorial. *Counselor Education and Supervision, 24,* 323–324.

Galfo, A. J., & Miller, E. (1976). *Interpreting educational research* (3rd ed.). Dubuque, IA: Wm. C. Brown Pub.

Gay, L. R., & Airasian, P. (2000). *Educational research* (6th ed.).

Upper Saddle River, NJ: Merrill/Prentice Hall.

Gelso, C. J. (1979). Research in counseling: Methodological and professional issues. *Counseling Psychologist, 8,* 7–36.

Gelso, C. J. (1985). Rigor, relevance, and counseling research: On the need to maintain our course between Scylla and Charybdis. *Journal of Counseling and Development, 63,* 551–553.

Gillies, R. M. (1993). Action research in school counseling. *School Counselor, 41,* 69–72.

Gladding, S. T., Lewis, E. L., & Adkins, L. (1981). Religious beliefs and positive mental health: The GLA scale and counseling. *Counseling and Values, 25,* 206–215.

Glass, G. V. (1976). Primary, secondary, and meta-analyses of research. *Educational Researcher, 5,* 3–8.

Goldman, L. G. (1976). A revolution in counseling research. *Journal of Counseling Psychology, 23,* 543–552.

Goldman, L. G. (1977). Toward more meaningful research. *Personnel and Guidance Journal, 55,* 363–368.

Goldman, L. G. (1978). Science, research, and practice: Confusing the issues. *Personnel and Guidance Journal, 56,* 641–642.

Goldman, L. G. (1979). Research is more than technology. *Counseling Psychologist, 8,* 41–44.

Goldman, L. G. (1986). Research and evaluation. In M. D. Lewis, R. L. Hayes, & J. A. Lewis (Eds.), *The counseling profession,* (pp. 278–300). Itasca, IL: Peacock.

Goldman, L. G. (1992). Qualitative assessment: An approach for counselors. *Journal of Counseling and Development, 70,* 616–621.

Hackett, G. (1981). Survey research methods. *Personnel and Guidance Journal, 59,* 599–604.

Hadley, R. G., & Mitchell, L. K. (1995). *Counseling research and program evaluation*. Pacific Grove, CA: Brooks/Cole.

Heppner, P. P. (1990). *Pioneers in counseling and development: Personal and professional perspectives*. Alexandria, VA: American Counseling Association.

Heppner, P. P., & Anderson, W. P. (1985). On the perceived nonutility of research in counseling. *Journal of Counseling and Development, 63*, 545–547.

Heppner, P. P., Kivlighan, D. M., Jr., & Wampold, B. E. (1999). *Research design in counseling* (2nd ed). Pacific Grove, CA: Brooks/Cole.

Herman, K. C. (1993). Reassessing predictors of therapist competence. *Journal of Counseling and Development, 72*, 29–32.

Hill, C. E. (1982). Counseling process research: Philosophical and methodological dilemmas. *Counseling Psychologist, 10*, 7–19.

Hill, C. E. (1991). Almost everything you ever wanted to know about how to do process research on counseling and psychotherapy but didn't know who to ask. In C. E. Watkins, Jr., & L. J. Schneider (Eds.), *Research in counseling* (pp. 85–118). Hillsdale, NJ: Erlbaum.

Hill, C. E., Carter, J. A., & O'Farrell, M. K. (1983). A case study of the process and outcomes of time-limited counseling. *Journal of Counseling Psychology, 30*, 3–18.

Hollis, J. W. (2000). *Counselor preparation, 1999–2001* (10th ed.). Philadelphia: Taylor & Francis.

Hosie, T. W. (1994). Program evaluation: A potential area of expertise for counselors. *Counselor Education and Supervision, 33*, 349–355.

House, E. R. (1978). Assumptions underlying evaluation models. *Educational Researcher, 7*, 4–12.

Howard, G. S. (1985). Can research in the human sciences become more relevant to practice? *Journal of Counseling and Development, 63*, 539–544.

Huber, C. H. (1980). Research and the school counselor. *School Counselor, 27*, 210–216.

Humes, C. W., II. (1972). Accountability: A boon to guidance. *Personnel and Guidance Journal, 51*, 21–26.

Husband, R., & Foster, W. (1987). Understanding qualitative research: A strategic approach to qualitative methodology. *Journal of Humanistic Education and Development, 26*, 50–63.

Ivey, A. E. (1980). *Counseling and psychotherapy: Skills, theories, and practice*. Upper Saddle River, NJ: Prentice Hall.

Jencius, M., & Rotter, J. C. (1998, March). *Applying natural studies to counseling*. Paper presented at the World Conference of the American Counseling Association, Indianapolis, IN.

Jesness, C. (1975). Comparative effectiveness of behavior modification and transactional analysis programs for delinquents. *Journal of Consulting and Clinical Psychology, 43*, 759–779.

Kaplan, A. (1964). *The conduct of inquiry*. San Francisco: Chandler.

Kerlinger, F. N., & Lee, H. B. (2000). *Foundations of behavioral research* (4th ed.). New York: Harcourt.

Krauskopf, C. J. (1982). Science and evaluation research. *Counseling Psychologist, 10*, 71–72.

Krumboltz, J. D., & Mitchell, L. K. (1979). Relevant rigorous research. *Counseling Psychologist, 8*, 50–52.

Kunkel, M. A., & Newsom, S. (1996). Presenting problems for mental health services: A concept map. *Journal of Mental Health Counseling, 18*, 53–63.

LaFountain, R. M., & Bartos, R. B. (2002). *Research and statistics made meaningful in counseling and student affairs*. Pacific Grove, CA: Brooks/Cole.

Lambert, M. J., Masters, K. S., & Ogles, B. M. (1991). Outcome research in counseling. In C. E. Watkins, Jr., & L. J. Schneider (Eds.), *Research in counseling* (pp. 51–83). Hillsdale, NJ: Erlbaum.

Lee, C. C., & Walz, G. R. (Eds.). (1998). *Social action: A mandate for counselors*. Alexandria, VA: American Counseling Association.

Leedy, P. D., & Ormrod, J. E. (2001). *Practical research* (7th ed.). Upper Saddle River, NJ: Merrill/Prentice Hall.

Lewis, W. A., & Hutson, S. P. (1983). The gap between research and practice on the question of counseling effectiveness. *Personnel and Guidance Journal, 61*, 532–535.

Lundervold, D. A., & Belwood, M. F. (2000). The best kept secret in counseling: Single-case (N=1) experimental design. *Journal of Counseling and Development, 78*, 92–102.

Marken, R. (1981). *Methods in experimental psychology*. Pacific Grove, CA: Brooks/Cole.

Martin, D., & Martin, M. (1989). Bridging the gap between research and practice. *Journal of Counseling and Development, 67*, 491–492.

May, K. M. (1996). Naturalistic inquiry and counseling: Contemplating commonalities. *Counseling and Values, 40*, 219–229.

McHugh, M. C., Koeske, R. D., & Frieze, I. H. (1986). Issues to consider in conducting nonsexist psychological research. *American Psychologist, 41*, 879–890.

McLeod, J. (1995). *Doing counselling research*. Thousand Oaks, CA: Sage.

Merchant, N., & Dupuy, P. (1996). Multicultural counseling and qualitative research: Shared worldview and skills. *Journal of Counseling and Development, 74*, 537–541.

Mertens, D. M. (1998). *Research methods in education and psychology*. Thousand Oaks, CA: Sage.

Miller, M. J. (1985). Analyzing client change graphically. *Journal of Counseling and Development, 63*, 491–494.

Moser, C. A., & Kalton, G. (Eds.). (1972). *Survey methods in social investigation* (2nd ed.). New York: Basic Books.

Neimeyer, G., & Resnikoff, A. (1982). Qualitative strategies in counseling research. *Counseling Psychologist, 10*, 75–85.

Oetting, E. R. (1976). Planning and reporting evaluative research: Part 2.

Personnel and Guidance Journal, 55, 60–64.

Ohlsen, M. M. (1983). Evaluation of the counselor's services. In M. M. Ohlsen (Ed.), *Introduction to counseling* (pp. 357–372). Itasca, IL: Peacock.

Paulson, B. L., & Worth, M. (2002). Counseling for suicide: Client perspectives. *Journal of Counseling and Development, 80,* 86–93.

Remer, R. (1981). The counselor and research: An introduction. *Personnel and Guidance Journal, 59,* 567–571.

Robinson, E. H., III. (1994). Critical issues in counselor education: Mentors, models, and money. *Counselor Education and Supervision, 33,* 339–343.

Rosenthal, J. A. (2001). *Statistics and data interpretation for the helping professions.* Pacific Grove, CA: Brooks/Cole.

Schmidt, J. A. (1974). Research techniques for counselors: The multiple baseline. *Personnel and Guidance Journal, 53,* 200–206.

Sexton, T. L. (1993). A review of the counseling outcome research. In G. R. Walz & J. C. Bleuer (Eds.), *Counselor efficacy* (pp. 79–119). Ann Arbor, MI: ERIC/CAPS.

Sexton, T. L. (1996). The relevance of counseling outcome research: Current trends and practical implications. *Journal of Counseling and Development, 74,* 590–600.

Sexton, T. L., & Whiston, S. C. (1996). Integrating counseling research

and practice. *Journal of Counseling and Development, 74,* 588–589.

Smith, M. L. (1981). Naturalistic research. *Personnel and Guidance Journal, 59,* 585–589.

Sprinthall, N. A. (1981). A new model for research in service of guidance and counseling. *Personnel and Guidance Journal, 59,* 487–496.

Stufflebeam, D. L., Foley, W. J., Gephart, W. J., Guba, E. G., Hammond, R. L., Merriman, H. D., & Provus, M. M. (1971). *Educational evaluation and decision-making.* Bloomington, IN: Phi Delta Kappa.

Sue, D. W. (1978). Editorial. *Personnel and Guidance Journal, 56,* 260.

Thompson, B. (2002). 'Statistical,' 'practical,' and 'clinical': How many kinds of significance do counselors need to consider? *Journal of Counseling and Development, 80,* 64–71.

Thoresen, C. E. (1978). Making better science, intensively. *Personnel and Guidance Journal, 56,* 279–282.

Thorndike, R. M. (1997). *Measurement and evaluation in psychology and education* (6th ed.). Upper Saddle River, NJ: Merrill/Prentice Hall.

Tracey, T. J. (1983). Single case research: An added tool for counselors and supervisors. *Counselor Education and Supervision, 22,* 185–196.

Tracey, T. J. (1991). Counseling research as an applied science. In C. E. Watkins, Jr., & L. J. Schneider (Eds.), *Research in counseling* (pp. 3–32). Hillsdale, NJ: Erlbaum.

Vacc, N. A., & Loesch, L. C. (2001). *A professional orientation to counseling* (3rd ed.). Philadelphia: Brunner-Routledge.

Wakefield, J. C. (1992). The concept of mental disorder: On the boundary between biological facts and social values. *American Psychologist, 47,* 373–388.

Walz, G., & Bleuer, J. C. (Eds.). (1993). *Counselor efficacy.* Greensboro, NC: ERIC/CAPS.

Watkins, C. E., Jr., & Schneider, L. J. (1991). Research in counseling: Some concluding thoughts and ideas. In C. E. Watkins, Jr., & L. J. Schneider (Eds.), *Research in counseling* (pp. 287–299). Hillsdale, NJ: Erlbaum.

Wheeler, P. T., & Loesch, L. (1981). Program evaluation and counseling: Yesterday, today, and tomorrow. *Personnel and Guidance Journal, 59,* 573–578.

Whiston, S. C. (1996). Accountability through action research: Research methods for practitioners. *Journal of Counseling and Development, 74,* 616–623.

Willson, V. L. (1981). An introduction to the theory and conduct of meta-analysis. *Personnel and Guidance Journal, 59,* 582–584.

Wilson, F. R., & Yager, G. G. (1981). A process model for prevention program research. *Personnel and Guidance Journal, 59,* 590–595.

13

TESTING, ASSESSMENT, AND DIAGNOSIS IN COUNSELING

I read the test data like a ticker tape

from the New York Stock Exchange.

Your "neurotic" scales are slightly up

with a large discrepancy in your Wechsler scores.

Myers-Briggs extroversion is in the moderate range

with an artistic interest expressed in your Strong profile.

At first, like a Wall Street wizard,

I try to assess and predict your future,

But in talking about expected yields

I find the unexpected. . . .

Alone, you long for the warmth of relationships

as well as for the factual information at hand.

In the process of discussion,

a fellow human being emerges.

Behind what has been revealed on paper

is the uniqueness of a person.

Reprinted from "Thoughts of a Wall Street Counselor," by S. T. Gladding, 1986/1995, Journal of Humanistic Education and Development, 24, *p. 176. © 1986 by ACA. Reprinted with permission. No further reproduction authorized without written permission of the American Counseling Association.*

Testing, assessment, and diagnosis "are integral components of the counseling process" that are used in all stages of counseling from referral to follow-up (Hohenshil, 1996, p. 65). "During the early days, counseling and testing were virtually synonymous. Many of the counseling centers established during the 1930s and 1940s were called Counseling and Testing Centers" (Hood & Johnson, 2002, p. 3). Today, virtually all counselors are in- volved in testing, assessment, and diagnosis. The amount they do of each is dependent on their theoretical backgrounds, education, values, and settings. Therefore, it is essential for counselors to understand the procedures connected with each process.

Counselors interested in activities that require the use of measurement and associ- ated procedures usually belong to the Association for Assessment in Counseling (AAC), if they are members of the ACA. This division, originally named the Association for Measurement and Evaluation in Guidance (AMEG), was chartered as the seventh divi- sion of the ACA in 1965 (Sheeley & Eberly, 1985). It publishes a quarterly journal, Measurement and Evaluation in Counseling and Development. *Several American Psychological Association (APA) divisions are involved with tests, assessment, and diag- nosis, too. Clinical Psychology (Division 12), School Psychology (Division 16), and Counseling Psychology (Division 17) are among the most prominent. In addition, a multi-professional group has drawn up* Standards for Psychological and Educational Testing *(AERA, APA, & NCME, 1999). "The Standards provide a strong ethical imperative as a criterion for the evaluation and development of tests, testing practices, and effects of test use as they affect professional practice. They can be viewed as addressing three au- diences: test developers (i.e., those who create and validate tests), test users (i.e., those who administer tests), and test takers (i.e., those to whom tests are administered)" (Vacc, Juhnke, & Nissen, 2001, p. 218). In addition, the Joint Committee on Testing Practices (1988) has drawn up guidelines for fair testing practices in education.*

This chapter examines the nature of tests, assessment, and diagnosis and how each activity fits into the counseling profession. It covers basic concepts associated with test- ing, such as validity, reliability, and standardization. In addition, it reviews some of the major tests that counselors use and are expected to understand. Finally, it examines the nature of assessment and diagnosis and their usefulness.

A BRIEF HISTORY OF THE USE OF TESTS IN COUNSELING

The employment of tests by counselors has a long, paradoxical, and controversial history. The origin of present-day tests developed and "grew out of the late 19th century study of individual differences" (Bradley, 1994, p. 224). Since the early years of the 20th century, when Frank Parsons (1909) asserted that vocational guidance should be based on formal assessment, counselors have been part of the testing movement.

During World War I, the army hired a group of psychologists to construct paper-and- pencil intelligence tests to screen inductees (Aiken, 1997). These test pioneers, led by

Arthur Otis and Robert Yerkes, built on the work of Alfred Binet (an originator of an early intelligence test), Charles Spearman (an important early contributor to test theory), Sir Francis Galton (an inventor of early techniques for measuring abilities), and James M. Cattell (an early researcher into the relationship of scores to achievement) (Anastasi & Urbina, 1997). The testing movement, which gained impetus in the 1920s, gave counselors a new identity and respectability and gave them an expanded theoretical rationale on which to base their job descriptions, especially in schools and in career service agencies.

As a group, counselors have varied in their degree of involvement with tests. The 1930s and 1960s are two distinct periods of high counselor involvement with assessment and testing. Vocational testing was emphasized in the 1930s because of the Great Depression. The University of Minnesota's Employment Stabilization Research Institute led the vocational testing movement during those years. Its personnel assembled and administered batteries of tests in an effort to help the unemployed find suitable work. Paterson and Darley (1936) estimated that up to 30% of unemployed workers in the 1930s were mismatched with their stated job preferences and training. In 1957 the Soviet Union's launch of *Sputnik* raised U.S. interest in testing because many Americans believed that the United States had fallen behind in science. Congress subsequently passed the National Defense Education Act (NDEA), which contained a provision, Title V, for funding testing in the secondary schools to identify students with outstanding talents and encourage them to continue their education, especially in the sciences.

In 1959, the *Journal of Counseling and Development,* then known as the *Personnel and Guidance Journal,* began to publish test reviews to supplement the *Mental Measurements Yearbook* (MMY) (Watkins, 1990). These reviews were discontinued in 1966, but they were revived in 1984 and continue to be published occasionally. The *Journal of Counseling and Development* reviews both new and revised tests, focusing on theoretical and timely topics related to what tests do and do not measure (Tyler, 1984). *Measurement and Evaluation in Counseling and Development* does the same.

The 1970s and 1980s brought greater criticism of testing. Goldman (1972) set this tone in an article that declared that the marriage between counseling and testing had failed. In the same year, the National Education Association (NEA) passed Resolution 72–44, which called for a moratorium on the use of standardized intelligence, aptitude, and achievement tests (Engen, Lamb, & Prediger, 1982; Zytowski, 1982). Since that time, many court suits have been filed to challenge the use of tests, and several bills have been introduced in state legislatures to prohibit the administration of certain tests. Jepsen (1982) has observed that the trends of the 1970s make it more challenging than ever to select tests and interpret scores carefully. His observations on testing can be generalized to other areas of counseling. As Tyler (1984) notes, "the antitesting movement has become a force to be reckoned with" (p. 48). Ironically, the use of tests in schools is more popular now than ever; a majority of school counselors on all levels spend 1 to 5 hours a week on this activity, considering it either important or very important to their work (Elmore, Ekstrom, Diamond, & Whittaker, 1993). They use such assessment devices as intelligence and achievement tests, substance abuse screening instruments, and career inventories (Giordano, Schwiebert, & Brotherton, 1997).

Many of the problems with testing in the schools and other settings are being addressed through the revision of problematic instruments (Cronbach, 1990). Indeed, Anastasi (1982) observes that "psychological testing today does not stand still long enough to have its picture taken" (p. v). For instance, in comparing the fourth (1976) and fifth (1982) editions of Anastasi's classic, *Psychological Testing,* one sees that more than a third of the tests included in the revised text are either new or substantially revised. That trend continues, as does an emphasis on revising test standards (DeAngelis, 1994; Zytowski, 1994). Renewed attention is also being paid to the education of counseling students and the continuing education of counselors in the use and abuse of psychoeducational tests (Chew, 1984). But more needs to be done. According to Goldman (1994b), we need a "large decrease in the number of standardized tests bought for use by counselors, a great increase in the use of qualitative assessment, and . . . [more dedication to the AAC] being a consumer organization" (p. 218). In other words, the AAC should inform counselors about the strengths and limitations of standardized tests.

TESTS AND TEST SCORES

Anastasi (1982) defines a *psychological test* (or *test,* for short) as "essentially an objective and standardized measure of behavior" (p. 22). Most often test results are reported as *test scores,* statistics that have meaning only in relation to a person. A *score* is a reflection of a particular behavior at a moment in time. Test scores are important in counseling despite their limitations, for they provide information that might not be obtained in any other way and do so with comparatively small investments of time and effort. Although tests and test scores have been criticized for a number of reasons, testing is an indispensable part of an evaluation process. How tests and test scores are used depends on the user (Anastasi & Urbina, 1997). As Loesch (1977) observes, "we usually don't have a choice about whether we will be involved with testing" (p. 74). There is a choice, however, about whether counselors will be informed and responsible.

To understand a test, counselors must know

- the characteristics of its standardization sample,
- the types and degree of its reliability and validity,
- the reliability and validity of comparable tests,
- the scoring procedures,
- the method of administration,
- the limitations, and
- the strengths (Kaplan & Saccuzzo, 2001).

Much of this information is contained in the test manuals that accompany standardized tests, but acquiring a thorough knowledge of a particular test takes years of study and practice. Because it is important that counselors use tests to the fullest extent possible, they are wise to "prepare local experience tables" so they can give test takers more specific information about what their scores mean in relation to a particular community or situation (Goldman, 1994a, p. 216).

Today, in the United States approximately 10 million "counselees each year complete 'tests,' 'inventories,' and other 'assessments' and that estimate does not include school achievement tests or college entrance exams" (Prediger, 1994, p. 228). Some counseling professionals specialize in the administration and interpretation of tests. Those employed as testing and appraisal specialists are known as *psychometrists* and their discipline of comparing the test scores of a person to a norm-referenced group is known as *psychometrics* (Gladding, 2001). (The opposite of psychometrics is *edumetrics,* based on a constructivist trend in education, where client achievement is compared to the client's previous and best results) (Tymofievich & Leroux, 2000). Regardless, most professionals who administer and interpret tests do not do so on a full-time basis. Usually they are counselors and other helping professionals who are sometimes surprisingly uncomfortable with testing instruments and the negative connotation of the word *test*. A test is often linked to "a heavy emphasis on objectivity" (Loesch, 1977, p. 74), and the process of testing can be mechanical, creating psychological distance between the examiner and client. To overcome such barriers, counselors who test need to be well trained in good test practice and the use of the most frequently given tests, as well as other standardized instruments.

Many periodicals review standardized tests, including *Measurement and Evaluation in Counseling and Development,* the *Journal of Counseling Psychology,* the *Journal of Counseling and Development,* and the *Review of Educational Research*. A number of authoritative reference books on tests are also available. O. K. Buros originated a series of reference books on personality tests, vocational tests, and other similar instruments. His most well-known reference was entitled *Tests in Print*. It continues to be updated periodically by the institute he established, the Buros Institute of Mental Measurements, and is now in its fifth edition, a two-volume set that contains nearly 3,000 test entries (Murphy, Impara, & Plake, 1999). Buros also edited eight editions of the *Mental Measurements Yearbook,* which is considered his best work in this area and is now in its 14th edition (Impara & Plake, 2001).

PROBLEMS AND POTENTIAL OF USING TESTS

There are similarities between the tests administered by counselors and those used by psychologists (Bubenzer, Zimpfer, & Mahrle, 1990). However, the ways in which tests are given is more crucial for their success in serving the welfare of clients and the general public than the professional identity of who administers them (Harris, 1994).

Tests may be used alone or as part of a group (a *test battery*). Cronbach (1979) asserts that test batteries have little value unless competent, well-educated counselors are available to interpret them. The same is true for individual tests. Many of the problems associated with testing are usually the result of the way in which instruments are employed and interpreted rather than problems with the tests themselves (Hood & Johnson, 2002).

Shertzer and Stone (1980) maintain that opponents of testing generally object to them for the following reasons:

- Testing encourages client dependency on both the counselor and an external source of information for problem resolution.
- Test data prejudice the counselor's picture of an individual.
- Test data are invalid and unreliable enough so that their value is severely limited (p. 311).

Other critics conclude that tests are culturally biased and discriminatory, measure irrelevant skills, obscure talent, are used mechanically, invade privacy, can be faked, and foster undesirable competition (Hood & Johnson, 2002; Prescott, Cavatta, & Rollins, 1977; Shertzer & Linden, 1979; Talbutt, 1983). "Over-reliance on test results, especially in isolation from other information about an individual, is one of the most serious test misuse problems" (Elmore et al., 1993, p. 76). Another criticism is that tests are regressive and used for predictability rather than screening or self-exploration (Goldman, 1994b).

The use of tests with minorities has been an especially controversial area and one in which abuse has occurred (Suzuki & Kugler, 1995; Suzuki, Meller, & Ponterotto, 2001). Assessment instruments must take into consideration the influences and experiences of persons from diverse cultural and ethnic backgrounds if they are going to have any meaning. Oakland (1982) points out that testing can be a dehumanizing experience, and minority culture students may spend years in ineffective or inappropriate programs as a result of test scores. To avoid cultural bias, the AAC has developed multicultural assessment standards (Prediger, 1993). Ethical guidelines for test use are also contained in the *Ethical Standards of the American Counseling Association*. These standards, as well as those drawn up by other professional associations, should be consulted when trying to prevent test abuse with minority populations (Hansen, 1994). In assessing bias it should be recognized that prejudicial acts may result from omission as well as acts of commission (Chernin, Holden, & Chandler, 1997).

Success or failure with tests is related to the sensitivity, ability, and knowledge of the counselors who select, administer, and interpret them. "Counselors have a general obligation to take an empirical approach to their instruments, especially those for which there are not complete norms and substantial validation" (Carlson, 1989, p. 489). If they do not consider multiple criteria in the selection process, counselors are likely to make mistakes that are costly to clients and themselves. To avoid these situations, some counselors include clients in the process of test selection.

Learner (1981) and Oakland (1982) report that the general public's attitude toward testing is positive, even among minorities, perhaps because people believe that tests serve many useful purposes. From the public's perspective, the primary function of tests is to help clients make better decisions about their futures. Tests may also:

- Help clients gain self-understanding
- Help counselors decide if clients' needs are within their range of expertise
- Help counselors better understand clients
- Help counselors determine which counseling methods might be most appropriately employed
- Help counselors predict the future performance of clients in select areas, such as mechanics, art, or graduate school
- Help counselors stimulate new interests within their clients
- Help counselors evaluate the outcome of their counseling efforts (Shertzer & Stone, 1980)

QUALITIES OF GOOD TESTS

All tests are not created equal, but those that do the job best have certain qualities in common. Among the most important qualities are validity, reliability, and standardization and norms, which facilitate the interpretation of scores (Aiken, 1997; Cronbach, 1990).

Validity

Validity is unquestionably the most important test quality. It is "the degree to which a test actually measures what it purports to measure" (Anastasi, 1982, p. 27). If a test does not fulfill this function, it is basically useless. The validity of a test is determined by comparing its results with measures of a separate and independent criterion. Thus, if a test purports to measure an individual's probability of succeeding in a professional field such as medicine, law, or counseling, the test scores are correlated with measures of success, such as grades and ratings of instructors, once the tested individual completes his or her education. If scores on the testing instrument correlate highly and positively with these independent measures of success, then the instrument is said to possess a high degree of validity.

There are four types of validity: content, construct, criterion, and consequential (Anastasi & Urbina, 1997; Kaplan & Saccuzzo, 2001; Tymofievich & Leroux, 2000). *Content validity,* sometimes referred to as *face validity,* is an indication of the degree to which a test appears to measure what it is supposed to measure (Aiken, 1997). More important, content validity is concerned with whether the test includes a fair sample of the universe of factors it is supposed to assess. As a general rule, content validity is associated with achievement, aptitude, and ability tests.

Construct validity, the most general type of validity, is "the extent to which the test may be said to measure the theoretical construct or trait" it purports to measure, such as empathy or intelligence (Anastasi, 1982, p. 144). Much depends on the test maker's definition of the construct, but generally construct validity is applied to personality and interest inventories.

Criterion validity refers to the comparison of test scores with a person's actual performance of a certain skill across time and situations. For example, a test that measures a person's fine-motor skills may be validated against that person's ability to type. When the criterion is available at the time of testing, then the concurrent validity of the test is being measured. When the criterion is not available until after the test is administered, then the predictive validity of the test is being measured (Aiken, 1997). Two well-known criterion-based instruments are frequently used in counseling: the Minnesota Multiphasic Personality Inventory-2 (MMPI-2), a test with concurrent validity (Butcher, Williams, & Fowler, 2001), and the revised Strong Interest Inventory (SII), a test with predictive validity (Osborne, Brown, Niles, & Miner, 1997).

Finally, the newest type of validity is *consequential validity,* the social implications or consequences of test use and interpretation (Tymofievich & Leroux, 2000). Test score interpretations have both long-term and short-term effects on clients. Counselors must consider the client's perspective and position in using tests of any sort regardless of the age of the clients. Tests are just one technique in counselors' repertoires and, in interpreting results, counselors should not be too dogmatic or authoritarian (Meier & Davis, 2001).

Overall, validity appears strong for most standardized tests. In a comprehensive review of the research literature based on more than 125 meta-analysis of psychological test validities, Meyer et al. (2001) found evidence that psychological tests are comparable with the validity of most medical tests and have "strong and compelling" validity for use in counseling practice, especially if multimethod assessment procedures are used.

Reliability

Reliability is usually defined as a measure of the degree to which a test produces consistency of test scores when people are retested with the same or an equivalent instrument (Anastasi & Urbina, 1997; Cronbach, 1990). Although reliability is related to validity, a test score may be reliable but not valid. There are three traditional ways of determining reliability:

1. *test-retest,* in which the same test is given again after a period of time;
2. *parallel-form or alternate-form,* in which two equivalent forms of the same test are administered; and
3. *internal consistency analysis,* in which the scores of two arbitrarily selected halves of a test are compared.

Tests are neither reliable nor unreliable. Rather, "reliability refers to the results obtained with an evaluation instrument and not the instrument itself. . . . Thus, it is . . . appropriate to speak of the reliability of 'test scores' or of the 'measurement' rather than of the 'test' or the 'instrument'" (Gronlund & Linn, 1990, p. 78).

Standardization and Norms

Standardization refers to the uniform conditions under which a test is administered and scored (Aiken, 1997). Standardization makes possible the comparison of an individual's successive scores over time as well as the comparison of scores of different individuals. *Norms,* or average performance scores for specified groups, make possible meaningful comparisons among people in regard to what can be expected (Kaplan & Saccuzzo, 2001). Test norms have their limitations and may be misused. For example, a major criticism of some tests is that their norms were established on members of the majority population; therefore, they may discriminate against cultural minorities, the disadvantaged, and the disabled (Talbutt, 1983). Counselors must carefully examine the norming procedures of tests, and they should also establish their own local norms. In this way prejudice and the inappropriate use of tests can be minimized.

CLASSIFICATION OF TESTS

There are many classifications of tests. Shertzer and Stone (1981) list seven:

1. *Standardized versus nonstandardized*—tests that are administered and scored according to specific directions (e.g., the Self-Directed Search) as opposed to those that are not (e.g., an experimental projective test)
2. *Individual versus group*—tests that are designed to be given to one person at a time (e.g., the Kaufman Assessment Battery for Children [Kamphaus, Beres, Kaufman, & Kaufman, 1996]) as opposed to those that are given to groups (e.g., Minnesota School Attitude Survey [Callis, 1985])
3. *Speed versus power*—tests that must be completed within a specified period of time (e.g., most achievement tests) as opposed to those that allow for the demonstration

of knowledge within generous time boundaries (e.g., many individually administered intelligence tests)

4. *Performance versus paper and pencil*—tests that require the manipulation of objects (e.g., the Object Assembly subtest of the Wechsler Intelligence Scale for Children-III [WISC-III]) as opposed to those in which subjects mark answers or give written responses (e.g., the Adjective Check List)

5. *Objective versus subjective*—tests that require the scorer not to make a judgment (e.g., short answer, true–false, matching, multiple-choice [Aiken, 1997]) as opposed to those that require the scorer to exercise a judgment (e.g., the Vocabulary subtest of the Wechsler Adult Intelligence Scale-III [WAIS-III] [Wechsler, 1997])

6. *Maximum versus typical performance*—tests that require the examinees to do their best (e.g., tests of intelligence and special abilities) as opposed to those that measure what a person most likes to do or usually does (e.g., tests that indicate interests or attitudes)

7. *Norm versus criterion based*—tests that compare an individual's score with scores within a group (e.g., intelligence or achievement test) as opposed to those that measure a person's score compared to a desirable level or standard (e.g., a reading test) (Aiken, 1997; Cronbach, 1990)

Another way in which tests may be classified, and one that is even more important for counselors, is "by the purpose for which they are designed or by the aspects of behavior they sample" (Shertzer & Stone, 1981, p. 242). In this classification Shertzer and Stone list six categories of tests: mental ability, aptitude, achievement, interests, career development, and personality. Yet another system of classification includes the following categories: educational, vocational, or personal aspects of counseling (Elmore & Roberge, 1982). A third classification scheme, originated by Sylvania (1956), groups tests according to their frequency of use: intelligence/scholastic aptitude, vocational (and other aptitude), and achievement/diagnostic. All these classification systems have their merits and limitations. Counselors are usually involved in dealing with four distinct but sometimes overlapping categories of tests: intelligence/aptitude, interest/career, personality, and achievement.

Intelligence/Aptitude

Among the most controversial but popular types of tests are those that attempt to measure general intelligence and special aptitude. *Intelligence* is defined in many different ways, and there is no absolute meaning associated with the word (Gardner, 1993). Indeed, Anastasi (1982) reports that most intelligence tests "are usually overloaded with certain functions, such as verbal ability, and completely omit others" (p. 228). She notes that many intelligence tests are "validated against measures of academic achievement" and "are often designated as tests of scholastic aptitude" (Anastasi, 1982, p. 228). In line with her observation is Aiken's (1997) definition of an intelligence test as an instrument designed to measure an individual's aptitude for scholastic work or other kinds of occupations requiring reasoning and verbal ability. Many intelligence tests are used primarily as screening devices in counseling and are followed by more specialized aptitude tests that assess aptitude in particular areas, such as music or mechanics.

Most modern intelligence tests are descendants of the original scales developed in France by Alfred Binet in the early 1900s. The Stanford-Binet Intelligence Scale, a revision of the Binet-Simon scales, was prepared by L. M. Terman and published in 1916; it is the grandfather of American intelligence tests. The test is individually administered and has traditionally been used with children rather than adults. In 1986, it underwent a fourth revision to include more material appropriate for adults.

Another popular series of individually administered intelligence tests are those originated by David Wechsler. They are the Wechsler Preschool and Primary Scale of Intelligence-Revised (WPPSI-R), designed for ages 4 years to 6 years, 6 months; the Wechsler Intelligence Scale for Children-III (WISC-III), designed for ages 6 years to 16 years; and the Wechsler Adult Intelligence Scale-III (WAIS-III), designed for ages 16 years to 89 years. The Wechsler intelligence tests provide a verbal IQ, performance IQ, and full-scale IQ score. Extensive research has been done on all the Wechsler scales, and they are often the instruments of choice in the evaluation of intelligence (Piotrowski & Keller, 1989; Thorndike, 1997).

There are a number of other widely respected individually administered intelligence tests. Among them are the Bayley Scales of Infant Development, the Vineland Social Maturity Scale, the Kaufman Assessment Battery for Children (K-ABC), the McCarthy Scales of Children's Abilities, the Peabody Picture Vocabulary Test (PPVT-III), and the Kaufman Adolescent and Adult Intelligence Test (KAIT).

Also available are numerous intelligence scales intended to be administered to groups. These instruments were first developed during World War I when the United States Army created its Alpha and Beta intelligence tests, the best-known forerunners of today's group intelligence instruments. These tests were initially employed to screen army inductees and classify them for training according to ability level. Among the most widely used and respected group intelligence tests are the Otis-Lennon School Ability Test, the Cognitive Abilities Test, and the Test of Cognitive Skills.

Aptitude tests are similar in many ways to intelligence tests, but they are designed to tap a narrower range of ability. Aiken (1997) defines an *aptitude* as a capability for a task or type of skill and an *aptitude test* as one that measures a person's ability to profit from further training or experience in an occupation or skill. Aptitude tests are usually divided into two categories: (a) multiaptitude batteries, which test a number of skills by administering a variety of tests, and (b) component ability tests, which assess a single ability or skill, such as music or mechanical ability (Bradley, 1984). Some of the best-known multiaptitude batteries are the Scholastic Aptitude Test (SAT), the American College Testing (ACT) Assessment, the Miller Analogies Test (MAT), the Differential Aptitude Test (DAT), and the Armed Services Vocational Aptitude Battery (ASVAB) (Anastasi & Urbina, 1997; Bradley, 1984; Hood & Johnson, 2002; Rogers, 1996).

Interest/Career

Although there is an expected relationship between ability and an interest in exercising that ability, tests that best measure interests are those designed specifically for the purpose. Aiken (1997) defines an *interest inventory* as a test or checklist that assesses a person's preferences for activities and topics. Responses derived from such tests are compared with the scores of others at either a similar developmental level (e.g., in an educational setting) or with people already working in a particular area (e.g., in a vocational setting). Anastasi (1982) notes that "the study of interests has probably received its strongest impetus from educational and career counseling" because a person's achievement in a learning situation or a career is greatly influenced by his or her interests (p. 534). Indeed, "interest inventory interpretation is one of the most frequently used interventions in career counseling" (Savickas, 1998, p. 307).

Instruments that measure career interests began in a systematic and standardized way with the 1927 publication of the Strong Vocational Interest Blank (SVIB). The test has been revised and expanded half a dozen times since its inception, with the latest edition of this instrument in 1994, the Strong Interest Inventory (SII), encompassing 207 occupations. The test's founder, E. K. Strong, Jr., devised only 10 Occupational Scales for the original test (Donnay, 1997). SII test results are explained in three forms: General Occupational Themes, Basic Interest Scales, and Occupational Scales. Thus, they help clients examine themselves in both a general and specific way. Another attractive feature of the instrument is its link to John Holland's theory of career development, which proposes six major types of people and environments: realistic (R), investigative (I), artistic (A), social (S), enterprising (E), and conventional (C) (RIASEC) (Holland, 1997). The closer the correlation between people and environment types, the more satisfying the relationship (Spokane & Catalano, 2000). Overall, the SII offers a breadth and depth in the measurement of occupational interests that are unmatched by any other single instrument. The accompanying user's guide suggests ways of employing the test with adults, cross-cultural groups, and special populations (Drummond, 2000). In addition, strong theoretical underpinnings, empirical construction, and a long history are major benefits of this inventory.

Another popular career inventory, also based on Holland's six personality/environmental types, is the Self-Directed Search (SDS), an instrument also revised in 1994 (Holland, 1994). This instrument is self-administered, self-scored, and sometimes self-interpreted. It comprises 228 items divided into three sets: activities, competencies, and occupations (Krieshok, 1987). After scoring, clients examine a three-letter *Occupational Code Finder* (a booklet that accompanies the SDS), comparing it with career codes found in the *Dictionary of Occupational Titles* (DOT). The inventory has four versions, including Form E, which is designed for poor readers. Test takers from ages 15 to 70 report that the SDS is enjoyable and useful.

A third popular interest/career inventory is the Kuder Occupational Interest Survey (KOIS), which was first published in 1939 and continues to evolve (Kuder, 1939, 1977). The latest revision of the KOIS was in 1991 (Betsworth & Fouad, 1997). There are six forms of this activity preference, item-type, untimed instrument, but each form has a forced-choice, triad-response format (Zytowski, 1992). Some forms of the test are computer scored, while others are self-scored. Clients respond to each triad by selecting the most and least preferred activity. Scores on the Kuder correlate highly with commonly expressed interests of select career groups and college majors (Zytowski & Holmberg, 1988). The test's 10 broad career areas include the following (Zytowski, 1992, pp. 245–246):

1. *Social services*—"preference of helping people"—comparable to the Holland "social" scale
2. *Persuasive*—"preference for meeting and dealing with people and promoting projects or selling things and ideas"—comparable to the Holland "enterprising" scale
3. *Clerical*—"preference for tasks that require precision and accuracy"—comparable to the Holland "conventional" scale

4. *Computational*—"preference for working with numbers"—comparable also to the Holland "conventional" scale
5. *Musical*—"preference for going to concerts, playing musical instruments, singing, and reading about music and musicians"—comparable to the Holland "artistic" scale
6. *Artistic*—"preference for creative work involving attractive design, color, form, and materials"—comparable to the Holland "artistic" scale
7. *Literary*—"preference for reading and writing"—comparable to the Holland "artistic" scale
8. *Mechanical*—"preference for working with machines and tools"—comparable to the Holland "realistic" scale
9. *Outdoor*—"preference for activities that keep you outside most of the time, and usually deal with animals and plants"—comparable to the Holland "realistic" scale
10. *Scientific*—"preference for discovering new facts and solving problems"—comparable to the Holland "investigative" scale

A fourth instrument, primarily career focused, is the Career Beliefs Inventory (CBI) (Krumboltz, 1991). "The CBI is an instrument which, when used sensitively by a qualified professional, can help people identify the beliefs that might be blocking them" (Krumboltz, 1992, p. 1). It is most usefully employed at the beginning of a career-counseling session. It makes possible the exploration of deep-seated attitudes and assumptions.

Other well-known interest/career tests include the California Occupational Preference System, the Jackson Vocational Interest Survey, the Ohio Vocational Interest Survey, the Unisex Edition of the ACT Interest Inventory, and the Vocational Preference Inventory.

For non-college-bound students, Bradley (1984) reports three interest inventories designed to "measure interests in occupations that do not require college training" (p. 7). These include (a) the Minnesota Vocational Interest Inventory, (b) the Career Assessment Inventory, and (c) the Career Guidance Inventory in Trades, Services, and Technologies. Interest tests designed for more specialized use are the Bem Sex-Role Inventory, the Jenkins Activity Survey, the Personal Orientation Inventory, the Survey of Values, and the Survey of School Attitudes.

In selecting appropriate interest/career instruments, "you [must] know what you are looking for and . . . what you are getting" (Westbrook, 1988, p. 186). Two excellent resource books describe career decision-making and assessment measures: *Handbook of Vocational Psychology* (Walsh & Osipow, 1996) and *A Counselor's Guide to Career Assessment Instruments* (Kapes, Mastie, & Whitfield, 1995). This latter text reviews 52 major career assessment instruments and annotates 250 others, as well as describes their intended populations.

Personality

Personality can be defined in many ways; what is considered normal in one culture may be perceived as abnormal in another. Nevertheless, there are a number of personality theories that examine the biological, social, and environmental aspects of human beings. The most popular 20th-century theorist of personality assessment was Henry A. Murray. He was especially cognizant of needs (or environmental forces/presses) and how they determined behavior (Drummond, 2000).

A *personality test* may be defined as any of several methods of analyzing personality, such as checklists, personality inventories, and projective techniques (Aiken, 1997). Such tests may be divided into two main categories: objective and projective. Some of the best-known objective tests are the Minnesota Multiphasic Personality Inventory-2 (MMPI-2), the Myers-Briggs Type Indicator (MBTI), and the Edwards Personal Preference Schedule (EPPS). These tests yield scores that are independent of any opinion or judgment of the scorer, as are all objective tests. Projective tests include the Rorschach, the Thematic Apperception Test (TAT), and the House-Tree-Person (HTP) Test. These types of tests yield measures that, in varying degrees, depend on the judgments and interpretations of administrators/scorers.

The prototype of the personality test was a self-report inventory, known as the Personal Data Sheet, developed during World War I by R. S. Woodworth, (Kaplan & Saccuzzo, 2001). The first significant projective test was the Rorschach Inkblot Test, published in 1921 (Erdberg, 1996). Because objectively scored personality tests are more widely used in counseling, we will begin our discussion with a review of them.

The Minnesota Multiphasic Personality Inventory-2 (MMPI-2) is the most widely used psychological test in the world (Butcher, 1994). It is a revision of the original MMPI. Instead of being normed on a limited population, however, this version uses a geographically and ethnically diverse reference group representative of the population of the United States. The restandardized MMPI-2 is also on tape for blind, illiterate, semiliterate, or disabled individuals (Drummond, 2000). It has several forms, including one for adolescents (the MMPI-A), but the most popular form consists of 567 affirmative statements that clients respond to in one of three ways: true, false, or cannot say. There are 10 clinical scales on the MMPI-2 (see Table 13.1) and three major validity scales: Lie (L), Infrequency (F), and Correction (K). In addition, there is a "?" scale, which is a compilation of unanswered questions throughout the test. In addition to distinguishing individuals who are experiencing psychiatric problems, the MMPI-2 is able to discern important characteristics such as anger, alienation, Type A behavior, and even marital distress. Extensive training and experience are necessary for counselors to use this instrument accurately and appropriately. Overall, uses of the MMPI-2 are still being refined (Austin, 1994).

The Myers-Briggs Type Indicator (MBTI) is a test that reflects Carl Jung's theory of personality type (Myers, 1962, 1980). The inventory "has been widely used in various contexts including career counseling, marital and family therapy, and team building" (Vacha-Haase & Thompson, 2002, p. 173). The MBTI contains 166 two-choice items concerning preferences or inclinations in feelings and behaviors (Aiken, 1997). It yields four indexes: extroversion versus introversion (EI), sensing versus intuition (SN), thinking versus feeling (TF), and judgment versus perception (JP). The MBTI consists of four bipolar scales (Goodyear, 1989):

1. *Extroversion or introversion (EI)*—whether perception and judgment are directed to the outer (E) or inner (I) world
2. *Sensing or intuitive (SN)*—which kind of perception is preferred when one needs to perceive
3. *Thinking or feeling (TF)*—which kind of judgment is trusted when a decision needs to be made
4. *Judgment or perception (JP)*—whether to deal with the world in the judgment attitude (using thinking or feeling) or in the perceptual attitude (using sensing or intuition)

Table 13.1   Clinical scales on the Minnesota Multiphasic Personality Inventory—2

Scale	Item Total	Item Content
Hypochondriasis (Hs)	(32)	Undue concern with physical health
Depression (D)	(57)	Depression, denial of happiness and personal worth, lack of interest, withdrawal
Hysteria (Hy)	(60)	Specific somatic complaints, denial of psychological or emotional problems, discomfort in social situations
Psychopathic deviate (Pd)	(50)	Antisocial acting-out impulses, constricted social conformity
Masculinity-femininity (Mf)	(56)	Identification with culturally conventional masculine and feminine choices, aesthetic interests, activity-passivity
Paranoia (Pa)	(40)	Delusions of persecution and ideas of reference, interpersonal sensitivity, suspiciousness, moral self-righteousness
Psychasthenia (Pt)	(48)	General dissatisfaction with life, difficulty with concentration, indecisiveness, self-doubt, obsessional aspects
Schizophrenia (Sc)	(78)	Feeling of being different, feelings of isolation, bizarre thought processes, poor family relationships, sexual identity concerns, tendency to withdraw
Hypomania (Ma)	(46)	Elevated energy level, flight of ideas, elevated mood, increased motor activity, expansiveness, grandiosity
Social introversion-extroversion	(69)	Introversion-extroversion; social insecurity

Source: From *Appraisal Procedures for Counselors and Other Helping Professionals* (2nd ed., p. 181), by R. J. Drummond, Upper Saddle River, NJ: Prentice Hall. © 1992. Reprinted by permission of Prentice Hall, Inc., Upper Saddle River, NJ.

Combinations of these four indexes result in 16 possible personality types. A clear understanding of personality type provides counselors with constructive information on how clients perceive and interact with their environments (Lynch, 1985). Research indicates that different MBTI types appear to be attracted to certain occupations and lifestyles (Healy & Woodward, 1998). For example, 76% of tested counseling students score high on the intuitive/feeling scales of the MBTI and are described as insightful, enthusiastic, and able to handle challenging situations with personal warmth (Myers, 1980). Alternative tests to the MBTI that also yield Jungian psychological-type preferences include the Keirsey Temperament Sorter (Keirsey & Bates, 1984) and the Personal Preferences Self-Description Questionnaire (PPSDQ) (Thompson, 1996).

The Edwards Personal Preference Schedule (EPPS) is based on the need-press theory of personality developed by Henry Murray (1938). It consists of 225 forced-choice questions that examine the strength of 15 individual needs in relation to a person's other needs (Anastasi & Urbina, 1997). The scores are plotted on a percentile chart based on group norms for college students or adults in general. Other objectively scored, self-report personality tests are the California Psychological Inventory (CPI), the Guilford-Zimmerman Temperament Survey, the Mooney Problem Check List, the Sixteen Personality Factor Questionnaire (16 PF), and the State-Trait Anxiety Inventory (STAI).

Projective personality tests are much less structured and far more difficult to score, but they are harder for the client to fake. Advocates claim that these tests measure deeper aspects of a client's personality than do other instruments. Some researchers and clinicians, such as Exner (1991, 1993, 1995), have tried to standardize the methods by which projectives are administered and scored. Although there has been success for some instruments, the scoring of many other projectives, such as the Thematic Apperception Test, is questionable. In addition to the tests already mentioned in this section, projective tests include the Holtzman Inkblot Technique, the Bender Gestalt, the Draw-a-Person Test, the Children's Apperception Test, and the Rotter Incomplete Sentences Blank.

Achievement

An *achievement test* is a measure of an individual's degree of accomplishment or learning in a subject or task (Aiken, 1997). Achievement tests are much more direct as measurement instruments than any other type of test. Their results give clients a good idea of what they have learned in a certain area as compared with what others have learned. The tests give clients the type of information they need to make sound educational and career decisions (Bradley, 1984). If a client has aptitudes, interests, or personality dispositions suitable for select career areas but has little knowledge or skill, he or she can take positive steps to correct these deficiencies.

Achievement tests may be either teacher made or standardized. The advantages of teacher-made tests are that they measure specific units of study emphasized in an educational setting, are easy to keep up-to-date, and reflect current emphases and information. Standardized tests, however, measure more general educational objectives, are usually more carefully constructed, and give the test taker a good idea about how he or she compares with a wider sample of others in a particular subject. Teacher-made and standardized tests complement each other, and both may be used profitably in the helping process.

Various achievement tests are employed for distinct purposes. In a school setting, a combination of teacher-made and standardized tests is linked to age and grade levels. General achievement batteries used in elementary and secondary schools measure basic skills. They include the TerraNova Tests, the Iowa Tests of Basic Skills, the SRA Achievement Series, the Metropolitan Achievement Tests, the Wide Range Achievement Test, and the Stanford Achievement Test (Anastasi & Urbina, 1997; Bradley, 1984). School counselors must become especially knowledgeable about these instruments to converse intelligently and efficiently with teachers, parents, administrators, students, and educational specialists.

Instruments are also available that measure adult achievement such as the Adult Basic Learning Examination and the Tests of General Education Development (GED). Professionally oriented achievement tests include the National Teacher Examination, Law School Admissions Test, and the National Counselor Examination (NCE). These latter tests help to protect the public and the professions they represent by ensuring that individuals who pass them have achieved a minimum level of informational competence.

ADMINISTRATION AND INTERPRETATION OF TESTS

A major criticism of test use in counseling focuses on administration and interpretation. The process of administering a test is described in the manual that accompanies each one, and most tests specify uniform procedures to be followed at each step, from preparing the room to giving instructions. Some tests have specialized instructions, and counselors must follow these procedures if they expect to obtain valid test results.

One question usually not addressed in manuals is whether a test taker should be involved in selecting the test and, if so, how much he or she should be involved. In some cases, such as the administration of achievement tests in elementary schools, it is inappropriate for test takers to be involved in test selection. But on other occasions participation is beneficial. Goldman (1971) lists several advantages of involving test takers in test selection. Among the reasons for involving test takers in test selection are:

- the willingness of the tested population to accept test results,
- the promotion of independence,
- the value of the decision-making experience that might generalize to other decision-making opportunities,
- the opportunity for diagnosis based on the test taker's reactions to various tests, and
- the selection of tests that best fit the needs of the tested population.

After tests are selected, administered, and scored, counselors need to interpret the results for the tested population in an understandable way (Tymofievich & Leroux, 2000). Four basic interpretations can be helpful to test takers, depending on the test (Goldman, 1971; Hanna, 1988):

1. *Descriptive interpretation,* which provides information on the current status of the test taker
2. *Genetic interpretation,* which focuses on how the tested person got to be the way he or she is now
3. *Predictive interpretation,* which concentrates on forecasting the future
4. *Evaluative interpretation,* which includes recommendations by the test interpreter

Unfortunately, some counselors fail to learn how to administer or interpret tests (Tinsley & Bradley, 1986). "Misuse occurs in all three basic testing areas, employment, educational, and clinical" (Azar, 1994, p. 16). Misuse can result from administering and interpreting a good test in the wrong way or giving it to the wrong person for the wrong reason. In any case, when tests are misused, clients may not understand the meaning of "the numbers, charts, graphs or diagrams presented to them" (Miller, 1982, p. 87) and may leave counseling as uninformed and unenlightened as when they began.

By maintaining conditions of standardization when tests are administered, by knowing the strengths and limitations of the norms, reliability and validity of particular instruments, and by translating raw test data into meaningful descriptions of current or predicted behavior, counselors assure that tests are used to promote the welfare of their clients. (Harris, 1994, p. 10)

Several ways have been suggested to correct deficiencies associated with test interpretation. For example, besides making sure that those who give tests are well-educated and sensitive, Hanna (1988, p. 477) recommends using a person's *percentile rank* ("the

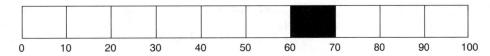

Figure 13.1
Percentile rank band for a percentile range of 60 to 70 on a standardized test of 0 to 100

percentage of persons in a reference group who scored lower than the person") as one way to provide descriptive interpretation clearly and concisely (see Figure 13.1).

Another way of rectifying deficiencies in interpretive skills depends on counselor–client preparation for the process of interpretation. First, counselors should be educated in test theory and construction. Counselors cannot explain test results unless they are well-informed about the instruments with which they are dealing.

Second, Tyler (1984) points out that scores are only clues and should be seen as such. Scores must be considered in light of what else is known about a client. The total combination of information can form the basis for a more meaningful and productive dialogue between counselor and client. Goldman (1971) points out that if a test is given on an individual basis, counselors notice many things about clients that otherwise would be missed. This extra information, when combined with the test scores, often allows for a more complete assessment of the client (Loesch, 1977; Pate, 1983).

Third, Tinsley and Bradley (1986), Miller (1982), and Strahan and Kelly (1994) advocate concrete ways of dealing with test results. Tinsley and Bradley believe that, before meeting with a client, the counselor must be prepared to make a clear and accurate interpretation of test results. They advise against interpreting off the cuff. A reasonable plan is to begin the interpretation with concrete information, such as interest or achievement scores, and then move to abstract information, such as personality or ability results. If the interpretation of information is to be meaningful, the emotional needs of the client must be considered and the information must be fresh in the counselor's mind. One way to achieve both goals is to *interpret test results on an as-needed basis*—that is, only interpret the scores the client needs to know at a point in time (Goldman, 1971). There is less information to deal with when this approach is followed, and both counselor and client are likely to remember results better. The major disadvantage of this approach is that it may become fragmented.

Tinsley and Bradley (1986) propose that when interpretation occurs, a client should be prepared through the establishment of rapport between counselor and client. Test information can then be delivered in a way that focuses on what the client wants to know. Client feedback is promoted and dialogue is encouraged.

Miller (1982) makes similar remarks in his five-point plan for interpreting test results to clients. First, he has his client remember feelings on the test day and give impressions of the test or tests. He then reviews with the client the purpose of testing and how test scores are presented (e.g., by percentiles). Next, he and the client actually examine the test results together and discuss what the scores mean. Meaning is elicited by asking the client open-ended questions. The client can then integrate scores with other aspects of self-knowledge. The final stage involves incorporating all knowledge into a client-originated plan for continuing self-study. Counselors can help clients formulate a plan, but the plan itself should come from the client.

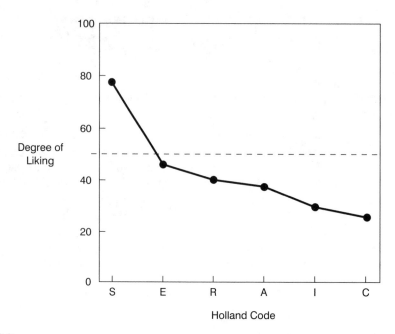

Figure 13.2

A simple graph display

Source: Reprinted from "Showing Clients What Their Profiles Mean," by R. F. Strahan and A. E. Kelly, 1994, *Journal of Counseling and Development, 72,* p. 330. © 1994 by ACA. Reprinted with permission. No further reproduction authorized without written permission of the American Counseling Association.

A final way of making test results concrete is to present them in simple graph displays (Strahan & Kelly, 1994). Graphical data help clients see test results in a simple, clear, and interesting way. For example, if the data from the RIASEC code of the Strong Interest Inventory are graphed from greatest to least degree of liking, the results of a particular profile might look like the graph depicted in Figure 13.2.

Overall, test interpretation may be the most sensitive part of any assessment process. Clients benefit greatly when it is done properly (Hood & Johnson, 2002; Miller, 1977).

ASSESSMENT

In addition to, and supplementing, testing is *assessment,* the procedures and processes of collecting information and measures of human behavior outside of test data. According to Cormier and Cormier (1998, p. 151) assessment has six purposes:

1. "To obtain information on a client's presenting problem and on other, related problems."
2. "To identify the controlling or contributing variables associated with the problem."
3. "To determine the client's goals/expectations for counseling outcomes."
4. "To gather baseline data that will be compared to subsequent data to assess and evaluate client progress and the effects of treatment strategies."
5. "To educate and motivate the client" by sharing the counselor's view of the situation, increasing client receptivity to treatment, and contributing to therapeutic change.

6. "To use the information obtained from the client to plan effective treatment inventions and strategies. The information obtained during the assessment process should help to answer this well-thought-out question: '*What* treatment, by *whom,* is most effective for *this* individual with *that* specific problem and under *which* set of circumstances?'" (Paul, 1967, p. 111).

Assessment can be obtained "through a variety of formal and informal techniques including standardized tests, diagnostic interviews, projective personality measures, questionnaires, mental status examinations, checklists, behavioral observation, and reports by significant others (medical, educational, social, legal, etc.)" (Hohenshil, 1996, p. 65). Usually it involves a combination of procedures and not just one method (Hood & Johnson, 2002). The word *assessment* emphasizes the humanness of counseling. Included in "humanness" is a total picture of the person being evaluated. According to Anastasi (1992b), "the term assessment is being used increasingly to refer to the intensive study of an individual, leading to recommendations for action in solving a particular problem" (p. 611).

As stated previously, the goal of the assessment process is a comprehensive evaluation of individuals, usually in the present. Often it includes a formulation of a treatment plan that will result in positive and predictable outcomes (Groth-Marnat, 1997; Kaplan & Saccuzzo, 2001). To help counselors formulate such treatment plans, commercial as well as local treatment planners are available. For instance, Jongsma and Peterson (1995) have produced a manual that includes definitions of problematic behaviors along with long- and short-term goals. In addition, therapeutic interventions as well as bibliotherapy suggestions are given.

One way of conducting assessment is through the use of biographical and behavioral measures. Numerous *structured clinical interviews* are available for collecting this type of information. "In general, a structured clinical interview consists of a list of relevant behaviors, symptoms, and events to be addressed during an interview, guidelines for conducting the interview, and procedures for recording and analyzing the data" (Vacc & Juhnke, 1997, p. 471). The questions are asked in an ordered sequence; from the results of the interview, an assessment is made that is either diagnostic (specifically related to the *Diagnostic and Statistical Manual*) or descriptive (indicating the degree of psychopathology that is present or giving a non-DSM dysfunctional descriptor).

Although not a formal psychometric instrument, the *mental status examination (MSE)* is being "increasingly used by counselors in work settings requiring assessment, diagnosis, and treatment of mental disorders" (Polanski & Hinkle, 2000, p. 357). The MSE is organized under the following categories:

- appearance (i.e., physical characteristics of client), attitude (i.e., client's approach to the interview and interaction with examiner), and activity (i.e., physical or motor movement)
- mood (i.e., predominant internal feeling state) and affect (i.e., outward expression of a client's emotional state)
- speech and language (i.e., the ability to express oneself and to comprehend word meaning)
- thought process (i.e., the organization, flow, and production of thought), thought content, and perception (i.e., delusions, hallucinations, anxiety symptoms, phobias)
- cognition (i.e., ability to think, use logic, intellect, reasoning, and memory)
- insight and judgment (i.e., awareness of one's own personality traits and behaviors, insight, and the ability to consider long-term effects and possible outcomes)

The MSE "provides counselors with a format for organizing objective (observations of clients) and subjective (data provided by clients)" (Polanski & Hinkle, 2000, p. 357). It is included in many managed care treatment plans as well as plans used in mental health centers and psychiatric hospitals. There are even computer-assisted MSE programs to aid counselors in report writing (Hinkle, 1992).

Overall, assessment (whether one uses the MSE or not) is crucial because it allows counselors not only to determine what a client's problem is but to learn the client's orientation to problem solving. Such a procedure helps counselors and clients to avoid blaming and to work collaboratively in finding solutions that bring about positive change rather than repeating past patterns. Assessment then makes sense to the degree that it contributes to learning and to formulating interventions in counseling that work (Egan, 1998). In clinical settings, assessment is a continuous process since once initial difficulties are resolved new ones sometimes arise or come more into focus.

DIAGNOSIS

"*Diagnosis* . . . is the meaning or interpretation that is derived from assessment information and is usually translated in the form of some type of classification system" (Hohenshil, 1993, p. 7). A diagnosis is a description of a person's condition and not a judgment of a person's worth (Rueth, Demmitt, & Burger, 1998). For instance, the DSM-IV-TR (American Psychiatric Association, 2000) recommends referring to clients as

> people with particular types of mental disorders, such as "a person with schizophrenia" or "a person with mental retardation," rather than using terms like the "mentally retarded" or the "schizophrenics." . . . Using labeling in this way emphasizes that the mental disorder is only one characteristic of the individual, not a descriptor of the whole person. (Hohenshil, 1996, p. 65)

Like test interpretation, some diagnostic categories are appropriately shared with clients. However, most diagnoses are withheld from clients because they may prove frightening or misleading (Moursund & Kenny, 2002). In addition, diagnoses may set up self-fulfilling prophesies for clients where they begin to behave as they were diagnosed. Instead, diagnoses may be used to guide the counselor in formulating a treatment plan for helping.

Usually diagnoses do the following:

- Describe a person's current functioning
- Provide a common language for clinicians to use in discussing the client
- Lead to a consistent and continual type of care
- Help direct and focus treatment planning
- Help counselors fit clients within their scope of treatment (Rueth et al., 1998)

Diagnoses are important for three reasons. First, some insurance companies will only reimburse counselors and other mental health workers for their services if clients are diagnosed. Second, a diagnosis is often helpful, if not essential, in developing a proper treatment plan for a client. Finally, to work with psychiatrists, psychologists, and some medical specialists, as well as managed care specialists and some governmental agencies, counselors must be able to speak about, understand, or report a client diagnosis (Hamann, 1994; Hinkle, 1999).

To make proper diagnoses, counselors must receive extensive training and supervision. They should know diagnostic categories, particularly those in the DSM-IV-TR. They should also realize that diagnostic decisions are an evolving process and not a static event (Hohenshil, 1996). "Diagnosis and treatment planning are now such standard components of counseling practice" that a failure to diagnose on some level or a lack of professional diagnostic training may be construed as unethical (Sommers-Flanagan & Sommers-Flanagan, 1998, p. 189).

In making a diagnosis, a counselor must observe a client for signs of symptoms. In doing so, a counselor must take into account cultural, developmental, socioeconomic, and spiritual aspects of a client's life as well as coping mechanisms, stressors, and learned behavior (Rueth et al., 1998). Sometimes a behavior in a client's life is merely a symptom of a situational problem in living, while at other times it is due to the manifestation of a severe disorder. It is crucial for counselors to neither overdiagnose nor underdiagnose. "When a formal diagnosis is made, certain symptoms must exist; [and] they must be severe enough to interfere significantly with the client's life" (Hohenshil, 1996, p. 65). In some cases, a *dual diagnosis* will be made, which basically means that an individual is perceived to be carrying both a substance abuse and mental health diagnosis.

In order to properly diagnose, a counselor is wise to delay the decision initially so that there will be time to assess as many factors as possible in the client's life (Hill & Ridley, 2001). Sound clinical judgment and decision making takes time and reflection. As a group, accurate clinicians arrive at their final diagnosis later than those who are less accurate (Elstein, Shulman, & Sprafka, 1978).

SUMMARY AND CONCLUSION

This chapter has covered the intricacies of testing, assessment, and diagnosis in counseling, with a particular emphasis on the qualities of useful test instruments and the types of tests counselors use. Testing is almost as old as the profession of counseling itself, but the popularity of test use in counseling has varied over the years. Nevertheless, testing will most likely remain an essential part of counseling. Therefore, counselors must be well-versed in the types of tests available and their appropriate use in counseling. With this knowledge they can attain greater professional competence and help clients live healthier, more productive lives. Being well-informed involves an awareness of the validity, reliability, standardization, and norms of the instruments used. A test that is reliable but not valid is inappropriate. Similarly, an instrument that discriminates against cultural minorities because it has been normed only on the majority population has no value; in fact, it can be quite harmful.

Counselors usually encounter four main types of tests: intelligence/aptitude tests, interest/career tests, personality tests, and achievement tests. A wide variety of instruments is available in each category. Counselors who work with tests must constantly examine current research results to ensure that various instruments are appropriate. They also need to consult with clients to be certain that the tests give clients the type of information they want.

Finally, counselors must be sensitively involved with the interpretation of test data. From the interpretation of tests and other analysis of data, such as behaviors, counselors make assessments and diagnoses. It is on their assessments and diagnoses that counselors base treatment plans and help their clients change their behaviors, thoughts, or feelings. Therefore, to be accountable and competent, counselors must master all three processes so that their clients benefit and they provide the best services possible.

CLASSROOM ACTIVITIES

1. Send away for educational and psychological test catalogs from major test publishers. Examine the variety of tests available and the information the publisher gives you about each. Try to group these tests under the four categories outlined in this chapter. What tests are easy to classify? Which ones are most difficult? Report your results to the class.

2. In pairs, do an in-depth report on one of the tests mentioned in this chapter or one recommended by your instructor. Be sure to notice the validity, reliability, standardization, and norms of the instrument. When you report your results to the class, explain when you think the instrument could be appropriately used in counseling.

3. Some counselors do not think that tests should be used in counseling. Divide the class into two debate teams. One side should take the position that counseling and testing are not compatible (see Goldman, 1972, 1994a). The other side should advocate the use of tests in counseling (see Tinsley & Bradley, 1986). Discuss your conclusions.

4. In triads, discuss times when you have had a test interpreted for you. What did you think when the test interpreter explained your results? How do you remember feeling at the time and how did you behave? How does this experience still affect your reaction to tests, test interpretations, and the assessment process?

5. In groups of four, discuss the ethical and legal considerations of diagnosis. What issues does your group think are most sensitive? Consult the ethical codes and guidelines of professional associations on diagnosis. Share your group's findings and opinions with the class as a whole.

REFERENCES

Aiken, L. R., Jr. (1997). *Psychological testing and assessment* (9th ed.). Boston: Allyn & Bacon.

American Educational Research Association, American Psychological Association, and National Council on Measurement in Education. (1999, March). *Standards for educational and psychological tests* (Rev.). Washington, DC: American Educational Research Association.

American Psychiatric Association. (1994). *Diagnostic and statistical manual of mental disorders* (4th ed.). Washington, DC: Author.

Anastasi, A. (1976). *Psychological testing* (4th ed.). New York: Macmillan.

Anastasi, A. (1982). *Psychological testing* (5th ed.). New York: Macmillan.

Anastasi, A. (1992a). *Psychological testing* (6th ed.). New York: Macmillan.

Anastasi, A. (1992b). What counselors should know about the use and interpretation of psychological tests. *Journal of Counseling and Development, 70,* 610–615.

Anastasi, A., & Urbina, S. (1997). *Psychological testing* (7th ed.). Upper Saddle River, NJ:Prentice Hall.

Austin, J. T. (1994). Minnesota Multiphasic Personality Inventory (MMPI-2). *Measurement and Evaluation in Counseling and Development, 27,* 178–185.

Azar, B. (1994, June). Could "policing" test use improve assessment? *APA Monitor, 25,* 16.

Betsworth, D. G., & Fouad, N. A. (1997). Vocational interests: A look at the past 70 years and a glance at the future. *Career Development Quarterly, 46,* 23–47.

Bradley, L. J. (1984). Lifespan career assessment for counselors and educators. *Counseling and Human Development, 16,* 1–16.

Bradley, R. W. (1994). Tests and counseling: How did we ever become partners? *Measurement and Evaluation in Counseling and Development, 26,* 224–226.

Bubenzer, D., Zimpfer, D., & Mahrle, C. (1990). Standardized individual appraisal in agency and private practice: A survey. *Journal of Mental Health Counseling, 12,* 51–66.

Butcher, J. N. (1994). The MMPI-2: A new standard for personality assessment and research in counseling settings. *Measurement and Evaluation in Counseling and Development, 27,* 131–150.

Butcher, J. N., Williams, C. L., & Fowler, R. D. (2001). *Essentials of MMPI-2 and MMPI-A interpretation* (2nd ed.). Minneapolis: University of Minnesota Press.

Callis, R. (1985). Minnesota School Attitude Survey, Lower and Upper Forms. *Journal of Counseling and Development, 63,* 382.

Campbell, V. L. (1987). Strong-Campbell Interest Inventory, 4th ed. *Journal of Counseling and Development, 66,* 53–56.

Carlson, J. G. (1989). Rebuttal. The MBTI: Not ready for routine use in counseling. A reply. *Journal of Counseling and Development, 67,* 489.

Chernin, J., Holden, J. M., & Chandler, C. (1997). Bias in psychological assessment: Heterosexism. *Measurement and Evaluation in Counseling and Development, 30,* 68–76.

Chew, A. L. (1984). Training counselors to interpret psychoeducational evaluations: A course model. *Counselor Education and Supervision, 24,* 114–119.

Cormier, S., & Cormier, B. (1998). *Interviewing strategies for helpers* (4th ed.). Pacific Grove, CA: Brooks/Cole.

Cronbach, L. J. (1979). The Armed Services Vocational Aptitude Battery: A test battery in transition. *Personnel and Guidance Journal, 57,* 232–237.

Cronbach, L. J. (1990). *Essentials of psychological testing* (5th ed.). New York: Harper & Row.

DeAngelis, T. (1994, June). APA and other groups revise testing standards. *APA Monitor, 25,* 17.

Donnay, D. A. C. (1997). E. K. Strong's legacy and beyond: 70 years of the Strong Interest Inventory. *Career Development Quarterly, 46,* 2–22.

Drummond, R. J. (2000). *Appraisal procedures for counselors and helping professionals* (4th ed.). Upper Saddle River, NJ: Merrill/Prentice Hall.

Egan, G. (1998). *The skilled helper* (6th ed.). Pacific Grove, CA: Brooks/Cole.

Elmore, P. B., Ekstrom, R. B., Diamond, E. E., & Whittaker, S. (1993). School counselors' test use patterns and practices. *School Counselor, 41,* 73–80.

Elmore, T. M., & Roberge, L. P. (1982). Assessment and experiencing: On measuring the marigolds. *Mea-surement and Evaluation in Guidance, 15,* 95–102.

Elstein, A. S., Shulman, A. S., & Sprafka, S. A. (1978). *Medical problem solving: An analysis of clinical reasoning.* Cambridge, MA: Harvard University Press.

Engen, H. B., Lamb, R. R., & Prediger, D. J. (1982). Are secondary schools still using standardized tests? *Personnel and Guidance Journal, 60,* 287–290.

Erdberg, P. (1996). The Rorschach. In C. S. Newmark (Ed.), *Major psychological assessment instruments* (2nd ed.). Boston: Allyn & Bacon.

Exner, J. E. (1991). *The Rorschach: A comprehensive system: Interpretation, Vol. 2* (2nd ed.). New York: Wiley.

Exner, J. E. (1993). *The Rorschach: A comprehensive system: Basic foundations, Vol. 1* (3rd ed.). New York: Wiley.

Exner, J. E. (1995). *The Rorschach: A comprehensive system: Assessment of children and adolescents, Vol. 3* (2nd ed.). New York: Wiley.

Gardner, H. (1993). *Frames of mind: The theory of multiple intelligences.* New York: Basic Books.

Giordano, F. G., Schwiebert, V. L., & Brotherton, W. D. (1997). School counselors' perceptions of the usefulness of standardized test, frequency of their use, and assessment training needs. *School Counselor, 44,* 198–205.

Gladding, S. T. (2001). *The counseling dictionary.* Upper Saddle River, NJ: Prentice Hall.

Goldman, L. (1971). *Using tests in counseling* (2nd ed.). New York: Appleton-Century-Crofts.

Goldman, L. (1972). Tests and counseling: The marriage that failed. *Measurement and Evaluation in Guidance, 4,* 213–220.

Goldman, L. (1994a). The marriage between tests and counseling redux: Summary of the 1972 article. *Measurement and Evaluation in Counseling and Development, 26,* 214–216.

Goldman, L. (1994b). The marriage is over . . . for most of us. *Measurement and Evaluation in Counseling and Development, 26,* 217–218.

Goodyear, R. K. (1989). A debate: Resolved, that the Myers-Briggs Type Indicator is a useful tool in counseling. *Journal of Counseling and Development, 67,* 435.

Gronlund, N. E., & Linn, R. L. (1990). *Measurement and evaluation in teaching* (6th ed.). New York: Macmillan.

Groth-Marnat, G. (1997). *Handbook of psychological assessment* (3rd ed.). New York: Wiley.

Hamann, E. E. (1994). Clinicians and diagnosis: Ethical concerns and clinical competence. *Journal of Counseling and Development, 72,* 259–260.

Hanna, G. S. (1988). Using percentile bands for meaningful descriptive test score interpretations. *Journal of Counseling and Development, 66,* 477–483.

Hansen, J-I. C. (1994). Multiculturalism in assessment. *Measurement and Evaluation in Counseling and Development, 27,* 67.

Harris, F. (1994, April). Everyday ethics. *ACCA Visions, 2,* 7–8, 10.

Healy, C. C., & Woodward, G. A. (1998). The Myers-Briggs Type Indicator and career obstacles. *Measurement and Evaluation in Counseling and Development, 31,* 74–85.

Hill, C. L., & Ridley, C. R. (2001). Diagnostic decision making: Do counselors delay final judgment? *Journal of Counseling and Development, 79,* 98–104.

Hinkle, J. S. (1992). The mental status examination via computer: An evaluation of the mental status checklist computer report. *Measurement and Evaluation in Counseling and Development, 24,* 188–189.

Hinkle, J. S. (1999). A voice from the trenches: A reaction to Ivey and Ivey (1998). *Journal of Counseling and Development, 77,* 474–483.

Hohenshil, T. H. (1993). Assessment and diagnosis in the *Journal of*

Counseling and Development. Journal of Counseling and Development, 72, 7.

Hohenshil, T. H. (1996). Role of assessment and diagnosis in counseling. *Journal of Counseling and Development, 75,* 64–67.

Holland, J. L. (1994). *Self-Directed Search.* Odessa, FL: Psychological Assessment Resources.

Holland, J. L. (1997). *Making vocational choices: A theory of careers* (3rd ed.). Odessa, FL: Psychological Assessment Resources.

Hood, A. B., & Johnson, R. W. (2002). *Assessment in counseling* (3rd ed.). Alexandria, VA: American Counseling Association.

Impara, J. C., & Plake, B. S. (Eds.). (2001). *The fourteenth mental measurements yearbook.* Lincoln: University of Nebraska, Buros Institute of Mental Measurement.

Jepsen, D. A. (1982). Test usage in the 1970s: A summary and interpretation. *Measurement and Evaluation in Guidance, 15,* 164–168.

Joint Committee on Testing Practices. (1988). *Code of fair testing practices in education.* Washington, DC: Author.

Jongsma, A. E., Jr., & Peterson, L. M. (1995). *The complete psychotherapy treatment planner.* New York: Wiley.

Kamphaus, R. W., Beres, K. A., Kaufman, A. S., & Kaufman, N. L. (1996). The Kaufman Assessment Battery for Children (K-ABC). In C. S. Newmark (Ed.), *Major psychological assessment instruments* (2nd ed.). Boston: Allyn & Bacon.

Kapes, J. T., Mastie, M. M., & Whitfield, E. A. (1995). *A counselor's guide to career assessment instruments* (3rd ed.). Alexandria, VA: National Career Development Association and Association for Assessment in Counseling.

Kaplan, R. M., & Saccuzzo, D. P. (2001). *Psychological testing: Principles, applications, and issues* (5th ed.). Pacific Grove, CA: Brooks/Cole.

Keirsey, D., & Bates, M. (1984). *Please understand me: Character*

and temperament types. Del Mar, CA: Prometheus Nemesis Book Company.

Krieshok, T. S. (1987). Review of the Self-Directed Search. *Journal of Counseling and Development, 65,* 512–514.

Krumboltz, J. D. (1991). *Manual for the Career Beliefs Inventory.* Palo Alto, CA: Consulting Psychologists Press.

Krumboltz, J. D. (1992, December). Challenging troublesome career beliefs. *CAPS Digest,* EDO-CG-92-4.

Kuder, F. (1939). *Manual for the Preference Record.* Chicago: Science Research Associates.

Kuder, F. (1977). *Activity interest and occupational choice.* Chicago: Science Research Associates.

Learner, B. (1981). Representative democracy, "men of zeal," and testing legislation. *American Psychologist, 36,* 270–275.

Loesch, L. (1977). Guest editorial. *Elementary School Guidance and Counseling, 12,* 74–75.

Lynch, A. Q. (1985). The Myers-Briggs Type Indicator: A tool for appreciating employee and client diversity. *Journal of Employment Counseling, 22,* 104–109.

Meier, S. T., & Davis, S. R. (2001). *The elements of counseling* (4th ed.). Pacific Grove, CA: Brooks/Cole.

Meyer, G. J., Finn, S. E., Eyde, L. D., Kay, G. G., Moreland, K. L., Dies, R. R., Eisman, E. J., Kubiszyn, T. W., & Reed, G. M. (2001). Psychological testing and psychological assessment: A review of evidence and issues. *American Psychologist, 56,* 128–165.

Miller, G. M. (1977). After the testing is over. *Elementary School Guidance and Counseling, 12,* 139–143.

Miller, G. M. (1982). Deriving meaning from standardized tests: Interpreting test results to clients. *Measurement and Evaluation in Guidance, 15,* 87–94.

Moursund, J., & Kenny, M. C. (2002). *The process of counseling and therapy* (4th ed.). Upper Saddle River, NJ: Prentice Hall.

Murphy, L. L., Impara, J. C., & Plake, B. S. (1999). *Test in print V* (Vols. 1–2). Lincoln, NE: Buros Institute of Mental Measurement.

Murray, H. A. (1938). *Explorations in personality.* New York: Oxford University Press.

Myers, I. B. (1962). *Manual for the Myers-Briggs Type Indicator.* Palo Alto, CA: Consulting Psychologists Press.

Myers, I. B. (1980). *Gifts differing.* Palo Alto, CA: Consulting Psychologists Press.

Oakland, T. (1982). Nonbiased assessment in counseling: Issues and guidelines. *Measurement and Evaluation in Guidance, 15,* 107–116.

Osborne, W. L., Brown, S., Niles, S., & Miner, C. U. (1997). *Career development, assessment & counseling.* Alexandria, VA: American Counseling Association.

Parsons, F. (1909). *Choosing a vocation.* Boston: Houghton Mifflin.

Pate, R. H., Jr. (1983). Assessment and information giving. In J. A. Brown & R. H. Pate, Jr. (Eds.), *Being a counselor* (pp. 147–172). Pacific Grove, CA: Brooks/Cole.

Paterson, D. J., & Darley, J. (1936). *Men, women, and jobs.* Minneapolis: University of Minnesota Press.

Paul, G. L. (1967). Strategy of outcome research in psychotherapy. *Journal of Consulting Psychology, 31,* 109–118.

Piotrowski, C., & Keller, J. (1989). Psychological testing in outpatient mental health facilities: A national study. *Professional Psychology: Research and Practice, 20,* 423–425.

Polanski, P. J., & Hinkle, J. S. (2000). The mental status examination: Its use by professional counselors. *Journal of Counseling and Development, 78,* 357–364.

Prediger, D. J. (Ed.). (1993). *Multicultural assessment standards: A compilation for counselors.* Alexandria, VA: Association for Assessment in Counseling.

Prediger, D. J. (1994). Tests and counseling: The marriage that prevailed. *Measurement and Evaluation in*

Counseling and Development, 26, 227–234.

Prescott, M. R., Cavatta, J. C., & Rollins, K. D. (1977). The fakability of the Personality Orientation Inventory. *Counselor Education and Supervision, 17,* 116–120.

Rogers, J. E. (1996). Review of the Armed Services Vocational Aptitude Battery (ASVAB) career exploration program. *Measurement and Evaluation in Counseling and Development, 29,* 176–182.

Rueth, T., Demmitt, A., & Burger, S. (1998, March). *Counselors and the DSM-IV: Intentional and unintentional consequences of diagnosis.* Paper presented at the American Counseling Association World Conference, Indianapolis, IN.

Savickas, M. L. (1998). Interpreting interest inventories: A case example. *Career Development Quarterly, 46,* 307–319.

Sheeley, V. L., & Eberly, C. G. (1985). Two decades of leadership in measurement and evaluation. *Journal of Counseling and Development, 63,* 436–439.

Shertzer, B., & Linden, J. D. (1979). *Fundamentals of individual appraisal, assessment techniques for counselors.* Boston: Houghton Mifflin.

Shertzer, B., & Linden, J. D. (1982). Persistent issues in counselor assessment and appraisal. *Measurement and Evaluation in Guidance, 15,* 9–14.

Shertzer, B., & Stone, S. C. (1980). *Fundamentals of counseling* (3rd ed.). Boston: Houghton Mifflin.

Shertzer, B., & Stone, S. C. (1981). *Fundamentals of guidance* (4th ed.). Boston: Houghton Mifflin.

Sommers-Flanagan, J., & Sommers-Flanagan, R. (1998). Assessment and diagnosis of conduct disorder. *Journal of Counseling and Development, 76,* 189–197.

Spokane, A. R., & Catalano, M. (2000). The Self-Directed Search: A theory-driven array of self-guided career interventions. In C. E. Watkins, Jr., & V. I. Campbell

(Eds.), *Testing and assessment in counseling practice* (2nd ed., pp. 339–370). Mahwah, NJ: Erlbaum.

Strahan, R. F., & Kelly, A. E. (1994). Showing clients what their profiles mean. *Journal of Counseling and Development, 72,* 329–331.

Suzuki, L. A., & Kugler, J. F. (1995). Intelligence and personality assessment. In J. G. Ponterotto, J. M. Casas, L. A. Suzuki, & C. M. Alexander (Eds.), *Handbook of multicultural counseling* (pp. 493–515). Thousand Oaks, CA: Sage.

Suzuki, L. A., Meller, P. J., & Ponterotto, J. G. (Eds.). (2001). *Handbook of multicultural assessment: Clinical, psychological, and educational applications* (2nd ed.). San Francisco: Jossey-Bass.

Sylvania, K. C. (1956). Test usage in counseling centers. *Personnel and Guidance Journal, 34,* 559–564.

Talbutt, L. C. (1983). The counselor and testing: Some legal concerns. *School Counselor, 30,* 245–250.

Thompson, B. (1996). *Personal Preferences Self-Description Questionnaire.* College Station, TX: Psychometrics Group.

Thorndike, R. M. (1997). *Measurement and evaluation in psychology and education* (6th ed.). Upper Saddle River, NJ: Merrill/Prentice Hall.

Tinsley, H. E. A., & Bradley, R. W. (1986). Test interpretation. *Journal of Counseling and Development, 65,* 462–466.

Tyler, L. E. (1984). What tests don't measure. *Journal of Counseling and Development, 63,* 48–50.

Tymofievich, M., & Leroux, J. A. (2000). Counselors' competencies in using assessments. *Measurement and Evaluation in Counseling and Development, 33,* 50–59.

Vacc, N. A., & Juhnke, G. A. (1997). The use of structured clinical interviews for assessment in counseling. *Journal of Counseling and Development, 75,* 470–480.

Vacc, N. A., Juhnke, G. A., & Nissen, K. A. (2001). Community mental health service providers' codes of

ethics and the Standards for Educational and Psychological Testing. *Journal of Counseling and Development, 79,* 217–224.

Vacha-Haase, T., & Thompson, B. (2002). Alternative ways of measuring counselees' Jungian psychological-type preferences. *Journal of Counseling and Development, 80,* 173–179.

Walsh, W. B., & Osipow, S. H. (Eds.), (1996). *Handbook of vocational psychology* (2nd ed.). Hillsdale, NJ: Erlbaum.

Watkins, C. E., Jr. (1990). The testing of the test section of the *Journal of Counseling and Development:* Historical, contemporary, and future perspectives. *Journal of Counseling and Development, 69,* 70–74.

Wechsler, D. (1997). *Wechsler Adult Intelligence Scale—Third Edition.* San Antonio, TX: Psychological Corporation.

Westbrook, B. W. (1988). Suggestions for selecting appropriate career assessment instruments. *Measurement and Evaluation in Counseling and Development, 20,* 181–186.

Zytowski, D. G. (1982). Assessment in the counseling process for the 1980s. *Measurement and Evaluation in Guidance, 15,* 15–21.

Zytowski, D. G. (1992). Three generations: The continuing evolution of Frederic Kuder's interest inventories. *Journal of Counseling and Development, 71,* 245–248.

Zytowski, D. G. (1994). Test and counseling: We are still married and living in discriminate analysis. *Measurement and Evaluation in Counseling and Development, 26,* 219–223.

Zytowski, D. G., & Holmberg, K. S. (1988). Preferences: Frederic Kuder's contributions to the counseling profession. *Journal of Counseling and Development, 67,* 150–156.

PART IV

COUNSELING SPECIALTIES

Counselors often specialize in doing therapeutic work with the populations they most enjoy or with whom they have the most expertise. Specialization benefits counselors and the public because those who specialize can delve deeply into a particular body of knowledge and as a result know the subtleties of disorders or distress. Therefore, they may pick up on signs or symptoms within clients that would be missed by others. In so doing, they may offer assistance to the person or persons involved that they would not otherwise receive. Just as in medicine, counselors may acquire unique or deep knowledge that makes their role more valuable.

There are not nearly as many specialties in counseling as in medicine; however, in Chapters 14 to 19, the specialties most notable in counseling will be covered. This section ends in Chapter 19 with a discussion about the possibilities and pitfalls around private practice as a counselor.

14

CAREER COUNSELING OVER THE LIFE SPAN

Far in the back of his mind he harbors thoughts

like small boats in a quiet cove

ready to set sail at a moment's notice.

I, seated on his starboard side,

listen for the winds of change

ready to lift anchor with him

and explore the choppy waves of life ahead.

Counseling requires a special patience

best known to seamen and navigators—

courses are only charted for times

when the tide is high and the breezes steady.

Reprinted from "Harbor Thoughts," by S. T. Gladding, 1985, Journal of Humanistic Education and Development, 23, *p. 68. © 1985 by ACA. Reprinted with permission. No further reproduction authorized without written permission of the American Counseling Association.*

The counseling profession began charting its course when Frank Parsons (1909) outlined a process for choosing a career and initiated the vocational guidance movement. According to Parsons, it is better to choose a vocation than merely to hunt for a job. Since his ideas first came into prominence, a voluminous amount of research and theory has been generated in the field of career development and counseling.

Choosing a career is more than simply deciding what one will do to earn a living. Occupations influence a person's whole way of life, including physical and mental health. "There are interconnections between work roles and other life roles" (Imbimbo, 1994, p. 50). Thus, income, stress, social identity, meaning, education, clothes, hobbies, interests, friends, lifestyle, place of residence, and even personality characteristics are tied to one's work life (Herr & Cramer, 1996; NCDA, 1990). Work groups are also cultures in which social needs are met and values developed (Tart, 1986). The nature and purpose of a person's work is related to his or her sense of well-being and enjoyment of life as well (Burlew, 1992; Campbell, 1981). Qualitative research indicates that individuals who appear most happy in their work are committed to following their interests, exhibit a breadth of personal competencies and strengths, and function in work environments that are characterized by freedom, challenge, meaning, and a positive social atmosphere (Henderson, 2000).

Yet despite the evidence of the importance of one's work, systematically exploring and choosing careers often does not happen. Nearly one in five American workers reports getting his or her current job by chance, and more than 60% of workers in the United States would investigate job choices more thoroughly if they could plan their work lives again (Hoyt, 1989). Therefore, it is important that individuals obtain career information early and enter the job market with knowledge and flexibility in regard to their plans.

The process of selecting a career is unique to each individual. It is influenced by a variety of factors. For instance, personality styles, developmental stages, and life roles come into play (Drummond & Ryan, 1995). Happenstance/serendipity (Guindon & Hanna, 2002; Miller, 1983), family background (Bratcher, 1982; Helwig & Myrin, 1997), gender (Hotchkiss & Borow, 1996), giftedness (Rysiew, Shore, & Leeb, 1999), and age (Canaff, 1997) may also influence the selection of a career. In addition, the global economy at the time one decides on a career is a factor (Borgen, 1997). In the industrial age, punctuality, obedience, and rote work performance were the skills needed to be successful; in the present technoservice economy, emphasis is on "competitive teamwork, customer satisfaction, continual learning, and innovation" (Staley & Carey, 1997, p. 379).

Because an enormous amount of literature on careers is available, this chapter can provide only an overview of the area. It will concentrate on career development and counseling from a holistic, life-span perspective (as first proposed by Gysbers [1975]). In the process, theories and tasks appropriate for working with a variety of clients will be examined.

THE IMPORTANCE OF CAREER COUNSELING

Despite its long history and the formulation of many models, career counseling has not enjoyed the same degree of prestige that other forms of counseling or psychotherapy have (Burlew, 1992). This is unfortunate for both the counseling profession and the many people who need these services. Surveys of high school juniors and seniors and college undergraduates show that one of the counseling services they most prefer is career counseling. Brown (1985) also posits that career counseling may be a viable intervention for some clients who have emotional problems related to nonsupportive, stress-producing environments. The contribution of career counseling to personal growth and development is well documented (Imbimbo, 1994; Krumboltz, 1994). In fact, Herr and Cramer (1996) contend that a variety of life difficulties and mental problems ensue when one's career or work life is unsatisfactory.

Crites (1981, pp. 14–15) lists important aspects of career counseling, which include the following:

1. *"The need for career counseling is greater than the need for psychotherapy."* Career counseling deals with the inner and outer world of individuals, whereas most other counseling approaches deal only with internal events.
2. *"Career counseling can be therapeutic."* A positive correlation exists between career and personal adjustment (Crites, 1969; Krumboltz, 1994; Super, 1957; Williams, 1962; Williams & Hills, 1962). Clients who successfully cope with career decisions may gain skill and confidence in the ability to tackle other problem areas. They may invest more energy into resolving noncareer problems because they have clarified career objectives. While Brown (1985) provides a set of assessment strategies that are useful in determining whether a client needs personal or career counseling first, Krumboltz (1994) asserts that career and personal counseling are inextricably intertwined and often must be treated together. Indeed, research data refute the perspective "that career help seekers are different from non-career help seekers" (Dollarhide, 1997, p. 180). For example, people who lose jobs and fear they will never find other positions have both a career problem and a personal anxiety problem. It is imperative to treat such people in a holistic manner by offering information on the intellectual aspects of finding a career and working with them to face and overcome their emotional concerns about seeking a new job or direction in life.
3. *"Career counseling is more difficult than psychotherapy."* Crites states that to be an effective career counselor a person must deal with both personal and work variables and know how the two interact. "Being knowledgeable and proficient in career counseling requires that counselors draw from a variety of both personality and career development theories and techniques and that they continuously be able to gather and provide current information about the world of work" (Imbimbo, 1994, p. 51). The same is not true to the same degree for counseling that often focuses on the inner world of the client.

CAREER COUNSELING ASSOCIATIONS AND CREDENTIALS

The National Career Development Association (NCDA) (formerly the National Vocational Guidance Association [NVGA]) and the National Employment Counselors Association (NECA) are the two divisions within the American Counseling Association (ACA) primarily devoted to career development and counseling. The NCDA, the oldest division within the ACA, traces its roots back to 1913 (Sheeley, 1978, 1988; Stephens, 1988). The association comprises professionals in business and industry, rehabilitation agencies, government, private practice, and educational settings who affiliate with the NCDA's special-interest groups, such as Work and Mental Health, Substance Abuse in the Workplace, and Employee Assistance Programs (Parker, 1994; Smith, Engels, & Bonk, 1985). The NECA's membership is also diverse but more focused. Until 1966, it was an interest group of the NCDA (Meyer, Helwig, Gjernes, & Chickering, 1985). Both divisions publish quarterly journals: the *Career Development Quarterly* (formerly the *Vocational Guidance Quarterly*) and the *Journal of Employment Counseling,* respectively.

THE SCOPE OF CAREER COUNSELING AND CAREERS

Career counseling is a hybrid discipline, often misunderstood and not always fully appreciated by many professionals or the public (Burlew, 1992; Imbimbo, 1994). The NCDA conceptualizes *career counseling* as a "one-to-one or small group relationship between a client and a counselor with the goal of helping the client(s) integrate and apply an understanding of self and the environment to make the most appropriate career decisions and adjustments" (Sears, 1982, p. 139). More elaborately, Brown and Brooks (1991) define career counseling and related terms as follows:

> Career counseling is an interpersonal process designed to assist individuals with career development problems. Career development is that process of choosing, entering, adjusting to and advancing in an occupation. It is a lifelong process that interacts dynamically with other life roles. Career problems include, but are not limited to, career indecisions and undecidedness, work performance, stress and adjustment, incongruence of the person and work environment, and inadequate or unsatisfactory integration of life roles with other life roles (e.g., parent, friend, citizen). (p. 5)

Throughout its history, career counseling has been known by a number of different names, including *vocational guidance, occupational counseling,* and *vocational counseling.* Crites (1981) emphasizes that the word *career* is more modern and inclusive than the word *vocation. Career* is also broader than the word *occupation,* which Herr and Cramer (1996) define as a group of similar jobs found in different industries or organizations. A *job* is merely an activity undertaken for economic returns (Fox, 1994). Regardless of which term they use, career counselors clearly must consider many factors when helping persons make career decisions.

To understand these factors, it is important first to define a career specifically. Super (1976) provides an excellent definition that incorporates a number of experiences. He views a *career* as

> the course of events that constitutes a life; the sequence of occupations and other life roles which combine to express one's commitment to work in his or her total pattern of self-development; the series of remunerated and nonremunerated positions occupied by a person from adolescence through retirement, of which occupation is only one. A career includes work-related roles such as those of student, employee, and pensioner together with complementary avocational, familial, and civic roles. Careers exist only as people pursue them; they are person-centered. (p. 4)

Although not disagreeing with Super, McDaniels (1984) broadens the definition to emphasize the idea of leisure even more. He contends that leisure will occupy an increasingly important role in the lives of all individuals in the future. The integration and interaction of work and leisure in "one's career over the life span is fundamental," according to McDaniels, and is expressed in the formula "C = W + L" (where *C* equals career; *W*, work; and *L*, leisure) (Gale, 1998, p. 206).

All theories of counseling are potentially applicable and useful in working with individuals on career choices, but people gain understanding and insight about themselves and how they fit into the world of work through educational means as well as counseling relationships. Well-informed persons may need fewer counseling services than others and respond more positively to this form of helping.

CAREER INFORMATION

The NCDA (then the NVGA) has defined *career information* as "information related to the world of work that can be useful in the process of career development, including educational, occupational, and psychosocial information related to working, e.g., availability of training, the nature of work, and status of workers in different occupations" (Sears, 1982, p. 139). As has been discussed in previous chapters, the word *guidance* is usually reserved for activities that are primarily educational. *Career guidance* involves all activities that seek to disseminate information about present or future vocations in such a way that individuals become more knowledgeable and aware about who they are in relationship to the world of work (NOICC, 1994). Guidance activities can take the form of

- *career fairs* (inviting practitioners in a number of fields to explain their jobs),
- library assignments,
- outside interviews,
- computer-assisted information experiences,
- *career shadowing* (following someone around on his or her daily work routine),
- didactic lectures, and
- experiential exercises such as role-playing.

Career guidance and the dissemination of career information is traditionally pictured as a school activity. But this process is often conducted outside a classroom environment—for example, at governmental agencies, industries, libraries, and homes or with a private practitioner (Burlew, 1992; Harris-Bowlsbey, 1992). According to C. H. Patterson, career guidance is "for people who are pretty normal and have no emotional problems that would interfere with developing a rational approach to making a vocational or career choice" (Freeman, 1990, p. 292). Many government and educational agencies (such as the National Career Information System [NCIS] in Eugene, Oregon) computerize information about occupations and disseminate it through libraries. Overall, the ways of becoming informed about careers are extensive.

Not all ways of learning are as effective as others are, however, and those who fail to personalize career information to specific situations often have difficulty making vocational decisions. The result may be *unrealistic aspirations,* goals beyond a person's capabilities (Salomone & McKenna, 1982). Therefore, it is vital to provide qualitative and quantitative information to individuals who are deciding about careers including the nature of the career decision process, such as mentioning that "career decidedness develops over time" and "the decision-making process is complex, not simple" (Krieshok, 1998). Knowledge of career information and the processes associated with it does not guarantee self-exploration in career development, but good career decisions cannot be made without these data. A lack of enough information or up-to-date information is one reason that individuals fail to make decisions or make unwise choices.

Several publications are considered classic references for finding in-depth and current information on careers and trends. They include the government-published *Dictionary of Occupational Titles* and the *Occupational Outlook Handbook*. Some self-help books, such as Bolles' (2002) *What Color Is Your Parachute?*, outline practical steps most individuals, from late adolescence on, can follow to define personal values and successfully complete career-seeking tasks, such as writing a résumé. These books also provide a wealth of information on how to locate positions of specific interest.

Career counselors also make use of applied technology, especially the use of computers and electronic career searches (Bratina & Bratina, 1998). A number of *computer-assisted career guidance systems* (CAGSs) offer career information and help individuals sort through their values and interests or just find job information. One of the beauties of computer-based career planning systems is their accessibility: they are available in many settings and with diverse people across cultures and the life span (Harris-Bowlsbey, 1992; Sampson & Bloom, 2001). Some of the top programs include *SIGI-Plus* (*System of Interactive Guidance and Information,* with "Plus" indicating a refinement of the system), *DISCOVER,* and *NOICC* (*National Occupational Information Coordinating Committee,* which includes state branches, i.e., SOICC). DISCOVER and SIGI-Plus are the two programs most widely used in the United States for career planning (Sampson, Shahnasarian, & Reardon, 1987), whereas NOICC and its state branches are used for education, career information, and the labor market.

DISCOVER (American College Testing Program, 1987) contains nine modules:

1. Beginning the career journey
2. Learning about the world of work
3. Learning about yourself
4. Find occupations
5. Learning about occupations
6. Making educational choices
7. Planning next steps
8. Planning your career
9. Making transitions

Most users of DISCOVER proceed through the modules in a sequential order, but the modules may be accessed on demand depending on need.

SIGI-Plus (Katz, 1975, 1993) contains five components with a focal point on:

1. self-assessment (Values),
2. identification of occupational alternatives (Locate),
3. reviewing occupational information (Compare),
4. reviewing information on preparation programs (Planning), and
5. making tentative occupational choices (Strategy).

By using SIGI-Plus, searchers are able to clarify their values, locate and identify occupational options, compare choices, learn planning skills, and develop rational career decision-making skills.

Ways of enhancing computer-assisted career guidance systems are constantly being implemented, including interactive programs (Sampson & Reardon, 1990; Zunker, 2002). No matter how sophisticated the programs, however, it is wise to have trained career counselors available to assist those individuals who may make use of this technology but still have questions about its applicability to their lives (Walker-Staggs, 2000).

CAREER DEVELOPMENT THEORIES AND COUNSELING

Career development theories try to explain why individuals choose careers. They also deal with the career adjustments people make over time because, as Jesser (1983) notes, the average person changes jobs five times in a working life. Modern theories, which are broad and comprehensive in regard to individual and occupational development, began appearing in the literature in the 1950s (Gysbers, Heppner, & Johnstone, 2002). "The theories of Donald Super and John Holland are the primary career development and choice approaches currently in use" (Weinrach, 1996, p. 6), although a number of other career theories have been generated and some are currently evolving (Zunker, 2002). The theories described here (i.e., trait-and-factor, psychodynamic, developmental, social-cognitive) and the counseling procedures that go with them are among the most prominent. There are presently attempts at developing a comprehensive theory of career counseling, too.

Trait-and-Factor Theory

The origin of trait-and-factor theory can be traced back to Frank Parsons. It stresses that the traits of clients should first be assessed and then systematically matched with factors inherent in various occupations. Its most widespread influence occurred during the Great Depression when E. G. Williamson (1939) championed its use. It was out of favor during the 1950s and 1960s but has resurfaced in a more modern form, which is best characterized as "structural" and is reflected in the work of researchers such as John Holland (1997). The trait-and-factor approach has always stressed the uniqueness of persons. Original advocates of the theory assumed that a person's abilities and traits could be measured objectively and quantified. Personal motivation was considered relatively stable. Thus, satisfaction in a particular occupation depended on a proper fit between one's abilities and the job requirements.

In its modern form, trait-and-factor theory stresses the interpersonal nature of careers and associated lifestyles as well as the performance requirements of a work position. Holland (1997) identifies six categories in which personality types and job environments can be classified: realistic, investigative, artistic, social, enterprising, and conventional (RIASEC) (see Figure 14.1). According to prestige levels, investigative (I) occupations rank highest, followed by enterprising (E), artistic (A), and social (S) occupations, which have roughly the same level of prestige. The lowest levels of prestige are realistic (R) and conventional (C) occupations (Gottfredson, 1981).

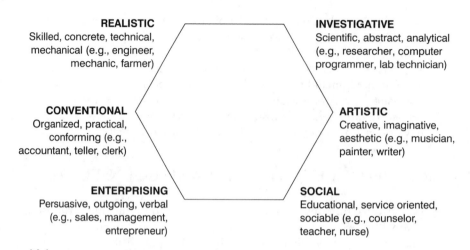

REALISTIC
Skilled, concrete, technical,
mechanical (e.g., engineer,
mechanic, farmer)

INVESTIGATIVE
Scientific, abstract, analytical
(e.g., researcher, computer
programmer, lab technician)

CONVENTIONAL
Organized, practical,
conforming (e.g.,
accountant, teller, clerk)

ARTISTIC
Creative, imaginative,
aesthetic (e.g., musician,
painter, writer)

ENTERPRISING
Persuasive, outgoing, verbal
(e.g., sales, management,
entrepreneur)

SOCIAL
Educational, service oriented,
sociable (e.g., counselor,
teacher, nurse)

Figure 14.1
Holland's six categories of personality and occupation
Source: Reproduced by special permission of the Publisher, Psychological Assessment Resources, Inc., from *Making Vocational Choices: A Theory of Careers, Third Edition,* copyright 1973, 1985, 1992, 1997 by Psychological Assessment Resources, Inc. All rights reserved.

Personal satisfaction in a work setting depends on a number of factors, but among the most important are the degree of congruence between personality type, work environment, and social class (Gade, Fuqua, & Hurlburt, 1988; Holland & Gottfredson, 1976; Savickas, 1989; Trusty, Robinson, Plata, & Ng, 2000). Also as a general rule, with notable exceptions, "women value language-related tasks more, and men value mathematics-related tasks more" (Trusty et al., 2000, p. 470). Some nonpsychological factors, such as economic or cultural influences, account for why many professional and nonprofessional workers accept and keep their jobs (Brown & Brooks, 1991; Salomone & Sheehan, 1985).

Nevertheless, as Holland emphasizes, it is vital for persons to have adequate knowledge of themselves and occupational requirements to make informed career decisions. According to Holland, a three-letter code represents a client's overall personality, which can be matched with a type of work environment. Three-letter codes tend to remain relatively stable over the life span beginning as early as high school (Miller, 2002). A profile of SAE would suggest a person is most similar to a social type, then an artistic type, and finally an enterprising type. However, it is the interaction of letter codes that influences the makeup of the person and his or her fit in an occupational environment. Miller (1998) suggests that, instead of using the three highest scores on Holland's hexagon for such a purpose, the top two, middle two, and lowest two scores should be paired and presented to give the client a fuller picture of his or her personality profile and similarity to others in a given career. Given the first criteria, Donald Super's profile would be S/I/R, whereas John Holland's would be A/E/IRS. The second criteria would yield a profile for Super of SI/RA/EC, with Holland's profile being AE/IR/SC (Weinrach, 1996).

Trait-and-factor career counseling is sometimes inappropriately caricatured as "three interviews and a cloud of dust." The first interview session is spent getting to know a client's background and assigning tests. The client then takes a battery of tests and returns for the second interview to have the counselor interpret the results of the tests. In the third session, the client reviews career choices in light of the data presented and is sent out by the counselor to find further information on specific careers. Williamson (1972) originally implemented this theory to help clients learn self-management skills. But as Crites (1969, 1981) notes, trait-and-factor career counselors may ignore the psychological realities of decision making and fail to promote self-help skills in their clients. Such counselors may overemphasize test information, which clients either forget or distort.

Psychodynamic Theory

Psychodynamic theory is best exemplified by the writings of Anne Roe (Roe & Lunneborg, 1991; Wrenn, 1985), although Robert Hoppock (1976) outlines some similar ideas by stressing the importance of unconscious motivation and meeting emotional needs. Roe theorized that vocational interests develop as a result of the interaction between parents and their children. Career choices reflect the desire to satisfy needs not met by parents in childhood. From the psychodynamic point of view, the first few years of childhood are primarily responsible for shaping the pattern of life. Roe believes there is an unconscious motivation from this period that influences people to choose a career in which these needs can be expressed and satisfied.

Roe (1956) describes three different parent-child relationship climates (see Figure 14.2). The first is characterized by an emotional concentration on the child that may take one of two forms. The first is overprotection, in which the parents do too much for the child and encourage dependency. The other is overdemanding, in which the parents emphasize achievement. Children who grow up in these types of environments usually develop a need for constant feedback and rewards. They frequently choose careers that provide recognition from others, such as the performing arts.

The second child-rearing pattern is avoidance of the child. There are two extremes within this pattern. One is neglectful parenting, in which little effort is made to satisfy the child's needs. The other is rejecting parenting, in which no effort is made to satisfy the child's needs. Roe speculates that children reared in such environments will concentrate on careers that involve scientific and mechanical interests as a way of finding gratification in life. They are more prone to deal with things and ideas.

The final pattern of child-parent relationships is acceptance of the child. Acceptance may be casual or more actively loving; in either case, independence is encouraged. Children from these families usually seek careers that balance the personal and nonpersonal aspects of life, such as teaching or counseling.

Although not extensively used today in its original form, Roe's psychodynamic theory has generated considerable research. Unfortunately, research on the whole has failed to verify Roe's basic propositions (Beale, 1998). However, some career instruments are based on Roe's ideas, such as the Remak Interest Inventory and the Courses Interest Inventory, and are currently being tested (Meir, 1994; Meir, Rubin, Temple, & Osipow, 1997).

The model underlying psychodynamic career counseling was constructed primarily by Bordin (1968, 1991). His view, which is based on psychodynamic theories such as Roe's, holds that career choices involve a client's needs and are developmental in nature. A major limitation of the approach is its strong emphasis on internal factors, such as motivation, and its lack of attention to external variables (Ginzberg, Ginsburg, Axelrad, & Herma, 1951). The process of career counseling from this perspective is considered overly complex.

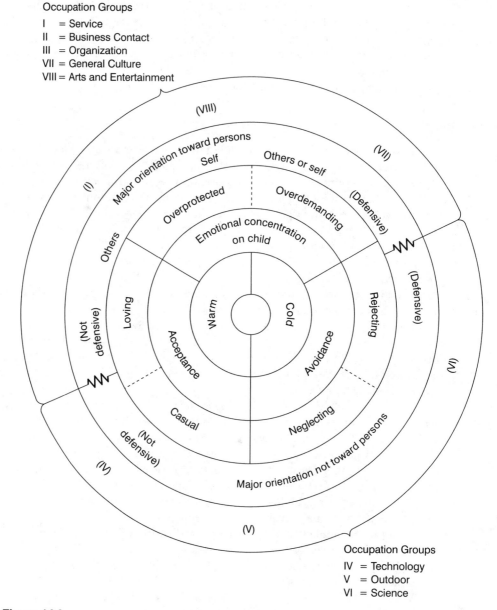

Figure 14.2

Roe's conceptualization of occupational categories

Source: Reprinted from *The Origin of Interests* (p. 6), by A. Roe and M. Seligman, 1964, Washington, DC: American Personnel and Guidance Association. © 1964 by ACA. Reprinted with permission. No further reproduction authorized without written permission of the American Counseling Association.

One offshoot of psychodynamic career counseling, which is more concrete but still complex, is based on the work of Murray Bowen (1980) and has been amplified by Mc-Goldrick, Gerson, and Shellenberger (1999). According to this approach, the uniqueness of people is interconnected with their family of origin. One way of mapping family-of-origin patterns is to draw either a family or career genogram. (Family genograms are discussed in Chapter 9; see Chapter 9 for an example of a genogram.)

The career genogram is particularly useful because it provides a direct and relevant framework for use with clients to shed light on many topics, including their worldviews, possible environmental barriers, personal-work-family role conflicts, ethnic identity status and issues, and levels of acculturation. It has substantial face validity for clients because it provides them with an opportunity to tell their story within the career counseling context (Gysbers et al., 1998, p. 157).

Okiishi (1987) has used genograms and a psychodynamically based theory to provide career counseling for undergraduate students. Okiishi's results were successful, illustrating that complex psychodynamic career counseling can still be pragmatic.

Developmental Theories

Two of the most widely known career theories are those associated with Donald Super and Eli Ginzberg. They are both based on personal development. The original developmental theory proposed by Ginzberg and his associates has had great influence and has been revised (Ginzberg, 1972). But Super's theory is examined in detail here because more extensive work has been done with it.

Compared with other approaches, developmental theories are generally more inclusive, more concerned with longitudinal expression of career behavior, and more inclined to highlight the importance of self-concept. Super (1957, 1990) believes that career development is the process of implementing a self-concept. People's views of themselves are reflected in what they do. He suggests that vocational development unfolds in five stages, each of which contains a developmental task to be completed (see Table 14.1). The first stage is growth (from birth to age 14). During this stage, with its substages of fantasy (ages 4–10), interest (ages 11–12), and capacity (ages 13–14), children form a mental picture of themselves in relation to others. During the process of growth, children become oriented to the world of work.

The second stage, exploration (ages 14–24), has three substages: tentative (ages 14–17), transition (ages 18–21), and trial (ages 22–24). The major task of this stage is a general exploration of the world of work and the specification of a career preference.

The third stage is known as establishment (ages 24–44). Its two substages, trial (ages 24–30) and advancement (ages 31–44), constitute the major task of becoming established in a preferred and appropriate field of work. Once established, persons can concentrate on advancement until they tire of their job or reach the top of the profession.

The fourth stage, maintenance (ages 44–64), has the major task of preserving what one has already achieved. The final stage, decline (age 65 to death), is a time for disengagement from work and alignment with other sources of satisfaction. It has two substages: deceleration (ages 65–70) and retirement (age 71 to death).

The major contributions of developmental career counseling are its emphases on the importance of the life span in career decision making and on career decisions that are influenced

Table 14.1 Super's stages

Growth	Exploration	Establishment	Maintenance	Decline
Birth to Age 14	**Ages 14 to 24**	**Ages 24 to 44**	**Ages 44 to 64**	**Ages 64 and Beyond**
Self-concept develops through identification with key figures in family and school; needs and fantasy are dominant early in this stage; interest and capacity become more important with increasing social participation and reality testing; learn behaviors associated with self-help, social interaction, self-direction, industrialness, goal setting, persistence.	Self-examination, role try-outs, and occupational exploration take place in school, leisure activities, and part-time work.	Having found an appropriate field, an effort is made to establish a permanent place in it. Thereafter changes that occur are changes of position, job, or employer, not of occupation.	Having made a place in the world of work, the concern is how to hold on to it. Little new ground is broken, continuation of established pattern. Concerned about maintaining present status while being forced by competition from younger workers in the advancement stage.	As physical and mental powers decline, work activity changes and in due course ceases. New roles must be developed: first, selective participant and then observer. Individual must find other sources of satisfaction to replace those lost through retirement.
Substages	**Substages**	**Substages**		**Substages**
Fantasy (4–10) Needs are dominant; role-playing in fantasy is important.	*Tentative* (15–17) Needs, interests, capacities, values and opportunities are all considered; tentative choices are made and tried out in fantasy, discussion, courses, work, and so on. Possible appropriate fields and levels of work are identified.	*Trial-Commitment and Stabilization* (25–30) Settling down. Securing a permanent place in the chosen occupation. May prove unsatisfactory resulting in one or two changes before the life work is found or before it becomes clear that the life work will be a succession of unrelated jobs.		*Deceleration* (65–70) The pace of work slackens, duties are shifted, or the nature of work is changed to suit declining capacities. Many find part-time jobs to replace their full-time occupations.
Interest (11–12) Likes are the major determinant of aspirations and activities.				*Retirement* (71 on) Variation on complete cessation of work or shift to part-time, volunteer, or leisure activities.
Capacity (13–14) Abilities are given more weight and job requirements (including training) are considered.		*Advancement* (31–44) Effort is put forth to stabilize, to make a secure place in the world of work. For most persons these are the creative years. Seniority is acquired; clientele are developed; superior performance is demonstrated; qualifications are improved.		

354

Tasks

Developing a picture of the kind of person one is.

Developing an orientation to the world of work and an understanding of the meaning of work.

Task—Crystallizing a Vocational Preference

Transition (18–21) Reality considerations are given more weight as the person enters the labor market or professional training and attempts to implement a self-concept. Generalized choice is converted to specific choice.

Task—Specifying a Vocational Preference

Trial-Little Commitment (22–24) A seemingly appropriate occupation having been found, a first job is located and is tried out as a potential life work. Commitment is still provisional, and if the job is not appropriate, the person may reinstitute the process of crystallizing, specifying, and implementing a preference. Implementing a vocational preference. Developing a realistic self-concept. Learning more about more opportunities.

Tasks

Finding opportunity to do desired work.

Learning to relate to others.

Consolidation and advancement.

Making occupational position secure.

Settling down in a permanent position.

Tasks

Accepting one's limitations.

Identifying new problems to work on.

Developing new skills.

Focusing on essential activities.

Preservation of achieved status and gains.

Tasks

Developing nonoccupational roles.

Finding a good retirement spot.

Doing things one has always wanted to do.

Reducing working hours.

Source: From Edwin L. Herr & Stanley H. Cramer, *Career Guidance and Counseling Through the Life Span*, 5/e. Published by Allyn and Bacon, Boston, MA. Copyright © 1996 by Pearson Education. Reprinted by permission of the publisher.

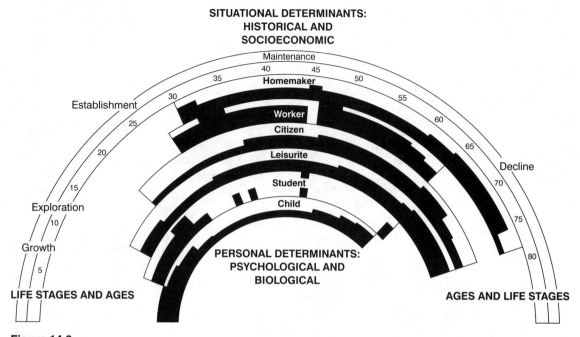

Figure 14.3
Super's rainbow theory: Six life roles in schematic life space
Source: From "A Life-Span, Life-Space Approach to Career Development," by D. E. Super, 1980, *Journal of Vocational Behavior, 16,* pp. 282–298. Copyright 1980 by Academic Press. Reprinted by permission.

by other processes and events in a person's life. This "life pattern paradigm for career counseling encourages counselors to consider a client's aptitudes and interests in a matrix of life experiences, not just in comparison to some normative group" (Savickas, 1989, p. 127).

The developmental approach can be conceptualized as career-pattern counseling (Super, 1954). Although this method has been criticized for its historical and descriptive emphases, these features, along with the conceptual depth of the theory, have also been considered strengths (Herr, 1997). Overall, developmental career counseling is strong and continues to grow beyond the comprehensive *rainbow theory* that Super conceptualized toward the end of his life (Super, 1990; Super, Thompson, & Lindeman, 1988) (see Figure 14.3).

Social-Cognitive Theories

Social-cognitive theories of career development have evolved from cognitive-behavioral and social learning theories first formulated in the 1960s. Two of the most prominent models, those of Tiedeman and Knefelkamp, have a developmental base. Tiedeman (1961) and his associates rely on Erikson's (1963) developmental crisis model; Knefelkamp and Slepitza (1976) build on the work of Perry (1968), which focuses on the intellectual and ethical development of college students.

Tiedeman and O'Hara's (1963) social-cognitive approach outlines a seven-stage model of career decision: exploration (ages 14–18), crystallization (ages 18–21), choice (ages 18–25), clarification (ages 18–25), induction (ages 21–30), reformation (ages 21–30), and integration (ages 30–40). There is some overlap among the stages, but each requires the individual to make a decision. This emphasis on the cognitive restructuring of the person from "within to without" is Tiedeman's unique contribution to career development theory. He and his associates view people as more active in the formation of careers than Super does. Careers satisfy needs (Beale, 1998).

Knefelkamp and Slepitza (1976) also focus on a hierarchical structure of cognitive development and the behaviors that accompany such development in describing career decision making in college students. Their model of career planning takes into account nine variables, such as locus of control, analysis, synthesis, and openness to alternative perspectives. A major weakness of the theory is its lack of measurement of the processes on which it focuses. Moreover, it has not been studied in a noncollege population.

Krumboltz (1979) has formulated an equally comprehensive but less developmental social-cognitive approach. He takes the position that four factors influence a person's career choice: genetic endowment, conditions and events in the environment, learning experiences, and task-approach skills (e.g., values, work habits). According to Krumboltz, career decisions are controlled by both internal and external processes; that is, one has some control over the events one finds reinforcing.

Comprehensive Career Counseling

In contrast to these theories, comprehensive systems of career counseling have been developed. One is the *career-development assessment and counseling (C-DAC) model* (Hartung et al., 1998). Another is Crites' (1981) model based on the general systems of counseling and psychotherapy, such as those described by Corsini and Wedding (2000), and his own wide experience as a career counselor.

The C-DAC model views a client as an individual in a constantly changing environment (Osborne & Niles, 1994; Super, Osborne, Walsh, Brown, & Niles, 1992). It assesses career maturity and identifies values placed on one's work and occupational career using a battery of tests and interest inventories, such as the Career Development Inventory, the Adult Career Concerns Inventory, the Strong Interest Inventory, the Value Scales, and the Salience Inventory (Osborne, Brown, Niles, & Miner, 1997). Clients high in career salience and ready for career decision-making activities work with a counselor to objectify their interests, abilities, and values. They then take a final step of subjectively assessing life themes and patterns they can identify (Hartung et al., 1998).

The C-DAC model is employed over the life span and holds promise for multicultural career theory and practice because it already incorporates "important culturally based variables such as work role importance and values" (Hartung et al., 1998, p. 277).

Crites' model advocates that counselors make three diagnoses of a client's career problems: *differential* (what the problems are), *dynamic* (why problems have occurred), and *decisional* (how the problems are being dealt with). Such diagnoses result from a close working relationship between the client and counselor and are facilitated by open communication. Once made, diagnoses form the basis for problem resolution strategies that can be expected to produce more fully functioning individuals in a variety of ways: intellectually, personally, socially, and vocationally.

Crites employs eclectic methods in his career counseling. He uses client-centered and developmental counseling at the beginning to identify problems. The middle stage of his process is dominated by psychodynamic techniques, such as interpretation, to clarify how problems have occurred. The final stage of the process uses trait-and-factor and behavioral approaches to help the client resolve problem areas. Crites' version of comprehensive career counseling also advocates the use of tests in working with clients. The focus in test use, however, is on *interpreting the tests without the tests*—that is, letting the client and counselor share responsibility for interpreting what the test results mean independently of standardized norms. Finally, this model of career counseling stresses the use of career information and recommends that counselors orient clients to such information and reinforce them when they make use of it. Crites (1978) developed the Career Maturity Inventory to help counselors determine how knowledgeable clients are about career information and themselves.

CAREER COUNSELING WITH DIVERSE POPULATIONS

Career counseling and education are conducted with a wide variety of individuals in diverse settings. Brown (1985) observes that career counseling typically is offered in college counseling centers, rehabilitation facilities, employment offices, and public schools. He thinks it could be applied with great advantage in many other places as well, including mental health centers and private practice offices. Jesser (1983) agrees, asserting that there is a need to provide career information and counseling to potential users, such as the unemployed, the learning disabled, prisoners, and those released from mental hospitals who seek to reenter the job market. Reimbursement is a drawback to offering career counseling outside its traditional populations and settings. Career concerns are not covered in the DSM-IV-TR, and most health care coverage excludes this service from reimbursement.

This lack of coverage is unfortunate because many people have difficulties making career decisions. These difficulties are related to three factors present both prior to and during the decision-making process. These factors are: lack of readiness, lack of information, and inconsistent information. A taxonomy of career decision-making difficulties that is inclusive of the above-mentioned factors and more has been formulated (Gati & Saka, 2001). While the taxonomy and diagram was initially meant for school counselors working with adolescents, it has applicability across the life span (see Figure 14.4).

Because the concept of careers encompasses the life span, counselors who specialize in this area find themselves working with a full age range of clients, from young children to octogenarians. Consequently, many different approaches and techniques have been developed for working effectively with select groups.

Career Counseling with Children

The process of career development begins in the preschool years and becomes more direct in elementary schools. Herr and Cramer (1996) cite numerous studies to show that during the first 6 years of school, many children develop a relatively stable self-perception and make a tentative commitment to a vocation. These processes are observed whether career counseling and guidance activities are offered or not. Nevertheless, it is beneficial for children, especially those who live in areas with limited employment opportunities, to have a broad, systematic program of career counseling and guidance in the schools. Such

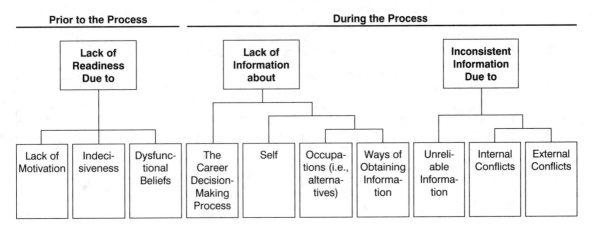

Figure 14.4

A taxonomy of career decision-making difficulties

Source: Reprinted from "High school students' career-related decision-making difficulties" by I. Gati and N. Saka, 2001, *Journal of Counseling and Development, 79*, p. 333. © 2001 by ACA. Reprinted with permission. No further reproduction without written permission of the American Counseling Association.

a program should focus on awareness rather than firm decision making. They should provide as many experiential activities as possible and should help children realize that they have career choices. As children progress in the elementary school grades, they should receive more detailed information about careers and become acquainted with career opportunities that might transcend socioeconomic levels and gender (Bobo, Hildreth, & Durodoye, 1998).

Jesser (1983) suggests that levels of career awareness in elementary schoolchildren may be raised through activities such as field trips to local industries, bakeries, manufacturing plants, or banks. For example, "because pizza is an immediate attention getter with elementary school children, a field trip to a pizza restaurant can provide an entertaining learning experience" (Beale & Nugent, 1996, p. 294) (see Figure 14.5). When such trips are carefully preplanned, implemented, and followed up with appropriate classroom learning exercises (e.g., class discussions), children become aware of a wider spectrum of related occupations, the value of work, and the importance of teams in carrying out tasks.

Other ways of expanding children's awareness of careers are through "inviting parents into the elementary classroom and encouraging parents to invite students into their work environments" (Wahl & Blackhurst, 2000, p. 372). Such a process capitalizes on parents' influence as role models and may be especially helpful for children whose parents are unemployed or underemployed. To break down children's stereotypes connected with careers, persons who hold nontraditional occupations may be invited to speak. Reading stories about or seeing videos about persons and their typical activities on jobs may likewise be helpful. For example, the *Children's Dictionary of Occupations* (Paramore, Hopke, & Drier, 1999) and other publications like it that contain student activity packages are excellent sources of accurate information.

Name _____   Date _____

Activity Sheet #5
Pizza Connection Word Scramble

See how many of these words you can unscramble. The words are from your field trip to a pizza restaurant.

1. risdhawshe _____

2. eanmarg _____

3. norew _____

4. tinjoar _____

5. oshetss _____

6. tisasrwe _____

7. fhec _____

8. tawire _____

9. ihcsrea _____

10. uertntraas _____

11. ezpaziri _____

12. psbuoerns _____

Answers: (1) dishwasher; (2) manager; (3) owner; (4) janitor; (5) hostess; (6) waitress; (7) chef; (8) waiter; (9) cashier; (10) restaurant; (11) pizzeria; and (12) busperson.

Figure 14.5
Pizza connection word scramble
Source: Reprinted from "The Pizza Connection: Enhancing Career Awareness," by A. V. Beale and D. G. Nugent, 1996, *Elementary School Guidance and Counseling, 30,* p. 301. © 1996 by ACA. Reprinted with permission. No further reproduction authorized without written permission of the American Counseling Association.

Splete (1982) outlines a comprehensive program for working with children that includes parent education and classroom discussions jointly planned by the teacher and counselor. He emphasizes that there are three key career development areas at the elementary school level: self-awareness (i.e., one's uniqueness), career awareness and exploration, and decision making. Well-designed career guidance and counseling programs that are implemented at an early age and coordinated with programs across all levels of the educational system can go a long way toward dispelling irrational and decision-hindering career development myths, such as "a career decision is an event that should occur at a specific point in time" (Lewis & Gilhousen, 1981, p. 297).

Career Counseling with Adolescents

To meet the career needs of adolescents, the American School Counselor Association (ASCA) has developed role statements on the expectations and responsibilities of school counselors engaged in career guidance (ASCA, 1985; Campbell & Dahir, 1997). These statements emphasize that school counselors should involve others, both inside and outside the school, in the delivery of career education to students.

Cole (1982) stresses that in middle high school, career guidance activities should include the exploration of work opportunities and students' evaluation of their own strengths and weaknesses in regard to possible future careers. Assets that students should become aware of and begin to evaluate include talents and skills, general intelligence, motivation level, friends, family, life experience, appearance, and health (Campbell, 1974). "Applied arts curriculum such as industrial arts (applied technology), home economics (family life education) and computer literacy classes . . . offer ideal opportunities for integrated career education. Libraries and/or career centers may have special middle level computerized *career information delivery systems* (CIDS) for student use" (NOICC, 1994, p. 9). The four components common to most CIDS are "assessment, occupational search, occupational information, and educational information" (Gysbers et al., 1998, p. 135). Overall, "career exploration is an important complement to the intellectual and social development" of middle school students (Craig, Contreras, & Peterson, 2000, p. 24).

At the senior high school, career guidance and counseling activities are related to students' maturity. The greatest challenge and need for career development programs occur on this level, especially in the area of acquiring basic skills (Bynner, 1997). In general, career counseling at the high school level has three emphases: stimulating career development, providing treatment, and aiding placement. More specifically, counselors provide students with reassurance, information, emotional support, reality testing, planning strategies, attitude clarification, and work experiences, depending on a student's needs and level of functioning (Herr & Cramer, 1996).

Several techniques have proven quite effective in helping adolescents crystallize ideas about careers. Some are mainly cognitive while others are more experiential and comprehensive. Among the cognitive techniques is the use of guided fantasies, such as imagining a typical day in the future, an awards ceremony, a midcareer change, or retirement (Morgan & Skovholt, 1977). Another cognitive technique involves the providing of fundamental information about career entry and development. For example, a Career Day or a Career Fair "featuring employers and professionals from a variety of occupations allows students to make a realistic comparison of each occupation's primary duties, day-to-day activities, and training needs" (Wahl & Blackhurst, 2000, p. 372). Completing an occupational family tree (Figure 14.6) to find out how present interests compare with the careers of family members is a final cognitive approach that may be useful (Dickson & Parmerlee, 1980).

My Preferred Occupational Choice _____

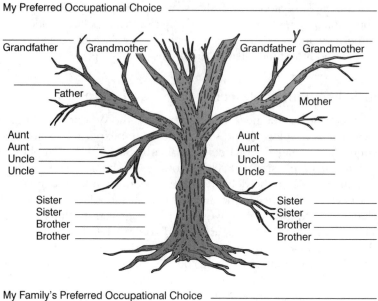

Grandfather   Grandmother   Grandfather Grandmother

Father   Mother

Aunt _____   Aunt _____
Aunt _____   Aunt _____
Uncle _____   Uncle _____
Uncle _____   Uncle _____

Sister _____   Sister _____
Sister _____   Sister _____
Brother _____   Brother _____
Brother _____   Brother _____

My Family's Preferred Occupational Choice _____

Figure 14.6
Occupational family tree
Source: Reprinted from "The Occupational Family Tree: A Career Counseling Technique," by G. L. Dickson and J. R. Parmerlee, 1980, *School Counselor, 28,* p. 101. © 1980 by ACA. Reprinted with permission. No further reproduction without written permission of the American Counseling Association.

More experiential and comprehensive techniques include offering youth apprenticeships. These apprenticeships are a popular approach that provides work-based learning for adolescents. Apprenticeships also help students who are not college-bound make a smooth transition from high school to the primary work environment. Although apprenticeships hold much promise, they pose several challenges for career counselors such as:

(a) helping clients learn adaptive skills that will enable them to change with change, (b) helping clients find ways to acquire the kinds of work [identified in government reports], and (c) helping clients to develop a personally meaningful set of work values that will enable them to humanize the workplace for themselves and thus receive the personal satisfaction that comes from true work. (Hoyt, 1994, p. 222)

In addition to helping youth in school, career counselors must make special efforts to help high school students who leave school before graduation (Rumberger, 1987). These young people are at risk of unemployment or underemployment for the rest of their lives. Educational and experiential programs, such as Mann's (1986) *four Cs* (cash, care, computers, and coalitions), can help at-risk students become involved in career exploration and development. According to Bloch (1988, 1989), successful educational counseling programs for students at risk of dropping out should follow six guidelines:

1. They make a connection between a student's present and future status (i.e., cash, students are paid for attending).

2. They individualize programs and communicate caring.
3. They form successful coalitions with community institutions and businesses.
4. They integrate sequencing of career development activities.
5. They offer age- and stage-appropriate career development activities.
6. They use a wide variety of media and career development resources, including computers.

Career Counseling with College Students

Approximately half of all college students experience career-related problems (Herr & Cramer, 1996). Part of the reason is that despite appearances "most college students are rarely the informed consumers that they are assumed to be" (Laker, 2002, p. 61). There-fore, college students need and value career counseling services. Even students who have already decided on their college majors and careers seek such services both to validate their choices and seek additional information.

In responding to student needs, comprehensive career guidance and counseling pro-grams in institutions of higher education attempt to provide a number of services. Among these services are

- helping with the selection of a major field of study;
- offering self-assessment and self-analysis through psychological testing;
- helping students understand the world of work;
- facilitating access to employment opportunities through career fairs, internships, and campus interviews;
- teaching decision-making skills; and
- meeting the needs of special populations (Herr & Cramer, 1996).

Besides offering these options, students need "life-career developmental counseling," too (Engels, Jacobs, & Kern, 2000). This broader approach seeks to help people plan for future careers while "balancing and integrating life-work roles and responsibilities" in an appropri-ate way, for example, being a worker and a family member, parent, and citizen" (p. 192). An-ticipating problems related to work, intimate relationships, and responsibilities is an impor-tant career-related counseling service for college students (Hester & Dickerson, 1982).

A way college students can avoid problems and create *realistic job previews (RJPs)* of a specific job is to contact and interview people with knowledge about the careers they are considering. RJPs ultimately benefit potential job seekers in an occupation by both decreas-ing employee turnover and by increasing employee satisfaction (Laker, 2002). Overall, most counseling approaches are effective, to some degree, in conducting career interventions with college students, with short-term behavioral interventions prevalent (Pickering & Vacc, 1984).

Career Counseling with Adults

Career interest patterns tend to be more stable after college than during college. Never-theless, many adults continue to need career counseling (Swanson & Hansen, 1988). In-deed, adults experience cyclical periods of stability and transition throughout their lives, and career change is a developmental as well as situational expectation at this stage of life (Borgen, 1997; Kerka, 1991). Developmentally, some adults have a midlife career change that occurs as they enter their 40s and what Erik Erikson described as a stage of generativity versus stagnation. At this time, adults may change careers as they become more introspective and seek to put more meaning in their lives. Situationally, adults may seek career changes after a trauma such as a death, layoff, or divorce (Marino, 1996).

Adults may have particularly difficult times with their careers and career decisions when they find "themselves unhappy in their work yet feel appropriately ambivalent about switching directions" (Lowman, 1993, p. 549). In such situations they may create illogical or troublesome career beliefs that become self-fulfilling and self-defeating (Krumboltz, 1992). An example of such a belief is "I'll never find a job I really like." It is crucial in such cases to help people change their ways of thinking and become more realistic.

There are two dominant ways of working with adults in career counseling: the differential approach and the developmental approach. The *differential approach* stresses that "the typology of persons and environments is more useful than any life stage strategies for coping with career problems" (Holland & Gottfredson, 1976, p. 23). It avoids age-related stereotypes, gender and minority group issues, and the scientific and practical difficulties of dealing with life span problems. "At any age, the level and quality of a person's vocational coping is a function of the interaction of personality type and type of environment plus the consistency and differentiation of each" (Holland & Gottfredson, 1976, p. 23).

According to this view, a career counselor who is aware of typological formulations such as Holland's can predict the characteristic ways a given person may cope with career problems. For example, a person with a well-defined social/artistic personality (typical of many individuals employed as counselors) would be expected to have high educational and vocational aspirations, to have good decision-making ability, to have a strong and lifelong interest in learning, to have moderate personal competency, and to have a marked interest in creative and high-level performance rather than in leadership (Holland, 1997). A person with such a profile would also have a tendency to remold or leave an environment in the face of adversity. A major advantage of working from this approach is the ease with which it explains career shifts at any age. People who shift careers, at any point in life, seek to find more consistency between personality and environment.

The *developmental approach* examines a greater number of individual and environmental variables. "The experiences people have with events, situations and other people play a large part in determining their identities (i.e., what they believe and value, how they respond to others, and what their own self images are)" (Gladstein & Apfel, 1987, p. 181). Developmental life-span career theory proposes that adults are always in the process of evaluating themselves in regard to how they are affected by outside influences (e.g., spouse, family, friends) and how they impact these variables. Okun (1984) and Gladstein and Apfel (1987) believe the interplay of other people and events strongly influences career decisions in adulthood.

Gladstein and Apfel's approach to adult career counseling focuses on a combination of six elements: developmental, comprehensive, self-in-group, longitudinal, mutual commitment, and multimethodological. These elements work together in the process of change at this stage of life. This model, which has been implemented on a practical level at the University of Rochester Adult Counseling Center, considers the person's total identity over time. In a related model, Chusmir (1990) stresses the interaction of multiple factors in the process that men undergo when choosing *nontraditional careers* (careers in

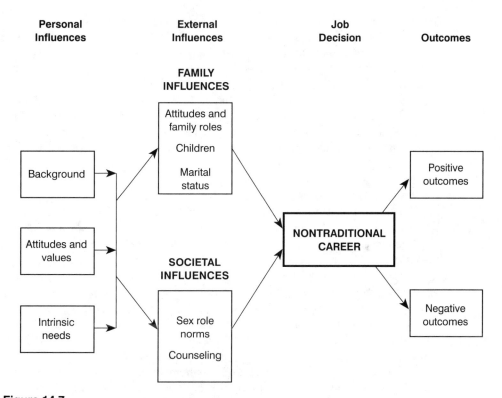

| Personal Influences | External Influences | Job Decision | Outcomes |

Figure 14.7
Factors contributing to men's adoption of nontraditional careers
Source: Reprinted from "Men Who Make Nontraditional Career Choices," by L. H. Chusmir, 1990, *Journal of Counseling and Development, 69,* p. 21. © 1990 by ACA. Reprinted with permission. No further reproduction authorized without written permission of the American Counseling Association.

which people of one gender are not usually employed) (see Figure 14.7). Whether or not careers are nontraditional, the fact is that many forces enter into career decisions.

Career Counseling with Women and Ethnic Minorities

"Many of the assumptions inherent in traditional theories of career development fall short in their application to women and ethnic minorities" (Luzzo & McWhirter, 2001, p. 61). Women and ethnic minorities have historically received less adequate career counseling than European American males have and have faced more barriers in pursuit of their careers (Brown, 2002). The reason has often involved stereotypical beliefs and practices connected with these two groups (Herr & Niles, 2002). For example, society has generally assumed that women will have discontinuous career patterns to accommodate their families' needs. Likewise, ethnic minorities have often been viewed as interested in only a limited number of occupations. The growing social activism among women and ethnic minority groups, combined with a growing body of research, are helping to challenge constraining negative forces and create models of career counseling for these populations (Peterson & Gonzalez, 2000).

Women.   Gender-based career patterns for women have changed for several reasons. For one thing, "children are being exposed to greater and more varied career choices. Additionally, women have moved into careers previously reserved for men, thereby creating a broader range in the role models they provide girls" (Bobo et al., 1998, pp. 40–41).

Since 1970, there has been a dramatic rise in research on and interest in the career development of women (Luzzo & McWhirter, 2001; Scott & Hatalla, 1990; Walsh & Osipow, 1994). This trend parallels the increase in women's participation in the civilian workforce, from roughly 20% in 1900 to 50% in the 1970s to approximately 75% at present. "Research on women's career development has identified both internal and external barriers associated with women's career development, documenting that the process of career decision making and maintaining a career are more complex and restricted for women than for men" (Sullivan & Mahalik, 2000, p. 54). Unfortunately, most theories of career development cannot be appropriately applied to women because they were formulated for men or are incomplete (Cook, 1993; Cook, Heppner, & O'Brien, 2002; Holland, 1966; Jackson & Scharman, 2002).

Therefore, in working with women, counselors need to realize they are often entering new territory and must watch out for and resist *occupational sex-role stereotyping,* even at the elementary school level (McMahon & Patton, 1997). Common stereotypes include viewing women as primarily mothers (nurturing), children (dependent), iron maidens (hard driving), and sex objects (Gysbers et al., 1998) or mistakenly assuming that, as a group, females prefer social, artistic, and conventional occupations (as opposed to realistic, investigative, and enterprising occupations) (Tomlinson & Evans-Hughes, 1991). In addition, there is the *"glass ceiling" phenomenon* in which women are seen as able to rise only so far in a corporation because they are not viewed as being able to perform top-level executive duties. When these myths are accepted, girls and women are not challenged to explore their abilities and possibilities and as a result some women fail to develop their abilities or gifts to the fullest. Consequently, they never work; develop a low or moderate commitment to work; or focus on "safe," traditional, female-dominated occupations such as teaching, clerical work, nursing, or social services (Betz & Fitzgerald, 1987; Brown, 2002; Walsh & Osipow, 1994).

Other barriers outside of these myths must be considered, too, in career counseling for women. For instance, a company culture may revolve around the expectation of working far more hours than may be described in a job, in attending certain events, or being "one of the guys." Thus, women must overcome these realities, as well as the myths that surround them, in order to achieve career goals (Luzzo & McWhirter, 2001). Counselors may advise them that they may more readily find a job that is not in a female-dominated occupational field by socially contacting men rather than women (Mencken & Winfield, 2000). However, overcoming barriers and misperceptions and finding balance is an essential part of the counseling process.

To understand how women may combine a career and a family, Jackson and Scharman (2002) studied a national sample of "26 women identified as having creatively constructed their careers to maximize time with their families" (p. 181). Eight different themes emerged as to how these women managed to construct family-friendly careers. Their strategies ranged from "peaceful trade-offs" to "partner career flexibility." However, "each participant found satisfying solutions to combining career and family that did not require an either/or choice" (p. 184). Overall, these women demonstrated remarkable self-efficacy (i.e., confidence in themselves to cope with or manage complex or difficult situations). This ability is becoming an increasingly important factor in the career development of women. Career self-efficacy is one that can be increased through working with women in groups to address factors that compose it, such as performance accomplishments, vicarious experiences, emotional arousal, and verbal persuasion (Sullivan & Mahalik, 2000).

Another helpful career counseling strategy in working with women, especially if they are depressed and indecisive about a career, is to offer "*career plus life counseling,* meaning that in counseling they [the women] focus on personal and relationship issues in addition to explicit career issues" (Lucas, Skokowski, & Ancis, 2000, p. 325). An ecological perspective, where career counselors work with women on career development issues in the context and complexity of the environment in which they live, is increasingly gaining recognition as a way of helping women become more empowered and shape their futures (Cook et al., 2002).

An area that warrants counselors' attention in career counseling with women in the future is demographics and trends. The labor market has shifted from goods-producing to service-producing industries (Van Buren, Kelly, & Hall, 1993). Service jobs are those such as sales clerk and computer operator. When young women take these jobs when they are qualified to pursue higher-paying, nontraditional careers in skilled trades, they become more subjected to economic forces such as poverty, social welfare, and dependence on men that are not in their or society's best interest. Therefore, there is "an urgent need for career counseling interventions" offered through live or video modeling "that will persuade young women to consider the economic benefits of nontraditional career choices" or choices that are in line with their real interests (Van Buren et al., 1993, p. 101).

In addition to women and the strategies already mentioned, two other groups of women workers, displaced homemakers and late entrants, have received and should continue to receive considerable attention. *Displaced homemakers,* who enter the job market out of necessity, and *late-entry or delayed-entry women,* who decide to enter the job market after considerable time at home, pose considerable challenges for career counselors (Isaacson & Brown, 2000). The displaced homemaker often finds herself in a financial strain, uninformed about current job market trends, without a support system, and with a shaky self-concept. Career counselors must first help such women sort out or resolve some of these problems before dealing with major career decisions. In the process, they may assist these women in finding temporary employment, but long-term solutions to career satisfaction take time. Late-entry women, because of their own motivation and status, do not face the same problems to the same degree. Nevertheless, they usually need a good deal of information on careers, have to identify their marketable skills, deal with self-concept issues, and realistically face family responsibilities.

Cultural Minorities.   Cultural minorities are so diverse that it is impossible to focus on all the factors that career counselors must deal with in working with them individually or collectively. Many cultural minorities have difficulty obtaining meaningful employment because of employers' discrimination practices, lack of marketable skills, and limited access to informal networks that lead to good jobs (Leong, 1995). In addition, the interest patterns of cultural minorities (as a group) have tended not to fall within Holland's (1997) circular RIASEC ordering in the same way European Americans have, thus presenting challenges for many career counselors in regard to helping them (Osipow & Fitzgerald, 1996). Whereas about 27% of adults in the United States express a need for assistance in finding information about work, the rate is much higher among specific minority populations: African Americans (44%), Asian/Pacific Islanders (36%), and Hispanics/Latinos (35%) (NCDA, 1990).

Counselors must remember that cultural minorities have special needs in regard to establishing themselves in careers. Thus, counselors must be sensitive to such issues and at the same time help individuals overcome artificial and real barriers that prohibit them from maximizing their potential. For instance, some African-American youths who have lived in poverty all their lives are characterized as vocationally handicapped because "they have few positive work-related experiences, limited educational opportunities, and frequently lack positive work role models" (Dunn & Veltman, 1989, pp. 156–157). Structured programs for these individuals use positive role models and experiences to affirm cultural or ethnic heritage and abilities, thus working to address and overcome traditional restrictions (Drummond & Ryan, 1995; Locke & Faubert, 1993). In the process, counselors help these youth, as they do others, to distinguish between barriers over which they have control and responsibility for transcending those which they may not have the capacity to overcome (Albert & Luzzo, 1999).

Career awareness programs for Chinese- and Korean-American parents have also proven beneficial (Evanoski & Tse, 1989). In these Asian cultures, parents traditionally make career decisions for their children, regardless of the children's interests. By staging neighborhood workshops to introduce parents to American career opportunities, a greater variety of choices is opened to all concerned. The success of such workshops is due to bilingual role models and career guidance materials written in the participants' language.

Career Counseling with Gays/Lesbians/Bisexuals/Transgenders.

Special diverse groups not often considered in career counseling are gays, lesbians, bisexuals, and transgenders. These individuals face unique concerns as well as many that are common to other groups. Of special concern to many gays, lesbians, bisexuals, and transgenders is whether to be overt or covert in disclosing their sexual orientation at work (Chojnacki & Gelberg, 1994). Persons with minority sexual orientations face personal and professional developmental concerns, including discrimination, if they openly acknowledge their beliefs and practices.

Although traditional career-counseling methods are usually appropriate with individuals of all sexual orientations, special attention should be given to helping gays, lesbians, bisexuals, and transgenders assess the fit between their lifestyle preferences and specific work environments. Sexual orientation cannot be ignored as an important variable in career counseling if the process is to be constructive (Croteau & Thiel, 1993).

In working with members of this population, career counselors must assess both theirs and the surrounding community's stereotyping of gays, lesbians, bisexuals, and transgenders. In such an assessment, they must gauge personal, professional, and environmental bias toward people who are not heterosexual. In addition, they need to use gender-free language and become familiar with support networks that are within their communities for members of these groups. Furthermore, they need to become informed about overt and covert discrimination in the workplace, such as blackmail, ostracism, harassment, exclusion, and termination. The *"lavender ceiling"* also needs to be discussed with gays, lesbians, bisexuals, and transgenders. This barrier to advancement in a career is the equivalent to the "glass ceiling" for women, where a career plateaus early due to discreet prejudice by upper management against persons because of beliefs about them related to their sexuality (Friskopp & Silverstein, 1995; Zunker, 2002).

SUMMARY AND CONCLUSION

This chapter has covered information on various aspects of career counseling including its importance and the associations within counseling, such as the NCDA and NECA, that are particularly concerned with its development. Major theories of career counseling—trait-and-factor, psychodynamic, developmental, and social-cognitive—were reviewed along with two recent attempts to develop a comprehensive theory of career counseling. Career counseling with particular populations, especially individuals at different developmental ages and stages in life, women, cultural minorities, and those with distinct sexual orientation, were examined, too.

Overall, multiple factors, including inner needs and drives and external circumstances such as the economy, gender, educational attainment, ethnicity, and the social milieu, combine to influence career decisions. Developments around the world, especially in technology, are impacting the field of careers as well. "The information age continues to alter the number of job open-

ings as well as the way in which a wide variety of jobs are done" (Walls & Fullmer, 1996, p. 154). As advancing technology creates new or modifies old kinds of jobs, previously valued skills and entire occupations may diminish or vanish. Therefore, career counseling is becoming ever more important, and counselors who are going to be relevant to their clients must be knowledgeable about procedures and practices in this field across the life span.

Among the many functions that career and employment counselors perform are:

- administering and interpreting tests and inventories;
- conducting personal counseling sessions;
- developing individualized career plans;
- helping clients integrate vocational and avocational life roles;
- facilitating decision-making skills; and
- providing support for persons experiencing job stress, job loss, or career transitions.

CLASSROOM ACTIVITIES

1. Think back to your childhood and the careers you were aware of at that time. How do your early career dreams (before age 12) relate to your present professional aspirations? With the class discuss your memories and how they have or continue to influence you.
2. With another classmate discuss your opinions about the importance of including the concept of leisure in the definition of career. Do you agree with McDaniels' emphasis, or do you think leisure is really a separate entity? Share your ideas with the class as a whole.
3. Read about and evaluate a technique that could be used in career information guidance with an age group that you are inter-

ested in. Share your information with the class in an oral report.
4. Evaluate Roe's theory of career choice in relation to an individual you know who is established in a career. Interview the person, if possible. Discuss with your classmates how Roe's theory was or was not verified by the information you obtained.
5. Which particular group covered in this chapter appeals to you most in regard to career counseling? Divide the class into groups according to preferences. Focus on areas you consider crucial for your group to master in regard to career decision making. Report your results back to the class as a whole.

REFERENCES

Albert, K. A., & Luzzo, D. A. (1999). The role of perceived barriers in career development: A social cognitive perspective. *Journal of Counseling and Development, 77,* 431–436.

American College Testing Program. (1987). *DISCOVER.* Iowa City, IA: Author.

American School Counselor Association (ASCA). (1985). The role of the school counselor in career guidance: Expectations and responsibilities. *School Counselor, 32,* 164–168.

Beale, A. V. (1998). Facilitating the learning of career development theories. *Career Development Quarterly, 46,* 294–300.

Beale, A. V., & Nugent, D. G. (1996). The pizza connection: Enhancing career awareness. *Elementary School Guidance and Counseling, 30,* 294–303.

Betz, N., & Fitzgerald, L. (1987). *The career psychology of women.* New York: Academic Press.

Bloch, D. P. (1988). *Reducing the risk: Using career information with at-risk youth.* Eugene, OR: Career Information Systems.

Bloch, D. P. (1989). Using career information with dropouts and at-risk youth. *Career Development Quarterly, 38,* 160–171.

Bobo, M., Hildreth, B. L., & Durodoye, B. (1998). Changing patterns in career choices among African-American, Hispanic, and Anglo children. *Professional School Counseling, 1*(4), 37–42.

Bolles, R. N. (2002). *What color is your parachute?* (32nd ed). Berkeley, CA: Ten Speed Press.

Bordin, E. S. (1968). *Psychological counseling* (2nd ed.). New York: Appleton-Century-Crofts.

Bordin, E. S. (1991). Psychodynamic model of career choice and satisfaction. In D. Brown, L. Brooks, & Associates (Eds.), *Career choice and development: Applying con-temporary theories to practice* (2nd ed., pp. 102–144). San Francisco: Jossey-Bass.

Borgen, W. A. (1997). People caught in changing career opportunities: A counseling perspective. *Journal of Employment Counseling, 34,* 133–143.

Bowen, M. (1980). *Key to the genogram.* Washington, DC: Georgetown University Hospital.

Bratcher, W. E. (1982). The influence of the family on career selection: A family systems perspective. *Personnel and Guidance Journal, 61,* 87–91.

Bratina, T. G., & Bratina, T. A. (1998). Electronic career search. *Journal of Employment Counseling, 35,* 1725.

Brown, D. (1985). Career counseling: Before, after or instead of personal counseling. *Vocational Guidance Quarterly, 33,* 197–201.

Brown, D. (2002). The role of work and cultural values in occupational choice, satisfaction, and success: A theoretical statement. *Journal of Counseling and Development, 80,* 48–56.

Brown, D., & Brooks, L. (1991). *Career counseling techniques.* Boston: Allyn & Bacon.

Burlew, L. (1992, Winter). My job, my mind. *American Counselor, 1,* 24–27.

Bynner, J. M. (1997). Basic skills in adolescents' occupational preparation. *Career Development Quarterly, 45,* 300–321.

Campbell, A. (1981). *The sense of well-being in America: Recent patterns and trends.* New York: McGraw-Hill.

Campbell, C. A., & Dahir, C. A. (1997). *The national standards for school counseling programs.* Alexandria, VA: American School Counseling Programs.

Campbell, D. (1974). *If you don't know where you're going you'll probably end up somewhere else.* Niles, IL: Argus.

Canaff, A. L. (1997). Later life career planning: A new challenge for career counselors. *Journal of Employment Counseling, 34,* 85–93.

Chojnacki, J. T., & Gelberg, S. (1994). Toward a conceptualization of career counseling with gay/lesbian/bisexual persons. *Journal of Career Development, 21,* 3–9.

Chusmir, L. H. (1990). Men who make nontraditional career choices. *Journal of Counseling and Development, 69,* 11–16.

Cole, C. G. (1982). Career guidance for middle junior high school students. *Vocational Guidance Quarterly, 30,* 308–314.

Cook, E. P. (1993). The gender context of life: Implications for women's and men's career-life plans. *Career Development Quarterly, 41,* 227–237.

Cook, E. P., Heppner, M. J., & O'Brien, K. M. (2002). Career development of women of color and White women: Assumptions, conceptualization, and interventions from an ecological perspective. *Career Development Quarterly, 50,* 291–305.

Corsini, R., & Wedding, D. (2000). *Current psychotherapies* (6th ed.). Itasca, IL: Peacock.

Craig, M. P., Contreras, M., & Peterson, N. (2000). Multicultural career exploration with adolescent females. In N. Peterson & R. C. Gonzalez (Eds.), *Career counseling models for diverse populations* (pp. 20–35). Pacific Grove, CA: Brooks/Cole.

Crites, J. O. (1969). *Vocational psychology.* New York: McGraw-Hill.

Crites, J. O. (1978). *Theory and research handbook for the Career Maturity Inventory.* Monterey, CA: CTB/McGraw-Hill.

Crites, J. O. (1981). *Career counseling: Models, methods, and materials.* New York: McGraw-Hill.

Croteau, J. M., & Thiel, M. J. (1993). Integrating sexual orientation in career counseling: Acting to end a form of the personal-career dichotomy. *Career Development Quarterly, 42,* 174–179.

Dickson, G. L., & Parmerlee, J. R. (1980). The occupation family tree: A career counseling technique. *School Counselor, 28,* 99–104.

Dollarhide, C. T. (1997). Counseling for meaning in work and life: An integrated approach. *Journal of Humanistic Education and Development, 35,* 178–187.

Drummond, R. J., & Ryan, C. W. (1995). *Career counseling: A development approach.* Upper Saddle River, NJ: Merrill/Prentice Hall.

Dunn, C. W., & Veltman, G. C. (1989). Addressing the restrictive career maturity patterns of minority youth: A program evaluation. *Journal of Multicultural Counseling and Development, 17,* 156–164.

Engels, D. W., Jacobs, B. C., & Kern, C. W. (2000). Life-career developmental counseling. In D. C. Davis & K. M. Hemphrey (Eds.), *College counseling: Issues and strategies for a new millennium* (pp. 187–203). Alexandria, VA: American Counseling Association.

Erikson, E. H. (1963). *Childhood and society* (2nd ed.). New York: Norton.

Evanoski, P. O., & Tse, F. W. (1989). Career awareness programs for Chinese and Korean American parents. *Journal of Counseling and Development, 67,* 472–474.

Fox, M. (1994). *The reinvention of work: A new vision of livelihood for our time.* San Francisco: Harper.

Freeman, S. C. (1990). C. H. Patterson on client-centered career counseling: An interview. *Career Development Quarterly, 38,* 291–301.

Friskopp, A., & Silverstein, S. (1995). *Straight jobs gay lives.* New York: Scribner.

Gade, E., Fuqua, D., & Hurlburt, G. (1988). The relationship of Holland's personality types to educational satisfaction with a Native-American high school population. *Journal of Counseling Psychology, 35,* 183–186.

Gale, A. U. (1998). Carl McDaniels: A life of transitions. *Journal of Counseling and Development, 76,* 202–207.

Gati, I., & Saka, N. (2001). High school students' career-related decision-making difficulties. *Journal of Counseling and Development, 79,* 331–340.

Ginzberg, E. (1972). Toward a theory of occupational choice: A restatement. *Vocational Guidance Quarterly, 20,* 169–176.

Ginzberg, E., Ginsburg, S. W., Axelrad, S., & Herma, J. L. (1951). *Occupational choice.* New York: Columbia University Press.

Gladstein, G. A., & Apfel, F. S. (1987). A theoretically based adult career counseling center. *Career Development Quarterly, 36,* 178–185.

Gottfredson, L. S. (1981). Circumscription and compromise: A developmental theory of occupational aspirations. *Journal of Counseling Psychology, 28,* 545–579.

Guindon, M. H., & Hanna, F. J. (2002). Coincidence, happenstance, serendipity, fate, or the hand of God: Case studies in synchronicity. *Career Development Quarterly, 50,* 195–208.

Gysbers, N. C. (1975). Beyond career development: Life career development. *Personnel and Guidance Journal, 53,* 647–652.

Gysbers, N. C., Heppner, J. A., & Johnstone, J. A. (2002). *Career counseling: Process, issues, & techniques.* (2nd ed.). Boston: Allyn & Bacon.

Harris-Bowlsbey, J. (1992, December). Building blocks of computer-based career planning systems. *CAPS Digest,* EDO-CG-92-7.

Hartung, P. J., Vandiver, B. J., Leong, F. T. L., Pope, M., Niles, S. G., & Farrow, B. (1998). Appraising cultural identity in career-development assessment and counseling. *Career Development Quarterly, 46,* 276–293.

Helwig, A. A., & Myrin, M. D. (1997). Ten-year stability of Holland

codes within one family. *Career Development Quarterly, 46,* 62–71.

Henderson, S. J. (2000). "Follow your bliss": A process for career happiness. *Journal of Counseling and Development, 78,* 305–315.

Herr, E. L. (1997). Super's life-span, life-space and its outlook for refinement. *Career Development Quarterly, 45,* 238–246.

Herr, E. L., & Cramer, S. H. (1996). *Career guidance and counseling through the lifespan* (5th ed.). New York: HarperCollins.

Herr, E. L., & Niles, S. G. (1994). Multicultural career guidance in the schools. In P. Pedersen & J. C. Carey (Eds.), *Multicultural counseling in schools* (pp. 177–194). Boston: Allyn & Bacon.

Hester, S. B., & Dickerson, K. G. (1982). The emerging dual-career life-style: Are your students prepared for it? *Journal of College Student Personnel, 23,* 514–519.

Holland, J. L. (1966). *The psychology of vocational choice.* Waltham, MA: Blaisdell.

Holland, J. L. (1997). *Making vocational choices: A theory of vocational preferences and work environments* (3rd ed.). Odessa, FL: Psychological Assessment Resources.

Holland, J. L., & Gottfredson, G. D. (1976). Using a typology of persons and environments to explain careers: Some extensions and clarifications. *Counseling Psychologist, 6,* 20–29.

Hoppock, R. (1976). *Occupational information* (4th ed.). New York: Harper & Row.

Hotchkiss, L., & Borow, H. (1996). Sociological perspective on work and career development. In D. Brown, L. Brooks, & Associates (Eds.), *Career choice and development* (3rd ed.). San Francisco: Jossey-Bass.

Hoyt, K. B. (1989). Policy implications of selected data from adult employed workers in the 1987 Gallup Career Development Survey. In D. Brown & C. W. Minor (Eds.),

Working in America: A status report on planning and problems (pp. 6–24). Alexandria, VA: National Career Development Association.

Hoyt, K. B. (1994). Youth apprenticeship "American style" and career development. *Career Development Quarterly, 42,* 216–223.

Imbimbo, P. V. (1994). Integrating personal and career counseling: A challenge for counselors. *Journal of Employment Counseling, 31,* 50–59.

Isaacson, L. E., & Brown, D. (2000). *Career information, career counseling, and career development* (7th ed.). Boston: Allyn & Bacon.

Jackson, A. P., & Scharman, J. S. (2002). Constructing family-friendly careers: Mothers' experiences. *Journal of Counseling and Development, 80,* 180–187.

Jesser, D. L. (1983). Career education: Challenges and issues. *Journal of Career Education, 10,* 70–79.

Katz, M. R. (1975). *SIGI: A computer-based system of interactive guidance and information.* Princeton, NJ: Educational Testing Service.

Katz, M. R. (1993). *Computer-assisted career decision-making: The guide in the machine.* Hillsdale, NJ: Erlbaum.

Kerka, S. (1991). Adults in career transition. *ERIC Digest,* ED338896.

Knefelkamp, L. L., & Slepitza, R. (1976). A cognitive developmental model of career development: An adaptation of Perry's scheme. *Counseling Psychologist, 6,* 53–58.

Krieshok, T. S. (1998). An anti-introspectivist view of career decision making. *Career Development Quarterly, 46,* 210–229.

Krumboltz, J. D. (1979). *Social learning and career decision making.* New York: Carroll.

Krumboltz, J. D. (1992, December). Challenging troublesome career beliefs. *CAPS Digest,* EDO-CG-92-4.

Krumboltz, J. D. (1994). Integrating career and personal counseling. *Career Development Quarterly, 42,* 143–148.

Laker, D. R. (2002). The career wheel: An exercise for exploring and validating one's career choices. *Journal of Employment Counseling, 39,* 61–71.

Leong, F. T. L. (Ed.). (1995). *Career development and vocational behavior of racial and ethnic minorities.* Hillsdale, NJ: Erlbaum.

Lewis, R. A., & Gilhousen, M. R. (1981). Myths of career development: A cognitive approach to vocational counseling. *Personnel and Guidance Journal, 59,* 296–299.

Locke, D. C., & Faubert, M. (1993). Getting on the right track: A program for African American high school students. *School Counselor, 41,* 129–133.

Lowman, R. L. (1993). The interdomain model of career assessment and counseling. *Journal of Counseling and Development, 71,* 549–554.

Lucas, M. S., Skokowski, C. T., & Ancis, J. R. (2000). Contextual themes in career decision making of female clients who indicate depression. *Journal of Counseling and Development, 78,* 316–325.

Luzzo, D. A., & McWhirter, E. H. (2001). Sex and ethnic differences in the perception of educational and career-related barriers and levels of coping efficacy. *Journal of Counseling and Development, 79,* 61–67.

Mann, D. (1986). Dropout prevention: Getting serious about programs that work. *NASSP Bulletin, 70,* 66–73.

Marino, T. W. (1996, July). Looking for greener pastures. *Counseling Today,* 16.

McDaniels, C. (1984). The work/leisure connection. *Vocational Guidance Quarterly, 33,* 35–44.

McGoldrick, M., Gerson, R., & Shellenberger, S. (1999). *Genograms: Assessment and intervention* (2nd ed.). New York: Norton.

McMahon, M., & Patton, W. (1997). Gender differences in children and adolescents' perceptions of influences on their career development. *School Counselor, 44,* 368–376.

Meir, E. I. (1994). Comprehensive interests measurement in counseling for congruence. *Career Development Quarterly, 42,* 314–324.

Meir, E. I., Rubin, A., Temple, R., & Osipow, S. H. (1997). Examination of interest inventories based on Roe's classification. *Career Development Quarterly, 46,* 48–61.

Mencken, F. C., & Winfield, I. (2000). Job search and sex segregation: Does sex of social contact matter? *Sex Roles, 42,* 847–865.

Meyer, D., Helwig, A., Gjernes, O., & Chickering, J. (1985). The National Employment Counselors Association. *Journal of Counseling and Development, 63,* 440–443.

Miller, M. J. (1983). The role of happenstance in career choice. *Vocational Guidance Quarterly, 32,* 16–20.

Miller, M. J. (1998). Broadening the use of Holland's hexagon with specific implications for career counselors. *Journal of Employment Counseling, 35,* 2–6.

Miller, M. J. (2002). Longitudinal examination of a three-letter holland code. *Journal of Employment Counseling, 39,* 43–48.

Morgan, J. I., & Skovholt, T. M. (1977). Using inner experience: Fantasy and daydreams in career counseling. *Journal of Counseling Psychology, 24,* 391–397.

National Career Development Association (NCDA). (1990). *National survey of working America, 1990: Selected findings.* Alexandria, VA: Author.

National Occupational Information Coordinating Committee (NOICC). (1994). *Program guide: Planning to meet career development needs in school-to-work transition programs.* Washington, DC: U.S. Government Printing Office.

Okiishi, R. W. (1987). The genogram as a tool in career counseling. *Journal of Counseling and Development, 66,* 139–143.

Okun, B. F. (1984). *Working with adults: Individual, family, and career development*. Pacific Grove, CA: Brooks/Cole.

Osborne, W. L., Brown, S., Niles, S., & Miner, C. U. (1997). *Career development, assessment & counseling*. Alexandria, VA: American Counseling Association.

Osborne, W. L., & Niles, S. G. (1994, November). *A tribute to Donald Super*. Paper presented at the Southern Association for Counselor Education and Supervision Conference, Charlotte, NC.

Osipow, S. H., & Fitzgerald, L. F. (1996). *Theories of career development* (4th ed.). Boston: Allyn & Bacon.

Paramore, B., Hope, W. E., & Drier, H. N. (1999). *Children's Dictionary of Occupations*. Bloomington, IL: Meridian Education Corp.

Parker, M. (1994, March). SIG updates. *Career Developments, 9,* 14–15.

Parsons, F. (1909). *Choosing a vocation*. Boston: Houghton Mifflin.

Perry, W. G. (1968). *Forms of intellectual and ethical development in the college years: A scheme*. New York: Holt, Rinehart, & Winston.

Peterson, N., & Gonzalez, R. C. (Eds.). (2000). *Career counseling models for diverse populations*. Pacific Grove, CA: Brooks/Cole.

Pickering, J. W., & Vacc, N. A. (1984). Effectiveness of career development interventions for college students: A review of published research. *Vocational Guidance Quarterly, 20,* 149–159.

Roe, A. (1956). *The psychology of occupations*. New York: Wiley.

Roe, A., & Lunneborg, P. W. (1991). Personality development and career choice. In D. Brown, L. Brooks, & Associates (Eds.), *Career choice and development: Applying contemporary theories to practice* (2nd ed., pp. 68–101). San Francisco: Jossey-Bass.

Rumberger, R. W. (1987). High school dropouts. *Review of Educational Research, 57,* 101–122.

Rysiew, K. J., Shore, B. M., & Leeb, R. T. (1999). Multipotentiality, giftedness, and career choice: A review. *Journal of Counseling and Development, 77,* 423–430.

Salomone, P. R., & McKenna, P. (1982). Difficult career counseling cases. I: Unrealistic vocational aspirations. *Personnel and Guidance Journal, 60,* 283–286.

Salomone, P. R., & Sheehan, M. C. (1985). Vocational stability and congruence: An examination of Holland's proposition. *Vocational Guidance Quarterly, 34,* 91–98.

Sampson, J. P., Jr., & Bloom, J. W. (2001). The potential for success and failure of computer applications in counseling and guidance. In D. C. Locke, J. E. Myers, & E. L. Herr (Eds.), *The handbook of counseling* (pp. 613–627). Thousand Oaks, CA: Sage.

Sampson, J. P., Jr., & Reardon, R. C. (1990). *Enhancing the design and use of computer-assisted career guidance systems*. Alexandria, VA: American Counseling Association.

Sampson, J. P., Jr., Shahnasarian, M., & Reardon, R. C. (1987). Computer-assisted career guidance: A national perspective on the use of DISCOVER and SIGI. *Journal of Counseling and Development, 65,* 416–419.

Savickas, M. L. (1989). Annual review: Practice and research in career counseling and development, 1988. *Career Development Quarterly, 38,* 100–134.

Scott, J., & Hatalla, G. (1990). The influence of chance and contingency factors on career patterns of college-educated women. *Career Development Quarterly, 39,* 18–30.

Sears, S. (1982). A definition of career guidance terms: A National Vocational Guidance Association perspective. *Vocational Guidance Quarterly, 31,* 137–143.

Sheeley, V. L. (1978). *Career guidance leadership in America: Pioneering professionals*. Falls Church, VA: National Vocational Guidance Association.

Sheeley, V. L. (1988). Historical perspectives on NVGA/NCDA: What our leaders think. *Career Development Quarterly, 36,* 307–320.

Smith, R. L., Engels, D. W., & Bonk, E. C. (1985). The past and future: The National Vocational Guidance Association. *Journal of Counseling and Development, 63,* 420–423.

Splete, H. H. (1982). Planning for a comprehensive career guidance program in the elementary schools. *Vocational Guidance Quarterly, 30,* 300–307.

Staley, W. L., & Carey, A. L. (1997). The role of school counselors in facilitating a quality twenty-first century workforce. *School Counselor, 44,* 377–383.

Stephens, W. R. (1988). Birth of the National Vocational Guidance Association. *Career Development Quarterly, 36,* 293–306.

Sullivan, K. R., & Mahalik, J. R. (2000). Increasing career self-efficacy for women: Evaluating a group intervention. *Journal of Counseling and Development, 78,* 54–62.

Super, D. E. (1954). Career patterns as a basis for vocational counseling. *Journal of Counseling Psychology, 1,* 12–19.

Super, D. E. (1957). *The psychology of careers*. New York: Harper.

Super, D. E. (1976). *Career education and the meaning of work* [Monograph]. Washington, DC: Office of Career Education, U.S. Office of Education.

Super, D. E. (1990). A life-span, life-space approach to career development. In D. Brown, L. Brooks, & Associates (Eds.), *Career choice and development: Applying contemporary theories to practice* (2nd ed., pp. 197–261). San Francisco: Jossey-Bass.

Super, D. E., Osborne, L., Walsh, D., Brown, S., & Niles, S. (1992). Developmental career assessment and counseling: The C-DAC model.

Journal of Counseling and Development, 71, 74–80.

Super, D. E., Thompson, A. S., & Lindeman, R. H. (1988). *Adult career concerns inventory.* Palo Alto, CA: Consulting Psychologists Press.

Swanson, J. L., & Hansen, J. C. (1988). Stability of vocational interests over 4-year, 8-year, and 12-year intervals. *Journal of Vocational Behavior, 33,* 185–202.

Tart, C. T. (1986). *Waking up: Overcoming the obstacles to human potential.* Boston: New Science Library.

Tiedeman, D. V. (1961). Decision and vocational development: A paradigm and its implications. *Personnel and Guidance Journal, 40,* 15–20.

Tiedeman, D. V., & O'Hara, R. P. (1963). *Career development: Choice and adjustment.* New York: College Entrance Examination Board.

Tomlinson, S. M., & Evans-Hughes, G. (1991). Gender, ethnicity, and college students' responses to the Strong-Campbell Interest Inventory. *Journal of Counseling and Development, 70,* 151–155.

Trusty, J., Robinson, C. R., Plata, M., & Ng, K-M. (2000). Effects of gender, socioeconomic status, and early academic performance on postsecondary educational choice. *Journal of Counseling and Development, 78,* 463–472.

Van Buren, J. B., Kelly, K. R., & Hall, A. S. (1993). Modeling nontraditional career choices: Effects of gender and school location on response to a brief videotape. *Journal of Counseling and Development, 72,* 101–104.

Wahl, K. H., & Blackhurst, A. (2000). Factors affecting the occupational and educational aspirations of children and adolescents. *Profesional School Counseling, 3,* 367–374.

Walker-Staggs, J. (2000). DISCOVER. In N. Peterson & R. C. Gonzalez (Eds.), *Career counseling models for diverse populations* (pp. 112–120). Pacific Grove, CA: Brooks/Cole.

Walls, R. T., & Fullmer, S. L. (1996). Comparing rehabilitated workers with the United States workforce. *Rehabilitation Counseling Bulletin, 40*(2), 153–164.

Walsh, W. B., & Osipow, S. H. (1994). *Career counseling for women.* Hillsdale, NJ: Erlbaum.

Weinrach, S. G. (1996). The psychological and vocational interest patterns of Donald Super and John Holland. *Journal of Counseling and Development, 75,* 5–16.

Williams, J. E. (1962). Changes in self and other perceptions following brief educational-vocational counseling. *Journal of Counseling Psychology, 9,* 18–30.

Williams, J. E., & Hills, D. A. (1962). More on brief educational-vocational counseling. *Journal of Counseling Psychology, 9,* 366–368.

Williamson, E. G. (1939). *How to counsel students.* New York: McGraw-Hill.

Williamson, E. G. (1972). Trait-and-factor theory and individual differences. In B. Stefflre & W. H. Grant (Eds.), *Theories of counseling* (2nd ed., pp. 136–176). New York: McGraw-Hill.

Wrenn, R. L. (1985). The evolution of Anne Roe. *Journal of Counseling and Development, 63,* 267–275.

Zunker, V. G. (2002). *Career counseling* (6th ed.). Pacific Grove, CA: Brooks/Cole.

15

MARRIAGE AND FAMILY COUNSELING

At thirty-five, with wife and child

    a Ph.D.

        and hopes as bright as a full moon

           on a warm August night,

He took a role as a healing man

    blending it with imagination,

        necessary change and common sense

To make more than an image on an eye lens

    of a small figure running quickly up steps;

Quietly he traveled

    like one who holds a candle to darkness

        and questions its power

So that with heavy years, long walks,

    shared love, and additional births

He became as a seasoned actor,

    who, forgetting his lines in the silence,

        stepped upstage and without prompting

           lived them.

Reprinted from "Without Applause," by S. T. Gladding, 1974, Personnel and Guidance Journal, 52, p. 586.
© *1974 by ACA. Reprinted with permission. No further reproduction authorized without written permission of the American Counseling Association.*

Marital relations and family life are rooted in antiquity. Whether arranged by a family or the couple themselves, men and women have paired together in unions sanctioned by religion and society for economic, societal, and procreation reasons for millenniums. The terms marriage *and* family *have distinct connotations in different societies. Marriage is generally seen as a socially or religiously sanctioned union between two adults for economic and/or procreational reasons. However, a family consists of "those persons who are biologically and/or psychologically related . . . [through] historical, emotional, or economic bonds . . . and who perceive themselves as a part of a household" (Gladding, 2002, p. 6). These definitions of* marriage *and* family *allow for maximum flexibility and can encompass a wide variety of forms.*

The strong interest in marriage and family counseling today is partly due to the rapid change in American family life since World War II. Before the war, two types of families, which still exist, dominated American cultural life:

1. *the* nuclear family, *a core unit of husband, wife, and their children; and*
2. *the* multigenerational family, *households that include at least three generations, such as a child/children, parent(s), and grandparent(s). This type of family sometimes even includes unmarried relatives, such as aunts and uncles.*

After the war, a rising divorce rate made two more family types prevalent:

1. *the* single-parent family, *which includes one parent, either biological or adoptive, who is solely responsible for the care of self and a child/children; and*
2. *the* remarried (i.e., blended, step) family, *a household created when two people marry and at least one of them has been previously married and has a child/children.*

In addition, changes in societal norms and demographics have fostered the development and recognition of several other family forms today besides those already mentioned, specifically:

- *the* dual-career family, *where both marital partners are engaged in work that is developmental in sequence and to which they have a high commitment;*
- *the* childless family, *which consists of couples who consciously decide not to have children or who remain childless as a result of chance or biological factors;*
- *the* aging family, *where the head or heads of the household are age 65 or above;*
- *the* gay/lesbian family, *which is made up of same-sex couples with or without a child/children from either a previous union or as a result of artificial insemination or adoption;*
- *the* multicultural family, *where individuals from two different cultures unite and form a household that may or may not have children.*

Thus, couples and families in the twenty-first century are quite varied. Those who choose to enter such relationships face a host of economic, social, and developmental challenges that demand their attention daily. They also find a number of rewards in such unions including physical, financial, and psychological support. Thus, the drawbacks and impacts of marriage and family life are great and sometimes complicated. Professional counselors who work with couples and families must be attuned to a host of difficulties as well as possibilities within them and be ready to deal with extremely difficult and unsettling changes that developmentally or situationally may face these units (Napier, 1988).

Despite the complexity and complications of working with couples and families, marriage and family counseling is a popular pursuit of counselors. There are at least three reasons why. First is the realization that persons are directly affected by how their families function (Goldenberg & Goldenberg, 2002). For instance, chaotic families frequently produce offspring who have difficulty relating to others because of a lack of order or even knowledge of what to do, whereas enmeshed families have children who often have difficulty leaving home because they are overdependent on parents or other family members. Another reason family counseling is attractive is a financial consideration. Family problems can often be addressed more economically when a couple or family is seen together. Finally, the encompassing nature of marriage and family counseling work makes it intrinsically appealing. There are multiple factors to be aware of and to address in working with a family. Counselors who are engaged in helping couples and families must constantly be active mentally and even sometimes physically. The process itself can be exciting as well as rewarding when change takes place. Thus, marriage and family counseling attracts many clinicians who wish to work on complex, multifaceted levels in the most effective way possible.

This chapter examines the genesis and development of marriage and family counseling along with an overview of family counseling organizations, research, and the family life cycle. It also addresses how family counseling differs from individual and group counseling, as well as the process of marriage and family counseling from a beginning session to termination.

THE BEGINNINGS OF MARRIAGE AND FAMILY COUNSELING

The profession of marriage and family counseling is relatively new (Framo, 1996). Its substantial beginnings are traced to the 1940s and early 1950s, but its real growth occurred in the late 1970s and the 1980s (Nichols, 1993). It is interesting to note that the rise in popularity of marriage and family counseling closely followed dramatic changes in the form, composition, structure, and emphasis of the American family noted earlier (Markowitz, 1994). In this section, trends and personalities that influenced the development of the field will be noted, including some contemporary leaders.

Trends

At the end of World War II, the United States experienced an unsettling readjustment from war to peace that manifested itself in three trends that had an impact on the family, other than a rise in different types of family forms (Walsh, 1993). One was a sharp rise in the divorce rate, which took place almost simultaneously with the baby boom beginning in

1946. Whereas divorce had been fairly uncommon up to that point, it rose dramatically thereafter and did not level out until the 1990s. The impact of this phenomenon was unsettling. Today, 50% to 65% of all couples who marry will eventually dissolve their unions (Martin & Bumpass, 1989; Whitehead, 1997).

A second trend that influenced the rise of marriage and family counseling was the changing role of women. After World War II, more women sought employment outside the home. Many women became the breadwinners of their families as well as the bread makers. The women's rights movement of the 1960s also fostered the development of new opportunities for women. Thus, traditions and expectations fell and/or were expanded for women. The results were unsettling, as any major social change is, and both men and women in families and marriages needed help in making adequate adjustments.

The expansion of the life span was the third event that had an impact on family life and made marriage and family counseling more relevant to the American public. Couples found themselves living with the same partners longer than at any previous time in history. Many were not sure exactly how to relate to their spouses or children over time since there were few previous models.

Thus, the need to work with families and individuals who were affected by these changes brought researchers, practitioners, and theorists together. They set the stage for an entirely new way of conceptualizing and working with couples and families.

Family Therapy Pioneers and Contemporary Leaders

A number of helping specialists advanced the field of marriage and family counseling after World War II and up to the present—more than can be mentioned here. Some, like Nathan Ackerman and Virginia Satir, did it using the persuasive nature of their personalities. Others, such as Salvador Minuchin and John Gottman, became important and notable because of the research they conducted.

The work of Nathan Ackerman (1958), a New York City psychoanalyst, was especially critical in focusing the attention of a well-established form of therapy, psychoanalysis, on families. Before Ackerman, psychoanalysts had purposely excluded family members from the treatment of individual clients for fear that family involvement would be disruptive. Ackerman applied psychoanalytic practices to the treatment of families and made family therapy respected in the profession of psychiatry.

Two other pioneers that emerged on a national level about the time of Ackerman were experiential in nature—Virginia Satir and Carl Whitaker. Both of these individuals had engaging personalities and a presence that commanded attention. Satir was an especially clear writer and presenter, whereas Whitaker was a maverick whose unorthodox style and creativity, such as falling asleep during a session and having a dream, provoked considerable thought and discussion in the marriage and family field and in the families with whom he worked.

Jay Haley was probably the dominant figure of the early family therapists, however. Haley culled ideas from Milton Erickson, blended them with his own thoughts, and through persistence kept early family counselors in touch with each other and with developing ideas in the field. Haley also had a major role in developing strategic family therapy and influencing structural family therapy.

Other pioneers worked in teams as researchers conducting exploratory studies in the area of family dynamics and the etiology of schizophrenia. Among the teams were the

Gregory Bateson group (Bateson, Jackson, Haley, & Weakland, 1956) in Palo Alto, California, and the Murray Bowen and Lyman Wynne groups (Bowen, 1960; Wynne, Ryckoff, Day, & Hirsch, 1958) at the National Institute of Mental Health (NIMH). They observed how couples and families functioned when a family member was diagnosed as schizophrenic. The Bateson group came up with a number of interesting concepts, such as the *double bind,* where a person receives two contradictory messages at the same time and, unable to follow both, develops physical and psychological symptoms as a way to lessen tension and escape. Bowen went on to develop his own systemic form of treatment based on multigenerational considerations and originate a now widely popular clinical tool, the *genogram* (a three-generational visual representation of one's family tree depicted in geometric figures, lines, and words—see Chapter 9).

The group movement, especially in the 1960s, also had an impact on the emergence of family counseling. Some practitioners, such as John Bell (e.g., Bell, 1975, 1976), even started treating families as a group and began the practice of couple/family group counseling (Ohlsen, 1979, 1982). Foreign-born therapists have had a major influence on marriage and family therapy since the 1960s. These include Salvador Minuchin, the originator of Structural Family Therapy; Mara Selvini Palazzoli, a creator of a form of strategic family therapy known as the Milan Approach; as well as more recently Michael White and David Epston, the founders of Narrative Therapy.

Most recently there has been a Midwestern influx into the field led by Steve deShazer and Bill O'Hanlon, who have developed brief therapeutic therapies that emphasize solutions and possibilities. In addition, Monica McGoldrick (McGoldrick, Giordano, & Pearce, 1996) has emphasized the importance of multicultural factors and cultural background in treating families. Included in the idea of culture today are *inherited cultures* (e.g., ethnicity, nationality, religion, groupings such as baby boomers) and *acquired cultures* (learned habits, such as those of being a counselor) (Markowitz, 1994). Betty Carter and a host of others have also focused on an awakening in the marriage and family counseling field to gender-sensitive issues in working with families, such as the overriding importance of power structures. Finally, exemplary researchers, such as John Gottman and Neil Jacobson, have helped practitioners understand better the dynamics within marriages and families, especially factors related to domestic violence and higher functioning marriage relationships (Peterson, 2002).

ASSOCIATIONS, EDUCATION, AND RESEARCH

Associations

Four major professional associations attract marriage and family clinicians. The largest and oldest, which was established in 1942, is the American Association for Marriage and Family Therapy (AAMFT). The second group, the International Association of Marriage and Family Counselors (IAMFC), a division within the American Counseling Association (ACA), was chartered in 1986. The third association, Division 43 (Family Psychology), a division within the American Psychological Association (APA), was formed in 1984 and is comprised of psychologists who work with families. The fourth association is the American Family Therapy Association (AFTA), formed in 1977. It is identified as an academy of advanced professionals interested in the exchange of ideas (Gladding, 2002).

Education

Both the AAMFT and IAMFC have established guidelines for training professionals in working with couples and families. The AAMFT standards are drawn up and administered by the Commission on Accreditation for Marriage and Family Therapy Education (CAMFTE); those for the IAMFC are handled through the Council for Accreditation of Counseling and Related Educational Programs (CACREP). A minimum of a master's degree is required for becoming a marriage and family counselor/therapist, although debate persists over the exact content and sequencing of courses (see Table 15.1).

Research

Regardless of professional affiliation and curriculum background, professionals are attracted to marriage and family counseling largely due to a societal need for the specialty and its growing research base. Gurman and Kniskern (1981) report that approximately 50% of all problems brought to counselors are related to marriage and family issues. Unemployment, poor school performance, spouse abuse, depression, rebellion, and self-concept issues are just a few of the many situations that can be dealt with from this perspective. Okun (1984) notes that individual development dovetails with family and career issues and that each one impacts the resolution of the other in a systemic manner. Bratcher (1982) comments on the interrelatedness of career and family development, recommending the use of family systems theory for experienced counselors working with individuals seeking career counseling.

Research studies summarized by Doherty and Simmons (1996), Gurman and Kniskern (1981), Haber (1983), Pinsof and Wynne (1995), and Wohlman and Stricker (1983) report

Table 15.1 Example of course work areas required for a master's degree in AAMFT-accredited and CACREP-accredited programs

CACREP Curriculum	AAMFT Curriculum
Human Growth and Development	Introduction Family/Child Dev.
Social and Cultural Foundations	Marital and Family Systems
Helping Relationships	Intro. Family/Child Development
Groups	Dysfunctions in Marriage/Family
Lifestyle and Career Development	Advanced Child Development
Appraisal/Assessment	Assessment in Marital/Family
Research and Evaluation	Research Methods Child/Family
Professional Orientation	Professional Issues Family
Theoretical Foundation MFT	Theories of MFT
Techniques/Treatment MFT	Marriage/Family Pre-Practicum
Clinical Practicum/Internship	Clinical Practicum
Substance Abuse Treatment	Human Sexual Behavior
Human Sexuality	Thesis
Electives	Electives

Source: From "The Training of Marriage and Family Counselors/Therapists: A 'Systemic' Controversy among Disciplines" by Michael Baltimore, 1993, *Alabama Counseling Association Journal, 19,* 40. Copyright 1993, Alabama Counseling Association. Reprinted with permission.

a number of interesting findings. First, family counseling interventions are at least as effective as individual interventions for most client complaints and lead to significantly greater durability of change. Second, some forms of family counseling (e.g., using structural-strategic family therapy with substance abusers) are more effective in treating problems than other counseling approaches. Third, the presence of both parents, especially noncompliant fathers, in family counseling situations greatly improves the chances for success. Similarly, the effectiveness of marriage counseling when both partners meet conjointly with the counselor is nearly twice that of counselors working with just one spouse. Fourth, when marriage and family counseling services are not offered to couples conjointly or to families systemically, the results of the intervention may be negative and problems may worsen. Finally, there is high client satisfaction from those who receive marital and family counseling services, with over 97% rating the services they received from good to excellent. Overall, the basic argument for employing marriage and family counseling is its proven efficiency. This form of treatment is logical, fast, satisfactory, and economical.

FAMILY LIFE AND THE FAMILY LIFE CYCLE

Family life and the growth and developments that take place within it are at the heart of marriage and family counseling. The *family life cycle* is the name given to the stages a family goes through as it evolves over the years. These stages sometimes parallel and complement those in the individual life cycle (see Erikson, 1959; Levinson, 1978), but often they are unique because of the number of people involved and the diversity of tasks to be accomplished. Becvar and Becvar (2000) outline a nine-stage cycle that begins with the unattached adult and continues through retirement (Table 15.2).

Some families and family members are more "on time" in achieving stage-critical tasks that go with the family life cycle and their own personal cycle of growth. In such cases, a better sense of well-being is achieved (Carter & McGoldrick, 1999). Regardless of timing, all families have to deal with *family cohesion* (emotional bonding) and *family adaptability* (ability to be flexible and change). These two dimensions each have four levels, represented by Olson (1986) in the circumplex model of marital and family systems (see Figure 15.1). "The two dimensions are curvilinear in that families that apparently are very high or very low on both dimensions seem dysfunctional, whereas families that are balanced seem to function more adequately" (Maynard & Olson, 1987, p. 502).

Families that are most successful, functional, happy, and strong are not only balanced but committed, appreciate each other, spend time together, have good communication patterns, have a high degree of religious/spiritual orientation, and are able to deal with crisis in a positive manner (Stinnett, 1998; Stinnett & DeFrain, 1985).

According to Wilcoxon (1985), marriage and family counselors need to be aware of the different stages within the family while staying attuned to the developmental tasks of individual members. When counselors are sensitive to individual family members and the family as a whole, they are able to realize that some individual manifestations, such as depression (Lopez, 1986), career indecisiveness (Kinnier, Brigman, & Noble, 1990), and substance abuse (West, Hosie, & Zarski, 1987), are related to family structure and functioning. Consequently, they are able to be more inclusive in their treatment plans.

Table 15.2 Stages of the family life cycle

Stage	Emotion	Stage-Critical Tasks
1. Unattached adult	Accepting parent-offspring separation	a. Differentiation from family of origin b. Development of peer relations c. Initiation of career
2. Newly married	Commitment to the marriage	a. Formation of marital system b. Making room for spouse with family and friends c. Adjusting career demands
3. Childbearing	Accepting new members into the system	a. Adjusting marriage to make room for child b. Taking on parenting roles c. Making room for grandparents
4. Preschool-age child	Accepting the new personality	a. Adjusting family to the needs of specific child(ren) b. Coping with energy drain and lack of privacy c. Taking time out to be a couple
5. School-age child	Allowing child to establish relationships outside the family	a. Extending family/society interactions b. Encouraging the child's educational progress c. Dealing with increased activities and time demands
6. Teenage child	Increasing flexibility of family boundaries to allow independence	a. Shifting the balance in the parent-child relationship b. Refocusing on mid-life career and marital issues c. Dealing with increasing concerns for older generation
7. Launching center	Accepting exits from and entries into the family	a. Releasing adult children into work, college, marriage b. Maintaining supportive home base c. Accepting occasional returns of adult children
8. Middle-age adult	Letting go of children and facing each other	a. Rebuilding the marriage b. Welcoming children's spouses, grandchildren into family c. Dealing with aging of one's own parents
9. Retirement	Accepting retirement and old age	a. Maintaining individual and couple functioning b. Supporting middle generation c. Coping with death of parents, spouse d. Closing or adapting family home

Source: From *Family Therapy: A Systematic Integration* (pp. 128–129), by Dorothy Stroh Becvar and Raphael J. Becvar. © 1993 by Allyn & Bacon. All rights reserved. Reprinted with permission.

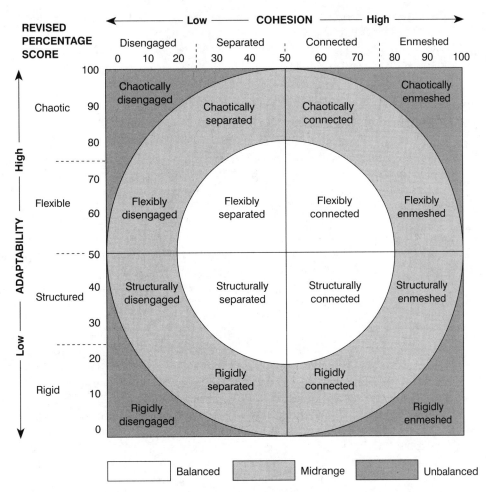

Figure 15.1
The circumplex model
Source: From Prepare/Enrich, Inc., David H. Olson, president, Minneapolis, MN. © 1979 (rev. 1986).
Reprinted with permission.

When evaluating family patterns and the mental health of everyone involved, it is crucial that an assessment be based on the form and developmental stage of the family constellation. To facilitate this process, Carter and McGoldrick (1999) propose sets of developmental tasks for traditional and nontraditional families, such as those headed by single parents or blended families. It is important to note that nontraditional families are not pathological because of their differences; they are merely on a different schedule of growth and development.

Bowen (1978) suggests terms such as *enmeshment* and *triangulation* to describe family dysfunctionality regardless of the family form. (*Enmeshment* refers to family environments in which members are overly dependent on each other or are undifferentiated. *Triangulation* describes family fusion situations in which the other members of the triangle pull a person in two different directions.) Counselors who effectively work with couples and families have guidelines for determining how, where, when, or whether to intervene in the family process. They do not fail to act (e.g., neglect to engage everyone in the therapeutic process), nor do they overreact (perhaps place too much emphasis on verbal expression) (Gladding, 2002).

MARRIAGE/FAMILY COUNSELING VERSUS INDIVIDUAL/GROUP COUNSELING

There are similarities and differences in the approaches to marriage or family counseling and individual or group counseling (Gladding, 2003; Hines, 1988; Trotzer, 1988). A major similarity centers on theories. Some theories used in individual or group counseling (e.g., person-centered, Adlerian, reality therapy, behavioral) are used with couples and families (Horne, 2000). Other approaches (e.g., structural, strategic, solution-focused family therapy) are unique to marriage and family counseling and are systemic in nature. Counselors must learn about these additional theories as well as new applications of previous theories to become skilled at working with couples or families.

Marriage or family counseling and individual counseling share a number of assumptions. For instance, both recognize the importance the family plays in the individual's life, both focus on problem behaviors and conflicts between the individual and the environment, and both are developmental. A difference is that individual counseling usually treats the person outside his or her family, whereas marriage or family counseling generally includes the involvement of other family members. Further, marriage and family counseling works at resolving issues within the family as a way of helping individual members better cope with the environment (Nichols & Schwartz, 2001).

Marriage and family counseling sessions are similar to group counseling sessions in organization, basic dynamics, and stage development. Furthermore, both types of counseling have an interpersonal emphasis. However, the family is not like a typical group, although knowledge of the group process may be useful. For example, family members are not equal in status and power. In addition, families may perpetuate myths, whereas groups are initially more objective in dealing with events. More emotional baggage is also carried among family members than members of another type of group because the arrangement in a family is not limited in time and is related to sex roles and affective bonds that have a long history (Becvar, 1982). While the family may be a group, it is not well-suited to work that takes place only through group theory.

Finally, the emphasis of marriage and family counseling is generally on dynamics as opposed to linear causality as in much individual and some group counseling. In other words, the dynamics behind marriage and family counseling generally differ from the other two types of counseling. In making the transition from an individual perspective to a family orientation, Resnikoff (1981) stresses specific questions that counselors should ask themselves to understand family functioning and dynamics. By asking the right questions, the counselor becomes more attuned to the family as a client and how best to work with it.

- What is the outward appearance of the family?
- What repetitive, nonproductive sequences are noticeable?
- What is the basic feeling state in the family, and who carries it?

- What individual roles reinforce family resistance, and what are the most prevalent family defenses?
- How are family members differentiated from one another, and what are the subgroup boundaries?
- What part of the life cycle is the family experiencing, and what are its problem-solving methods?

Counselors working with couples also ask many of these questions.

OVERVIEW OF MARRIAGE/COUPLES AND FAMILY COUNSELING

Marriage/Couples Counseling

Early pioneers in marriage counseling focused on the marriage relationship, rather than just the individuals involved. The new emphasis meant that three entities were considered in a marriage relationship: two individuals and one couple. Thus, from its beginning marriage counselors set a precedent for seeing couples together in conjoint sessions, a practice that continues today.

Couples seek marriage or relationship counseling for a wide variety of reasons, including finances, children, fidelity, communication, and compatibility. Almost any situation can serve as the impetus to seek help. Regardless of who initiates the request, it is crucial that the counselor see both members of the couple from the beginning if at all possible. Whitaker (1977) notes that if a counselor is not able to structure the situation in this way, he or she will probably not help the couple and may do harm. Trying to treat one spouse alone for even one or two sessions increases the other spouse's resistance to counseling and his or her anxiety. Moreover, if one member of a couple tries to change without the other's knowledge or support, conflict is bound to ensue.

Wilcoxon and Fenell (1983) have developed a therapist-initiated letter explaining the process of marriage therapy to an absent partner, which outlines the perils of treating just one partner. It is sent by counselors through the attending person in counseling to the non-attending partner to help him or her see the possibilities that can accrue when working with both members of the couple (see Figure 15.2).

If both partners decide to enter marriage and couple counseling, the counselor may take a variety of approaches. Five of the main approaches are psychoanalytic, cognitive-behavioral, Bowen systems, structural-strategic, and rational emotive behavior therapy (Ellis, Sichel, Yeager, DiMattia, & DiGuiseppe, 1989; Jacobson & Gurman, 1996). All of these theoretical perspectives have their strengths but the overall theoretical basis for most marriage and couples counseling is not as strong as it is for family counseling. There are several reasons why. A main reason for this phenomenon is that historically many marriage and couples counselors were primarily practitioners, not researchers or writers. As practitioners they did not have the time or interest in defining and publishing unique theoretical approaches to working with couples. Instead, they borrowed and modified existing individual and family theories. Moreover, until recently, marriage and couples counseling has been viewed as a subspecialty within family counseling. However, marriage and couples counseling is now becoming a stronger discipline and specific work is underway to delineate special ways of working in this area (Jacobson & Gurman, 1996).

(Date)

Mr. John Jones
111 Smith Street
Anytown, USA 00000

Dear Mr. Jones,

As you may know, your wife, Jill, has requested therapy services for difficulties related to your marriage. However, she has stated that you do not wish to participate in marital therapy sessions.

As a professional marriage therapist, I have an obligation to inform each of you of the possible outcome of marital therapy services to only one spouse. The available research indicates that one-spouse marital therapy has resulted in reported increases in marital stress and dissatisfaction for both spouses in the marriage. On the other hand, many couples have reported that marital therapy which includes both spouses has been helpful in reducing marital stress and enhancing marital satisfaction.

These findings reflect general tendencies in marital research and are not absolute in nature. However, it is important for you and Jill to be informed of potential consequences which might occur through marital therapy in which only your spouse attends. Knowing this information, you may choose a course of action which best suits your intentions.

After careful consideration of this information, I ask that you and Jill discuss your options regarding future therapy services. In this way, all parties will have a clear understanding of another's intentions regarding your relationship.

As a homework assignment for Jill, I have asked that each of you read this letter and sign in the spaces provided below to verify your understanding of the potential consequences to your relationship by continuing one-spouse marital therapy. If you are interested in joining Jill for marital therapy, in addition to your signature below, please contact my office to indicate your intentions. If not, simply sign below and have Jill return the letter at our next therapy session. I appreciate your cooperation in this matter.

Sincerely,

Therapist X
_____

We verify by our signatures below that we have discussed and understand the potential implications of continued marital therapy with only one spouse in attendance.

_____   _____
Attending Spouse   Date

_____   _____
Non-Attending Spouse   Date

Figure 15.2
Letter to engage a non-attending spouse

Source: From "Engaging the Non-Attending Spouse in Marital Therapy through the Use of a Therapist-Initiated Written Communication," by A. Wilcoxon and D. Fennel, pp. 199–203. Reprinted from Vol. 9, No. 2 of the *Journal of Marital and Family Therapy.* © 1983 by American Association for Marriage and Family Therapy. Reprinted with permission.

Family Counseling

Families enter counseling for a number of reasons, too. Usually, there is an *identified patient* (IP) (an individual who is seen as the cause of trouble within the family structure) whom family members use as their ticket of entry. Most family counseling practitioners do not view one member of a family as the problem but instead work with the whole family system. Occasionally, family therapy is done from an individual perspective but with the hope that changes in the person will have a ripple effect and positively impact a family (Nichols, 1988).

Family counseling has expanded rapidly since the mid-1970s and encompasses many aspects of couples counseling. Although a few family counselors, such as behaviorist, narrative, or solution-focused therapists, are linearly based and work on a cause-and-effect or a constructivist perspective, most are not. Rather, the majority of counselors in the field operate from a general systems framework and conceptualize the family as an open system that evolves over the family life cycle in a sociocultural context. Functional families follow rules and are flexible in meeting the demands of family members and outside agencies. Family systems counselors stress the idea of circular causality. They also emphasize the following concepts:

- *Nonsummativity.* The family is greater than the sum of its parts. It is necessary to examine the patterns within a family rather than the actions of any specific member alone.
- *Equifinality.* The same origin may lead to different outcomes, and the same outcome may result from different origins. Thus, the family that experiences a natural disaster may become stronger or weaker as a result. Likewise, healthy families may have quite dissimilar backgrounds. Therefore, treatment focuses on interactional family patterns rather than particular conditions or events.
- *Communication.* All behavior is seen as communicative. It is important to attend to the two functions of interpersonal messages: *content* (factual information) and *relationship* (how the message is to be understood). The *what* of a message is conveyed by how it is delivered.
- *Family rules.* A family's functioning is based on explicit and implicit rules. Family rules provide expectations about roles and actions that govern family life. Most families operate on a small set of predictable rules, a pattern known as the *redundancy principle.* To help families change dysfunctional ways of working, family counselors have to help them define or expand the rules under which they operate.
- *Morphogenesis.* The ability of the family to modify its functioning to meet the changing demands of internal and external factors is known as morphogenesis. Morphogenesis usually requires a *second-order change* (the ability to make an entirely new response) rather than a *first-order change* (continuing to do more of the same things that have worked previously) (Watzlawick, Weakland, & Fisch, 1974). Instead of just talking, family members may need to try new ways of behaving.
- *Homeostasis.* Like biological organisms, families have a tendency to remain in a steady, stable state of equilibrium unless otherwise forced to change. When a family member unbalances the family through his or her actions, other members quickly try to rectify the situation through negative feedback. The model of functioning can be

compared to a furnace, which comes on when a house falls below a set temperature and cuts off once the temperature is reached. Sometimes homeostasis can be advantageous in helping a family achieve life-cycle goals, but often it prevents the family from moving on to another stage in its development.

Counselors who operate from a family systems approach work according to the concepts just listed. For instance, if family rules are covert and cause confusion, the counselor helps the family make these regulations overt and clear. All members of the family are engaged in the process so that communication channels are opened. Often, a genogram is constructed to help family members and the counselor detect intergenerational patterns of family functioning that have an impact on the present (McGoldrick, Gerson, & Shellenberger, 1999).

For a genogram, three generations of the family should be drawn. Names, dates of birth, marriage, separation, and divorce should be indicated, along with basic information such as current age and occupation. A genogram can also be used in a multicultural context to assess the worldview and cultural factors that often influence family members' behaviors (Thomas, 1998). Overall, "the genogram appears to provide an effective and personally meaningful strategy to facilitate systems thinking," especially by new client families and counselors who are just beginning to work with families (Pistole, 1997, p. 339). For an example of a genogram see Chapter 9.

THE PROCESS OF MARRIAGE AND FAMILY COUNSELING

The process of family counseling is based on several premises. One of these is that persons conducting the counseling are psychologically healthy and understand their own families of origin well. When such is the case, counselors are able to clearly focus on their client families and not contaminate sessions with material from their own family life that they have not resolved.

A second premise of working with families is that counselors will not overemphasize or underemphasize possible aspects or interventions in the therapeutic process (Gladding, 2002). In other words, counselors will balance what they do. Such a process means not being overly concerned about making family members happy but at the same time engaging members in a personable way.

A third component of conducting family counseling is for the counselor to win the *battle for structure* (i.e., establish the parameters under which counseling is conducted) while letting the family win the *battle for initiative* (i.e., motivation to make needed changes) (Napier & Whitaker, 1978). The battle for structure is won when counselors inform client families about ways they will work with them, including important but mundane facts about how often they will meet, for how long, and who is to be involved. A good part of structure can be included in a disclosure statement that the counselor has the family read and sign. Initiative in the therapeutic process must come from families themselves; however, once counselors listen and outline what they see as possibilities, family members often pull together toward common goals.

Fourth, family counselors need to be able to see the couple or family difficulties in the context in which they are occurring. Thus, the family counselor needs to be developmentally sophisticated on multiple levels of family and individual life and have some life experiences including resolving toxic or adversarial conditions in less than ideal conditions. Such skills and insights bring to counselors an understanding of how couples and families become either more together or apart when faced with different life stages, cultural norms, or situational circumstances.

Presession Planning

Before a couple or family is seen for counseling, several matters should be addressed. One is the expectation(s) the caller for a family has for an initial session or for treatment in general. The person who calls gives a rationale for seeking therapy that may or may not be the reason anyone else in the couple or family relationship has for wanting or not wanting counseling. Nevertheless, the counselor must listen carefully and obtain essential clinical information, such as a concise description of the problem, and factual information, such as the caller's name, address, and phone number. In gathering this information, the counselor should listen for what is conveyed as well as what is not said. In doing so, the counselor can begin to hypothesize about issues that are prevalent in certain family life stages and cultural traditions as they may relate to the caller's family. For example, a family with adolescents may expect to have boundary problems; however, the way they are handled in a traditional Italian family versus a traditional British family may be quite different. Regardless, by the end of the initial phone call, an appointment should be scheduled.

Initial Session(s)

Research indicates that the first few sessions are the most critical in regard to whether counselors have success therapeutically with families (Odell & Quinn, 1998). Therefore, getting off to a good start with a client family is essential. One way a good beginning can be fostered is for the counselor to establish rapport with each family member and the family as a whole. This type of bonding where trust, a working relationship, and a shared agenda evolve is known as a *therapeutic alliance*. It can be created through a number of means such as

- *Maintenance*—where the counselor confirms or supports a family member's position,
- *Tracking*—where a counselor, through a series of clarifying questions, tracks or follows a sequence of events, and
- *Mimesis*—where a counselor adopts a family's style or tempo of communication, such as being jovial with a light-hearted family or serious with a family that is somber.

In establishing a therapeutic alliance, it is important for the counselor to engage the family and its members enough to gain a perspective on how individuals view the presenting problem, person, or situation. This perspective is called a *frame*. The counselor may challenge the frame of family members to gain a clearer perspective of what is happening in the family or to give the family another option of how they can perceive their situation (i.e., reframe).

In the initial session or sessions, the family counselor is also an observer. He or she looks for a phenomenon called the *family dance,* which is the way the family typically interacts on either a verbal or nonverbal level (Napier & Whitaker, 1978). If the counselor misses this interaction at first, he or she need not worry, for the pattern will repeat itself.

It is important in observing the family dance to see whether some member or members of the family are being *scapegoated* (i.e., blamed for the family's problems). For instance, a family may accuse its teenage son of being a lazy troublemaker because the adolescent sleeps late whenever possible and gets into mischief when he is out on the town with his friends. While it may be true that the son has some problems, it is more likely that he is not the main cause of the family's problems. Thus, again, the counselor will need to probe and even challenge the family members' perceptions of where difficulties are located.

One way of broadly defining or clarifying what is happening in the family is to ask *circular questions,* that is, questions that focus attention on family connections and highlight differences among members. For instance, the father might be asked how his daughter responds when verbally attacked by his wife and how other members of the family react as well, including himself. Such a strategy helps counselors and the families they work with see more of the dynamics involved in family life and may well take pressure off of the person who has been seen as the problem. This type of questioning may also help the counselor and family see if *triangulation* is taking place (i.e., the drawing in of a third person or party into a dyadic conflict, such as the mother enlisting the father's support whenever she has an argument with the daughter).

In addition to these aspects of engaging the family, it is crucial that the counselor develop the capacity to draw some initial conclusions in regard to the way the family behaves (e.g., who talks to whom and who sits next to whom). In this way the counselor can gauge the dimensions of boundaries (i.e., those that allow closeness and caregiving versus ones that may be intrusive, such as a parent speaking for a child who is capable of speaking for himself or herself) (Worden, 2003). Intimacy and power can also be determined in this way. Essentially, through observation and engagement of the family in conversation, the counselor becomes attuned to the dynamics within the family, which are usually as, if not more, important in the long run than the content of conversations that occur within the counseling process.

Overall, a first session(s) usually is one in which a counselor evaluates how the family is functioning and what may need to be done to help the family run more smoothly. Tentative goals are set, too, and a return appointment is made.

The Middle Phase of Family Counseling

The middle phase of family counseling consists of those sessions between the initial session(s) and termination. This part of treatment is where the family will most likely make needed changes in themselves, if they change at all.

During this time, family members and the counselor explore new behaviors and take chances. Families that are not sure if they wish to change will often only make superficial alterations in what they do. This type of change is known as a *first-order change*. An example is parents setting a curfew back by an hour without any real discussion about it or the importance of a teenage daughter accepting responsibility for her actions. *Second-order change,* where structured rules are altered, is quite different and is the type of change that is hoped for in a family undergoing therapy. An example of second-order change is a rigid, authoritarian family becoming more democratic by adopting new rules regarding family interactions after everyone has had a chance to make suggestions and give input in regard to them (Watzlawick, et al., 1974).

In fostering change within the family, the counselor stays active mentally, verbally, and behaviorally (Friedlander, Wildman, Heatherington, & Skowron, 1994). The counselor also makes sure the family goes beyond merely understanding what they need to do since cognitive knowledge alone seldom produces change. In addition, during the middle phase of family counseling, the counselor links the family with appropriate outside agencies, if possible. For example, in working with a family that has one or more members who are alcohol abusers, the counselor makes sure they find out information about *Alcoholics Anonymous (AA)* (an organization of individuals who help one another stay sober), *Al-Anon* (a self-help organization for adult relatives and friends of people with drinking problems), and/or *Alateen* (a similar program to Al-Anon but for younger people, usually ages 12 to 19).

Throughout the middle phase of treatment, there is a continuous focus on the process of what is happening within the family. In many cases, family members make the easiest changes first. Consequently, family counselors must press the family for greater change if treatment is going to have any significance for them. The press is manifested in concentrating on family members' cognitions, as well as their affective responses and behaviors (Worden, 2003). Sometimes this action is done in a straightforward manner while at other times it is accomplished through injecting humor into the therapeutic process, a right that a counselor has to earn through first showing care and developing trust. An example of using humor in treatment to promote change can be seen in the following mother and daughter interaction:

MOTHER TO DAUGHTER:	"I will just die if she repeats that behavior again."
DAUGHTER TO MOTHER:	"You will not. You're just trying to make me feel guilty."
COUNSELOR:	"Sounds like this plan has worked before."
DAUGHTER:	"It has. But she never dies and I just get mad and frustrated."
MOTHER:	"I tell you, if you do it one more time, I will die!"
COUNSELOR TO MOTHER:	"So your daughter is pretty powerful. She can end your life with an action?"
MOTHER (DRAMATICALLY):	"Yes."
COUNSELOR TO DAUGHTER:	"And you have said before that you love your mother."
DAUGHTER:	"I do. But I'm tired of her reactions to what I do. They are just so overdone."
COUNSELOR TO DAUGHTER:	"But your mother says you are powerful and could kill her. Since you love her, I know you wouldn't do that. However, since you have so much power I wonder if you would ever consider paralyzing one of her arms with a lesser behavior?"
MOTHER:	"What?!"
DAUGHTER (LAUGHING):	"Well, it might get her to stop harping at me and give us a chance to talk."
COUNSELOR (TO MOTHER AND DAUGHTER):	"Maybe that chance is now and no one has to suffer physically if we do it right."

The counselor in this case addressed a pressing issue of power and drama in a serious but somewhat humorous way that got the attention of the two individuals most involved in the struggle, broke a dysfunctional pattern, and set up an opportunity for real dialogue and new interactions to emerge.

In addition to the previous ways of working, the counselor must look for evidence of stability of change such as a family or couple accommodating more to one another through subtle as well as obvious means. For instance, seating patterns, the names family members call each other, or even the tone they use when addressing one another are all signs that somewhat permanent change has occurred in the family if they differ greatly from where they were when the therapeutic process began.

In the middle phase of marriage and family counseling, it is crucial that the counselor not get ahead of the couple or family members. Should that happen, therapeutic progress will end because the family will not be invested. Therefore, staying on task and on target requires the counselor to keep balanced and push only so far. A way to help families stay engaged and make progress is to give them *homework* (i.e., tasks to complete outside of the counseling sessions such as conducting a family conference) and *psychoeducational assignments* (i.e., reading a book or viewing a video) to complete together so that they are literally learning more and interacting together. Such a way of working gives family members even more in common than would otherwise be the case and may even draw them closer psychologically.

Termination

Termination can be considered to be a misnomer in family counseling since "from a family systems perspective, the therapist-family therapeutic system has reached an end point, but the family system certainly continues" (Worden, 2003, p. 187). Regardless, termination (including follow-up) is the final phase of treatment in working with families.

The family, the counselor, or both may initiate termination. There is no one person who should start the process or one single way that termination should be conducted. However, termination should not be sudden and should not be seen as the highlight of counseling (Gladding, 2002). Rather, termination is designed to provide a counselor and a family with closure and it should be a means to assess whether family goals have been reached.

Thus, in beginning termination, the counselor and family should ask themselves why they are entering this phase. One reason may be that enough progress has been made that the family is now able to function on its own better than ever before. Likewise, the family and the counselor may both agree that the family has accomplished what it set out to do and that to continue would not be a wise investment in time and effort.

Whatever the reason for terminating, the counselor should make sure that the work the family has done is summarized and celebrated (if appropriate) so that the family leaves counseling more aware and sometimes feeling stronger in realizing what they accomplished. In addition to summarization, another aspect of termination is deciding on *long-term goals,* such as creating a calm household where members are open to one another. This projective process gives family members something to think about and plan out (sometimes with the counselor's input). A part of many termination sessions involves *predicting setbacks* as well, so families do not become too upset when they fail to achieve their goals as planned.

A final part of termination is *follow-up* (i.e., checking up on the family following treatment after a period of time). Follow-up conveys care and lets families know that they can return to counseling to finish anything they began there or to work on other issues. Client families often do better when they have follow-up because they become aware that their progress is being monitored both within and outside of the family context.

SUMMARY AND CONCLUSION

American families have changed over the years from a few dominant forms to a great many varieties. These changes were brought about by a number of forces, including the Second World War, and with them has come a greater need for working with families. The professions of marriage and family counseling have grown rapidly since the 1940s for a number of reasons, including theory development, needs within the population, and proven research effectiveness. It has prospered also because it has had strong advocates and has generated a number of theories.

Professionals who enter the marriage and family counseling field align with at least four associations, depending on their background. Most counselors join the International Association for Marriage and Family Counseling (IAMFC) because of its affiliation with the ACA, but some affiliate with the American Association for Marriage and Family Therapy (AAMFT), too. Regardless of affiliation, those who work with couples and families need to know the life cycle of families in order to assess whether a marriage or family problem is developmental or situational. Marriage and family counselors also need to be aware of systems theories (see Chapter 9) and the ways that families work systemically.

The field of marriage counseling is sometimes incorporated into family counseling models, but professionals in this specialty need to be aware of the theories and processes that are used in each area. They must also realize how individual or group theories may complement or detract from work with families. Finally, marriage and family counselors need to be well schooled in the stages that family counseling entails—preplanning, initial session(s), the middle phase, and termination—and the general techniques and emphasis within each.

Overall, working with couples and families is a dynamic and exciting way of helping people. Because of its complexity and the intricacies of the process, it is not for everyone but it is an entity that many counselors seem to enjoy and that many people in society benefit from.

CLASSROOM ACTIVITIES

1. What family forms—nuclear, dual-career, blended, or multicultural—are you most familiar with? How do you think this knowledge could help or hinder you in working with couples and families?
2. Determine where you are in your own family life cycles. Talk with a classmate about what changes you anticipate making in the next few years because of life-cycle demands.
3. What are the advantages and disadvantages of working with individuals with family concerns on a one-to-one basis rather than a family counseling basis? Do you think it is possible to work effectively with only one member of a couple or family? Divide the class into two teams and debate the issue.
4. Which processes in marriage and family counseling do you prefer or believe you might be best in accomplishing? What are the reasons behind your decision? Form groups with classmates who share your view and present your rationale to other class members.
5. Research the contributions of a pioneer in family counseling. What legacy did the person leave? Are there still processes or techniques this individual advocated that are used with couples and families today?

REFERENCES

Ackerman, N. W. (1958). *The psycho-dynamics of family life.* New York: Basic Books.

Ackerman, N. W. (1966). *Treating the troubled family.* New York: Basic Books.

Bandura, A. (1977). *Social learning theory.* Upper Saddle River, NJ: Prentice Hall.

Bateson, G., Jackson, D. D., Haley, J., & Weakland, J. (1956). Toward a theory of schizophrenia. *Behavioral Science, 1,* 251–264.

Becvar, D. S. (1982). The family is not a group: Or is it? *Journal for Specialists in Group Work, 7,* 88–95.

Becvar, D. S., & Becvar, R. J. (2000). *Family therapy: A systematic integration* (4th ed.). Boston: Allyn & Bacon.

Bell, J. E. (1975). *Family therapy.* New York: Aronson.

Bell, J. E. (1976). A theoretical framework for family group therapy. In P. J. Guerin (Ed.), *Family therapy: Theory and practice* (pp. 129–143). New York: Gardner.

Bowen, M. (1960). A family concept of schizophrenia. In D. D. Jackson (Ed.), *The etiology of schizophrenia* (pp. 346–372). New York: Basic Books.

Bowen, M. (1978). *Family therapy in clinical practice.* New York: Aronson.

Bratcher, W. E. (1982). The influence of the family on career selection: A family systems perspective. *Personnel and Guidance Journal, 61,* 87–91.

Carter, B., & McGoldrick, M. (1999). *The expanded family life cycle: Individual, family, and social perspectives* (3rd ed.). Boston: Allyn & Bacon.

Doherty, W. J., & Simmons, D. S. (1996). Clinical practice patterns of marriage and family therapists: A national survey of therapists and their clients. *Journal of Marital and Family Therapy, 22,* 9–25.

Ellis, A. (1988). *How to stubbornly refuse to make yourself miserable about anything: Yes, anything!* Secaucus, NJ: Stuart.

Ellis, A., Sichel, J. L., Yeager, R. J., DiMattia, D. G., & DiGuiseppe, R. (1989). *Rational-emotive couples therapy.* New York: Pergamon.

Erikson, E. H. (1959). *Identity and the life cycle: Psychological issues.* New York: International Universities Press.

Framo, J. L. (1996). A personal retrospective of the family therapy field: Then and now. *Journal of Marital and Family Therapy, 22,* 289–316.

Friedlander, M. L., Wildman, J., Heatherington, L., & Skowron, E. A. (1994). What we do and don't know about the process of family therapy. *Journal of Family Psychology, 8,* 390–416.

Gladding, S. T. (2002). *Family therapy: History, theory, and practice* (3rd ed.). Upper Saddle River, NJ: Merrill/Prentice Hall.

Gladding, S. T. (2003). *Group work: A counseling specialty* (4th ed.). Upper Saddle River, NJ: Merrill/Prentice Hall.

Goldenberg, H., & Goldenberg, I. (2002). *Counseling today's family* (4th ed.). Pacific Grove, CA: Brooks/Cole.

Gurman, A., & Kniskern, D. (1981). Family therapy outcome research: Knowns and unknowns. In A. Gurman & D. Kniskern (Eds.), *Handbook of family therapy* (pp. 742–775). New York: Brunner/Mazel.

Haber, R. A. (1983). The family dance around drug abuse. *Personnel and Guidance Journal, 61,* 428–430.

Hines, M. (1988). Similarities and differences in group and family therapy. *Journal for Specialists in Group Work, 13,* 173–179.

Horne, A. M. (2000). *Family counseling and therapy* (3rd ed.). Itasca, IL: Peacock.

Jacobson, N. S., & Gurman, A. S. (Eds.). (1996). *Clinical handbook of couple therapy.* New York: Guilford.

Kinnier, R. T., Brigman, S. L., & Noble, F. C. (1990). Career indecision and family enmeshment. *Journal of Counseling and Development, 68,* 309–312.

Levinson, D. (1978). *The seasons of a man's life.* New York: Knopf.

Lopez, F. G. (1986). Family structure and depression: Implications for the counseling of depressed college students. *Journal of Counseling and Development, 64,* 508–511.

Markowitz, L. M. (1994, July/August). The cross-culture of multiculturalism. *Family Therapy Networker, 18,* 18–27, 69.

Martin, T., & Bumpass, L. (1989). Recent trends in marital disruption. *Demography, 26,* 37–51.

Maynard, P. E., & Olson, D. H. (1987). Circumplex model of family systems: A treatment tool in family counseling. *Journal of Counseling and Development, 65,* 502–504.

McGoldrick, M., Gerson, R., & Shellenberger, S. (1999). *Genograms: Assessment and intervention* (2nd ed.). New York: Norton.

McGoldrick, M., Giordano, J., & Pearce, J. K. (Eds.). (1996). *Ethnicity and family therapy* (2nd ed.). New York: Guilford.

Napier, A., & Whitaker, C. (1978). *The family crucible.* New York: Bantam Books.

Napier, A. Y. (1988). *The fragile bond.* New York: Harper & Row.

Nichols, M. (1988). *The self in the system: Expanding the limits of family therapy.* New York: Brunner/Mazel.

Nichols, M., & Schwartz, R. C. (2001). *Family therapy: Concepts and methods* (5th ed.). Boston: Allyn & Bacon.

Nichols, W. C. (1993). *The AAMFGC: 50 years of marital and family therapy*. Washington, DC: American Association of Marriage and Family Therapists.

Odell, M., & Quinn, W. H. (1998). Therapist and client behaviors in the first interview: Effect on session impact and treatment duration. *Journal of Marital and Family Therapy, 24*, 369–388.

Ohlsen, M. M. (1979). *Marriage counseling in groups*. Champaign, IL: Research Press.

Ohlsen, M. M. (1982). Family therapy with the triad model. In A. M. Horne & M. M. Ohlsen (Eds.), *Family counseling and therapy* (pp. 412–434). Itasca, IL: Peacock.

Okun, B. R. (1984). *Working with adults: Individual, family and career development*. Pacific Grove, CA: Brooks/Cole.

Olson, D. H. (1986). Circumplex model VII: Validation studies and FACES III. *Family Process, 25*, 337–351.

Patterson, G. R. (1971). *Families: Applications of social learning to family life*. Champaign, IL: Research Press.

Paul, N. L., & Paul, B. B. (1975). *A marital puzzle: Transgenerational analysis in marriage*. New York: Norton.

Peterson, K. S. (2002, July 15). For better sex: Less conflict, more friendship. *USA Today*, 6D.

Pinsof, W. M., & Wynne, L. C. (1995). The efficacy of marital and family therapy: An empirical overview, conclusions and recommendations. *Journal of Marital and Family Therapy, 21*, 585–614.

Pistole, M. C. (1997). Using the genogram to teach systems thinking. *Family Journal, 5*, 337–341.

Resnikoff, R. D. (1981). Teaching family therapy: Ten key questions for understanding the family as patient. *Journal of Marital and Family Therapy, 7*, 135–142.

Stinnett, N. (1998). *Good families*. New York: Doubleday.

Stinnett, N., & DeFrain, J. (1985). *Secrets of strong families*. Boston: Little, Brown.

Thomas, A. J. (1998). Understanding culture and worldview in family systems: Use of the multicultural genogram. *Family Journal, 6*, 24–32.

Trotzer, J. P. (1988). Family theory as a group resource. *Journal for Specialists in Group Work, 13*, 180–185.

Walsh, F. (1993). Conceptualizations of normal family functioning. In F. Walsh (Ed.), *Normal family process* (2nd ed., pp. 3–42). New York: Guilford.

Watzlawick, P., Weakland, J., & Fisch, R. (1974). *Change: Principles of problem formation and problem resolution*. New York: Norton.

West, J. D., Hosie, T. W., & Zarski, J. J. (1987). Family dynamics and substance abuse: A preliminary study. *Journal of Counseling and Development, 65*, 487–490.

Whitaker, C. (1977). Process techniques of family therapy. *Interaction, 1*, 4–19.

White, M. (1995). *Re-authoring lives*. Adelaide, Australia: Dulwich Centre Publications.

Whitehead, B. D. (1997). *The divorce culture*. New York: Knopf.

Wilcoxon, S. A. (1985). Healthy family functioning: The other side of family pathology. *Journal of Counseling and Development, 63*, 495–499.

Wilcoxon, S. A., & Fenell, D. (1983). Engaging the non-attending spouse in marital therapy through the use of therapist-initiated written communication. *Journal of Marital and Family Therapy, 9*, 199–203.

Wohlman, B., & Stricker, G. (1983). *Handbook of family and marital therapy*. New York: Plenum.

Worden, M. (2003). *Family therapy basics* (3rd ed). Pacific Grove, CA: Brooks/Cole.

Wynne, L. C., Ryckoff, I., Day, J., & Hirsch, S. I. (1958). Pseudo-mutuality in the family relationships of schizophrenics. *Psychiatry, 21*, 205–220.

16

ELEMENTARY, MIDDLE, AND SECONDARY SCHOOL COUNSELING

I skip down the hall like a boy of seven
   before the last bell of school
      and the first day of summer,
My ivy-league tie flying through the stagnant air
   that I break into small breezes as I bobbingly pass.
At my side, within fingertip touch,
   a first grade child with a large cowlick
      roughly traces my every step
         filling in spaces with moves of his own
            on the custodian's just waxed floor.
"Draw me a man"
   I ask as we stop,
And with no thought of crayons and paper
   he shyly comes with open arms
      to quietly take me in with a hug.

Reprinted from "Portraits," by S. T. Gladding, 1974, Personnel and Guidance Journal, 53, *p. 110. © 1974 by* ACA. *Reprinted with permission. No further reproduction authorized without written permission of the* American Counseling Association.

Each year over three and a half million children begin their formal education in the United States. These children are diverse in both their backgrounds and abilities. Some are developmentally ready and eager to begin their education. Others are disadvantaged because of physical, mental, cultural, or socioeconomic factors. Yet a third group enters school carrying the burden of traumas, such as various forms of abuse, through no fault of their own (Fontes, 2002; Richardson & Norman, 1997). Like children in other countries, American schoolchildren face a barrage of complex events and processes that have temporary and permanent impacts on them as they progress in their formal educational experience. Alcohol and other drug abuse, changing family patterns, poor self-esteem, hopelessness, AIDS, racial and ethnic tensions, crime and violence, teenage pregnancy, sexism, and the explosion of knowledge have a direct and oftentimes negative influence on these children (Keys & Bemak, 1997; McGowan, 1995).

Schools are like families in that they attempt to foster children's development in the midst of an environment that is often less than ideal. Furthermore, schools are like families in that they may face persistent problems that arise in them owing to patterns of interaction in society rather than isolated events, for example, violence (Daniels, 2002; Sandhu, 2000). Schools are like other systems, too, in being "homeostatic"; that is, interaction patterns remain constant once initiated. Problems can result in such systems from power struggles, poor communication, and unproductive coalitions (Carns & Carns, 1997).

More than 30 years of research have concluded that, in school environments, "counseling interventions have a substantial impact on students' educational and personal development" (Borders & Drury, 1992, p. 495). Indeed, outcome research has indicated that school counselors do make a difference (Gysbers, 2001; Whiston & Sexton, 1998). School counselors and comprehensive guidance and counseling programs help children and adolescents become better adjusted academically and developmentally while feeling safer, having better relationships with teachers, believing their education is relevant to their futures, having fewer problems in school, and earning higher grades (Lapan, Gysbers, & Petroski, 2001). However, "school counselors often struggle to prove their worth to superintendents, principals, teachers, students, and parents who sometimes misunderstand what they do" (Guerra, 1998, p. 20). Part of the problem for this misunderstanding is due to its complexity and sometimes the ambiguity of the school counselor's job, the history of school counseling, or the organization of schools.

The field of school counseling involves a wide range of ages, developmental stages, background experiences, and types of problems (Cobia & Henderson, 2003; Paisley & Hubbard, 1994). In addition, within the field of school counseling, the professional literature focuses on three distinct school-age populations: elementary school children (grades K-5), middle school children (grades 6-8), and secondary school children (grades 9-12). Counselors who work in schools on the precollege level most often affiliate professionally with the American School Counselor Association (ASCA) (801 N. Fairfax Street, Suite 310, Alexandria, VA 22314), which publishes a periodical,

Professional School Counseling, that encompasses all levels of working with young people in educational settings.

This chapter examines the unique and overlapping roles of school counselors at the elementary, middle, and secondary levels and the tasks they perform. It addresses the special situational and developmental aspects of dealing with each school-age population, too. Furthermore, it emphasizes that school counselors at all levels must be sensitive to children's cultural backgrounds and differing worldviews as well as their own personal assumptions, values, and biases (Baker, 1994; Hobson & Kanitz, 1996; Lee, 2001; Whitledge, 1994). Particular attention is given to prevention and treatment issues associated with children in schools. "Managing stress and learning healthy life-style behaviors are lifelong skills, which need to be taught early, practiced, and reinforced throughout the school years" (Romano, Miller, & Nordness, 1996, p. 269). Wherever possible, prevention and treatment for children need to be linked so that schools, families, and communities are working together in an interactive and informed way (Keys & Bemak, 1997). In addition, this chapter explores in an integrated manner the three major areas of student development associated with school counseling: academic development, career development, and personal/social development (Campbell & Dahir, 1997; Dahir, 2001).

ELEMENTARY SCHOOL COUNSELING AND GUIDANCE

Elementary school counseling and guidance is a relatively recent development. The first book on this subject was not published until the 1950s, and the discipline was virtually nonexistent before 1965 (Dinkmeyer, 1973, 1989). In fact, fewer than 10 universities offered course work in elementary school counseling in 1964 (Muro, 1981).

The development of elementary school counseling was slow for three reasons (Peters, 1980; Schmidt, 1999). First, many people believed that elementary schoolteachers should serve as counselors for their students because they worked with them all day and were in an ideal position to identify specific problems. Second, counseling at the time was primarily concerned with vocational development, which is not a major focus of elementary schoolchildren. Finally, many people did not recognize a need for counseling on the elementary school level. Psychologists and social workers were employed by some secondary schools to diagnose emotional and learning problems in older children and offer advice in difficult family situations, but full-time counseling on the elementary level was not considered.

The first elementary school counselors were employed in the late 1950s, but elementary school counseling did not gain momentum until the 1960s (Faust, 1968). In 1964, Congress passed the National Defense Education Act (NDEA) Title V-A, and counseling services were extended to include elementary schoolchildren (Herr, 2002; Minkoff & Terres, 1985). Two years later, the Joint Committee on the Elementary School Counselor (a cooperative effort between the Association for Counselor Education and Supervision [ACES] and ASCA) issued a report defining the roles and functions of the elementary school counselor, which emphasized counseling, consultation, and coordination (ACES-ASCA, 1966). Government grants to establish training institutes for elementary school counselors were authorized in 1968; by 1972, more than 10,000 elementary school counselors were employed (Dinkmeyer, 1973).

During the 1970s, the number of counselors entering the elementary school counseling specialty leveled off and then fell temporarily due to declining school enrollments and economic problems (Baker, 2000). In the late 1980s, however, accrediting agencies and state departments of public instruction began mandating that schools provide counseling services on the elementary level, and a surge in demand for elementary school counselors ensued. This renewed interest in the specialty was a result of publications such as *A Nation at Risk,* which was released by the National Commission of Excellence in Education (Schmidt, 1999). Although it does not refer to elementary school counseling, the report emphasizes accountability and effectiveness within schools at all levels.

Emphases and Roles

Elementary school counselors are a vanguard in the mental health movement (Gysbers & Henderson, 2000). No other profession has ever been organized to work with individuals from a purely preventive and developmental perspective. Among the tasks that elementary school counselors regularly perform are the following:

- implement effective classroom guidance,
- provide individual and small-group counseling,
- assist students in identifying their skills and abilities,
- work with special populations,
- develop students' career awareness,
- coordinate school, community, and business resources,
- consult with teachers and other professionals,
- communicate and exchange information with parents/guardians, and
- participate in school improvement and interdisciplinary teams (Campbell & Dahir, 1997).

As Wilson and Rotter (1980) point out, "the elementary school counselor is charged with facilitating optimal development of the whole child" (p. 179).

A study in California of the perceived, actual, and ideal roles of elementary school counselors found that the majority of counselors who were surveyed spent a large portion of their time in counseling, consultation, and parental-help activities (Furlong, Atkinson, & Janoff, 1979). Their actual and ideal roles were nearly identical. Schmidt and Osborne (1982) found similar results in a study of North Carolina elementary school counselors, whose top activities were counseling with individuals and groups and consulting with teachers. Morse and Russell (1988) also found preferences involving consultation, counseling, and group work when they analyzed the roles of Pacific Northwest elementary school counselors in K–5 settings. Three of the five highest-ranked actual roles of these counselors involved consultation activities, while two of the five included individual counseling with students. These counselors ranked four of their top five ideal activities as those that involved working with groups of students. Indeed, it appears that elementary school counselors desire to spend more time in group activities with children (Partin, 1993).

The lowest-ranked and most inappropriate tasks that other school personnel try to assign elementary school counselors include substitute teaching, monitoring lunchrooms or playgrounds, and acting as school disciplinarian or student records clerk. The emphases that elementary school counselors place on such noncounseling services have important consequences for them and the children and schools they serve. If counselors are used in such ways, they lose their effectiveness and everyone suffers.

In an important article on the effectiveness of elementary school counseling, Gerler (1985) reviewed research reports published in *Elementary School Guidance and Counseling* from 1974 to 1984. He focused on studies designed to help children from behavioral, affective, social, and mental image/sensory awareness perspectives. Gerler found strong evidence that elementary school counseling programs "can positively influence the affective, behavioral, and inter-personal domains of children's lives and, as a result, can affect children's achievement positively" (1985, p. 45). In another article, Keat (1990) detailed how elementary school counselors can use a multimodal approach called HELPING (an acronym for health; emotions; learning; personal relationships; imagery; need to know; and guidance of actions, behaviors, and consequences) to help children grow and develop.

The fact that elementary school counselors can and do make a difference in the lives of the children they serve is a strong rationale for keeping and increasing their services. It is easier to handle difficulties during the younger years than at later times (Bailey, Deery, Gehrke, Perry, & Whitledge, 1989; Campbell & Dahir, 1997). Elementary school counselors who have vision (for example, that children can be problem solvers) and follow through (such as Claudia Vangstad in Oregon) can transform the culture of a school (Littrell & Peterson, 2001). In Vangstad's case, she used 10 core values (see Table 16.1) to build an exemplary elementary school counseling program and helped transform a school culture. She utilized her power as a person and a counselor in the interest of creatively conceiving a program that others could and did buy into.

Table 16.1 A comparison of the old and new school cultures

Old School Culture

1. Adult-driven
2. Punishment
3. Externally imposed discipline
4. Focus on problems
5. Competitive, non-collaborative
6. Unit expected to change: the individual
7. Peer isolation
8. Problems approached by adults using discipline, threats, paddle, and behavior modification
9. Children try to solve problems by swearing, hitting, and threats
10. Children not empowered to change themselves and to help others change

New School Culture

1. Student-driven
2. Learning new skills
3. Self-imposed discipline
4. Focus on problem solving
5. Cooperative, collaborative
6. Unit expected to change: the individual, the group, and the community
7. Peer support
8. Problems resolved by adults using dialogue, positive interactions, cooperation, and a problem-solving model
9. Children try to solve problems by the problem-solving model and peer support
10. Children are empowered to change themselves and to help others change.

Source: J. M. Littrell & J. S. Peterson (2001). Transforming the school culture: A model based on an exemplary counselor. *Professional School Counseling, 4,* 313.

Activities

Elementary school counselors engage in a number of activities. Some of these are prescribed by law, such as the reporting of child abuse. "In the United States, all 50 states and the District of Columbia have laws that require schools and their agents to report suspicions or allegations of child abuse and neglect to a local agency mandated to protect children" (Barrett-Kruse, Martinez, & Carll, 1998, p. 57). Most activities of elementary school counselors are not so legally mandated, however, and include a plethora of preventive and remedial activities. Prevention is preferred because of its psychological payoff in time invested and results.

Prevention.   Elementary school counseling programs strive to create a positive school environment for students. They emphasize the four Cs: counseling services, coordination of activities, consultation with others, and curriculum development. The last activity, curriculum development, is both developmental and educational. It focuses on formulating "guidance classes [on] life skills and in preventing . . . difficulties" that might otherwise occur (Bailey et al., 1989, p. 9). As an example of proactive classroom guidance, Magnuson (1996) developed a lesson for fourth graders that compared the web that Charlotte, the spider, spins for physical nutrition in the book *Charlotte's Web* (White, 1952) with the webs that human beings spin for personal nurturing. Just as Charlotte needed a variety of insects to stay healthy, the lesson stressed that people need to attract a variety of friends and support to live life to the fullest. The lesson ended with children not only discussing the parallels between Charlotte and themselves but also drawing a "personal web" filled with significant and important persons in their lives (see Figure 16.1).

A first priority for elementary school counselors is making themselves known and establishing links with others. "School personnel are not usually viewed by young children as the first source of help" (Bachman, 1975, p. 108). Therefore, elementary school counselors need to publicize who they are, what they do, and how and when they can help. This process is usually handled best through orientation programs, classroom visits, or both. The important point is to let children, parents, teachers, and administrators know that counseling and guidance services are a vital part of the total school environment.

For instance, in situations in which very young children (3- to 5-year-olds) are part of the school environment, elementary school counselors can make themselves known by offering special assistance to these children and their families such as monitoring developmental aspects of the children's lives (Hohenshil & Hohenshil, 1989). Many children in this age range face a multitude of detrimental conditions including poverty, family/community violence, and neglect (Carnegie Task Force on Meeting the Needs of Young Children, 1994). The efforts of elementary school counselors with these children may include offering prosocial classroom guidance lessons centered around socialization skills (Morganett, 1994; Paisley & Hubbard, 1994). Furthermore, elementary school counselors can consult with teachers and other mental health professionals to be sure that efforts at helping these young children are maximized.

It is especially important to work with parents and the community when children, regardless of age, are at risk for developing either low self-concepts or antisocial attitudes. Having lunch with parents where they work, even at odd hours, is one way for counselors

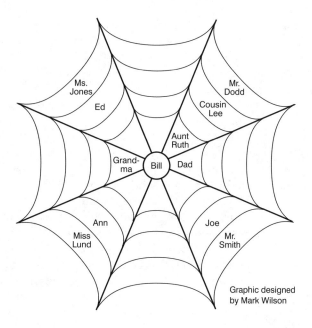

Figure 16.1

A personal web

Source: Reprinted from "Charlotte's Web: Expanding a Classroom Activity for a Guidance Lesson," by S. Magnuson, 1996, *Elementary School Guidance and Counseling, 31*, p. 76. © 1996 by ACA. Reprinted with permission. No further reproduction authorized without written permission of the American Counseling Association.

to reach out and support families in the education of their children (Evans & Hines, 1997). Family counseling interventions by school counselors is another way to focus on three primary subsystems: the family, the school, and the subsystem formed by the family and school interactions (Lewis, 1996). Elementary school counselors (and for that matter middle and secondary school counselors) avoid assuming that most student problems are a result of dysfunctional families and instead focus on constructively addressing all three subsystems as needed. Yet a third way of combating potential destructiveness is known as *multiple concurrent actions*. In this approach, counselors access more than one set of services within the community at a time—for example, social services and learning disabilities specialists. This type of coordinated action between school and community agencies is collaborative and integrative, and it requires energy and commitment on the part of the counselor (Keys, Bemak, Carpenter, & King-Sears, 1998).

Simultaneous with publicizing their services and establishing relationships with others, elementary school counselors must be active in their schools in a variety of ways, especially in guidance activities. Myrick (1993) recommends a proactive, developmental, comprehensive approach to guidance programs: two to three large classroom meetings each week and twice as many small-group sessions. These activities focus on structured learning, such as understanding oneself, decision making, problem solving, establishing healthy girl-boy relations, and how to get along with teachers and make friends (Coppock, 1993; Snyder & Daly, 1993). Classroom guidance should also address conflict resolution and peer mediation in which students learn peaceful and constructive ways of settling differences and preventing violence (Carruthers, Sweeney, Kmitta, & Harris, 1996).

Other preventive services offered by elementary school counselors include setting up peer counselor programs and consultation/education activities. *Peer helpers* are specially selected and trained students who serve the school and the counselor in positive and unique ways. They may help students get to know one another, create an atmosphere of sharing and acceptance, provide opportunities for other students to resolve personal difficulties, and enhance the problem-solving skills of the students (Garner, Martin, & Martin, 1989). In these ways, peer helpers assist elementary school counselors in reaching a number of individuals they might otherwise miss. Peer helpers also may enhance the overall cooperative atmosphere in a school (Joynt, 1993). For example, Scarborough (1997) found that she could foster the social, emotional, and cognitive skills of fifth graders through a peer helper program she called the SOS (Serve Our School) Club. Students in the club served as assistants working with school staff as they carried out their responsibilities. Members also provided cross-age tutoring. Everyone benefitted and learned.

By implementing consultation/education sessions for teachers, administrators, and parents, counselors address common concerns and teach new ways of handling old problems by getting many people committed to working in a cooperative manner (Dougherty, 1986). For example, helping establish culturally compatible classrooms in which student diversity is recognized, appreciated, and used is a service counselors can provide constituents (Herring & White, 1995; Lee, 2001). Promoting communication skills between teachers and students is another crucial cooperative service school counselors can set up (Hawes, 1989). Yet a third cooperative service that school counselors can provide is a class on parenting skills that emphasizes effective communication procedures and behavior management (Ritchie & Partin, 1994).

Skilled elementary school counselors can even use their counseling role in a preventive way. For instance, by meeting regularly in individual sessions with *at-risk children* (those most likely to develop problems because of their backgrounds or present behaviors), counselors can assess how well these children are functioning and what interventions, if any, might be helpful to them or significant others (Webb, 1992). *Bullying* behavior may be one place where preventive interventions can take place. While bullying is usually thought of "as one person threatening or actually physically assaulting another person for no apparent reason," it can include "name-calling, teasing, writing hurtful statements, intentional exclusion, stealing, and defacing personal property" (Beale & Scott, 2001, p. 300). Regardless, bullying behavior can be addressed in a preventive fashion through the use of peer-performed psychoeducational drama that "allows students to indirectly experience many of the negative consequences of bullying in an impersonal, nonthreatening way" (p. 302). Providing positive adult role models for children to emulate may also be helpful as a preventive measure along with systemically addressing negative influences such as parental physical discipline, negative peer models, lack of adult supervision, and neighborhood safety concerns (Espelage, Bosworth, & Simon, 2000).

Besides obvious problems, such as bullying, preventive counseling services are also needed for less obvious groups and behaviors. For example, gifted and talented students may need special help from a prevention perspective. Although this subgroup of students usually appears to function well, in reality these individuals may have some concerns, such as underachieving, overextending, and handling stress (Kaplan & Geoffroy, 1993).

Helping them learn to manage stress, plan ahead, and not be overcritical of themselves or their abilities are just some of the ways school counselors can help these talented students stay balanced and develop healthy self-concepts.

In working with children and the topic of divorce, elementary school counselors can do much good on the preventive level (Crosbie-Burnett & Newcomer, 1989). Preventively, they can address divorce as a topic in classroom guidance classes. Such classes should be informationally humane in intent and aimed at alleviating much of the negative stereotyping and myths that surround divorce. Elementary school counselors can use small groups to concentrate on specific children's needs regarding divorce as well, thereby preventing further problems. Groups for children experiencing divorce have been found effective in reducing dysfunctional behaviors, especially if both the custodial and noncustodial parents are involved (Frieman, 1994).

Remediation.   *Remediation* is the act of trying to make a situation right. The word implies that something is wrong and that it will take work to implement correction. In elementary school counseling, a number of activities come under the remediation heading. One example is children's self-esteem.

Children's self-esteem is related to their *self-concept,* how they "perceive themselves in a variety of areas, academically, physically, socially, and so forth" (McWhirter, McWhirter, McWhirter, & McWhirter, 1994, p. 190). *Self-esteem* results from the comparison of oneself to others in a peer group. Although it may be situational or characterological, self-esteem is basically how well individuals like what they see—how people evaluate themselves (Street & Isaacs, 1998). To enhance self-esteem is an arduous process. For such a task, counselors need to focus on helping low-self-esteem children, who are at risk for failure, improve in the following areas: critical school academic competencies, self-concept, communication skills, coping ability, and control. McWhirter et al. call these the "Five Cs of Competency" (1994, p. 188). Counselors can enhance self-esteem in these areas by focusing on skill building, such as improving social skills, problem-solving skills, and coping skills (Street & Isaacs, 1998). In working in remediation, elementary school counselors must rely on their individual and group counseling skills, as well as their social action abilities, in making environmental changes and modifications.

One way of determining what needs to be remediated and at what level is to use a needs assessment. *Needs assessments* are structured surveys that focus on the systematic appraisal of the types, depths, and scope of problems in particular populations (Cook, 1989; Rossi & Freeman, 1999). Needs assessments may be purchased commercially, borrowed and modified from others, or originated by an institution's staff. In school settings, counselors can gain a great deal of useful information if they regularly take the time to survey students, teachers, parents, and support personnel. This knowledge helps them address specific problems (Stiltner, 1978). Typically, concerns uncovered through needs assessments fall into four main areas: school, family relations, relationships with others, and the self (Dinkmeyer & Caldwell, 1970). The Survey of Student Concerns (Berube & Berube, 1997) is an excellent example of a needs assessment (see Figure 16.2).

In remediation sessions, young children often respond best to counseling strategies built around techniques that require active participation. Play therapy, bibliotherapy, and the use of games are three strategic interventions that help counselors establish rapport with young children and facilitate their self-understanding.

I am in Grade _____   Please check one: Boy _____   Girl _____

Please check the space which best describes your answer to the following statements. Use the scale below.

Concerned a lot: Means that you spend a lot of time thinking or worrying about it.

Concerned a little: Means that you spend some time thinking or worrying about it.

Not concerned: Means that you seldom think or worry about it, or it may be a problem you have already solved.

After each category, there is a place marked "other." If you have a concern that was not listed in that category, write it down and mark the proper space.

Remember: There are no right or wrong answers! Your answers will be confidential since no name is to be put on the survey.

	Concerned a lot	Concerned a little	Not concerned
School and school work			
1. Getting poor grades/not passing	_____	_____	_____
2. Getting into trouble	_____	_____	_____
3. Too much school work to do at home	_____	_____	_____
4. Can't concentrate	_____	_____	_____
5. School is too strict	_____	_____	_____
6. Don't like school	_____	_____	_____
7. Being called on in class	_____	_____	_____
8. Don't understand the work	_____	_____	_____
9. Other	_____	_____	_____
Home and family			
1. Money problems at home	_____	_____	_____
2. Family relationships	_____	_____	_____
3. Parents not understanding me	_____	_____	_____
4. Parents telling me what to do	_____	_____	_____
5. Parents expect too much from me	_____	_____	_____
6. Quarreling or arguing with family members	_____	_____	_____
7. Seldom discuss things	_____	_____	_____
8. Being treated like a baby	_____	_____	_____
9. Other	_____	_____	_____

Figure 16.2

Survey of student concerns

Source: Reprinted from "Creating Small Groups Using School and Community Resources to Meet Student Needs," by E. Berube and L. Berube, 1997, *School Counselor, 44,* pp. 300–302. © 1997 by ACA. Reprinted with permission. No further reproduction authorized without written permission of the American Counseling Association.

	Concerned a lot	Concerned a little	Not concerned
Friends and other people			
1. Making friends	_____	_____	_____
2. My clothes	_____	_____	_____
3. People gossiping	_____	_____	_____
4. Being bored	_____	_____	_____
5. Not being a member of a certain group	_____	_____	_____
6. Having a girlfriend/boyfriend	_____	_____	_____
7. Problems with other kids	_____	_____	_____
8. Other	_____	_____	_____
My future			
1. How violence in the world will affect me	_____	_____	_____
2. How to earn money	_____	_____	_____
3. Deciding what to do after high school	_____	_____	_____
4. What I am going to be	_____	_____	_____
5. Death/dying	_____	_____	_____
6. Pollution and environment	_____	_____	_____
7. Other	_____	_____	_____
Current issues			
1. Making choices about alcohol use	_____	_____	_____
2. Making choices about smoking and other drugs	_____	_____	_____
3. Making choices about dating	_____	_____	_____
4. Other	_____	_____	_____

Figure 16.2 *continued*

Play therapy is a specialized way of working with children that requires skill and training. It, along with art therapy, is "less limited by cultural differences" between counselors and clients "than are other forms of interventions" (Cochran, 1996, p. 287). Therefore, this form of counseling is covered more and more frequently in counselor education programs (Landreth, 1991). Basically, children express emotions by manipulating play media such as toys. When counselors participate with children in the play process—that is, communicate by acknowledging children's thoughts and feelings—they establish rapport and a helping relationship (Campbell, 1993). By expressing their feelings in a natural way, children are more able to recognize and constructively deal with volatile affect (Thompson & Rudolph, 2000). A number of approaches can be used in play therapy, but Jungian (Allan & Brown, 1993) and person centered (Landreth, 1993) are two of the most popular.

When conducting play sessions with children, it is ideal to have a well-equipped playroom. However, most schools do not, so counselors usually need a tote bag in which to store their materials (Landreth, 1987). Play materials fall into one of three broad categories: real-life toys, acting-out or aggressive toys, and toys for creative expression or release

(Landreth, 1987). Items frequently include puppets, masks, drawing materials, and clay. Sand play has been effective in working with children who have low self-esteem, poor academic progress, high anxiety, and mild depression (Allan & Brown, 1993; Carmichael, 1994). In some situations, counselors may work with parents to continue play therapy sessions at home (Guerney, 1983); in other cases, counselors may hold counseling sessions for students who are involved in play therapy (Landreth, 1983).

Bibliotherapy can be used, too, in counseling and guidance activities with elementary schoolchildren (Borders & Paisley, 1992; Gladding & Gladding, 1991). Bibliotherapy is "the use of books [or media] as aids to help children gain insight into their problems and find appropriate solutions" (Hollander, 1989, pp. 184–185). For example, books and videos that emphasize diversity, such as *Babe, Pocahontas, The Lion King,* or *The Little Mermaid,* may be used to promote acceptance and tolerance (Richardson & Norman, 1997). These counseling tools are especially helpful if counselors summarize stories for children, openly discuss characters' feelings, explore consequences of a character's action, and sometimes draw conclusions (Schrank, 1982).

School counselors who work directly with children who have been abused may also choose to use bibliotherapy because of the way media promote nonthreatening relationships. A number of books can be used therapeutically with children who have been sexually abused. Two of the best are *I Can't Talk About It,* a book about how a young girl deals with her father touching her private parts, and *My Body Is Private,* a book about a young girl's awareness of her body and her discussion with her mother about keeping one's body private.

Games are yet a third way to work with elementary schoolchildren in counseling. Games "offer a safe, relatively non-threatening connection to children's problems" (Friedberg, 1996, p. 17). They are also familiar to children and valued by them. What's more, games are considered fun and enhance the counseling relationship. For example, playing with a Nerf ball may relax a nervous child and lead to the child revealing some troublesome behaviors.

A number of games have been professionally developed to deal with such common elementary schoolchild problems as assertiveness, anger, self-control, anxiety, and depression (Berg, 1986, 1989, 1990a, 1990b, 1990c). In addition, counselors can make up games, the best of which are simple, flexible, and connected with the difficulties the child is experiencing (Friedberg, 1996).

MIDDLE SCHOOL COUNSELING AND GUIDANCE

Emphasis on middle school counseling and guidance is an even more recent phenomenon than elementary school counseling. It came into prominence in the 1970s as a hybrid way to offer services for students who did not fit the emphases given by either elementary school or high school counselors (Cole, 1988; Stamm & Nissman, 1979). The idea of a special curriculum and environment for preadolescents and early adolescents was first implemented as a junior high concept—an attempt to group younger adolescents (ages 12–14 and grades 7–9) from older adolescents.

Middle schools typically enroll children between the ages of 10 and 14 and encompass grades 6 through 9. Children at this age and grade level are often referred to as *transescents* (Cole, 1988; Eichhorn, 1968) or *bubblegummers* (Thornburg, 1978). "In addition to experiencing the normal problems that exist in the family, school, and community, middle school boys and girls adjust to changes in the body, pressure from peers, demands by the school for excellence, conflicting attitudes of parents, and other problems with establishing self-identity" (Matthews & Burnett, 1989, p. 122). There is little homogeneity about them, and their most common characteristic is unlikeness.

According to Dougherty (1986), we know less about this age group than any other. Part of the reason is that few middle school counselors conduct research or publish their findings about this population (St. Clair, 1989). Yet the Gesell Institute of Child Development and other child study centers offer a description of cognitive, physical, and emotional factors that can be expected during this time (Johnson & Kottman, 1992). Too few counselors avail themselves of this data. On a general level, however, most middle school counselors are aware of the major physical, intellectual, and social developmental tasks that middle school children must accomplish. Thornburg (1986) outlines them:

- Becoming aware of increased physical changes
- Organizing knowledge and concepts into problem-solving strategies
- Making the transition from concrete to abstract symbols
- Learning new social and sex roles
- Identifying with stereotypical role models
- Developing friendships
- Gaining a sense of independence
- Developing a sense of responsibility (pp. 170–171)

Elkind (1986) notes that, in addition to developmental tasks, middle graders also must deal successfully with three basic stress situations. A *Type A* stress situation is one that is foreseeable and avoidable, such as not walking in a dangerous area at night. A *Type B* situation is neither foreseeable nor avoidable, such as an unexpected death. A *Type C* situation is foreseeable but not avoidable, such as going to the dentist.

Overall, middle school children tend to experience more anxiety than either elementary or high school students. Therefore, they are at risk for not achieving or successfully resolving developmental tasks (Matthews & Burnett, 1989). Thus, middle school counselors can be most helpful during times of stress because they can provide opportunities for children to experience themselves and their worlds in different and creative ways (Schmidt, 1991). They can also help middle schoolers foster a sense of uniqueness as well as identify with universal common concerns. In such a process, counselors help middle schoolers overcome their restlessness and moodiness and counter influences by peers and the popular culture that suggest violence or other destructive behaviors are an acceptable solution to complex, perplexing problems (Peterson & O'Neal, 1998).

Emphases and Roles

Schools often neglect the physical and social development of the child while stimulating intellectual growth (Thornburg, 1986). Middle school counseling and guidance, like elementary school counseling and guidance, seeks to correct this imbalance by focusing on the child's total development. The emphasis is holistic: counselors stress not only growth and development but also the process of transition involved in leaving childhood and entering adolescence (Schmidt, 1999). Their activities include

- working with students individually and in groups,
- working with teachers and administrators,

- working in the community with education agencies, social services, and businesses, and
- partnering with parents to address unique needs of specific children (Campbell & Dahir, 1997).

These roles may be fulfilled more easily if counselors develop capacities and programs in certain ways. The necessary capacities, according to Thornburg (1986), include general information about developmental characteristics of middle schoolers and specific tasks students are expected to achieve. In addition, counselors must understand the specific child with whom they are interacting and his or her perspective on a problem. Finally, counselors need to know how to help students make decisions so that students can help themselves in the future.

The ideal role of middle school counselors also includes providing individual counseling, group experiences, peer support systems, teacher consultation, student assessment, parent consultation, and evaluation of guidance services (Bonebrake & Borgers, 1984; Schmidt, 1999). In a survey of Kansas principals and counselors, Bonebrake and Borgers found that participants not only agreed on the ideal role of the middle school counselor but also agreed on a counselor's lowest priorities: serving as principal, supervising lunchroom discipline, and teaching nonguidance classes. This survey is encouraging because it shows the close agreement between principals and counselors concerning ideal roles. After all, principals usually "determine the role and function of counselors within the school" (Ribak-Rosenthal, 1994, p. 158). Yet outside the school, various groups have different perceptions and priorities about the purpose of middle school counselors. To ease the tension that may arise from such evaluations, Bonebrake and Borgers recommend that counselors document their functions and run "a visible, well-defined, and carefully evaluated program" (p. 198). Middle school counselors also need to be in constant communication with their various publics about what they do and when. Publicity as well as delivery of services is as crucial at this level as it is in elementary schools (Ribak-Rosenthal, 1994).

Activities

Working with middle school children requires both a preventive and a remedial approach. It is similar to dealing with elementary school children except that counselors must penetrate more barriers if they are to be truly helpful in a holistic way.

Prevention.   One of the most promising prevention programs for middle schoolers is the Succeeding in School approach (Gerler & Anderson, 1986). Composed of 50-minute classroom guidance units, this program is geared toward helping children become comfortable with themselves, their teachers, and their schools (Gerler, 1987). The approach is multimodal and asks children to participate actively in the learning process. Each lesson plan focuses in on a prosocial aspect of personal and institutional living, such as identifying with successful people, being comfortable in school, cooperating with peers and teachers, and recognizing the bright side of life events (Gerler, Drew, & Mohr, 1990).

A complement to the Succeeding in School program is Morganett's (1990) group counseling activities for young adolescents. These activities develop skills for living. Because her exercises for small groups can be used in various ways, middle school counselors have flexibility in helping students deal with sensitive areas such as anger, grief, stress, divorce, assertiveness, and friendship.

In addition to classroom guidance and group work, middle school counselors (like elementary school counselors) can use individual counseling, peer counseling, and consultation activities to foster problem prevention (Thompson & Rudolph, 2000). One theoretical approach that helps in this process is Developmental Counseling and Therapy (DCT) (Ivey, 1986, 1999). DCT incorporates developmental concepts from individual theories such as those by Kohlberg, Gilligan, Kegan, and Erikson, along with family theories and multicultural theories (Myers, Shoffner, & Briggs, 2002). It provides a systematic way for counselors to relate to middle schoolers in their preferred developmental orientation—sensorimotor, concrete, formal operations, and dialetic/systemic. Most middle schoolers will relate on the first two levels with the third occasionally coming into play.

Another preventive type of program is *peer mentoring*. In this arrangement, an older student, such as an eighth grader, is paired up with a younger student, such as a sixth grader. The older student both accepts and teaches the younger student through a cooperative learning arrangement. Noll (1997) reports that in a cross-age mentoring program she set up to help younger students with learning disabilities acquire social skills, the arrangement worked well. The younger students made significant gains in their social development, and the older students achieved an increase in their "ability to relate better to parents, an increase in self-esteem, better conflict resolution skills, and enhanced organization skills" (p. 241).

Middle school counselors may also set up teacher-advisor programs (TAP), which are based on the premises that "guidance is everybody's responsibility, that there are not enough trained counselors to handle all of a school's guidance needs, and that teacher-based guidance is an important supplement to school counseling" (Galassi & Gulledge, 1997, p. 56). Through such programs, teachers become more involved with counselors and with the nonacademic lives of their students. The beneficiaries of these programs are middle schoolers and the schools in which they study.

Remediation.   One of the best ways to work remedially with middle school students is to combine it with a preventive approach. According to Stamm and Nissman (1979), the activities of middle school counselors are best viewed as services that revolve around "a Human Development Center (HDC) that deals with sensitive human beings (students, teachers, parents, and the community as a whole)" (p. 52). They recommend developing a rapport with these persons and coordinating middle school counseling and guidance services with others to provide the most productive program possible. Stamm and Nissman outline eight service areas that they believe are vital to a comprehensive middle school counseling and guidance program (see Figure 16.3).

Each service cluster is linked with the others. But middle school counselors cannot perform all the recommended functions alone, so they must delegate responsibility and solicit the help of other school personnel, parents, and community volunteers. A counselor's job, then, entails coordinating service activities as well as delivering direct services when able.

The *communication service cluster* is primarily concerned with public relations. It is the counselor's outreach arm and is critical for informing the general public about what the school counseling program is doing. *Curriculum service,* however, concentrates on facilitating course placements and academic adjustment. Middle school counselors need to help teachers "psychologize" the curriculum so that students can deal with significant issues in their lives, such as peer relationships and values (Beane, 1986). If the curriculum

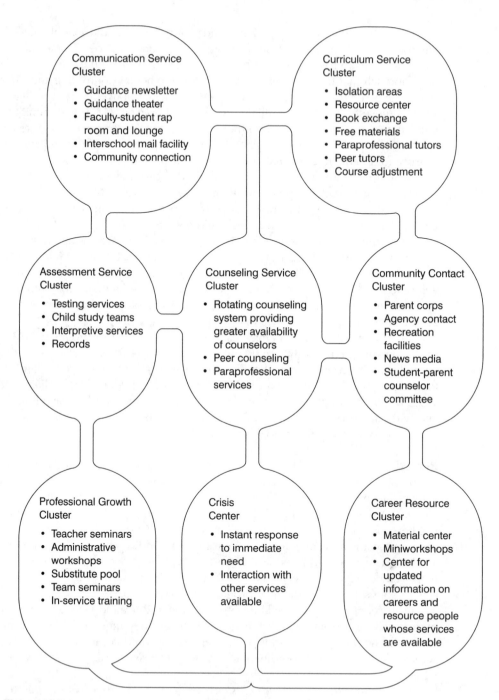

Figure 16.3

Areas vital to a middle school counseling and guidance program

is not relevant to children at this age, they often divert their energy to nonproductive activities. The *assessment service cluster* provides testing and evaluation services and is often linked to the *career resource cluster,* which focuses on the student's future goals and vocation.

The *counseling service cluster* and the *crisis center cluster* are also closely connected. Counseling services are provided on an individual, peer, and group level and are offered during off-school and in-school hours. Sometimes counseling activities are aimed at *self-counseling,* which is "when people (including middle graders) think the ideas that they believe, then react to those ideas with logical emotional reactions and logical physical behaviors" (Maultsby, 1986, p. 207). Rational self-counseling is one research-based way to help students help themselves deal effectively with their emotions. At other times, peer facilitators help middle schoolers make friends and learn about their environments and schoolwork (Bowman, 1986; Sprinthall, Hall, & Gerler, 1992).

There is also someone designated in the Stamm and Nissman model as a *crisis person* during the school day. This individual deals with emergencies and, with the help of the counselor, finds an appropriate way to assist the child who is experiencing sudden distress. On an individual level, a crisis and the resulting distress may be connected with loss or internal or external pressures that result in a child acting out or withdrawing. On a group level, a crisis and the resulting distress may involve "cases of trauma that affect large numbers of students such as homicide, suicide, accidental death, or severe accident" (Lockhart & Keys, 1998, p. 4). (It is vital that elementary and secondary school counselors have both a crisis plan as well as a crisis person in their school counseling programs.)

The *community contact cluster* focuses on working with parents and other interested people to open the lines of communication between the school and other agencies. The *professional growth cluster* provides programs for school staff and paraprofessionals. This last task is critical to the counselor's success. If the total school environment is to be positively affected, middle school counselors must help "teachers develop skills related to enhancing the students' self-concept and self-esteem" (Beane, 1986, p. 192).

SECONDARY SCHOOL COUNSELING AND GUIDANCE

"There are few situations in life more difficult to cope with than an adolescent son or daughter during their attempt to liberate themselves" (Freud, 1958, p. 278). Although most adolescents make it through this period of their lives in a healthy way, some experience great difficulty. Secondary school counselors must deal with this difficult population and the problems unique to it. They may take some comfort in the fact that some problems in adolescence are more cyclical than others. For example, "delinquent behaviors are rare in early adolescence, almost universal by midadolescence (ages 15 to 17), and decrease thereafter" (McCarthy, Brack, Lambert, Brack, & Orr, 1996, p. 277). However, many other concerns are connected with this population that are situational and unpredictable.

Secondary school counseling and guidance began in the early 1900s when its primary emphasis was on guidance activities that would help build better citizens (Gysbers & Guidance Program Field Writers, 1990) (see Chapter 1). Frank Parsons influenced the early growth of the profession, although John Brewer really pushed for the establishment of secondary school guidance in the 1930s (Aubrey, 1979). Brewer believed that both guidance and education meant assisting young people in living. His ideas did not gain wide acceptance at the time, but under the name *life skills training* they have become increasingly popular (Gazda, 1989).

The growth of secondary school counseling was particularly dramatic during the 1960s. Counselor employment in this specialty more than tripled from about 12,000 in 1958–1959 to more than 40,000 in 1969–1970 (Shertzer & Stone, 1981). According to the *Occupational Outlook Handbook,* an estimated 63,000 people worked as public school counselors during 1986, with a ratio of 3 to 1 in favor of secondary school counselors over elementary school counselors. Several thousand more counselors worked in private schools. Furthermore, the number of employment opportunities for school counselors began increasing in the late 1980s as many counselors who had trained in the NDEA institutes began to retire and more states mandated better counseling services in the schools at all levels (Baker, 2000). Today, there are an estimated 100,000 counselors in schools, many of them working on the secondary level.

Emphases and Roles

Counselors in high school environments concentrate on the following tasks:

- providing direct counseling services individually and in groups,
- providing educational and support services to parents,
- offering consultation and in-service programs to teachers and staff,
- facilitating referrals to outside agencies,
- networking to postsecondary schools and businesses, and
- advising academically (Campbell & Dahir, 1997).

Aubrey (1979) argues that a real conflict exists for secondary school counselors, who are faced with two needs: (a) engaging in student counseling and (b) doing academic and administrative tasks, such as scheduling, which school administrative personnel often require. He contends that school counselors, especially on the high school level, frequently get bogged down in nonprofessional activities. Brown (1989) states that dysfunctional counselors are frequently misunderstood or misdirected by their principals, are poorly educated, lack a plan of action, are not engaged in public relations, and violate ethical standards. To combat attempts to cast them into inappropriate roles, secondary school counselors need to develop and publicize what they do and how they do it, not only to students but to teachers, principals, and administrators as well (Guerra, 1998). They can do this by "writing monthly newsletters, posting the counselor's schedule, distributing the American School Counselor Association (ASCA) role statement, developing a guidance service handbook, making presentations at faculty meetings," and pointing out to others the cost efficiency of allowing counselors to do their jobs correctly (Ribak-Rosenthal, 1994, p. 163).

Peer (1985) elicited the opinions of state directors of guidance and counseling and others in regard to views about the role of secondary school counselors. He found mixed opinions. Those who held secondary school programs in highest regard were principals, superintendents, students, college and university personnel, other secondary school counselors, and counselor educators. Teachers, parents, community leaders, and business leaders were less positive. State directors overwhelmingly reported that secondary school counselors are "probably" or "definitely" heavily involved in nonprofessional activities. If this is true, it is understandable why secondary school counselors have come under heavy criticism from people outside the school environment.

The Peer survey also discovered that secondary school counselors are not seen as being actively involved in group counseling or group guidance, not serving as consultants, and not making an impact on the majority of students. Overall, programs at this level are not viewed as favorably as those in elementary schools in the same district. On a positive note, however, respondents perceived secondary counselors as avoiding disciplinarian roles, well qualified, and helpful to individual students, especially those bound for college. Significantly, respondents thought counselors could effect changes in counseling programs.

Ways of improving the perception and behavior of the secondary school counselor include an emphasis on roles that meet real needs. Jones (1977), for instance, stresses that school counselors must be facilitators of healthy learning environments. He thinks the primary functions of secondary school counselors should include facilitating problem solving within the regular classroom, developing professional growth groups, and improving staff communications. All these roles give counselors maximum exposure among groups who have traditionally held them in low esteem. By functioning as facilitators in student–adult interactions and adult–adult transactions, counselors provide the means for a productive exchange between divergent and often isolated groups of people.

An important function for any school counselor is the constant remodeling of the counseling program (Gysbers & Henderson, 2000). A systematic plan is crucial to this process. It includes not only implementation of services but also evaluation of these activities. Some stress can be expected in setting up and restructuring guidance and counseling activities within the school, but a great deal of satisfaction also results. Secondary school counselors must be in constant touch with their constituents if they are to keep their services and roles appropriate and current.

Activities

The activities of secondary school counselors can be divided into several areas. In addition to evaluating their own activities, they are involved in prevention, remediation and intervention, and cooperation and facilitation. These categories are not mutually exclusive, and there are a multitude of concerns under each heading.

Prevention. Secondary school counselors, like elementary and middle school counselors, stress preventive services. These efforts "need to be comprehensive, multifaceted, and integrated" (Keys & Bemak, 1997, p. 257). The reason is that adolescent problems outside the classroom and school problems are interrelated (McCarthy et al., 1996). Therefore, to address one situation and neglect the other usually will not work.

Sprinthall (1984) notes that primary prevention in the secondary school creates "classroom educative experiences that affect students' intellectual and personal development simultaneously" (p. 494). Through primary prevention, students become more self-reliant and less dominated by their peer group. They also become less egocentric, more attuned to principles as guidelines in making decisions, and more empathic. Relationships between the teacher and counselor and the student and counselor are enhanced in this process, too.

There are a multitude of ways to build primary prevention programs. One way for counselors to practice prevention is for them to become familiar with current popular songs (Ostlund & Kinnier, 1997). By listening attentively to the lyrics of these songs, secondary school counselors become "more knowledgeable about adolescent subcultures and may be better able to help many teenagers cope with typical adolescent problems" (pp. 87–88).

A second way for counselors to practice prevention is to run groups, particularly thematic groups, which "bring together students experiencing similar problems and allow counselors to make effective use of their time and skills" (Zinck & Littrell, 2000, p. 51). Research indicates that group counseling has been especially effective in addressing and/or preventing adolescent problems in a number of areas. For instance, a 10-week group for at-risk adolescent girls was found to foster effective, positive, and lasting change (Zinck & Littrell, 2000).

Another way for counselors to be proactive in secondary school environments is occasionally to teach prevention-based curriculum offerings in classes (Martin, 1983). Anxieties about school and tests, study skills, interpersonal relationships, self-control, and career planning may be dealt with in this way. Such an approach has two major advantages: less time needs to be devoted to remediation and intervention activities, and the counselor maintains a positive high profile with teachers and students. As an adjunct or an integrated part of curriculum offerings, counselors can have class members participate in an interactive bibliotherapy process in which they read either fiction or nonfiction books on specific subjects and discuss their reactions with the counselor. (This process may be individualized in personal counseling, too). Books dealing with illness and death, family relations, self-destructive behaviors, identity, abuse, race and prejudice, and sex and sexuality are readily available; Christenbury, Beale, and Patch (1996) suggest several of them. Other works are easily attainable through *Books for You* (Christenbury, 1995).

Four examples of problem areas in which prevention can make a major difference are substance abuse, adolescent suicide/homicide, prevention of HIV infection/AIDS, and abusive relationships. Programs for preventing substance abuse work best when they are started early in students' lives, based on social influence models, tailored to the age and stage of different student groups, and "involve students, parents, teachers, and community members in the planning process" (Mohai, 1991). A specific effective model is one in which counselors work with potentially susceptible at-risk students in a multidimensional way (Gloria & Kurpius Robinson, 2000). In general, multidimensional approaches increase self-esteem, reduce negative peer influence, and provide drug information. *Student assistance programs (SAPs)* set up by counselors in schools are also effective (Moore & Forster, 1993). SAP teams are composed of school personnel from a variety of backgrounds and function in ways similar to multidisciplinary special education teams in schools. They may be specific or general in nature but are aimed at being informative and helping students to cope with their problems (Rainey, Hensley, & Crutchfield, 1997).

Suicide and homicide prevention programs follow broad-based approaches that stress the seriousness of such violence and alternatives. Suicide is "the fastest-growing cause of death among adolescents in American society" (Malley & Kush, 1994, p. 191), and the number of youth homicides, especially those involving multiple deaths in schools, has increased dramatically in recent years. There is a suicide attempt by an adolescent almost every minute, making approximately 775,000 attempts annually (Carson, Butcher, & Mineka, 2000). Although more girls attempt suicides than boys, boys are more successful in carrying them out. Boys also tend to be the almost exclusive perpetrators of adolescent homicides.

Because antisocial behaviors like suicide and homicide are multidetermined phenomena, a variety of interventions are needed to prevent them (Dykeman, Daehlin, Doyle, & Flamer, 1996). Some ways to prevent suicides and homicides are to help students, parents, and school personnel become aware of their danger signs and alert counselors and other mental health helpers to the professional and legal standards that deal with breaking confidentiality (Peach & Reddick, 1991; Remley & Sparkman, 1993; Sheeley & Herlihy, 1989). Involving school peers, families, and significant others in the community is also vital (Cashwell & Vacc, 1996; Ritchie, 1989). It is important that suicide and homicide prevention programs in schools be proactive rather than reactive as well as systematically designed. One approach to such aggression is a concept known as *wrap-around programs* (Cautilli & Skinner, 1996). These programs have multiple services provided by a team of many mental health professionals, including counselors, who work together to provide direct assistance to the youth at risk of violence as well as his or her family and community/ school personnel who come in contact with the youth.

A common factor among suicidal and homicidal youth is feelings of depression and anger. Therefore, preventive programs, such as support or psychoeducational groups, that deal with improving self-esteem and coping with loss and rejection are important. Likewise, programs aimed at preventing copycat and cluster suicides and at providing community awareness are vital (Popenhagen & Qualley, 1998). Individual identification of youth at risk for either suicide or homicide is crucial, too. Youth intervention programs tailored to the needs and circumstances of potential suicide victims and homicide perpetrators are essential. A plan of action for dealing with suicide and homicide potential should be as broad-based as possible (Capuzzi, 1994).

When working to prevent HIV/AIDS, counselors may or may not persuade students to change their sexual activity. But they can help them avoid contracting AIDS and other sexually transmitted diseases by employing both an informational and skills-based intervention system (Stevens-Smith & Remley, 1994). For instance, the school counselor can make sure students know how HIV is spread and what behaviors, such as sharing intravenous needles and unprotected casual sex, put them into greatest danger (Keeling, 1993). In addition, counselors can offer students opportunities for interpersonal skill building by simulating situations that are potentially hazardous. They can also support teenagers who decide to try new and positive behaviors such as changing their habits or environments. Support groups, workshops for parents and administrators, and peer education programs can also be used. Peer education is one of the strongest means of dissuading adolescents from engaging in destructive behaviors and helping them focus on productive action (Wittmer & Adorno, 2000).

Finally, interpersonal violence (i.e., abusive relationships) can be prevented through school counselor interventions (Becky & Farren, 1997; Bemak & Keys, 2000). In such programs, counselors work with students in groups to emphasize to them that slapping, pushing, and emotionally threatening language are not a normal or necessary part of interpersonal relationships. Furthermore, they focus on teaching students violence-prevention strategies such as anger management, assertiveness, and responsible verbal and nonverbal communication. Dating Safely is one model available in a programmed format that is easy to follow.

Overall, as these examples show, school counselors are in a strong position because of their skills, training, and knowledge "to be leaders in the development of . . . school- and community-based intervention" programs (Stevens-Smith & Remley, 1994, p. 182).

Remediation.   Secondary school counselors initiate remediation and intervention programs to help students with specific problems that are not amenable to prevention techniques. Some common mental disorders of childhood and adolescence manifest themselves clearly at this time, such as problems centering around adjustment, behavior, anxiety, substance abuse, and eating (Geroski, Rodgers, & Breen, 1997). The identification, assessment, referral, and in some cases treatment of these disorders found in the *Diagnostic and Statistical Manual of Mental Disorders,* fourth edition (DSM-IV-TR), is one of the most valuable services a secondary school counselor, or any school counselor, can render (often in consultation with other mental health providers). Because of time and resources, secondary school counselors usually do not deal directly in treating severe mental disorders but rather focus on other specific problematic behaviors that occur in their settings. Three of the most prevalent of these problems are depression, parental divorce, and teenage parenting.

Depression is related in adolescence to negative life stress (Benson & Deeter, 1992). Forrest (1983) states that about 15% of all schoolchildren may be depressed because of external stressors and inadequate individual response abilities. He lists common emotional, physical, intellectual, and behavioral indicators of depression (see Table 16.2). Furthermore, he emphasizes the need for school counselors to use a variety of approaches in dealing with the problem. Among the most prominent are using Lazarus's multimodal model; teaching the student how to develop self-esteem; helping the student become aware of depression and the stress factors that influence it; and teaching relaxation pro-

Table 16.2   Common indicators of depression

Emotional (Affective)	Physical (Somatic)	Intellectual (Cognitive)	Behavior (Doing)
Sadness	Fatigue	Negative self-concept	Soft spoken, slow speech
Anxiety	Sleep disorders	Negative view of world	Withdrawals from normal social contact
Guilt	Eating disorders	Negative expectations for future	Engages in fewer pleasurable activities
Anger	Dyspepsia	Self-blame	Seldom smiles or laughs
Fear	Constipation	Self-criticism	Eats alone Studies alone
Unhappiness	Poorly defined plan	Loss of interest	Does not speak up in class or social encounters
Pessimism	Menstrual irregularity	Inability to concentrate	Avoids expressing hostile tendencies
Mood variation	High pulse rate with appearance apathy	Poverty of thought	Avoids groups Reduces involvement in sports and games
Helplessness	Headaches	Ambivalence	Drab dress Grades take sudden drop
Worthlessness	Stomach aches	Indecisiveness	Sighs often and cries easily Procrastinates

Source: Reprinted from "Depression: Information and Interventions for School Counselors," by D. V. Forrest, 1983, *School Counselor, 30*, p. 270. © 1983 by ACA. Reprinted with permission. No further reproduction authorized without written permission of the American Counseling Association.

cedures, new coping skills, and ways of modifying negative self-messages. All these approaches require a significant investment of time and energy.

Approximately one million children experience parental divorces each year, and it is estimated 45% of all American children can expect their families to break up before they reach the age of 18 (Whitehead, 1997). Secondary school counselors can help children, parents, and teachers adjust to divorce through both direct and indirect services (Cook & McBride, 1982). Interventions that directly address the problems of divorce include individual and group counseling services within the school for the children. Structured, short-term group work can make a positive impact in helping secondary school students sort out and resolve their feelings about the divorce experience (Morganett, 1995). More indirect services can also be implemented, such as consulting with teachers and parents about the children's feelings. Teachers and parents need information about what to expect from children of divorce and what useful interventions they might employ in the process of helping.

Teenage parenting is filled with emotional issues for both society and teens. When parenting results from an out-of-wedlock pregnancy, feelings run high. The challenge for school counselors is to develop outreach strategies for working with members of this population. In addition, counselors must address personal and career concerns of young parents and make necessary referrals. Usually the process is accomplished best through collaborative efforts between school counselors and community mental health workers (Kiselica & Pfaller, 1993). One essential task is to prevent teenage parents from having a second child. Another crucial aspect is keeping unwed mothers (and fathers) in school and increasing their success in academic, personal, and interpersonal arenas (DeRidder, 1993).

Cooperation and Facilitation. Cooperation and facilitation involve the counselor in a variety of community and school activities beyond that of caregiver. Counselors who are not aware of or involved in community and school groups are not as effective as they could otherwise be (Bradley, 1978). Part of a counselor's responsibility is becoming involved with others in ways outside of direct counseling services (Lee & Walz, 1998). Thus, secondary school counselors often have to take the initiative in working with teachers and other school personnel. By becoming more involved with teachers, administrators, and sponsors of extracurricular activities, counselors integrate their views into the total life of schools and "help create the kind of school environments that stimulate growth and learning" (Glosoff & Koprowicz, 1990, p. 10).

In a very practical article on the role of the school counselor as service coordinator, DeVoe and McClam (1982) stress the importance of counselors' being accountable for performing three roles. The first role is *information retriever.* Here, the counselor either collects information or works with other professionals to collect information about particularly complex situations, such as the abused and drug-dependent pregnant teenager. The second role is related to *service coordination.* The counselor determines whether he or she has the expertise to meet particular students' needs. If the counselor does not have the expertise, an appropriate referral is made. The third role is *information administrator.* The counselor coordinates a plan in which individuals or agencies in nonschool counseling settings deliver student services. This activity involves planning and implementing continuous communication among service providers.

A less involved but important way in which counselors can cooperate with others in the school and community is through participation in *individualized education programs*

(IEPs)—that is, educational programs tailored to the specialized needs of certain children (Humes, 1980). Counselors engage in either direct interventions or support services with students for whom IEPs are drawn up. Regardless of special considerations, counselors can work closely with other school and community personnel to ensure that atypical students receive appropriate educational and support services. Thus, fewer students drop out of school or are lost to the communities in which they live (Kushman, Sieber, & Heariold-Kinney, 2000).

TWENTY-FIRST CENTURY SCHOOL COUNSELING

As an examination of school counseling at different levels in this chapter has indicated, "school counselors are frontline mental health professionals for students and families who present the gamut from normal developmental issues to serious dysfunctional problems" (Borders, 2002, p. 184). As such, school counselors are encouraged to be involved in a variety of both educational and mental health initiatives that are intentionally and collaboratively designed with other stakeholders in their school system and community such as teachers, principals, and families (Green & Keys, 2001; Paisley & McMahon, 2001). Roles for ideal school counselors include more tasks than one person can usually accomplish. So in facing some of the challenges within school environments (for example, increasingly diverse student populations), demands for technological sophistication, and calls for accountability, school counselors should work in partnership with other professionals and with consumers (Paisley & McMahon, 2001).

In the 21st century, school counselors' roles within schools and society are both evolving and being debated. A major task for school counselors is not forsaking or abandoning roles that are vital for the academic health of the schools they serve and yet envisioning and making changes that increase their influence and service in educational settings. In 1997 the Education Trust, a social advocacy organization with the goal of improving schools, proposed a vision of school counseling that had counselors engaging in change-oriented activities that were empowering for schools, their students, and professional school counselors (Sears & Granello, 2002). In addition, it chose 10 colleges and universities around the United States to make suggestions about revamping the school counselor education curriculum at institutions of higher education. The resulting work of those involved in this effort calls for school counselors "to work as leaders and advocates to remove systemic barriers that impede the academic success of all students" (House & Hayes, 2002, p. 255). It has been charted by the Educational Trust as "A New Vision for School Counselors" (see Table 16.3). To what extent this vision will influence school counseling in the 21st century remains to be seen. However, "as with other pupil service professions, school counseling is going through a period of extensive reform and restructuring" (Adelman & Taylor, 2002, p. 235). In the 21st century, school counselors will need to define who they are more definitively as well as deal with external forces that wish to define or confine them. Documenting the effectiveness of school counseling programs will be crucial in this process (Whiston, 2002). Devising and implementing school counseling programs that are comprehensive and developmental will be essential too (Gysbers, 2001).

Table 16.3 A new vision for school counselors

Present Focus	New Vision
• Mental health providers	• Academic/student achievement focus
• Individual students concerns/issues	• Whole school and system concerns/issues
• Clinical model focused on student deficits	• Academic focus, building on student strengths
• Service provider, 1-1 and small groups	• Leader, planner, program developer
• Primary focus on personal/social	• Focus on academic counseling, learning and achievement, supporting student success
• Ancillary support personnel	• Integral members of educational team
• Loosely defined role and responsibility	• Focused mission and role identification
• Gatekeepers	• Use of data to effect change
• Sorters, selectors in course placement process	• Advocates for inclusion in rigorous preparation for all—especially poor students and students of color
• Work in isolation or with other counselors	• Teaming and collaboration with all educators in school in resolving issues involving the whole school and community
• Guardians of the status quo	• Agents for change, especially for educational equity for all students
• Involvement primarily with students	• Involvement with students, parents, education professionals, community, community agencies
• Dependence on the use of system's resources for helping students and families	• Brokers of services for parents and students from community resources/agencies as well as school system's resources
• Postsecondary planners with interested students	• Champions for creating pathways for all students to achieve high aspirations

© The Education Trust, Inc./Washington, DC.
Source: R. M. House & R. L. Hayes (2002). *School Counselors: Becoming Key Players in School Reform, 5,* 249–256.

SUMMARY AND CONCLUSION

This chapter has covered various aspects of counseling in elementary, middle, and secondary schools, offering a brief history of how practices in these areas have evolved. The tasks of school counselors at each level are uniquely developmental, yet all focus on intrapersonal and interpersonal relationships. Counselors who work in schools must be flexible and skilled in knowing how to work with children, parents, and other school personnel who come from many different environments and have various worldviews. They must know what situations are best handled in what manner (through counseling, consultation, curriculum development, and so on).

Elementary school counselors focus on offering preventive services and increasing student awareness of individual needs and ways of meeting them in a healthy, prosocial manner. Much work on this level is the result of emphasizing curriculum issues (i.e., classroom guidance), conducting small groups, and providing consultation to others. Middle school counselors, however, are more focused on helping students make the smoothest possible transition from childhood to adolescence. They offer many activities that parallel those on the elementary school level, and they especially focus on situations of major concern to children in this age range, such as how to handle anxiety, develop good girl–boy relationships, and so on.

Secondary school counseling has traditionally emphasized counseling services. Since the 1980s, however, it has become more multidimensional. Secondary school counselors are more involved in making an impact on the whole school environment and implementing both prevention and remediation programs. They assist students in making a transition from a school environment into the world of work or further study. Resolving developmental and situational factors associated with this transition are equally important to them.

Overall, school counselors have multiple tasks and responsibilities. There is a new aware-ness that passive or poorly educated school counselors have not and will not work for the good of children and society (Cecil & Cobia, 1990; Guerra, 1998; House & Hayes, 2002). Therefore, new models for educating school counselors are being formulated and different roles for school counselors are being debated. Most likely, improvements in school counseling at all levels will occur more slowly and inconsistently over the decades to come in the 21st century unless more grassroots school counselors and communities become more involved in the process and/or one or more charismatic leaders takes up the cause of school counseling on a national level (Baker, 2001).

CLASSROOM ACTIVITIES

1. In groups of three, talk about your perceptions of and experiences with counselors in your elementary, middle, and high schools. How did they exemplify the roles outlined in this chapter? What were the best things they did for you or your school? What could they have done differently to improve their services?

2. Read several articles focusing on counseling elementary school children, and compare them with articles focused on working with adolescents. What similarities and differences do you notice? What does this information tell you about the concerns of counselors in select settings? Share your thoughts with the class.

3. Reflect on your life as a middle school student. What were your greatest concerns then, and how did you handle them? With another classmate, share your reflections (to the point you feel comfortable doing so). What counselor-related activities do you think might have been helpful to you then?

4. What do you think are the greatest concerns of high school students today? Write down your top five ideas. Share them with other classmates in groups of three, and then compare your rank-ordered group list with the class as a whole. How much agreement exists among the class? As a class, discuss ways of addressing one of these problems.

5. Pretend that you are an elementary school counselor. Design a guidance lesson on the topic of your choice. Then either tell or show the class how you would carry out your plan. What is your rationale for choosing your topic? How might children in your class eventually benefit from the experience?

REFERENCES

ACES-ASCA Joint Committee on the Elementary School Counselor. (1966). The elementary school counselor: Preliminary statement. *Personnel and Guidance Journal, 44*, 658–661.

Adelman, H. S., & Taylor, L. (2002). School counselors and school re-form: New directions. *Professional School Counseling, 5*, 235–248.

Allan, J., & Brown, K. (1993). Jungian play therapy in elementary schools.

Elementary School Guidance and Counseling, 28, 30–41.

Aubrey, R. F. (1979). Relationship of guidance and counseling to the established and emerging school curriculum. *School Counselor, 26,* 150–162.

Bachman, R. W. (1975). Elementary school children's perceptions of helpers and their characteristics. *Elementary School Guidance and Counseling, 10,* 103–109.

Bailey, W. R., Deery, N. K., Gehrke, M., Perry, N., & Whitledge, J. (1989). Issues in elementary school counseling: Discussion with American School Counselor Association leaders. *Elementary School Guidance and Counseling, 24,* 4–13.

Baker, S. B. (1994). Serving students with differing worldviews. *School Counselor, 41,* 313.

Baker, S. B. (2000). *School counseling for the twenty-first century* (3rd ed.). Upper Saddle River, NJ: Merrill/ Prentice Hall.

Baker, S. B. (2001). Reflections on forty years in the school counseling profession: Is the glass half full or half empty? *Professional School Counseling, 5,* 75–83.

Barrett-Kruse, C., Martinez, E., & Carll, N. (1998). Beyond reporting suspected abuse: Positively influencing the development of the student within the classroom. *Professional School Counseling, 1,* 57–60.

Beale, A. V., & Scott, P. C. (2001). "Bullybusters": Using drama to empower students to take a stand against bullying behavior. *Professional School Counseling, 4,* 300–305.

Beane, J. A. (1986). The self-enhancing middle-grade school. *School Counselor, 33,* 189–195.

Becky, D., & Farren, P. M. (1997). Teaching students how to understand and avoid abusive relationships. *School Counselor, 44,* 303–308.

Bemak, F., & Keys, S. (2000). *Violence and aggressive youth: Intervention*

and prevention strategies for changing time. Thousand Oaks, CA: Sage.

Benson, L. T., & Deeter, T. E. (1992). Moderators of the relation between stress and depression in adolescence. *School Counselor, 39,* 189–194.

Berg, B. (1986). *The assertiveness game.* Dayton, OH: Cognitive Counseling Resources.

Berg, B. (1989). *The anger control game.* Dayton, OH: Cognitive Counseling Resources.

Berg, B. (1990a). *The anxiety management game.* Dayton, OH: Cognitive Counseling Resources.

Berg, B. (1990b). *The depression management game.* Dayton, OH: Cognitive Counseling Resources.

Berg, B. (1990c). *The self-control game.* Dayton, OH: Cognitive Counseling Resources.

Berube, E., & Berube, L. (1997). Creating small groups using school and community resources to meet student needs. *School Counselor, 44,* 294–302.

Bonebrake, C. R., & Borgers, S. B. (1984). Counselor role as perceived by counselors and principals. *Elementary School Guidance and Counseling, 18,* 194–199.

Borders, L. D. (2002). School counseling in the 21st century: Personal and professional reflections. *Professional School Counseling, 5,* 180–185.

Borders, L. D., & Drury, S. M. (1992). Comprehensive school counseling programs: A review for policymakers and practitioners. *Journal of Counseling and Development, 70,* 487–498.

Borders, S., & Paisley, P. O. (1992). Children's literature as a resource for classroom guidance. *Elementary School Guidance and Counseling, 27,* 131–139.

Bowman, R. P. (1986). Peer facilitator programs for middle graders: Students helping each other grow up. *School Counselor, 33,* 221–229.

Bradley, M. K. (1978). Counseling past and present: Is there a future?

Personnel and Guidance Journal, 57, 42–45.

Brown, D. (1989). The perils, pitfalls, and promises of school counseling program reform. *School Counselor, 37,* 47–53.

Campbell, C. A. (1993). Play, the fabric of elementary school counseling programs. *Elementary School Guidance and Counseling, 28,* 10–16.

Campbell, C. A., & Dahir, C. A. (1997). *The national standards for school counseling programs.* Alexandria, VA: American School Counseling Programs.

Capuzzi, D. (1994). *Suicide prevention in the schools.* Alexandria, VA: American Counseling Association.

Carmichael, K. D. (1994). Sand play as an elementary school strategy. *Elementary School Guidance and Counseling, 28,* 302–307.

Carnegie Task Force on Meeting the Needs of Young Children. (1994). *Starting points: Meeting the needs of our youngest children.* New York: Author.

Carns, A. W., & Carns, M. R. (1997). A systems approach to school counseling. *School Counselor, 44,* 218–223.

Carruthers, W. L., Sweeney, B., Kmitta, D., & Harris, G. (1996). Conflict resolution: An examination of the research literature and a model for program evaluation. *School Counselor, 44,* 5–18.

Carson, R. C., Butcher, J. N., & Mineka, S. (2000). Mood disorder and suicide. *Abnormal psychology and modern life* (11th ed.), 209–267.

Cashwell, C. S., & Vacc, N. A. (1996). Family functioning and risk behaviors: Influences on adolescent delinquency. *School Counselor, 44,* 105–114.

Cautilli, J., & Skinner, L. (1996, September). Combating youth violence through wrap-around service. *Counseling Today,* 12.

Cecil, J. H., & Cobia, D. C. (1990). Educational challenge and change.

In H. Hackney (Ed.), *Changing contexts for counselor preparation in the 1990s* (pp. 21–36). Alexandria, VA: Association for Counselor Education and Supervision.

Christenbury, L. (Ed.). (1995). *Books for you*. Chicago: National Council of Teachers of English.

Christenbury, L., Beale, A. V., & Patch, S. S. (1996). Interactive bibliocounseling: Recent fiction and nonfiction for adolescents and their counselors. *School Counselor, 44*, 133–145.

Cobia, D., & Henderson, D. (2003). *Handbook of School Counseling*. Upper Saddle River, NJ: Merrill Education/Prentice Hall.

Cochran, J. L. (1996). Using play and art therapy to help culturally diverse students overcome barriers to school success. *School Counselor, 43*, 287–298.

Cole, C. G. (1988). *Guidance in middle level schools: Everyone's responsibility*. Columbus, OH: National Middle School Association.

Cook, A. S., & McBride, J. S. (1982). Divorce: Helping children cope. *School Counselor, 30*, 89–94.

Cook, D. W. (1989). Systematic need assessment: A primer. *Journal of Counseling and Development, 67*, 462–464.

Coppock, M. W. (1993). Small group plan for improving friendships and self-esteem. *Elementary School Guidance and Counseling, 28*, 152–154.

Crosbie-Burnett, M., & Newcomer, L. L. (1989). A multimodal intervention for group counseling with children of divorce. *Elementary School Guidance and Counseling, 23*, 155–166.

Dahir, C. A. (2001). The National Standards for School Counseling Programs: Development and implementation. *Professional School Counseling, 4*, 320–327.

Daniels, J. A. (2002). Assessing threats of school violence: Implications for counselors. *Journal of Counseling and Development, 80*, 215–218.

DeRidder, L. M. (1993). Teenage pregnancy: Etiology and educational interventions. *Educational Psychology Review, 5*, 87–103.

DeVoe, M. W., & McClam, T. (1982). Service coordination: The school counselor. *School Counselor, 30*, 95–100.

Dinkmeyer, D. (1973). Elementary school counseling: Prospects and potentials. *School Counselor, 52*, 171–174.

Dinkmeyer, D. (1989). Beginnings of "Elementary School Guidance and Counseling." *Elementary School Guidance and Counseling, 24*, 99–101.

Dinkmeyer, D. C., & Caldwell, C. E. (1970). *Developmental counseling and guidance: A comprehensive school approach*. New York: McGraw-Hill.

Dougherty, A. M. (1986). The blossoming of youth: Middle graders "on the grow." *School Counselor, 33*, 167–169.

Dykeman, C., Daehlin, W., Doyle, S., & Flamer, H. S. (1996). Psychological predictors of school-based violence: Implications for school counselors. *School Counselor, 44*, 35–47.

Education Trust. (1997). *The national guidance and counseling reform program*. Washington, DC: Author.

Eichhorn, D. H. (1968). Middle school organization: A new dimension. *Theory into Practice, 7*, 111–113.

Elkind, D. (1986). Stress and the middle grader. *School Counselor, 33*, 196–206.

Espelage, D. L., Bosworth, K., & Simon, T. R. (2000). Examining the social context of bullying behaviors in early adolescence. *Journal of Counseling and Development, 78*, 326–333.

Evans, J. E., & Hines, P. L. (1997). Lunch with school counselors: Reaching parents through their workplace. *Professional School Counseling, 1*, 45–47.

Faust, V. (1968). *History of elementary school counseling: Overview and critique*. Boston: Houghton Mifflin.

Fontes, L. A. (2002). Child discipline and physical abuse in immigrant Latino families: Reducing violence and misunderstanding. *Journal of Counseling and Development, 80*, 31–40.

Forrest, D. V. (1983). Depression: Information and interventions for school counselors. *School Counselor, 30*, 269–279.

Freud, A. (1958). Adolescence. *Psychoanalytic Study of the Child, 13*, 255–278.

Friedberg, R. D. (1996). Cognitive-behavioral games and workbooks: Tips for school counselors. *Elementary School Guidance and Counseling, 31*, 11–19.

Frieman, B. B. (1994). Children of divorced parents: Action steps for the counselor to involve fathers. *School Counselor, 28*, 197–205.

Furlong, M. J., Atkinson, D. R., & Janoff, D. S. (1979). Elementary school counselors' perceptions of their actual and ideal roles. *Elementary School Guidance and Counseling, 14*, 4–11.

Galassi, J. P., & Gulledge, S. A. (1997). The middle school counselor and teacher-advisor programs. *Professional School Counseling, 1*, 55–60.

Garner, R., Martin, D., & Martin, M. (1989). The PALS program: A peer counseling training program for junior high school. *Elementary School Guidance and Counseling, 24*, 68–76.

Gazda, G. M. (1989). *Group counseling: A developmental approach* (4th ed.). Boston: Allyn & Bacon.

Gerler, E. R. (1987). Classroom guidance for success in overseas schools. *International Quarterly, 5*, 18–22.

Gerler, E. R., Jr. (1985). Elementary school counseling research and the classroom learning environment. *Elementary School Guidance and Counseling, 20*, 39–48.

Gerler, E. R., & Anderson, R. F. (1986). The effects of classroom guidance on children's success in school. *Journal of Counseling and Development, 65,* 78–81.

Gerler, E. R., Drew, N. S., & Mohr, P. (1990). Succeeding in middle school: A multimodal approach. *Elementary School Guidance and Counseling, 24,* 263–271.

Geroski, A. M., Rodgers, K. A., & Breen, D. T. (1997). Using the DSM-IV to enhance collaboration among school counselors, clinical counselors, and primary care physicians. *Journal of Counseling and Development, 75,* 231–239.

Gladding, S. T., & Gladding, C. (1991). The ABCs of bibliotherapy for school counselors. *School Counselor, 39,* 7–13.

Gloria, A. M., & Kurpius Robinson, S. E. (2000). I can't live without it: Adolescent substance abuse from a cultural and contextual framework. In D. Capuzzi & D. R. Gross (Eds.), *Youth at risk* (3rd ed) (pp. 409–439). Alexandria, VA: American Counseling Association.

Glosoff, H. L., & Koprowicz, C. L. (1990). *Children achieving potential.* Alexandria, VA: American Counseling Association.

Green, A., & Keys, S. G. (2001). Expanding the developmental school counseling paradigm: Meeting the needs of the 21st century student. *Professional School Counseling, 5,* 84–95.

Guerney, L. (1983). Client-centered (nondirective) play therapy. In C. E. Schaeffer & K. J. O'Connor (Eds.), *Handbook of play therapy* (pp. 21–64). New York: Wiley.

Guerra, P. (1998, January). Advocating for school counseling. *Counseling Today,* 20.

Gysbers, N. C. (2001). School guidance and counseling in the 21st century: Remember the past into the future. *Professional School Counseling, 5,* 96–105.

Gysbers, N. C., & Guidance Program Field Writers. (1990). *Comprehensive guidance programs that work.* Ann Arbor, MI: ERIC/CAPS.

Gysbers, N. C., & Henderson, P. (2000). *Developing and managing your school guidance program* (3rd ed.). Alexandria, VA: American Counseling Association.

Hawes, D. J. (1989). Communication between teachers and children: A counselor consultant/trainer model. *Elementary School Guidance and Counseling, 24,* 58–67.

Herr, E. L. (2002). School reform and perspectives on the role of school counselors: A century of proposals for change. *Professional School Counseling, 5,* 220–234.

Herring, R. D., & White, L. M. (1995). School counselors, teachers, and the culturally compatible classroom: Partnerships in multicultural education. *Journal of Humanistic Education and Development, 34,* 52–64.

Hobson, S. M., & Kanitz, H. M. (1996). Multicultural counseling: An ethical issue for school counselors. *School Counselor, 43,* 245–255.

Hohenshil, T. H., & Hohenshil, S. B. (1989). Preschool counseling. *Journal of Counseling and Development, 67,* 430–431.

Hollander, S. K. (1989). Coping with child sexual abuse through children's books. *Elementary School Guidance and Counseling, 23,* 183–193.

House, R. M., & Hayes, R. L. (2002). School counselors: Becoming key players in school reform. *Professional School Counseling, 5,* 249–256.

Humes, C. W. (1980). Counseling IEPs. *School Counselor, 28,* 87–91.

Ivey, A. (1986). *Developmental therapy: Theory into practice.* San Francisco: Jossey-Bass.

Ivey, A. (1999). *Developmental therapy.* North Amherst, MA: Microtraining Associates.

Johnson, W., & Kottman, T. (1992). Developmental needs of middle school students: Implications for counselors. *Elementary School Guidance and Counseling, 27,* 3–14.

Jones, V. F. (1977). School counselors as facilitators of healthy learning environments. *School Counselor, 24,* 157–164.

Joynt, D. F. (1993). *A peer counseling primer.* Danbury, CT: Author.

Kaplan, L. S., & Geoffroy, K. E. (1993). Copout or burnout? Counseling strategies to reduce stress in gifted students. *School Counselor, 40,* 247–252.

Keat, D. B., II. (1990). Change in child multimodal counseling. *Elementary School Guidance and Counseling, 24,* 248–262.

Keeling, R. P. (1993). HIV disease: Current concepts. *Journal of Counseling and Development, 71,* 261–274.

Keys, S. G., & Bemak, F. (1997). School-family-community linked services: A school counseling role for changing times. *School Counselor, 44,* 255–263.

Keys, S. G., Bemak, F., Carpenter, S. L., & King-Sears, M. E. (1998). Collaborative consultant: A new role for counselors serving at-risk youth. *Journal of Counseling and Development, 76,* 123–133.

Kiselica, M. S., & Pfaller, J. (1993). Helping teenage parents: The independent and collaborative roles of counselor educators and school counselors. *Journal of Counseling and Development, 72,* 42–48.

Kushman, J. W., Sieber, C., & Heariold-Kinney, P. (2000). This isn't the place for me: School dropout. In D. Capuzzi & D. R. Gross (Eds.), *Youth at risk* (3rd ed.) (pp. 471– 507). Alexandria, VA: American Counseling Association.

Landreth, G. (1983). Play therapy in elementary school settings. In C. E. Schaeffer & K. J. O'Connor (Eds.), *Handbook of play therapy* (pp. 200–212). New York: Wiley.

Landreth, G. (1987). Play therapy: Facilitative use of child's play in elementary school counseling. *Elementary School Guidance and Counseling, 21,* 253–261.

Landreth, G. (1991). *Play therapy: The art of the relationship.* Muncie, IN: Accelerated Development.

Landreth, G. (1993). Child-centered play therapy. *Elementary School Guidance and Counseling, 28,* 17–29.

Lapan, R. T., Gysbers, N. C., & Petroski, G. F. (2001). Helping seventh graders be safe and successful: A statewide study of the impact of comprehensive guidance and counseling programs. *Journal of Counseling and Development, 79,* 320–330.

Lee, C. C. (2001). Culturally responsive school counselors and programs: Addressing the needs of all students. *Professional School Counseling, 4,* 257–261.

Lee, C. C., & Walz, G. R. (Eds.). (1998). *Social action: A mandate for counselors.* Alexandria, VA: American Counseling Association.

Lewis, W. (1996). A proposal for initiating family counseling interventions by school counselors. *School Counselor, 44,* 93–99.

Littrell, J. M., & Peterson, J. S. (2001). Transforming the school culture: A model based on an exemplary counselor. *Professional School Counseling, 4,* 310–313.

Lockhart, E. J., & Keys, S. G. (1998). The mental health counseling role of school counselors. *Professional School Counseling, 1*(4), 3–6.

Magnuson, S. (1996). Charlotte's web: Expanding a classroom activity for a guidance lesson. *Elementary School Guidance and Counseling, 31,* 75–76.

Malley, P. B., & Kush, F. (1994). Comprehensive and systematic school-based suicide prevention programs: A checklist for counselors. *School Counselor, 41,* 191–194.

Martin, J. (1983). Curriculum development in school counseling. *Personnel and Guidance Journal, 61,* 406–409.

Matthews, D. B., & Burnett, D. D. (1989). Anxiety: An achievement component. *Journal of Humanistic Education and Development, 27,* 122–131.

Maultsby, M. C., Jr. (1986). Teaching rational self-counseling to middle graders. *School Counselor, 33,* 207–219.

McCarthy, C. J., Brack, C. J., Lambert, R. G., Brack, G., & Orr, D. P. (1996). Predicting emotional and behavioral risk factors in adolescents. *School Counselor, 43,* 277–286.

McGowan, A. S. (1995). "Suffer the little children": A developmental perspective. *Journal of Humanistic Education and Development, 34,* 50–51.

McWhirter, J. J., McWhirter, B. T., McWhirter, A. M., & McWhirter, E. H. (1994). High- and low-risk characteristics of youth: The five Cs of competency. *School Counselor, 28,* 188–196.

Minkoff, H. B., & Terres, C. K. (1985). ASCA perspective: Past, present, and future. *Journal of Counseling and Development, 63,* 424–427.

Mohai, C. E. (1991). *Are school-based drug prevention programs working?* Ann Arbor, MI: CAPS Digest (EDO-CG-91-1).

Moore, D. D., & Forster, J. R. (1993). Student assistance programs: New approaches for reducing adolescent substance abuse. *Journal of Counseling and Development, 71,* 326–329.

Morganett, R. S. (1990). *Skills for living: Group counseling for young adolescents.* Champaign, IL: Research Press.

Morganett, R. S. (1994). *Skills for living: Group counseling activities for elementary students.* Champaign, IL: Research Press.

Morganett, R. S. (1995). *Skills and techniques for group work with youth.* Champaign, IL: Research Press.

Morse, C. L., & Russell, T. (1988). How elementary counselors see their role: An empirical study. *Elementary School Guidance and Counseling, 23,* 54–62.

Muro, J. J. (1981). On target: On top. *Elementary School Guidance and Counseling, 15,* 307–314.

Myers, J. E., Shoffner, M. F., & Briggs, M. K. (2002). Developmental counseling and therapy: An effective approach to understanding and counseling children. *Professional School Counseling, 5,* 194–202.

Myrick, R. D. (1993). *Developmental guidance and counseling: A practical approach* (2nd ed.). Minneapolis: Educational Media Corporation.

Noll, V. (1997). Cross-age mentoring program for social skills development. *The School Counselor, 44,* 239–242.

Ostlund, D. R., & Kinnier, R. T. (1997). Values of youth: Messages from the most popular songs of four decades. *Journal of Humanistic Education and Development, 36,* 83–91.

Paisley, P. O., & Hubbard, G. T. (1994). *Developmental school counseling programs: From theory to practice.* Alexandria, VA: American Counseling Association.

Paisley, P. O., & McMahon, H. G. (2001). School counseling for the 21st century: Challenges and opportunities. *Professional School Counseling, 5,* 106–115.

Partin, R. (1993). School counselors' time: Where does it go? *School Counselor, 40,* 274–281.

Peach, L., & Reddick, T. L. (1991). Counselors can make a difference in preventing adolescent suicide. *School Counselor, 39,* 107–110.

Peer, G. G. (1985). The status of secondary school guidance: A national survey. *School Counselor, 32,* 181–189.

Peters, H. J. (1980). *Guidance in the elementary schools.* New York: Macmillan.

Peterson, K. S., & O'Neal, G. (1998, March 25). Society more violent; so are its children. *USA Today,* 3A.

Popenhagen, M. P., & Qualley, R. M. (1998). Adolescent suicide: Detection, intervention, and prevention. *Professional School Counseling, 1,* 30–35.

Rainey, L. M., Hensley, F. A., & Crutchfield, L. B. (1997). Implementation of support groups in elementary and middle school student assistant programs. *Professional School Counseling, 1,* 36–40.

Remley, T. P., Jr., & Sparkman, L. B. (1993). Student suicides: The counselor's limited legal liability. *School Counselor, 40,* 164–169.

Ribak-Rosenthal, N. (1994). Reasons individuals become school administrators, school counselors, and teachers. *School Counselor, 41,* 158–164.

Richardson, R. C., & Norman, K. I. (1997). "Rita dearest, it's OK to be different": Teaching children acceptance and tolerance. *Journal of Humanistic Education and Development, 35,* 188–197.

Ritchie, M. H. (1989). Enhancing the public image of school counseling: A marketing approach. *School Counselor, 37,* 54–61.

Ritchie, M. H., & Partin, R. L. (1994). Parent education and consultation activities of school counselors. *School Counselor, 41,* 165–170.

Romano, J. L., Miller, J. P., & Nordness, A. (1996). Stress and well-being in the elementary school: A classroom curriculum. *School Counselor, 43,* 268–276.

Rossi, P. H., & Freeman, H. E. (1999). *Evaluation: A systematic approach* (6th ed.). Beverly Hills, CA: Sage.

Sandhu, D. S. (2000). Special issue: School violence and counselors. *Professional School Counseling, 4,* iv–v.

Scarborough, J. L. (1997). The SOS Club: A practical peer helper program. *Professional School Counseling, 1,* 25–28.

Schmidt, J. J. (1991). *A survival guide for the elementary/middle school counselor.* West Nyack, NY: Center for Applied Research in Education.

Schmidt, J. J. (1999). *Counseling in schools* (3rd ed.). Boston: Allyn & Bacon.

Schmidt, J. J., & Osborne, W. L. (1982). The way we were (and are): A profile of elementary counselors in North Carolina. *Elementary School Guidance and Counseling, 16,* 163–171.

Schrank, F. A. (1982). Bibliotherapy as an elementary school counseling tool. *Elementary School Guidance and Counseling, 16,* 218–227.

Sears, S. J., & Granello, D. H. (2002). School counseling now and in the future: A reaction. *Professional School Counseling, 5,* 164–171.

Sheeley, V. L., & Herlihy, B. (1989). Counseling suicidal teens: A duty to warn and protect. *School Counselor, 37,* 89–97.

Shertzer, B., & Stone, S. C. (1981). *Fundamentals of guidance* (4th ed.). Boston: Houghton Mifflin.

Snyder, B. A., & Daly, T. P. (1993). Restructuring guidance and counseling programs. *School Counselor, 41,* 36–42.

Sprinthall, N. A. (1984). Primary prevention: A road paved with a plethora of promises and procrastinations. *Personnel and Guidance Journal, 62,* 491–495.

Sprinthall, N. A., Hall, J. S., & Gerler, E. R., Jr. (1992). Peer counseling for middle school students experiencing family divorce: A deliberate psychological education model. *Elementary School Guidance and Counseling, 26,* 279–294.

St. Clair, K. L. (1989). Middle school counseling research: A resource for school counselors. *Elementary School Guidance and Counseling, 23,* 219–226.

Stamm, M. L., & Nissman, B. S. (1979). *Improving middle school guidance.* Boston: Allyn & Bacon.

Stevens-Smith, P., & Remley, T. P., Jr. (1994). Drugs, AIDS, and teens: Intervention and the school counselor. *School Counselor, 41,* 180–184.

Stiltner, B. (1978). Needs assessment: A first step. *Elementary School Guidance and Counseling, 12,* 239–246.

Street, S., & Isaacs, M. (1998). Self-esteem: Justifying its existence. *Professional School Counseling, 1,* 46–50.

Thompson, C. L., & Rudolph, L. B. (2000). *Counseling children* (5th ed.). Pacific Grove, CA: Brooks/Cole.

Thornburg, H. D. (1978). *The bubblegum years: Sticking with kids from 9 to 13.* Tucson: HELP Books.

Thornburg, H. D. (1986). The counselor's impact on middle-grade students. *School Counselor, 33,* 170–177.

Webb, W. (1992). Empowering at-risk children. *Elementary School Guidance and Counseling, 27,* 96–103.

Whiston, S. C. (2002). Response to the past, present, and future of school counseling: Raising some issues. *Professional School Counseling, 5,* 148–155.

Whiston, S. C., & Sexton, T. L. (1998). A review of school counseling outcome research: Implications for practice. *Journal of Counseling and Development, 76,* 412–426.

White, E. B. (1952). *Charlotte's web.* New York: Trophy.

Whitehead, B. D. (1997). *The divorce culture.* New York: Knopf.

Whitledge, J. (1994). Cross-cultural counseling: Implications for school counselors in enhancing student learning. *School Counselor, 41,* 314–318.

Wilson, N. H., & Rotter, J. C. (1980). Elementary school counselor enrichment and renewal. *Elementary School Guidance and Counseling, 14,* 178–187.

Wittmer, J., & Adorno, G. (2000). *Managing your school counseling program: Developmental strategies* (2nd ed.). Minneapolis: Educational Media Corporation.

Zinck, K., & Littrell, J. M. (2000). Action research shows group counseling effective with at-risk adolescent girls. *Professional School Counseling, 4,* 50–59.

17

COLLEGE COUNSELING AND STUDENT-LIFE SERVICES

Just like fall foliage
   we watch what you bring forth each September.
Your changes are not as dramatic as the red of Maples,
   or as warm as the orange of twilight fires;
But your presence, both individually and collectively,
   like leaves adds color to a campus
      that would otherwise be bland
         in the shades of administration gray.
We celebrate your coming
   much as we look forward to the crisp cool air
      at the end of summer.
We welcome your spirit
   for it enlivens us to the metaphors and ideals
      that live unchanging lives....

Reprinted from "Through the Seasons to New Life," by S. T. Gladding, 1982, Humanist Educator, 20, *122.*
© 1982 by ACA. Reprinted with permission. No further reproduction authorized without written permission of
the American Counseling Association.

Higher education is one of the most valued experiences in the United States, enrolling between 12 and 13 million people annually. At the start of the 21st century, over 25% of U.S. adults ages 25–34 had completed 4 years or more of higher education. That rate was comparable to a similar percentage in Japan, 18% in Canada, and 12% in the United Kingdom, France, and Germany (Horton, 1994). In higher education, student-life services are offered in addition to courses. These services are primarily in the form of cocurricular activities, support programs, and counseling (Komives, Woodard, & Delworth, 1996).

Student-life services and counseling on U.S. college and university campuses first emerged at the beginning of the 20th century. E. G. Williamson, dean of students at the University of Minnesota in the 1930s and 1940s, articulated what would later be called the student personnel point of view *(Williamson, 1939). His model of student personnel services set the standard for the time. It was largely a direct and counselor-centered approach. The emphasis was "It is not enough to help counselees become what they want to become; rather it is more important to help them become what they ought to want to become" (Ewing, 1990, p. 104). The student personnel point of view, sometimes called the Minnesota point of view, remained in place until after World War II. At that time the federal government began pouring money into higher education for diverse services, and competing points of view emerged.*

Ideas about the importance of student-life services, student development, and counseling have increasingly been accepted since the 1940s. They have been a part of what is known as the field of student affairs since the 1970s (Canon, 1988; Winston & Creamer, 1997). Sometimes student-life services and college counseling are connected in specific ways (Evans, Carr, & Stone, 1982); sometimes they are not. Regardless, they share much common ground (e.g., emphasis on the health and development of the whole person) and are included together in this chapter because of the way they dovetail and influence the total campus life of students, faculty, staff, and administrators.

Professionals who work with college students outside the classroom vary in background and training (Bloland, 1992; Komives et al., 1996). They include those employed in financial aid, admissions, career planning and placement, health education, campus unions, registration, residence life, advising, and international activities. The services they offer include the following (Kuh, 1996; Kuh, Bean, Bradley, & Coomes, 1986):

- *Services connected with student behaviors (e.g., achievement, attrition, campus activities)*
- *Services associated with describing student characteristics (e.g., aptitudes, aspirations)*
- *Services concerned with student growth (e.g., cognitive, moral, social/emotional)*
- *Services connected with academic performance (e.g., study skills)*

Counselors and student services personnel emphasize a common concern about the total development of the persons they serve (Brown & Helms, 1986; Johnson, 1985;

Komives et al., 1996). Many hold multiple memberships in professional organizations. One of the most diverse professional groups is the American College Personnel Association (ACPA), which was an affiliate of the ACA until 1992. This association, which was officially organized in 1924, has undergone three name changes. Its members are employed in a number of areas related to student services. Another important professional group is the American College Counseling Association (ACCA), a division of the ACA since 1992. The ACCA's members are professionals who primarily work in colleges and universities and identify themselves as counselors (Davis, 1998; Dean, 1994). Other organizations in the student-life services field include the National Association of Student Personnel Administrators (NASPA), Division 17 (Counseling Psychology) of the APA, and the postsecondary division of the American School Counselor Association (ASCA).

Several attempts have been made through the years to form a united organization of professionals who work in various college student-life services, but none has completely succeeded (Sheeley, 1983). This failure is partly attributable to different backgrounds and training (Bloland, 1992). Because college professionals who work with students are employed in different areas, they tend to concentrate their services on specific issues and people. Institutional focus also makes a difference. Some universities emphasize research and scholarship (known as the German university tradition), some the education of the whole person (the English residential liberal arts tradition), and some vocational or professional preparation (the U.S. paradigm) (Rodgers, 1989; Rubin, 1990). Quite often, student-life specialists have their perceptions, opinions, and values about programs shaped or directed by the institutions that employ them (Canon, 1985).

Moreover, publications in student-life services tend to be diverse. The leading periodicals are the Journal of College Student Development, *the* National Association of Student Personnel Administrators Journal, *and the* Journal of College Counseling. *The theme-oriented quarterly series,* New Directions for Student Services *(published by Jossey-Bass), is also influential and popular.*

THE BEGINNING OF STUDENT-LIFE SERVICES AND COLLEGE COUNSELING

Student-life services in higher education, including counseling, began largely by default. "Historically, the participation of faculty in what are now called student services functions gradually changed from total involvement to detachment" (Fenske, 1989b, p. 16). This change was the result of significant developmental factors in the growth of American higher education over its nearly 300-year history, including the following:

- The passage of the Morrill Land Grant Act in 1862, which influenced the establishment and eventual dominance of state universities in American higher education
- The growth of pluralistic opinions and populations among U.S. college students

- A change in faculty role: professors and teachers no longer fostered students' moral character, took charge of character development, or adhered to a policy of in loco parentis (in place of parents)
- An increase in faculty interest in research and intellectual development (e.g., Hutchins, 1936)
- Lack of faculty interest in the daily implementation of institutional governance
- The emergence of counseling and other helping professions
- The documentation by Sanford (1962, 1979) that student development during the college years can be promoted by challenge and support and that curriculum and cocurriculum activities can "initiate, accelerate, or inhibit developmental change" (Canon, 1988, p. 451)

Student-life services as a profession grew rapidly in higher education between the end of World War I and the depression of the 1930s (Fenske, 1989a). During this period, many hoped that student-life professionals would be integrated into the mainstream of academic programs. But they were not, and a strong theoretical rationale for implementing student-life programs was not formulated. In addition, many student-life professionals were terminated during the Great Depression because of a lack of money and the failure of employed practitioners to define themselves adequately. Thus, student-life services, then as now, occupy the paradoxical position "of being both indispensable and peripheral" (Fenske, 1989b, p. 6).

College counseling as a profession did not begin until the late 1940s. Before that time faculty and college presidents served as students' counselors (Pace, Stamler, Yarris, & June, 1996). The delay of college counseling was due to the prevailing cultural view that most students who entered college were well adjusted and that the only professionals helpful to mentally distressed college students were psychiatrists. It was not until after World War II that counseling psychologists and counselors were allowed to work with students in newly formed campus counseling centers, which were set up because large numbers of veterans returned to colleges and needed more help than could otherwise be provided. Furthermore, during and immediately after World War II, counseling psychologists won the right to work clinically with clients just as psychiatrists did (Ewing, 1990).

THE THEORETICAL BASES AND PROFESSIONAL PREPARATION FOR WORKING WITH COLLEGE STUDENTS

College counseling and student-life services involve understanding how college students of all ages learn, grow, and develop. Yet as Bloland (1986) points out, some "entry-level and not a few seasoned professionals know little of student development theory or practice" (p. 1). This fact is unfortunate because working with students effectively requires this specialized knowledge. It is important that college counselors in particular distinguish between problems students have tied to normal developmental struggles, such as autonomy, identity, and intimacy, and more serious or chronic forms of psychological disturbance (Sharkin, 1997). Even among professionals with the best of intentions, ethically or legally questionable behavior may cause harm if one is not closely attuned to both the developmental and disordered aspect of the college population (Canon, 1989; Kitchener, 1985).

Theoretical Bases

Professionals in college counseling and student-life services can use a number of theoretical models as guides in working with students experiencing predictable developmental situations. From an ideological viewpoint, three traditions dominate: in loco parentis, student services, and student development (Rodgers, 1989). *In loco parentis* gives faculty and staff the parental role of teaching moral values. *Student services* emphasizes the student as consumer and mandates services that facilitate development. This approach stresses a cafeteria-style manner of program offerings that students select according to what they think they need. *Student development* focuses on creating research-based environments that "help college students learn and develop" (Rodgers, 1989, p. 120). Student development is proactive because it makes opportunities available for special groups of students.

Within student development, at least four kinds of developmental theories guide professionals' activities: psychosocial, cognitive-structural, person-environment interaction, and typological. *Psychosocial theories* are embodied most thoroughly in the writings of Arthur Chickering (e.g., Chickering & Reisser, 1994). He contends that there are seven specific developmental tasks of college students: competence, autonomy, managing emotions, identity, purpose, integrity, and relationships (Garfield & David, 1986). These tasks are in line with Erik Erikson's (1968) ideas about the developmental processes of youth. A major strength of Chickering is that he elaborates and specifies Erikson's concepts in such a way that college counselors and student-life professionals can plan and evaluate their practices and programs around three key issues: career development, intimacy, and formulation of an adult philosophy of life. For example, first-year students and seniors differ in their specific levels of development, with first-year students being more preoccupied than seniors with establishing competence, managing emotions, and developing autonomy. Seniors, however, concentrate more on issues such as establishing identity, freeing interpersonal relationships, developing purpose, and establishing integrity (Rodgers, 1989).

Cognitive-structural theories focus on how individuals develop a sense of meaning in the world. They deal with perception and evaluation and are best described in the moral and intellectual models of Perry (1970) and Kohlberg (1984). These models are process oriented, hierarchical, and sequential. For example, Perry's model assumes growth from "simple dualism (positions 1 and 2) through multiplicity (positions 3 and 4) and relativism (positions 5 and 6) to commitment within a relativistic framework (positions 7 through 9)." Kohlberg's model "outlines three levels of moral development: the preconventional, the conventional, and the postconventional" (Delve, Mintz, & Stewart, 1990b, p. 8). According to these theories, each new stage contains the previous one and is a building block for the next one. Cognitive discomfort is the impetus for change. Explicit in this approach is the idea that "people need the opportunity to learn how to think and act responsibly in order to control their own behavior in a democratic society" (Herman, 1997, p. 147).

The *person-environment interaction model* "refers to various conceptualizations of the college student and the college environment and the degree of congruence that occurs when they interact" (Rodgers, 1989, p. 121). Congruence is believed to lead to "satisfaction, stability, and perhaps, development" (Rodgers, 1980, p. 77). The theories in this model stress that development is a holistic process that involves all parts of the person with the environment in an interacting way. It is similar to the psychosocial approach in assuming that development in one area of life can facilitate growth in another. For example, when students participate and take leadership positions in student organizations, their life management skills develop more positively than those of students who are more passive (Cooper, Healy, & Simpson, 1994). Likewise, students who volunteer in community service initiatives (also known as "service learning") become more informed about environmental needs, less egocentric, and more empathetic (Delve, Mintz, & Stewart, 1990a). Unlike psychosocial theories, person-environment theories "are not developmental per se" (Rodgers, 1980, p. 77). In many ways, they are rooted in Kurt Lewin's (1936) formula: $B = f$ (P, E), where behavior (B) is a function (f) of person (P) and environment (E).

Typological theories focus on individual differences, such as temperament, personality type, and patterns of socialization. These differences are assumed to persist over time, and most often individuals are combinations of types. Patterns of personality influence individuals to vary in their developmental growth patterns and are related to their motivation, effort, and achievement. This approach is exemplified in the writings of John Holland (1997), which study how personalities fit with work environments.

Professional Preparation

Proper preparation is one of the difficulties in the field of college counseling and student-life services. Because there is such diversity in the functions of student-life professionals, no single professional preparation program can meet the needs of all graduate students. Those who enter this specialty "do not need the same kind of graduate work" (Sandeen, 1988, p. 21). Therefore, the Council for Accreditation of Counseling and Related Educational Program (CACREP) provides different specialty standards for the field. CACREP accreditation in the student affairs area includes programs in student affairs with college counseling and student affairs with professional practice (Hollis, 2000). Specific course work and experiences needed for graduation have also been outlined by the Council for the Advancement of Standards for Student Services/Development Programs (1994). It is vital that specialization decisions be made as soon as possible in one's graduate career because the outcomes of each course of study vary considerably.

COLLEGE COUNSELING

Emphases and Roles

The emphases and roles of college counselors vary and are influenced by the models under which they operate. Traditionally, there have been four main models of counseling services that college/university counseling centers have followed (Westbrook et al., 1993).

1. *Counseling as psychotherapy.*   This model emphasizes long-term counseling with a small percentage of students. The counselor deals with personality change and refers other vocational and educational concerns to student academic advisers.
2. *Counseling as vocational guidance.*   This model emphasizes helping students productively relate academic and career matters. The counselor deals with academic or

vocationally undecided students and refers those with personal or emotional problems to other agencies.

3. *Counseling as traditionally defined.*   This model emphasizes a broad range of counseling services, including short- or long-term relationships and those that deal with personal, academic, and career concerns. The counselor's role is diverse.

4. *Counseling as consultation.*   This model emphasizes working with the various organizations and personnel who have a direct impact on student mental health. The counselor offers indirect services to students through strategic interventions.

A fifth model, *counseling as global* (i.e., an interactive, interdependent, community system), has recently been advocated (Pace et al., 1996). This model is dynamic and fluid. It proposes that the counseling center staff work interactively with other members of a college/university community to create a mentally healthy environment and use personnel and other resources within a campus. The idea is an evolution of the "Cube" concept (Morrill, Oetting, & Hurst, 1974, p. 355) and like the cube this model focuses on three main areas: *target* (individual, primary group, associational group, and institution or community), *purposes* (remedial, preventive, or developmental), and *methods* (direct, consultation and training, or media) as places for counselors to intervene. The global model changes the role of the counselor and the focus of the college counseling center by having center staff be more flexible and interactive (see Figure 17.1).

In reality, most college counseling centers offer a variety of services to help their diverse client populations and meet local campus needs.

Activities

The activities of college counselors are similar to those of student-life professionals in being comprehensive and varied. Some services of these two groups even overlap. Lewing and Cowger (1982) identify nine counseling functions that generally dictate the agendas of college counselors.

1. Academic and educational counseling
2. Vocational counseling
3. Personal counseling
4. Testing
5. Supervision and training
6. Research
7. Teaching
8. Professional development
9. Administration

In truth, three of these activities—personal, vocational, and educational counseling—account for more than 50% of college counselors' time. Most of the counseling theories covered in this book are implemented in college counseling centers. For instance, Thurman (1983) found that rational emotive behavior therapy, including the use of rational emotive imagery, can be effective in reducing *Type A behavior* (time-urgent, competitive, and hostile) among college students and help them become healthier achievers. Likewise,

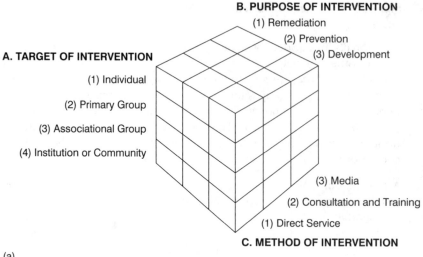

B. PURPOSE OF INTERVENTION
(1) Remediation
(2) Prevention
(3) Development

A. TARGET OF INTERVENTION
(1) Individual
(2) Primary Group
(3) Associational Group
(4) Institution or Community

(3) Media
(2) Consultation and Training
(1) Direct Service
C. METHOD OF INTERVENTION

(a)

Evolution of the Cube

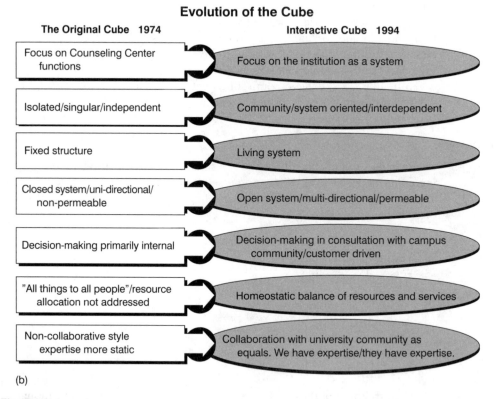

The Original Cube 1974 | **Interactive Cube 1994**

The Original Cube 1974	Interactive Cube 1994
Focus on Counseling Center functions	Focus on the institution as a system
Isolated/singular/independent	Community/system oriented/interdependent
Fixed structure	Living system
Closed system/uni-directional/non-permeable	Open system/multi-directional/permeable
Decision-making primarily internal	Decision-making in consultation with campus community/customer driven
"All things to all people"/resource allocation not addressed	Homeostatic balance of resources and services
Non-collaborative style expertise more static	Collaboration with university community as equals. We have expertise/they have expertise.

(b)

Figure 17.1
(a) The cube; (b) evolution of the cube

Sources: (a) "Dimensions of Counselor Functioning," by W. H. Morrill, E. R. Oetting, and J. C. Hurst, 1974, *Personnel and Guidance Journal, 42,* p. 355. © 1972 by Morrill, Oetting, and Hurst. Reprinted with permission. (b) From "Rounding Out the Cube: Evolution to a Global Model for Counseling Centers," by D. Pace, V. L. Stamler, E. Yarris, and L. June, 1996, *Journal of Counseling and Development, 74,* p. 325. Reprinted with permission. No further reproduction authorized without written permission of the American Counseling Association.

Watkins (1983) found a person-centered approach to be most effective in helping students evaluate present and future plans and decide whether to stay in college. Even systems theory, most often used in marriage and family counseling, has proven effective in helping students understand family dynamics and patterns of interaction and how family patterns continue to influence important decisions about education (Openlander & Searight, 1983). Similarly, brief therapy, a form of systems theory, has been employed in college counseling centers to help expand the "therapeutic framework to include nonfamilial members [who] can affect therapeutic progress" for better or worse (Terry, 1989, p. 352). In this treatment, conflictual nonfamily members within a campus community are brought together to form meaningful relationships and make changes in problematic situations. The idea behind the treatment is that students within a campus can help each other problem-solve and make their environments healthier through the resolution of problem behaviors. In the process, blaming and scapegoating cease.

One challenge that college counselors face is a constantly changing student culture (Bishop, 1992). Behaviors among college students change with each generation (see Table 17.1). The culture of the current student population is not the same as its predecessors. Indeed, college counseling center practitioners in recent years "have been expressing a sense of urgency about increasing numbers of students who present with serious psychological problems as well as an overall increase in the severity of presenting problems" (Sharkin, 1997, p. 275).

Depression and depressive symptoms are especially common among U.S. college students (Dixon & Reid, 2000, p. 343). College counseling centers are "seeing as many as 20 percent of the students in counseling sessions each year, and they expect the proportion to continue to rise" (Geraghty, 1997, A32). Therefore, both educational and preventive programs must regularly be modified to help students handle current issues.

When services are varied and numerous at the professional level, everyone benefits. The College Adjustment Scales is a means of screening college students for common developmental and psychological problems (Anton & Reed, 1991). These nine scales measure psychological distress in the following areas: anxiety, depression, suicidal ideation, substance abuse, self-esteem problems, interpersonal problems, family problems, academic problems, and career problems. It is an important assessment instrument for college counseling centers to use in deciding what services and programs they will emphasize.

Peer counselors are also an effective way of reaching students beyond the traditional college counseling center. As a rule, students turn first to friends for help, then to close relatives, before finally turning to faculty and counseling services. Ragle and Krone (1985) found that first-year students who had previously undergone a summer orientation program at the University of Texas at Austin were, as a result, overwhelmingly at ease in talking with peer advisers over the telephone about various concerns. Furthermore, they felt that contact with peer counselors was helpful and indicated that it made the university seem less impersonal.

Sometimes peer counselors take the role of resident assistants (RAs) (Nickerson & Harrington, 1968). In this arrangement, RAs are assigned to live in selected residence halls. Their services, which include dealing with remedial, preventive, and developmental issues, are given high exposure (Schuh, Shipton, & Edman, 1986). RAs provide crisis intervention, short-term counseling, conflict mediation, and referral services (Blimling & Miltenberger, 1981). They help students keep favorable attitudes toward counseling and counseling-related services and, at the same time, become more aware of opportunities

Table 17.1   A taxonomy of client problems seen in college and university counseling centers

Personal and Social Adjustment

Relationship Difficulties
- Anger/irritability/impulse control
- Breakup of a relationship
- Dating concerns
- Death of a significant other
- Problems making friends/loneliness
- Family/parents/siblings
- Romantic partner/spouse

Self-Esteem
- Self-image
- Shyness
- Self-confidence/assertiveness
- Fear of failure

Existential Concerns
- Meaning of life
- Role of religion
- Value conflicts

Depression
- Suicidal feelings or thoughts
- Feelings of hopelessness
- Grief over loss

Sexual Abuse and Harassment
- Abuse
- Harassment

Academic and Career Concerns

Academic Concerns
- School performance
- Procrastination
- Poor study skills
- Grades

Career Concerns
- Career uncertainty
- Career path unclear
- Lack of knowledge about interests/abilities

Stress and Psychosomatic Symptoms

Stress
- Headaches/stomachaches
- Insomnia
- Posttraumatic stress disorder

Anxiety
- Problems concentrating
- Performance anxiety
- Nervousness
- Irrational fears/phobias
- Panic attacks

Distressing Symptoms
- Substance abuse
- Drugs/alcohol

Sexual Dysfunction
- Arousal problems
- Impotency

Eating Disorders
- Anorexia
- Bulimia
- Body image problems

Unusual Behavior
- Confused thinking
- Hallucinations
- Social isolate
- Paranoid ideation
- Borderline personality

Source: Appendix A from Bishop, J. B., Gallagher, R. P., & Cohen, D. (2000), College students' problems: status, trends, and research. In D.C. Davis and K. M. Humphrey (Eds). *College Counseling: Issues for a new millennium* (pp. 109–110). Alexandria, VA: American Counseling Association. Reprinted with permission. No further reproduction authorized without written permission of the American Counseling Association.

offered by college counseling centers (Johnson, Nelson, & Wooden, 1985). In addition, RAs sponsor programs for residents on mental and physical health topics, bringing in faculty and staff from across the campus to give presentations. RAs usually receive ongoing professional training and supervision from the campus counseling center. This arrangement benefits the RAs, students in the residence halls, and the campus as a whole because of its integrative and preventive focus.

College counselors can also offer services and programs in conjunction with other student-life professionals. Four of the most needed services relate to alcohol, sexual abuse and violence, eating disorders, and depression. Nearly 90% of students drink alcohol sometime during an academic year, and approximately 20% qualify as heavy drinkers, averaging one ounce of alcohol per day per month (Steenbarger, 1998). Thus, it is not surprising that alcohol-related problems, including the abuse of alcohol and its concomitant disorders, are prevalent on college campuses. *Binge drinking* (having five or more drinks at a time for men and four or more drinks for women) appears to be increasing, and one in three college students drinks primarily to get drunk (Commission on Substance Abuse at Colleges and Universities, 1994). In addition, irresponsible drinking may lead to violence in the form of date rape, unsafe sex, academic difficulties, and suicide. Riots on or near college campuses may occur when college administrators ban alcohol at certain campus events or areas (Lively, 1998).

Thus, alcohol abuse is likely to bring students in contact with counselors and other student-life professionals (Gill-Wigal, Heaton, Burke, & Gleason, 1988). Systematic steps are usually implemented to help students get through denial they may have connected with alcohol abuse because before effective treatment can take place, students need to realize their need for help in correcting out-of-control behavior. Intervention is sometimes done individually, but often it involves a group and usually a wide variety of treatments, including insight and behavioral change.

Many students who abuse alcohol have grown up in dysfunctional families. They frequently experience problems related to growing up in such environments (e.g., workaholism, depression, dependency, antisocial tendencies, food addictions). Specific interventions counselors use with these students include helping them define more clearly the roles they played in their family-life dramas and then helping them break nonproductive patterns of interaction (Crawford & Phyfer, 1988). One way counselors can break nonproductive patterns is to respond to these students in functionally healthy ways that contrast with the behaviors they have experienced before. Peer counseling may also be helpful to an extent in this process.

Sexual assault and violence, including incest and rape, are matters that many students, primarily women, must deal with during their college experience. The dynamics surrounding sexual crimes have similarities and differences. A common denominator in many cases is alcohol abuse: 90% of campus rapes occur when alcohol has been consumed by the assailant, the victim, or both (Commission on Substance Abuse at Colleges and Universities, 1994). There are at least two stages in the recovery process: (a) the acute, which is characterized by disorganization, and (b) long-term reorganization, which includes dealing with the pain of trauma and rebuilding one's life through support (Burgess & Holstrom, 1974; Scrignar, 1997).

Eating disorders, especially bulimia and anorexia nervosa, are a third area in which college counselors can team up with other student-life professionals, such as health educators, in offering services. There is a great need to address eating disorders in universities. These disorders occur along a continuum of degree and women who are caught up in them usually have maladaptive cognitions or faulty information concerning weight control techniques (Tylka & Subich, 2002). Regardless, it is estimated that up to 65% of women in their first year of college display "some behavioral and psychological characteristics of disturbed eating" (Meyer & Russell, 1998, p. 166). To address these needs, eating disorders must "be considered within a developmental framework" (Sharkin, 1997, p. 275). Programs that emphasize the characteristics of eating disorders as well as highlight ways of combating such tendencies before they become full blown can do much to educate those most likely to experience them. Furthermore, such programming can give participants sources to which they can turn if either they or someone they know becomes caught up in a bulimic cycle.

A fourth area of concern for college counselors is depression. "It is estimated that college students are twice as likely to have clinical depression and dysthymia as are people of similar ages and backgrounds in the workforce" (Dixon & Reid, 2000, p. 343). Depression and depressive symptoms are devastating in a college environment because they often interfere with learning and lead to a lack of success. Counselors can treat depression through cognitive approaches, such as Beck's thought modification process; through behavioral approaches, such as helping clients engage in activities where they have success; and cognitive-behavioral approaches such as rational emotive behavior therapy. It appears that depression is modified through positive life experiences (Dixon & Reid, 2000), so working with others in the college environment to assist depressed college students in finding successful experiences may not only be good therapeutic practice but may also be good for the college itself in retaining students and creating a more socially hospitable atmosphere.

In addressing issues pertinent to college students, counselors in cooperation with student-life professionals can take preventive action on tertiary, secondary, and primary levels. "*Tertiary prevention* is akin to remediation and includes direct services to victims" (Roark, 1987, p. 369; my emphasis). It includes encouraging the reporting of aggression and helping the victim use available resources. *Secondary prevention* is geared toward problems, such as date rape, already in existence on campus and is aimed at raising consciousness among potential victims and perpetrators and setting policies to stop known abuses. *Primary prevention* focuses on stopping problems from ever developing. It involves modifying the physical environment as well as addressing causes and providing training to create awareness and change values. For example, to help students manage stress, a program referred to by the acronym BRIMS (breathing, relaxing, imagery, message, and signs) might be offered (Carrese, 1998). This program is a type of cognitive self-hypnosis that helps students relax both physically and mentally while giving themselves positive messages and physical signs that help them recall constructive ways of feeling and viewing a situation. In the process, students "transform negative thoughts into constructive energy, allowing control over situations that produce unnecessary anxiety" (p. 140).

STUDENT-LIFE PROFESSIONALS

Emphases and Roles

Initially, college/university student-life services concentrated on helping new students adjust to campus life (Williamson, 1961). This focus still exists but now includes an emphasis on older returning students and an increased concern for all aspects of the college/university community, such as working with minority culture students and students with learning disabilities (Boesch & Cimbolic, 1994; Lynch & Gussel, 1996; Tate & Schwartz, 1993). There is a humanistic quality among individuals who choose student-life services as a profession: they try to maximize, personalize, and individualize the higher education of students, helping them fully use the environment to promote their development. An important by-product of this process is that students are greatly assisted in making successful transitions from their communities to institutional life and back again (Berdie, 1966; Brown, 1986; Kuh, 1996). Thus, student-life professionals are institutional integrators who facilitate the accomplishment of student and college/university goals.

At times during the college year (orientation, midterm examinations, and the end of the term) the work of student-life professionals increases dramatically (Houston, 1971). Although certain problems are universal regardless of one's developmental age or stage (including health, anxiety, and depression), other concerns are related directly to specific college student populations. For example, first-year college students may especially need help during their initial months in college. Graduation from high school involves a loss of identity and a need for reevaluation and goal commitment that is often unavailable to entering students before they matriculate (Hayes, 1981). In addition, first-year college students face the challenges of managing time effectively, making choices about what courses to take, taking academic tests, and coping with fellow students while simultaneously handling finances, as well as family and personal problems (Carrese, 1998). "Some of the most commonly reported crises in the first year involve difficulties in social adjustment manifested as feelings of homesickness and loneliness" (Gerdes & Mallinckrodt, 1994, p. 281). There is often the experience of psychological pain because of the disruption in established friendship networks (i.e., "friendsickness") and the silent grief that follows (Paul & Brier, 2001; Ponzetti & Cate, 1988).

Another unique problem is Greek life and rush. The rush system of fraternities and sororities, though exciting and fulfilling for many students, may also produce feelings of depression among students who are not offered bids. In helping students during these times, student-life professionals must be sensitive to individual needs, offer support, and try to help rejected students find a fulfilling peer group (Atlas & Morier, 1994).

In line with transitional problems, Grites (1979) found that 12 of the 43 items on the Social Readjustment Rating Scale (Holmes & Rahe, 1967) almost exclusively apply to first-year college students in their adjustment to a new environment. When translated into life-change units, these factors yield a combined score of 250, which the authors of this instrument consider to be in the "moderate life crisis" category. As a group, individuals in this category have a 51% greater risk of a deteriorating health change than those who score 150 or below.

Grites further observes that new students who face other changes outside the college/university environment (e.g., the death of a family member or friend) are likely to move into the "major life crisis" category, becoming an even greater risk for a detrimental health change. Therefore, many colleges and universities now employ special student-life staff to work with each incoming class to enhance the first-year experience and initially promote positive individual development as well as a sense of community (Loxley & Whiteley, 1986; Whiteley, 1982). Part of this effort may include helping students who are perfectionists assess the impact of these tendencies on their self-development and social well-being (Ashby & Rice, 2002; Rice & Dellwo, 2002). Such a process is complex and requires delicate handling but it can be helpful in assisting students achieve greater self-esteem and social integration during their college careers.

Regardless of such attempts at prevention, approximately 10% of all students encounter an emotional difficulty during their years that is serious enough to impair academic performance (Mathiasen, 1984). In addition, stress on college students to pass examinations or get into a professional school increases the incidents of major depression in this population (Clay, Anderson, & Dixon, 1993). If appropriate intervention is not offered (e.g., training in appropriate anger expression or stress management), students experience emotional, social, or academic problems to such a degree that they drop out of school. Unfortunately, between 40% and 60% of students who begin 4-year institutions do not graduate (Brown, 1986; Gerdes & Mallinckrodt, 1994). Even more tragically, students may take their own lives. Every year, approximately 6 of every 100,000 college students in the United States commit suicide (Chisolm, 1998).

Some of the strongest predictors of staying in school and maintaining good mental health are amenable to student-life services (Polansky, Horan, & Hanish, 1993). To help students have a successful and productive college experience, student-life professionals offer campus-wide programs and individual assistance. The goal of comprehensive programs is to make a positive impact on students and help them identify problems or concerns at strategic points where intervention strategies may be most beneficial. The emphases and roles of student-life professionals are aimed at helping sensitize students to the multiple issues that face them and constructively deal with these unfolding issues and themselves (Creamer & Associates, 1990; Deegan & O'Banion, 1989). For example, many college students face the challenge of maintaining some form of separation from their parents and families while establishing their own identity through individuation. There is a correlation between student adjustment to college and attachment to parents (Rice & Whaley, 1994). "Research suggests that college students benefit from (a) secure attachment to parents in which there is mutual trust, communication, and little conflict or alienation, and (b) relationships with parents in which their separateness and individuality are mirrored, acknowledged, and supported" (Quintana & Kerr, 1993, p. 349). By helping students separate positively and yet stay connected with their families, student-life professionals assist students in their overall adjustment and achievement at college and beyond.

Activities

The activities of student-life professionals are related to the specialty area in which they work: administration, development, or counseling. "The *administrative model* . . . is based on the premise that the student services profession is an administrative, service-oriented unit in higher education that provides many facilitating and development activities and programs for students" (Ambler, 1989, p. 247; my emphasis). Examples of these services include admissions, records, food, health, and financial aid. The *developmental model* is one that stresses education, such as helping students learn decision-making skills by offering leadership seminars or facilitating increased autonomy in residence-life activities. Finally, the *counseling model* is one that emphasizes social and emotional growth in interpersonal and vocational decisions and includes conducting highly personalized seminars around a topic of interest, such as dating, careers, or stress (Forrest, 1989).

Not all student-life specialists follow these models, and not all student-life activities are conducted by professionals. Indeed, a national survey found that 72% of college/university student affairs divisions use student paraprofessionals to supplement and implement their offerings (Winston & Ender, 1988). These paraprofessionals are "undergraduate students who have been selected and trained to offer services or programs to their peers. These services are intentionally designed to assist in the adjustment, satisfaction, and/or persistence of students" (p. 466). Student paraprofessionals are frequently employed in residence halls and orientation programs; they also work with crisis lines, student judiciaries, academic advising, financial aid, international student programs, and student activities.

By involving student paraprofessionals in structured programs, student-life specialists directly and indirectly offer them leadership opportunities, improve the quality of life on campus, and accomplish critical tasks. More than 600 U.S. colleges and universities offer students some type of formal leadership training, and the number is growing (Freeman, Knott, & Schwartz, 1996; Gregory & Britt, 1987). Yet, certain core beliefs, underlying principles, and necessary curriculum topics must be dealt with before any such activity can be effective (Roberts & Ullom, 1989). Student-life professionals have become increasingly interested in improving their leadership abilities at the same time that they have devoted additional time and effort to helping students in this area (McDade, 1989). This dual focus may help colleges take more initiative overall and promote a greater sense of community.

COUNSELING AND STUDENT-LIFE SERVICES WITH NONTRADITIONAL STUDENTS

In addition to working with mainstream groups, college counselors and student-life professionals address the needs of nontraditional students. These may be older students, first-generation college students, minority culture students, or even student athletes. A common characteristic of nontraditional students is financial independence (51%), followed by part-time attendance (48%), and delayed enrollment (46%) (Evelyn, 2002). Nontraditional students such as the groups just described are actually in the majority at most colleges and universities now, with many of them enrolled in public two-year colleges (Benshoff & Lewis, 1992; Evelyn, 2002).

Older Students

Many nontraditional students are adults who are older than the traditional college age. Over half of all undergraduate students and more than 50% of all graduate students are over age 30 (Brazziel, 1989). As a group, they are highly motivated, prefer interactive learning, have family and financial concerns, view education as an investment, and have multiple commitments and responsibilities that are not related to school (Richter-Antion, 1986). Within this large group there are two basic subgroups: students ages 25–50 and those ages 50–80.

The first subgroup is usually motivated to return to college because of changing job or career requirements or opportunities that include family life transitions (e.g., marriage, divorce) (Aslanian & Brickell, 1980). Building up self-esteem and providing academic and social support are particularly important for these younger nontraditional students. The latter subgroup, often called *senior students,* come to campus for many purposes, which include obtaining degrees and finding personal enrichment. When working with senior students, college counselors and student-life professionals must take several factors into consideration, such as modifications to the environment (perhaps brighter lighting or warmer room temperatures), the clients' developmental stage (e.g., dealing with issues of generativity or integration), the pace of the counseling sessions (slower may be better), potentially difficult areas (such as transference), and the use of counseling techniques (e.g., bibliotherapy, journal writing) (Huskey, 1994). With an increase in the number of older people, the numbers of senior students will most likely continue to grow.

Regardless of how fast the number of senior students grows, the overall number of nontraditional students will increase because of business downsizing, the rapid advance of technology, and increased opportunities for professional development. Community and technical colleges and public universities are most likely to enroll the majority of these nontraditional students. As is the case with traditional students, more females than males will enroll, there will be an increase in the number of part-time students, and more cultural and racial minorities will seek a college education (Hodgkinson, Outtz, & Obarakpor, 1992). All these events will test the limits of counseling and other student-life services.

First-Generation Students

A second group of nontraditional students is *first-generation college students*—that is, students who are the first in their family to enter college. The individuals in this category come from a wide variety of backgrounds, including second-generation immigrants and upwardly mobile poor (Hodgkinson et al., 1992). "Family support for education is the key difference between first generation and second generation students. Family support is also a fundamental variable in the decision to attend college and in the successful completion of college" (Fallon, 1997, p. 385).

Thus, first-generation college students have numerous needs. They must master knowledge of the college environment, including its specific vocabulary—for example, *credit hours, GPA,* and *dean* (Fallon, 1997). They must also become committed to the role of being a student, decipher the value systems of second-generation college students, as well as learn to understand student-life services and study skills. Language barriers and social or cultural customs must also be addressed.

Minority Culture Students

Minority culture students in the United States are predominantly African American, Native American, Asian American, or Hispanic/Latino. They face a number of challenges different from other students because in many cases they fall into a number of categories besides being minorities. For example, some of these students are first-generation, older, and/or student athletes. They also "often experience a lack of support and an unwelcoming academic climate" (Ancis, Sedlacek, & Mohr, 2000, p. 180).

In helping minority culture students adjust to college and/or do well overall, college counselors and student-life personnel can offer them encouragement and social support, as well as provide them tangible means by which to foster ethnic pride. For example, with African-American college students, ethnic pride may become a part of the learning environment through official sponsorship in universities of programs such as Kwanzaa celebrations and Black History Month (Phelps, Tranakos-Howe, Dagley, & Lyn, 2001). Small- or large-group events that promote and enhance ethnic identity and one's self-concept may also prove useful and positive, as does mentoring. For example, "research indicates that Latino students who have a mentor who takes personal and academic interest in their educational experiences are more likely to succeed" (Gloria & Rodriguez, 2000, p. 151).

In addition to offering minority students encouragement, specialized attention, and customized events, both counselors and student-life professionals need to understand the campus environments in which they work and the perception of it by minority groups. If racism and stereotyping are a part of the climate, then counseling and life-skill strategies that effectively respond to these degrading influences need to be fostered and self-efficacy promoted (Ancis et al., 2000). To make needed changes, counselors and student-life personnel can work on campus-wide programming that impacts all aspects of the campus (i.e., faculty, staff, and students) so that "biases are challenged and differences are understood and appreciated" (Ancis et al., 2000, p. 184).

Student Athletes

A fourth group of nontraditional students consists of student athletes. Many of these students have "problems in relating to the university system and the larger society" (Engstrom & Sedlacek, 1991, p. 189). They are often seen by others as problem students who have trouble relating either socially or academically (Burke, 1993). In addition, many are from minority cultural groups and are the first within their families to attend college (Kirk & Kirk, 1993). A sports-oriented environment may foster dependence on a coach or a team. Therefore, these students may become isolated and alienated from the mainstream of college life. Teaching time management and social skills are areas where counselors and student-life specialists can help.

In addition, when student athletes lose their athletic identity through loss of eligibility or because of injury, they need assistance in making an integrative transition back to college life (Wooten, 1994). Counselors and student-life professionals need to work with student athletes on both an emotional and cognitive basis by helping them identify and express their feelings and confront and correct irrational thoughts. Student athletes also need help in learning to see themselves beyond the college years, most likely as nonprofessional athletes. Therefore, career counseling and life-planning skills are important services to provide.

SUMMARY AND CONCLUSION

The professions of college counseling and student-life services have much in common. Both emphasize the total growth and maturation of students in college/university environments, and each has an optimistic outlook, focusing on the benefits of certain environments and events as catalysts to make students more self-aware and use their abilities fully. These specialties also share a common historical parallel: their influence at colleges and universities has ebbed and flowed over time. In the 21st century, however, both specialties are well established and contributing positively to the overall functioning of institutions of higher education.

This chapter has covered the historical, philosophical, and pragmatic qualities of college student development and growth as they relate to counseling and student-life services. The quality and variety of activities associated with these specialties are strong. In college counseling centers, emphasis is increasingly placed on global outreach and interaction and a proactive stance in the delivery of services (Bishop, 1990; Pace et al., 1996). These services include consultation, career counseling, crisis management, retention, personalization and humanization of the campus environment, establishment of self-help programs, and cooperation with other campus units (Stone & Archer, 1990). Student-life services are also becoming more fluid and dynamic. As the dialogue between professionals in each aspect of student life becomes more open, the ability to serve students and the systems in which they operate will continue to increase.

CLASSROOM ACTIVITIES

1. Check your college library to see which of the journals mentioned in this chapter it subscribes to. Examine recent issues of the journals and find an article that you think is interesting. Summarize the contents of this article for your classmates in an oral report.

2. Invite a resident assistant at your college/university to discuss his or her job with the class. How does the actual job compare with your idea of what it could be? What parts of the position do you find appealing or not appealing?

3. Ask a professional in the student-life services division at your college/university to describe the universal and unique aspects of his or her job with your class. Discuss how student-life services activities relate to academic activities. How might the two be linked even more closely?

4. College/university students are bright and articulate. What theories do you imagine might be effective with this population that would not be as useful with a less educated group?

5. What concerns or problems on your college campus do you think college counselors and student-life professionals should address? Pretend that you have been asked to set up programs to take care of these situations. What are some steps you might take to be effective?

REFERENCES

Ambler, D. A. (1989). Designing and managing programs: The administrator role. In U. Delworth, G. R. Hanson, & Associates (Eds.), *Student services: A handbook for the profession* (2nd ed., pp. 247–264). San Francisco: Jossey-Bass.

Ancis, J. R., Sedlacek, W. E., & Mohr, J. J. (2000). Student perceptions of campus cultural climate by race. *Journal of Counseling and Development, 78,* 180–185.

Anton, W. D., & Reed, J. R. (1991). *College adjustment scales professional manual.* Odessa, FL: Psychological Assessment Resources.

Ashby, J. S., & Rice, K. G. (2002). Perfectionism, dysfunctional attitudes, and self-esteem: A structural equations analysis. *Journal of Counseling and Development, 80,* 197–203.

Aslanian, C. B., & Brickell, H. M. (1980). *Americans in transition: Life changes as reasons for adult learning.* New York: College Entrance Examination Board.

Atlas, G., & Morier, D. (1994). The sorority rush process: Self-selection, acceptance criteria, and the effect of rejection. *Journal of College Student Development, 35,* 346–353.

Benshoff, J. M., & Lewis, H. A. (1992, December). Nontraditional college students. *CAPS Digest* (EDO-CG-92-21).

Berdie, R. F. (1966). Student personnel work: Definition and redefinition. *Journal of College Student Personnel, 7,* 131–136.

Bishop, J. B. (1990). The university counseling center: An agenda for the 1990s. *Journal of Counseling and Development, 68,* 408–413.

Bishop, J. B. (1992). The changing student culture: Implications for counselors and administrators. *Journal of College Student Psychotherapy, 6,* 37–57.

Bishop, J. B., Gallagher, R. P., & Cohen, D. (2000). College students' problems: status, trends, and research. In D. C. Davis and K. M. Humphrey (Eds.). *College counseling: Issues and strategies for a new millennium* (pp. 89–110). Alexandria, VA: American Counseling Association.

Blimling, G. S., & Miltenberger, L. J. (1981). *The resident assistant.* Dubuque, IA: Kendall/Hunt.

Bloland, P. A. (1986). Student development: The new orthodoxy? Part 1. *ACPA Developments, 13,* 1, 13.

Bloland, P. A. (1992). The professionalization of student affairs staff. *CAPS Digest* (EDO-CG-92-25).

Boesch, R., & Cimbolic, P. (1994). Black students' use of college and university counseling centers. *Journal of College Student Development, 35,* 212–216.

Brazziel, W. F. (1989). Older students. In A. Levine & Associates (Eds.), *Shaping higher education's future: Demographic realities and opportunities, 1990–2000* (pp. 116–132). San Francisco: Jossey-Bass.

Brown, R. D. (1986). Editorial. *Journal of College Student Personnel, 27,* 99.

Brown, T., & Helms, J. (1986). The relationship between psychological development issues and anticipated self- disclosure. *Journal of College Student Personnel, 27,* 136–141.

Burgess, A. W., & Holstrom, L. L. (1974). Rape trauma syndrome. *American Journal of Psychiatry, 131,* 981–986.

Burke, K. L. (1993). The negative stereotyping of student athletes. In W. D. Kirk & S. V. Kirk (Eds.), *Student athletes: Shattering the myths and sharing the realities* (pp. 93–98). Alexandria, VA: American Counseling Association.

Canon, H. J. (1985). Ethical problems in daily practice. In H. J. Canon & R. D. Brown (Eds.), *Applied ethics in student services* (pp. 5–15). San Francisco: Jossey-Bass.

Canon, H. J. (1988). Nevitt Sanford: Gentle prophet, Jeffersonian rebel. *Journal of Counseling and Development, 66,* 451–457.

Canon, H. J. (1989). Guiding standards and principles. In U. Delworth, G. R. Hanson, & Associates (Eds.), *Student services: A handbook for the professional* (2nd ed., pp. 57–79). San Francisco: Jossey-Bass.

Carrese, M. A. (1998). Managing stress for college success through self-hypnosis. *Journal of Humanistic Education and Development, 36,* 134–142.

Chickering, A. W., & Reisser, L. (1994). *Education and identity* (2nd ed.). San Francisco: Jossey-Bass.

Chisolm, M. S. (1998, May 15). Colleges need to provide early treatment of students' mental illnesses. *Chronicle of Higher Education, 44,* B6–B7.

Clay, D. L., Anderson, W. P., & Dixon, W. A. (1993). Relationship between anger expression and stress in predicting depression. *Journal of Counseling and Development, 72,* 91–94.

Commission on Substance Abuse at Colleges and Universities. (1994). *Rethinking rites of passage: Substance abuse on America's campuses.* New York: Center on Addiction and Substance Abuse at Columbia University.

Cooper, D. L., Healy, M., & Simpson, J. (1994). Student development through involvement: Specific changes over time. *Journal of College Student Development, 35,* 98–101.

Council for the Advancement of Standards for Student Services/Development Programs. (1994). *CAS standards and guidelines for student services/development programs.* College Park: University of Maryland.

Crawford, R. L., & Phyfer, A. Q. (1988). Adult children of alcoholics: A counseling model. *Journal of College Student Development, 29,* 105–111.

Creamer, D. G., & Associates (1990). *College student development: Theory and practices for the 1990s.* Alexandria, VA: American College Personnel Association.

Davis, D. C. (1998). The American College Counseling Association: A historical view. *Journal of College Counseling, 1,* 7–9.

Dean, L. A. (1994, June). Chimney building. *Visions, 2,* 3–4.

Deegan, W. L., & O'Banion, T. (Eds.). (1989). *Perspectives on student development.* San Francisco: Jossey-Bass.

Delve, C. I., Mintz, S. D., & Stewart, G. M. (1990a). Editors' notes. In C. I. Delve, S. D. Mintz, & G. M. Stewart (Eds.), *Community service as values education* (pp. 1–5). San Francisco: Jossey-Bass.

Delve, C. I., Mintz, S. D., & Stewart, G. M. (1990b). Promoting values development. In C. I. Delve, S. D. Mintz, & G. M. Stewart (Eds.), *Community service as values education* (pp. 7–28). San Francisco: Jossey-Bass.

Dixon, W. A., & Reid, J. K. (2000). Positive life events as a moderator of stress-related depressive symptoms. *Journal of Counseling and Development, 78,* 343–347.

Engstrom, C. M., & Sedlacek, W. E. (1991). A study of prejudice toward university student-athletes. *Journal of Counseling and Development, 70,* 189–193.

Erikson, E. H. (1968). *Identity: Youth and crisis.* New York: Norton.

Evans, N. J., Carr, J., & Stone, J. E. (1982). Developmental programming: A collaborative effort of residence life and counseling center staff. *Journal of College Student Personnel, 23,* 48–53.

Evelyn, J. (2002, June 14). Nontraditional students dominate undergraduate enrollments, study finds. *Chronicle of Higher Education, XLVIII* (40), A34.

Ewing, D. B. (1990). Direct from Minnesota: E. G. Williamson. In P. P. Heppner (Ed.), *Pioneers in counseling and development: Personal and professional perspectives* (pp. 104–111). Alexandria, VA: American Counseling Association.

Fallon, M. V. (1997). The school counselor's role in first generation students' college plans. *School Counselor, 44,* 384–393.

Fenske, R. H. (1989a). Evolution of the student services professional. In U. Delworth, G. R. Hanson, & Associates (Eds.), *Student services:*

A *handbook for the profession* (2nd ed., pp. 25–56). San Francisco: Jossey-Bass.

Fenske, R. H. (1989b). Historical foundations of student services. In U. Delworth, G. R. Hanson, & Associates (Eds.), *Student services: A handbook for the profession* (2nd ed., pp. 5–24). San Francisco: Jossey-Bass.

Forrest, L. (1989). Guiding, supporting, and advising students: The counselor role. In U. Delworth, G. R. Hanson, & Associates (Eds.), *Student services: A handbook for the profession* (2nd ed., pp. 265–283). San Francisco: Jossey-Bass.

Freeman, F. H., Knott, K. B., & Schwartz, M. K. (1996). *Leadership education: A source book.* Greensboro, NC: Center for Creative Leadership.

Garfield, N. J., & David, L. B. (1986). Arthur Chickering: Bridging theory and practice in student development. *Journal of Counseling and Development, 64,* 483–491.

Geraghty, M. (1997, August 1). Campuses see steep increase in students seeking counseling. *Chronicle of Higher Education,* A32.

Gerdes, H., & Mallinckrodt, B. (1994). Emotional, social, and academic adjustment of college students: A longitudinal study of retention. *Journal of Counseling and Development, 72,* 281–288.

Gill-Wigal, J., Heaton, J., Burke, J., & Gleason, J. (1988). When too much is too much. *Journal of College Student Development, 29,* 274–275.

Gloria, A. M., & Rodriguez, E. R. (2000). Counseling Latino university students: Psychosociocultural issues for consideration. *Journal of Counseling and Development, 78,* 145–154.

Gregory, R. A., & Britt, S. (1987). What the good ones do: Characteristics of promising leadership development programs. *Campus Activities Programming, 20,* 33–35.

Grites, T. J. (1979). Between high school counselor and college advisor: A void. *Personnel and Guidance Journal, 58,* 200–204.

Hayes, R. L. (1981). High school graduation: The case for identity loss. *Personnel and Guidance Journal, 59,* 369–371.

Herman, W. E. (1997). Values acquisition: Some critical distinctions and implications. *Journal of Humanistic Education and Development, 35,* 146–155.

Hodgkinson, H. L., Outtz, J. H., & Obarakpor, A. M. (1992). *The nation and the states: A profile and data book of America's diversity.* Washington, DC: Institute for Educational Leadership.

Holland, J. L. (1997). *Making vocational choices: A theory of vocational personalities and work environments* (3rd ed.). Odessa, FL: Psychological Assessment Resources.

Hollis, J. W. (2000). *Counselor preparation, 1999–2001* (10th ed.). Philadelphia: Taylor & Francis.

Holmes, T. H., & Rahe, R. H. (1967). The social readjustment rating scale. *Journal of Psychosomatic Research, 11,* 213–218.

Horton, N. (1994, October 10). United States has most educated population. *Higher Education and National Affairs, 43,* 3.

Houston, B. K. (1971). Sources, effects and individual vulnerability of psychological problems for college students. *Journal of Counseling Psychology, 18,* 157–161.

Huskey, H. H. (1994, April). Counseling the senior student. *Visions, 2,* 10–11.

Hutchins, R. M. (1936). *The higher learning in America.* New Haven, CT: Yale University Press.

Johnson, C. S. (1985). The American College Personnel Association. *Journal of Counseling and Development, 63,* 405–410.

Johnson, D. H., Nelson, S. E., & Wooden, D. J. (1985). Faculty and student knowledge of university counseling center services. *Journal of College Student Personnel, 26,* 27–32.

Kirk, W. D., & Kirk, S. V. (1993). The African American student athlete. In W. D. Kirk & S. V. Kirk (Eds.), *Student athletes: Shattering the myths and sharing the realities* (pp. 99–112). Alexandria, VA: American Counseling Association.

Kitchener, K. S. (1985). Ethical principles and ethical decisions in student affairs. In H. J. Canon & R. D. Brown (Eds.), *Applied ethics in student services* (pp. 17–29). San Francisco: Jossey-Bass.

Kohlberg, L. (1984). *Essays on moral development (Vol. 2), The psychology of moral development: The nature and validity of moral stages.* New York: Harper & Row.

Komives, S. R., Woodard, D. B., Jr., & Delworth, U. (1996). *Student services: A handbook for the profession* (3rd ed.). San Francisco: Jossey-Bass.

Kuh, G. D. (1996). *Student learning outside the classroom: Transcending artificial boundaries.* Washington, DC: George Washington University.

Kuh, G. D., Bean, J. R., Bradley, R. K., & Coomes, M. D. (1986). Contributions of student affairs journals to the literature on college students. *Journal of College Student Personnel, 27,* 292–304.

Lewin, K. (1936). *Principles of topological psychology.* New York: McGraw-Hill.

Lewing, R. J., Jr., & Cowger, E. L., Jr. (1982). Time spent on college counselor functions. *Journal of College Student Personnel, 23,* 41–48.

Lively, K. (1998, May 15). At Michigan State, a protest escalated into a night of fires, tear gas, and arrests. *Chronicle of Higher Education, 44,* A46.

Loxley, J. C., & Whiteley, J. M. (1986). *Character development in college students.* Alexandria, VA: American Counseling Association.

Lynch, R. T., & Gussel, L. (1996). Disclosure and self-advocacy regarding disability-related needs: Strategies to maximize integration in postsecondary education. *Journal of Counseling and Development, 74,* 352–357.

Mathiasen, R. E. (1984). Attitudes and needs of the college student-client. *Journal of College Student Personnel, 25,* 274–275.

McDade, S. A. (1989). Leadership development: A key to the new leadership role of student affairs professionals. *NASPA Journal, 27,* 33–41.

Meyer, D. F., & Russell, R. K. (1998). Caretaking, separation from parents, and the development of eating disorders. *Journal of Counseling and Development, 76,* 166–173.

Morrill, W. H., Oetting, E. R., & Hurst, J. C. (1974). Dimensions of counselor functioning. *Personnel and Guidance Journal, 53,* 354–359.

Nickerson, D. L., & Harrington, J. T. (1968). *The college student as counselor.* Moravia, NY: Chronicle Guidance Publications.

Openlander, P., & Searight, R. (1983). Family counseling perspectives in the college counseling center. *Journal of College Student Personnel, 24,* 423–427.

Pace, D., Stamler, V. L., Yarris, E., & June, L. (1996). Rounding out the Cube: Evolution to a global model for counseling centers. *Journal of Counseling and Development, 74,* 321–325.

Paul, E. L., & Brier, S. (2001). Friendsickness in the transition to college: Precollege predictors and college adjustment correlates. *Journal of Counseling and Development, 79,* 77–89.

Perry, W. G., Jr. (1970). *Forms of intellectual and ethical development in the college years.* New York: Holt, Rinehart, & Winston.

Phelps, R. E., Tranakos-Howe, S., Dagley, J. C., & Lyn, M. K. (2001). Encouragement and ethnicity in African American college students. *Journal of Counseling and Development, 79,* 90–97.

Polansky, J., Horan, J. J., & Hanish, C. (1993). Experimental construct validity of the outcomes of study skills

training and career counseling as treatments for the retention of at-risk students. *Journal of Counseling and Development, 71,* 488–492.

Ponzetti, J. J., Jr., & Cate, R. M. (1988). The relationship of personal attributes and friendship variables in predicting loneliness. *Journal of College Student Development, 29,* 292–298.

Quintana, S. M., & Kerr, J. (1993). Relational needs in late adolescent separation-individuation. *Journal of Counseling and Development, 71,* 349–354.

Ragle, J., & Krone, K. (1985). Extending orientation: Telephone contacts by peer advisors. *Journal of College Student Personnel, 26,* 80–81.

Rice, K. G., & Dellwo, J. P. (2002). Perfectionism and self-development: Implications for college adjustment. *Journal of Counseling and Development, 80,* 188–196.

Rice, K. G., & Whaley, T. J. (1994). A short term longitudinal study of within-semester stability and change in attachment and college student adjustment. *Journal of College Student Development, 35,* 324–330.

Richter-Antion, D. (1986). Qualitative differences between adult and younger students. *NASPA Journal, 23,* 58–62.

Roark, M. L. (1987). Preventing violence on college campuses. *Journal of Counseling and Development, 65,* 367–371.

Roberts, D., & Ullom, C. (1989). Student leadership program model. *NASPA Journal, 27,* 67–74.

Rodgers, R. F. (1980). Theories underlying student development. In D. G. Creamer (Ed.), *Student development in higher education* (pp. 10–96). Cincinnati, OH: American College Personnel Association.

Rodgers, R. F. (1989). Student development. In U. Delworth, G. R. Hanson, & Associates (Eds.), *Student services: A handbook for the profession* (2nd ed., pp. 117–164). San Francisco: Jossey-Bass.

Rubin, S. G. (1990). Transforming the university through service learning. In C. I. Delve, S. D. Mintz, & G. M. Stewart (Eds.), *Community services as values education* (pp. 111–124). San Francisco: Jossey-Bass.

Sandeen, A. (1988). *Student affairs: Issues, problems and trends.* Ann Arbor, MI: ERIC/CAPS.

Sanford, N. (1962). *The American college.* New York: Wiley.

Sanford, N. (1979). Freshman personality: A stage in human development. In N. Sanford & J. Axelrod (Eds.), *College and character.* Berkeley, CA: Montaigne.

Schuh, J. J., Shipton, W. C., & Edman, N. (1986). Counseling problems encountered by resident assistants: An update. *Journal of College Student Personnel, 27,* 26–33.

Scrignar, C. B. (1997). *Post-traumatic stress disorder, diagnosis, treatment and legal issues* (3rd ed.). New York: Bruno.

Sharkin, B. S. (1997). Increasing severity of presenting problems in college counseling centers: A closer look. *Journal of Counseling and Development, 75,* 275–281.

Sheeley, V. L. (1983). NADW and NAAS: 60 years of organizational relationships. In B. A. Belson & L. E. Fitzgerald (Eds.), *Thus, we spoke: ACPA-NAWDAC, 1958–1975.* Alexandria, VA: American College Personnel Association.

Steenbarger, B. N. (1998). Alcohol abuse and college counseling: An overview of research and practice. *Journal of College Counseling, 1,* 81–92.

Stone, G. L., & Archer, J., Jr. (1990). College and university counseling centers in the 1990s: Challenges and limits. *Counseling Psychologist, 18,* 539–607.

Tate, D. S., & Schwartz, C. L. (1993). Increasing the retention of American Indian students in professional programs in higher education. *Journal of American Indian Education, 32,* 21–31.

Terry, L. L. (1989). Assessing and constructing a meaningful system:

Systemic perspective in a college counseling center. *Journal of Counseling and Development, 67,* 352–355.

Thurman, C. (1983). Effects of a rational-emotive treatment program on Type A behavior among college students. *Journal of College Student Personnel, 24,* 417–423.

Tylka, T. L., & Subich, L. M. (2002). Exploring young women's perceptions of the effectiveness and safety of maladaptive weight control techniques. *Journal of Counseling and Development, 80,* 101–110.

Watkins, E. (1983). Project retain: A client centered approach to student retention. *Journal of College Student Personnel, 24,* 81.

Westbrook, F. D., Kandell, J. J., Kirkland, S. E., Phillips, P. E., Regan, A. M., Medvene, A., & Oslin, Y. D. (1993). University campus consultation: Opportunities and limitations. *Journal of Counseling and Development, 71,* 684–688.

Whiteley, J. M. (1982). *Character development in college students.* Alexandria, VA: American Counseling Association.

Williamson, E. G. (1939). *How to counsel students: A manual of techniques for clinical counselors.* New York: McGraw-Hill.

Williamson, E. G. (1961). *Student personnel services in colleges and universities.* New York: McGraw-Hill.

Winston, R. B., Jr., & Creamer, D. G. (1997). *Improving staffing practices in student affairs.* San Francisco: Jossey-Bass.

Winston, R. B., Jr., & Ender, S. C. (1988). Use of student paraprofessionals in divisions of college student affairs. *Journal of Counseling and Development, 66,* 466–473.

Wooten, H. R. (1994). Cutting losses for student-athletes in transition: An integrative transition model. *Journal of Employment Counseling, 31,* 2–9.

18

SUBSTANCE ABUSE AND DISABILITY COUNSELING

As our sessions go on you speak of your scars

and show me the places where you have been burned.

Sadly, I hear your fiery stories

reliving with you, through your memories and words,

all of the tension-filled blows and events

that have beaten and shaped your life.

"I wish I were molten steel," you say,

"and you were a blacksmith's hammer.

Maybe then, on time's anvil, we could structure together

a whole new person, with soft smooth sounds,

inner strength and glowing warmth."

Counselors from varied backgrounds work with clients who have substance abuse or disability concerns. Counselors who specialize in these areas of treatment focus on a number of areas including the promotion of healthy lifestyles, the identification and elimination of stressors, the modification of toxic environments, and the preservation or restoration of physical and mental health. Specific ways in which clients are served depend on the counselors' skills and the needs of client populations.

Throughout the years, counselors who work in substance abuse and in rehabilitation of the disabled have been strongly influenced by government, professional, and peer standards that have set or mandated the delivery of services for these two populations. In turn, counselors who work in these specific areas have been active in supporting federal and state legislation that has recognized them professionally.

SUBSTANCE ABUSE COUNSELING

Substance abuse is the habitual misuse of intoxicating and addicting substances, such as alcohol, drugs, and tobacco. In this definition, *drugs* are defined as any substance other than food that can affect the way a person's mind and body works, including stimulants, depressants, and hallucinogens. Abuse of substances damages people mentally, physically, emotionally, socially, and spiritually. For example, the abuse of alcohol is frequently involved in disorderly or heinous behavior from public drunkenness to date rape. Indeed, substance abuse is "one of the major public health issues in today's society" and cuts across "gender, socioeconomic levels, ethnicity, age, religion, profession, geography, and most dimensions of human existence and background" (Stevens-Smith & Smith, 1998, p. iii). Alcohol and drug issues among the aged, adults, and adolescents are treated everyday by counselors in nursing and retirement homes, mental health clinics, colleges and universities, and public schools (Hinkle, 1999).

The Nature of Substance Abuse

Abuse of substances is one of the most frequently occurring mental health problems in the United States. For instance, "1 in 10 American adults in the general population has significant problems related to his or her use of alcohol" (Miller & Brown, 1997, p. 1269) and in some cultural groups, such as Native Americans, the problem is believed to be greater (Garrett & Carroll, 2000). Between "12% to 30% of all hospitalized patients abuse alcohol," too, and "health care costs among alcoholic families are twice as great as those of nonalcoholic families" (Steenbarger, 1998, p. 81). Overall, the estimated financial cost of alcohol abuse to Americans per year is over $150 billion (Lam et al., 1996).

Americans in general, and adolescents in particular, overwhelmingly see the use of drugs as the greatest problem they face. For adolescents, in fact, drugs far outrank crime, social pressure, grades, or sex as a hazard to their development and well-being (Center on Addiction and Substance Abuse, 1995). The U.S. Department of Education estimates that up to 3 million teenagers are alcoholics, half a million are users of marijuana, and 1 out of 10 has tried cocaine (Gibson & Mitchell, 2003).

On the surface, substance abuse appears to be an individual problem and one that is related to a particular substance. In reality, however, substance abuse is much more complex. For example, outside of the person abusing alcohol, it is estimated that there are up to four times as many other people adversely affected. These include family members, friends, or associates (Vick, Smith, & Herrera, 1998).

Often people who abuse one substance abuse other substances as well. *Polysubstance abuse* (the abuse of two or more substances simultaneously) is a growing phenomenon. In addition, abuse of substances often becomes a way of life related to social conditions. For example, many people begin smoking as adolescents in response to an unsatisfactory life rooted in poverty and hopelessness. Peer pressure, poor school performance, parental smoking, minority ethnic status, and an external locus of control make smoking more likely until addiction occurs (Hilts, 1996).

Addiction is a complex, progressive behavior pattern having biological, psychological, sociological, and behavioral components (Scott, 2000). It has been defined "as a persistent and intense involvement with and stress upon a single behavior pattern, with a minimization or even exclusion of other behaviors, both personal and interpersonal" (L'Abate, 1992, p. 2). A primary characteristic of addicts is that they become preoccupied with one object that controls their behaviors, thus limiting their other actions over time. Addictive behaviors, even socially acceptable ones such as workaholism and gambling, continue to be major problems in the United States (Jewish Family Services, 2002; L'Abate, Farrar, & Serritella, 1992).

Affiliation, Certification, and Education of Substance Abuse Counselors

The International Association of Addictions and Offender Counseling (IAAOC) is one of the leading groups that focuses on the prevention, treatment, and description of abusive and addictive behaviors. Its members publish material, such as the *Journal of Addictions & Offender Counseling,* that informs professional counselors about the latest developments in the field. Another major organization is the National Association of Alcoholism and Drug Abuse Counselors (NAADAC), a national organization that certifies addiction counselors.

Interestingly, the NAADAC membership is almost equally divided between members who have master's and doctoral degrees and those who do not (West, Mustaine, & Wyrick, 2002). The number of academic programs that educate counselors with an emphasis on substance abuse counseling continues to grow (Hollis, 2000), and since 1994 NBCC has had a certification process for becoming a substance abuse counselor. However, at present the field of substance abuse counseling is split between *recovering counselors,* those who have been abusers, now are dry, and have taken specialized courses to qualify for a NAADAC certification; and *nonrecovering counselors,* those who have earned at least a master's degree in counseling, usually with a concentration in substance abuse.

The effectiveness of the two groups appears to be about the same but the ways they work are distinct. Recovering counselors are more likely to engage in activities that are consistent with the philosophy described in the 12 steps of Alcoholics Anonymous (Culbreth & Borders, 1999). Thus, they are "prone to be involved in community education programs, socialize with clients away from the work environment, and visit clients in the hospital" while nonrecovering counselors do not and, in addition, are more prone to see alcohol and drug problems on a continuum rather than as a yes or no diagnosis. With the trend being for more professional counselors than paraprofessionals to enter the field in the future, a number of procedures will change, including the way supervision is delivered (Culbreth & Borders, 1999). In addition, as this transition occurs, counselors presently in the field will need intensive training to learn even more treatment interventions so they can work effectively with diverse clients presenting complex issues (Thombs & Osborn, 2001).

Preventing Substance Abuse

Substance abuse and addiction prevention programs usually are tied into a community effort to prevent abuse on a global level. One such preventive measure, popular in the last half of the 20th century and still in place in some locations today, is the "Just Say No" campaign. This campaign, found in schools and public agencies, is sponsored by local governments. Aspects of this campaign are also incorporated into public service announcements on television where preteens and teenagers see their peers saying "no" when offered a cigarette or other potentially addictive or dangerous substance. Children learn through this program how to be assertive and how to refuse offers of harmful drugs in an appropriate way. For example, they learn that they can simply ignore or walk away from drug-related situations as well as say "No thanks" or make an excuse for refusing an offer of drugs.

Another program, often found in late elementary and early middle school grades, that has a uniform prevention curriculum is D.A.R.E. (Drug Abuse Resistance Education). D.A.R.E. uses police as instructors and provides case scenarios that challenge fifth and sixth graders to think about and answer them (Ben Gladding, personal correspondence, May 22, 1998).

On the high school level, there are national chapters of *S.A.D.D.* (Students against Drunk Driving) and *M.A.D.D.* (Mothers against Drunk Driving). Both of these associations, plus those found on college and university campuses, help educate and orient young people about the hazards of drug abuse and the dangers of addiction.

There are also effective educational programs for teens who use tobacco and for potential and real cocaine addicts (Mudore, 1997; Sunich & Doster, 1995). These programs focus on both external and internal factors important to individuals in this age bracket. External factors include the impact of smoking on one's breath, teeth, and clothes, as well as monetary costs. Internal factors include such variables as lifestyle choices, time management, and nutrition. For younger individuals, external factors may be more effective in influencing their decisions to never begin smoking, or to stop smoking or doing drugs, whereas for older adolescents internal factors are more powerful.

A common element in approaches to substance abuse and addiction prevention involves group pressure and dynamics. In setting up preventive programs, counselors are wise to use their knowledge of groups. The reason is that most people, especially adolescents, who get involved in the use of drugs do so because their friends use drugs (Center on Addiction and Substance Abuse, 1995). Therefore, when a group perceives drugs as hazardous to their health or dangerous, members of such a group are less likely to engage in experimenting with these substances. The group norm becomes one of discouraging members from trying drugs (Serritella, 1992). Thus, educational and support groups are a valuable tool for counselors to employ in warding off abuse and addictive behaviors in preventive programs (Gladding, 2003).

Treating Substance Abuse

Approximately 25% of counseling cases relate to substance abuse and addiction problems either directly or indirectly. As indicated earlier, people who abuse or are addicted to substances of any type are difficult to work with because of the dysfunctional dynamics that surround them. Counselors work with addicts as well as substance abusers in a number of ways. It is important to remember that either an addict or a substance abuser must be "dry," or not currently taking an addictive substance, before any effective treatment can be started. Being "dried out" for a period of 30 or more days gives the addict or substance abuser a "clean" body and mind to use in doing something different and positive. For example, families often organize themselves around alcoholism in a systemic way and thus enable family members to drink excessively (Bateson, 1971; Steinglass, 1979). In the alcoholic family system, there is an overresponsible/underresponsible phenomenon, with the overresponsible person(s) being a so-called *codependent* (Berenson, 1992). "An essential characteristic of someone who is codependent is that they continually invest their self-esteem in the ability to control and influence behavior and feelings in others as well as in themselves, even when faced with adverse consequences such as feelings of inadequacy after failure" (Springer, Britt, & Schlenker, 1998, p. 141). In such a situation, it is easier and more productive to work with the overfunctioning person(s) and modify that phenomenon than to try to get the underfunctioning person(s) to change.

Among the most prevalent factors affecting treatment for substance abuse are "motivation, denial, dual diagnosis, matching, control, and relapse" (L'Abate, 1992, p. 11). *Motivation* has to do with a desire to change, which most substance abusers do not wish to do because of their self-centeredness and comfort. *Denial* is basically minimizing the effects of substance abuse on either oneself or others. It minimizes the harm that is being done. A *dual diagnosis* is one in which an abuser has more than one aspect of personality that is open to treatment. For instance, a substance abuser may be impulsive or depressed in addition to being addicted. *Matching* concerns the right treatment for a disorder. Some substance abuses, such as overdosing with cocaine, require specialized treatment (Washton, 1989). *Control* has to do with the regulation of behavior, which substance abusers tend to disregard. Finally, *relapse* is the recidivism or reoccurrence of dysfunctional behaviors once they have been treated. It is discouraging to have substance abusers go through structured programs and end up acting the way they did before.

Treatment strategies for substance abusers may be aimed at individuals. For example, a bibliotherapeutic approach may work with some individuals (Hipple, Comer, & Boren, 1997). In this approach abusers and addicts read books or view/listen to media and discuss ideas related to what they have experienced. For example, in working with adolescents, substance abusers might be asked to read *Go Ask Alice* by Anonymous, a nonfiction novel about teen drug abuse, or *Imitate the Tiger* by Jan Cheripko, a novel on teenage alcohol abuse. They would then discuss their reactions with a counselor including how they are like or not like the main characters of the book and what insights they gleaned from the reading.

Treating Alcohol Abuse

There are a number of treatment approaches for working with those who abuse alcohol, but the most well-known approach is Alcoholics Anonymous (AA). AA is the oldest successful treatment program in the world for working with alcoholics, having been founded in the 1930s (AA World Services, 2002). It is "both a fellowship and a rehabilitation program" (Warfield & Goldstein, 1996, p. 196). Alcoholics suffer from what AA describes as "character defects" (AA World Services, 2002). "These are feelings, beliefs, and behaviors that dispose them to seek a sense of well-being by abusing alcohol" (Warfield & Goldstein, 1996, p. 197). AA meetings are conducted in small group settings where literature—for example, "The Big Book" (AA World Services, 2002)—is used along with group discussion.

A key component in AA is the use of a 12-step program that has at its basis a spiritual foundation. Group discussions in AA meetings center on helping members realize they need and have the support of others and a dependence on a higher power. The spiritual dimension in AA results in an emphasis on members admitting their powerlessness over alcohol (or other substances). Members who abstain from the use and abuse of alcohol are never "cured"; rather, they are "in recovery." There is also an emphasis within AA on responsibility, forgiveness, restitution (when possible), affirmation, ritual, and fellowship.

AA "has been adapted to treat many other problems such as narcotic addiction, cocaine abuse, overeating, compulsive gambling, compulsive sexual behavior, and the pain of children of alcoholics" (James & Hazler, 1998, p. 124). Some counselors are uncomfortable with the spiritual qualities of AA (Bristow-Braitman, 1995) and prefer to discuss needed recovery qualities in cognitive-behavioral or humanistic language. Rational emotive behavior therapy (REBT) has led the way in setting up recovery groups that are nonspiritual in nature.

Along with treating the person who is abusing alcohol, the counselor also needs to work with his or her family and community. The support or scapegoating that abusers of alcohol receive from family and community systems in which they live makes a tremendous difference in their ability to abstain from the use of alcohol. AA and other recovery programs, such as Women for Sobriety, have special groups and programs for family members of persons who are substance abusers.

Treating Nicotine Addictions

In addition to alcohol abuse, *nicotine addiction* is another prevalent problem. Over 25% of Americans (48 million individuals) smoke cigarettes (Wetter et al., 1998), 3 million of whom are adolescents. Furthermore, "approximately 80% of alcoholics smoke" in addition to drinking, increasing their risk for a premature death or injury (Barker, 1997, p. 53). Most adults and adolescents who become nicotine dependent usually want to quit smoking. They often go to extraordinary lengths to achieve their goal of smoking cessation but unfortunately, as a group, they are not successful in the long run.

Counselors can help improve the success rate of nicotine-addicted individuals in a number of ways (Singleton & Pope, 2000). One successful technique that counselors use is *telephone counseling,* which has a success rate comparable to group smoking-cessation programs. Telephone counseling consists of a 15- to 30- minute phone call where counselors give positive, nonjudgmental feedback to those who are trying to quit smoking. The idea behind the strategy is to promote self-efficacy. Another approach is *rapid smoking,* where smokers, after counseling, go through a series of six 1-hour sessions where they inhale a cigarette every 6 seconds until they feel too sick to continue. The goal is to "produce a conditioned negative response to the taste of cigarettes" (p. 452).

    Skills training is a third technique. In this approach coping skills are taught, such as reframing and thought stopping, after clients have learned to recognize the cognitive, emotional, and environmental triggers that tend to produce the urge to smoke. Among the most successful skills are the use of self-statements concerned with the financial and health benefits of discontinuing smoking as well as oral substitutes, increased physical activity, and the buddy system. Finally, self-help materials that are brief and factual, such as informational booklets related to smoking, can be useful. Two examples of these booklets are "Clearing the Air" (National Institute of Health Publication #95-1467, call 1-800-4-CANCER) and "Smart Move" (American Cancer Society). Booklets of this nature guide the smoker through the process of quitting and maintaining nonsmoking behavior.

Treating Illegal Drug Addiction

Approximately half a million Americans are heroin addicts, and 4 million are regular users of marijuana. Individuals who are addicted to drugs other than alcohol or nicotine, such as cocaine, often receive treatment based on the AA model. However, because of society's greater disapproval of these drugs and their illegality, the context in which treatment is offered is often not the same. For example, one context in which treating illegal drug abuse is provided is jail, since many drug abusers are tried as criminals and incarcerated.

    A prototype of a jail treatment program that works well is "Stay 'n Out" in Staten Island, New York. "Its secret is a captive audience; participants don't have any choice about showing up for therapy. It's be there—or you're off to a meaner cellblock" (Alter, 1995, pp. 20–21). Although the ethical dimensions of this program are debatable, the results are a recidivism rate of only 25%, much lower than the average. A substance abuse program such as Stay 'n Out saves money for communities to use in other ways because recovering addicts require lower health care and criminal justice costs.

Treating Substance Abuse Families

Families play a large part in promoting or enabling substance abuse behaviors, and it is difficult to help substance abusers without including everyone in the family (Doweiko, 1990). "Students from homes in which parents are chemically dependent or abuse alcohol or other drugs (CDs) are at risk for a wide range of developmental problems" (Buelow, 1995, p. 327). Many alcoholic families especially tend to be isolated and children within them consequently suffer from a lack of positive role models. As children get older, they seem to be particularly affected for the worse from growing up in these families.

    Substance abuse is used by these young people as a way to relieve stress, reduce anxiety, and structure time (Robinson, 1995). It is also an attempt by young adults to protect and stabilize dysfunctional families by keeping their attention off overall dynamics and on predictable problematic behaviors (Stanton & Todd, 1982). Substance abuse may serve as a substitute for sex as well and promote *pseudo-individuation* (a false sense of self). These complex and interrelated factors make it difficult to help people caught up in substance abuse patterns to change behaviors without an intensive social action approach designed to change dysfunctional systems (Lee & Walz, 1998).

Treatment services can take the form of providing information, but often counselors must be confrontational with the family as a whole over the effects of substance abuse on the family as a unit as well as its individual members. Such an intervention cannot be made without an intensive systems approach that involves a number of people and agencies (Kaufman & Kaufman, 1992; Morgan, 1998).

Counselors who realize the dysfunctional impact of substance abuse, especially in regard to alcohol and drug misuse in families, can work to help clients deal with feelings, such as anger, and defense mechanisms, such as denial, within a family context. They can also help the family take responsibility for their behaviors (Krestan & Bepko, 1988). In essence, they can help the family get back on track as a functional system by getting "involved in the treatment process" and "helping the abusing member overcome ... addiction rather than serving as a force that maintains it" (Van Deusen, Stanton, Scott, Todd, & Mowatt, 1982, p. 39). In the process, families and their individual members are assisted in regard to resolving developmental issues as well.

Treating Work Addiction

Work is like any other activity or substance in that it can become all consuming to the point where the person in the midst of it abandons other opportunities that could be beneficial. Robinson (1995, p. 33) recommends the following steps for working with clients who are addicted to work, especially those who are recovering.

- *"Help them slow down their pace."*   Give them examples of how they can make a conscious effort to slow down their daily lives through deliberate means.
- *"Teach them to learn to relax."*   Learning meditation or yoga, reading an inspirational book, or even soaking in a hot tub is healthy and helpful in moderation.
- *"Assist them in evaluating their family climate."*   Interactions with family members, especially of a positive nature, can be meaningful and relaxing. Therefore, it behooves recovering addicts to explore ways they "can strengthen family ties."
- *"Stress the importance of celebrations and rituals."*   Activities such as celebrations and rituals are the glue that hold families together and make life personally rich and rewarding.
- *"Help them [clients] get back into the social swing."*   This strategy involves devising a plan for developing social lives and friendship. If successful, it "explores ways of building social networks outside of work."
- *"Address living in the now."*   By appreciating the present, recovering addicts can enjoy experiences more and not become anxious about or preoccupied with the future.
- *"Encourage clients to nurture themselves."*   Often individuals who have become addicts find it hard, if not impossible, to indulge themselves even in healthy ways. However, the practice of self-nurturing can be beneficial.

- *"Stress the importance of proper diet, rest, and exercise."* It is hard to function if a person is running on a deficit either physically or emotionally. Therefore, getting clients to balance their lives in regard to diet, rest, and exercise can go a long way to helping them recover from their addiction.
- *"Help clients grieve the loss of their childhoods"* and *"address self-esteem."* Many addicts feel ashamed, saddened, angry, or even determined by their past. Helping them realize they can recover from past times and experiences can go a long way in assisting clients to become functional.
- *"Inform clients [that] 12-step programs [are] available as a complement to the individual work you do with them."* Almost all addicts in recovery can benefit from a 12-step program that emphasizes human relationships in concert with a higher power.

Women and Cultural Groups in Substance Abuse Treatment

Women who abuse alcohol, approximately 5 to 7 million in the United States alone, may have an especially difficult time seeking and finding appropriate treatment because of societal rebuke and chastisement of them and because of barriers to treatment faced by women such as the need for child care, cost, family opposition, and inadequate diagnosis (Van der Wade, Urgenson, Weltz, & Hanna, 2002). Although female alcoholics constitute about one-third of the membership in Alcoholics Anonymous, "there is little empirical evidence on the benefits of AA and NA to the female alcoholic or addict" (Manhal-Baugus, 1998, p. 82). Therefore, new theories and alternative treatment strategies are developing for women that reflect the broader context of women's lives, especially difficulties they face regarding alcohol addiction. These programs draw on community resources in a different way from traditional approaches. One of these programs is "Women for Sobriety," a mutual help group based on a cognitive-behavior modification approach that helps teach women to change their thinking so they may overcome feelings of helplessness, powerlessness, guilt, and dependence. It has 13 Affirmations that promote positive thinking in a supportive relationship environment run by women for women (Manhal-Baugus, 1998).

In addition to gender differences, cultural differences may play a part, too, in the recovery process. Native Americans, for instance, may find spiritual elements different from non–Native American traditions important in helping them. Therefore, counselors who work with this population may want to consult a medicine man or medicine woman before trying to work with persons or groups seeking recovery (Vick et al., 1998). The same principle of seeking culturally appropriate support systems rings true in treating other culturally specific groups as well.

COUNSELING THOSE WITH DISABILITIES

Counselors in all walks of life work with people who have disabilities. *Rehabilitation counseling,* a speciality in the counseling profession, especially focuses on serving individuals with disabilities. *Rehabilitation* is defined as the reeducation of disabled individuals who have previously lived independent lives. A related area, *habilitation,* focuses on educating clients who have been disabled from early life and have never been self-sufficient (Bitter, 1979). Rehabilitation counseling is a multidimensional task whose success is dependent on many things. "The rehabilitation counselor is expected to be a competent case manager as well as a skilled therapeutic counselor" (Cook, Bolton, Bellini, & Neath, 1997, p. 193). The ultimate goals of rehabilitation services are successful employment, independent living, and community participation (Bolton, 2001).

Federal legislation has been an impetus through the years in establishing services for the disabled. For example, in 1920 Congress passed the Vocational Rehabilitation Act, which was mainly focused on working with physically disabled Americans. In more recent times, the Americans with Disabilities Act of 1990 is another key piece of legislation. This act helped to heighten awareness of the needs of the over 40 million people in the United States with disabilities and increased national efforts in providing multiple services for people with mental, behavioral, and physical disabilities. The Individuals with Disabilities Act of 1997 was another important measure, especially in regard to education. This act requires educational institutions to provide a *free and appropriate public education* (*FAPE*) for all students with disabilities. Likewise, the Ticket to Work and Work Incentives Improvement Act (WIIA) of 1999 enhanced the ability of consumers with disabilities to make a choice of service providers between private nonprofit, state rehabilitation agency, and private proprietary providers (Kosclulek, 2000).

The Nature of Disabilities

A *disability* is either a physical or a mental condition that limits a person's activities or functioning (U.S. Department of Health, Education, and Welfare, 1974). Clients who have disabilities include those whose manifestations are physical, emotional, mental, and behavioral, including a number of diagnoses such as alcoholism, arthritis, blindness, cardiovascular disease, deafness, cerebral palsy, epilepsy, mental retardation, drug abuse, neurological disorders, orthopedic disabilities, psychiatric disabilities, renal failure, speech impairments, and spinal cord conditions.

Unfortunately, people who have disabilities often encounter others who have misconceptions and biases about their limitations and may even harass them about their disabilities. This type of treatment is cruel and may well affect the disabled person's "everyday social interactions" (Leierer, Strohmer, Leclere, Cornwell, & Whitten, 1996, p. 89). As a result, a large percentage of persons with disabilities tend to withdraw from mainstream interactions with others and are unemployed or unable to achieve an independent-living status (Blackorby & Wagner, 1996). In fact, "individuals with disabilities as a group may have the highest rate of unemployment and underemployment in the United States" (Clarke & Crowe, 2000, p. 58). Thus, people with disabilities may suffer from low self-esteem, lack of confidence in decision making, social stigma, a restricted range of available occupations, and few successful role models (Enright, 1997). They may also have limited early life experiences.

A *handicap,* which is linked to but distinct from a disability, is "an observable or discernible limitation that is made so by the presence of various barriers" (Schumacher, 1983, p. 320). An example of a disabled person with a handicap is a quadriplegic assigned to a third-floor apartment in a building without an elevator or a partially deaf person receiving instructions orally. Counselors help clients in these types of situations overcome handicaps and effectively cope with their disabilities.

The Affiliation, Certification, and Education of Disability Counselors

Rehabilitation counseling is the most prevalent specialty working with disabled persons and the one with which most who work in this area affiliate. Many rehabilitation counselors belong to the American Rehabilitation Counselor Association (ARCA). Before the founding of the ARCA, there was a void for a professional counseling organization within rehabilitation. Soon after World War II, ARCA was organized as an interest group of the National Vocational Guidance Association (NVGA). ARCA became a part of ACA (then APGA) as the Division of Rehabilitation Counseling (DRC) in 1958 and as ARCA in 1961.

The Council of Rehabilitation Education (CORE) accredits institutions that offer rehabilitation counseling. Over 100 CORE accredited programs operate in the United States. The Commission of Rehabilitation Counselor Certification (CRCC) certifies rehabilitation counselors who complete CORE-accredited programs. It requires applicants to complete specific courses and experience requirements. There are presently over 13,000 certified rehabilitation counselors in the United States.

Traditionally, most rehabilitation counselors have been hired by federal, state, and local agencies. Since the late 1960s, however, more have moved into for-profit agencies and private practice (Lewin, Ramseur, & Sink, 1979). The movement from the public sector into private employment is the result of several developments, such as economic changes, new emphases by businesses and insurance companies, national professional certification requirements, and state licensure laws that have affected all counselors.

Working with the Disabled

A distinguishing aspect of counseling with the disabled is the historical link with the *medical model* of delivering services (Ehrle, 1979). The prominence of the medical model is easy to understand when one recalls how closely professionals who were first involved with the disabled treated those who were physically challenged. Even today, those who specialize as rehabilitation counselors are required to have knowledge of medical terminology (Emener & Cottone, 1989, p. 577).

Yet, different models of helping the disabled have emerged (Anthony, 1980; Livneh, 1984). Two of them are the *minority model,* which assumes that persons with disabilities are a minority group rather than people with pathologies, and the *peer counselor model,* which assumes that people with direct experience with disabilities are best able to help those who have recently acquired disabilities (Olkin, 1994).

In working with a disabled client to develop or to restore adjustment, the role of the counselor is to assess the client's current level of functioning and environmental situation that either hinder or enhance functionality. After such an assessment is made, counselors use a wide variety of counseling theories and techniques. Virtually all of the affective, behavioral, cognitive, and systemic theories of counseling are employed. Systems theories in rehabilitation work with the disabled have become especially popular in recent years (Cottone, Grelle, & Wilson, 1988; Hershenson, 1996).

The actual theories and techniques used are dictated by the skills of counselors as well as the needs of clients (Bitter, 1979). For example, a disabled client with sexual feelings may need a psychoeducational approach on how to handle these emotions, while another disabled client who is depressed may need a more cognitive or behavioral intervention

(Boyle, 1994). An action-oriented approach such as Gestalt psychodrama can be especially powerful in helping clients become more involved in the counseling process and accept responsibility for their lives (Coven, 1977). Furthermore, techniques such as role-playing, fantasy enactment, and psychodrama can be learned and used by clients to help in their adjustment.

A counselor who works with clients who have disabilities must also be a professional with a clear sense of purpose (Wright, 1980, 1987). There are several competing, but not necessarily mutually exclusive, ideas about what roles and functions counselors should assume, especially rehabilitation counselors. In the late 1960s, Muthard and Salomone conducted the first systematic investigation of rehabilitation counselors' work activities (Bolton & Jaques, 1978). They found eight major activities that characterize the counselor's role and noted a high degree of importance attached to affective counseling, vocational counseling, and placement duties (Muthard & Salomone, 1978). In this survey, rehabilitation counselors reported spending about 33% of their time in counseling activities, 25% in clerical duties, and 7% in client placement.

In 1970 the U.S. Labor Department listed 12 major functions of rehabilitation counselors, which are still relevant (Schumacher, 1983).

1. *Personal counseling.*   This function entails working with clients individually from one or more theoretical models. It plays a vital part in helping clients make complete social and emotional adjustments to their circumstances.
2. *Case finding.*   Rehabilitation counselors attempt to make their services known to agencies and potential clients through promotional and educational materials.
3. *Eligibility determination.*   Rehabilitation counselors determine, through a standard set of guidelines, whether a potential client meets the criteria for funding.
4. *Training.*   Primary aspects of training involve identifying client skills and purchasing educational or training resources to help clients enhance them. In some cases, it is necessary to provide training for clients to make them eligible for employment in a specific area.
5. *Provision of restoration.*   The counselor arranges for needed devices (e.g., artificial limbs or wheelchairs) and medical services that will make the client eligible for employment and increase his or her general independence.
6. *Support services.*   These services range from providing medication to offering individual and group counseling. They help the client develop in personal and interpersonal areas while receiving training or other services.
7. *Job placement.*   This function involves directly helping the client find employment. Activities range from supporting clients who initiate a search for work to helping less motivated clients prepare to exert more initiative.
8. *Planning.*   The planning process requires the counselor to include the client as an equal. The plan they work out together should change the client from a recipient of services to an initiator of services.
9. *Evaluation.*   This function is continuous and self-correcting. The counselor combines information from all aspects of the client's life to determine needs and priorities.
10. *Agency consultation.*   The counselor works with agencies and individuals to set up or coordinate client services, such as job placement or evaluation. Much of the counselor's work is done jointly with other professionals.

11. *Public relations.*   The counselor is an advocate for clients and executes this role by informing community leaders about the nature and scope of rehabilitation services.
12. *Follow-along.*   This function involves the counselor's constant interaction with agencies and individuals who are serving the client. It also includes maintaining contact with the clients themselves to assure steady progress toward rehabilitation.

Clients with Specific Disabilities

There are a number of treatment modalities for clients with disabilities. Almost all theories used in counseling are employed with members of this population. In addition, Hershenson (1992) has proposed a way of helping counselors perform their tasks even better. He has devised a practical way to conceptualize a disability and provide appropriate services. He contends that disabilities result from one of four forces: supernatural or fate, medical, natural, or societal. Therefore, treatment can be based on explanations and techniques emphasizing faith (for the supernatural), logic (for the medical and natural), and power (for the societal). If the rehabilitation counselor and client agree on the nature of cause and treatment, services can be provided in a more accepting and therapeutic way.

In a study on causal attributions and choices of rehabilitation approaches chosen that supported Hershenson's model, Williams, Hershenson, and Fabian (2000) found that undergraduates who attributed a client's disability to fate chose to get the person to accept the disability as one's lot in life. Where disabilities were attributed to natural or medical causes, medical or retraining services were the preferred choices of treatment. Finally, where socially imposed barriers were seen as the cause of the disability, the removal of these barriers was advocated.

Physical Disabilities.   Physical injuries such as spinal cord damage or blindness produce a major loss for an individual and consequently have a tremendous physical and emotional impact (Krause & Anson, 1997). Counseling and rehabilitation in such cases require concentration on both the client's and the family's adjustment to the situation.

Livneh and Evans (1984) point out that clients who have physical disabilities go through 12 phases of adjustment that may distinguish them from others: shock, anxiety, bargaining, denial, mourning, depression, withdrawal, internalized anger, externalized aggression, acknowledgment, acceptance, and adjustment/adaptation. There are behavioral correlates that accompany each phase and intervention strategies appropriate for each as well. For example, the client who is in a state of shock may be immobilized and cognitively disorganized. Intervention strategies most helpful during this time include comforting the person (both physically and verbally), listening and attending, offering support and reassurance, allowing the person to ventilate feelings, and referring the person to institutional care if appropriate.

People involved in helping a physically disabled person may need help themselves working through the recovery process and should be included as much as possible in developing detailed medical, social, and psychological evaluations. Therefore, counselors should offer carefully timed supportive counseling, crisis intervention, and confrontation with these individuals while simultaneously helping the person with an injured spinal cord develop an internal locus of control for accepting responsibility for his or her life (Povolny, Kaplan, Marme, & Roldan, 1993). In addition to serving as a counselor, a professional who works with the physically disabled must be an advocate, a consultant, and an educator. The task is comprehensive and involves a complex relationship among job functions.

Mental Disabilities.   Mentally limited clients include those who have mild to severely limited cognitive abilities. In cases involving children, the counselor's tasks and techniques may be similar to those employed with a physically disabled adult or adolescent (supportive counseling and life-planning activities), but young clients with mental deficiencies require more and different activities. Parents must be helped as well in working through their feelings about their disabled child or children and finding ways of promoting positive interactions that encourage maximum development (Huber, 1979).

When working with adolescents who have mental difficulties due to head injuries, a counselor must address social issues as well as therapeutic activities (Bergland & Thomas, 1991). As a general rule, increased time and effort in attending to psychosocial issues are required for working with anyone who has been mentally impaired, regardless of the client's age or the cause of the impairment (Kaplan, 1993).

ADD or ADHD.   Attention deficit disorder (ADD) and attention deficit/hyperactivity disorder (ADHD) are disorders that interfere with learning and day-to-day functioning for many individuals. These disabilities have different impacts throughout the life span. They also are found in various forms (e.g., ADHD, which affects between 3% and 5% of school-age children, has three subtypes—inattentive, hyperactivity-impulsivity, or a combination of the first two subtypes) (Brown, 2000).

Regardless, difficulties such as "distractibility, impulsivity, disorganization, and interpersonal problems that persist and sometimes worsen with age" are among the symptoms and results that occur with ADHD individuals (Schwiebert, Sealander, & Dennison, 2002, p. 5). Heightened levels of frustration, anxiety, distress, depression, and diminished self-concepts are other results that may happen with any of these disorders.

Since ADD and ADHD have become more widely known in recent years, a number of strategies for working with people who are so impaired have been developed by clinicians in educational and community settings. For instance, counselors may help ADHD students prepare for postsecondary education and vocational entry by giving them cues in mnemonic form on how to behave in certain situations. One such cue is the mnemonic "SLANT", which may be used to help those who have learning problems focus on classroom lectures (Mercer & Mercer, 2001, p. 165). The letters themselves stand for:

S = "Sit up straight"
L = "Lean forward"
A = "Activate thinking and Ask questions"
N = "Name key information and Nod your head to validate the teacher/speaker"
T = "Track the teacher or speaker"

Overall, counselors who work with ADD and ADHD clients need to be aware that many facets of a client's personality may be shaped by the multiple effects of these disorders and that treatment may be a long-term process that is multidimensional in nature (Erk, 2000). Interventions for children or adolescents with ADHD include but are not limited to (a) parent counseling and training, (b) client education, (c) individual and group counseling, and (d) social skills training (Brown, 2000).

Medical treatment may also be necessary. Proper medication "often results in increased attentiveness and decreased impulsivity and overactivity" (Brown, 2000). Stimulant medications, such as methylphenidate (Ritalin), dextroamphetamine (Dexedrine), and pemoline (Cylert), are usually the first medications chosen for ADHD. However, not all children who have ADHD need medications. In addition, if medications are prescribed they should always be given first in small dosages. Counselors need to be up-to-date on the latest medications and other treatments for this disorder in order to enhance the lives of clients they serve and their families.

HIV/AIDS. Counselors in a variety of settings provide services for persons with HIV/AIDS (All & Fried, 1994; Glenn, Garcia, Li, & Moore, 1998). HIV is now considered a chronic illness, and people with AIDS are classified as disabled under the Americans with Disabilities Act. A large percentage of people who are HIV-positive or who have AIDS are already socially stigmatized, so counselors must first examine their own attitudes and feelings before attempting to deal with this special population. Their job is to then assist clients in dealing with psychosocial tasks, such as maintaining a meaningful quality of life, coping with loss of function, and confronting existential or spiritual issues. Common client emotions include shock, anger, anxiety, fear, resentment, and depression. Therefore, counselors must help clients face these emotions as well. In addition, practical considerations such as preparing for treatment or death must be handled in a sensitive and caring way (Dworkin & Pincu, 1993).

Minority Groups with Disabilities. In dealing with minority groups, such as female workers with disabilities, counselors must be aware of the developmental processes typical in such populations and be prepared with appropriate counseling techniques for the problems peculiar to each group. Counseling disabled women, for example, involves four interrelated elements: "(a) job or skill training or education; (b) family support services; (c) trait-and-factor job matching and placement services; and (d) soft counseling support services" (Hollingsworth & Mastroberti, 1983, p. 590).

Clearly, the counselor who works with clients who have disabilities must be versatile. He or she must not only provide services directly but also coordinate services with other professionals and monitor clients' progress in gaining independence and self-control. Thus, a counselor needs skills from an array of theories and techniques and adaptability in shifting professional roles.

SUMMARY AND CONCLUSION

The specialty areas of substance abuse counseling and counseling with those who have disabilities are unique and yet interrelated. They emphasize the dynamics behind psychological adjustments, prevention programs, and treatment strategies.

The treatment of substance abusers is an important focus in counseling. The consumption of substances, such as alcohol, tobacco, and drugs, has a deleterious impact on individuals, families, and society in general. To work with members of this population, counselors must focus on prevention and treatment. Prevention can come through educational programs, especially for children and youth. Treatment programs are usually more focused on adults and include systemic, spiritually focused groups, such as Alcoholics Anonymous, as well as programs run by professionals for those who are incarcerated or in treatment facilities.

Counseling with the disabled is like substance abuse counseling in that it focuses on both prevention and the providing of services. Counselors who work in this area see themselves as distinct since they focus mainly on helping individuals with disabilities. Rehabilitation Counseling is the specialty that has traditionally been tied in with working with people who have disabilities. CORE and the Commission of Rehabilitation Counselor Certification (CRCC) are the groups that accredit programs and award certification in rehabilitation counseling. Overall, counseling with the disabled and rehabilitation counseling are similar to other types of counseling in that professionals employ many of the theories and techniques that other counselors use. It is more the nature of the clientele being served, a need to know more medical terminology, and an occasional need to help place clients in specific settings, such as work or workshops, that sets this counseling apart as distinct.

CLASSROOM ACTIVITIES

1. In small groups, examine how legislation has influenced the development of disability services in the United States and your state. Report your findings to the class.
2. Attend an open meeting of Alcoholics Anonymous, or interview a substance abuse counselor about the services he or she presently provides. Inform the class about what you experienced at the AA meeting or what you found out from your interview with the substance abuse counselor.
3. As a class, generate ideas about what you consider to be the most pressing societal needs in the next decade. Describe how substance abuse and disability counselors can help alleviate problems associated with these needs. Apply your ideas to a specific setting in which you hope to be employed.
4. Khan and Cross (1984) found similarities and differences in the value systems held by three professional mental health groups: psychiatrists, psychologists, and social workers. Discuss with class members how values affect the delivery of counseling services in substance abuse and disability counseling.
5. Investigate the educational training of rehabilitation counselors and the certification they obtain compared to substance abuse counselors. How do these groups differ? In what ways are they alike?

REFERENCES

AA World Services, Inc. (2002). *Alcoholics Anonymous: The story of how many thousands of men and women have recovered from alcoholism* (4th ed.). New York: Author.

All, A. C., & Fried, J. H. (1994). Psychosocial issues surrounding HIV infection that affect rehabilitation. *Journal of Rehabilitation, 60,* 8–11.

Alter, G. (1995, May 29). What works. *Newsweek,* 18–24.

Americans with Disabilities Act. (1990, July 26). Public Law 101–336.

Washington, DC: Government Printing Office.

Anthony, W. A. (1980). A rehabilitation model for rehabilitating the psychiatrically disabled. *Rehabilitation Counseling Bulletin, 24,* 6–21.

Baker, S. B., & Shaw, M. C. (1987). *Improving counseling through primary prevention.* Upper Saddle River, NJ: Prentice Hall.

Barker, S. B. (1997). Nicotine addiction: An interview with Lori Karan. *Journal of Addiction and Offender Counseling, 17,* 50–55.

Bateson, G. H. (1971). The cybernetics of "self": A theory of alcoholism. *Psychiatry, 34,* 1–18.

Berenson, D. (1992). The therapist's relationship with couples with an alcoholic member. In E. Kaufman & P. Kaufman (Eds.), *Family therapy of drug and alcohol abuse* (pp. 224–235). Boston: Allyn & Bacon.

Bergland, M. M., & Thomas, K. R. (1991). Psychosocial issues following severe head injury of adolescence: Individual and family perceptions. *Rehabilitation Counseling Bulletin, 35,* 5–22.

Bitter, J. A. (1979). *Introduction to rehabilitation.* St. Louis: Mosby.

Blackorby, J., & Wagner, M. (1996). Longitudinal postschool outcomes of youth with disabilities: Findings from the national longitudinal transition study. *Exceptional Children, 62,* 399–413.

Bolton, B. (2001). Measuring rehabilitation outcomes. *Rehabilitation Counseling Bulletin, 44,* 67–75.

Bolton, B., & Jaques, M. E. (1978). Rehabilitation counseling research: Editorial introduction. In B. Bolton & M. E. Jaques (Eds.), *Rehabilitation counseling: Theory and practice* (pp. 163–165). Baltimore: University Park Press.

Boyle, P. S. (1994). Rehabilitation counselors as providers: The issue of sexuality. *Journal of Applied Rehabilitation Counseling, 25,* 6–10.

Bristow-Braitman, A. (1995). Addiction recovery: 12-step program and cognitive-behavioral psychology. *Journal of Counseling and Development, 73,* 414–418.

Brown, M. B. (2000). Diagnosis and treatment of children and adolescents with attention-deficit/hyperactivity disorder. *Journal of Counseling and Development, 78,* 195–203.

Buelow, G. (1995). Comparing students from substance abusing and dysfunctional families: Implications for counseling. *Journal of Counseling and Development, 73,* 327–330.

Center on Addiction and Substance Abuse. (1995). *American adolescence.* New York: Columbia University Press.

Clarke, N. E. (2000). Stakeholder attitude toward ADA Title I: Development of an indirect measurement method. *Rehabilitation Counseling Bulletin, 43,* 58–65.

Clarke, N. E., & Crowe, N. M. (2000). Stakeholder attitudes toward ADA title I: Development of an indirect measurement method. *Rehabilitation Counseling Bulletin, 43,* 58–65.

Cook, D., Bolton, B., Bellini, J., & Neath, J. (1997). A statewide investigation of the rehabilitation counselor generalist hypothesis. *Rehabilitation Counseling Bulletin, 40,* 192–201.

Cottone, R. R., Grelle, M., & Wilson, W. C. (1988). The accuracy of systemic versus psychological evidence in judging vocational evaluator recommendations: A preliminary test of a systemic theory of vocational rehabilitation. *Journal of Rehabilitation, 54,* 45–52.

Coven, A. B. (1977). Using Gestalt psycho-drama experiments in rehabilitation counseling. *Personnel and Guidance Journal, 56,* 143–147.

Culbreth, J. R., & Borders, L. D. (1999). Perceptions of the supervisory relationship: Recovering and nonrecovering substance abuse counselors. *Journal of Counseling and Development, 77,* 330–338.

Doweiko, H. E. (1990). *Concepts of chemical dependency.* Pacific Grove, CA: Brooks/Cole.

Dworkin, S., & Pincu, L. (1993). Counseling in the era of AIDS. *Journal of Counseling and Development, 71,* 275–281.

Ehrle, R. A. (1979). Rehabilitation counselors on the threshold of the 1980s. *Counselor Education and Supervision, 18,* 174–180.

Emener, W. G., & Cottone, R. R. (1989). Professionalization, deprofessionalization, and reprofessionalization of rehabilitation counseling according to criteria of professions. *Journal of Counseling and Development, 67,* 576–581.

Enright, M. S. (1997). The impact of short-term career development programs on people with disabilities. *Rehabilitation Counseling Bulletin, 40,* 285–300.

Erk, R. R. (2000). Five frameworks for increasing understanding and effective treatment of attention-deficit/hyperactivity disorder: Predominately inattentive type. *Journal of Counseling and Development, 78,* 389–399.

Garrett, M. T., & Carroll, J. J. (2000). Mending the broken circle: Treatment of substance dependence among Native Americans. *Journal of Counseling and Development, 78,* 379–388.

Gibson, R. L. & Mitchell, M. N. (2003). *Introduction to Counseling and Guidance* (6th Ed). Upper Saddle River, NJ: Prentice Hall.

Gladding, B. T. (1998). Personal correspondence.

Gladding, S. T. (2003). *Group work: A counseling specialty* (3rd ed.). Upper Saddle River, NJ: Merrill/Prentice Hall.

Glenn, M., Garcia, J., Li, L., & Moore, D. (1998). Preparation of rehabilitation counselors to serve people living with HIV/AIDS. *Rehabilitation Counseling Bulletin, 41,* 190–200.

Hershenson, D. B. (1992). Conceptions of disability: Implications for rehabilitation. *Rehabilitation Counseling Bulletin, 35,* 154–159.

Hershenson, D. B. (1996). A systems reformulation of a developmental model of work adjustment. *Rehabilitation Counseling Bulletin, 40,* 2–10.

Hilts, P. J. (1996). *Smokescreen: The truth behind the tobacco industry cover-up.* Reading, MA: Addison-Wesley.

Hinkle, G. S. (1999). A voice from the trenches: A reaction to Ivey and Ivey. *Journal of Counseling and Development, 77,* 474–483.

Hipple, T., Comer, M., & Boren, D. (1997). Twenty recent novels (and more) about adolescents for bibliotherapy. *Professional School Counseling, 1,* 65–67.

Holland, J. L. (1997). *Making vocational choices: A theory of vocational personalities and work environments* (3rd ed.). Odessa, FL: Psychological Assessment Resources.

Hollingsworth, D. K., & Mastroberti, C. J. (1983). Women, work, and disability. *Personnel and Guidance Journal, 61,* 587–591.

Hollis, J. W. (2000). *Counselor preparation, 1999–2001* (10th ed.). Philadelphia: Taylor & Francis.

Huber, C. H. (1979). Parents of the handicapped child: Facilitating acceptance through group counseling. *Personnel and Guidance Journal, 57,* 267–269.

James, M. D., & Hazler, R. J. (1998). Using metaphors to soften resistance in chemically dependent clients. *Journal of Humanistic Education and Development, 38,* 122–133.

Jewish Family Services. (2002). *Teens and gambling.* Buffalo, NY: Author.

Juhnke, G. A. (1996). The adapted-SAD PERSONS: A suicide assessment scale designed for use with children. *Elementary School Guidance and Counseling, 30,* 252–258.

Kaplan, S. P. (1993). Five year tracking of psychosocial changes in people with severe traumatic brain injury. *Rehabilitation Counseling Bulletin, 36,* 151–159.

Kaufman, E., & Kaufman, P. (Eds.). (1992). *Family therapy of drug and alcohol abuse.* Boston: Allyn & Bacon.

Khan, J. A., & Cross, D. G. (1984). Mental health professionals: How different are their values? *AMHCA Journal, 6,* 42–51.

Kosclulek, J. F. (2000). The Ticket to Work and Work Incentives Improvement Act (WIIA) of 1999. *Rehabilitation Counselors Bulletin, 43,* 1–2.

Krause, J. S., & Anson, C. A. (1997). Adjustment after spinal cord injury: Relationship to participation in employment or educational activities. *Rehabilitation Counseling Bulletin, 40,* 202–214.

Krestan, J., & Bepko, C. (1988). Alcohol problems and the family life cycle. In B. Carter & M. McGoldrick (Eds.), *The changing family life cycle* (2nd ed., pp. 483–511). New York: Gardner.

L'Abate, L. (1992). Introduction. In L. L'Abate, G. E. Farrar, & D. A. Serritella (Eds.), *Handbook of differential treatments for addiction* (pp. 1–4). Boston: Allyn & Bacon.

L'Abate, L., Farrar, G. E., & Serritella, D. A. (Eds.). (1992). *Handbook of differential treatments for addiction.* Boston: Allyn & Bacon.

Lam, C. S., Hilburger, J., Kornbleuth, M., Jenkins, J., Brown, D., & Racenstein, J. M. (1996). A treatment matching model for substance abuse rehabilitation clients. *Rehabilitation Counseling Bulletin, 39,* 202–216.

Lee, C. C., & Walz, G. R. (Eds.). (1998). *Social action: A mandate for counselors.* Alexandria, VA: American Counseling Association.

Leierer, S. J., Strohmer, D. C., Leclere, W. A., Cornwell, B. J., & Whitten, S. L. (1996). The effect of counselor disability, attending behavior, and client problem on counseling. *Rehabilitation Counseling Bulletin, 40,* 92–96.

Lewin, S. S., Ramseur, J. H., & Sink, J. M. (1979). The role of private rehabilitation: Founder, catalyst, competitor. *Journal of Rehabilitation, 45,* 16–19.

Livneh, H. (1984). Psychiatric rehabilitation: A dialogue with Bill Anthony. *Journal of Counseling and Development, 63,* 86–90.

Livneh, H., & Evans, J. (1984). Adjusting to disability: Behavioral correlates and intervention strategies. *Personnel and Guidance Journal, 62,* 363–368.

Manhal-Baugus, M. (1998). The self-in-relation theory and Women for Sobriety: Female-specific theory and mutual help group for chemically dependent women. *Journal of Addiction and Offender Counseling, 18,* 78–87.

Mercer, C. D., & Mercer, A. R. (2001). *Teaching students with learning problems* (6th ed.). Upper Saddle River, NJ: Prentice Hall.

Miller, W. R., & Brown, S. A. (1997). Why psychologists should treat alcohol and drug problems. *American Psychologist, 52,* 1269–1279.

Moos, R. (1973). Conceptualization of human environments. *American Psychologist, 28,* 652–665.

Morgan, O. J. (1998). Addiction, family treatment, and healing resources: An interview with David Berenson. *Journal of Addiction and Offender Counseling, 18,* 54–62.

Mudore, C. F. (1997). Assisting young people in quitting tobacco. *Professional School Counseling, 1,* 61–62.

Muthard, J. E., & Salomone, P. R. (1978). The role and function of the rehabilitation counselor. In B. Bolton & M. E. Jaques (Eds.), *Rehabilitation counseling: Theory and practice* (pp. 166–175). Baltimore: University Park Press.

Olkin, R. (1994, Fall). Introduction to the special issue on physical and sensory disabilities. *Family Psychologist, 10,* 6–7.

Pinto, R. P., & Morrell, E. M. (1988). Current approaches and future trends in smoking cessation programs. *Journal of Mental Health Counseling, 10,* 95–110.

Povolny, M. A., Kaplan, S., Marme, M., & Roldan, G. (1993). Perceptions of adjustment issues following a spinal cord injury: A case study. *Journal of Applied Rehabilitation Counseling, 24,* 31–34.

Robinson, B. E. (1995, July). Helping clients with work addiction: Don't overdo it. *Counseling Today, 38,* 31–32.

Schumacher, B. (1983). Rehabilitation counseling. In M. M. Ohlsen (Ed.), *Introduction to counseling* (pp. 313–324). Itasca, IL: Peacock.

Schwiebert, V. L., Sealander, K. A., & Dennison, J. L. (2002). Strategies for counselors working with high school students with attention-deficit/hyperactivity disorder. *Journal of Counseling and Development, 80,* 3–10.

Scott, C. G. (2000). Ethical issues in addiction counseling. *Rehabilitation Counseling Bulletin, 43,* 209–214.

Serritella, D. A. (1992). Tobacco addiction. In L. L'Abate, G. E. Farrar, & D. A. Serritella (Eds.), *Handbook of differential treatments for addiction* (pp. 97–112). Boston: Allyn & Bacon.

Singleton, M. G., & Pope, M. (2000). A comparison of successful smoking cessation interventions for adults and adolescents. *Journal of Counseling and Development, 78,* 448–453.

Springer, C. A., Britt, T. W., & Schlenker, B. R. (1998). Codependency: Clarifying the construct. *Journal of Mental Health Counseling, 20,* 141–158.

Spruill, D. A., & Fong, M. L. (1990). Defining the domain of mental health counseling: From identity confusion to consensus. *Journal of Mental Health Counseling, 12,* 12–23.

Stanton, M., & Todd, T. (1982). *The family therapy of drug abuse and addiction.* New York: Guilford.

Steenbarger, B. N. (1998). Alcohol abuse and college counseling: An overview of research and practice. *Journal of College Counseling, 1,* 81–92.

Steinglass, P. (1979). Family therapy with alcoholics: A review. In E. Kaufman & P. N. Kaufman (Eds.), *Family therapy of drug and alcohol abuse* (pp. 147–186). New York: Gardner.

Stevens-Smith, P., & Smith, R. L. (1998). *Substance abuse counseling: Theory and practice.* Upper Saddle River, NJ: Merrill/Prentice Hall.

Sunich, M. F., & Doster, J. (1995, June). Cocaine—Part II. *Amethyst Journal, 1,* 1–2.

Thombs, D. L., & Osborn, C. J. (2001). A cluster analysis study of clinical orientations among chemical dependency counselors. *Journal of Counseling and Development, 79,* 450–458.

U.S. Department of Health, Education, and Welfare. (1974). Vocational rehabilitation program: Implementation provisions, rules and regulations. *Federal Register, 39,* 42470–42507.

Van der Wade, H., Urgenson, F. T., Weltz, S. H., & Hanna, F. J. (2002). Women and alcoholism: A biopsychosocial perspective and treatment approaches. *Journal of Counseling and Development, 80,* 145–153.

Van Deusen, J. M., Stanton, M. D., Scott, S. M., Todd, S. C., & Mowatt, D. T. (1982). Getting the addict to agree to involve the family of origin: The initial contact. In M. D. Stanton, T. C. Todd, & Associates (Eds.), *The family therapy of drug abuse and addiction* (pp. 39–59). New York: Guilford.

Vick, R. D., Smith, L. M., & Herrera, C. I. R. (1998). The healing circle: An alternative path to alcoholism recovery. *Counseling and Values, 42,* 133–141.

Warfield, R. D., & Goldstein, M. B. (1996). Spirituality: The key to recovery from alcoholism. *Counseling and Values, 40,* 196–205.

Washton, A. (1989). *Cocaine addiction.* New York: Norton.

West, P. L., Mustaine, B. L., & Wyrick, B. (2002). Apples and oranges make a nice start for a fruit salad: A response to Culbreth and Borders (1999). *Journal of Counseling and Development, 80,* 72–76.

Wetter, D. W., Fiore, M. C., Gritz, E. R., Lando, H. A., Stitzer, M. L., Hasselblad, V., & Baker, T. B. (1998). The agency for health care policy and research smoking cessation clinical practice guideline. *American Psychologist, 53,* 657–669.

Williams, D. T., Hershenson, D. B., & Fabian, E. S. (2000). Causal attributions of disabilities and the choice of rehabilitation approach. *Rehabilitation Counseling Bulletin, 43,* 106–112.

Wright, B. (1983). *Physical disability: A psychosocial approach* (2nd ed.). New York: Harper & Row.

Wright, G. N. (1980). *Total rehabilitation.* Boston: Little, Brown.

Wright, G. N. (1987). Rehabilitation counselors' qualifications and client responsibilities structure their professional relationships. *Journal of Applied Rehabilitation Counseling, 18,* 18–20.

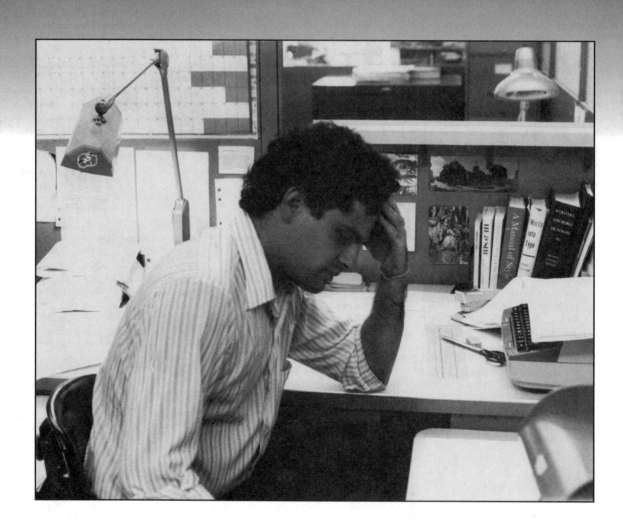

19

MENTAL HEALTH AND COMMUNITY COUNSELING

It comes in slowly like a whisper
aching into the marrow of the bone
like the chill of dull gray winter mornings.
Quietly it rests
heavy on the heart in motion
creating a subtle pressure
that throws the rhythmic beat
ever so slightly
off.
Depression rules in silence
unseen but deeply felt,
A shadow of despair in the hourglass of life
cleverly disguised at times
with a smile.

Reprinted from "Depression" by S. T. Gladding, 1978, The School Counselor, *26, p. 45. © 1978 by ACA.*
Reprinted with permission. No further reproduction authorized without written permission of the American
Counseling Association.

Working in a mental health or community counseling setting, including private practice, is a goal for many counselors. Those who choose such settings usually do so for various reasons. Among the factors that these environments provide are opportunities to work with the public and governmental organizations in the prevention and treatment of mental illnesses or to be independent contractors. The chance to make a difference in either of these ways is exciting and stimulating for many clinicians. A number of practitioners in mental health counseling belong to the American Mental Health Counselor Association (AMHCA). Those who are community counselors and private practitioners have fewer choices of professional groups with which to affiliate. Most of them end up joining an association that reflects their specialty in practice or their philosophical orientation to treatment.

This chapter emphasizes the advantages and limitations of working as a mental health or community counselor, including private practice. It highlights the work emphasis in these areas and what clinicians in each specialty actually do. In examining these areas, particular attention will be focused on prevention and the promotion of positive health, as well as the treatment of disorders.

HISTORICAL OVERVIEW OF MENTAL HEALTH AND COMMUNITY COUNSELING

Mental Health Counseling

The Community Mental Health Centers Act of 1963 is the key piece of legislation that initiated the mental health counselor movement. It provided funding for the establishment of more than 2,000 community mental health centers nationwide. It also made it possible for local communities to employ mental health professionals from a variety of backgrounds and focus on mental health education in the form of outreach programs. As time went on, the focus of mental health centers began to change from one of prevention (the original intent) to one of treatment. The treatment emphasis was especially highlighted in the late 1970s and early 1980s as state and federal mental hospitals were deinstitutionalized and individuals with a variety of mental problems, some quite severe, were picked up by these centers.

Mental health counseling has been defined in many ways during its relatively brief history. Initially, it was described as a specialized form of counseling performed in noneducational, community-based, or mental health settings (Seiler & Messina, 1979). Over the years, however, different views of mental health counseling have evolved, including those that are developmental (Ivey, 1989); relationship focused (Ginter, 1989); and slanted toward treatment, advocacy, or personal and environmental coping (Hershenson, Power, & Seligman, 1989). The Council for Accreditation of Counseling and Related Educational Programs (CACREP, 2001) has developed a detailed description of this specialty, along with requirements for course work, basic knowledge, and skills.

Advocates for the profession have suggested that, despite some drawbacks, mental health counseling is a distinct profession due to its curriculum (which includes psychodiagnosis, psychopathology, psychopharmacology, and treatment planning); its collaborative affiliation with ACA; the intent of its founders, leaders, and followers; its publications; and its accreditation requirements (i.e., a 60-hour program) (Pistole & Roberts, 2002). Presently, mental health counseling "is a master's level, primarily practice-oriented profession. It shares a border with professional counseling in its conceptual and philosophical perspective that is more educational-developmental-preventive than clinical remedial" (p. 15).

Community Counseling

Community counseling also has a distinct beginning. The term was coined in the early 1970s, first by Amos and Williams (1972) and later by Lewis and Lewis (1977). Unfortunately, the term was not specific at first and generally was used in reference to a counselor in a community setting (Hershenson & Berger, 2001). In order to clarify it, Lewis and Lewis described a community counselor as one who would deliver services based on the following assumptions:

- People's environments may either nurture or limit them.
- A multifaceted approach to helping is more efficient than a single-service approach.
- Prevention is more efficient than remediation (Lewis & Lewis, 1989).

Unfortunately, the Lewis's attempt at clarification did not help many individuals gain a clearer conception of what community counseling was. Nevertheless, community counseling programs began cropping up nationwide and attracting a number of students. In 1981, the year it was founded, the Council on the Accreditation of Counseling and Related Educational Programs (CACREP) began accrediting master's programs in community and other agency settings (CCOAS) (Hershenson & Berger, 2001). Community counseling continued then as now to be a popular program of study, perhaps because of the flexibility found within it and the sometimes ambiguous understanding of it.

Surprisingly, no division of community counseling has ever formed within the American Counseling Association (ACA). Instead, committees and interest groups on community counseling have been set up with in ACA divisions, such as the Association for Counselor Education and Supervision (ACES) with counselor educators lending the way in defining emphasis within community counseling. Counseling practitioners because of their diversity in work and in specialties have remained more in the background. Thus community counseling has been defined "by work setting rather than by process or orientation" (Hershenson & Berger, 2001, p. 189).

MENTAL HEALTH COUNSELING AS A SPECIALTY

It is clear that "mental health counseling is interdisciplinary in its history, practice settings, skills/knowledge, and roles performed" (Spruill & Fong, 1990, p. 19). This interdisciplinary nature is an asset in generating new ideas and energy. At the same time, it is a drawback in helping those who identify themselves as mental health counselors distinguish themselves from some closely related mental health practitioners (Wilcoxon & Puleo, 1992).

Regardless, many practitioners within the counseling profession use the term *mental health counselor* to describe themselves, and some states designate licensed counselors under this title. As a group, mental health counselors work in a variety of settings, including mental health centers, community agencies, psychiatric hospitals, health maintenance organizations (HMOs), employee assistance programs (EAPs), health and wellness promotion programs (HWPs), geriatric centers, crisis control agencies, and child guidance clinics. Some are private practitioners, too. They counsel a diverse group of clients, including rape victims, depressive's families, potential suicide victims, and those with diagnosable disorders. In addition, they consult, educate, and at times perform administrative duties (Hosie, West, & Mackey, 1988; West, Hosie, & Mackey, 1987). They often work closely with other helping professionals, such as psychiatrists, psychologists, clinical social workers, and psychiatric nurses, and become part of a team effort (Hansen, 1998). Thus, it is crucial that mental health counselors know psychopathology as defined by the *Diagnostic and Statistical Manual* (DSM-IV-TR) classifications so they can converse intelligently with other health professionals and skillfully treat dysfunctional clients (Hinkle, 1994; Vacc, Loesch, & Guilbert, 1997).

Mental health counselors have basic counseling skills as well as specialty skills related to the needs and interests of particular populations or problems. Major duties of counselors in mental health are assessing and analyzing background and current information on clients, diagnosing mental and emotional conditions, exploring possible solutions, and developing treatment plans. Preventive mental health activities and recognition of the relationship between physical and mental health have become prominent, also.

As a group, mental health counselors are interested in professional development related to applied areas of counseling such as marriage and family counseling, substance abuse/chemical dependency, third-party reimbursement, and small-group counseling (Wilcoxon & Puleo, 1992). Such interest is understandable in light of the fact that most mental health counselors are practitioners and earn a living by offering services for remuneration.

The American Mental Health Counselor Association (AMHCA, 801 N. Fairfax Street, Suite 304, Alexandria, VA 22314) has initiated a number of task forces to help its members broaden their horizons and develop practical skills and knowledge. These task forces cover such areas as business and industry, aging and adult development, treatment of various disorders, and prevention. Such concentrations are important because they allow professional mental health counselors to obtain in-depth knowledge and skills in particular domains.

AMHCA also emphasizes total health and health counseling. This aspect of mental health counseling is vital because changes made within a community can be upsetting or cause regressive behaviors if people are unprepared. By providing people with health information and support, counselors can prevent more serious problems (e.g., alcoholism or depression) from occurring (Sperry, Carlson, & Lewis, 1993). Such an emphasis is unique in the helping professions, which as a whole tend to be treatment based.

In addition, AMHCA has set up certification standards for counselors to become Certified Clinical Mental Health Counselors (CCMHC). This procedure initially involved the establishment of the National Academy of Certified Clinical Mental Health Counselors (NACCMHC) as an independently incorporated certification group in 1978. However, in 1993, NACCMHC merged with the National Board for Certified Counselors (NBCC). Professionals who wish to obtain the CCMHC credential first become national certified counselors (NCCs).

Theories and Functions

Mental health counselors are diverse in the ways they use theories and techniques in their practices, in part because they work in such varied settings and have a wide range of functions. One theoretical position, existential theory, has been advocated as "congruent with the essential principles of mental health counseling" (Bauman & Waldo, 1998, p. 27), but a large number of theories have been used in the field. The selection of theories by mental health counselors depends on their clients' needs. Generally, the literature about mental health counseling focuses on two major issues that have theoretical implications: (a) prevention and promotion of mental health and (b) treatment of disorders and dysfunctions. Both topics are likely to continue attracting attention because they are considered primary roles of mental health counselors.

Primary Prevention and the Promotion of Mental Health.   A primary philosophical emphasis throughout the history of mental health counseling has been on prevention and promotion of mental health services. "Many mental health counselors are actively involved in primary prevention types of programs through the schools, colleges, churches, community health centers, and public and private agencies" where they are employed (Weikel & Palmo, 1989, p. 15). *Primary prevention* is characterized by its "before the fact quality"; it is intentional and "group- or mass-, rather than individually, oriented" (Baker & Shaw, 1987, p. 2). It may be directly or indirectly implemented, but it is based on a sound theoretical foundation (Cowen, 1982). When successful, primary prevention ultimately results in healthier and better-adjusted individuals and communities.

Hall and Torres (2002) recommend two primary prevention models appropriate for community-wide implementation with adolescents. They are Bloom's (1996) *configural model of prevention* and Albee's *incidence formula* (Albee & Gullotta, 1997). Bloom's model focuses on three dimensions. First, counselors need to work to increase individual strengths and decrease individual limitations. Second, they must increase social support (e.g., through parents and peers) and decrease social stress. Finally, environmental variables, such as poverty, natural disasters, and community programming for youth, must be addressed. Albee's model is equally global in scope and emphasizes that counselors must decrease the negative effects of biology and stress while simultaneously increasing the positive effects of adolescents' coping skills, self-esteem, and supportive systems. Both models require a willingness by the counselor to network with other agencies and individuals. He or she must invest considerable time and energy in program construction that may not have an immediate payoff.

One place where primary prevention is emphasized is in the area of suicide. In the United States suicide is "the ninth-ranking cause of death for adults and third for young people ages 17 and under" (Carney & Hazler, 1998, p. 28). Suicide is also the fifth-leading cause of death among Canadians (Paulson & Worth, 2002).

When assessing clients for suicide, mental health counselors may use the SAD PERSONS scale (Patterson, Dohn, Bird, & Patterson, 1983) for adults or the Adapted-SAD PERSONS scale (A-SPS) for children (Juhnke, 1996) to determine which individuals are most likely to be at high risk. The letters in this scale stand for the following:

*S*ex (male)
*A*ge (older clients)
*D*epression

*P*revious attempt
*E*thanol (alcohol) abuse
*R*ational thinking loss
*S*ocial support system lacking (lonely, isolated)
*O*rganized plan
*N*o spouse
*S*ickness (particularly chronic or terminal illness)

It is the combination of these factors in an interactive process that is likely to yield information pertinent for the mental health counselor to use in prevention.

Another form of primary prevention is emphasizing healthy development—that is, positive coping and growth so that individuals are able to deal effectively with crises they may face (Hershenson, 1982, 1992). "Insofar as counseling derives from a model based on healthy development, it can reasonably hope to achieve its purpose of promoting healthy development in its clients" (Hershenson, 1982, p. 409). Erik Erikson (1963) and Abraham Maslow (1962) offer basic premises from which mental health counselors can work. The writings of these theorists were based on observations about human development and emphasized the promotion of healthy growth and development. The integration of these two systems of thought yields six personal development trends: survival, growth, communication, recognition, mastery, and understanding. The first two trends focus on the self, the middle two on interpersonal functions, and the final two on the accomplishment of tasks. Mental health counseling is geared toward the improvement of the self in interpersonal relationships and task performances.

In an important article on healthy personal development, Heath (1980) outlined a comprehensive model of healthy maturation. He pointed out that research demonstrates that an adolescent's psychological maturity is a major predictor of adult mental health and vocational adaptation and that the degree of adult maturity is related to marital sexual adjustment and vocational adaptation. Heath then proposed practical general principles that counselors can apply in promoting client development. Four are listed here (Heath, 1980, p. 395):

1. *"Encourage the anticipatory rehearsal of new adaptations,"* such as those that deal with jobs and intimate relationships.
2. *"Require constant externalization of what is learned and its correction by action."* In essence, Heath believes practice makes perfect the accomplishment of all human tasks. Learning is accomplished through feedback.
3. *"Allow a person to experience the consequences of his or her decisions and acts."* Heath agrees with Alfred Adler on this idea. He notes that inappropriate or excessive rewards may have an unhealthy effect on a person's development.
4. *"Appreciate and affirm strengths."* Reinforcement, according to behaviorist principles, is crucial to new learning. Heath agrees and says that the acknowledgment and acceptance of people's strengths can bolster self-confidence and help them take the risks necessary for new learning.

Focusing on persons' environments is another preventive emphasis of mental health counselors whether it is conducted globally or more individually. Huber (1983) sums up the research in this growing area of interest, noting that environments have personalities just as people do. Some environments are controlling and rigid, whereas others are more flexible and supportive. To make effective use of this *social-ecological perspective,* mental health counselors should do the following:

- Identify the problem as one essentially connected with a particular setting. Some environments elicit or encourage specific behaviors that may not be healthy.
- Gain the agreement of clients and significant others that the environment is the client. It is much easier for most people to see a difficulty as simply a matter related to the individual.
- Assess the dynamic variables within an environment. Moos (1973) developed a number of ways to evaluate environments. Counselors can work with clients to determine how environments function in favor of or counter to the clients' needs.
- Institute social change. The counselor helps the client with specific methods for improving the present environment.
- Evaluate the outcome. There is no one way to do this, but the more clearly the client states his or her criteria for the ideal environment, the better the evaluation possibility.

Related to the social-ecological perspective is *ecosystemic thinking:* "thinking that recognizes the indivisible interconnectedness of individual, family, and sociocultural context" (Sherrard & Amatea, 1994, p. 5). In this view, mental health counseling is enlarged to consider the cultural contexts in which people relate and communicate.

Marriage is a situation that illustrates the importance of both personal and environmental factors in individuals' well-being. Wiggins, Moody, and Lederer (1983) conducted a study on marital satisfaction and found that the most significant predictor was the compatibility of couples' tested personality typologies. They concluded, as has Holland (1997), that individuals express "satisfaction with and seek interaction in environments that meet their psychological needs" (Wiggins et al., 1983, p. 177). In interracial marriages, which are increasing, mental health counselors can be therapeutic in helping couples identify and address predictable stressors in their lives, such as prejudice or identity issues regarding biracial children, and helping them find support or marriage enrichment groups (Solsberry, 1994).

An overall emphasis in mental health prevention is on *positive wellness* (health-related activities that are both preventive and remedial and have a therapeutic value to individuals who practice them consistently). Such activities include eating natural foods, taking vitamins, going to health spas, meditating, participating in regular exercise, and exploring a variety of humanistic and transpersonal approaches to helping (O'Donnell, 1988). "For the person to be a whole, healthy, functioning organism, one must evaluate the physical, psychological, intellectual, social, emotional, and environmental processes" (Carlson & Ardell, 1988, p. 383). Signs of the holistic movement toward health and well-being are apparent everywhere as Americans of all ages have become more aware of positive and negative habits.

Research backs up the basis for this movement and in some ways leads it. In an extensive review of the literature on the effectiveness of physical fitness on measures of personality, Doan and Scherman (1987) found strong support for the idea that regular exercise can have a beneficial effect on people's physical and psychological health. Their review supports counselors who prescribe health habits to accompany regular counseling practices. Other strategies for working from a wellness perspective include having counselors dwell on positive, life-enhancing things the individual can do; alter traditional screening to include more emphasis on overall health; conduct more research; and highlight the physical feature dimension as one aspect of what Lazarus (1989) calls *multimodal therapy* (BASIC I.D.: behavior, affect, sensation, imagery, cognition, interpersonal relationships, and drugs/biology).

Secondary and Tertiary Prevention.   In addition to primary prevention, mental health counselors concentrate on *secondary prevention* (controlling mental health problems that have already surfaced but are not severe) and *tertiary prevention* (controlling serious mental health problems to keep them from becoming chronic or life threatening). In such cases (in contrast to primary prevention), mental health counselors assess client functioning and then, if appropriate, use theories and techniques developed by major theorists such as Rogers, Ellis, Skinner, and Glasser to treat symptoms and core conditions (Weikel & Palmo, 1989).

Mental health counselors who work in treatment face a number of challenges. One is responding adequately to the number of people who need and seek mental health services. The nation's mental health providers such as counselors, psychiatrists, psychologists, and social workers cannot adequately deal with everyone who needs treatment services for minor or major disorders. Even if the treatment of clients were the only activity in which these professionals were engaged, they would still not be able to take care of those in need (Lichtenberg, 1986; Meehl, 1973). For example, an estimated 7.5 million children, or 12% of the residents of the United States, "under 18 years of age have a diagnosable mental disorder, and nearly half of these are severely handicapped by their disabilities. The population of children with serious emotional and behavioral problems has been growing dramatically, concomitant with the growth of such social problems as poverty, homelessness, and substance abuse" (Collins & Collins, 1994, p. 239). Another challenge for clinicians in mental health counseling is the trend in inpatient psychiatric hospitals to shorten the length of stays for severely disturbed clients. These shortened stays mean more disturbed individuals are being seen in outpatient facilities, where many mental health counselors work (Hansen, 1998).

A survey of articles in the *Journal of Mental Health Counseling* in the early 1990s revealed that mental health counselors have a stronger tendency to deal with treatment as a major emphasis of mental health counseling (Kiselica & Look, 1993). The situation has changed little since. In this respect, mental health counseling is more like other helping disciplines, such as psychology, social work, and psychiatric nursing (Hansen, 1998; Hershenson & Berger, 2001; Waldo, Horswill, & Brotherton, 1993). Some of the areas mental health counselors focus on in treatment are general and specific life-span disorders, such as mild depression (Kolenc, Hartley, & Murdock, 1990), smoking cessation (Pinto & Morrell, 1988), obsessive-compulsive behavior (Dattilio, 1993), and eating disorders such as bulimia (Gerstein & Hotelling, 1987).

Mental health counselors assess and treat disorders using the DSM-IV-TR. (See Appendix C for a list of major disorders covered in the DSM-IV-TR.) Some deal with severe mental disorders while others specialize in working with either less severely disturbed persons or specific populations and the disorders that impact these groups most. In order to get a feel for what treatment is like in working with difficult mental disorders, such as schizophrenia, novice counselors and those who do not work in this field may view such films as *Sybil, Three Faces of Eve,* and *A Beautiful Mind.*

Depression and anxiety are "the most common clinical symptoms associated with presentation for counseling services" despite the eventual diagnosis (Hinkle, 1999, p. 475).

Both are common in society for a number of reasons, many of which are featured nightly on the evening news. Like anxiety, there are various forms of depression. There are also a number of treatments, such as problem-solving therapy and cognitive-behavioral counseling, which seem to work well in the treatment, (i.e., recovery) and prevention of depression (Dixon, 2000).

In addition to treating depression disorders, mental health counselors, like many counselors in other settings, are called upon to work with individuals who suffer and react to the hopelessness that comes from depressive episodes, one of which is suicidal ideology. There are several models for working with suicidal clients but two that are prominent are the crisis intervention model and the continuing-therapy model (Paulson & Worth, 2002). "Both models stress the significance of a positive therapeutic relationship and the understanding and validation of client's feelings" (p. 87). They also emphasize the importance of helping suicidal clients develop self-awareness and construct a new identity. All of these factors have been found through research to be essential components in overcoming suicidal thoughts and behaviors. While both approaches work, the continuing-therapy model is more advantageous because it provides a lengthier time frame for client/counselor interactions.

In addition to these two models, counselors can also help suicidal clients create meaning through the use of an existential-constructivist framework (Rogers, 2001). As opposed to the more pragmatic and technological characteristics of much therapeutic work with suicidal clients, this theoretical approach delves into an "increased understanding of suicidal individuals from a phenomenological meaning perspective" (p. 16). It requires the counselor and client to commit to long-term therapeutic work and deal with the community and others as well as intrapersonal thoughts and feelings.

COMMUNITY COUNSELING AS A SPECIALTY

As stated in the overview section of this chapter, community counseling is defined more by the setting in which a counselor works than anything else. As a group, community counselors are generalists who identify more with the profession of counseling as a whole than with any counseling specialty, process, or orientation. In addition, since the curricula of community counselors are so diverse, except in total number of hours completed and CACREP-required courses, many individuals who obtain a degree in this area focus on counseling areas that are especially meaningful and relevant to them.

In terms of where community counselors work and what they do, there is great diversity. Community counselors are found in almost all nonschool settings (Hershenson & Berger, 2001). There is often a good fit between counselors who are generalists, such as community counselors, and agencies or employers.

One place where community counselors are being hired in increasing numbers is *employee assistance programs* (EAPs) (Gladding & Newsome, 2004). These programs are found in many businesses and institutions across the United States. Their purpose is to work with employees in preventive and remedial ways in order to help them avoid or work through problems that might detrimentally affect their on-the-job behavior. In order to be effective, EAP counselors set up programs that deal with a variety of subjects that employees have an interest in, such as positive wellness or retirement. They invite outside experts to make presentations at convenient times and arrange for follow-up material or input if needed. EAP counselors also offer short-term counseling services to employees who may be experiencing difficulties. These services are usually time limited; for example, three sessions. However, as experts in community resources, EAP counselors are able to make referrals to mental health professionals who can offer employees more expertise. As an overall rule, large companies and institutions will offer EAP services on their premises (i.e., in-house) while smaller operations will usually rely on EAP counselors who serve a number of companies and institutions (i.e., outsource).

Another place where community counselors may be employed is with crises-oriented organizations, such as the Red Cross or local emergency telephone and walk-in counseling centers. In crisis situations, respondents must take care of a multitude of needs ranging from physical to mental health. Thus, local communities, and even international groups, hire counselors and other mental health professionals who can offer needed counseling and supportive services to victims of disasters whether natural or man-made (Gladding, 2002). Individuals who work in these situations may have jobs that differ from the norm in regard to hours and activities. They also have above average excitement and challenges in the work they perform.

Finally, community counselors are also found in settings where many other helping specialists work. For example, counselors with a community counseling background may be employed in substance abuse, hospice, child guidance clinics, wellness centers, colleges, hospitals, and private practice. The reason they are hired and retained in so many settings is their solid training in CACREP-required counseling areas and their versatility in regard to helping people with a wide variety of difficulties or concerns. With experience, community counselors may obtain specialized training in a theoretical or treatment modality. They may stay generalists, too. The point is that while the initial identity of a community counselor is low in regard to performing special tasks with specific people, this quality may be advantageous as well as limiting for counselors who identify themselves through a course of study in this way.

PRIVATE PRACTICE AS A SPECIALTY

Private practice counselors have less of a formalized history than either mental health or community counseling. There have been such individuals since the beginning of counseling who aspired to and worked for themselves in an individual or group practice unaffiliated with an agency. Before insurance, third-party payments, and managed care, the professional lives of such individuals were relatively simple. They were like physicians in working on a fee-for-service basis. That arrangement changed dramatically in the 1980s as managed care began to replace fee-for-service arrangements.

Despite changes in the ways clinicians are now reimbursed for service, private practice is still popular. When many students first enroll in a counseling program, they aspire to set up a private practice. Indeed, doctoral graduates of counseling programs indicate that private practice is their preferred venue of service delivery (Zimpfer, 1996; Zimpfer & DeTrude, 1990). Often counselors conceptualize that a private practice setting will give them more control over their lives and be more financially rewarding. Indeed, a private practice can be a wonderful experience. However, it usually takes a great deal of work to begin such a practice unless a professional buys, or is invited into, an already established practice.

Difficulties Setting Up a Private Practice

To be successful as a private practitioner, a counselor needs a number of abilities beyond clinical expertise. Among the most salient of these abilities, he or she

- must be able to balance business skills with those of counseling or find a competent business manager
- must build up support networks in a way not as necessary in agency work, where one is often surrounded by colleagues who can supply needed information on treatment or referrals to appropriate specialists
- must overcome or avoid the use of restrictive covenants or noncompetitive agreements that some agencies put in their contracts with counselors that prohibit them from setting up a private practice within a certain geographical area or within a certain time period after leaving the agency (Wyatt, Daniels, & White, 2000).
- must invest time and hard work in "pull marketing" relationships (i.e., making oneself attractive by generating referrals through offering needed services to others in groups [such as singles, the divorced, or the widowed]) and meeting other community professionals regularly in order to learn about them and to introduce oneself (Crodzki, 2002).
- must be willing to donate services and participate in endeavors for the public good in order to build up a reputation and a practice, for as Allen Ivey remarked: "There is just a very small window for private practitioners to make big money" (Littrell, 2001, p. 117).

Advantages in Setting Up a Private Practice

There are opportunities for counselors to enter private practice and succeed. Indeed, mental health agency administrators view "private practitioners … as the greatest competitors for insured clients" (Wyatt et al., 2000, p. 19). Among the advantages private practitioners have are the following:

- A growing dissatisfaction among consumers with mental health managed care. In such an environment, consumers are most likely to begin paying directly for services when they can afford it and not go through a managed care arrangement. Such an arrangement may benefit counselors in private practice and portions of the public.
- A chance for counselors in private practice to become known in their communities as professionals who provide quality service and thus to gain excellent reputations.
- An opportunity for counselors to set up their office hours for times that are most convenient for them.
- A chance for counselors to become specialists in treatment, especially if they live in large urban areas where there are abundant numbers of clients with specific problems.

Overall, while private practice has some drawbacks, it will continue as a place where counselors elect to work.

SUMMARY AND CONCLUSION

Mental health counseling originated in the 1970s. It was established primarily because of legislative initiatives, specifically the Community Mental Health Centers Act of 1963, which established mental health centers nationwide. Master's level counselors who worked in these centers and who were basically disenfranchised because they lacked a group to represent themselves were the main iniatiators behind the founding of the American Mental Health Counselors Association (AMHCA). Mental health counselors today work with a number of treatment disorders, as well as in primary prevention. Through AMHCA they are a collaboratively affiliated with the American Counseling Association. The specialty of mental health counseling is accredited by CACREP on the master's level.

Community counseling is equally young. It came about in the 1970s as counselors found employment in noneducational settings. Programs to educate community counselors were established nationwide by counselor education programs but without a clear definition of what the focus of this specialty would be. Thus, there is no association for community counseling and there is not likely to be one.

Those who concentrate their studies in this area are generalists by nature and are more defined by the setting in which they work than the populations they serve or the treatment they offer. Because they are generalists, community counselors work in settings that are varied. As a group, community counselors identify themselves strongly as counselors even though some will become more identified with a specialty through training as time goes by.

Finally, in the realm of private practice, there are opportunities and pitfalls. Counselors who are specialists as well as generalists set up individual as well as group practices. They must either have business and counseling abilities to be successful or they must hire business managers. There are a number of difficulties associated with private practice, such as finding support and supervision groups for oneself. There are numerous rewards as well, such as setting one's own hours and skirting the headaches of managed care regulations if one wishes. Overall, private practice continues to be a popular alternative for counselors.

CLASSROOM ACTIVITIES

1. In a team, with four other classmates, devise a primary prevention plan for some underserved group in your community, e.g., people in poverty, the aging, the abused. Note the number of resources you must coordinate to make your plan successful. Present your plan to your class as a whole.

2. Do a literature review of healthy development for the past five years. What are the latest trends? How can these trends be related to the work of mental health or community counselors?

3. Visit an EAP program. What services offered in the program surprise you? Ask the EAP

counselor you speak to in your visit to assess the effectiveness of the program in which he or she works.

4. What do you see as the advantages and limitations of being a community counselor? Make a list. Discuss your opinions with fellow classmates.

5. Invite a counselor in private practice to speak to your class about what his or her work is like. Ask the counselor about the business side of private practice as well as the clinical side of this specialty.

REFERENCES

Albee, G. W., & Gullotta, T. P. (1997). *Primary prevention works*. Thousand Oaks, CA: Sage.

Amos, W. E., & Williams, D. E. (1972). *Community counseling: A comprehensive team model for developmental services*. St. Louis, MO: Warren H. Green.

Baker, S. B., & Shaw, M. C. (1987). *Improving Counseling through Prevention*. Upper Saddle River, NJ: Prentice Hall.

Bauman, S., & Waldo, M. (1998). Existential theory and mental health counseling: If it were a snake it would have bitten! *Journal of Mental Health Counseling, 20*, 13–27.

Bloom, M. (1996). *Primary prevention practices*. Thousand Oaks, CA: Sage.

Carlson, J., & Ardell, D. E. (1988). Physical fitness as a pathway to wellness and effective counseling. In R. Hayes & R. Aubrey (Eds.), *New directions for counseling and human development* (pp. 383–396). Denver: Love.

Carney, J. V., & Hazler, R. J. (1998). Suicide and cognitive-behavioral counseling: Implications for mental health counselors. *Journal of Mental Health Counseling, 20*, 28–41.

Collins, B. G., & Collins, T. M. (1994). Child and adolescent mental health: Building a system of care. *Journal of Counseling and Development, 72*, 239–243.

Council for Accreditation of Counseling and Related Educational Programs (CACREP). (2001). *Accreditation procedures manual and application*. Alexandria, VA: Author.

Cowen, E. L. (1982). Primary prevention research: Barrier opportunities. *Journal of Primary Prevention, 2*, 131–141.

Crodzki, L. (2002, May/June). Practice strategies. *Family Therapy Magazine, 1*, 43–44.

Dattilio, F. M. (1993). A practical update on the treatment of obsessive-compulsive disorders. *Journal of Mental Health Counseling, 15*, 244–259.

Dixon, W. A. (2000). Problem-solving appraisal and depression: Evidence for a recovery model. *Journal of Counseling and Development, 78*, 87–91.

Doan, R. E., & Scherman, A. (1987). The therapeutic effect of physical fitness on measures of personality: A literature review. *Journal of Counseling and Development, 66*, 28–36.

Erikson, E. H. (1963). *Childhood and society* (2nd ed.). New York: Norton.

Gerstein, L. H., & Hotelling, K. (1987). Length of group treatment and changes in women with bulimia. *Journal of Mental Health Counseling, 9*, 162–173.

Ginter, E. J. (1989). Slayers of monster watermelons found in the mental health patch. *Journal of Mental Health Counseling, 11*, 77–85.

Gladding, S. T. (2002). Reflections on counseling after the crisis. In G. R. Walz and C. J. Kinkman (Eds.). *Helping People cope with tragedy and grief*. (pp 9–12), Greensboro, NC: ERIC/CASS and NBCC.

Gladding, S. T., & Newsome, D. (2004). *Community and agency counseling*. (2nd ed.). Upper Saddle River, NJ: Merrill/Prentice Hall.

Hall, A. S., & Torres, I. (2002). Partnerships in preventing adolescent stress: Increasing self-esteem, coping, and support through effective counseling. *Journal of Mental Health Counseling, 24*, 97–109.

Hansen, J. T. (1998). Do mental health counselors require training in the treatment of mentally disordered clients? A challenge to the conclusions of Vacc, Loesch, and Guilbert. *Journal of Mental Health Counseling, 20*, 183–188.

Heath, D. H. (1980). Wanted: A comprehensive model of healthy development. *Personnel and Guidance Journal, 58*, 391–399.

Hershenson, D. B. (1982). A formulation of counseling based on the healthy personality. *Personnel and Guidance Journal, 60*, 406–409.

Hershenson, D. B. (1992). A genuine copy of a fake Dior: Mental health counseling's pursuit of pathology. *Journal of Mental Health Counseling, 14*, 419–421.

Hershenson, D. B., & Berger, G. P. (2001). The state of community counseling: A survey of directors of CACREP-accredited programs. *Journal of Counseling and Development, 79*, 188–193.

Hershenson, D. B., Power, P. W., & Seligman, L. (1989). Mental health counseling theory: Present status and future prospects. *Journal of Mental Health Counseling, 11*, 44–69.

Hinkle, J. S. (1994). DSM-IV: Prognosis and implications for mental health counselors. *Journal of Mental Health Counseling, 16*, 174–183.

Hinkle, J. S. (1999). A voice from the trenches: A reaction to Ivey and Ivey (1998). *Journal of Counseling and Development, 77*, 474–483.

Holland, J. L. (1997). *Making vocational choices: A theory of vocational personalities and work environments* (3rd ed.). Odessa, FL: Psychological Assessment Resources.

Hosie, T. W., West, J. D., & Mackey, J. A. (1988). Employment and roles of mental health counselors in substance-abuse centers. *Journal of Mental Health Counseling, 10*, 188–198.

Huber, C. H. (1983). A social-ecological approach to the counseling process. *AMHCA Journal, 5*, 4–11.

Ivey, A. E. (1989). Mental health counseling: A developmental process and profession. *Journal of Mental Health Counseling, 11*, 26–35.

Juhnke, G. A. (1996). The adapted-SAD Persons: A suicide assessment scale designed for use with children. *Elementary School Guidance and Counseling, 30,* 252–258.

Khan, J. A., & Cross, D. G. (1984). Mental health professionals: How different are their values? *AMHCA Journal, 6,* 42–51.

Kiselica, M. S., & Look, C. T. (1993). Mental health counseling and prevention: Disparity between philosophy and practice? *Journal of Mental Health Counseling, 15,* 3–14.

Kolenc, K. M., Hartley, D. L., & Murdock, N. L. (1990). The relationship of mild depression to stress and coping. *Journal of Mental Health Counseling, 12,* 76–92.

Lazarus, A. P. (1989). *The practice of multimodal therapy: Systematic, comprehensive, and effective psychotherapy.* Baltimore, MD: Johns Hopkins University Press.

Lewis, J., & Lewis, M. (1989). *Community counseling.* Pacific Grove, CA: Brooks/Cole.

Lewis, J. A., & Lewis, M. D. (1977). *Community counseling: A human service approach.* New York: Wiley.

Lichtenberg, J. W. (1986). Counseling research: Irrelevant or ignored? *Journal of Counseling and Development, 64,* 365–366.

Littrell, J. M. (2001). Allen E. Ivey: Transforming counseling theory and practice. *Journal of Counseling and Development, 79,* 105–118.

Maslow, A. H. (1962). *Toward a psychology of being.* Princeton, NJ: Van Nostrand.

Meehl, P. (1973). *Psychodiagnosis: Selected papers.* New York: Norton.

Moos, R. (1973). Conceptualization of human environments. *American Psychologist, 28,* 652–665.

O'Donnell, J. M. (1988). The holistic health movement: Implications for counseling theory and practice. In R. Hayes & R. Aubrey (Eds.), *New directions for counseling and human development* (pp. 365–382). Denver: Love.

Patterson, W., Dohn, H., Bird, J., & Patterson, G. (1983). Evaluation of suicide patients: The SAD PERSONS scale. *Psychosomatics, 24,* 343–349.

Paulson, B. L., & Worth, M. (2002). Counseling for suicide: Client perspectives. *Journal of Counseling and Development, 80,* 86–93.

Pinto, R. P. & Morrell, E. M. (1988). Current approaches and future trends in smoking cessation programs. *Journal of Mental Health Counseling, 10,* 95–110.

Pistole, M. C., & Roberts, A. (2002). Mental health counseling: Toward resolving identity confusion. *Journal of Mental Health Counseling, 24,* 1–19.

Rogers, J. R. (2001). Theoretical grounding: The "missing link" in suicide research. *Journal of Counseling and Development, 79,* 16–25.

Seiler, G., & Messina, J. J. (1979). Toward professional identity: The dimensions of mental health counseling in perspective. *AMHCA Journal, 1,* 3–8.

Sherrard, P. A. D., & Amatea, E. S. (1994). Through the looking glass: A preview. *Journal of Mental Health Counseling, 16,* 3–5.

Solsberry, P. W. (1994). Interracial couples in the United States of America: Implications for mental health counseling. *Journal of Mental Health Counseling, 16,* 304–316.

Sperry, L., Carlson, J., & Lewis, J. (1993). Health counseling strategies and interventions. *Journal of Mental Health Counseling, 15,* 15–25.

Spruill, D. A., & Fong, M. L. (1990). Defining the domain of mental health counseling: From identity confusion to consensus. *Journal of Mental Health Counseling, 12,* 12–23.

Vacc, N., Loesch, L., & Guilbert, D. (1997). The clientele of certified clinical mental health counselors. *Journal of Mental Health Counseling, 19,* 165–170.

Waldo, M., Horswill, R. K., & Brotherton, W. D. (1993). Collaborating with state departments to achieve recognition of mental health counselors. *Journal of Mental Health Counseling, 15,* 342–346.

Weikel, W. J., & Palmo, A. J. (1989). The evolution and practice of mental health counseling. *Journal of Mental Health Counseling, 11,* 17–25.

West, J. D., Hosie, T. W., & Mackey, J. A. (1987). Employment and roles of counselors in mental health agencies. *Journal of Counseling and Development, 66,* 135–138.

Wiggins, J. D., Moody, A. D., & Lederer, D. A. (1983). Personality typologies related to marital satisfaction. *AMHCA Journal, 5,* 169–178.

Wilcoxon, S. A., & Puleo, S. G. (1992). Professional-development needs of mental health counselors: Results of a national survey. *Journal of Mental Health Counseling, 14,* 187–195.

Wyatt, T., Daniels, M. H., & White, L. J. (2000). Noncompetition agreements and the counseling profession: An unrecognized reality for private practitioners. *Journal of Counseling and Development, 78,* 14–20.

Zimpfer, D. (1996). Five-year follow-up of doctoral graduates in counseling. *Counselor Education and Supervision, 35,* 218–229.

Zimpfer, D., & DeTrude, J. (1990). Follow-up of doctoral graduates in counseling. *Journal of Counseling and Development, 69,* 51–56.

APPENDIX A

ETHICAL STANDARDS OF THE AMERICAN COUNSELING ASSOCIATION

PREAMBLE

The American Counseling Association is an educational, scientific and professional organization whose members are dedicated to the enhancement of human development throughout the life span. Association members recognize diversity in our society and embrace a cross-cultural approach in support of the worth, dignity, potential, and uniqueness of each individual.

The specification of a code of ethics enables the Association to clarify to current and future members, and to those served by members, the nature of the ethical responsibilities held in common by its members. As the code of ethics of the Association, this document establishes principles that define the ethical behavior of Association members. All members of the American Counseling Association are required to adhere to the *Code of Ethics* and the *Standards of Practice*. The Code of Ethics will serve as the basis for processing ethical complaints initiated against members of the Association.

CODE OF ETHICS
Section A: The Counseling Relationship
A.1. Client Welfare

a. *Primary Responsibility.* The primary responsibility of counselors is to respect the dignity and to promote the welfare of clients.

b. *Positive Growth and Development.* Counselors encourage client growth and development in ways which foster the clients' interest and welfare; counselors avoid fostering dependent counseling relationships.

c. *Counseling Plans.* Counselors and their clients work jointly in devising integrated, individual counseling plans that offer reasonable promise of success and are consistent with the abilities and circumstances of clients. Counselors and clients regularly review counseling plans to ensure their continued viability and effectiveness, respecting clients' freedom of choice. (See A.3.b.)

d. *Family Involvement.* Counselors recognize that families are usually important in clients' lives and strive to enlist family understanding and involvement as a positive resource, when appropriate.

e. *Career and Employment Needs.* Counselors work with their clients in considering employment in jobs and circumstances that are consistent with the clients' overall abilities, vocational limitations, physical restrictions, general temperament, interest and aptitude patterns, social skills, education, general qualifications, and other relevant characteristics and needs. Counselors neither place nor participate in placing clients in positions that will result in damaging the interest and welfare of clients, employers, or the public.

A.2. Respecting Diversity

a. *Nondiscrimination.* Counselors do not condone or engage in discrimination based on age, color, culture, disability, ethnic group, gender, race, religion, sexual orientation, marital status, or socioeconomic status. (See C.5.a., C.5.b., and D.1.i.)

b. *Respecting Differences.* Counselors will actively attempt to understand the diverse cultural backgrounds of the clients with whom they work. This includes, but is not limited to, learning how the counselor's own cultural/ethnic/racial identity impacts her/his values and beliefs about the counseling process. (See E.8. and F.2.i.)

A.3. Client Rights

a. *Disclosure to Clients.* When counseling is initiated, and throughout the counseling process as necessary, counselors inform clients of the purposes, goals, techniques, procedures, limitations, potential risks, and benefits of services to be performed and other pertinent information. Counselors take steps to ensure that clients understand the implications of diagnosis, the intended use of tests and reports, fees, and billing arrangements. Clients have the right to expect confidentiality and to be provided with an explanation of its limitations, including supervision and/or treatment team professionals; to obtain clear information about their case records; to participate in the ongoing counseling plans; and to refuse any recommended services and be advised of the consequences of such refusal. (See E.5.a. and G.2.)

b. *Freedom of Choice.* Counselors offer clients the freedom to choose whether to enter into a counseling relationship and to determine which professional(s) will provide counseling. Restrictions that limit choices of clients are fully explained. (See A.1.c.)

c. *Inability to Give Consent.* When counseling minors or persons unable to give voluntary informed consent, counselors act in these clients' best interests. (See B.3.)

A.4. Clients Served by Others

If a client is receiving services from another mental health professional, counselors, with client consent, inform the professional persons already involved and develop clear agreements in order to avoid confusion and conflict for the client. (See C.6.c.)

A.5. Personal Needs and Values

a. *Personal Needs.* In the counseling relationship, counselors are aware of the intimacy and responsibilities inherent in the counseling relationship, maintain respect for clients, and avoid actions that seek to meet their personal needs at the expense of clients.

b. *Personal Values.* Counselors are aware of their own values, attitudes, beliefs, and behaviors and how these apply in a diverse society, and avoid imposing their values on clients. (See C.5.a.)

A.6. Dual Relationships

a. *Avoid When Possible.* Counselors are aware of their influential positions with respect to clients, and they avoid exploiting the trust and dependency of clients. Counselors make every effort to avoid dual relationships with clients that could impair professional judgment or increase the risk of harm to clients. (Examples of such relationships include, but are not limited to, familial, social, financial, business, or close personal relationships with clients.) When a dual relationship cannot be avoided, counselors take appropriate professional precautions such as informed consent, consultation, supervision, and documentation to ensure that judgment is not impaired and no exploitation occurs. (See F.1.b.)

b. *Superior/Subordinate Relationships.* Counselors do not accept as clients superiors or subordinates with whom they have administrative, supervisory, or evaluative relationships.

A.7. Sexual Intimacies with Clients

a. *Current Clients.* Counselors do not have any type of sexual intimacies with clients and do not counsel persons with whom they have had a sexual relationship.

b. *Former Clients.* Counselors do not engage in sexual intimacies with former clients within a minimum of two years after terminating the counseling relationship. Counselors who engage in such relationship after two years following termination have the responsibility to thoroughly examine and document that such relations did not have an exploitative nature, based on factors such as duration of counseling, amount of time since counseling, termination circumstances, client's personal history and mental status, adverse impact on the client, and actions by the counselor suggesting a plan to initiate a sexual relationship with the client after termination.

A.8. Multiple Clients

When counselors agree to provide counseling services to two or more persons who have a relationship (such as husband and wife, or parents and children), counselors clarify at the outset which person or persons are clients and the nature of the relationships they will have with each involved person. If it becomes apparent that counselors may be called upon to perform potential conflicting roles, they clarify, adjust, or withdraw from roles appropriately. (See B.2. and B.4.d.)

A.9. Group Work

a. *Screening.* Counselors screen prospective group counseling/therapy participants. To the extent possible, counselors select members whose needs and goals are compatible with the goals of the group, who will not impede the group process, and whose well-being will not be jeopardized by the group experience.
b. *Protecting Clients.* In a group setting, counselors take reasonable precautions to protect clients from physical or psychological trauma.

A.10. Fees and Bartering
(See D.3.a. and D.3.b.)

a. *Advance Understanding.* Counselors clearly explain to clients, prior to entering the counseling relationship, all financial arrangements related to professional services including the use of collection agencies or legal measures for nonpayment (A.11.c).
b. *Establishing Fees.* In establishing fees for professional counseling services, counselors consider the financial status of clients and locality. In the event that the established fee structure is inappropriate for a client, assistance is provided in attempting to find comparable services of acceptable cost. (See A.10.d., D.3.a., and D.3.b.)
c. *Bartering Discouraged.* Counselors ordinarily refrain from accepting goods or services from clients in return for counseling services because such arrangements create inherent potential for conflicts, exploitation, and distortion of the professional relationship. Counselors may participate in bartering only if the relationship is not exploitive, if the client requests it, if a clear written contract is established, and if such arrangements are an accepted practice among professionals in the community. (See A.6.a.)
d. *Pro Bono Service.* Counselors contribute to society by devoting a portion of their professional activity to services for which there is little or no financial return (pro bono).

A.11. Termination and Referral

a. *Abandonment Prohibited.* Counselors do not abandon or neglect clients in counseling. Counselors assist in making appropriate arrangements for the continuation of treatment, when necessary, during interruptions such as vacations, and following termination.
b. *Inability to Assist Clients.* If counselors determine an inability to be of professional assistance to clients, they avoid entering or immediately terminate a counseling relationship. Counselors are knowledgeable about referral resources and suggest appropriate alternatives. If clients decline the suggested referral, counselors should discontinue the relationship.
c. *Appropriate Termination.* Counselors terminate a counseling relationship, securing client agreement when possible, when it is reasonably clear that the client is no longer benefiting, when services are no longer required, when counseling no longer serves the client's needs or interests, when clients do not pay fees charged, or when agency or institution limits do not allow provision of further counseling services. (See A.10.b. and C.2.g.)

A.12. Computer Technology

a. *Use of Computers.* When computer applications are used in counseling services, counselors ensure that: (1) the client is intellectually, emotionally, and physically capable of using the computer application; (2) the computer application is appropriate for the needs of the client; (3) the client understands the purpose and operation of the computer applications; and (4) a follow-up of client use of a computer application is provided to correct possible misconceptions, discover inappropriate use, and assess subsequent needs.
b. *Explanation of Limitations.* Counselors ensure that clients are provided information as a part of the counseling relationship that adequately explains the limitations of computer technology.
c. *Access to Computer Applications.* Counselors provide for equal access to computer applications in counseling services. (See A.2.a.)

Section B: Confidentiality
B.1. Right to Privacy

a. *Respect for Privacy.* Counselors respect their clients' right to privacy and avoid illegal and unwarranted disclosures of confidential information. (See A.3.a. and B.6.a.)

b. *Client Waiver.* The right to privacy may be waived by the client or his or her legally recognized representative.

c. *Exceptions.* The general requirement that counselors keep information confidential does not apply when disclosure is required to prevent clear and imminent danger to the client or others or when legal requirements demand that confidential information be revealed. Counselors consult with other professionals when in doubt as to the validity of an exception.

d. *Contagious, Fatal Diseases.* A counselor who receives information confirming that a client has a disease commonly known to be both communicable and fatal is justified in disclosing information to an identifiable third party, who by his or her relationship with the client is at a high risk of contracting the disease. Prior to making a disclosure the counselor should ascertain that the client has not already informed the third party about his or her disease and that the client is not intending to inform the third party in the immediate future. (See B.1.c. and B.1.f.)

e. *Court Ordered Disclosure.* When court ordered to release confidential information without a client's permission, counselors request to the court that the disclosure not be required due to potential harm to the client or counseling relationship. (See B.1.c.)

f. *Minimal Disclosure.* When circumstances require the disclosure of confidential information, only essential information is revealed. To the extent possible, clients are informed before confidential information is disclosed.

g. *Explanation of Limitations.* When counseling is initiated and throughout the counseling process as necessary, counselors inform clients of the limitations of confidentiality and identify foreseeable situations in which confidentiality must be breached. (See G.2.a.)

h. *Subordinates.* Counselors make every effort to ensure that privacy and confidentiality of clients are maintained by subordinates including employees, supervisees, clerical assistants, and volunteers. (See B.1.a.)

i. *Treatment Teams.* If client treatment will involve a continued review by a treatment team, the client will be informed of the team's existence and composition.

B.2. Groups and Families

a. *Group Work.* In group work, counselors clearly define confidentiality and the parameters for the specific group being entered, explain its importance, and discuss the difficulties related to confidentiality involved in group work. The fact that confidentiality cannot be guaranteed is clearly communicated to group members.

b. *Family Counseling.* In family counseling, information about one family member cannot be disclosed to another member without permission. Counselors protect the privacy rights of each family member. (See A.8., B.3., and B.4.d.)

B.3. Minor or Incompetent Clients

When counseling clients who are minors or individuals who are unable to give voluntary, informed consent, parents or guardians may be included in the counseling process as appropriate. Counselors act in the best interests of clients and take measures to safeguard confidentiality. (See A.3.c.)

B.4. Records

a. *Requirement of Records.* Counselors maintain records necessary for rendering professional services to their clients and as required by laws, regulations, or agency or institution procedures.

b. *Confidentiality of Records.* Counselors are responsible for securing the safety and confidentiality of any counseling records they create, maintain, transfer, or destroy whether the records are written, taped, computerized, or stored in any other medium. (See B.1.a.)

c. *Permission to Record or Observe.* Counselors obtain permission from clients prior to electronically recording or observing sessions. (See A.3.a.)

d. *Client Access.* Counselors recognize that counseling records are kept for the benefit of clients and therefore provide access to records and copies of records when requested by competent clients unless the records contain information that may be misleading and detrimental to the client. In situations involving multiple clients, access to records is limited to those parts of records that do not include confidential information related to another client. (See A.8., B.1.a., and B.2.b.)

e. *Disclosure or Transfer.* Counselors obtain written permission from clients to disclose or transfer records to legitimate third parties unless exceptions to confidentiality exist as listed in Section B.1. Steps are taken to ensure that receivers of counseling records are sensitive to their confidential nature.

B.5. Research and Training

a. *Data Disguise Required.* Use of data derived from counseling relationships for purposes of training, research, or publication is confined to content that is disguised to ensure the anonymity of the individuals involved. (See B.1.g. and G.3.d.)

b. *Agreement for Identification.* Identification of a client in a presentation or publication is permissible only when the client has reviewed the material and has agreed to its presentation or publication. (See G.3.d.)

B.6. Consultation

a. *Respect for Privacy.* Information obtained in a consulting relationship is discussed for professional purposes only with persons clearly concerned with the case. Written and oral reports present data germane to the purposes of the consultation, and every effort is made to protect client identity and avoid undue invasion of privacy.

b. *Cooperating Agencies.* Before sharing information, counselors make efforts to ensure that there are defined policies in other agencies serving the counselor's clients that effectively protect the confidentiality of information.

Section C: Professional Responsibility

C.1. Standards Knowledge

Counselors have a responsibility to read, understand, and follow the *Code of Ethics* and the *Standards of Practice*.

C.2. Professional Competence

a. *Boundaries of Competence.* Counselors practice only within the boundaries of their competence, based on their education, training, supervised experience, state and national professional credentials, and appropriate professional experience. Counselors will demonstrate a commitment to gain knowledge, personal awareness, sensitivity, and skills pertinent to working with a diverse client population.

b. *New Specialty Areas of Practice.* Counselors practice in specialty areas new to them only after appropriate education, training, and supervised experience. While developing skills in new specialty areas, counselors take steps to ensure the competence of their work and to protect others from possible harm.

c. *Qualified for Employment.* Counselors accept employment only for positions for which they are qualified by education, training, supervised experience, state and national professional credentials, and appropriate professional experience. Counselors hire for professional counseling positions only individuals who are qualified and competent.

d. *Monitor Effectiveness.* Counselors continually monitor their effectiveness as professionals and take steps to improve when necessary. Counselors in private practice take reasonable steps to seek out peer supervision to evaluate their efficacy as counselors.

e. *Ethical Issues Consultation.* Counselors take reasonable steps to consult with other counselors or related professionals when they have questions regarding their ethical obligations or professional practice (See H.1.).

f. *Continuing Education.* Counselors recognize the need for continuing education to maintain a reasonable level of awareness of current scientific and professional information in their fields of activity. They take steps to maintain competence in the skills they use, are open to new procedures, and keep current with the diverse and/or special populations with whom they work.

g. *Impairment.* Counselors refrain from offering or accepting professional services when their physical, mental or emotional problems are likely to lead to harm to a client or others. They are alert to the signs of impairment, seek assistance for problems, and, if necessary, limit, suspend, or terminate their professional responsibilities. (See A.11.c.)

C.3. Advertising and Soliciting Clients

a. *Accurate Advertising.* There are no restrictions on advertising by counselors except those that can be specifically justified to protect the public from deceptive practices. Counselors advertise or represent their services to the public by identifying their credentials in an accurate manner that is not false, misleading, deceptive, or fraudulent. Counselors may only advertise the highest degree earned which is in counseling or a closely related field from a college or university that was accredited when the degree was awarded by one of the regional accrediting bodies recognized by the Council on Postsecondary Accreditation.

b. *Testimonials.* Counselors who use testimonials do not solicit them from clients or other persons who, because of their particular circumstances, may be vulnerable to undue influence.

c. *Statements by Others.* Counselors make reasonable efforts to ensure that statements made by others about them or the profession of counseling are accurate.

d. *Recruiting Through Employment.* Counselors do not use their places of employment or institutional affiliation to recruit or gain clients, supervisees, or consultees for their private practices. (See C.5.e.)

e. *Products and Training Advertisements.* Counselors who develop products related to their profession or conduct workshops or training events ensure that the advertisements concerning these products or events are accurate and disclose adequate information for consumers to make informed choices.

f. *Promoting to Those Served.* Counselors do not use counseling, teaching, training, or supervisory relationships to promote their products or training events in a manner that is deceptive or would exert undue influence on individuals who may be vulnerable. Counselors may adopt textbooks they have authored for instruction purposes.

g. *Professional Association Involvement.* Counselors actively participate in local, state, and national associations that foster the development and improvement of counseling.

C.4. Credentials

a. *Credentials Claimed.* Counselors claim or imply only professional credentials possessed and are responsible for correcting any known misrepresentations of their credentials by others. Professional credentials include graduate degrees in counseling or closely related mental health fields, accreditation of graduate programs, national voluntary certifications, government-issued certifications or licenses, ACA professional membership, or any other credential that might indicate to the public specialized knowledge or expertise in counseling.

b. *ACA Professional Membership.* ACA professional members may announce to the public their membership status. Regular members may not announce their ACA membership in a manner that might imply they are credentialed counselors.

c. *Credential Guidelines.* Counselors follow the guidelines for use of credentials that have been established by the entities that issue the credentials.

d. *Misrepresentation of Credentials.* Counselors do not attribute more to their credentials than the credentials represent, and do not imply that other counselors are not qualified because they do not possess certain credentials.

e. *Doctoral Degrees from Other Fields.* Counselors who hold a master's degree in counseling or a closely related mental health field, but hold a doctoral degree from other than counseling or a closely related field, do not use the title, "Dr." in their practices and do not announce to the public

in relation to their practice or status as a counselor that they hold a doctorate.

C.5. Public Responsibility

a. *Nondiscrimination.* Counselors do not discriminate against clients, students, or supervisees in a manner that has a negative impact based on their age, color, culture, disability, ethnic group, gender, race, religion, sexual orientation, or socioeconomic status, or for any other reason. (See A.2.a.)

b. *Sexual Harassment.* Counselors do not engage in sexual harassment. Sexual harassment is defined as sexual solicitation, physical advances, or verbal or nonverbal conduct that is sexual in nature, that occurs in connection with professional activities or roles, and that either: (1) is unwelcome, is offensive, or creates a hostile workplace environment, and counselors know or are told this; or (2) is sufficiently severe or intense to be harassing to a reasonable person in the context. Sexual harassment can consist of a single intense or severe act or multiple persistent or pervasive acts.

c. *Reports to Third Parties.* Counselors are accurate, honest, and unbiased in reporting their professional activities and judgments to appropriate third parties including courts, health insurance companies, those who are the recipients of evaluation reports, and others. (See B.1.g.)

d. *Media Presentations.* When counselors provide advice or comment by means of public lectures, demonstrations, radio or television programs, prerecorded tapes, printed articles, mailed material, or other media, they take reasonable precautions to ensure that (1) the statements are based on appropriate professional counseling literature and practice; (2) the statements are otherwise consistent with the *Code of Ethics* and the *Standards of Practice;* and (3) the recipients of the information are not encouraged to infer that a professional counseling relationship has been established. (See C.6.b.)

e. *Unjustified Gains.* Counselors do not use their professional positions to seek or receive unjustified personal gains, sexual favors, unfair advantage, or unearned goods or services. (See C.3.d.)

C.6. Responsibility to Other Professionals

a. *Different Approaches.* Counselors are respectful of approaches to professional counseling that differ from their own. Counselors know and take into account the traditions and practices of other professional groups with which they work.

b. *Personal Public Statements.* When making personal statements in a public context, counselors clarify that they are speaking from their personal perspectives and that they are not speaking on behalf of all counselors or the profession. (See C.5.d.)

c. *Clients Served by Others.* When counselors learn that their clients are in a professional relationship with another mental health professional, they request release from clients to inform the other professionals and strive to establish positive and collaborative professional relationships. (See A.4.)

Section D: Relationships with Other Professionals

D.1. Relationships with Employers and Employees

a. *Role Definition.* Counselors define and describe for their employers and employees the parameters and levels of their professional roles.

b. *Agreements.* Counselors establish working agreements with supervisors, colleagues, and subordinates regarding counseling or clinical relationships, confidentiality, adherence to professional standards, distinction between public and private material, maintenance and dissemination of recorded information, workload, and accountability. Working agreements in each instance are specified and made known to those concerned.

c. *Negative Conditions.* Counselors alert their employers to conditions that may be potentially disruptive or damaging to the counselor's professional responsibilities or that may limit their effectiveness.

d. *Evaluation.* Counselors submit regularly to professional review and evaluation by their supervisor or the appropriate representative of the employer.

e. *In-Service.* Counselors are responsible for in-service development of self and staff.

f. *Goals.* Counselors inform their staff of goals and programs.

g. *Practices.* Counselors provide personnel and agency practices that respect and enhance the rights and welfare of each employee and recipient of agency services. Counselors strive to maintain the highest levels of professional services.

h. *Personnel Selection and Assignment.* Counselors select competent staff and assign responsibilities compatible with their skills and experiences.

i. *Discrimination.* Counselors, as either employers or employees, do not engage in or condone practices that are inhumane, illegal, or unjustifiable (such as considerations based on age, color, culture, disability, ethnic group, gender, race, religion, sexual orientation, or socioeconomic status) in hiring, promotion, or training. (See A.2.a. and C.5.b.)

j. *Professional Conduct.* Counselors have a responsibility both to clients and to the agency or institution within which services are performed to maintain high standards of professional conduct.

k. *Exploitive Relationships.* Counselors do not engage in exploitive relationships with individuals over whom they have supervisory, evaluative, or instructional control or authority.

l. *Employer Policies.* The acceptance of employment in an agency or institution implies that counselors are in agreement with its general policies and principles. Counselors strive to reach agreement with employers as to acceptable standards of conduct that allow for changes in institutional policy conducive to the growth and development of clients.

D.2. Consultation (See B.6.)

a. *Consultation as an Option.* Counselors may choose to consult with any other professionally competent persons about their clients. In choosing consultants, counselors avoid placing the consultant in a conflict of interest situation that would preclude the consultant, being a proper party to the counselor's efforts to help the client. Should counselors be engaged in a work setting that compromises this consultation standard, they consult with other professionals whenever possible to consider justifiable alternatives.

b. *Consultant Competency.* Counselors are reasonably certain that they have or the organization represented has the necessary competencies and resources for giving the kind of consulting services needed and that appropriate referral resources are available.

c. *Understanding with Clients.* When providing consultation, counselors attempt to develop with their clients a clear understanding of problem definition, goals for change, and predicted consequences of interventions selected.

d. *Consultant Goals.* The consulting relationship is one in which client adaptability and growth toward self-direction are consistently encouraged and cultivated. (See A.1.b.)

D.3. Fees for Referral

a. *Accepting Fees from Agency Clients.* Counselors refuse a private fee or other remuneration for rendering services to persons who are entitled to such services through the counselor's employing agency or institution. The policies of a particular agency may make explicit provisions for agency clients to receive counseling services from members of its staff in private practice. In such instances, the clients must be informed of other options open to them should they seek private counseling services. (See A.10.a., A.11.b., and C.3.d.)

b. *Referral Fees.* Counselors do not accept a referral fee from other professionals.

D.4. Subcontractor Arrangements

When counselors work as subcontractors for counseling services for a third party, they have a duty to inform clients of the limitations of confidentiality that the organization may place on counselors in providing counseling services to clients. The limits of such confidentiality ordinarily are discussed as part of the intake session. (See B.1.e. and B.1.f.)

Section E: Evaluation, Assessment, and Interpretation

E.1. General

a. *Appraisal Techniques.* The primary purpose of educational and psychological assessment is to provide measures that are objective and interpretable in either comparative or absolute terms. Counselors recognize the need to interpret the statements in this section as applying to the whole range of appraisal techniques, including test and nontest data.

b. *Client Welfare.* Counselors promote the welfare and best interests of the client in the development, publication, and utilization of educational and psychological assessment techniques. They do not misuse assessment results and interpretations and take reasonable steps to prevent others from misusing the information these techniques provide. They respect the client's right to know the results, the interpretations made, and the bases for their conclusions and recommendations.

E.2. Competence to Use and Interpret Tests

a. *Limits of Competence.* Counselors recognize the limits of their competence and perform only those testing and assessment services for which they have been trained. They are familiar with reliability, validity, related standardization, error of measurement, and proper application of any technique utilized. Counselors using computer-based test interpretations are trained in the construct being measured and the specific instrument being used prior to using this type of computer application. Counselors take reasonable measures to ensure the proper use of psychological assessment techniques by persons under their supervision.

b. *Appropriate Use.* Counselors are responsible for the appropriate application, scoring, interpretation, and use of assessment instruments, whether they score and interpret such tests themselves or use computerized or other services.

c. *Decisions Based on Results.* Counselors responsible for decisions involving individuals or policies that are based on assessment results have a thorough understanding of educational and psychological measurement, including validation criteria, test research, and guidelines for test development and use.

d. *Accurate Information.* Counselors provide accurate information and avoid false claims or misconceptions when making statements about assessment instruments or techniques. Special efforts are made to avoid unwarranted connotations of such terms as IQ and grade equivalent scores. (See C.5.c.)

E.3. Informed Consent

a. *Explanation to Clients.* Prior to assessment, counselors explain the nature and purposes of assessment and the specific use of results in language the client (or other legally authorized person on behalf of the client) can understand, unless an explicit exception to this right has been agreed upon in advance. Regardless of whether scoring and interpretation are completed by counselors, by assistants, or by computer or other outside services, counselors take reasonable steps to ensure that appropriate explanations are given to the client.

b. *Recipients of Results.* The examinee's welfare, explicit understanding, and prior agreement determine the recipients of test results. Counselors include accurate and appropriate interpretations with any release of individual or group test results. (See B.1.a. and C.5.c.)

E.4. Release of Information to Competent Professionals

a. *Misuse of Results.* Counselors do not misuse assessment results, including test results, and interpretations, and take reasonable steps to prevent the misuse of such by others. (See C.5.c.)

b. *Release of Raw Data.* Counselors ordinarily release data (e.g. protocols, counseling or interview notes, or questionnaires) in which the client is identified only with the consent of the client or the client's legal representative. Such data are usually released only to persons recognized by counselors as competent to interpret the data. (See B.1.a.)

E.5. Proper Diagnosis of Mental Disorders

a. *Proper Diagnosis.* Counselors take special care to provide proper diagnosis of mental disorders. Assessment techniques (including personal interview) used to determine client care (e.g., locus of treatment, type of treatment, or recommended follow-up) are carefully selected and appropriately used. (See A.3.a. and C.5.c.)

b. *Cultural Sensitivity.* Counselors recognize that culture affects the manner in which clients' problems are defined. Clients' socioeconomic and cultural experience is considered when diagnosing mental disorders.

E.6. Test Selection

a. *Appropriateness of Instruments.* Counselors carefully consider the validity, reliability, psychometric limitations, and appropriateness of instruments when selecting tests for use in a given situation or with a particular client.

b. *Culturally Diverse Populations.* Counselors are cautious when selecting tests for culturally diverse populations to avoid inappropriateness of testing that may be outside of socialized behavioral or cognitive patterns.

E.7. Conditions of Test Administration

a. *Administration Conditions.* Counselors administer tests under the same conditions that were established in their standardization. When tests are not administered under standard conditions or when unusual behavior or irregularities occur during the testing session, those conditions are noted in interpretation and the results may be designated as invalid or of questionable validity.

b. *Computer Administration.* Counselors are responsible for ensuring that administration programs function properly to provide clients with accurate results when a computer or other electronic methods are used for test administration. (See A.12.b.)

c. *Unsupervised Test-Taking.* Counselors do not permit unsupervised or inadequately supervised use of tests or assessments unless the tests or assessments are designed, intended, and validated for self-administration and/or scoring.

d. *Disclosure of Favorable Conditions.* Prior to test administration, conditions that produce most favorable test results are made known to the examinee.

E.8. Diversity in Testing

Counselors are cautious in using assessment techniques, making evaluations, and interpreting the performance of populations not represented in the norm group on which an instrument was standardized. They recognize the effects of age, color, culture, disability, ethnic group, gender, race, religion, sexual orientation, and socioeconomic status on test administration and interpretation and place test results in proper perspective with other relevant factors. (See A.2.a.)

E.9. Test and Scoring Interpretation

a. *Reporting Reservations.* In reporting assessment results, counselors indicate any reservations that exist regarding validity or reliability because of the circumstances of the assessment or the inappropriateness of the norms for the person tested.

b. *Research Instruments.* Counselors exercise caution when interpreting the results of research instruments possessing insufficient technical data to support respondent results. The specific purposes for the use of such instruments are stated explicitly to the examinee.

c. *Testing Services.* Counselors who provide test scoring and test interpretation services to support the assessment process confirm the validity of such interpretations. They accurately describe the purpose, norms, validity, reliability, and applications of the procedures and any special qualifications applicable to their use. The public offering of an automated test interpretations service is considered a professional-to-professional consultation. The formal responsibility of the consultant is to the consultee, but the ultimate and overriding responsibility is to the client.

E.10. Test Security

Counselors maintain the integrity and security of tests and other assessment techniques consistent with legal and contractual obligations. Counselors do not appropriate, reproduce, or modify published tests or parts thereof without acknowledgment and permission from the publisher.

E.11. Obsolete Tests and Outdated Test Results

Counselors do not use data or test results that are obsolete or outdated for the current purpose. Counselors make every effort to prevent the misuse of obsolete measures and test data by others.

E.12. Test Construction

Counselors use established scientific procedures, relevant standards, and current professional knowledge for test design in the development, publication, and utilization of educational and psychological assessment techniques.

Section F: Teaching, Training, and Supervision
F.1. Counselor Educators and Trainers

a. *Educators as Teachers and Practitioners.* Counselors who are responsible for developing, implementing, and supervising educational programs are skilled as teachers and practitioners. They are knowledgeable regarding the ethical, legal, and regulatory aspects of the profession, are skilled in applying that knowledge, and make students and supervisees aware of their responsibilities. Counselors conduct counselor education and training programs in an ethical manner and serve as role models for professional behavior. Counselor educators should make an effort to infuse material related to human diversity into all courses and/or workshops that are designed to promote the development of professional counselors.

b. *Relationship Boundaries with Students and Supervisees.* Counselors clearly define and maintain ethical, professional, and social relationship boundaries with their students and supervisees. They are aware of the differential in power that exists and the student's or supervisee's possible incomprehension of that power differential. Counselors explain to students and supervisees the potential for the relationship to become exploitive.

c. *Sexual Relationships.* Counselors do not engage in sexual relationships with students or supervisees and do not subject them to sexual harassment. (See A.6. and C.5.b.)

d. *Contributions to Research.* Counselors give credit to students or supervisees for their contributions to research and scholarly projects. Credit is given through coauthorship, acknowledgment, footnote statement, or other appropriate means, in accordance with such contributions.(See G.4.b. and G.4.c.)

e. *Close Relatives.* Counselors do not accept close relatives as students or supervisees.

f. *Supervision Preparation.* Counselors who offer clinical supervision services are adequately prepared in supervision methods and techniques. Counselors who are doctoral students serving as practicum or internship supervisors to master's level students are adequately prepared and supervised by the training program.

g. *Responsibility for Services to Clients.* Counselors who supervise the counseling services of others take reasonable measures to ensure that counseling services provided to clients are professional.

h. *Endorsement.* Counselors do not endorse students or supervisees for certification, licensure, employment, or completion of an academic or training program if they believe students or supervisees are not qualified for the endorsement. Counselors take reasonable steps to assist students or supervisees who are not qualified for endorsement to become qualified.

F.2. Counselor Education and Training Programs

a. *Orientation.* Prior to admission, counselors orient prospective students to the counselor education or training program's expectations, including but not limited to the following: (1) the type and level of skill acquisition required for successful completion of the training; (2) subject matter to be covered; (3) basis for evaluation; (4) training components that encourage self-growth or self-disclosure as part of the training process; (5) the type of supervision settings and requirements of the sites for required clinical field experiences; (6) student and supervisee evaluation and dismissal policies and procedures; and (7) up-to-date employment prospects for graduates.

b. *Integration of Study and Practice.* Counselors establish counselor education and training programs that integrate academic study and supervised practice.

c. *Evaluation.* Counselors clearly state to students and supervisees, in advance of training, the levels of competency expected, appraisal methods, and timing of evaluations for both didactic and experiential components. Counselors provide students and supervisees with periodic performance appraisal and evaluation feedback throughout the training program.

d. *Teaching Ethics.* Counselors make students and supervisees aware of the ethical responsibilities and standards of the profession and the students' and supervisees' ethical responsibilities to the profession. (See C.1. and F.3.e.)

e. *Peer Relationships.* When students or supervisees are assigned to lead counseling groups or provide clinical supervision for their peers, counselors take steps to ensure that students and supervisees placed in these roles do not have personal or adverse relationships with peers and that they understand they have the same ethical obligations as counselor educators, trainers, and supervisors. Counselors make every effort to ensure that the rights of peers are not compromised when students or supervisees are assigned to lead counseling groups or provide clinical supervision.

f. *Varied Theoretical Positions.* Counselors present varied theoretical positions so that students and supervisees may make comparisons and have opportunities to develop their own positions. Counselors provide information concerning the scientific bases of professional practice. (See C.6.a.)

g. *Field Placements.* Counselors develop clear policies within their training program regarding field placement and other clinical experiences. Counselors provide clearly stated roles and responsibilities for the student or supervisee, the site supervisor, and the program supervisor. They confirm that site supervisors are qualified to provide supervision and are informed of their professional and ethical responsibilities in this role.

h. *Dual Relationships as Supervisors.* Counselors avoid dual relationships such as performing the role of site supervisor and training program supervisor in the student's or supervisee's training program. Counselors do not accept any form of professional services, fees, commissions, reimbursement, or remuneration from a site for student or supervisee placement.

i. *Diversity in Programs.* Counselors are responsive to their institution's and program's recruitment and retention needs for training program administrators, faculty, and students with diverse backgrounds and special needs. (See A.2.a.)

F.3. Students and Supervisees

a. *Limitations.* Counselors, through ongoing evaluation and appraisal, are aware of the academic and personal limitations of students and supervisees that might impede performance. Counselors assist students and supervisees in securing remedial assistance when needed, and dismiss from the training program supervisees who are unable to provide competent service due to academic or personal limitations. Counselors seek professional consultation and document their decision to dismiss or refer students or supervisees for assistance. Counselors assure that students and supervisees have recourse to address decisions made to require them to seek assistance or to dismiss them.

b. *Self-Growth Experiences.* Counselors use professional judgment when designing training experiences conducted by the counselors themselves that require student and supervisee self-growth or self-disclosure. Safeguards are provided so that students and supervisees are aware of the ramifications their self-disclosure may have upon counselors whose primary role as teacher, trainer, or supervisor requires acting upon ethical obligations to the profession. Evaluative components of experiential training experiences explicitly delineate predetermined academic standards that are separate and not dependent upon the student's level of self-disclosure. (See A.6.)

c. *Counseling for Students and Supervisees.* If students or supervisees request counseling, supervisors or counselor educators provide them with acceptable referrals. Supervisors or counselor educators do not serve as counselor to students or supervisees over whom they hold administrative, teaching, or evaluative roles unless this is a brief role associated with a training experience. (See A.6.b.)

d. *Clients of Students and Supervisees.* Counselors make every effort to ensure that the clients at field placements are aware of the services rendered and the qualifications of the students and supervisees rendering those services. Clients receive professional disclosure information and are informed of the limits of confidentiality. Client permission is obtained in order for the students and supervisees to use any information concerning the counseling relationship in the training process. (See B.1.e.)

e. *Standards for Students and Supervisees.* Students and supervisees preparing to become counselors adhere to the *Code of Ethics* and the *Standards of Practice.* Students and supervisees have the same obligations to clients as those required of counselors. (See H.1.)

Section G: Research and Publication
G.1. Research Responsibilities

a. *Use of Human Subjects.* Counselors plan, design, conduct, and report research in a manner consistent with pertinent ethical principles, federal and state laws, host institutional regulations, and scientific standards governing research with human subjects. Counselors design and conduct research that reflects cultural sensitivity appropriateness.

b. *Deviation from Standard Practices.* Counselors seek consultation and observe stringent safeguards to protect the rights of research participants when a research problem suggests a deviation from standard acceptable practices. (See B.6.)

c. *Precautions to Avoid Injury.* Counselors who conduct research with human subjects are responsible for the subjects' welfare throughout the experiment and take reasonable precautions to avoid causing injurious psychological, physical, or social effects to their subjects.

d. *Principal Researcher Responsibility.* The ultimate responsibility for ethical research practice lies with the principal researcher. All others involved in the research activities share ethical obligations and full responsibility for their own actions.

e. *Minimal Interference.* Counselors take reasonable precautions to avoid causing disruptions in subjects' lives due to participation in research.

f. *Diversity.* Counselors are sensitive to diversity and research issues with special populations. They seek consultation when appropriate. (See A.2.a. and B.6.)

G.2. Informed Consent

a. *Topics Disclosed.* In obtaining informed consent for research, counselors use language that is understandable to research participants and that: (1) accurately explains the purpose and procedures to be followed; (2) identifies any procedures that are experimental or relatively untried; (3) describes the attendant discomforts and risks; (4) describes the benefits or changes in individuals or organizations that might be reasonably expected; (5) discloses appropriate alternative procedures that would be advantageous for subjects; (6) offers to answer any inquiries concerning the procedures; (7) describes any limitations on confidentiality; and (8) instructs that subjects are free to withdraw their consent and to discontinue participation in the project at any time. (See B.1.f.)

b. *Deception.* Counselors do not conduct research involving deception unless alternative procedures are not feasible and the prospective value of the research justifies the deception. When the methodological requirements of a study necessitate concealment or deception, the investigator is required to explain clearly the reasons for this action as soon as possible.

c. *Voluntary Participation.* Participation in research is typically voluntary and without any penalty for refusal to participate. Involuntary participation is appropriate only when it can be demonstrated that participation will have no harmful effects on subjects and is essential to the investigation.

d. *Confidentiality of Information.* Information obtained about research participants during the course of an investigation is confidential. When the possibility exists that others may obtain access to such information, ethical research practice requires that the possibility, together with the plans for protecting confidentiality, be explained to participants as a part of the procedure for obtaining informed consent. (See B.1.e.)

e. *Persons Incapable of Giving Informed Consent.* When a person is incapable of giving informed consent, counselors provide an appropriate explanation, obtain agreement for participation, and obtain appropriate consent from a legally authorized person.

f. *Commitments to Participants.* Counselors take reasonable measures to honor all commitments to research participants.

g. *Explanations After Data Collection.* After data are collected, counselors provide participants with full clarification of the nature of the study to remove any misconceptions. Where scientific or human values justify delaying or withholding information, counselors take reasonable measures to avoid causing harm.

h. *Agreements to Cooperate.* Counselors who agree to cooperate with another individual in research or publication incur an obligation to cooperate as promised in terms of punctuality of performance and with regard to the completeness and accuracy of the information required.

i. *Informed Consent for Sponsors.* In the pursuit of research, counselors give sponsors, institutions, and publication channels the same respect and opportunity for giving informed consent that they accord to individual research participants. Counselors are aware of their obligation to future research workers and ensure that host institutions are given feedback information and proper acknowledgment.

G.3. Reporting Results

a. *Information Affecting Outcome.* When reporting research results, counselors explicitly mention all variables and conditions known to the investigator that may have affected the outcome of a study or the interpretation of data.

b. *Accurate Results.* Counselors plan, conduct, and report research accurately and in a manner that minimizes the possibility that results will be misleading. They provide thorough discussions of the limitations of their data and alternative hypotheses. Counselors do not engage in fraudulent research, distort data, misrepresent data, or deliberately bias their results.

c. *Obligation to Report Unfavorable Results.* Counselors communicate to other counselors the results of any research judged to be of professional value. Results that reflect unfavorably on institutions, programs, services, prevailing opinions, or vested interests are not withheld.

d. *Identity of Subjects.* Counselors who supply data, aid in the research of another person, report research results, or make original data available take due care to disguise the identity of respective subjects in the absence of specific authorization from the subjects to do otherwise. (See B.1.g. and B.5.a.)

e. *Replication Studies.* Counselors are obligated to make available sufficient original research data to qualified professionals who may wish to replicate the study.

G.4. Publication

a. *Recognition of Others.* When conducting and reporting research, counselors are familiar with and give recognition to previous work on the topic, observe copyright laws, and give full credit to those to whom credit is due. (See F.1.d. and G.4.c.)

b. *Contributors.* Counselors give credit through joint authorship, acknowledgment, footnote statements, or other appropriate means to those who have contributed significantly to research or concept development in accordance with such contributions. The principal contributor is listed first and minor technical or professional contributions are acknowledged in notes or introductory statements.

c. *Student Research.* For an article that is substantially based on a student's dissertation or thesis, the student is listed as the principal author. (See F.1.d. and G.4.a.)

d. *Duplicate Submission.* Counselors submit manuscripts for consideration to only one journal at a time. Manuscripts that are published in whole or in substantial part in another journal or published work are not submitted for publication without acknowledgment and permission from the previous publication.

e. *Professional Review.* Counselors who review material submitted for publication, research, or other scholarly purposes respect the confidentiality and proprietary rights of those who submitted it.

Section H: Resolving Ethical Issues
H.1. Knowledge of Standards

Counselors are familiar with the *Code of Ethics* and the *Standards of Practice* and other applicable ethics codes from other professional organizations of which they are member, or from certification and licensure bodies. Lack of knowledge or misunderstanding of an ethical responsibility is not a defense against a charge of unethical conduct. (See F.3.e.)

H.2. Suspected Violations

a. *Ethical Behavior Expected.* Counselors expect professional associates to adhere to the *Code of Ethics.* When counselors possess reasonable cause that raises doubts as to whether a counselor is acting in an ethical manner, they take appropriate action. (See H.2.d. and H.2.e.)

b. *Consultation.* When uncertain as to whether a particular situation or course of action may be in violation of the *Code of Ethics,* counselors consult with other counselors who are knowledgeable about ethics, with colleagues, or with appropriate authorities.

c. *Organization Conflicts.* If the demands of an organization with which counselors are affiliated pose a conflict with the *Code of Ethics,* counselors specify the nature of such conflicts and express to their supervisors or other responsible officials their commitment to the *Code of Ethics.* When possible, counselors work toward change within the organization to allow full adherence to the *Code of Ethics.*

d. *Informal Resolution.* When counselors have reasonable cause to believe that another counselor is violating an ethical standard, they attempt to first resolve the issue informally with the other counselor if feasible, providing that such action does not violate confidentiality rights that may be involved.

e. *Reporting Suspected Violations.* When an informal resolution is not appropriate or feasible, counselors, upon reasonable cause, take action such as reporting the suspected ethical violation to state or national ethics committees, unless this action conflicts with confidentiality rights that cannot be resolved.

f. *Unwarranted Complaints.* Counselors do not initiate, participate in, or encourage the filing of ethics complaints that are unwarranted or intend to harm a counselor rather than to protect clients or the public.

H.3. Cooperation with Ethics Committees

Counselors assist in the process of enforcing the *Code of Ethics*. Counselors cooperate with investigations, proceedings, and requirements of the ACA Ethics Committee or ethics committees of other duly constituted associations or boards having jurisdiction over those charged with a violation. Counselors are familiar with the ACA Policies and Procedures and use it as a reference in assisting the enforcement of the *Code of Ethics*.

STANDARDS OF PRACTICE

All members of the American Counseling Association (ACA) are required to adhere to the *Standards of Practice* and the *Code of Ethics*. The *Standards of Practice* represent minimal behavioral statements of the *Code of Ethics*. Members should refer to the applicable section of the *Code of Ethics* for further interpretation and amplification of the applicable Standard of Practice (SP).

Section A: The Counseling Relationship

SP-1: Nondiscrimination. Counselors respect diversity and must not discriminate against clients because of age, color, culture, disability, ethnic group, gender, race, religion, sexual orientation, marital status, or socioeconomic status. (See A.2.a.)

SP-2: Disclosure to Clients. Counselors must adequately inform clients, preferably in writing, regarding the counseling process and counseling relationship at or before the time it begins and throughout the relationship. (See A.3.a.)

SP-3: Dual Relationships. Counselors must make every effort to avoid dual relationships with clients that could impair their professional judgment or increase the risk of harm to clients. When a dual relationship cannot be avoided, counselors must take appropriate steps to ensure that judgment is not impaired and that no exploitation occurs. (See A.6.a. and A.6.b.)

SP-4: Sexual Intimacies with Clients. Counselors must not engage in any type of sexual intimacies with current clients and must not engage in sexual intimacies with former clients within a minimum of two years after terminating the counseling relationship. Counselors who engage in such relationship after two years following termination have the responsibility to thoroughly examine and document that such relations did not have an exploitative nature.

SP-5: Protecting Clients during Group Work. Counselors must take steps to protect clients from phys-

ical or psychological trauma resulting from interactions during group work. (See A.9.b.)

SP-6: Advance Understanding of Fees. Counselors must explain to clients, prior to their entering the counseling relationship, financial arrangements related to professional services. (See A.10.a.-d. and A.11.c.)

SP-7: Termination. Counselors must assist in making appropriate arrangements for the continuation of treatment of clients, when necessary, following termination of counseling relationships. (See A.11.a.)

SP-8: Inability to Assist Clients. Counselors must avoid entering or immediately terminate a counseling relationship if it is determined that they are unable to be of professional assistance to a client. The counselor may assist in making an appropriate referral for the client. (See A.11.b.)

Section B: Confidentiality

SP-9: Confidentiality Requirement. Counselors must keep information related to counseling services confidential unless disclosure is in the best interest of clients, is required for the welfare of others, or is required by law. When disclosure is required, only information that is essential is revealed and the client is informed of such disclosure. (See B.1.a.-f.)

SP-10: Confidentiality Requirements for Subordinates. Counselors must take measures to ensure that privacy and confidentiality of clients are maintained by subordinates. (See B.1.h.)

SP-11: Confidentiality in Group Work. Counselors must clearly communicate to group members that confidentiality cannot be guaranteed in group work. (See B.2.a.)

SP-12: Confidentiality in Family Counseling. Counselors must not disclose information about one family member in counseling to another family member without prior consent. (See B.2.b.)

SP-13: Confidentiality of Records. Counselors must maintain appropriate confidentiality in creating, storing, accessing, transferring, and disposing of counseling records. (See B.4.b.)

SP-14: Permission to Record or Observe. Counselors must obtain prior consent from clients in order to electronically record or observe sessions. (See B.4.c.)

SP-15: Disclosure or Transfer of Records. Counselors must obtain client consent to disclose or transfer records to third parties, unless exceptions listed in SP-9 exist. (See B.4.e.)

SP-16: Data Disguise Required. Counselors must disguise the identity of the client when using data for training, research, or publication. (See B.5.a.)

Section C: Professional Responsibility

SP-17: Boundaries of Competence. Counselors must practice only within the boundaries of their competence. (See C.2.a.)

SP-18: Continuing Education. Counselors must engage in continuing education to maintain their professional competence. (See C.2.f.)

SP-19: Impairment of Professionals. Counselors must refrain from offering professional services when their personal problems or conflicts may cause harm to a client or others. (See C.2.g.)

SP-20: Accurate Advertising. Counselors must accurately represent their credentials and services when advertising. (See C.3.a.)

SP-21: Recruiting Through Employment. Counselors must not use their place of employment or institutional affiliation to recruit clients for their private practices. (See C.3.d.)

SP-22: Credentials Claimed. Counselors must claim or imply only professional credentials possessed and must correct any known misrepresentations of their credentials by others. (See C.4.a.)

SP-23: Sexual Harassment. Counselors must not engage in sexual harassment. (See C.5.b.)

SP-24: Unjustified Gains. Counselors must not use their professional positions to seek or receive unjustified personal gains, sexual favors, unfair advantage, or unearned goods or services. (See C.5.e.)

SP-25: Clients Served by Others. With the consent of the client, counselors must inform other mental health professionals serving the same client that a counseling relationship between the counselor and client exists. (See C.6.c.)

SP-26: Negative Employment Conditions. Counselors must alert their employers to institutional policy or conditions that may be potentially disruptive or damaging to the counselor's professional responsibilities, or that may limit their effectiveness or deny clients' rights. (See D.1.c.)

SP-27: Personnel Selection and Assignment. Counselors must select competent staff and must assign responsibilities compatible with staff skills and experiences. (See D.1.h.)

SP-28: Exploitive Relationships with Subordinates. Counselors must not engage in exploitive relationships with individuals over whom they have supervisory, evaluative, or instructional control or authority. (See D.1.k.)

Section D: Relationship with Other Professionals

SP-29: Accepting Fees from Agency Clients. Counselors must not accept fees or other remuneration for consultation with persons entitled to such services through the counselor's employing agency or institution. (See D.3.a.)

SP-30: Referral Fees. Counselors must not accept referral fees. (See D.3.b.)

Section E: Evaluation, Assessment, and Interpretation

SP-31: Limits of Competence. Counselors must perform only testing and assessment services for which they are competent. Counselors must not allow the use of psychological assessment techniques by unqualified persons under their supervision. (See E.2.a.)

SP-32: Appropriate Use of Assessment Instruments. Counselors must use assessment instruments in the manner for which they were intended. (See E.2.b.)

SP-33: Assessment Explanations to Clients. Counselors must provide explanations to clients prior to assessment about the nature and purposes of assessment and the specific uses of results. (See E.3.a.)

SP-34: Recipients of Test Results. Counselors must ensure that accurate and appropriate interpretations accompany any release of testing and assessment information. (See E.3.b.)

SP-35: Obsolete Tests and Outdated Test Results. Counselors must not base their assessment or intervention decisions or recommendations on data or test results that are obsolete or outdated for the current purpose. (See E.11.)

Section F: Teaching, Training, and Supervision

SP-36: Sexual Relationships with Students or Supervisees. Counselors must not engage in sexual relationships with their students and supervisees. (See F.1.c.)

SP-37: Credit for Contributions to Research. Counselors must give credit to students or supervisees for their contributions to research and scholarly projects. (See F.1.d.)

SP-38: Supervision Preparation. Counselors who offer clinical supervision services must be trained and prepared in supervision methods and techniques. (See F.1.f.)

SP-39: Evaluation Information. Counselors must clearly state to students and supervisees, in advance of training, the levels of competency expected, appraisal methods, and timing of evaluations. Counselors must provide students and supervisees with periodic performance appraisal and evaluation feedback throughout the training program. (See F.2.c.)

SP-40: Peer Relationships in Training. Counselors must make every effort to ensure that the rights of peers are not violated when students and supervisees are assigned to lead counseling groups or provide clinical supervision. (See F.2.e.)

SP-41: Limitations of Students and Supervisees. Counselors must assist students and supervisees in securing remedial assistance, when needed, and must dismiss from the training program students and supervisees who are unable to provide competent service due to academic or personal limitations. (See F.3.a.)

SP-42: Self-Growth Experiences. Counselors who conduct experiences for students or supervisees that include self-growth or self-disclosure must inform participants of counselors' ethical obligations to the profession and must not grade participants based on their nonacademic performance. (See F.3.b.)

SP-43: Standards for Students and Supervisees. Students and supervisees preparing to become counselors must adhere to the *Code of Ethics* and the *Standards of Practice* of counselors. (See F.3.e.)

Section G: Research and Publication

SP-44: Precautions to Avoid Injury in Research. Counselors must avoid causing physical, social, or psychological harm or injury to subjects in research. (See G.1.c.)

SP-45: Confidentiality of Research Information. Counselors must keep confidential information obtained about research participants. (See G.2.d.)

SP-46: Information Affecting Research Outcome. Counselors must report all variables and conditions known to the investigator that may have affected research data or outcomes. (See G.3.a.)

SP-47: Accurate Research Results. Counselors must not distort or misrepresent research data, nor fabricate or intentionally bias research results. (See G.3.b.)

SP-48: Publication Contributors. Counselors must give appropriate credit to those who have contributed to research. (See G.4.a. and G.4.b.)

Section H: Resolving Ethical Issues

SP-49: Ethical Behavior Expected. Counselors must take appropriate action when they possess reasonable cause that raises doubts as to whether counselors or other mental health professionals are acting in an ethical manner. (See H.2.a.)

SP-50: Unwarranted Complaints. Counselors must not initiate, participate in, or encourage the filing of ethics complaints that are unwarranted or intended to harm a mental health professional rather than to protect clients or the public. (See H.2.f.)

SP-51: Cooperation with Ethics Committees. Counselors must cooperate with investigations, proceedings, and requirements of the ACA Ethics Committee or ethics committees of other duly constituted associations or boards having jurisdiction over those charged with a violation. (See H.3.)

REFERENCES

The following documents are available to counselors as resources to guide them in their practices. These resources are not a part of the *Code of Ethics* and the *Standards of Practice*.

American Association for Counseling and Development/Association for Measurement and Evaluation in Counseling and Development. (1989). *The responsibilities of users of standardized tests (revised)*. Washington, DC: Author.

American Counseling Association. (1988) *American Counseling Association ethical standards*. Alexandria, VA: Author.

American Psychological Association. (1985). *Standards for educational and psychological testing (revised)*. Washington, DC: Author.

American Rehabilitation Counseling Association, Commission on Rehabilitation Counselor Certification, and National Rehabilitation Counseling Association. (1987). *Code of professional ethics for rehabilitation counselors*. Alexandria, VA: Author.

American School Counselor Association. (1992). *Ethical standards for school counselors*. Alexandria, VA: Author.

Joint Committee on Testing Practices. (1988). *Code of fair testing practices in education*. Washington, DC: Author.

National Board for Certified Counselors. (1989). *National Board for Certified Counselors code of ethics*. Alexandria, VA: Author.

Prediger, D. J. (Ed.). (1993, March). *Multicultural assessment standards*. Alexandria, VA: Association for Assessment in Counseling.

APPENDIX B

ETHICS NBCC: THE PRACTICE OF INTERNET COUNSELING

National Board for Certified Counselors, Inc.
and
Center for Credentialing and Education, Inc.
3 Terrace Way, Suite D
Greensboro, NC 27403

This document contains a statement of principles for guiding the evolving practice of Internet counseling. In order to provide a context for these principles, the following definition of Internet counseling, which is one element of technology-assisted distance counseling, is provided. The Internet counseling standards follow the definitions presented below.

A TAXONOMY FOR DEFINING FACE-TO-FACE AND TECHNOLOGY-ASSISTED DISTANCE COUNSELING

The delivery of technology-assisted distance counseling continues to grow and evolve. Technology assistance in the form of computer-assisted assessment, computer-assisted information systems, and telephone counseling has been available and widely used for some time. The rapid development and use of the Internet to deliver information and foster communication has resulted in the creation of new forms of counseling. Developments have occurred so rapidly that it is difficult to communicate a common understanding of these new forms of counseling practice.

The purpose of this document is to create standard definitions of technology-assisted distance counseling that can be easily updated in response to evolutions in technology and practice. A definition of traditional face-to-face counseling is also presented to show similarities and differences with respect to various applications of technology in counseling. A taxonomy of forms of counseling is also presented to further clarify how technology relates to counseling practice.

NATURE OF COUNSELING

Counseling is the application of mental health, psychological, or human development principles, through cognitive, affective, behavioral or systemic intervention strategies, that address wellness, personal growth, or career development, as well as pathology.

Depending on the needs of the client and the availability of services, counseling may range from a few brief interactions in a short period of time, to numerous interactions over an extended period of time. Brief interventions, such as classroom discussions, workshop presentations, or assistance in using assessment, information, or instructional resources, may be sufficient to meet individual needs. Or, these brief interventions may lead to longer-term counseling interventions for individuals with more substantial needs. Counseling may be delivered by a single counselor, two counselors working collaboratively, or a single counselor with brief assistance from another counselor who has specialized expertise that is needed by the client.

FORMS OF COUNSELING

Counseling can be delivered in a variety of forms that share the definition presented above. Forms of counseling differ with respect to participants, delivery location, communication medium, and interaction process. Counseling *participants* can be **individuals, couples,**

or groups. The *location* for counseling delivery can be **face-to-face or at a distance** with the assistance of technology. The *communication medium* for counseling can be what is **read** from text, what is **heard** from audio, or what is **seen** and **heard** in person or from video. The *interaction process* for counseling can be **synchronous** or **asynchronous.** Synchronous interaction occurs with little or no gap in time between the responses of the counselor and the client. Asynchronous interaction occurs with a gap in time between the responses of the counselor and the client.

The selection of a specific form of counseling is based on the needs and preferences of the client within the range of services available. Distance counseling supplements face-to-face counseling by providing increased access to counseling on the basis of **necessity** or **convenience.** Barriers, such as being a long distance from counseling services, geographic separation of a couple, or limited physical mobility as a result of having a disability, can make it **necessary** to provide counseling at a distance. Options, such as scheduling counseling sessions outside of traditional service delivery hours or delivering counseling services at a place of residence or employment, can make it more **convenient** to provide counseling at a distance.

A Taxonomy of Forms of Counseling Practice. Table 1 presents a taxonomy of currently available forms of counseling practice. This schema is intended to show the relationships among counseling forms.

DEFINITIONS

Counseling is the application of mental health, psychological, or human development principles, through cognitive, affective, behavioral, or systemic intervention strategies, that address wellness, personal growth, or career development, as well as pathology.

Face-to-face counseling for individuals, couples, and groups involves synchronous interaction between and among counselors and clients using what is seen and heard in person to communicate.

Technology-assisted distance counseling for individuals, couples, and groups involves the use of the telephone or the computer to enable counselors and clients to communicate at a distance when circumstances make this approach necessary or convenient.

Telecounseling involves synchronous distance interaction among counselors and clients using one-to-one or conferencing features of the telephone to communicate.

Telephone-based individual counseling involves synchronous distance interaction between a coun-

Table 1   A Taxonomy of Face-to-Face and Technology-Assisted Distance Counseling

Counseling
- Face-to-Face Counseling
  - Individual Counseling
  - Couple Counseling
  - Group Counseling
- Technology-Assisted Distance Counseling
  - Telecounseling
    - Telephone-Based Individual Counseling
    - Telephone-Based Couple Counseling
    - Telephone-Based Group Counseling
  - Internet Counseling
    - E-Mail-Based Individual Counseling
    - Chat-Based Individual Counseling
    - Chat-Based Couple Counseling
    - Chat-Based Group Counseling
    - Video-Based Individual Counseling
    - Video-Based Couple Counseling
    - Video-Based Group Counseling

selor and a client using what is heard via audio to communicate.

Telephone-based couple counseling involves synchronous distance interaction among a counselor or counselors and a couple using what is heard via audio to communicate.

Telephone-based group counseling involves synchronous distance interaction among counselors and clients using what is heard via audio to communicate.

Internet counseling involves asynchronous and synchronous distance interaction among counselors and clients using e-mail, chat, and videoconferencing features of the Internet to communicate.

E-mail-based individual Internet counseling involves asynchronous distance interaction between counselor and client using what is read via text to communicate.

Chat-based individual Internet counseling involves synchronous distance interaction between counselor and client using what is read via text to communicate.

Chat-based couple Internet counseling involves synchronous distance interaction among a counselor or counselors and a couple using what is read via text to communicate.

Chat-based group Internet counseling involves synchronous distance interaction among counselors and clients using what is read via text to communicate.

Video-based individual Internet counseling involves synchronous distance interaction between counselor and client using what is seen and heard via video to communicate.

Video-based couple Internet counseling involves synchronous distance interaction among a counselor or counselors and a couple using what is seen and heard via video to communicate.

Video-based group Internet counseling involves synchronous distance interaction among counselors and clients using what is seen and heard via video to communicate.

STANDARDS FOR THE ETHICAL PRACTICE OF INTERNET COUNSELING

These standards govern the practice of Internet counseling and are intended for use by counselors, clients, the public, counselor educators, and organizations that examine and deliver Internet counseling. These standards are intended to address *practices* that are unique to Internet counseling and Internet counselors and do not duplicate principles found in traditional codes of ethics.

These Internet counseling standards of practice are based upon the principles of ethical practice embodied in the NBCC *Code of Ethics.* Therefore, these standards should be used in conjunction with the most recent version of the NBCC ethical code. Related content in the NBCC Code are indicated in parentheses after each standard.

Recognizing that significant new technology emerges continuously, these standards should be reviewed frequently. It is also recognized that Internet counseling ethics cases should be reviewed in light of delivery systems existing at the moment rather than at the time the standards were adopted.

In addition to following the NBCC® *Code of Ethics* pertaining to the practice of professional counseling, Internet counselors shall observe the following standards of practice:

INTERNET COUNSELING RELATIONSHIP

1. In situations where it is difficult to verify the identity of the Internet client, steps are taken to address impostor concerns, such as by using code words or numbers. (Refer to B.8.)
2. Internet counselors determine if a client is a minor and therefore in need of parental/guardian consent. When parent/guardian consent is required to provide Internet counseling to minors, the identity of the consenting person is verified. (Refer to B.8.)

3. As part of the counseling orientation process, the Internet counselor explains to clients the procedures for contacting the Internet counselor when he or she is off-line and, in the case of asynchronous counseling, how often e-mail messages will be checked by the Internet counselor. (Refer to B.8.)
4. As part of the counseling orientation process, the Internet counselor explains to clients the possibility of technology failure and discusses alternative modes of communication, if that failure occurs. (Refer to B.8.)
5. As part of the counseling orientation process, the Internet counselor explains to clients how to cope with potential misunderstandings when visual cues do not exist. (Refer to B.8.)
6. As a part of the counseling orientation process, the Internet counselor collaborates with the Internet client to identify an appropriately trained professional who can provide local assistance, including crisis intervention, if needed. The Internet counselor and Internet client should also collaborate to determine the local crisis hotline telephone number and the local emergency telephone number. (Refer to B.4.)
7. The Internet counselor has an obligation, when appropriate, to make clients aware of free public access points to the Internet within the community for accessing Internet counseling or Web-based assessment, information, and instructional resources. (Refer to B.1.)
8. Within the limits of readily available technology, Internet counselors have an obligation to make their Web site a barrier-free environment to clients with disabilities. (Refer to B.1.)
9. Internet counselors are aware that some clients may communicate in different languages, live in different time zones, and have unique cultural perspectives. Internet counselors are also aware that local conditions and events may impact the client. (Refer to A.12.)

CONFIDENTIALITY IN INTERNET COUNSELING

10. The Internet counselor informs Internet clients of encryption methods being used to help ensure the security of client/counselor/supervisor communications. (Refer to B.5.)

Encryption methods should be used whenever possible. If encryption is not made available to clients, clients must be informed of the potential hazards of unsecured communication on the Internet. Hazards may include unauthorized monitoring of transmissions and/or records of Internet counseling sessions.

11. The Internet counselor informs Internet clients if, how, and how long session data are being preserved. (Refer to B.6.)

Session data may include Internet counselor/ Internet client e-mail, test results, audio/video session recordings, session notes, and counselor/ supervisor communications. The likelihood of electronic sessions being preserved is greater because of the ease and decreased costs involved in recording. Thus, its potential use in supervision, research, and legal proceedings increases.

12. Internet counselors follow appropriate procedures regarding the release of information for sharing Internet client information with other electronic sources. (Refer to B.5.)

Because of the relative ease with which e-mail messages can be forwarded to formal and casual referral sources, Internet counselors must work to ensure the confidentiality of the Internet counseling relationship.

LEGAL CONSIDERATIONS, LICENSURE, AND CERTIFICATION

13. Internet counselors review pertinent legal and ethical codes for guidance on the practice of Internet counseling and supervision. (Refer to A.13.)

Local, state, provincial, and national statutes as well as codes of professional membership organizations, professional certifying bodies, and state or provincial licensing boards need to be reviewed. Also, as varying state rules and opinions exist on questions pertaining to whether Internet counseling takes place in the Internet counselor's location or the Internet client's location, it is important to review codes in the counselor's home jurisdiction as well as the client's. Internet counselors also consider carefully local customs regarding age of consent and child abuse reporting, and liability insurance policies need to be reviewed to determine if the practice of Internet counseling is a covered activity.

14. The Internet counselor's Web site provides links to Web sites of all appropriate certification bodies and licensure boards to facilitate consumer protection. (Refer to B.1.)

Adopted November 3, 2001

Source: Reprinted with permission of NBCC.

APPENDIX C

DSM-IV-TR CLASSIFICATION

NOS = Not Otherwise Specified.

An *x* appearing in a diagnostic code indicates that a specific code number is required.
An ellipsis (…) is used in the names of certain disorders to indicate that the name of a specific mental disorder or general medical condition should be inserted when recording the name (e.g., 293.0 Delirium Due to Hypothyroidism).

Numbers in parentheses are page numbers.

If criteria are currently met, one of the following severity specifiers may be noted after the diagnosis:

Mild
Moderate
Severe

If criteria are no longer met, one of the following specifiers may be noted:

In Partial Remission
In Full Remission
Prior History

Source: *Diagnostic and Statistical Manual of Mental Disorders* (4th ed.). © American Psychiatric Association, 1994. Reprinted with permission.

DISORDERS USUALLY FIRST DIAGNOSED IN INFANCY, CHILDHOOD, OR ADOLESCENCE (39)

Mental Retardation (41)

Note: These are coded on Axis II.

317	Mild Mental Retardation (43)
318.0	Moderate Mental Retardation (43)
318.1	Severe Mental Retardation (43)
318.2	Profound Mental Retardation (44)
319	Mental Retardation, Severity Unspecified (44)

Learning Disorders (49)

315.00	Reading Disorder (51)
315.1	Mathematics Disorder (53)
315.2	Disorder of Written Expression (54)
315.9	Learning Disorder NOS (56)

Motor Skills Disorder (56)

315.4	Developmental Coordination Disorder (56)

Communication Disorders (58)

315.31	Expressive Language Disorder (58)
315.32	Mixed Receptive-Expressive Language Disorder (62)
315.39	Phonological Disorder (65)
307.0	Stuttering (67)
307.9	Communication Disorder NOS (69)

Pervasive Developmental Disorders (69)

299.00	Autistic Disorder (70)
299.80	Rett's Disorder (76)
299.10	Childhood Disintegrative Disorder (77)
299.80	Asperger's Disorder (80)
299.80	Pervasive Developmental Disorder NOS (84)

Attention-Deficit and Disruptive Behavior Disorders (85)

314.xx	Attention-Deficit/Hyperactivity Disorder (85)
.01	Combined Type
.00	Predominantly Inattentive Type
.01	Predominantly Hyperactive-Impulsive Type
314.9	Attention-Deficit/Hyperactivity Disorder NOS (93)
312.xx	Conduct Disorder (93)
.81	Childhood-Onset Type
.82	Adolescent-Onset Type
.89	Unspecified Onset
313.81	Oppositional Defiant Disorder (100)
312.9	Disruptive Behavior Disorder NOS (103)

Feeding and Eating Disorders of Infancy or Early Childhood (103)

307.52	Pica (103)
307.53	Rumination Disorder (105)
307.59	Feeding Disorder of Infancy or Early Childhood (107)

Tic Disorders (108)

307.23	Tourette's Disorder (111)
307.22	Chronic Motor or Vocal Tic Disorder (114)
307.21	Transient Tic Disorder (115)
	Specify if: Single Episode/Recurrent
307.20	Tic Disorder NOS (116)

Elimination Disorders (116)

——.—	Encopresis (116)
787.6	With Constipation and Overflow Incontinence
307.7	Without Constipation and Overflow Incontinence
307.6	Enuresis (Not Due to a General Medical Condition) (118)
	Specify type: Nocturnal Only/Diurnal Only/Nocturnal and Diurnal

Other Disorders of Infancy, Childhood, or Adolescence (121)

309.21	Separation Anxiety Disorder (121)
	Specify if: Early Onset
313.23	Selective Mutism (125)
313.89	Reactive Attachment Disorder of Infancy or Early Childhood (127)
	Specify type: Inhibited Type/Disinhibited Type
307.3	Stereotypic Movement Disorder (131)
	Specify if: With Self-Injurious Behavior
313.9	Disorder of Infancy, Childhood, or Adolescence NOS (134)

DELIRIUM, DEMENTIA, AND AMNESTIC AND OTHER COGNITIVE DISORDERS (135)

Delirium (136)

293.0	Delirium Due to . . . *[Indicate the General Medical Condition]* (141)
——.—	Substance Intoxication Delirium *(refer to Substance-Related Disorders for substance-specific codes)* (143)
——.—	Substance Withdrawal Delirium *(refer to Substance-Related Disorders for substance-specific codes)* (143)
——.—	Delirium Due to Multiple Etiologies *(code each of the specific etiologies)* (146)
——.—	Delirium NOS (147)

Dementia (147)

294.xx*	Dementia of the Alzheimer's Type, With Early Onset *(also code 331.0 Alzheimer's disease on Axis III)* (154)
.10	Without Behavioral Disturbance
.11	With Behavioral Disturbance
294.xx*	Dementia of the Alzheimer's Type, With Late Onset *(also code 331.0 Alzheimer's disease on Axis III)* (154)
.10	Without Behavioral Disturbance
.11	With Behavioral Disturbance
290.xx	Vascular Dementia (158)
.40	Uncomplicated
.41	With Delirium
.42	With Delusions
.43	With Depressed Mood
	Specify if: With Behavioral Disturbance

* ICD-9-CM code valid after October 1, 2000.

Code presence or absence of a behavioral disturbance in the fifth digit for Dementia Due to a General Medical Condition:

> 0 = Without Behavioral Disturbance
> 1 = With Behavioral Disturbance

294.1x*   Dementia Due to HIV Disease *(also code 042 HIV on Axis III)* (163)

294.1x*   Dementia Due to Head Trauma *(also code 854.00 head injury on Axis III)* (164)

294.1x*   Dementia Due to Parkinson's Disease *(also code 332.0 Parkinson's disease on Axis III)* (164)

294.1x*   Dementia Due to Huntington's Disease *(also code 333.4 Huntington's disease on Axis III)* (165)

294.1x*   Dementia Due to Pick's Disease *(also code 331.1 Pick's disease on Axis III)* (165)

294.1x*   Dementia Due to Creutzfeldt-Jakob Disease *(also code 046.1 Creutzfeldt-Jakob disease on Axis III)* (166)

294.1x*   Dementia Due to . . . *[Indicate the General Medical Condition not listed above] (also code the general medical condition on Axis III)* (167)

——.–   Substance-Induced Persisting Dementia *(refer to Substance-Related Disorders for substance-specific codes)* (168)

——.–   Dementia Due to Multiple Etiologies *(code each of the specific etiologies)* (170)

294.8   Dementia NOS (171)

Amnestic Disorders (172)

294.0   Amnestic Disorder Due to . . . *[Indicate the General Medical Condition]* (175)
        Specify if: Transient/Chronic

——.–   Substance-Induced Persisting Amnestic Disorder *(refer to Substance-Related Disorders for substance-specific codes)* (177)

294.8   Amnestic Disorder NOS (179)

Other Cognitive Disorders (179)

294.9   Cognitive Disorder NOS (179)

* ICD-9-CM code valid after October 1, 2000.

MENTAL DISORDERS DUE TO A GENERAL MEDICAL CONDITION NOT ELSEWHERE CLASSIFIED (181)

293.89   Catatonic Disorder Due to . . . *[Indicate the General Medical Condition]* (185)

310.1   Personality Change Due to . . . *[Indicate the General Medical Condition]* (187)
        Specify type: Labile Type/Disinhibited Type/Aggressive Type/Apathetic Type/Paranoid Type/Other Type/Combined Type/Unspecified Type

293.9   Mental Disorder NOS Due to . . . *[Indicate the General Medical Condition]* (190)

SUBSTANCE-RELATED DISORDERS (191)

The following specifiers apply to Substance Dependence as noted:

> [a]With Physiological Dependence/Without Physiological Dependence
> [b]Early Full Remission/Early Partial Remission/Sustained Full Remission/Sustained Partial Remission
> [c]In a Controlled Environment
> [d]On Agonist Therapy

The following specifiers apply to Substance-Induced Disorders as noted:

> [I]With Onset During Intoxication/[W]With Onset During Withdrawal

Alcohol-Related Disorders (212)

Alcohol Use Disorders (213)

303.90   Alcohol Dependence[a,b,c] (213)
305.00   Alcohol Abuse (214)

Alcohol-Induced Disorders (214)

303.00   Alcohol Intoxication (214)
291.81   Alcohol Withdrawal (215)
         Specify if: With Perceptual Disturbances
291.0   Alcohol Intoxication Delirium (143)
291.0   Alcohol Withdrawal Delirium (143)
291.2   Alcohol-Induced Persisting Dementia (168)
291.1   Alcohol-Induced Persisting Amnestic Disorder (177)
291.x   Alcohol-Induced Psychotic Disorder (338)
  .5   With Delusions[I,W]
  .3   With Hallucinations[I,W]
291.89   Alcohol-Induced Mood Disorder[I,W] (405)
291.89   Alcohol-Induced Anxiety Disorder[I,W] (479)

291.89	Alcohol-Induced Sexual Dysfunction[I] (562)
291.89	Alcohol-Induced Sleep Disorder[I,W] (655)
291.9	Alcohol-Related Disorder NOS (223)

Amphetamine-(or Amphetamine-Like) Related Disorders (223)

Amphetamine Use Disorders (224)

304.40	Amphetamine Dependence[a,b,c] (224)
305.70	Amphetamine Abuse (225)

Amphetamine-Induced Disorders (226)

292.89	Amphetamine Intoxication (226)
	Specify if: With Perceptual Disturbances
292.0	Amphetamine Withdrawal (227)
292.81	Amphetamine Intoxication Delirium (143)
292.xx	Amphetamine-Induced Psychotic Disorder (338)
.11	With Delusions[I]
.12	With Hallucinations[I]
292.84	Amphetamine-Induced Mood Disorder[I,W] (405)
292.89	Amphetamine-Induced Anxiety Disorder[I] (479)
292.89	Amphetamine-Induced Sexual Dysfunction[I] (562)
292.89	Amphetamine-Induced Sleep Disorder[I,W] (655)
292.9	Amphetamine-Related Disorder NOS (231)

Caffeine-Related Disorders (231)

Caffeine-Induced Disorders (232)

305.90	Caffeine Intoxication (232)
292.89	Caffeine-Induced Anxiety Disorder[I] (479)
292.89	Caffeine-Induced Sleep Disorder[I] (655)
292.9	Caffeine-Related Disorder NOS (234)

Cannabis-Related Disorders (234)

Cannabis Use Disorders (236)

304.30	Cannabis Dependence[a,b,c] (236)
305.20	Cannabis Abuse (236)

Cannabis-Induced Disorders (237)

292.89	Cannabis Intoxication (237)
	Specify if: With Perceptual Disturbances
292.81	Cannabis Intoxication Delirium (143)
292.xx	Cannabis-Induced Psychotic Disorder (338)
.11	With Delusions[I]
.12	With Hallucinations[I]

292.89	Cannabis-Induced Anxiety Disorder[I] (479)
292.9	Cannabis-Related Disorder NOS (241)

Cocaine-Related Disorders (241)

Cocaine Use Disorders (242)

304.20	Cocaine Dependence[a,b,c] (242)
305.60	Cocaine Abuse (243)

Cocaine-Induced Disorders (244)

292.89	Cocaine Intoxication (244)
	Specify if: With Perceptual Disturbances
292.0	Cocaine Withdrawal (245)
292.81	Cocaine Intoxication Delirium (143)
292.xx	Cocaine-Induced Psychotic Disorder (338)
.11	With Delusions[I]
.12	With Hallucinations[I]
292.84	Cocaine-Induced Mood Disorder[I,W] (405)
292.89	Cocaine-Induced Anxiety Disorder[I,W] (479)
292.89	Cocaine-Induced Sexual Dysfunction[I] (562)
292.89	Cocaine-Induced Sleep Disorder[I,W] (655)
292.9	Cocaine-Related Disorder NOS (250)

Hallucinogen-Related Disorders (250)

Hallucinogen Use Disorders (251)

304.50	Hallucinogen Dependence[b,c] (251)
305.30	Hallucinogen Abuse (252)

Hallucinogen-Induced Disorders (252)

292.89	Hallucinogen Intoxication (252)
292.89	Hallucinogen Persisting Perception Disorder (Flashbacks) (253)
292.81	Hallucinogen Intoxication Delirium (143)
292.xx	Hallucinogen-Induced Psychotic Disorder (338)
.11	With Delusions[I]
.12	With Hallucinations[I]
292.84	Hallucinogen-Induced Mood Disorder[I] (405)
292.89	Hallucinogen-Induced Anxiety Disorder[I] (479)
292.9	Hallucinogen-Related Disorder NOS (256)

Inhalant-Related Disorders (257)

Inhalant Use Disorders (258)

304.60	Inhalant Dependence[b,c] (258)
305.90	Inhalant Abuse (259)

Inhalant-Induced Disorders (259)

292.89	Inhalant Intoxication (259)
292.81	Inhalant Intoxication Delirium (143)
292.82	Inhalant-Induced Persisting Dementia (168)

292.xx   Inhalant-Induced Psychotic Disorder (338)
  .11   With Delusions[I]
  .12   With Hallucinations[I]
292.84   Inhalant-Induced Mood Disorder[I] (405)
292.89   Inhalant-Induced Anxiety Disorder[I] (479)
292.9   Inhalant-Related Disorder NOS (263)

Nicotine-Related Disorders (264)
Nicotine Use Disorder (264)
305.1   Nicotine Dependence[a,b] (264)

Nicotine-Induced Disorder (265)
292.0   Nicotine Withdrawal (265)
292.9   Nicotine-Related Disorder NOS (269)

Opioid-Related Disorders (269)
Opioid Use Disorders (270)
304.00   Opioid Dependence[a,b,c,d] (270)
305.50   Opioid Abuse (271)

Opioid-Induced Disorders (271)
292.89   Opioid Intoxication (271)
         Specify if: With Perceptual Disturbances
292.0   Opioid Withdrawal (272)
292.81   Opioid Intoxication Delirium (143)
292.xx   Opioid-Induced Psychotic Disorder (338)
  .11   With Delusions[I]
  .12   With Hallucinations[I]
292.84   Opioid-Induced Mood Disorder[I] (405)
292.89   Opioid-Induced Sexual Dysfunction[I] (562)
292.89   Opioid-Induced Sleep Disorder[I,W] (655)
292.9   Opioid-Related Disorder NOS (277)

Phencyclidine-(or Phencyclidine-Like) Related Disorders (278)
Phencyclidine Use Disorders (279)
304.60   Phencyclidine Dependence[b,c] (279)
305.90   Phencyclidine Abuse (279)

Phencyclidine-Induced Disorders (280)
292.89   Phencyclidine Intoxication (280)
         Specify if: With Perceptual Disturbances
292.81   Phencyclidine Intoxication Delirium (143)
292.xx   Phencyclidine-Induced Psychotic Disorder (338)
  .11   With Delusions[I]
  .12   With Hallucinations[I]
292.84   Phencyclidine-Induced Mood Disorder[I] (405)
292.89   Phencyclidine-Induced Anxiety Disorder[I] (479)
292.9   Phencyclidine-Related Disorder NOS (283)

Sedative-, Hypnotic-, or Anxiolytic-Related Disorders (284)
Sedative, Hypnotic, or Anxiolytic Use Disorders (285)
304.10   Sedative, Hypnotic, or Anxiolytic Dependence[a,b,c] (285)
305.40   Sedative, Hypnotic, or Anxiolytic Abuse (286)

Sedative-, Hypnotic-, or Anxiolytic-Induced Disorders (286)
292.89   Sedative, Hypnotic, or Anxiolytic Intoxication (286)
292.0   Sedative, Hypnotic, or Anxiolytic Withdrawal (287)
         Specify if: With Perceptual Disturbances
292.81   Sedative, Hypnotic, or Anxiolytic Intoxication Delirium (143)
292.81   Sedative, Hypnotic, or Anxiolytic Withdrawal Delirium (143)
292.82   Sedative-, Hypnotic-, or Anxiolytic-Induced Persisting Dementia (168)
292.83   Sedative-, Hypnotic-, or Anxiolytic-Induced Persisting Amnestic Disorder (177)
292.xx   Sedative-, Hypnotic-, or Anxiolytic-Induced Psychotic Disorder (338)
  .11   With Delusions[I,W]
  .12   With Hallucinations[I,W]
292.84   Sedative-, Hypnotic-, or Anxiolytic-Induced Mood Disorder[I,W] (405)
292.89   Sedative-, Hypnotic-, or Anxiolytic-Induced Anxiety Disorder[W] (479)
292.89   Sedative-, Hypnotic-, or Anxiolytic-Induced Sexual Dysfunction[I] (562)
292.89   Sedative-, Hypnotic-, or Anxiolytic-Induced Sleep Disorder[I,W] (655)
292.9   Sedative-, Hypnotic-, or Anxiolytic-Related Disorder NOS (293)

Polysubstance-Related Disorder (293)
304.80   Polysubstance Dependence[a,b,c,d] (293)

Other (or Unknown) Substance-Related Disorders (294)
Other (or Unknown) Substance Use Disorders (295)
304.90   Other (or Unknown) Substance Dependence[a,b,c,d] (192)
305.90   Other (or Unknown) Substance Abuse (198)

Other (or Unknown) Substance-Induced Disorders (295)

292.89   Other (or Unknown) Substance Intoxication (199)
         Specify if: With Perceptual Disturbances
292.0   Other (or Unknown) Substance Withdrawal (201)
         Specify if: With Perceptual Disturbances
292.81   Other (or Unknown) Substance-Induced Delirium (143)
292.82   Other (or Unknown) Substance-Induced Persisting Dementia (168)
292.83   Other (or Unknown) Substance-Induced Persisting Amnestic Disorder (177)
292.xx   Other (or Unknown) Substance-Induced Psychotic Disorder (338)
   .11   With Delusions[I,W]
   .12   With Hallucinations[I,W]
292.84   Other (or Unknown) Substance-Induced Mood Disorder[I,W] (405)
292.89   Other (or Unknown) Substance-Induced Anxiety Disorder[I,W] (479)
292.89   Other (or Unknown) Substance-Induced Sexual Dysfunction[I] (562)
292.89   Other (or Unknown) Substance-Induced Sleep Disorder[I,W] (655)
292.9   Other (or Unknown) Substance-Related Disorder NOS (295)

SCHIZOPHRENIA AND OTHER PSYCHOTIC DISORDERS (297)

295.xx   Schizophrenia (298)

The following Classification of Longitudinal Course applies to all subtypes of Schizophrenia:

Episodic With Interepisode Residual Symptoms (*specify if:* With Prominent Negative Symptoms)/Episodic With No Interepisode Residual Symptoms
Continuous (*specify if:* With Prominent Negative Symptoms)
Single Episode In Partial Remission (*specify if:* With Prominent Negative Symptoms)/Single Episode In Full Remission
Other or Unspecified Pattern

   .30   Paranoid Type (313)
   .10   Disorganized Type (314)
   .20   Catatonic Type (315)
   .90   Undifferentiated Type (316)

   .60   Residual Type (316)
295.40   Schizophreniform Disorder (317)
         Specify if: Without Good Prognostic Features/With Good Prognostic Features
295.70   Schizoaffective Disorder (319)
         Specify type: Bipolar Type/Depressive Type
297.1   Delusional Disorder (323)
         Specify type: Erotomanic Type/Grandiose Type/Jealous Type/Persecutory Type/Somatic Type/Mixed Type/Unspecified Type
298.8   Brief Psychotic Disorder (329)
         Specify if: With Marked Stressor(s)/Without Marked Stressor(s)/With Postpartum Onset
297.3   Shared Psychotic Disorder (332)
293.xx   Psychotic Disorder Due to el; *[Indicate the General Medical Condition]* (334)
   .81   With Delusions
   .82   With Hallucinations
——.–   Substance-Induced Psychotic Disorder *(refer to Substance-Related Disorders for substance-specific codes)* (338)
         Specify if: With Onset During Intoxication/With Onset During Withdrawal
298.9   Psychotic Disorder NOS (343)

MOOD DISORDERS (345)

Code current state of Major Depressive Disorder or Bipolar I Disorder in fifth digit:

1 = Mild
2 = Moderate
3 = Severe Without Psychotic Features
4 = Severe With Psychotic Features
   Specify: Mood-Congruent Psychotic Features/Mood-Incongruent Psychotic Features
5 = In Partial Remission
6 = In Full Remission
0 = Unspecified

The following specifiers apply (for current or most recent episode) to Mood Disorders as noted:

[a]Severity/Psychotic/Remission Specifiers/[b]Chronic/[c]With Catatonic Features/[d]With Melancholic Features/[e]With Atypical Features/[f]With Postpartum Onset

The following specifiers apply to Mood Disorders as noted:

[g]With or Without Full Interepisode Recovery/[h]With Seasonal Pattern/[i]With Rapid Cycling

Depressive Disorders (369)

296.xx   Major Depressive Disorder (369)
.2x   Single Episode[a,b,c,d,e,f]
.3x   Recurrent[a,b,c,d,e,f,g,h]
300.4   Dysthymic Disorder (376)
          Specify if: Early Onset/Late Onset
          Specify: With Atypical Features
311   Depressive Disorder NOS (381)

Bipolar Disorders (382)

296.xx   Bipolar I Disorder (382)
.0x   Single Manic Episode[a,c,f]
          Specify if: Mixed
.40   Most Recent Episode Hypomanic[g,h,i]
.4x   Most Recent Episode Manic[a,c,f,g,h,i]
.6x   Most Recent Episode Mixed[a,c,f,g,h,i]
.5x   Most Recent Episode Depressed[a,b,c,d,e,f,g,h,i]
.7   Most Recent Episode Unspecified[g,h,i]
296.89   Bipolar II Disorder[a,b,c,d,e,f,g,h,i] (392)
          Specify (current or most recent episode):
          Hypomanic/Depressed
301.13   Cyclothymic Disorder (398)
296.80   Bipolar Disorder NOS (400)
293.83   Mood Disorder Due to . . . *[Indicate the*
          General Medical Condition] (401)
          Specify type: With Depressive Features/With
          Major Depressive-Like Episode/With Manic
          Features/With Mixed Features
——.—   Substance-Induced Mood Disorder *(refer to*
          Substance-Related Disorders for substance-
          specific codes) (405)
          Specify type: With Depressive Features/With
          Manic Features/With Mixed Features
          Specify if: With Onset During
          Intoxication/With Onset During Withdrawal
296.90   Mood Disorder NOS (410)

ANXIETY DISORDERS (429)

300.01   Panic Disorder Without Agoraphobia (433)
300.21   Panic Disorder With Agoraphobia (433)
300.22   Agoraphobia Without History of Panic
          Disorder (441)
300.29   Specific Phobia (443)
          Specify type: Animal Type/Natural
          Environment Type/Blood-Injection-Injury
          Type/Situational Type/Other Type
300.23   Social Phobia (450)
          Specify if: Generalized
300.3   Obsessive-Compulsive Disorder (456)
          Specify if: With Poor Insight

309.81   Posttraumatic Stress Disorder (463)
          Specify if: Acute/Chronic
          Specify if: With Delayed Onset
308.3   Acute Stress Disorder (469)
300.02   Generalized Anxiety Disorder (472)
293.84   Anxiety Disorder Due to . . . *[Indicate the*
          General Medical Condition] (476)
          Specify if: With Generalized Anxiety/With
          Panic Attacks/With Obsessive-Compulsive
          Symptoms
——.—   Substance-Induced Anxiety Disorder *(refer*
          to Substance-Related Disorders for
          substance-specific codes) (479)
          Specify if: With Generalized Anxiety/With
          Panic Attacks/With Obsessive-Compulsive
          Symptoms/With Phobic Symptoms
          Specify if: With Onset During
          Intoxication/With Onset During
          Withdrawal
300.00   Anxiety Disorder NOS (484)

SOMATOFORM DISORDERS (485)

300.81   Somatization Disorder (486)
300.82   Undifferentiated Somatoform
          Disorder (490)
300.11   Conversion Disorder (492)
          Specify type: With Motor Symptom or
          Deficit/With Sensory Symptom or
          Deficit/With Seizures or Convulsions/With
          Mixed Presentation
307.xx   Pain Disorder (498)
.80   Associated With Psychological Factors
.89   Associated With Both Psychological
          Factors and a General Medical Condition
          Specify if: Acute/Chronic
300.7   Hypochondriasis (504)
          Specify if: With Poor Insight
300.7   Body Dysmorphic Disorder (507)
300.82   Somatoform Disorder NOS (511)

FACTITIOUS DISORDERS (513)

300.xx   Factitious Disorder (513)
.16   With Predominantly Psychological Signs
          and Symptoms
.19   With Predominantly Physical Signs and
          Symptoms
.19   With Combined Psychological and
          Physical Signs and Symptoms
300.19   Factitious Disorder NOS (517)

SLEEP DISORDERS (597)
Primary Sleep Disorders (598)
Dyssomnias (598)

307.42	Primary Insomnia (599)
307.44	Primary Hypersomnia (604)
	Specify if: Recurrent
347	Narcolepsy (609)
780.59	Breathing-Related Sleep Disorder (615)
307.45	Circadian Rhythm Sleep Disorder (622)
	Specify type: Delayed Sleep Phase Type/Jet Lag Type/Shift Work Type/Unspecified Type
307.47	Dyssomnia NOS (629)

Parasomnias (630)

307.47	Nightmare Disorder (631)
307.46	Sleep Terror Disorder (634)
307.46	Sleepwalking Disorder (639)
307.47	Parasomnia NOS (644)

Sleep Disorders Related to Another Mental Disorder (645)

307.42	Insomnia Related to . . . *[Indicate the Axis I or Axis II Disorder]* (645)
307.44	Hypersomnia Related to . . . *[Indicate the Axis I or Axis II Disorder]* (645)

Other Sleep Disorders (651)

780.xx	Sleep Disorder Due to . . . *[Indicate the General Medical Condition]* (651)
.52	Insomnia Type
.54	Hypersomnia Type
.59	Parasomnia Type
.59	Mixed Type
——.–	Substance-Induced Sleep Disorder *(refer to Substance-Related Disorders for substance-specific codes)* (655)
	Specify type: Insomnia Type/Hypersomnia Type/Parasomnia Type/Mixed Type
	Specify if: With Onset During Intoxication/With Onset During Withdrawal

IMPULSE-CONTROL DISORDERS NOT ELSEWHERE CLASSIFIED (663)

312.34	Intermittent Explosive Disorder (663)
312.32	Kleptomania (667)
312.33	Pyromania (669)
312.31	Pathological Gambling (671)
312.39	Trichotillomania (674)
312.30	Impulse-Control Disorder NOS (677)

ADJUSTMENT DISORDERS (679)

309.xx	Adjustment Disorder (679)
.0	With Depressed Mood
.24	With Anxiety
.28	With Mixed Anxiety and Depressed Mood
.3	With Disturbance of Conduct
.4	With Mixed Disturbance of Emotions and Conduct
.9	Unspecified
	Specify if: Acute/Chronic

PERSONALITY DISORDERS (685)

Note: These are coded on Axis II.

301.0	Paranoid Personality Disorder (690)
301.20	Schizoid Personality Disorder (694)
301.22	Schizotypal Personality Disorder (697)
301.7	Antisocial Personality Disorder (701)
301.83	Borderline Personality Disorder (706)
301.50	Histrionic Personality Disorder (711)
301.81	Narcissistic Personality Disorder (714)
301.82	Avoidant Personality Disorder (718)
301.6	Dependent Personality Disorder (721)
301.4	Obsessive-Compulsive Personality Disorder (725)
301.9	Personality Disorder NOS (729)

OTHER CONDITIONS THAT MAY BE A FOCUS OF CLINICAL ATTENTION (731)
Psychological Factors Affecting Medical Condition (731)

316	. . . *[Specified Psychological Factor] Affecting . . . [Indicate the General Medical Condition]* (731) *Choose name based on nature of factors:* Mental Disorder Affecting Medical Condition Psychological Symptoms Affecting Medical Condition Personality Traits or Coping Style Affecting Medical Condition Maladaptive Health Behaviors Affecting Medical Condition Stress-Related Physiological Response Affecting Medical Condition

Other or Unspecified Psychological Factors Affecting Medical Condition

Medication-Induced Movement Disorders (734)

332.1	Neuroleptic-Induced Parkinsonism (735)
333.92	Neuroleptic Malignant Syndrome (735)
333.7	Neuroleptic-Induced Acute Dystonia (735)
333.99	Neuroleptic-Induced Acute Akathisia (735)
333.82	Neuroleptic-Induced Tardive Dyskinesia (736)
333.1	Medication-Induced Postural Tremor (736)
333.90	Medication-Induced Movement Disorder NOS (736)

Other Medication-Induced Disorder (736)

995.2	Adverse Effects of Medication NOS (736)

Relational Problems (736)

V61.9	Relational Problem Related to a Mental Disorder or General Medical Condition (737)
V61.20	Parent-Child Relational Problem (737)
V61.10	Partner Relational Problem (737)
V61.8	Sibling Relational Problem (737)
V62.81	Relational Problem NOS (737)

Problems Related to Abuse or Neglect (738)

V61.21	Physical Abuse of Child (738) *(code 995.54 if focus of attention is on victim)*
V61.21	Sexual Abuse of Child (738) *(code 995.53 if focus of attention is on victim)*
V61.21	Neglect of Child (738) *(code 995.52 if focus of attention is on victim)*
—.—	Physical Abuse of Adult (738)
V61.12	(if by partner)
V62.83	(if by person other than partner) *(code 995.81 if focus of attention is on victim)*
—.—	Sexual Abuse of Adult (738)
V61.12	(if by partner)
V62.83	(if by person other than partner) *(code 995.83 if focus of attention is on victim)*

Additional Conditions That May Be a Focus of Clinical Attention (739)

V15.81	Noncompliance With Treatment (739)
V65.2	Malingering (739)
V71.01	Adult Antisocial Behavior (740)
V71.02	Child or Adolescent Antisocial Behavior (740)
V62.89	Borderline Intellectual Functioning (740)

Note: This is coded on Axis II.

780.9	Age-Related Cognitive Decline (740)
V62.82	Bereavement (740)
V62.3	Academic Problem (741)
V62.2	Occupational Problem (741)
313.82	Identity Problem (741)
V62.89	Religious or Spiritual Problem (741)
V62.4	Acculturation Problem (741)
V62.89	Phase of Life Problem (742)

ADDITIONAL CODES (743)

300.9	Unspecified Mental Disorder (nonpsychotic) (743)
V71.09	No Diagnosis or Condition on Axis I (743)
799.9	Diagnosis or Condition Deferred on Axis I (743)
V71.09	No Diagnosis on Axis II (743)
799.9	Diagnosis Deferred on Axis II (743)

MULTIAXIAL SYSTEM

Axis I	Clinical Disorders Other Conditions That May Be a Focus of Clinical Attention
Axis II	Personality Disorders Mental Retardation
Axis III	General Medical Conditions
Axis IV	Psychosocial and Environmental Problems
Axis V	Global Assessment of Functioning

APPENDIX D

COUNSELING-RELATED ORGANIZATIONS

American Association for Marriage and Family
Therapy
www.AAMFT.org
112 South Alfred St.
Alexandria, VA 22314
(703) 838-9808

American Counseling Association
www.counseling.org
5999 Stevenson Avenue
Alexandria, VA 22304
(703) 823-9800

American Psychological Association
www.APA.org
Division 17/Counseling Psychology
750 First Street, N.E.
Washington, DC 20002-4242
(202) 336-5500

Chi Sigma Iota
www.csi-net.org
P.O. Box 35448
Greensboro, NC 27425-5448
(336) 841-8180

Council for Accreditation of Counseling and Related
Educational Programs (CACREP)
www.counseling.org/CACREP/main.htm
5999 Stevenson Avenue
Alexandria, VA 22304-3302
(800) 347-5547, ext. 301

ERIC/CASS
www.uncg.edu/~ericcas2/
www.ericcass.uncg.edu
201 Ferguson Building
P.O. Box 26171
University of North Carolina–Greensboro
Greensboro, NC 27402-6171
(336) 334-4114

National Board for Certified Counselors, Inc.
www.nbcc.org
3 Terrace Way, Suite D
Greensboro, NC 27403-3660
(336) 547-0607

NAME INDEX

SUBJECT INDEX